BACHIANA ET ALIA MUSICOLOGICA
FESTSCHRIFT ALFRED DÜRR

BACHIANA ET ALIA MUSICOLOGICA

Festschrift Alfred Dürr
zum 65. Geburtstag am 3. März 1983

Herausgegeben von
Wolfgang Rehm

Bärenreiter Kassel·Basel·London·New York 1983

Redaktionsschluß: 1. August 1982

Gedruckt mit Unterstützung von William H. Scheide, Princeton
sowie der Landgraf-Moritz-Stiftung Kassel

CIP-Kurztitelaufnahme der Deutschen Bibliothek

Bachiana et alia musicologica : Festschr.
Alfred Dürr zum 65. Geburtstag am 3. März 1983 /
hrsg. von Wolfgang Rehm. – Kassel; Basel;
London; New York : Bärenreiter, 1983.
    ISBN 3-7618-0683-3
NE: Rehm, Wolfgang [Hrsg.]; Dürr, Alfred:
Festschrift

Library of Congress Card Number 83-70291

ISBN 3-7618-0683-3
© Bärenreiter Kassel 1983

Inhalt

Zum Geleit

Moderne Wissenschaft ist durch zwei nicht rücknehmbare Tatsachen charakterisiert: Ausbreitung und Institutionalisierung. Das erste bringt die Rede von der „nicht mehr übersehbaren" Fachliteratur hervor, das zweite ermöglicht und erzwingt einen rationell organisierten und rechtlich verfestigten „Wissenschaftsbetrieb" – und sei es nur, um über die notwendigen Zuwendungen der öffentlichen Hand an kostenintensiven Unternehmungen wie die „Neue Bach-Ausgabe" die schuldige Rechenschaft geben zu können. Freiheit in diesen Zwängen ist gegeben durch die der Sache konsequent zugewandte wissenschaftliche Persönlichkeit. Den 65jährigen Alfred Dürr und dessen so erfolgreiche lebenslange Hingabe an die „Sache" Johann Sebastian Bach dankbar zu ehren, ist eine Festschrift mit Beiträgen der Gleichgesinnten die gegebene Form. Die „Festschrift" als Gattung findet so manche Kritik – eine solche ist aber gerade dort berechtigt, wo die Festgabe sich hinter sinnigen Titeln – „Staat und Persönlichkeit" und dergleichen – versteckt, statt – im Sinne der französischen Mélanges – sich offen zu dem einigenden Gesichtspunkt, hier also zu dem alten „Ad multos annos" an Alfred Dürr zu bekennen. So mag denn auch das barock-schlanke Latein „Bachiana et alia Musicologica" dem jugendfrisch tätigen Jubilar ein Vergnügen und der Festgabe eine erlaubte Zierde sein.

Für den Verein „Johann-Sebastian-Bach-Institut e.V."

Hermann Heimpel

Alfred Dürr zum 3. März 1983

Diese Festgabe überreichen ihre Autoren und ihr Herausgeber dem Bach-Forscher Alfred Dürr zu seinem 65. Geburtstag am 3. März 1983 – sie überreichen sie ihm mit Dank und Bewunderung für eine ebenso einmalige wie erfolgreiche Gelehrtentätigkeit. Alfred Dürr hat die Bachforschung in der zweiten Hälfte unseres Jahrhunderts ohne großes Aufsehen, aber darum umso nachhaltiger revolutioniert; er hat mit bewundernswertem und unermüdlichem Fleiß, den er verbinden konnte mit Ideenreichtum und einem ausgeprägten Sinn für Neuentdeckungen, e i n e Aufgabe in den Mittelpunkt seiner wissenschaftlichen Arbeit gestellt: die „Neue Bach-Ausgabe". Diese erste der neuen großen Gesamtausgaben unserer Tage ist im wesentlichen sein Werk; an ihrer Bedeutung für Wissenschaft und Praxis sowie an ihrem hohen Ansehen in der ganzen Welt hat er großen Anteil. Alfred Dürr hat mit seiner Redaktionstätigkeit und mit den von ihm selbst edierten Werken in der „Neuen Bach-Ausgabe" aber nicht nur dieser Ausgabe seinen unverwechselbaren Stempel aufgedrückt, sondern auch vielen der anderen, der „Neuen Bach-Ausgabe" folgenden Gesamtausgaben die Richtung gewiesen. Bei aller philologischer Akribie hat Alfred Dürr die Praktikabilität der „Neuen Bach-Ausgabe" zu keiner Zeit aus dem Auge verloren; er hat darüber hinaus Klavierauszüge mit Continuo-Aussetzungen (Orgelstimmen) erstellt, die sich – wie im Falle des „Weihnachts-Oratoriums" oder der „Matthäus-Passion" – in der Praxis längst durchgesetzt haben. Ein schöneres und sinnvolleres Zusammenwirken von Wissenschaft und Praxis läßt sich kaum vorstellen (zu nennen ist in diesem Zusammenhang auch Dürrs profunde, als Taschenbuch erschienene Einführung in Bachs Kantatenwerk) – Alfred Dürr darf auf diese seine Leistungen stolz sein!

Die Idee für diese Festschrift ist während der Mozartwoche 1980 in Salzburg geboren worden, genauer gesagt am 31. Januar im privaten Kreis von drei Kollegen Alfred Dürrs: Ludwig Finscher, dem jüngeren Studienkollegen aus Göttingen, Wolfgang Plath, der seinen wissenschaftlichen Weg mit Bach und mit der „Neuen Bach-Ausgabe" begonnen hat, und dem Herausgeber, Alfred Dürrs Verlagspartner für die „Neue Bach-Ausgabe" seit 1954 bis hin zum Beginn der 80er Jahre. Dieses Salzburger „Ad-hoc-Kollegium" war sich bei den Überlegungen, wie man Alfred Dürr zu seinem 65. Geburtstag wissenschaftlich ehren könnte, sehr rasch einig: Wenn auch die Flut der Festschriften in den letzten Jahren und Jahrzehnten das Besondere einer Festschrift zu entwerten droht, so konnte und durfte dieser Gesichtspunkt hier nicht zum Tragen kommen: Denn wenn ein so konsequentes Gelehrtenleben wie das Alfred Dürrs zu ehren ist, wie anders als durch eine ihm gewidmete Festgabe von Kollegen, die sich dem Jubilar verbunden fühlen, lange Zeit mit ihm zusammengearbeitet haben, viel von ihm lernen konnten? Aus dem „Salzburger Kollegium" ist Wolfgang Plath mit einem Beitrag in dieser Festschrift vertreten, Ludwig Finscher mußte zu seinem Bedauern verzichten, und ich selbst sah und sehe meinen Beitrag für diese Festschrift in der Koordinierung und Herausgebertätigkeit, einer Aufgabe, die mich erneut gelockt hat, in erster Linie um den Weggefährten Alfred Dürr zu ehren.

Da die meisten Autoren – wie kaum anders zu erwarten war – ihre Beiträge auf das Forschungsgebiet von Alfred Dürr abgestimmt haben, ergab sich die Möglichkeit zu einer Thematisierung der Festschrift: Der nüchtern gehaltene Titel „Bachiana et alia Musicologica" vereint die Überzahl der Bach gewidmeten Beiträge mit den wenigen anderen sinnvoll und ohne allzu großen Anspruch.

Zum Schluß habe ich zu danken: Zunächst den Autoren für ihre Beiträge, sodann und ganz besonders Herrn William H. Scheide, Princeton/N.J., der zusammen mit der Landgraf-Moritz-Stiftung Kassel und dem Bärenreiter-Verlag die Drucklegung der Festschrift für Alfred Dürr ermöglicht hat, schließlich allen Mitarbeitern im Verlag, die an der Produktion der Festschrift mitgewirkt haben (Frau Dorothee Hanemann und Frau Ingeborg Robert im Lektorat, Herrn Karl August Lehmann als Hersteller). Der Bärenreiter-Verlag selbst möchte die Betreuung und Drucklegung dieser Festgabe als Dank an Alfred Dürr verstanden wissen.

Salzburg, am 4. Advent 1982   Wolfgang Rehm

X

BACHIANA ET ALIA MUSICOLOGICA
FESTSCHRIFT ALFRED DÜRR

Elke Axmacher

Die Texte zu Johann Sebastian Bachs Choralkantaten

Die merkwürdigen literarischen Gebilde der Choralkantaten, die Bach in seinem zweiten Leipziger Jahrgang vertont hat, sind in der Bachforschung oft beschrieben, kaum je aber genauer untersucht worden. Vor allem ist selten auch nur gefragt worden, welche poetologischen und theologischen Voraussetzungen es möglich machten, Kirchenlieder zu Kantaten umzudichten. Allenfalls taucht die das Problem bereits im Ansatz verengende Frage auf, was denn Bach dazu veranlaßt habe, solche Umdichtungen für einen Kantatenjahrgang zu erbitten[1], warum er die Choräle also nicht in ihrer originalen Gestalt vertont habe. Muß man sich nicht wundern über einen solchen Umgang mit dem Choral, der im protestantischen Gottesdienst immerhin eine liturgische Funktion hat? Bachs starke Bindung an das protestantische Kirchenlied ist oft hervorgehoben worden, und zum Erweis dessen diente auch sein Choralkantatenjahrgang[2]. Aber müßte man hier nicht eher von einer Mißachtung der altehrwürdigen Gestalt des Chorals sprechen? Wie war es möglich, den Wortlaut z. B. der Lutherlieder — allein acht von ihnen finden sich unter den 40 umgedichteten Liedern des Jahrgangs — wie einen Steinbruch zu behandeln, aus dem ein gewandter Librettist Gedanken und Formulierungen herausbricht, um sie in einer ganz anderen Diktion und Form und mit mancherlei Eigenem vermischt wieder zusammenzusetzen? Der Hinweis auf die Vorteile der musikalischen Behandlung madrigalischer Texte gegenüber derjenigen strophischer Lieder in Rezitativen und Arien genügt nicht, um diesen Sachverhalt zu klären[3]. Denn hier liegt in erster Linie nicht ein musikalisches, sondern ein literarisches und theologisches Problem vor. Die literarische Gestalt der Choralkantaten kann man auch nicht, wie Spitta will, mit einem „Widerwillen" Bachs „gegen die stroherne Poesie der gewöhnlichen Cantaten-Texte" erklären[4]. Denn erstens hätte Bach durch die Umdichtungen dafür gesorgt, die Choräle jener „strohernen Poesie" weitgehend anzugleichen — wie denn in der Tat hinsichtlich der dichterischen Qualität kein erheblicher Unterschied zwischen ihnen und dem Durchschnitt der übrigen Bachkantaten besteht —, und zweitens haben wir keinerlei Grund zu der Annahme, daß Bach die von ihm vertonten Texte für poetisch minderwertig gehalten hat.

Alfred Dürr hat als mögliche musikwissenschaftliche Erklärung für den Choralkantatenjahrgang auf eine „alte Leipziger Tradition" hingewiesen. Insbesondere Johann Schelles jeweilige Vertonung von Chorälen, die Johann Benedikt Carpzov 1689 in Liedpredigten erklärt hatte, könne Vorbild für Bachs Jahrgang gewesen sein. Allerdings werde bei Bach durch die Kantatenform das Lied selbst einer Predigt angenähert[5]. Das Problem zu lösen, das gerade in der Umdichtung der Lieder liegt, ist nicht Aufgabe eines Kantatenhandbuchs. Der Hinweis auf die Annäherung der Kantaten an die Predigt zeigt aber deutlich, daß die musikalische Tradition allein zum Verständnis des Bachschen Jahrgangs nicht ausreicht.

Den Zugang zur Textgestalt der Choralkantaten gewinnt man nur, wenn man den Blick nicht allein auf Bach richtet, sondern diese Texte in den geistigen Zusammenhang stellt, in dem Bach und sein unbekannter Librettist sich vorfanden und den sie ihrerseits weiterführten. Konkret bedeutet das: 1. Es ist nach der literarischen Tradition zu fragen, innerhalb derer ein so eigenar-

---

1 Daß Bach die Initiative dazu ergriffen hat, wird meistens angenommen. Vgl. Spitta II, S. 576; Luigi Ferdinando Tagliavini, Studi sui Testi delle Cantate sacre di J. S. Bach, Padua und Kassel etc. 1956, S. 247.
2 Vgl. Günther Stiller, J. S. Bach und das Leipziger gottesdienstliche Leben seiner Zeit, Berlin und Kassel 1971, S. 218.
3 Spitta, a. a. O., S. 576.
4 Spitta, ebda.
5 Alfred Dürr, Die Kantaten von Johann Sebastian Bach, Kassel und München [2]/1975, S. 44 ff.

tiges Phänomen wie die Choralkantate verständlich wird. Hier geht es also um eine *poetologische* Einordnung der Kantatentexte. 2. Es ist zu untersuchen, was *theologisch* bei der Umwandlung von Kirchenliedern in Kantatentexte geschieht. Lassen sich theologische Differenzen zwischen den Vorlagen und den Nachdichtungen feststellen, und wenn ja, worauf deuten sie hin? Läßt sich daraus die theologische Haltung des Kantatendichters erkennen — wenn es denn ein einziger ist? Auf diesem Teil wird das Hauptgewicht der Untersuchung liegen.

I. Zur poetologischen Bestimmung der Choralkantatentexte

Die Texte der Kantaten zu den Sonn- und Festtagen, die Bach wie viele Komponisten seiner Zeit vertont hat, haben innerhalb der Geschichte der geistlichen Dichtung ihren genau bestimmbaren Ort. Sie stehen als späte Ausläufer in der langen, von großem Formenreichtum geprägten Tradition der Bibel-, genauer der Perikopendichtung[6]. Die bereits in der Alten Kirche gepflegte Bibeldichtung wird in der Reformationszeit sehr betont in den Dienst der Verbreitung der reinen Lehre in Kirche und Schule gestellt, und auch dabei spielen die verschiedenen Formen der Perikopendichtung eine herausragende Rolle. Dem Redezweck des *docere* entsprechend gilt für diese Dichtung ebenso wie für die christliche Predigt seit Augustin die Forderung nach dem einfachen Stil, dem *stilus humilis*, der auf poetische Erfindung (*inventio*) und rhetorischen Schmuck, wie ihn die Poetiken für den hohen Stil verlangen, weitgehend verzichtet. Eigene Erfindung ist ohnehin entbehrlich für eine Dichtung, deren oberster Grundsatz die enge Bindung an den Bibeltext ist. Daß die hier in aller Kürze genannten Merkmale der Bibel- bzw. Perikopendichtung in den zwei Jahrhunderten zwischen der Reformation und der Zeit Bachs mancherlei Abwandlungen erfahren haben, ist weniger erstaunlich als die dabei in der geistlichen Dichtung bewahrte Kontinuität. Zwar entsteht im 17. Jahrhundert, ausgehend von Opitz und der Fruchtbringenden Gesellschaft, eine geistliche Dichtung im hohen Stil neben und mitunter in betontem Gegensatz zu der dem *sermo humilis* verpflichteten Dichtung. Diese aber kann nicht zuletzt infolge ihrer Anpassungsfähigkeit an neue religiöse und literarische Bedürfnisse ihre bevorzugte Stellung bis ins 18. Jahrhundert hinein behaupten, in dem mit der geistlichen Dichtung selbst auch jener Stilgegensatz allmählich an Bedeutung verliert.

Ein spätes Zeugnis für die Wandlungsfähigkeit der geistlichen Dichtung im niederen Stil ist die Kirchenkantate des 18. Jahrhunderts[7]. Hat die Perikopendichtung in Anpassung an die seit dem späten 16. Jahrhundert sich ändernde frömmigkeitsgeschichtliche Situation die reine Nachdichtung des Textes durch dessen dichterische Auslegung ergänzt und dabei als vorlagengebundene Dichtung vielfach aus der Postillen- und Erbauungsliteratur geschöpft, so steht am Ende dieser Entwicklung die Kantate als freie, auch die überlieferten exegetischen Motive nicht mehr streng befolgende Deutung des Bibeltextes, der seinerseits oft nur noch den Anlaß für die „erbaulichen Gedanken" des Dichters bildet. Allerdings wird man diese weitgehende Subjektivierung erst in den Kantaten der zweiten Jahrhunderthälfte antreffen. Die Kantaten der Bachzeit, die ja in den von Bach selbst vertonten Texten in einer durchaus repräsentativen Auswahl vorliegen, beziehen sich zwar in der Regel nur durch mehr oder weniger deutliche Anspielungen auf die Perikopen, doch ist dieses Stadium auch in vielen Dichtungen des 17. Jahrhunderts schon erreicht. Vergleicht man jedoch die auslegenden und applizierenden Teile in diesen und in den Kantaten, so wird man in den letzteren wohl noch eine Fülle alter exegetischer Motive finden, in ihrer Anwendung, Abwandlung oder individuellen Verknüpfung aber schon ein Moment von

---

6 Zum folgenden vgl. die grundlegende Untersuchung von Hans H. Krummacher, Der junge Gryphius und die Tradition. Studien zu den Perikopensonetten und Passionsliedern, München 1976.

7 Hier und im folgenden ist von der Kantate nur im Sinne einer literarischen Gattung die Rede.

Beliebigkeit und Unsicherheit feststellen, das die Auflösung dieser Tradition, zumindest das Ende ihrer Verbindlichkeit ankündigt.

Die *Form* der „modernen" Kantate des Neumeisterschen Typs, also ihre Verwendung von Madrigalen und ihre aus der italienischen Oper übernommene Einteilung in Rezitative und Arien, steht an sich nicht im Widerspruch zum hergebrachten Charakter der geistlichen Dichtung im niederen Stil. Einerseits hat die Perikopendichtung sich bereits im 17. Jahrhundert eine Fülle neuer formaler Ausdrucksmöglichkeiten wie Lied, Epigramm und Sonett erschlossen, und andererseits hat Erdmann Neumeister selbst sich mit dem bekannten Satz in der Vorrede seiner „Geistlichen Cantaten" (^{2}/1704), demzufolge er nach verrichteter Sonntagspredigt deren Inhalt zu seiner eigenen Andacht in Oden, poetischen Oratorien oder Kantaten zusammengefaßt habe, durchaus in die Tradition der vorlagengebundenen geistlichen Dichtung gestellt[8]. Ob freilich nicht auch von dieser Form her, nämlich durch die in ihr angelegte Möglichkeit zur Dramatisierung z. B. in Dialogkantaten, die spätere Verselbständigung gegenüber vorgegebenen (biblischen oder schriftauslegenden) Inhalten begünstigt wurde, müßte gesondert untersucht werden.

Nach diesen allgemeinen Hinweisen läßt sich die Stellung der *Choralkantaten* innerhalb der geistlichen Dichtung bestimmen. Diese Sonderform der Kantate ist überhaupt nur denkbar, weil die alte Tradition der quellengebundenen, dem Grundsatz der Texttreue verpflichteten geistlichen Dichtung noch nicht abgestorben ist. Mit der oft sehr genauen Umdichtung ihrer Vorlage repräsentiert die Choralkantate formal sogar die älteste Gestalt dieser Dichtungstradition, allerdings auf einer neuen Ebene, insofern sie nicht biblische Texte, sondern Kirchenlieder — also die bekannteste Gattung der Andachtsliteratur — umdichtet. Mit der auf Andacht und Erbauung gerichteten Intention sowie mit der Verwendung der modernsten dichterischen Form gehört die Choralkantate ganz in den Zusammenhang des übrigen Kantatenschaffens; von diesem unterscheidet sie sich durch eine bewußt enge Bindung an Vorlagen. Als Typus nimmt sie also eine zwischen Altem und Neuem vermittelnde Stellung innerhalb der geistlichen Dichtung des 17./18. Jahrhunderts ein. Damit ist nun zwar eine grundsätzliche poetologische Bestimmung der Choralkantaten gefunden. Aber sie erhellt doch nur allgemein das Verfahren des Textdichters, gewissermaßen den Satz: „Der Kantate . . . liegt das Lied . . . zugrunde". In den einzelnen Kantaten ist dieses Verfahren jedoch so differenziert angewendet, daß dessen genauere Untersuchung geboten erscheint. Unter poetologischem Gesichtspunkt ist dabei die Frage besonders aufschlußreich, inwieweit die *Umdichtung* zur *Auslegung* der Lieder führt oder durch eine solche ergänzt wird.

Die hier betrachteten 39 Choralkantaten[9] lassen sich nach ihrer formalen Gestalt in zwei Gruppen mit je einer Untergruppe aufteilen. Zur ersten, größeren Gruppe gehören die Kantaten, in denen die Rahmenstrophen des Liedes wörtlich und die Binnenstrophen zu Rezitativen und Arien umgedichtet erscheinen. Als Untergruppe gehören hierher einige Kantaten, in denen auch eine oder zwei Binnenstrophen im originalen Wortlaut beibehalten sind. Die zweite Gruppe enthält Kantaten, in denen Binnenstrophen durch madrigalische Einschübe erweitert, also tropiert werden, und — als Untergruppe — solche, die daneben noch originale Binnenstrophen enthalten. Es läge nun nahe, in erster Linie von den Kantaten der zweiten Gruppe Aufschluß über Art und Intention der Liedauslegungen zu erwarten, da sie in ihren Erweiterungen dem Dichter mehr Spielraum für eigene Aussagen gewähren. In einigen Fällen trifft dies auch zu. Oft jedoch sind gerade die Rezitativeinschübe nicht viel mehr als umschreibende Wiederholungen der Liedzeilen, während Texte der ersten Gruppe durch u. U. nur geringfügige Abweichungen vom Liedtext

---

8 Daß die Quellen dieser Dichtungen nicht die Perikopen selbst, sondern ihre Auslegungen sind, bestätigt die oben angedeutete Entwicklung der geistlichen Dichtung im Zuge des frömmigkeitsgeschichtlichen Wandels.

9 Der unvollständige Jahrgang besteht aus 40 Kantaten, jedoch ist eine von ihnen (BWV 107) aus unbekanntem Grunde nicht umgedichtet, sondern in der originalen Liedform vertont. Vgl. die Beschreibung des ganzen Jahrgangs bei Dürr, a. a. O., S. 44 ff.

deutlich interpretierenden Charakter gewinnen können. Unter dem gewählten Gesichtspunkt der Umdichtung als Auslegung müssen also die Kantaten beider Gruppen gleicherweise berücksichtigt werden.

Aus Raumgründen muß ich mich hier auf interpretierende *Erweiterungen* der Liedtexte beschränken. Unter ihnen scheinen mir drei Gruppen besonders wichtig zu sein:

1. Erweiterungen, die einer engeren Perikopenbindung der Kantate dienen. In Form von wenigen Worten bis zu mehreren Zeilen finden sie sich in etwa der Hälfte der Choralkantaten[10]. Obwohl sie meist bruchlos in die Liedumdichtung integriert sind, können sie in der Regel leicht erkannt werden. Aber es gibt auch Anspielungen, die der weniger bibelkundige heutige Leser nicht sofort versteht, wie z. B. die in der Estomihi-Kantate BWV 127 (Evangelium: Lk. 18, 31 bis 43: „Sehet, wir gehen hinauf nach Jerusalem"). In deren zweitem Satz, der die Schrecken der Todesstunde beschreibt, heißt es:

Genung, daß da der Glaube weiß,
Daß Jesus bei mir steht,
Der mit Geduld zu seinem Leiden geht
Und diesen schweren Weg auch mich geleitet . . .

Eine ähnlich versteckte Anspielung auf das Epiphanias-Evangelium von den Weisen aus dem Morgenlande (Mt. 2, 1–12) enthält BWV 123:

Jesus, der ins Fleisch gekommen
Und *mein Opfer angenommen*,
Bleibet bei mir allezeit. (Satz 5)

Solche und viele deutlichere Hinweise[11] sollen den Hörer und Leser dazu anleiten, das jeweilige Sonntagsevangelium als Auslegung des Liedes bzw. der Kantate zu verstehen.

2. Ähnlich verhält es sich mit den Erweiterungen, die aus sonstigen biblischen Texten oder Worten in die Kantaten eingefügt sind. Auch hier reichen die Beispiele von der kurzen Paraphrase biblischer Geschichten[12] bis zum Hinweis auf einzelne Schriftstellen, der nur noch dem Bibelkundigen erkennbar ist. Gleich zwei Beispiele dafür finden sich in BWV 135, wo das im Lied enthaltene Tränenmotiv erweitert und durch Bibelstellen ‚belegt' wird:

Das Angesicht
Ist ganz von Tränen aufgeschwollen,
Die, schnellen Fluten gleich, von Wangen abwärts rollen (Satz 2)

erweist sich als Paraphrase von Klagel. 1, 2 und 2, 18:

Sie weinet des Nachts, daß ihr die Tränen über die Backen laufen . . . Laß Tag und Nacht Tränen herab fliessen, wie ein Bach . . .

Weicht, all ihr Übeltäter,
Mein Jesus tröstet mich!
Er läßt nach Tränen und nach Weinen
Die Freudensonne wieder scheinen;
Das Trübsalswetter ändert sich . . . (Satz 5)

ist eine ergänzende Deutung des Liedtextes aus Tob. 3, 22 f.:

Wer Gott dienet, der wird nach der Anfechtung getröstet, und aus der Trübsal erlöset . . . Denn nach dem Ungewitter lässest du die Sonne wieder scheinen, und nach dem Heulen und Weinen überschüttest du uns mit Freuden.

---

10 Nicht mitgezählt sind hier die Kantaten, deren Liedvorlagen wie die Festlieder bereits eine Beziehung zur Lesung des Tages besitzen.
11 Die meisten sind verzeichnet bei Dürr, a. a. O., bei der Erklärung der einzelnen Choralkantaten.
12 Zum Beispiel BWV 93, 5.

Wo der Dichter im Liedtext selbst einen Anknüpfungspunkt für ein Schriftwort findet, zieht er es gern vollständig heran. So gibt z. B. die Zeile „Sie gleißen schön von außen" in Luthers „Ach Gott, vom Himmel sieh darein" in BWV 2, 2 Gelegenheit zu einer Paraphrase von Mt. 23, 27. – Das Stichwort „ewges Licht" in „Gelobet seist du, Jesu Christ" veranlaßt den Kantatendichter in BWV 91, 2 („Der Glanz der höchsten Herrlichkeit/ Das Ebenbild von Gottes Wesen"), fast wörtlich Hebr. 1, 3 zu zitieren; in Satz 5 rekurriert er beim Wort „Sohn" auf Hebr. 1, 2 („ . . . den Sohn, . . . durch welchen er auch die Welt gemacht hat"), wodurch allein der Ausdruck „den Schöpfer . . . empfangen" verständlich wird. – Kaspar Zieglers Lied „Ich freue mich in dir" benennt das in der Inkarnation geschehene Heil mit den Worten: „Nun muß die Welt genesen". Dazu assoziiert der Kantatendichter Gen. 32, 30 („Ich habe Gott von Angesicht gesehen, und meine Seele ist genesen") und paraphrasiert:

Ich habe Gott – wie wohl ist mir geschehen! –
Von Angesicht zu Angesicht gesehen.
Ach! meine Seele muß genesen. (BWV 133, 2)

Das aus dem Bibelzitat gewonnene Stichwort „Angesicht" eröffnet dem Dichter sogar die Möglichkeit einer weiteren, über das Lied hinausgehenden Anspielung, die er als Antithese zu jenem heilsamen Sehen Gottes verwendet:

Ein Adam mag sich voller Schrecken
Vor Gottes Angesicht
Im Paradies verstecken! (BWV 133, 3)

3. Eine dritte Gruppe von interpretierenden Erweiterungen der Liedtexte läßt sich nicht auf eine bestimmte Quelle zurückführen, sondern verwendet ganz allgemein Sprache und Formelschatz der zeitgenössischen Religiosität. Das gilt etwa – um nur ein Beispiel zu nennen – für eine Reihe von lehrhaften, mit „drum" eingeleiteten Konklusionen, die bis auf eine Ausnahme ohne Vorlage im Lied sind:

Drum soll ein Christ zu allen Stunden
In Kreuz und Not geduldig sein. (BWV 2, 5)

Drum tut ein Christ viel besser,
Er trägt sein Kreuz mit christlicher Gelassenheit. (BWV 93, 2)

Drum traue nur in Armut, Kreuz und Pein
Auf deines Jesu Güte
Mit gläubigem Gemüte. (BWV 93, 5)

Da in diesen „freien" Erweiterungen die theologische Intention des Kantatendichters naturgemäß am deutlichsten erkennbar ist, werden viele von ihnen im zweiten Abschnitt betrachtet werden müssen. Hier sollte zunächst nur an wenigen Beispielen gezeigt werden, daß durch die Umdichtung die Lieder nicht nur notwendigerweise – etwa durch die Übertragung in eine modernere Sprache, einen schmiegsamen Vers und eine freie Form – zugleich eine Umdeutung erfahren, sondern daß der Dichter viele seiner Vorlagen ganz bewußt interpretiert. Solche Interpretationen reichen von bloßen Intensivierungen des sprachlichen Ausdrucks („Schwefelhöhle", „Marterhöhle" statt „Höhle") bis hin zu offensichtlich „dogmatischen" Korrekturen an einzelnen Aussagen der Lieder. Unter dem hier zu behandelnden poetologischen Aspekt ist die Einsicht in den unterschiedlich stark ausgeprägten interpretatorischen Charakter der Choralkantaten bedeutsam. Sie macht klar, daß diese Kantaten, die in ihrer Grundform den ältesten Typ zumindest der protestantischen geistlichen Dichtung vertreten, gleichsam die Entwicklung dieser Dichtungsart im 17. Jahrhundert nachvollziehen: Die Entwicklung nämlich hin zu einer Verselbständigung und zugleich Subjektivierung der Auslegung gegenüber dem Ausgelegten aus dem Bedürfnis nach deren innerlicher Aneignung („Andacht") heraus. Man kann sich diesen

Vorgang gerade am Umgang der Choralkantaten mit biblischen Texten klarmachen. Diese haben hier eine ähnliche Funktion und Bedeutung im Verhältnis zum Kantatentext wie etwa im frühen 17. Jahrhundert die auslegenden Partien im Verhältnis zum nacherzählten Bibeltext: Sie dienen der Exemplifizierung und Hervorhebung einzelner Gedanken, ihrer Deutung und Erweiterung. Für die Kantaten insgesamt, in besonderem Maße aber für die Choralkantaten mit ihrer nachträglichen Perikopenbindung gilt, pointiert gesagt: Die Bibel wird zur erbaulichen Auslegung der Erbauungsliteratur.

II. Zur Theologie der Choralkantaten

Gehören somit die Choralkantaten ungeachtet ihrer Vorlagenbindung zur auslegenden geistlichen Dichtung, so ist nun nach der theologischen Intention ihrer Liedauslegungen zu fragen. Es gibt in dieser Hinsicht einige auffällige Gemeinsamkeiten zwischen vielen Choralkantaten, die es wohl erlauben würden, die theologische Haltung des Kantatendichters zu skizzieren. So wird auch immer wieder von ,dem Dichter' die Rede sein. Gemeint ist damit jedoch vor allem das theologische Profil, das die Choralkantaten insgesamt bieten, das aber durchaus von verschiedenen Dichtern gebildet werden konnte.

Ich beginne mit einer vergleichenden Interpretation des Lutherliedes „Christ unser Herr zum Jordan kam" und der gleichnamigen Kantate BWV 7, deren typische Züge anschließend durch Belege aus anderen Choralkantaten aufgezeigt werden sollen[13]. BWV 7 gehört zu den Choralkantaten des einfachsten Typs, welche die Binnenstrophen in je einem Satz recht genau nachdichten. Dennoch gibt es viele Anzeichen dafür, daß hier ein klar denkender und theologisch gebildeter Verfasser die Linien der Lutherschen Tauflehre kräftiger nachgezogen, einige Akzente auch etwas anders gesetzt hat als Luther selbst. Schon der Aufbau der Kantate verrät diesen Willen zu theologischer Klarheit. Der Dichter verwandelt in Satz 6 die lehrhafte Sprechhaltung des Liedes („Wer nicht gläubt dieser großen Gnad") in eine applikative und gewinnt so eine genaue Entsprechung zu Satz 2, wodurch nicht nur ein sprachlicher, sondern auch ein theologischer Binnenrahmen für die Kantate geschaffen wird:

Satz 2	Satz 6
Merkt und hört, ihr Menschenkinder,	Menschen, glaubt doch dieser Gnade,
Was Gott selbst die Taufe heißt.	Daß ihr nicht in Sünden sterbt,
Es muß zwar hier Wasser sein,	Noch im Höllenpfuhl verderbt!
Doch schlecht Wasser nicht allein.	Menschenwerk und -heiligkeit
Gottes Wort und Gottes Geist	Gilt vor Gott zu keiner Zeit.
Tauft und reiniget die Sünder.	Sünden sind uns angeboren,
	Wir sind von Natur verloren;
	Glaub und Taufe macht sie rein,
	Daß sie nicht verdammlich sein.

Geht es in Satz 2 um das *Hören* auf Gottes Wort über die Taufe, so in Satz 6 um den *Glauben* an die in der Taufe geschenkte Gnade, die in der Rechtfertigung des Sünders ohne eigene Werke besteht. Die Entsprechung zwischen Hören und Glauben in den ersten Zeilen beider Arien wird

---

13 Das Lied ist in EKG 146 leicht zugänglich. Im übrigen ist das EKG für die Arbeit an den Choralkantaten unbrauchbar, weil es die meisten Lieder entweder gar nicht oder stark gekürzt enthält. Ich bin Herrn Dr. Blankenburg, Schlüchtern, zu großem Dank verpflichtet, daß er mir das „Privilegirte . . .Leipziger Gesangbuch" von 1763 und das „Dreßdnische Gesang-Buch" von 1730 für diese Studie zur Verfügung gestellt hat.

aufgenommen in den jeweiligen Schlußzeilen, die, wiederum in deutlicher Parallelität zueinander, auf den Zusammenhang von Wort und Glaube in der Taufe verweisen[14]

(Hört:) Wort und Geist tauft und reinigt die Sünder. (Satz 2)
(Glaubt:) Glaube und Taufe macht (die Sünder oder die Sünden) rein. (Satz 6)

In diesen festgefügten Binnenrahmen schließt der Dichter drei theologisch nicht weniger gefüllte Sätze ein. Durch die Stichworte „hören" (auf die Lehren des Sohnes: Satz 3) und „glauben" (an das Werk der Dreifaltigkeit in der Taufe: Satz 4; an die Rechtfertigung: Satz 5) sind sie mit dem Rahmen verknüpft. Außerdem aber sind sie untereinander durch einen erst vom Dichter geschaffenen christologischen Zusammenhang verbunden. Folgende Zeilen gehen über den Liedtext hinaus:

Satz 3
Er ist vom hohen Himmelsthron
Der Welt zugut
In niedriger Gestalt gekommen
Und hat das Fleisch und Blut
Der Menschenkinder angenommen.

Satz 4
Der Sohn, der uns mit Blut erkauft . . .

Satz 5
Als Jesus dort nach seinem Leiden
Und nach dem Auferstehn
Aus dieser Welt zum Vater wollte gehn . . .

Der Dichter verankert damit die Heilsbedeutung der Taufe in der Inkarnation, in der Passion und in der Auferstehung und Himmelfahrt Christi. Der Hinweis auf die Passion als das für die Taufe zentrale Ereignis steht nicht nur im Mittelsatz der Kantate, sondern ist zusätzlich noch durch seine Beziehungen zu Satz 1 („durch sein selbst Blut und Wunden") und Satz 7 („die Kraft . . . des Blutes Jesu Christi"; „von Christi Blut gefärbt") hervorgehoben. Zugleich ist in diesem Satz aber auch die trinitarische Begründung der Taufe gegenüber dem Liedtext verstärkt: Indem der Dichter die Erwähnung der Stimme des Vaters aus Satz 3 hier wiederholt, gelingt ihm in drei parallelen Sätzen auch formal eine stärkere Konzentration der trinitarischen Aussage als Luther. Daß er den Schluß der 4. Liedstrophe übergeht, demzufolge alle drei Personen durch die Taufe „bei uns auf Erden zu wohnen sich begeben", darf man vielleicht im Blick auf die Einfügung in Satz 4 als dogmatische Korrektur verstehen: Nicht die Trinität, sondern allein der Sohn ist zu uns auf die Erde gekommen. — Auch in Satz 5 ist der Akzent gegenüber der entsprechenden Strophe Luthers schon durch die Einfügung beträchtlich zugunsten der Christologie verschoben. Der Taufbefehl, in den Luther die Topoi von Sünde, Buße, Wiedergeburt und ewigem Leben einfügt, wird weitgehend auf den biblischen Bestand reduziert. Nur die auf den nächsten Satz vorausweisende Erwähnung des Gerechtwerdens durch Glaube und Taufe geht über den biblischen Taufbefehl hinaus. Daß der Dichter so entschieden auf die Rechtfertigung des Sünders als Wirkung der Taufe verweist, Buße, Wiedergeburt und Eschatologie aber übergeht, ist bei der Bewußtheit, mit der er die Kantate gestaltet hat, gewiß kein Zufall. Zwar sind diese Lehrtopoi legitime Bestandteile inbesondere der orthodoxen Tauflehre, aber sie waren dogmatisch umstritten, weil pietistische Auffassungen an sie besonders leicht anknüpfen konnten. So mag immerhin die Frage gestellt werden, ob den Dichter eine gegenüber dem Pietismus

---

14 Die Schlußzeilen des 6. Satzes haben keinen Anhalt an der Liedstrophe 6. Vielleicht erklärt sich aus der Parallelisierung zu Satz 2 sogar der merkwürdige Wechsel der Person in Satz 6? Möglich ist allerdings auch die Beziehung des „sie" (Z. 8) auf „Sünden" (Z. 6).

kritische Haltung dazu bewogen hat, diese Lehren außer acht zu lassen, Christologie, Trinitäts-
und Rechtfertigungslehre hingegen zu verstärken und dabei notfalls lutherischer als Luther über
die Taufe zu sprechen.

Für einige der an BWV 7 aufgezeigten theologischen Merkmale sollen nun Parallelbeispiele
aus anderen Choralkantaten genannt werden. Ein so kunstvoller und theologisch prägnanter
Aufbau wie in „Christ unser Herr zum Jordan kam" ist zwar auch in den Choralkantaten eine
Ausnahme. Meist folgen sie im Aufbau dem Duktus des Liedes. Häufig jedoch legt der Dichter
ein zusätzlich strukturierendes Beziehungsgeflecht über den Text, indem er einzelne Begriffe
leitmotivisch an verschiedenen Stellen einfügt; oft auch verklammert er einen Satz durch thematische Beziehungen mit der Eingangs- oder Schlußstrophe. Beispiele für beide Verfahren bietet
die Kantate BWV 113, „Herr Jesu Christ, du höchstes Gut", in der siebenmal das „Wort" Jesu
oder Gottes erwähnt wird (im Lied: zweimal)[15]. In Satz 6 stellt der Dichter eine theologisch
tiefsinnige Beziehung zum Eingangssatz her:

Satz 1	Satz 6
Herr Jesu Christ, du höchstes Gut,	Er ruft: Kommt her zu mir,
Du *Brunnquell aller Gnaden*,	Die ihr mühselig und *beladen*,
Sieh doch, wie ich in meinem Mut	Kommt her zum *Brunnquell aller Gnaden* . . .
Mit Schmerzen bin *beladen* . . .	

In Satz 6 läßt der Dichter Jesus in biblischer Sprache (Mt. 11, 28), zugleich aber mit Worten des
1. Satzes auf die dort geäußerte Bitte antworten und verklammert so die beiden Sätze struktu-
rell und theologisch miteinander. — Auch antithetische Begriffe können zum Gliederungsmittel
werden. So verbindet in BWV 93 das Wort „Kreuzesstunde" Satz 3 mit Satz 4, dessen erste Zeile von den „rechten Freudenstunden" spricht. In BWV 33, 2 stehen sich die Ausdrücke „mein
Gott und Richter" und „mein Gott und Hort" gegenüber und stellen klar, daß „Gesetz" und
„Vergebungswort" von demselben Gott stammen. — Ein höchst kunstvoller chiastischer Bau
eines einzelnen Satzes findet sich in BWV 5:

Ich bin ja nur das kleinste Teil der Welt,
Doch da des Blutes edler Saft
Unendlich große Kraft
Bewährt erhält,
Daß jeder Tropfen, so auch noch so klein,
Die ganze Welt kann rein
Von Sünden machen . . . (Satz 6)

Stellt man die Aussagen über die „Welt" und das „Blut" formalisiert nebeneinander, so ergibt
sich:

Ich: *kleinstes* Teil der *Welt* ———————— *Blut: unendlich große* Kraft
Der *kleinste* Tropfen *Blut* ———————— kann die *ganze Welt* reinigen

Antithesen innerhalb der Kreuzform des Chiasmus: das sind an barockes Formbewußtsein erin-
nernde Mittel, um dem Staunen über das Paradox der am Kreuz geschehenen Erlösung Ausdruck
zu verleihen. Als letztes Beispiel für den bewußten Aufbau der Choralkantaten sei BWV 96,
„Herr Christ, der einge Gottessohn", genannt. Die hier zwischen Satz 2 und Satz 5 dargestellte
Bewegung vom Himmel zur Erde (durch die Inkarnation) und wieder zum Himmel (durch die
von Jesus geleitete Erhebung der Seele) ist ohne Vorbild im zugrundeliegenden Lied. Der Dichter hat hier eine in altkirchlichem Inkarnationsdenken begründete Strukturierungsmöglichkeit
aufgenommen.

---

15 Vgl. auch in BWV 38 die Begriffe „Trost", „Wort", „Trostwort"; in BWV 180 „Glaube" und „Liebe"; in
BWV 91 „Licht" und „Liebe".

Von den christologischen Themen, die in BWV 7 genannt werden, spielt in den übrigen Choralkantaten die *Inkarnation* eine besondere Rolle. Auch außerhalb der Kantaten des Weihnachtskreises erwähnt der Dichter mehrfach die Herabkunft des Sohnes als das grundlegende Datum unserer Erlösung.

(Wir) bitten nichts als um Geduld
Und um dein unermeßlich Lieben.
Es brach ja dein erbarmend Herz,
Als der Gefallnen Schmerz
Dich zu uns in die Welt getrieben. (BWV 116, 4)[16]

Die Bedeutung der *Passion* tritt demgegenüber deutlich zurück. Zwar fügt der Dichter in drei Fällen auch Hinweise auf sie ein, wo sie im Lied fehlen; in drei weiteren Kantaten übernimmt er sie aus dem Lied. Aber ebensooft übergeht er auch Erwähnungen des Todes (oder Blutes) Christi. Daß daraus keine Kritik des Dichters an der Passionstheologie zu folgern ist, beweist schon die Kantate BWV 5, die Johann Heermanns Meditation über das Blut Christi ohne Abstriche übernimmt. Aber es ist doch unverkennbar, daß er aus eigenem Antrieb eher das Geheimnis der Menschwerdung hymnisch besingt und dabei sogar traditionell der Passion zugeordnete Aussagen auf die Inkarnation überträgt[17].

Die Interpretation der Kantate BWV 180, „Schmücke dich, o liebe Seele", ist geeignet, auf einige weitere theologische Besonderheiten der Choralkantaten aufmerksam zu machen. Bei der Umdichtung des Abendmahlsliedes von Johann Franck verfährt der Dichter wesentlich freier als bei der des Lutherliedes in der zuvor betrachteten Kantate. Die Veränderungen betreffen alle Schichten des Liedes: Aufbau und Gedankengang, Sprache und Syntax und nicht zuletzt theologische Aussagen. Das Bestreben des Dichters nach gedanklicher Klarheit kommt am deutlichsten in Satz 4 gegenüber den Strophen 5 und 6 des Liedes zum Ausdruck. „Beydes, Lachen und auch Zittern lässet sich in mir itzt wittern", beginnt Strophe 5, aber statt von diesem beiden ist im folgenden nur vom „Geheimnis dieser Speise" die Rede. Man kann nur vermuten, daß dieses der „Vernunft" zu hoch und darum furchterregend ist. Von der Freude wird erst in Strophe 7 beiläufig gesprochen. Der Dichter hingegen stellt klar: „Es wird die Furcht erregt" durch die Unfähigkeit der Vernunft, in das Geheimnis einzudringen. „Die Freude aber wird gestärket" durch die Erkenntnis der Liebe Jesu. In diesen Gegensatz fügt der Dichter einen zweiten ein, der im Lied ebenfalls nur angedeutet wird: den zwischen verständnisloser Vernunft und Gottes Geist, der allein das Abendmahl verstehen lehrt. Hier sind nun zwei Einfügungen interessant, die geradezu als Korrekturen der Abendmahlstheologie des Liedes verstanden werden müssen. Man vergleiche:

Franck
O der großen Heimlichkeiten,
Die nur Gottes Geist kann deuten.

BWV 180, 4
Nur Gottes Geist kann *durch sein Wort* uns lehren,
Wie sich allhier die Seelen nähren,
Die sich *im Glauben* zugeschickt.

Nimmt man hinzu, daß auch in Satz 5 und 6 vom Glauben die Rede ist, während dieses Wort im Lied nicht einmal vorkommt, so darf man sagen, daß der Glaube hier sehr betont als die dem Menschen gemäße Haltung zum Abendmahl herausgestellt werden soll. Er ist des Menschen Antwort auf die *Liebe*, die ihm Jesus im Sakrament erweist:

---

16 Vgl. auch BWV 10, 5; 96, 2; 180, 6; 62, 2. 3; 91, 2; 121, 3; 133, 5; 3, 2.
17 Zum Beispiel BWV 133, 5; 10, 5; 116, 4.

Herr, laß an mir dein treues *Lieben*,
So dich vom Himmel abgetrieben,
Ja nicht vergeblich sein!
Entzünde du in *Liebe* meinen Geist[18],
Daß er sich nur nach dem, was himmlisch heißt,
Im *Glauben* lenke
Und deiner *Liebe* stets gedenke. (Satz 6)

Im Lied dagegen kommt der nach dem Abendmahl verlangende Mensch Jesus in Liebe entgegen. Das wird besonders deutlich in der 2. Strophe, die der Kantatendichter folgerichtig ebenfalls ‚korrigiert':

Franck	BWV 180, 2
Eile, wie Verlobte pflegen,	Ermuntre dich: dein Heiland klopft,
Deinem Bräutigam entgegen,	Ach, öffne bald die Herzenspforte!
Der da mit dem Gnadenhammer	Ob du gleich in entzückter Lust
Klopft an deine Herzenskammer;	Nur halb gebrochne Freudenworte
Öff'n ihm bald die Geistespforten,	Zu deinem Jesu sagen mußt.
Red' ihn an mit schönen Worten:	
Komm, mein Liebster, laß dich küssen,	
Laß mich deiner nicht mehr missen.	

Alle Anspielungen auf die vom Hohenlied beeinflußte Brautmystik werden in der Kantate gemildert oder getilgt. Aus dem „Bräutigam" wird „dein Heiland", aus „mein Liebster" „dein Jesus". Der Ersatz für die Anrede an den „Liebsten" klingt zwar auch noch ‚mystisch', aber deutlich schwächer als die Liedstelle. Die Unvollkommenheit der „halb gebrochne(n) Freudenworte" könnte darauf vordeuten, daß nach Satz 5 der Glaube „noch schwach und furchtsam" ist. Gemeinschaft mit Jesus („Laß mich deiner nicht mehr missen"!) ist nach der Kantate hier auf Erden anfangsweise im Glauben möglich und wird erst vollendet, wenn ich „ein Gast im Himmel" werde (Satz 7). – Auffällig ist, daß der Dichter mehrere Hinweise des Liedes auf die Elemente des Abendmahls übergeht und insbesondere die Erwähnung von Christi Blut vermeidet (Strophe 3: „Blutgefüllte Schaalen"; Strophe 6: „daß mit dem Saft der Reben uns wird Christi Blut gegeben"). In Satz 6 wird die Erinnerung an die Passion unberücksichtigt gelassen (Strophe 8: „daß du willig hast dein Leben in den Tod für uns gegeben, und dazu ganz unverdrossen hast dein Blut für uns vergossen"), während die dogmatisch in diesem Zusammenhang ganz fremde Inkarnation erwähnt wird. Das wird nur verständlich, wenn man erkennt, daß der Dichter bereits nach der ersten Aufnahme des Stichworts „Glaube" in Satz 4 die Abendmahlsthematik in die allgemeinere des Verhältnisses von Glaube und Liebe aufhebt und jene durch diese interpretiert.

Die Übereinstimmung zwischen dieser und der zuvor betrachteten Kantate BWV 7 hinsichtlich der theologischen Tendenz ihrer Liedbearbeitung ist evident. Der Dichter legt Wert auf klare und korrekte Entfaltung theologischer Gedanken. Darum betont er hier wie in BWV 7 den *Glauben*, der dem *Wort* Gottes korrespondiert. Nur in diesem Wort spricht sich der *Geist* aus. Die Vorstellung einer spirituellen Unmittelbarkeit, wie sie auch in der ‚mystischen' 2. Strophe des Franckschen Liedes zum Ausdruck kommt, wird korrigiert. Mit diesem Befund stimmt es überein, daß das *Wort* Gottes (oder Jesu) einer der zentralen Begriffe der Choralkantaten ist. Wo immer möglich, wird er aus dem Liedtext übernommen, an zahlreichen Stellen wird er vom Dichter eingefügt[19]. Erwähnenswert ist in diesem Zusammenhang auch, daß der Dichter an vier

---

18 Ob hier die Liebe Jesu oder die des Menschen gemeint ist, bleibt in der Schwebe. Auch im zweiten Fall aber würde „Liebe" durch „Glauben" interpretiert.

19 Zum Beispiel BWV 10, 6; 113, 5. 6. 7; 33, 2. 3; 99, 2 (im Lied ist *Gott* Subjekt!); 38, 2. 3. 4 (wieder korrespondierend mit „Glaube"!).

Stellen den dem „Wort" nahestehenden Begriff „Bund" Gottes gebraucht, ohne daß die jeweiligen Lieder dazu Anlaß geboten hätten[20].

Höchst auffällig ist die *Abschwächung oder Tilgung mystischer Gedanken und Formeln* der Liedvorlage nicht nur in BWV 180, sondern in fünf weiteren Kantaten[21]. So übergeht der Dichter bei der Umarbeitung des Nicolaischen „Wie schön leuchtet der Morgenstern" regelmäßig das Brautmotiv einschließlich aller Hinweise auf die persönliche Liebe zwischen dem Ich und Jesus. Wenn Nicolai sagt:

Von Gott kömmt mir ein Freudenschein,
Wenn du mit deinen Äugelein
Mich freundlich thust anblicken.
O Herr Jesu! mein trautes Gut,
Dein Wort, dein Geist, dein Leib und Blut
Mich innerlich erquicken!
Nimm mich
Freundlich
In dein Arme,
Daß ich warme
Werd von Gnaden;
Auf dein Wort komm ich geladen,

so zieht der Dichter aus dieser Strophe nur die Abendmahlsaussagen heraus. Aus dem „trauten Gut" Jesus wird das „vollkommne Gut" des Sakraments, und dem folgt — fast möchte man sagen: unvermeidlich — die Erwähnung des Glaubens:

Ein Freudenschein ist mir von Gott entstanden,
Denn ein vollkommnes Gut,
Des Heilands Leib und Blut,
Ist zur Erquickung da.
So muß uns ja
Der überreiche Segen,
Der uns von Ewigkeit bestimmt
Und unser Glaube zu sich nimmt,
Zum Dank und Preis bewegen. (BWV 1, 4)

Aus den Strophen 5 und 6 des Liedes werden in Satz 5 nur die Aufforderungen zum Loben und Musizieren übernommen, nicht dagegen Sätze wie: „Er ist mein Schatz, ich bin sein' Braut"; „daß ich möge mit Jesulein, dem wunderschönen Bräutgam mein, in steter Liebe wallen". Statt auf die Bezeichnung „Bräutigam" greift der Dichter auf den in Strophe 6 wie schon in Strophe 1 daneben genannten Titel „König" zurück:

Herz und Sinnen sind erhoben,
Lebenslang
Mit Gesang,
Großer König, dich zu loben. (Satz 5)[22]

---

20 BWV 99, 4; 115, 3; 122, 3; 3, 4.
21 BWV 33, 4. 5; 99, 5; 96, 3; 3, 2. 3; 1, 2—5.
22 Auch in Satz 2 trifft der Dichter eine deutlich kritische Auswahl unter den in Strophe 2 genannten Bezeichnungen Jesu. „Meine Perl"', „werthe Kron", „Lilium", „mein Blümlein" läßt er unberücksichtigt; „wahr'r Gottes und Marien Sohn" und „König", also biblisch und dogmatisch begründete Titel, nimmt er auf. — Im übrigen wird in Satz 5 auch die eschatologische Perspektive des Gotteslobs außer acht gelassen („Eya, eya, himmlisch Leben wird er geben mir dort droben: Ewig soll mein Herz ihn loben": Strophe 5). Das geringe Interesse des Dichters an der *Eschatologie*, das schon in BWV 7 erkennbar war, ist ein Merkmal vieler dieser Kantaten. Vgl. z. B. BWV 33, 5: „Stören Feinde meine Ruh/ Sende du mir Hülfe zu" mit den entsprechenden Liedversen: „Am letzten End dein Hülf mir send, damit behend des Teufels List sich von mir wend."

Selbst der so ‚mystisch‘ klingende 3. Satz bedeutet eine Abmilderung der Liedaussagen. Diese werden vor allem entpersonalisiert: Die „göttlichen Flammen" sollen die „gläubige (!) Brust" erfüllen, während sich im Lied die Bitte an Jesus richtet: „Geuß sehr tief in mein Herz hinein . . . die Flamme deiner Liebe". Das Motiv der Krankheit aus Liebe („Nach dir ist mir, Gratiosa Cöli Rosa, krank und glimmet mein Herz durch Liebe verwundet") wird beiseite gelassen. Das „Schmecken" der „himmlischen Lust" weist voraus auf Satz 4 mit seiner Abendmahlsthematik. Es beschreibt für den Dichter keine mystische Erfahrung der Liebe Jesu, sondern ist terminologisch an das Sakrament gebunden. Darauf deutet auch BWV 3, 2 mit seiner Paraphrase von Ps. 34, 8, die wohl eine versteckte Beziehung zwischen dem Abendmahl und der Hochzeit zu Kana, dem Sonntagsevangelium, herstellen soll:

Drum schmecke doch ein gläubiges Gemüte
Des Heilands Freundlichkeit und Güte.

In BWV 96, 3 hingegen, einem BWV 1, 3 sonst sehr ähnlichen Satz, wird der Liedvers „schmekken dein Süßigkeit im Herzen" übergangen, weil in dieser Kantate kein Bezug zum Abendmahl gegeben ist.

Eine sehr deutliche Kritik an der mystischen Jesusliebe findet sich in BWV 33, 4. Der Dichter folgt zunächst fast wörtlich dem Lied:

Gib mir nur aus Barmherzigkeit
Den wahren Christenglauben.

Während dann aber das Lied fortfährt: „auf daß ich deine Süßigkeit mög inniglich anschauen", korrigiert der Dichter:

So stellt er sich mit guten Früchten ein
Und wird durch Liebe tätig sein.

Der Glaube muß Früchte bringen, nicht in selbstgenügsamer Kontemplation versinken![23] Hier wendet sich orthodoxe Dogmatik gegen eine Jesusmystik, die nicht nur den Pietismus prägte, sondern die längst auch ins strengere Luthertum eingedrungen war.

Man kann wohl einen Zusammenhang herstellen zwischen dieser mystikfremden Haltung des Dichters und der Tatsache, daß seinen *Weihnachtskantaten* jeder innige, persönliche Ton fehlt[24], obgleich sie das „pro me" des Kommens Jesu stark betonen. Der Christus, dessen Geburt dort „mit erfreuten Lippen" gepriesen wird, ist der „große Gottessohn", der „starke Held", der „höchste Beherrscher" der Welt. Alle diese Kantaten sprechen nur von dem unergründlichen „Geheimnis" und „Wunder", vor dem „Verstand und Witz gebricht":

Gott, der so unermeßlich war,
Nimmt Knechtsgestalt und Armut an. (BWV 121, 5)

Das Bild vom Krippenkind im dunklen Stall, die Metaphorik vom Herzen als dem ‚sanften Bettelein‘ Jesu liegen dieser Weihnachtsbetrachtung sehr fern. Sinnbild des für die Christgeburt dankenden Menschen ist nicht Maria, die „dies selige Wunder" fest in ihren Glauben einschließt (BWV 248[III]), sondern der Engelchor, der „ein jauchzend Lob- und Danklied hören" läßt (BWV 121, 5)[25].

---

23 Auch wenn man berücksichtigt, daß diese Verse wie der ganze folgende Satz auf das Doppelgebot der Liebe im Sonntagsevangelium anspielen, bleibt die Stelle aufschlußreich.
24 Eine Ausnahme bildet allenfalls BWV 133, 4.
25 Auch Harald Streck, Die Verskunst in den poetischen Texten zu den Kantaten J. S. Bachs (Hamburger Beiträge zur Musikwissenschaft, Band 5), Hamburg 1971, S. 193, hebt den „durchgängige(n) hymnische(n) Ton" der Weihnachtskantaten hervor. Allerdings faßt er sie mit einigen anderen zu einer Gruppe innerhalb des Choralkantatenjahrgangs zusammen, der wiederum BWV 62 nicht zugerechnet wird.

Ging es in den bisherigen Interpretationen vor allem darum, die *Theologie* der Choralkantaten herauszuarbeiten, so soll nun noch anhand weniger Beispiele versucht werden, den von ihnen vertretenen Typ der *Frömmigkeit* zu skizzieren. Mir scheint, daß damit das Bild des Dichters nicht nur vollständiger, sondern auch lebendiger wird.

Ein thematischer Schwerpunkt der Choralkantaten, den mitunter erst der Dichter in leichter Spannung zum Lied setzt, ist das Vertrauen auf Gottes Hilfe in „Kreuz und Not". Der Ton der Zuversicht ist dabei gegenüber den Liedern oft verstärkt, er klingt lauter und optimistischer. Zwar wird auch die Not mit starken Worten beschrieben[26], aber die Gründe, die der Glaube dagegensetzen kann, lassen die Not nicht zur Anfechtung werden. Die argumentative Sprechweise in manchen dieser Kantaten weist darauf hin, daß es *vernünftig* ist, Gott zu vertrauen[27]. Im Blick auf das Leiden ist zwar *Geduld* die Haupttugend des Gläubigen, aber sie führt ihn nicht in eine quietistische Haltung, sondern ist selbst gewissermaßen eine kämpferische Tugend und muß erkämpft werden. Nicht Ergebung im Sinne von Resignation ist ihr Kennzeichen, sondern Überwindung. Diese Haltung des Dichters kommt besonders eindrücklich in seinen Äußerungen über den Tod zum Ausdruck. In BWV 111 läßt sich am Vergleich mit dem Lied „Was mein Gott will, das g'scheh allzeit" das Todesverständnis des Dichters am deutlichsten erfassen. Wie siegessicher klingt seine Todesbereitschaft, verglichen mit der demütig gefaßten des Liedes:

Strophe 3	BWV 111, 4
Nun muß ich Sünd'r von dieser Welt	So geh ich mit beherzten Schritten,
Scheiden nach Gottes Willen	Auch wenn mich Gott zum Grabe führt.
Zu meinem Gott; wenn's ihm gefällt,	
Will ich ihm halten stille.	

Für den Dichter gibt es kein bloßes Stillhalten angesichts des Todes. Der bricht hier wirklich als „der letzte Feind" herein (BWV 126, 3), und das Sterben wird zu einem gewaltigen Kampf. Die Liedverse „Mein arme Seel' ich Gott befehl' in meiner letzten Stunde" klingen in der Sprache des Dichters so:

Drum wenn der Tod zuletzt den Geist
Noch mit Gewalt aus seinem Körper reißt,
So nimm ihn, Gott, in treue Vaterhände.

Und wenn im Lied der Trost aus Gottes Sieg über alle Feinde gezogen wird („Sünd, Höll und Tod hast du mir überwunden"), so fühlt sich der Dichter selbst in den Kampf gestellt, und sein Glaube muß siegen:

Wenn Teufel, Tod und Sünde mich bekriegt
Und meine Sterbekissen
Ein Kampfplatz werden müssen,
So hilf, damit in dir mein Glaube siegt!
O seliges, gewünschtes Ende! (BWV 111, 5)

Ein stärkerer Gegensatz zu dem das Lied durchziehenden Ton ruhiger und demütiger Ergebung ins Sterben ist schwer vorstellbar.

Von Kampfbereitschaft und Siegesgewißheit ist aber auch schon das ganze Leben des Christen bestimmt. Wir zwar an uns selbst sind schwach, wie der Dichter weiß, zum Kampf um die Verwirklichung des Guten untauglich[28], aber wir haben teil an Gottes Macht:

---

26 Man vergleiche nur die vielen Ausdrücke dafür in BWV 93: Sorgen „drücken das Herz mit Zentnerpein, mit tausend Angst und Schmerzen"; „bittres Ungemach"; „beträntes Angesicht"; „bange Traurigkeit"; „schwüles Wetter" u. a.
27 Zum Beispiel BWV 93, 5; 178, 2; 99, 2. 3.
28 Zum Beispiel BWV 78, 3.

Seht aber fest und unbeweglich prangen,
Was unser Held mit seiner Macht umfangen.
Laßt Satan wüten, rasen, krachen,
Der starke Gott wird uns unüberwindlich machen. (BWV 92, 3)[29]

Mir scheint, diese das aktive Moment betonende Glaubenshaltung paßt gut zu dem Bild des Dichters, das sich aus der Untersuchung seiner theologischen Auffassungen ergeben hat. Gewiß konnten hier nicht sämtliche Choralkantaten zum Beleg der Aussagen herangezogen werden, und zweifellos gibt es unter ihnen einige, die sich dem hier gezeichneten Bild nur schwer einfügen würden. Insofern muß auch jetzt noch die Frage offen bleiben, ob wir es mit einem oder mit mehreren Verfassern zu tun haben. Behandeln wir aber den Jahrgang als ein vielgliedriges Ganzes, so zeigt sich in ihm doch eine solche Einheitlichkeit der theologischen Grundzüge, daß man wohl mit Recht von einer Theologie der Choralkantaten sprechen kann. Ihr Wurzelgrund — das dürfte deutlich geworden sein — ist die lutherische Orthodoxie des frühen 18. Jahrhunderts, eine lehrmäßig strenge, im Ton jedoch nicht übermäßig lehrhafte, sondern durchaus lebendige, „fromme" Orthodoxie. Sollten die Kantaten damit nicht recht genau das Leipziger kirchliche Leben der Bachzeit widerspiegeln?[30] Dann aber liegt es nahe, den (oder die) Verfasser der Choralkantaten unter den Geistlichen in Bachs Umgebung zu suchen.

---

29 Vgl. auch BWV 101, 5; 78, 4; 115, 5; 62, 4; 123, 4.
30 Vgl. dazu Stiller, a. a. O., S. 84 ff.

Dietrich Berke

Zur Problematik des Schutzes wissenschaftlicher Ausgaben im deutschen Urheberrechtsgesetz

Das am 9. September 1965 vom Deutschen Bundestag verabschiedete und am 1. Januar 1966 in Kraft getretene „Gesetz über Urheberrecht und verwandte Schutzrechte (Urheberrechtsgesetz)", abgekürzt UrhG, enthält erstmals Bestimmungen, die der wissenschaftlich-editorischen Leistung unter bestimmten Voraussetzungen Schutzrechte einräumen. Im einzelnen handelt es sich um den Schutz wissenschaftlicher Ausgaben (§ 70 UrhG) und um den Schutz von Ausgaben nachgelassener Werke (§ 71 UrhG)[1].

Die Verwertung der aus diesen Schutzrechten erwachsenden Nutzungsrechte an Werken der Musik werden, soweit sie das Kleine Recht betreffen, seit 1967 von der Interessengemeinschaft Musikwissenschaftlicher Herausgeber und Verleger, abgekürzt IMHV, wahrgenommen[2].

Die Öffentlichkeit hat von den neuen gesetzlichen Bestimmungen lange Zeit kaum Notiz genommen. Inzwischen sind aber sowohl die sogenannten „Verbraucher" geschützter Ausgaben — in erster Linie die Rundfunkanstalten — als auch die betroffenen wissenschaftlichen Herausgeber und Editionsinstitute auf die Rechte der §§ 70, 71 UrhG aufmerksam geworden, und zwar nicht zuletzt durch die Aktivität der IMHV und der in ihr zusammengeschlossenen Verleger und Editoren. Am 15. November 1980 fand auf Einladung der Konferenz der Akademien der Wissenschaften in der Bundesrepublik Deutschland zu Mainz ein Urheberrechtskolloquium unter Leitung von Karl Gustav Fellerer statt, bei dem erstmals anerkannte Urheberrechtler (Heinrich Hubmann, Erlangen, und Eugen Ulmer, München) mit wissenschaftlichen Editoren auf der Basis von vorbereiteten Referaten (von Dietrich Berke, Kassel, Klaus Hofmann, Göttingen, und Hubert Unverricht, Eichstätt) Fragen der gesetzlichen Bestimmungen der §§ 70, 71 UrhG sowie Probleme der vertraglichen Regelung zwischen wissenschaftlichen Editoren, Editionsinstituten und Verlagen diskutierten. Wichtigstes Ergebnis dieses Kolloquiums war ein Antrag an den Bundesminister der Justiz auf Verlängerung der Schutzfrist von bisher 10 auf mindestens 25 Jahre für nach § 70 UrhG geschützte wissenschaftliche Ausgaben. Auch der Vorstand der Gesellschaft für Musikforschung hat sich des Problems der Verlängerung der Schutzfrist angenommen und einen ähnlich formulierten Antrag an das Bundesministerium der Justiz gestellt.

Der vorliegende Beitrag versucht, einen Überblick über die im praktischen Umgang mit den gesetzlichen Bestimmungen der §§ 70, 71 UrhG sich ergebenden Probleme zu vermitteln. Grundlage bilden meine beiden auf dem oben genannten Mainzer Kolloquium gehaltenen Referate sowie die dort geführten Diskussionen[3]. Zum besseren Verständnis sei vorweg der Wortlaut der §§ 70 und 71 UrhG wiedergegeben:

---

1 Hubert Unverricht hat die gesetzlichen Bestimmungen der §§ 70, 71 UrhG nach Inkrafttreten des neuen UrhG einer systematischen Kritik unterzogen: Hubert Unverricht, Der Schutz musikwissenschaftlicher Editionen nach dem neuen Urheberrechtsgesetz, in: Die Musikforschung 19, 1966, S. 164–171. – In die Bestimmungen des § 71 UrhG sind Elemente aus § 29 Satz 1 des älteren „Gesetzes, betreffend das Urheberrecht an Werken der Literatur und der Tonkunst" von 1901 eingeflossen.

2 Zur IMHV vgl. Hubert Unverricht, Die Wahrnehmung der Urheberrechte an musikwissenschaftlichen Ausgaben durch die IMHV, in: Die Musikforschung 21, 1968, S. 3–7, sowie Dietrich Berke, Die IMHV. Eine Zwischenbilanz, in: Die Musikforschung 28, 1975, S. 60–62.

3 Die Referate und ein redigiertes Protokoll der Diskussionen des Mainzer Urheberrechtskolloquiums sind im J. Schweitzer Verlag München unter dem Titel: Rechtsprobleme musikwissenschaftlicher Editionen (= Schriften zum gewerblichen Rechtsschutz, Urheber- und Medienrecht, SGRUM, Band 3), herausgegeben von Heinrich Hubmann, 1982 erschienen. Für den vorliegenden Aufsatz konnte diese Publikation nur im Manuskriptstadium benutzt werden, weshalb hier dieser generelle Hinweis genügen muß.

§ 70 Wissenschaftliche Ausgaben

(1) Ausgaben urheberrechtlich nicht geschützter Werke oder Texte werden in entsprechender Anwendung der Vorschriften des Ersten Teils geschützt, wenn sie das Ergebnis wissenschaftlich sichtender Tätigkeit darstellen und sich wesentlich von den bisher bekannten Ausgaben der Werke oder Texte unterscheiden.
(2) Das Recht steht dem Verfasser der Ausgabe zu.
(3) Das Recht erlischt zehn Jahre nach dem Erscheinen der Ausgabe, jedoch bereits zehn Jahre nach der Herstellung, wenn die Ausgabe innerhalb dieser Frist nicht erschienen ist. Die Frist ist nach § 69 zu berechnen.

§ 71 Ausgaben nachgelassener Werke

(1) Wer ein nicht erschienenes Werk im Geltungsbereich dieses Gesetzes nach Erlöschen des Urheberrechts erscheinen läßt, hat das ausschließliche Recht, das Werk zu vervielfältigen und zu verbreiten sowie die Vervielfältigungsstücke des Werkes zur öffentlichen Wiedergabe zu benutzen. Das gleiche gilt für nicht erschienene Werke, die im Geltungsbereich dieses Gesetzes niemals geschützt waren, deren Urheber aber schon länger als siebzig Jahre tot ist. Die §§ 5, 15 bis 24, 27 und 45 bis 63 sind sinngemäß anzuwenden.
(2) Das Recht ist übertragbar.
(3) Das Recht erlischt zehn Jahre nach dem Erscheinen des Werkes. Die Frist ist nach § 69 zu berechnen[4].

1. Die Schutzfrist

Der Gesetzgeber billigt sowohl den nach § 70 UrhG geschützten wissenschaftlichen Ausgaben als auch den nach § 71 UrhG geschützten Ausgaben nachgelassener Werke (Erstausgaben) eine Schutzfrist von nur 10 Jahren zu, die gemäß § 69 UrhG mit dem Ablauf des Kalenderjahres einsetzt, in dem die betreffende Ausgabe erschienen ist. Von allem Anfang an ist diese Schutzfrist, vor allem für die nach § 70 UrhG geschützten wissenschaftlichen Ausgaben, als zu kurz kritisiert worden[5]. Die Ungerechtigkeit der Bestimmung wird deutlich, wenn man sich vergegenwärtigt, daß der Gesetzgeber den Schutz einfacher Lichtbilder zwar ebenfalls den Leistungsschutzrechten zuweist (§ 72 UrhG), de facto aber den einfachen Lichtbildern gleiche Schutzrechte einräumt wie den nach § 2 UrhG zu definierenden Lichtbildwerken, also eine 25jährige Schutzfrist nach Erscheinen (§ 68 UrhG)[6].
Abgesehen von solcher mehr moralisch motivierter Kritik sprechen für eine Revision der Schutzfristbestimmungen, vor allem für nach § 70 UrhG geschützte wissenschaftliche Ausgaben (nach § 71 UrhG geschützte Ausgaben nachgelassener Werke müssen in diesem Zusammenhang unter anderen Aspekten gesehen werden; vgl. dazu weiter unten), auch praktische Gründe:
Der aus § 70 UrhG erwachsende Schutz stellt nicht nur eine Art ideelles Recht dar, sondern der Rechtsinhaber soll oder kann nach dem Willen des Gesetzgebers aus diesem Recht auch Nutzen ziehen. Die Möglichkeit der Nutzung erscheint aber für den wissenschaftlichen Herausgeber aufgrund der kurzen Schutzfrist stark begrenzt. Er ist dadurch wesentlich schlechter gestellt als etwa ein Amateurfotograf, der aus einem geglückten Schnappschuß immerhin einen 25 Jahre währenden Leistungsschutz, vom Erscheinen des Bildes an gerechnet, beanspruchen kann.

---

4 Zur grundsätzlichen Problematik dieser gesetzlichen Bestimmungen vgl. die in Anmerkung 1 genannte Arbeit von Hubert Unverricht.
5 Hubert Unverricht, Der Schutz musikwissenschaftlicher Editionen . . ., a. a. O., S. 5–6.
6 Es gibt sogar Bestrebungen, diese Schutzfrist auf 50 Jahre zu verlängern.

Die Nutzungsmöglichkeit der Leistungsschutzrechte für wissenschaftliche Ausgaben hängt zudem in ihrem Umfang ganz wesentlich davon ab, wie schnell sich eine solche Ausgabe, vor allem eines Werkes der Musik, in der Praxis durchsetzt. Da wissenschaftliche Ausgaben nur dann Leistungsschutz nach § 70 UrhG beanspruchen können, wenn sie sich „wesentlich von den bisher bekannten Ausgaben der Werke oder Texte unterscheiden", setzt die Schutzfähigkeit das Vorhandensein solcher älterer Ausgaben voraus. Der Umfang der Nutzung hängt also entscheidend davon ab, wie schnell es gelingt, die geschützte Ausgabe gegen ihre Konkurrentinnen auf dem Markt durchzusetzen. Da dieser Prozeß, übrigens primär Sache des Verlegers, erfahrungsgemäß langwierig ist, käme der Ertrag aus einer solchen Ausgabe oftmals erst dann voll zur Wirkung, wenn die Schutzfrist nahezu verstrichen ist.

Bei großbesetzten Werken der Musik (Bühnenwerken, Orchesterwerken etc.) und bei bestimmten Werken der Kammermusik erstellt der Wissenschaftler in aller Regel eine Partitur, die beispielsweise im Rahmen einer wissenschaftlichen Gesamtausgabe erscheint. Die Nutzung einer solchen Ausgabe kann aber sinnvollerweise erst einsetzen, wenn das für die Praxis benötigte Aufführungsmaterial ebenfalls verfügbar ist. Die Herstellung solcher Aufführungsmateriale ist Sache des Verlegers und bedeutet je nach Umfang des Werkes unter Umständen eine beträchtliche Investition. Aufführungsmateriale erscheinen darum in der Regel nicht gleichzeitig mit der Partitur, sondern nach einem gewissen zeitlichen Abstand. Für den Herausgeber verkürzt sich durch diese Praxis zwar nicht die Schutzfrist seiner Ausgabe, wohl aber die Frist, in der er aus ihr Nutzen ziehen kann. Die Vorstellung, eine Ausgabe erst dann als vollständig erschienen zu betrachten, wenn alle ihre Teile, also Partitur und Aufführungsmaterial, vorliegen, und für die Bemessung der Schutzfrist § 67 UrhG[7] sinngemäß anzuwenden, ist nicht angängig[8]. Nur dann, wenn aus wissenschaftlichen oder aus ökonomischen Gründen es ratsam erscheint, größere Werke auf Teilbände oder auf mehrere Bände aufzuteilen und in zeitlichem Abstand voneinander erscheinen zu lassen, sollte für die Bemessung der Schutzfrist § 67 UrhG angewandt werden. Zusammenfassend kann gesagt werden:

Die Schutzfrist von 10 Jahren reicht nicht aus, um den wissenschaftlichen Herausgeber in angemessenem zeitlichem Umfang in die Lage zu versetzen, aus seiner geschützten Ausgabe Nutzen zu ziehen. Dies gilt nicht in gleichem Maße für nach § 71 geschützte Werke, die ja mit keinerlei Konkurrenzausgaben am Markt zu kämpfen haben und denen als „Erstausgaben" eine gewisse Attraktivität zukommt.

Gegen eine generelle Verlängerung der Schutzfrist für nach den §§ 70, 71 UrhG geschützten Ausgaben bzw. Werke sind allerdings aus Kreisen musikwissenschaftlicher Editoren aus deren Sicht Bedenken erhoben worden:

a) Eine verlängerte Schutzfrist blockiert die wissenschaftliche Weiterbeschäftigung mit den betroffenen Werken über einen unverantwortlich langen Zeitraum.

b) Ein in einer nach § 70 geschützten Ausgabe enthaltenes Werk oder ein nach § 71 geschütztes Werk kann während der Schutzfrist nicht neu ediert werden, auch dann nicht, wenn das Werk in der vorliegenden Form nachweislich mangelhaft ediert ist oder wenn neue Forschungen eine Neuedition dringend geraten erscheinen lassen.

c) Eine Verlängerung der Schutzfrist kann darum in Einzelfällen den Fortgang einer wissenschaftlichen Gesamtausgabe empfindlich hemmen, dann nämlich, wenn ein in einer geschützten

---

7 § 67 Lieferungswerke: „Bei Werken, die in inhaltlich nicht abgeschlossenen Teilen (Lieferungen) veröffentlicht werden, ist . . . für die Berechnung der Schutzfrist der Zeitpunkt der Veröffentlichung der letzten Lieferung maßgebend."
8 Auf dem Mainzer Urheberrechtskolloquium ist die Möglichkeit von Eugen Ulmer ausdrücklich verneint worden.

Ausgabe enthaltenes Werk noch während der Schutzfrist im Rahmen einer wissenschaftlichen Gesamtausgabe in dem systematischen Zusammenhang, in den es hineingehört, ediert werden soll[9].

Die Diskussion der hier angesprochenen Probleme hat auf dem Mainzer Urheberrechtskolloquium mit Recht einen breiten Raum eingenommen. Einigkeit bestand zunächst darin, daß ein Leistungsschutz nach den §§ 70, 71 UrhG auf keinen Fall restriktive Wirkungen auf die wissenschaftliche Weiterbeschäftigung mit den betroffenen Werken, auch nicht im Hinblick auf die Heranziehung der einschlägigen Quellen, haben kann. Bei der Frage, inwieweit eine nach § 70 UrhG geschützte Ausgabe oder ein nach § 71 UrhG geschütztes Werk eine Neuedition noch während der Schutzfrist verhindern kann, ist zunächst zwischen den unterschiedlichen Schutzarten der §§ 70 und 71 zu unterscheiden. Der Schutz nach § 70 ist zwar in einer Hinsicht umfassender als der nach § 71, insofern nämlich, als § 70 echten Urheberpersönlichkeitsschutz gewährt, das Recht folgerichtig (§ 70 Absatz 2) dem Verfasser der Ausgabe zusteht und nicht übertragbar ist[9a], während das Recht nach § 71 dem zusteht, der das Werk erscheinen läßt — und das kann ebensogut eine natürliche wie eine juristische Person, also ein Institut oder ein Verlag, sein — und auch übertragbar ist; während also bei § 70 der Schutz im Hinblick auf den Rechtsinhaber umfassender ausgestattet ist, schützt § 70 jedoch nur die A u s g a b e unter bestimmten Bedingungen, während § 71 das W e r k schützt. In der Praxis bedeutet dies, daß ein nach § 71 UrhG geschütztes Werk während der Schutzfrist von Dritten weder vervielfältigt noch verbreitet werden darf, somit eine Neuedition während der Schutzfrist unerlaubt ist. Bei § 70 erstreckt sich der Schutz ausschließlich auf die Gestalt, die das Werk in einer bestimmten Ausgabe angenommen hat, nicht auf das Werk generell. Sowenig also beispielsweise ein „Verbraucher", also ein Interpret oder eine Schallplattenfirma, durch die Existenz einer nach § 70 geschützten Ausgabe gezwungen werden kann, ausschließlich diese geschützte Ausgabe zur Basis einer öffentlichen Wiedergabe oder einer Schallplatteneinspielung des betreffenden Werkes zu machen, genausowenig kann ein Wissenschaftler durch die Existenz einer solchen Ausgabe gehindert werden, ein in einer nach § 70 UrhG geschützten Ausgabe enthaltenes Werk neu zu edieren, s o f e r n e r d a b e i d i e g e s c h ü t z t e A u s g a b e n i c h t b e n u t z t. Theoretisch kann dabei eine Ausgabe entstehen, die sich von der anderen, bereits nach § 70 UrhG geschützten Ausgabe „wesentlich unterscheidet", so daß der neuen Ausgabe dann ihrerseits ebenfalls Schutz nach § 70 UrhG zukommt.

Dies sind allerdings recht theoretische, um nicht zu sagen praxisferne Überlegungen. Denn es erscheint einigermaßen widersinnig, bei der Neuedition eines Werkes eine vorhandene wissenschaftliche Ausgabe schlicht zu umgehen: Es gehört zu den Maximen jedweder wissenschaftlichen Tätigkeit, den Stand der Forschung als Ausgangspunkt der eigenen Arbeit zu nehmen[10]. Die „Benutzung" einer Ausgabe erschöpft sich ja nicht in der platten Kopie; auch die Hinführung zu den Quellen, die mittels der Wortteile einer solchen Ausgabe sich ergeben kann, ist bereits „Benutzung" im wissenschaftlichen Sinne. Daß es sich dabei um „freie Benutzung" ent-

---

9 In Diskussionen dieses Problems ist als Ausweg mehrfach auf das „Recht auf Gesamtausgaben" in § 2 (3) im Gesetz über das Verlagsrecht verwiesen worden. Diese Bestimmungen gelten jedoch ausschließlich für urheberrechtlich voll geschützte Werke und könnten somit nur auf die Schönberg- oder Hindemith-Gesamtausgaben angewendet werden, nicht aber auf Gesamtausgaben der Werke solcher Komponisten, die länger als 70 Jahre tot sind.

9a Übertragbar ist jedoch die Befugnis zur Nutzung des Rechts.

10 Zur Vermeidung eines „ewigen" Urheberrechts an nicht erschienenen, jedoch im Manuskript fertiggestellten wissenschaftlichen Ausgaben hat der Gesetzgeber in § 70 (3) UrhG festgelegt, daß das Recht an einer solchen Ausgabe zehn Jahre nach der Herstellung erlischt, wenn die Ausgabe in dieser Frist nicht erschienen ist; diese Bestimmung wurde nicht zuletzt auch im Hinblick darauf eingeführt, daß die Forschung durch Nichterscheinenlassen solcher Ausgaben nicht über Gebühr lange blockiert wird.

sprechend § 24 UrhG handeln könnte, ist eine theoretische Möglichkeit ohne praktische Bedeutung[11].

Die Diskussionen auf dem Mainzer Kolloquium haben als Ausweg aus diesem Dilemma denn auch einzig die Einführung einer gesetzlichen Lizenz bei einer eventuellen Verlängerung der Schutzfrist für nach § 70 UrhG geschützte Ausgaben gesehen, dergestalt, daß nach Ablauf von 10 Jahren gegen Zahlung einer angemessenen Vergütung eine geschützte wissenschaftliche Einzelausgabe in eine wissenschaftliche Gesamtausgabe aufgenommen werden kann oder das betreffende Werk unter erneuter Benutzung der Quellen in eine wissenschaftliche Gesamtausgabe eingefügt werden kann. Die Schutzfrist für nach § 71 UrhG geschützte Werke sollte dagegen auf 10 Jahre beschränkt bleiben: Ein erstmals erschienenes urheberrechtlich nicht geschütztes Werk muß nach einer nicht allzulang bemessenen Frist gemeinfrei werden, dies umsomehr, als nicht nur käuflich oder leihweise zu erhaltene Notenausgaben, sondern auch Tonträger, zum Beispiel Schallplatten, die Bedingungen des § 71 (1) voll erfüllen[12].

2. Möglichkeiten des doppelten Schutzes an urheberrechtlich nicht geschützten Werken[13]

Solche Möglichkeiten sind bei Editionen urheberrechtlich nicht geschützter Werke immer dann gegeben, wenn dabei mehrere Leistungen erbracht werden, die urheberrechtlich unterschiedlich zu bewerten sind. Als Anschauungsmodell für diesen Sachverhalt kann der Typus der Sonate für Soloinstrument und unbezifferten Baß gelten. Solch eine Sonate kann in einer nach § 70 UrhG geschützten wissenschaftlichen Ausgabe oder als nach § 71 UrhG geschützte Erstausgabe erscheinen; außerdem kann aber einer solchen Ausgabe eine moderne eigenschöpferische, nach § 3 UrhG, „Bearbeitungen", geschützte Generalbaßaussetzung integriert sein. In einer solchen Ausgabe würden demnach Leistungsschutzrechte nach den §§ 70 oder 71, darüber hinaus aber echte Urheberrechte nach § 3 nebeneinander wirksam. Die Vorstellung, der wesentlich umfassendere Schutz nach § 3 hebe die Leistungsschutzrechte nach §§ 70 oder 71 gleichsam in sich auf, ist gesetzlich nicht gedeckt, denn § 3 schützt die Bearbeitung „unbeschadet des Urheberrechts am bearbeiteten Werk", in unserem Falle also unbeschadet der Leistungsschutzrechte aus den §§ 70 oder 71.

Aber auch praktische Gründe lassen in Fällen wie den oben skizzierten, die übrigens in der Praxis häufig vorkommen, die Wahrnehmung des doppelten Schutzes geraten erscheinen:

a) Der Bearbeiter des Generalbasses ist oftmals nicht mit dem Verfasser[14] einer nach § 70 geschützten Ausgabe oder mit dem Herausgeber[15] eines nach § 71 geschützten Werkes identisch.

---

11 § 24 Freie Benutzung: „(1) Ein selbständiges Werk, das in freier Benutzung des Werkes eines anderen geschaffen worden ist, darf ohne Zustimmung des Urhebers des benutzten Werkes veröffentlicht und verwertet werden." Paul Sülwald, Präsident der IMHV, hat auf dem Mainzer Urheberrechtskolloquium jedoch mit Recht darauf hingewiesen, daß die Bestimmungen des § 24 (1) UrhG durch den in § 24 (2) festgelegten Melodienschutz für Werke der Musik eine deutliche Einschränkung erfahren. § 24 (2) lautet: „Absatz 1 gilt nicht für die Benutzung eines Werkes der Musik, durch welche eine Melodie erkennbar dem Werk entnommen und einem neuen Werk zugrundegelegt wird." Auf das Verhältnis zweier wissenschaftlicher Ausgaben ein und desselben Werkes ist demnach § 24 (1) UrhG praktisch nicht anwendbar.

12 Vgl. weiter unten, insbesondere S. 24 f.

13 Hierbei handelt es sich also nicht um Miturheberschaft (§ 8 UrhG) oder um Werkverbindungen (§ 9 UrhG).

14 Der Begriff „Verfasser einer Ausgabe" ist im Sprachgebrauch des modernen Editionswesens ungewöhnlich: hier wird entweder vom Herausgeber oder vom Bandbearbeiter gesprochen, zwei Begriffe, die urheberrechtlich nicht exakt und mehrdeutig sind. Der Begriff „Verfasser" trifft dagegen den urheberpersönlichkeitsrechtlichen Kern der Bestimmungen des § 70 UrhG wesentlich schärfer, denn ein Verfasser kann nur eine natürliche Person sein, deren Urheberrechte prinzipiell nicht übertragbar sind.

15 Der Begriff „Herausgeber" wird hier in Abgrenzung zum Begriff „Verfasser" (vgl. Anmerkung 14) verwendet: Herausgeber können auch juristische Personen, wie Institute oder eingetragene Vereine, sein.

b) Die Generalbaßpraxis ist von jeher eine Improvisationskunst, bei der die eigenschöpferischen Fähigkeiten des Interpreten zum Tragen kommen sollen, und sie ist es — ungeachtet schwindender Fähigkeiten auf diesem Gebiet — bis auf den heutigen Tag geblieben. Die Beigabe eines ausgesetzten Generalbasses in einer (geschützten) Ausgabe ist demnach so etwas wie eine Notlösung und für denjenigen Interpreten gedacht, der eine eigene Aussetzung nicht anfertigen kann oder will. Es widerspräche aber allen historischen Tatsachen und der Natur der Sache, wenn man einem Interpreten die einer Ausgabe beigegebene Generalbaßaussetzung aufzwingen wollte. Insofern ist der Interpret hinreichend legitimiert, wenn er bei der Benutzung einer nach §§ 70 oder 71 geschützten Ausgabe mit ausgesetztem Generalbaß von dessen Widergabe absieht und stattdessen seine eigene Aussetzung spielt. Folgerichtig könnte in einem solchen Fall das Recht aus § 3 UrhG nicht wahrgenommen werden, wohl aber das aus den §§ 70 oder 71[16].

Wesentlich schwieriger zu beantworten ist die Frage, ob in ein und derselben Ausgabe sowohl Schutz nach § 70 als auch Schutz nach § 71 UrhG wirksam werden kann. Eugen Ulmer hat diese Möglichkeit auf dem Mainzer Urheberrechtskolloquium ausdrücklich bejaht, und auch der Urheberrechtskommentar Fromm-Nordemann hält doppelten Schutz nach den §§ 70 und 71 an ein und derselben Ausgabe unter bestimmten Voraussetzungen für möglich[17]. Dem liegen folgende Überlegungen zu Grunde:

§ 70 schützt wissenschaftliche Ausgaben unter bestimmten Bedingungen und gesteht das Recht dem Verfasser[18] der Ausgabe zu; wie echte Urheberrechte ist auch das Recht aus § 70 an die Persönlichkeit des Wissenschaftlers gebunden, der die Ausgabe verfaßt hat, und darum nicht übertragbar. § 71 schützt Ausgaben nachgelassener Werke und gesteht das Recht demjenigen zu, der das Werk erscheinen läßt. Da nach § 6 UrhG das Erscheinenlassen eines Werkes lediglich darin besteht, „Vervielfältigungsstücke des Werkes nach ihrer Herstellung in genügender Anzahl" der Öffentlichkeit anzubieten oder in Verkehr zu bringen, und da nach § 16 UrhG das bei der Vervielfältigung angewandte Verfahren keine Rolle spielt, setzt § 71 also nur den mehr mechanischen Vorgang des „Erscheinenlassens" eines nicht erschienenen urheberrechtlich nicht geschützten Werkes voraus, nicht aber eine wissenschaftlich-schöpferische Tätigkeit und stellt eine solche folgerichtig auch nicht unter Schutz. Das Recht ist also nicht an die Person eines „Verfassers" gebunden, bleibt also ohne urheberpersönlichkeitsrechtliche Konsequenzen und ist darum auch voll übertragbar. Zudem ist der Schutz nach § 71 expressis verbis auf das Erscheinenlassen von Werken eingeschränkt; Erstausgaben urheberrechtlich nicht geschützter Texte ohne Werkcharakter bleiben vom Schutz nach § 71 ausgenommen.

Mögliche Konfliktfälle, die sich aus diesen gesetzlichen Bestimmungen für musikwissenschaftliche Editionen ergeben können, seien kurz skizziert:

Die Erstausgabe eines Werkes, zum Beispiel eines Streichquartetts, kann den Charakter einer wissenschaftlichen Ausgabe haben, dann nämlich, wenn eine solche Ausgabe auf der Basis mehrerer Quellen erfolgen muß, die einander ergänzen. In diesem Falle kommt einer solchen Ausgabe zwar der Schutz der editio princeps aus § 71 zu, nicht aber der persönlichkeitsrechtlich viel weiterreichende Schutz nach § 70. Die Problematik wird evident, wenn man den Fall ein wenig verschärft: Ein Wissenschaftler findet im Nachlaß eines verstorbenen Kollegen eine druckfertige Vorlage für eine wissenschaftliche Erstausgabe der zuvor beschriebenen Art. Wenn er diese Aus-

---

16 Die IMHV empfiehlt bei Werken mit Generalbaßaussetzung prinzipiell eine parallele Anmeldung bei der GEMA. Es sei jedoch darauf hingewiesen, daß Ausgaben mit integrierter Generalbaßaussetzung oftmals den Hinweis enthalten, daß die Ausgaben für (öffentliche) Aufführungen nur benutzt werden dürfen, wenn der geschützte Generalbaß gespielt wird und entsprechend eine Abrechnung über die GEMA erfolgt.

17 Urheberrecht. Kommentar zum Urheberrechtsgesetz und zum Wahrnehmungsgesetz . . . begründet von Friedrich Karl Fromm und Wilhelm Nordemann . . . 4. Auflage, Stuttgart etc. 1979 (= Fromm-Nordemann), S. 375, § 71, Bemerkung (= Bem.) 6.

18 Vgl. Anmerkung 14.

gabe erscheinen läßt, steht ihm das Recht aus § 71 zu, obwohl es sich bei der Ausgabe um eine wissenschaftlich-geistige Schöpfung eines anderen handelt. Dieses Piratenstück wäre gänzlich unmöglich, wenn es sich bei der in Frage stehenden Ausgabe um eine nach § 70 zu schützende wissenschaftliche Ausgabe handelte: In diesem Falle stünde das Recht den Erben zu, die ihre Ansprüche notfalls einklagen könnten.

Trotz dieser urheberrechtlich zweifellos gravierenden Fälle — die, wenn auch konstruiert, alles andere als theoretische Fiktionen sind — bleibt zu fragen, ob die gesetzlichen Bestimmungen, wenn man sie wörtlich nimmt, und dies erscheint mir unabdingbar, einen doppelten Schutz nach den §§ 70 und 71 für wissenschaftliche Erstausgaben wirklich zulassen. Zusätzlicher Schutz nach § 70 wäre nämlich nur dann möglich, wenn man auf das Kriterium der wesentlichen Unterscheidung der zu schützenden Ausgabe gegenüber den bekannten Ausgaben verzichtete oder wenn man der Form, in der das Werk zuvor existierte (also öffentlich zugängliche Quellen), Ausgabencharakter zubilligen würde. Eine Vernachlässigung des Gesetzestextes scheint mir nicht angängig zu sein, denn wenn man im Falle einer wissenschaftlichen Erstausgabe die äußerst restriktive Bestimmung des § 70 (1), daß sich die zu schützende Ausgabe von den bekannten Ausgaben wesentlich zu unterscheiden habe, umgehen will mit dem Ziel, einer solchen Ausgabe einen doppelten Schutz nach den §§ 70 und 71 zukommen zu lassen, dann ist überhaupt nicht einzusehen, warum man bei anderen, unter demselben oder gar noch größerem wissenschaftlichen Aufwand zustandegekommenen Ausgaben, die sich gleichwohl von den bekannten Ausgaben nicht wesentlich unterscheiden, dieses Kriterium anwendet mit dem erklärten Ziel des Gesetzgebers, jegliche Schutzfähigkeit zu verhindern.

Will man also die Möglichkeit des doppelten Schutzes nach den §§ 70 und 71 an ein und derselben Ausgabe unter Beibehaltung der gesetzlichen Bestimmungen ins Auge fassen, so wäre dies nur bei einer sehr weiten Auslegung des Begriffes „Ausgabe" möglich, etwa so, daß Quellen, nach denen gearbeitet worden ist, dann als „Ausgaben" angesehen werden, wenn sich der in der nach § 71 geschützten Erstausgabe enthaltene Text wesentlich von der Gestalt unterscheidet, in der er in den herangezogenen Quellen jeweils überliefert ist. Da § 70 (1) von „bekannten", nicht erschienenen oder veröffentlichten Ausgaben spricht, sei dieser hier aufgezeigten Möglichkeit in einem kurzen Exkurs nachgegangen.

Exkurs: Zum Begriff „Ausgabe"

Es gibt Erstausgaben, Originalausgaben und Ausgaben letzter Hand; wissenschaftlich-kritische Ausgaben, Urtextausgaben und praktische Ausgaben; Gesamtausgaben, Einzelausgaben, ungekürzte und gekürzte Ausgaben; Denkmälerausgaben, Faksimile-Ausgaben und kommentierte Faksimile-Ausgaben; rechtmäßige, einzig rechtmäßige und folglich auch unrechtmäßige Ausgaben; und so weiter. All diese Ausgabentypen unterscheiden sich voneinander in bestimmten Punkten, die uns in diesem Zusammenhang aber nicht interessieren; wir fragen vielmehr nach dem, was alle diese Ausgaben miteinander verbindet, nach dem tertium comparationis, und finden eine brauchbare Antwort im „Großen Brockhaus": „Ausgabe 1) Literatur, Buchhandel: Bez.(eichnung) für die Gesamtheit aller Exemplare einer Druckschrift, die gemeinsame Merkmale haben: der Begriff A.(usgabe) ist nicht immer von Auflage klar abgegrenzt."[19] Der „Große Brockhaus" wendet den Begriff „Ausgabe" also ausschließlich auf Drucke an und folgt damit dem allgemeinen Sprachgebrauch. In der philologischen Terminologie werden die Begriffe „Ausgabe" und „Druck" sogar oftmals synonym verwendet: Man spricht von „Erstausgaben" und „Erstdrucken" oder von „Originalausgaben" und „Originaldrucken" und meint damit jeweils dasselbe. Die großen Werkverzeichnisse, zum Beispiel das „Köchel-Verzeichnis"[20], unterscheiden

---

19 Der Große Brockhaus . . ., 18. völlig neubearbeitete Ausgabe, Erster Band, Wiesbaden 1977, S. 463.
20 Chronologisch-thematisches Verzeichnis sämtlicher Tonwerke Wolfgang Amadé Mozarts . . . von Dr. Ludwig Ritter von Köchel . . ., Wiesbaden [6]/1964.

zwischen Autographen, Abschriften und Ausgaben und verzeichnen unter dem Stichwort „Ausgaben" ausschließlich Drucke. Niemals wird der Begriff „Ausgabe" auf handschriftliches Material angewandt, nicht auf Autographe und nicht auf Kopien, auch dann nicht, wenn mehrere Kopien eines Werkes in Umlauf gebracht wurden oder mit ihnen Handel getrieben wurde, wie das vor der Erfindung des Buch- und Notendrucks, aber auch noch lange Zeit danach üblich war.

Was versteht aber das Gesetz unter Ausgabe? Der „Erste Teil" des UrhG, der die eigentlichen Urheberrechte zum Inhalt hat (§§ 1–69), kennt den Begriff „Ausgabe" überhaupt nicht. Der Gesetzgeber geht vom Werk und von dessen Veröffentlichung oder Vervielfältigung aus und definiert diese Begriffe. Er spricht demzufolge auch nicht etwa von „Exemplaren einer Auflage", sondern von „Vervielfältigungsstücken eines Werkes". „Ein Vervielfältigungsstück", schreibt v. Gamm in seinem Urheberrechtskommentar, „ist die Wiedergabe des Werkes in einer den menschlichen Sinnen unmittelbar oder mittelbar wahrnehmbaren Verkörperung"[21]. Und bei Fromm-Nordemann heißt es: „Vervielfältigung ist die Herstellung einer oder mehrerer Festlegungen, die geeignet sind, das Werk unmittelbar oder mittelbar wahrnehmbar zu machen."[22] Beide Definitionen zielen auf größtmögliche Weite der Auslegung; zweifellos hätte die Verwendung des Begriffes „Ausgabe" (statt „Festlegung" oder „Verkörperung") eine vom Gesetzgeber nicht gewollte Einengung des Vervielfältigungsbegriffes nach sich gezogen.

Der Begriff „Ausgabe" erscheint erst im „Zweiten Teil" des UrhG, der die „Verwandten Schutzrechte" zum Inhalt hat, und zwar dort im „Ersten Abschnitt, Schutz bestimmter Ausgaben". Die einschlägigen Paragraphen sind §§ 70 und 71, deren Text auf S. 18 wiedergegeben ist. In § 70 (1) wird die wissenschaftliche Ausgabe als „Ergebnis wissenschaftlich sichtender Tätigkeit" definiert. Diese Definition ist insofern umfassend, als sie eine Art Minimalanspruch formuliert; sie hat sich im praktischen Umgang durchaus bewährt. Zudem schützt § 70 (1) wissenschaftliche Ausgaben nur dann, wenn sie sich wesentlich von den bisher bekannten Ausgaben der Werke oder Texte unterscheiden, also nicht generell: Wäre letzteres der Fall, hätte die Definition des Gesetzgebers zweifellos detaillierter ausfallen müssen.

§ 70 (3) legt fest, daß das Recht bereits zehn Jahre nach Herstellung der Ausgabe (also der Abfassung des Manuskriptes) erlischt, wenn die Ausgabe innerhalb dieser Frist nicht erschienen ist. Damit wird ein weiterer Aspekt des juristischen Ausgabenbegriffes sichtbar: Auch eine nicht erschienene Ausgabe, also ein Manuskript oder eine Stichvorlage, kann Ausgabencharakter haben, mehr noch, der Verfasser einer solchen Ausgabe kann diese auch nutzen, denn die Gewährung des Schutzes nach § 70 (1) setzt keineswegs voraus, daß die Ausgabe auch erschienen sein muß[23].

Problematisch erscheint allerdings die Verbindung des Begriffes „Ausgabe" in § 71 mit dessen Einzelbestimmungen, eine Verbindung, die der Gesetzestext zumindest ermöglicht. In § 71 (1)–(3) ist zwar der Begriff „Ausgabe" vermieden; der Gesetzgeber spricht vom nicht erschienenen Werk, vom Erscheinenlassen des Werkes, von Vervielfältigung und Vervielfältigungsstücken des Werkes usw., arbeitet also mit den aus dem „Ersten Teil" des UrhG bekannten und dort definierten Begriffen und verlangt expressis verbis die Anwendung der einschlägigen Paragraphen, darunter auch § 16, doch wird dies alles unter dem Begriff „Ausgaben nachgelasssener Werke" subsumiert. Daraus kann zumindest gefolgert werden (ohne daß dies im Gesetz ausdrücklich gesagt wird), daß der Begriff „Ausgabe" mit „Erscheinenlassen eines Werkes" faktisch

---

21 Urheberrecht. Kommentar von Dr. Otto-Friedrich Frhr. von Gamm, München 1968, S. 338, Randziffer (= Rdz.) 5.
22 Fromm-Nordemann, S. 155, § 16, Bem. 1.
23 Durch die Bestimmung in § 70 (3), daß das Recht 10 Jahre nach der Herstellung der Ausgabe erlischt, wenn die Ausgabe innerhalb dieser Frist nicht erschienen ist, ließe sich die Schutzfrist theoretisch auf 20 Jahre verlängern. Ob man allerdings eine nicht erschienene Ausgabe auch nutzen kann, zum Beispiel durch Ausleihen des Manuskriptes, ohne dabei den Tatbestand der §§ 6 oder 16 UrhG zu erfüllen, erscheint fraglich.

gleichgesetzt wird. Wie sehr dadurch der Begriff „Ausgabe" über den allgemeinen und erst recht den wissenschaftlichen Sprachgebrauch hinaus erweitert wird, zeigen einige Extremfälle von „Ausgaben", die einer solchen Definition dann vollauf genügen würden: Schallplatteneinspielungen, Faksimile-Wiedergaben eines Werkes in einer Zeitschrift oder in einem Programmheft, Werkwiedergaben auf Xerox-Kopien, Mikrofilm oder Mikrofiche, wenn sie der Öffentlichkeit angeboten werden[24]. Schon wenn sich jemand einen kleinen Vorrat von Xerox-Kopien einer alten Handschrift eines nicht erschienenen Werkes anlegt und diese der Öffentlichkeit anbietet, veranstaltet er eine „Ausgabe" im Sinne des § 71 (1)[25].

Wenn sich aber der Begriff „Ausgabe" auf das „Erscheinenlassen eines Werkes" reduziert, wenn also eine alte Handschrift nur dadurch zur Ausgabe wird, daß eine handvoll Kopien von ihr der Öffentlichkeit angeboten wird, dann kann man vice versa die alte Handschrift selbst prinzipiell als nicht erschienene Ausgabe betrachten; „bekannt" im Sinne des § 70 (1) könnte eine solche nicht erschienene Ausgabe, also die alte Handschrift, dann sein, wenn sie in einem erschienenen Bibliothekskatalog angezeigt ist. So betrachtet wäre dann in der Tat ein doppelter Schutz nach den §§ 70 und 71 an ein und derselben Ausgabe möglich, dann nämlich, wenn eine Ausgabe einerseits ein nicht erschienenes Werk, das in einer bekannten, jedoch nicht erschienenen Ausgabe (= alte Handschrift) enthalten ist, vorlegt, gleichzeitig aber eine Werkfassung bietet, die sich von der in der alten Handschrift, also der nicht erschienenen Ausgabe, wesentlich unterscheidet, zum Beispiel dadurch, daß Teile des Werkes nach wissenschaftlichen Methoden rekonstruiert werden mußten[26].

Der Gesetzgeber wird sich allerdings fragen lassen müssen, ob er die beschriebene Ausweitung des Ausgabenbegriffes tatsächlich gewollt hat. Entweder sollte sich der Gesetzgeber zu einer Definition des Ausgabenbegriffes entschließen oder er sollte – und dies wäre die einfachste Lösung – den Begriff „Ausgabe" im Zusammenhang mit dem § 71 eliminieren. Statt vom „Schutz bestimmter Ausgaben" (UrhG, Zweiter Teil, Verwandte Schutzrechte, Erster Abschnitt) sollte lieber vom „Schutz wissenschaftlicher Ausgaben und nachgelassener Werke", und statt von „Ausgaben nachgelassener Werke" (§ 71) sollte einfach nur von „Nachgelassenen Werken" die Rede sein, eine Formulierung, die § 71 (1)–(3) ohnehin nahelegt. Doppelter Schutz nach den §§ 70 und 71 an ein und derselben Ausgabe wäre meiner Meinung nach nur durch eine Zusatzbestimmung beim § 71 zu erreichen, etwa so, daß für Erstausgaben zusätzlich Schutz nach § 70 gewährt wird, wenn sie das Ergebnis wissenschaftlich sichtender Tätigkeit darstellen und sich die edierte Werkgestalt von der in den herangezogenen Quellen wesentlich unterscheidet. Bei einer eventuellen Verlängerung der Schutzfrist für § 70 von 10 auf mindestens 25 Jahre, wie angestrebt wird, käme einer solchen Zusatzregelung gesteigerte Bedeutung zu.

---

24 Vgl. Fromm-Nordemann, S. 107, § 6, Bem. 2.

25 Die Definition der „editio princeps" (Erstausgabe) bei Erich Schulze, Urheberrecht in der Musik, Berlin 5/1981, S. 120, nach der die editio princeps auch Wissenschaftscharakter haben müsse, ist sachlich verfehlt.

26 Ein solcher Fall ist durch Peter Ruzickas Edition des Klavierquartetts von Gustav Mahler bekannt geworden. Ruzicka hat seinen Anspruch auf einen doppelten Schutz aus den §§ 70 und 71 an seiner Edition des Klavierquartetts von Gustav Mahler mit einer Entscheidung des Bundesgerichtshofes begründet, nach der die wissenschaftliche Rekonstruktion und Aufarbeitung nicht mehr vorhandener Prozeßakten als eine im Sinne des § 70 schutzwürdige Leistung anerkannt wird. Grundlage hierfür ist die Verwendung des Begriffs „Ausgabe" in einem „untechnischen Sinne", die auch in der amtlichen Begründung zum UrhG (Archiv für Urheber-, Film-, Funk- und Theaterrecht = UFITA Band 45, 1966, Seite 304) zum Ausdruck kommt, wo als Beispiele für „bisher nicht bekannte Ausgaben der Werke und Texte" u. a. genannt werden: „alte, noch nicht gedruckte Handschriften, Inschriften und dergleichen; alte Schriftstücke; bisher unbekannte Originaltexte." „Ungedruckte Ausgabe" in diesem Sinne wäre demnach Mahlers autographe Partitur des Klavierquartetts, die in manchen Punkten der Rekonstruktion bedurfte.

3. Wissenschaftliche Ausgaben und Leistungsschutz

Eine der Innovationen des UrhG in der Neufassung von 1965 bestand darin, daß wissenschaftliche Leistung in Gestalt wissenschaftlicher Ausgaben von Werken oder Texten unter bestimmten Voraussetzungen unter Schutz gestellt wurden. Dies geschah in der Erkenntnis, daß „die allgemeinen Normen etwa des Wettbewerbsrechts oder des Arbeitsrechts [für den Schutz solcher Leistungen] nicht ausreichen."[27] Der Gesetzgeber hat jedoch eine klare rechtsdogmatische Trennung zwischen den echten Urheberrechten und den Rechten derjenigen gezogen, „die in einem mehr oder weniger engen Zusammenhang mit der Verwertung eines Werkes eine schutzwürdige Leistung erbringen."[28] Dies betrifft zwar vorrangig den Schutz des ausübenden Künstlers (§§ 73–81 UrhG), aber auch den Schutz des Verfassers einer wissenschaftlichen Ausgabe oder des Herausgebers eines nachgelassenen Werkes (§§ 70, 71 UrhG). Denn Schutzgegenstand ist im Falle der §§ 70, 71 nicht eine eigene geistige Schöpfung, sondern eine fremde Schöpfung, an der der Wissenschaftler oder Herausgeber jedoch eine Leistung erbringt, die seine Tätigkeit der eines Urhebers „verwandt" erscheinen läßt. Der Schutz der wissenschaftlichen Ausgaben ist darum zusammen mit dem Schutz von Ausgaben nachgelassener Werke im „Zweiten Teil" des UrhG, „Verwandte Schutzrechte", untergebracht.

Das Gesetz schützt wissenschaftliche Ausgaben nur dann, wenn sie sich wesentlich von den bekannten Ausgaben der Werke oder Texte unterscheiden. Zwar stellt sich der Gesetzgeber nicht auf den Standpunkt, der wesentliche Unterschied zu früheren Ausgaben bedinge erst den Wissenschaftscharakter der Neuausgabe; auch die Vorstellung, der wesentliche Unterschied zu früheren Ausgaben bedinge eine besondere wissenschaftliche Leistung oder eine wissenschaftliche Leistung von einer besonderen Höhe im qualitativen Sinne, die es darum zu schützen gelte[29], läßt sich aus dem Gesetzestext keinesfalls ablesen. Voraussetzung für den Schutz ist vielmehr die Wissenschaftlichkeit der Ausgaben und der wesentliche Unterschied zu früheren Ausgaben. Anders formuliert: Der Gesetzgeber sieht den Wissenschaftscharakter einer Ausgabe durchaus als ein Phänomen sui generis, das er jedoch nicht generell unter Schutz stellt; Kriterium der Schutzwürdigkeit ist die wesentliche Unterscheidung, die in quantifizierbaren neuen Ergebnissen am edierten Werk oder Text manifest wird.

Für musikwissenschaftliche Editionen hat Hubert Unverricht — gestützt auf amtliche Erläuterungen des UrhG in der Fassung von 1965 — eine Reihe musikalischer Sachverhalte aufgeführt, die als „wesentlich" anzusehen sind: „ . . . eine andere Fassung oder andere Instrumentation, bedeutende Ergänzungen (z. B. durch vermehrte Takte, zusätzliche authentische Instrumentation), gravierende Änderungen (z. B. etlicher charakteristischer Noten, gänzlich andere Vortragsbezeichnungen) oder Eliminierung nicht authentischer gewichtiger Zusätze (z. B. ganzer Takte, ins Ohr fallender Noten oder das Original überwuchernder Vortragsbezeichnungen)."[30] „Wesentlich" wären nach diesem Katalog solche Unterscheidungen, die musikalisch-substanziell dingfest zu machen und darum im idealen Sinne auch hörbar sind. Einen Schritt weiter geht der Urheberrechtskommentar Fromm-Nordemann: „Nur dort, wo die Besonderheiten der neuen wissenschaftlichen Ausgabe o h n e w e i t e r e s e r k e n n b a r sind [Sperrung original], kann von einer ‚wesentlichen' Abweichung gesprochen werden."[31] Dagegen scheint v. Gamms Definition des „wesentlichen Unterschiedes" erheblich über das Ziel hinauszuschießen: „Ein wesentlicher Unterschied, d. h. Abstand von den bisher bekannten Ausgaben, liegt daher in allen Fällen vor, in denen — bei einem unterstellten Urheberrechtsschutz für die vorbekannten Ausga-

---

27 Fromm-Nordemann, S. 367, vor § 70, Bem. 1.
28 Fromm-Nordemann, a. a. O.
29 Vgl. von Gamm, S. 631, § 70, Rdz. 4.
30 Hubert Unverricht, Die Wahrnehmung der Urheberrechte . . ., a. a. O., S. 4.
31 Fromm-Nordemann, S. 372, § 70, Bem. 4.

26

ben — die fragliche Neuausgabe nicht mehr in den unterstellten Schutzbereich der vorbekannten Ausgaben eingreifen würde, d. h. ein übereinstimmender geistig-ästhetischer Gesamteindruck nicht mehr vorliegt."[32] Einen solchen Kommentar würde man eher bei § 24 UrhG („Freie Benutzung") erwarten (vgl. hierzu jedoch Anmerkung 11).

Das Kriterium des „wesentlichen Unterschiedes" für die Schutzwürdigkeit wissenschaftlicher Ausgaben mag auf den ersten Blick vage erscheinen und einer subjektiven Auslegung Tür und Tor öffnen: bei enger Auslegung des Gesetzestextes, wie sie in den meisten Urheberrechtskommentaren gefordert wird, erweist sich dieses Kriterium als äußerst restriktiv. Dies umsomehr, als in der bisherigen Diskussion eine fundamentale Inkonsequenz gänzlich übersehen worden ist. § 70 UrhG handelt von wissenschaftlichen Ausgaben; er fordert wissenschaftliche Methoden, schützt Ausgaben mit wesentlichen Unterscheidungen zu früheren Ausgaben als Ausfluß wissenschaftlich sichtender Tätigkeit, aber bei der Beurteilung der Frage, was denn eigentlich eine wesentliche Abweichung sei, soll — zumindest im Rahmen musikwissenschaftlicher Editionen — der wissenschaftliche Aspekt gänzlich unberücksichtigt bleiben. Dies ist umso unverständlicher, als fast alle musikwissenschaftlichen Editionen unter dem erklärten Doppelziel antreten, einen wissenschaftlich einwandfreien Text bieten und zugleich der Praxis dienen zu wollen[33]. Zur Erreichung dieses Doppelzieles sind zum Teil recht voluminöse Kataloge von Editionsrichtlinien entworfen worden, die nicht nur genaue Anweisungen für die Abfassung der Wortteile (Vorworte, Kritische Berichte) solcher Ausgaben enthalten, sondern auch die Gestaltung des zu edierenden Werktextes selbst bestimmen. Während nämlich der Praktiker primär an einem übersichtlich angeordneten und zuverlässigen Notentext interessiert sein dürfte, möchte der Wissenschaftler dem Notentext selbst, ohne Zuhilfenahme des Kritischen Berichts, bestimmte Informationen entnehmen können, z. B. was Original, was Herausgeberzutat ist, welche Zeichen aus primären, welche aus sekundären Quellen stammen usw. Zu diesem Zweck sind unterschiedliche, zum Teil äußerst differenzierte Kennzeichnungssysteme entwickelt worden, die das optische Bild, das „Profil" einer Ausgabe, wie Klaus Hofmann es genannt hat (siehe unten), ganz entscheidend prägen. Die wissenschaftlichen Ausgaben wenden sich somit an einen pluralistischen Benutzerkreis und tragen dieser Tatsache auch im äußeren Erscheinungsbild der Werkedition Rechnung. Je nach Standort, als reiner Praktiker oder als reiner Philologe — zu verstehen als theoretisch fixierte Extrempositionen — wird man dann aber auch die Frage nach dem „Wesen" einer wissenschaftlichen Ausgabe unterschiedlich beantworten, und damit letztlich auch die Frage, welche Abweichungen zu früheren Ausgaben als „wesentlich" anzusehen seien. Damit soll nicht behauptet werden, daß die musikalisch substantiellen Abweichungen, von denen die Rede war, für den wissenschaftlichen Benutzer belanglos seien; für ihn — und dies gilt in gleicher Weise für den wissenschaftlich engagierten Praktiker — sind aber auch solche Unterschiede „wesentlich", die nicht hörbar sind, die er aber anhand eines typographisch differenzierten Werktextes lesend erfahren kann. Dieser Aspekt ist in allen mir bekannten Definitionen des „wesentlichen Unterschiedes" gänzlich unberücksichtigt geblieben. Es sei darum mit Nachdruck hervorgehoben, daß auf dem Mainzer Urheberrechtskolloquium Heinrich Hubmann bei der Diskussion dieses Problems eingeräumt hat, daß auch „optisch wahrnehmbare Unterschiede" für die Schutzfähigkeit einer wissenschaftlichen Ausgabe ausschlaggebend sein können. Sollte sich diese Auffassung allgemein durchsetzen, so wäre damit der Schutz wissenschaftlicher Ausgaben im geltenden deutschen Urheberrechtsgesetz auf eine wesentlich breitere Basis gestellt, als dies nach den bisherigen Kommentaren vorausgesetzt werden durfte.

---

32 von Gamm, S. 632, § 70, Rdz. 7.
33 Dieser Grundsatz ist in den Standard-Vorworten fast aller musikwissenschaftlicher Gesamtausgaben formuliert.

4. Wissenschaftliche Ausgaben und Urheberrechtsschutz

Der Schutz wissenschaftlicher Ausgaben ist im geltenden UrhG der Bundesrepublik Deutschland zwar in Ansätzen verwirklicht, als Ganzes aber nur unvollkommen aufgehoben. Einziges Kriterium für die Schutzwürdigkeit einer wissenschaftlichen Ausgabe ist der wesentliche Unterschied zu früheren Ausgaben. Folgt man der bisherigen Rechtspraxis und beschränkt bei musikwissenschaftlichen Editionen solche Abweichungen auf musikalisch-substanzielle Elemente, so wird man eingestehen müssen, daß die Schutzfähigkeit einer wissenschaftlichen Ausgabe in den meisten Fällen aus einer bestimmten, vom Verfasser der Ausgabe prinzipiell unabhängigen Quellenlage resultiert. (Ausnahmen bilden nach wissenschaftlichen Methoden vorgenommene Rekonstruktionen, soweit sie nicht in den Bereich der Bearbeitung, § 3 UrhG, fallen und darum auch dem Schutzbereich des § 70 UrhG zuzurechnen sind.) Die „eigenschöpferische" Tätigkeit des Wissenschaftlers besteht darin, die Quellen aufzufinden, zu sichten und zu bewerten und auf dieser Basis eine kritische Werk- oder Textedition zu verfassen. Je nach Zahl und Beschaffenheit der Quellen wird er dabei zu einer Edition kommen, die ältere Editionen weitgehend entspricht, oder er kommt zu einer Edition, die von älteren Editionen in bestimmten Punkten abweicht. Das „eigenschöpferische" Moment ist im einen wie im anderen Fall gegeben. Ob aber einer wissenschaftlichen Edition Leistungsschutz nach § 70 UrhG zukommt oder nicht, liegt nicht primär in der wissenschaftlich-schöpferischen Tätigkeit ihres Verfassers begründet, sondern ergibt sich aus objektiven Sachverhalten; sie subjektiv zu beeinflussen, würde in die Richtung der Bearbeitung zielen und den Maximen der Wissenschaftlichkeit entschieden widersprechen[34].

Es ist aber zu fragen, ob die Eingliederung des Schutzes wissenschaftlicher Ausgaben in die „Verwandten Schutzrechte" überhaupt der Wirklichkeit des modernen Editionswesens angemessen ist. Wie bereits oben dargelegt, setzt sich eine wissenschaftliche Ausgabe in der Regel aus dem edierten Werktext und Wortteilen (Vorwort, Kritischer Bericht) zusammen. Das UrhG geht davon aus, daß der edierte Werktext aus dem Ganzen einer wissenschaftlichen Ausgabe herauslösbar und urheberrechtlich prinzipiell anders zu bewerten ist als die Wortteile. Zwar bleiben im Gesetzestext die Wortteile der wissenschaftlichen Ausgabe unerwähnt. Sie sind denn auch in Kommentaren zum UrhG höchst unterschiedlich behandelt. Fromm-Nordemann beispielsweise sieht in ihnen im Zusammenhang mit dem Wissenschaftscharakter einer Ausgabe lediglich ein „Indiz für wissenschaftliches Arbeiten"[35]; dagegen hält v. Gamm bei wissenschaftlichen Ausgaben „unmittelbaren Urheberrechtsschutz neben dem Leistungsschutz" für „möglich und meist auch gegeben (etwa Urheberrechtsschutz für die eigenschöpferische Einleitung über den Inhalt des Werkes und die wissenschaftliche Arbeitsweise, ferner für die eigenschöpferischen Anmerkungen und sonstigen Erläuterungen; Leistungsschutz für den aufgearbeiteten Originaltext)"[36].

Eine solche Trennung ist gleichwohl urheberrechtlich nicht unproblematisch. § 1 UrhG stellt Werke der Literatur, Wissenschaft und Kunst unter Urheberrechtsschutz; demzufolge hätten die Wortteile der wissenschaftlichen Ausgaben generell als Werke der Wissenschaft zu gelten. § 2 UrhG spezifiziert die „geschützten Werke" und nennt im Absatz 1 u. a.: „1. Sprachwerke, wie Schriften und Reden;" und unter „7. Darstellungen wissenschaftlicher oder technischer Art, wie Zeichnungen, Pläne, Karten, Skizzen, Tabellen und plastische Darstellungen." Da die Wortteile der wissenschaftlichen Ausgaben der zuletzt genannten Aufstellung beim besten Willen nicht zugeordnet werden können, dürften sie somit allenfalls als „Sprachwerke" im Sinne des § 2 (1) UrhG gelten. Die wissenschaftliche Ausgabe eines Werkes der Musik wäre demnach vollurheber-

---

34 Vgl. auch Fromm-Nordemann, S. 371, § 70, Bem. 3.
35 Fromm-Nordemann, S. 371, § 70, Bem. 3.
36 von Gamm, S. 632, § 70, Rdz. 7.

rechtlich ein Sprachwerk mit einer integrierten Werkedition, die ihrerseits entweder urheberrechtlich frei sein oder nach § 70 UrhG unter Leistungsschutz stehen kann.

Das Unbehagen an diesem Rechtszustand hat bisher am deutlichsten Klaus Hofmann in seinem Referat auf dem Mainzer Urheberrechtskolloquium formuliert. Hofmann beschreibt zunächst den Wissenschaftscharakter des Werktextes, der sich darin artikuliert, daß an ihm bestimmte Elemente der jeweiligen Quellenbeschaffenheit ablesbar werden. Dies können sowohl positive Quellenbefunde, beispielsweise als Partiturvorsatz mitgeteilte originale Schlüsselungen, als auch negative Befunde sein, also „Ergänzungen des Herausgebers, die andeuten, daß der überlieferte Notentext zumindest in den Augen eines heutigen Lesers an bestimmten Stellen unvollständig ist." (Hofmann) Dies alles verleiht dem wissenschaftlich edierten Werktext — unabhängig übrigens von dessen Schutzfähigkeit nach § 70 UrhG — ein bestimmtes „Textprofil", auf das der Kritische Bericht sich bezieht. Der Kritische Bericht selbst hat zwar den Charakter einer wissenschaftlichen Abhandlung, es wäre aber „verfehlt, ihn als wissenschaftliche Abhandlung ü b e r das edierte Werk zu betrachten: Der Kritische Bericht ist seinem Wesen nach nicht Werk-, sondern Textkommentar". (Hofmann) Daraus folgt, daß Notentext und Kritischer Bericht einer wissenschaftlichen Ausgabe als Einheit zu sehen sind, mehr noch: daß erst diese Einheit die wissenschaftliche Ausgabe konstituiert. Folgerichtig hat Hofmann in Mainz die Frage gestellt, ob es aufgrund dieses Sachverhalts möglich sei, die wissenschaftliche Ausgabe mit einem Schutz auszustatten, der über den mit § 70 UrhG gewährten Schutz hinausgeht.

Nach Maßgabe des geltenden Urheberrechts ist diese Frage eindeutig zu verneinen. Da aber gesetzliche Bestimmungen nicht für alle Ewigkeit festgeschrieben sind, sondern dem Wandel unterliegen, sei abschließend bei der von Hofmann aufgezeigten Perspektive noch ein wenig verweilt, wohl wissend, daß es sich dabei um eine Zukunftsperspektive handelt, deren gesetzgeberische Realisierung einstweilen utopisch anmuten mag.

Eine Erweiterung des Schutzes wissenschaftlicher Ausgaben über den in § 70 UrhG gewährten Schutz hinaus kann nur bedeuten, die wissenschaftliche Ausgabe dem Schutzbereich des „Ersten Teils" des UrhG zu unterstellen und mit echten Urheberrechten auszustatten. Es bedarf keiner besonderen Erläuterungen, daß mit einer solchen Regelung einige der in diesem Beitrag aufgezeigten Probleme sich leichter lösen ließen, als dies unter den gegenwärtig geltenden Bestimmungen möglich ist. Vor allem aber erhielten dadurch die wissenschaftlichen Editionen urheberrechtlich einen Stellenwert, der ihrem unbestrittenen hohen kulturpolitischen Rang entspräche. Kriterium für die Schutzwürdigkeit wäre dann einzig das wissenschaftlich-eigenschöpferische Moment, das am edierten Werktext und den auf ihn bezogenen Wortteilen manifest wird, und nicht Unterschiede zu früheren Werkabdrucken, so wesentlich diese Unterschiede auch sein mögen.

Gleichwohl ist Hofmanns Vorschlag nicht frei von Problemen. Es erscheint einigermaßen widersinnig, daß der wissenschaftliche Editor durch die Edition am edierten Werk die gleichen Rechte erwerben sollte, die er bekäme, wenn er das Werk selbst komponiert hätte. Dies widerspräche ganz zweifellos der Idee des Urheberrechts und wohl auch den Intentionen der wissenschaftlichen Editoren selbst. Denn ein zu weitreichender Schutz wissenschaftlicher Ausgaben könnte auf deren Benutzung in der Praxis eine prohibitive Wirkung ausüben und die wissenschaftlichen Editionen zu einem urheberrechtlich voll geschützten Bücherschrankdasein verurteilen, während in der Praxis nach antiquierten, urheberrechtlich freien Ausgaben musiziert würde. Probleme solcher Art sind indes durch Sonderbestimmungen, wie sie das UrhG bereits jetzt für bestimmte Werkarten kennt, lösbar. Vor allem könnte eine Sonderregelung bei der Schutzfristbemessung die Rigorosität eines vollen Urheberrechtsschutzes für wissenschaftliche Ausgaben weitgehend entschärfen.

Das Urheberrechtsgesetz der Bundesrepublik Deutschland gilt als das fortschrittlichste der ganzen Welt. Nirgendwo sonst werden dem Urheber und dessen Erben so weitgehende Rechte und Nutzungsmöglichkeiten der Werke eingeräumt wie hier. Daß der Schutz wissenschaftlicher

Ausgaben überhaupt unter Aspekten des Urheberrechts (und nicht etwa des Arbeits- oder Wettbewerbsrechts) gesehen wird, ist eine Errungenschaft ausschließlich dieses Gesetzes. Gerade weil das so ist, sollte sich aber der Gesetzgeber ermutigen lassen, dem ersten Schritt, den er hier getan hat, weitere Schritte folgen zu lassen, etwa in die Richtung, die hier angedeutet wurde.

Walter Blankenburg

Johann Sebastian Bach und das evangelische Kirchenlied zu seiner Zeit

Die Geschichte des evangelischen Kirchenliedes, seiner Dichtungen und seiner Weisen, ist eine Geschichte von mancherlei Typen, wie sie im Laufe der Jahrhunderte entstanden sind, und zugleich deren Veränderungen, die der Wandel der Zeiten an ihnen vorgenommen hat. Als aktueller gottesdienstlicher Gemeindegesang ist die Kirchenliedmelodie, die uns hier speziell beschäftigen soll, kein konstantes, unantastbares Gebilde wie der gregorianische Choral im katholischen Ritus und auch wie die aus diesem hervorgegangenen liturgischen Gesänge des evangelischen Gottesdienstes (obwohl auch diese vor Umdeutung nicht gewahrt geblieben sind); vielmehr darf, ja soll — oder sollte wenigstens — der aktive Mitvollzug der Gemeinde am Gottesdienst durch das Lied zu jeder Zeit neue Impulse empfangen. Dies ist ein Maßstab für die Lebendigkeit des gottesdienstlichen Lebens. Neue Texte und neue Weisen aber sprechen die Sprache ihrer Zeit. Ist somit das evangelische Gesangbuch das Zeugnis einer Stilvielfalt? Das trifft in der Tat zu, und in der Mannigfaltigkeit dieses Zeugnisses liegt nicht zuletzt dessen Reichtum. Zugleich aber ist jede geschichtliche Epoche bestrebt, das überkommene Liedgut ihrem Verständnis und ihrem Empfinden anzugleichen und das heißt zu verändern. Das trifft z. B. auch auf die auf historischer Forschung beruhende Restauration des 19. Jahrhunderts zu, die — ohne es zu wollen — das ältere protestantische Kirchenlied, auf deren Originalfassungen es grundsätzlich zurückgegriffen hatte, in verschiedener Hinsicht im Sinne der Romantik umgedeutet hat. Ja sogar die kirchenmusikalische Erneuerung des 20. Jahrhunderts, die doch gewiß einen unmittelbaren Zugang insonderheit zu den ursprünglichen Fassungen des reformatorischen Liedes und dem des Zeitalters von Paul Gerhardt gefunden hatte, ist — so wissen wir heute — vor Umdeutungen nicht bewahrt geblieben, sondern hat in die Art ihres Singens zugleich ein Stück eigenen Lebensgefühls eingebracht.

Hinter jedem Stilwandel der Kirchenmusik — das betrifft auch das Kirchenlied — verbirgt sich eine Periode der Frömmigkeitsgeschichte. Diese ist es, die sich zutiefst in den mancherlei Typen und Veränderungen der Dichtungen sowie auch der Melodien widerspiegelt; keineswegs handelt es sich dabei nur um einen Wandel des ästhetischen Empfindens. Daher ist die Feststellung, daß das Zeitalter Bachs im Bereich des Kirchenliedes, besonders was die Weisen angeht, eine Epoche des Übergangs war, von wesentlicher Bedeutung. Bereits im Laufe des 17. Jahrhunderts kamen zu den festgelegten Detempore-Liedordnungen, die zumeist auf das Liedgut des Reformationsjahrhunderts beschränkt waren, neue Gesänge hinzu aus dem Geist der sog. Reformorthodoxie — so nennen wir heute jene stark individuell geprägte Frömmigkeitsbewegung, an deren Anfang Gestalten wie der Erbauungsschriftsteller Martin Moller († 1606) und Johann Arndt mit den überaus einflußreichen „Sechs Büchern vom wahren Christentum" (seit 1610) stehen; es waren affektbetonte, subjektivistische Andachtslieder, zu denen auch zu einem guten Teil die Dichtungen von Paul Gerhardt und Johann Rist zu zählen sind. Sie waren zunächst mehr für das christliche Haus als für den öffentlichen Gottesdienst bestimmt, wenn auch beide Bereiche nicht scharf gegeneinander abgegrenzt waren. Fortan bekam das evangelische Gesangbuch eine zusätzliche Zweckbestimmung; war es bis dahin ein liturgisches Buch für den öffentlichen Gottesdienst, so sollte es nun auch ein christliches Hausbuch werden[1], und war es vordem im allgemeinen nur ein für die Hand des Pfarrers und des Kantors bestimmtes Buch, so sollte es dies nun auch für jedes Gemeindeglied sein. Die 5. Auflage von Johann Crügers „Praxis Pietatis

---

1 Die Geschichte des reformierten Liedpsalters ist allerdings etwas anders verlaufen und bleibt außerhalb unserer Betrachtung.

Melica" von 1653 ist möglicherweise das früheste Gesangbuch, das nunmehr „zu Beförderung des so wol Kirchen- als Privat-Gottesdienstes" bestimmt war.

Das neu aufkommende Andachtslied ist zugleich begleitetes Lied und war es zu einer Zeit, in der es Gemeindegesangbegleitung im öffentlichen Gottesdienst vorerst nur ganz vereinzelt gab, und man kann annehmen, daß diese sich nach und nach häufig über die Hausandacht einbürgerte. Die aufkommende Liedbegleitung hatte im 17. Jahrhundert nun aber eine doppelte Folge für die allgemeine Entwicklung des Kirchenliedes:

1. Die Liedbegleitung erstreckte sich mit der Zeit auf das gesamte gottesdienstliche Liedgut aus; das aber brachte zwangsläufig eine Umdeutung und Veränderung der älteren, z. T. kirchentonalen Weisen nach Dur und Moll mit sich, da der bezifferte Baß, der für die Begleitung diente, ausschließlich auf der neuzeitlichen Funktionsharmonik beruhte, ein durch die Einführung des vierstimmig homophonen Kantionalsatzes durch Lucas Osiander (1586) allerdings längst vorbereiteter Prozeß, der zur Zeit Bachs abgeschlossen war.

2. Mit dem Andachtslied entsteht zugleich eine neue Melodiengattung, die affektbetonte, oft sogar inbrünstig ausdruckshafte, in der Regel als Sololied gemeinte „Aria".

Mit dieser haben wir uns zunächst zu befassen. Tatsächlich gibt es fortan — vor allem in musikalischer Beziehung — zwei Gattungen von geistlichen Gesängen: die für den Gottesdienst bestimmten, gemeindegemäßen und die kunstvoll solistischen für die Hausandacht. So enthält das „Dresdner Gesangbuch" von 1694 mit dem bezeichnenden Titel „Geist- und Lehr-reiches Kirchen- und Hauß-Buch voller wie gewöhnlich — alt-Lutherisch — so lieblich-neu-reiner. . .Gesänge" als Anhang „Hundert ahnmuthig- und sonderbahr geistlicher Arien / vieler Herzen Verlangen / zu gefälligem Vergnügen" (der nicht genannte Herausgeber dieses besonders aufschlußreichen Gesangbuches ist wahrscheinlich Constantin Christian Dedekind). Aber zu nennen ist hier vor allem auch George Christian Schemellis „Musicalisches Gesangbuch, Darinnen 954 geistreiche, sowohl alte als neue Lieder und Arien, mit wohlgesetzten Melodien, in Discant und Baß, befindlich sind" (Leipzig 1736)[2]. Schemelli spricht also ausdrücklich von zwei Liedarten; es besteht kein Zweifel, daß er mit „Liedern und Arien" nicht ein und dasselbe gemeint hat.

Beide Bereiche waren gewiß nicht absolut geschieden, auch befruchteten sie sich gegenseitig und berührten sich häufig auf einer mittleren Linie. Das geschah vor allem dort, wo öffentlicher Gottesdienst und Hausandacht gleichsam nahe beieinander lagen wie vor allem im Gebrauchsbereich des „Geistreichen Gesangbuches" des Anastasius Freylinghausen (seit 1704), d. h. im (besonders Hallenser) Pietismus[3]. Eine allgemeine Verwandtschaft beider Liedgattungen ergab sich aber dadurch, daß der gottesdienstliche Liedgesang von der neuen Frömmigkeitsbewegung der Reformorthodoxie und hernach des Pietismus nicht unberührt blieb und affektbetonter und ausdruckshafter wurde, und auch dieser Vorgang betraf das gesamte ältere und neuere Liedgut. Es ist die Zeit, in der nicht nur für neu geschaffene Weisen, sondern auch für die überkommenen der isometrische Viervierteltakt allbeherrschend wurde; diesem Ideal wurden alle ursprünglich rhythmischen Formen, vor allem auch, früher oder später, sämtliche Dreitakt-Melodien angepaßt. Mit der Absolutsetzung der Isometrik ging zugleich eine allgemeine Verlangsamung des Gemeindegesanges Hand in Hand; dafür sind die um 1700 aufkommenden Zeilenzwischenspiele beim gottesdienstlichen Liedgesang ein untrügliches Zeichen; denn nur dessen überaus langsames Zeitmaß macht die Einführung einer solchen Sitte verständlich.

---

2 Vom Schemellischen Gesangbuch ist ein Faksimile-Neudruck erschienen (Hildesheim 1975). Eine praktische Ausgabe lediglich der Gesänge (BWV 439–507) besorgten Max Seiffert (Bärenreiter-Ausgabe 888: hohe Lage) und Günter Raphael (Bärenreiter-Ausgabe 3449: tiefe Lage); sie enthält auch sechs Lieder aus dem Klavierbüchlein für Anna Magdalena Bach von 1725 (BWV 511–514, 516 und 517).

3 Vgl. zu den zahlreichen Ausgaben dieses einflußreichsten pietistischen Gesangbuches meinen MGG-Artikel Freylinghausen (14, Sp. 360–362). Freylinghausen war der Schwiegersohn von August Hermann Francke, dem Begründer der Franckeschen Stiftungen in Halle (Saale), und nach dessen Tod auch sein Nachfolger in der Leitung der Anstalten.

Um die Wende vom 17. zum 18. Jahrhundert beobachten wir somit folgenden schwerwiegenden Wandlungsprozeß: Der nunmehr in der Regel bald ausschließlich isometrischen Gemeindeliedweise steht der kunstvolle Typus des Andachtsliedes, die „Aria", gegenüber. Zwei extreme Bereiche, die aber doch aus dem gemeinsamen Willen zur Ausdruckshaftigkeit hervorgegangen sind und deren Gegensätzlichkeit sich aus den verschiedenen Zweckbestimmungen erklärt. Mitten in diese Übergangszeit fällt Bachs Schaffen. Hat er an diesem Wandlungsprozeß im Bereich der Aria schöpferischen Anteil gehabt und hat er die isometrische „Einebnung" der Gemeindeliedweisen selbst mit vollzogen?

Befassen wir uns zunächst mit dem Bereich der Aria! Es ist bekannt, daß Bach nicht eine einzige Weise zu dem gottesdienstlichen Liedgesang beigesteuert hat; umsomehr aber hat er Arien für Andachtslieder komponiert. Sämtliche Melodien, die er für das „Schemellische Gesangbuch" von 1736 bereitstellte, gehören in diesen Bereich, auch z. B. die Vertonung von Paul Gerhardts Weihnachtslied „Ich steh an deiner Krippen hier", die als einzige Bachsche Weise in dem „Evangelischen Kirchengesangbuch" Aufnahme gefunden hat. Jedoch auch sie trägt nach der Vorstellung des frühen 17. Jahrhunderts keinerlei Merkmale einer gemeindegemäßen Melodie, wohl aber mit ihren mancherlei Punktierungen und vor allem den Zwischennoten im vorletzten Takt typische Anzeichen der Aria. Und wenn auch der allgemeine Bildungsstand des 20. Jahrhunderts ihre gottesdienstliche Verwendung ermöglicht, so kann doch eine größere Gemeinde auch heute niemals die Empfindungstiefe dieser Vertonung zum rechten Ausdruck bringen. Kein Wunder, daß Bach selbst rund zwei Jahre vor dem Erscheinen des Schemellischen Gesangbuches bei der Arbeit am „Weihnachts-Oratorium" nicht auf den Gedanken gekommen ist, bei der Verwendung der ersten Strophe von Paul Gerhardts Weihnachtslied im Teil VI des Werkes eine eigene Melodie zu komponieren; denn hier galt es, die Stimme der Gemeinde zu Wort kommen zu lassen und daher die übliche Weise zu gebrauchen. Aber auch dort, wo Bach im ‚Schemellischen Gesangbuch' ältere Weisen mit einer bezifferten Baßstimme zu versehen hatte, handelte es sich ausschließlich um Melodien aus dem Bereich der Aria oder zumindest um Bearbeitungen von Weisen aus dem Zwischenbereich des Freylinghausenschen Gesangbuches. Auch eine so schlichte Weise wie die zum Liede „Seelenbräutigam, Jesu, Gottes Lamm", die mit dem auf Zinzendorf zurückgehenden Text „Jesu, geh voran auf der Lebensbahn" im „Evangelischen Kirchengesangbuch" (Nr. 274) im ursprünglichen 3/4-Takt und zudem wesentlich anders rhythmisiert steht, zeigt mit deren bereits in der ersten Ausgabe des Freylinghausenschen Gesangbuches vorgenommenen Übertragung in den 4/4-Takt und vor allem mit der Verwendung der rhythmischen Figuren

an verschiedenen Zeilenschlüssen, daß hinter diesen Veränderungen nicht die Vorstellung vom Gemeindegesang gestanden hat. Dasselbe trifft auf Bachs Bearbeitung von Johann Schops Weise zu Rists „Ermuntre dich, mein schwacher Geist" zu, die in der letzten Zeile folgende rhythmische, kompliziertere Wendung bekommen hat:

während Schops Originalfassung lautet:

Auch bei der einzigen von Bach bearbeiteten älteren Weise des „Schemellischen Gesangbuches", die nahezu unverändert im „Evangelischen Kirchengesangbuch" steht, der von „O Jesulein süß, o Jesulein mild" (hier bei Nr. 4 mit dem Text „O heiliger Geist, o heiliger Gott"), ist es durchaus fraglich, ob deren Dreierrhythmus den damaligen Vorstellungen von einer Gemeindeliedweise entsprochen hat. Jedenfalls ändert sie nichts an der Tatsache, daß sich Bachs Beitrag zum Schemellischen Gesangbuch ausschließlich auf das Gebiet der Aria beschränkt hat.

Wie sehr ihm diese offensichtlich am Herzen gelegen hat, zeigt bereits das zweite „Klavierbüchlein für Anna Magdalena Bach" von 1725; auch bei den dort eingetragenen geistlichen Liedern (BWV 508–512, 514 und 516 f.)[4] handelt es sich mit nur einer Ausnahme (BWV 513 „Ewigkeit, du Donnerwort") um häusliche Andachtslieder. Das trifft auch auf die nicht von Bach stammende Bearbeitung von Paul Gerhardts Vertrauenslied „Gib dich zufrieden und sei stille" (BWV 510) zu, obwohl diese dort mit „Choral" überschrieben ist. Wie wenig genau mit diesem Begriff jedoch umgegangen worden ist, zeigt ebenda das Lied „Schaffs mit mir, Gott, nach deiner Güt" (BWV 514), dessen Vertonung eindeutig eine kunstvolle Aria ist. Man mag dies bei BWV 510 bezweifeln, wenn man die anschließende, unvergleichlich kunstvollere Vertonung desselben Liedes, dessen solistischer Charakter keine Frage ist – sie ist eine Schöpfung Bachs – damit vergleicht; und doch läßt die Schlußwendung von BWV 510 erkennen, daß auch diese, so choralmäßig erscheinende Bearbeitung als ein inniges Sololied gemeint ist.

Man darf jedoch nicht nur das „Klavierbüchlein für Anna Magdalena Bach" und das „Schemellische Gesangbuch" in das Blickfeld nehmen, um die Bedeutung der Aria in Bachs Schaffen zu ermessen. Was lag näher, als daß diese Liedgattung auch im Bereich der Kantaten und Oratorien, und zwar längst vor Bach, Eingang fand, wo dort doch die individuelle Stimme des Glaubens, die Symbolgestalt der „Gläubigen Seele", zu besonderer Bedeutung gelangte! Das Werk von Dietrich Buxtehude bietet dafür genügend Beispiele; aber sie sind auch bei Bach zu finden. Hier soll nur an den Teil IV des „Weihnachts-Oratoriums" erinnert werden, in dem gleich zweimal bei Strophen von Johann Rist die originalen Weisen von Johann Schop durch eigene Vertonungen im Aria- Stil ersetzt worden sind, und zwar beim Schlußchoral „Jesus richte mein Beginnen", der zwar wie üblich ein Choral-Chorsatz ist, jedoch nicht mit einer schlichten Gemeindeliedweise, sondern mit einer eigens dafür geschaffenen kunstvollen Aria, und bei den zusammenhängenden, nur durch die sog. Echo-Arie unterbrochenen Sätzen 38 und 40, die mit „Recitativo con Chorale" überschrieben sind. Hier ist die Ristsche Strophe „Jesu, du mein liebstes Leben, / meiner Seelen Bräutigam" mit einer Melodie von ganz besonderer Innigkeit versehen, die man wohl als den musikalischen Gipfel im Bereich der Aria ansehen kann. Sicherlich hätten in beiden Fällen die originalen Weisen Schops von ihrem Moll-Charakter her nicht in die Tonartenordnung von Teil IV des „Weihnachts-Oratoriums" gepaßt; damit kann man zwar Bachs Neuvertonungen erklären, keinesfalls aber auch ihre Einzigartigkeit in Gestalt einer Aria[5].

Bevor wir die Frage stellen, wie denn Bachs unübersehbare Zuneigung zu dieser Liedgattung im Rahmen seines Gesamtschaffens und von seiner Persönlichkeit her zu verstehen ist, sei nun erst sein Verhältnis zum isometrischen Choral behandelt! Wir formulierten vorher die Frage: Hat Bach die ‚Einebnung' der Gemeindeliedweisen einst mitvollzogen? Diese Frage kann nur mit einem uneingeschränkten Ja beantwortet werden, und zwar einschließlich der Konsequenzen, die sich bei diesem Vorgang zugleich mit ergeben haben: der Verlangsamung des Zeitmaßes beim Gemeindegesang und einer weithin üblichen Einhaltung von nicht allein als Erkennungszeichen dienenden Fermaten an den Zeilenschlüssen. Bachs Gemeindebegleitsätze mit Zeilenzwi-

---

4 Vgl. NBA V/4 und den dazugehörigen KB. Georg von Dadelsen gab auch eine bibliophile Ausgabe des Klavierbüchleins für Anna Magdalena Bach von 1725 mit einer originalgetreuen Nachbildung des Originaleinbandes heraus (Kassel etc. 1960 usw.).

5 Das habe ich in meinem Taschenbuch über das „Weihnachts-Oratorium" (Kassel und München 1982) näher ausgeführt.

·schenspielen (BWV 715, 722a, 722, 726, 729a, 729, 732a, 732 und 738a)[6] sind Beweis für beide zwangsläufigen Begleiterscheinungen. Beide sind sie dem heutigen Menschen fremd, während Rudolf Wustmann noch vor gut 70 Jahren in dem viel beachteten Aufsatz „Vom Rhythmus des evangelischen Chorals" darlegte, daß erst in Verbindung mit der Isometrierung der älteren rhythmischen Kirchenliedmelodien die ausgeglichenen Weisen zum Inbegriff des Wortes „Choral" im protestantischen Verständnis geworden seien (wozu er sich leidenschaftlich bekannte)[7]. Es soll uns hier jedoch nicht um die Frage, wie heute Bachsche Choralsätze wiederzugeben sind, gehen, wenngleich es sich hier um ein sehr aktuelles praktisches Problem handelt[8], sondern darum, wie Bach selbst seine Choralsätze verstanden·hat.

Johannes Krey hat im „Bach-Jahrbuch" 1956 zwar sicherlich richtig ausgeführt, daß Bach als Organist nicht allenthalben sich an den Brauch der Zeilenzwischenspiele gehalten habe, und er hat gewiß auch darin recht, daß Bach nicht doktrinär bestimmte Grundsätze verfolgt habe, was also auch die Zeitmaße und die Behandlung der Fermate betrifft[9]. Wesentlich aber ist seine Grundtendenz zum isometrischen, was zugleich einschließt, langsam wiedergegebenen Choral, beziehungsweise Choralsatz, die er mit seiner Zeit teilte, und damit auch zur zumindest gelegentlichen, wenn nicht gar häufigen Verlängerung der Zeilenschlüsse. Hierbei hat sich Bach gewiß auch nach den Gepflogenheiten der Gemeinden, in denen er tätig war, gerichtet, freilich ohne sich irgendwo sklavisch zu binden.

Man kann rundweg sagen, daß bei Bach der isometrische Choralsatz die Regel war und Sätze im Dreiertakt die Ausnahme bildeten. Läßt es sich vielleicht sogar nachweisen, daß er selbst den Einebnungsprozeß von älteren Weisen im Dreierrhythmus in den 4/4-Takt mit vorangetrieben hat? Wustmann bejaht dies für die Melodie von „Allein Gott in der Höh sei Ehr", die sowohl im Chorgesangbuch von Gottfried Vopelius, dem „Neu Leipziger Gesangbuch" (1682), aus dem während Bachs Dienstzeit noch die zweite Thomaskantorei sang, als auch in der „Musicalischen Kirch- und Hauß-Ergötzlichkeit" des Leipziger Nicolai-Organisten Daniel Vetter (1709 und 1713) noch im ursprünglichen Rhythmus stehe. Möglich ist dies; doch ist damit zu rechnen, daß um die gleiche Zeit diese Veränderung auch anderswo vorgenommen worden ist. Dies würde aber unter Umständen ein selbständiges Vorgehen Bachs nicht ausschließen; jedenfalls hat er diese Melodie ausschließlich im geraden Takt verwendet. Anders liegen die Verhältnisse bei der Weise von „Nun lob, mein Seel, den Herren", von der es drei Choralsätze Bachs im Dreierrhythmus gibt und nur einen — sieht man von der Alla breve-Chorfuge in der Kantate „Gottlob! nun geht das Jahr zu Ende" (BWV 28, Satz 2) ab — im 4/4-Takt. Diese Beobachtung legt tatsächlich den Gedanken sehr nahe, daß es sich hier um eine ureigene Maßnahme Bachs handelt, zumal der Zusammenhang, in dem sich dieser Satz befindet, sehr viel besagt. Es handelt sich um den langsamen Mittelteil der achtstimmigen Motette „Singet dem Herrn ein neues Lied" (BWV 225), in dem wir den einmaligen Fall der Kombination eines „Chorals" im unteren und einer „Aria" im oberen Chor haben (beide Bezeichnungen gehen auf Bach selbst zurück). Ohne Zweifel steht hinter dem einen Chor die Vorstellung vom Gemeindegesang und hinter dem andern die der „Gläubigen Seele" (mit Recht wird der obere Chor daher häufig in kleiner, wenn nicht gar solistischer Besetzung wiedergegeben). Beide Liedgattungen treffen sich hier in einem gemeinsamen Zeitmaß; das aber kann allein schon vom Charakter des langsamen Mittelsatzes her — die Motet-

---

6 Ulrich Meyer datiert sie in dem Aufsatz, Zur Einordnung von Bachs einzeln überlieferten Orgelchorälen, z. T. nicht in die Arnstädter Jahre, sondern in die Weimarer Zeit von 1709–1717; s. BJ 1974, S. 75–89, besonders S. 80. Die betreffenden Stücke stehen in NBA IV/3.

7 Der Aufsatz steht in: BJ 1910, S. 86–102. Die Zeit ist freilich völlig über ihn hinweggegangen; der rhythmische Gemeindegesang ist heute eine Selbstverständlichkeit.

8 Andeutungsweise sei gesagt, daß es nach dem gegenwärtigen Empfinden sicherlich nicht möglich ist, sie originalgetreu, d. h. so langsam wie zu ihrer Entstehungszeit, wiederzugeben, womöglich mit konsequenter Einhaltung der Fermaten. Unzweifelhaft aber werden sie heute weithin viel zu schnell gesungen.

9 Vgl. Johannes Krey, Zur Bedeutung der Fermaten in Bachs Chorälen, in: BJ 1956, S. 105–111.

te ist ja nach dem Konzertprinzip in der Folge schnell—langsam—schnell aufgebaut — nur sehr ruhig sein. Dabei kommt man von selbst auf das seiner Zeit gültige chorale Zeitmaß von etwa ♩ = 60 MM[10]; jedenfalls haben wir hier die seltene Möglichkeit, uns ein wirklichkeitsgetreues Bild vom gottesdienstlichen Liedgesang zu machen.

Von besonderem Interesse sind in diesem Zusammenhang auch Bachs Sätze von Johann Rists „Ermuntre dich, mein schwacher Geist" mit der originalen Weise von Johann Schop[11]. Von den vier Bearbeitungen ist in dreien der originale Dreierrhythmus beibehalten, nämlich im Schluß-choral „Du Lebensfürst, Herr Jesu Christ" der Kantate „Gott fähret auf mit Jauchzen" (BWV 43), im Choral „Nun liegt alles unter dir" im „Himmelfahrts-Oratorium" (BWV 11, Satz 6) und in der bereits erwähnten Bearbeitung des Liedes im ‚Schemellischen Gesangbuch'. Allein der bekannte Satz „Brich an, du schönes Morgenlicht" im Teil II des „Weihnachts-Oratoriums" (Satz 12) steht im 4/4-Takt, was auf eine sorgsame Überlegung schließen läßt[12]. Obwohl man vermuten könnte, daß es vor allem in diesem Falle Bach selbst gewesen ist, der die Isometrie-rung der Melodie vorgenommen hat, so findet sich die Fassung im geraden Takt doch auch schon im Freylinghausenschen Gesangbuch von 1704 und danach z. B. in der — Bach sicherlich bekannten — „Psalmodia Sacra", dem Gesangbuch für das „Fürstentum Gotha und Altenburg" (1715), dessen Bearbeiter Friedrich Christian Witt gewesen ist. Dennoch ist es auch denkbar, daß — in Anbetracht der Großzügigkeit, mit der die Kantoren und Organisten in früheren Zeiten mit Melodiefassungen umgegangen sind — Bach selbst ohne bewußtes Vorbild die Übertragung von Schops Weise zu „Ermuntre dich, mein schwacher Geist" in den geraden Takt vorgenom-men hat; lag doch eben ein solches Vorgehen von der damaligen Vorstellung vom Gemeindege-sang her sozusagen in der Luft. An einer so zentralen Stelle aber, an der die Strophe Rists im „Weihnachts-Oratorium" zwischen dem Erscheinen der Engel in der Weihnachtsnacht und der Verkündigung von der Geburt Christi eingeschoben ist, war ein nachdrücklicher Satz im gemes-senen 4/4-Takt allein sachgemäß. (Denkbar ist übrigens, daß Bach bei der Verwendung von Schops Weise in den oben genannten Werken BWV 11 und 43 im Hinblick auf die alte Symbol-bedeutung der Drei als Zahl der göttlichen Trinität den Dreierrhythmus beibehalten hat, wenn nicht gar zu ihm zurückgekehrt ist.)

Der isometrisch-homophone Choralsatz ist nicht vergleichbar mit dem im Jahre 1586 einge-führten Kantionalsatz, in dem allenfalls kleine Figurierungen in den Nebenstimmen vorkom-men; denn in dem ‚schlichten' Choralsatz im Zeitalter Bachs — und in denen von Bach selbst am allermeisten — ist das gesamte Gefüge durch ausdrucksvolle, dehnende Zwischennoten — auch in der Melodiestimme — gleichsam poetisiert. Auch durch die nicht vereinzelt erfolgte Einflech-tung von musikalischen Redefiguren[13] wird mit der Choralweise nicht wie mit einem unantast-barem, sakrosanktem Gebilde verfahren, sondern sie wird dem Aussage- und Ausdrucksbedürf-nis unterworfen. So ist z. B. in den vier Choralsätzen der Motette „Jesu, meine Freude" (BWV 227) die Melodie jedesmal, und sei es auch nur geringfügig, verändert; das betrifft sogar die an sich gleichen Sätze der Strophen eins und sechs.

---

10 Es sei verwiesen auf Paul Horn, Studien zum Zeitmaß in der Musik Johann Sebastian Bachs. Versuche über seine Kirchenliedbearbeitungen, Phil. Diss. Tübingen 1954 (maschinenschriftlich). Zur Überlieferung der Melodie von „Nun lob, mein Seel, den Herren" siehe NBA III/1, KB, S. 49 ff.

11 Mit diesem Lied wurde 1641 Rists Sammlung Himmlische Lieder zusammen mit der Vertonung von Jo-hann Schop eröffnet. Sie ist als Faksimile-Druck in der Reihe Dokumentation zur Geschichte des deut-schen Liedes, herausgegeben von Siegfried Kroß, zugänglich (Hildesheim 1976).

12 Die brauchbarste Ausgabe von Bachs Choralsätzen ist noch immer die von Friedrich Smend, zwei Bände Leipzig 1932. Die umfangreichere von Charles Sanford Terry, The four-part Chorals of J. S. Bach, ist heu-te schwer erreichbar; leider sind die Sätze dort zudem ohne originale Textunterlegung wiedergegeben, wodurch viele in ihrer Besonderheit nicht verständlich werden.

13 Arnold Schmitz gibt in seinem Buch Die Bildlichkeit der wortgebundenen Musik Johann Sebastian Bachs (Mainz 1950, Neudruck Laaber 1976) auf Seite 55 ff. ein paar gute Beispiele.

Jeder Bachsche Choralsatz ist ein Individuum, das durch eigenständige Harmonisierung und durch allein in ihm eingefügte dehnende Zwischennoten, und zwar gewöhnlich in sämtlichen Stimmen des grundsätzlich isometrischen Satzes, charakterisiert ist. So kennt Bach z. B., je nach dem inhaltlichen Zusammenhang und der Texterung, bei der Melodie „Herzlich tut mich verlangen" entweder den Abschluß auf dem phrygischen e' als Grundton oder auf e' als dritter Stufe von C-dur (bzw. bei Transpositionen in entsprechenden Tonarten). Man vergleiche den ersten Choral im „Weihnachts-Oratorium" („Wie soll ich dich empfangen", Satz 5) mit dem Schlußchor von Teil VI (Berücksichtigung von Kirchentonalität — bei dieser Melodie des Phrygischen — darf man im Zeitalter Bachs selbstverständlich nicht mehr erwarten).

Auch — nach unserem Empfinden — schwerwiegende Eingriffe in die Melodiesubstanz kommen bei Bach nicht selten vor, ohne daß man jeweils feststellen kann, wie weit er sie vorgefunden oder selbst vollzogen hat. In zwei der fünf Sätze von „Was Gott tut, das ist wohlgetan" hat Bach bei der vierten Note den später allgemein üblich gewordenen, aber auch bereits in mehreren zeitgenössischen Gesang- und Choralbüchern nachweisbaren Sprung auf die ‚sentimentale' sechste Stufe, was ja eine unbestreitbare Verschlechterung der ursprünglichen Fassung von Severus Gastorius (1674) ist; denn der originale Aufstieg der ersten Melodiezeile bis zur Dominante mit der Rückwendung zur Terz, wodurch die Silbe „wohl- (getan)" hervorgehoben wird, ist gewiß viel sinnvoller, als in dieser Zeile bereits die sechste Stufe vorwegzunehmen, auf der dann die zweite Melodiezeile, organisch weiterführend, beginnt. Wenn Bach die schlechtere Fassung z. B. in Satz 3 der Kantate „Nimm, was dein ist, und gehe hin" (BWV 144) verwendet hat, so wollte er schwerlich ebensowenig, wie es anderswo geschah, dem Wörtchen „ist (wohlgetan)" besonderes Gewicht verleihen, sondern wie überall zu seiner Zeit dem allgemeinen Ausdrucksbedürfnis Rechnung tragen.

Trotz der künstlerischen Eigenständigkeit jedes Bachschen Choralsatzes bleibt dabei die Vorstellung des Gemeindegesanges gleichsam als Hintergrund gewahrt; die grundsätzliche Isometrik der Satzweise erhält hier repräsentative, symbolische Bedeutung als Stimme der Gemeinde. Mit Recht ist daher öfters die Frage erörtert worden, ob die Gemeinde die schlichten Choralsätze mitgesungen habe. So wenig dieses Problem gerade für Bach lösbar ist — in zahlreichen Fällen ist dies in Anbetracht eigenwilliger Veränderungen der Melodie durch Zwischennoten, aber auch infolge unsangbarer Transpositionen fraglos nicht möglich gewesen —, so beweisen doch gedruckte Kantaten-Textbücher von Werken anderer Meister, in denen bei den Chorälen lediglich Hinweise auf die betreffenden Gesangbuchnummern stehen, daß es eine derartige Beteiligung der Gemeinde bei Kantatenaufführungen zur Zeit Bachs gegeben hat.

Johannes Krey hat in dem vorher erwähnten Aufsatz darauf hingewiesen, daß bei Bach zwischen der Schlußfermate am Ende eines jeden Choralsatzes, die als „Verlängerungszeichen" zu verstehen sei, und den Binnenfermaten am Ende jeder Choralzeile zu unterscheiden sei. Diese letzteren seien wohl zunächst auch als „Dehnungszeichen" gedacht gewesen, nämlich dort, wo Zeilenzwischenspiele angebracht wurden, aber mit deren Wegfall und der „Herausbildung eines einheitlichen Gesamtrhythmus" wären diese nur noch als „Gliederungszeichen" stehen geblieben[14]. So eindeutig ist der Sachverhalt jedoch nicht, wie er nach Krey zu sein scheint; denn die Zeilenzwischenspiele hatten zu Bachs Zeit ihre eigentliche Zukunft, die sich bis tief in das 19. Jahrhundert erstreckt hat, ja erst noch vor sich. Und wo sie nicht üblich waren, bleibt die Frage offen, ob die Fermaten eben nicht auch an den Zeilenenden Dehnungszeichen waren. Das Problem ist für Bach — das wurde oben bereits angedeutet — nicht lösbar; aber gerade darum muß ihm immer wieder nachgegangen werden. Sieht man sich daraufhin einmal das „Orgelbüchlein", das Krey zum Nachweis eines „einheitlichen Gesamtrhythmus" dient, an, dann kann man bei dem Orgelchoral „Vom Himmel hoch da komm ich her" z. B. folgende Feststellung machen: Jede Liedzeile beginnt und endet mit einer halben Note, während die Viertelnote

---

14 Vgl. Krey, a. a. O., S. 111.

Grundzeitwert ist. Wenn wir dann annehmen, daß ein solches Stück im Zeitmaß des Gemeindegesanges gespielt wurde, dieser zumindest als Vorbild diente, dann wirken die Zeilenübergänge wie ausgehaltene Fermaten; denn wir singen heute das Lied doppelt so schnell, wie der Orgelchoral gespielt wird. In Johann Pachelbels „Weimarer Tabulaturbuch" von 1704, von dem man mit Sicherheit annehmen kann, daß Bach es gekannt hat, ist „Vom Himmel hoch" wie fast alle Begleitsätze in Halben notiert, mit je einer ganzen Note am Anfang und Ende jeder Zeile, wonach dann noch eine halbe Pause folgt und dies beim Vierviertel- und nicht beim Alla breve-Taktzeichen, während die jedem Begleitsatz voranstehende Vorspielfuge über die erste Melodiezeile als Grundzeitwert die Viertel hat[15]. Unseres Erachtens ist dies ein weiterer Beweis für die immer wieder geforderte Gravität des Choralgesanges. In diesem Zusammenhang besagt wohl am meisten Bachs vielleicht am häufigsten gesungener Choralsatz „Gloria sei dir gesungen", mit dem die Kantate „Wachet auf, ruft uns die Stimme" (BWV 140) endet. Bei ihm hat Bach Halbe als Grundzeitwert notiert unter Beibehaltung des Viervierteltakt-Zeichens. Jede Melodiezeile endet mit einer ganzen Note, worauf noch vor Beginn der nächsten Zeile eine halbe Pause folgt, also die gleiche Notierung wie bei dem genannten Beispiel von Pachelbel, mit dem Unterschied nur, daß in dessen Satz zumeist die Halbe Grundzeitwert ist. Das besagt doch gewiß, daß Bach dieser Satz in kaum vorstellbarer, majestätischer Würde vorgeschwebt hat, gleichsam als eine Vision des übermächtigen Gotteslobs, das die Gemeinde auf Erden mit den himmlischen Heerscharen vereint.

Stellen wir abschließend die Frage, was denn Bachs starke Hinneigung zur ausdrucksvollen Aria und zum affektbetonten isometrischen Choralsatz für das Verständnis seiner Person und seines Schaffens besagt! Der große Anteil, den die Orchester-, Kammer- und Klaviermusik daran hat, läßt, zumal bei der vielfältigen Einwirkung auf die Kirchenmusik, allzu leicht verkennen, wie stark Bach in der empfindungsvollen Frömmigkeit seiner Zeit gelebt hat. Offensichtlich wird der Blick hierfür auch durch das völlig andere Lebensgefühl des 20. Jahrhunderts verstellt. Es sollte nicht der Zweck unserer Betrachtung sein, dies sei noch einmal wiederholt, ein Plädoyer für eine originalgetreue Wiedergabe der Bachschen Choralsätze vorzunehmen — das wäre ein aussichtsloser Versuch —, wohl aber zum Verständnis Bachs, wie er uns bei der Liedgattung der Aria und in seinen Choralsätzen gegenübertritt, beizutragen.

---

15 Pachelbels Weimarer Tabulaturbuch wurde von Traugott Fedtke 1972 zum ersten Mal herausgegeben (Edition Peters). Das Tabulaturbuch läßt wichtige Rückschlüsse auf die frühere Praxis des Gemeindegesanges zu.

Paul Brainard

The Aria and its Ritornello: The Question of
„Dominance" in Bach

Alfred Dürr has supplied a characteristically concise and judicious description of the phenomenon that forms the point of departure of the present reflections. He proposes the term
„*Vokaleinbau*" to designate a technique widely encountered in the arias, choruses, and
ensembles of Bach's cantatas and oratorios, in which

die Singstimme wird in das mehr oder weniger getreu wiederholte Instrumentalritornell „eingebaut"; dabei
werden die Einschränkungen, die sich daraus für eine melodisch reiche, individualisierend-textgezeugte Gestaltung der Singstimme ergeben, in Kauf genommen[1].

In another context, Dürr characterizes this „embedding [*Hineinkomponieren*] of the voice part
in the instrumental restatement of the opening ritornello (or a portion thereof)" as follows:

Die Anwendung dieser Technik, die sich durch die Dominanz des (vorgegebenen) Instrumentalparts auszeich-
net, wechselt in der Regel ab mit solchen Abschnitten, in denen die Singstimme dominiert, während die Instrumente schweigen oder Begleitfunktion übernehmen[2].

With the key words „*Dominanz des (vorgegebenen) Instrumentalparts*" Dürr touches upon the
issue that, for Werner Neumann, has overshadowed all others in a long-standing confrontation
with the traditional view of Bach's concerted vocal music. In the most recent published statement of his advocacy of a „new understanding of Bach" Neumann summarizes his position as
follows:

Die ältere Bachforschung hat dem Instrumentalpart im wesentlichen nur eine Einleitungs-, Gliederungs- und
Begleitfunktion zuerkannt und dementsprechend den Vokalpart als strukturelles Kernstück angesehen . . . Dagegen ist in jüngerer Zeit mittels ausgedehnter kompositionstechnischer Analyse der eindeutige Nachweis gelungen, daß in weiten Bereichen der konzertanten Vokalmusik das vokal-instrumentale Wechselverhältnis in
invertierter Form wirksam ist. Die Dominanz des Instrumentalparts ergibt sich aus seiner Funktion als Ent-
wicklungsträger, die Dependenz des Vokalparts erweist sich an seiner sekundären Einbaufunktion. Der struk-
turellen Logik und thematischen Schlüssigkeit im Instrumentalbereich stehen im Vokalbereich thematische
Labilität, Profilarmut und Zufallsgliedrigkeit gegenüber[3].

The chief manifestations of „*Zufallsgliedrigkeit*" (cumbersomely and inadequately translatable
as „fortuitous structural articulation") are to be seen in the „alogical periodicity"[4] of certain
vocal portions and especially in what Neumann tellingly dubs „text variability":

Die Großarchitektonik wird meist von den instrumentalen Baueinheiten bestimmt, in die sich der Vokalsatz
mehr oder weniger glatt einfügen muß. Dabei wird ersichtlich, daß der Bachschen Vokallinie eine erstaunliche
Textvariabilität eigen ist. Eine Melodiegestalt ist nicht nur bereit, bei ihrer Wiederkehr fremde Textglieder
jeder Art in sich aufzunehmen, sondern sie duldet auch kühne Umgruppierungen und Phasenverschiebungen
des ursprünglichen Textpartners[5].

---

1 Alfred Dürr, Studien über die frühen Kantaten Johann Sebastian Bachs, Leipzig 1951, Wiesbaden ²/1977,
p. 133. The name is of course a generalized counterpart to „*Choreinbau*", first used by Werner Neumann
in his seminal study: J. S. Bachs Chorfuge, Leipzig 1938, ²/1950, pp. 53 ff.
2 Alfred Dürr, Die Kantaten von Johann Sebastian Bach, 2 vols., Kassel and München 1971, p. 32.
3 Werner Neumann, Das Problem „vokal-instrumental" in seiner Bedeutung für ein neues Bach-Verständnis,
in: Bachforschung und Bachinterpretation heute. Wissenschaftler und Praktiker im Dialog. Bericht über das
Bachfest-Symposium 1978 der Philipps-Universität Marburg, herausgegeben von Reinhold Brinkmann, Kassel etc. 1981, p. 72.
4 Werner Neumann, Zur Frage instrumentaler Gestaltungsprinzipien in Bachs Vokalwerk, in: Bericht über
den Internationalen Musikwissenschaftlichen Kongreß Leipzig 1966, Kassel and Leipzig 1970, p. 266:
„periodische Alogik".
5 Neumann, Das Problem „vokal-instrumental" . . ., p. 74.

The absence of consistency of association between a given melodic entity and the words initially assigned to it (or, in more traditional language, the words to which it is initially set) is taken, together with its corollary, the assignment of fluctuating and „impoverished" melodic profiles to a given segment of text („*thematische Labilität*"), to furnish ultimate proof of the subservience of vocal to instrumental concerns. This in turn compels a fundamental re-evaluation of the creative act itself:

Die Verbindung von Instrumentaldominanz und Vokaldependenz, die im Partiturbild in Simultanexistenz erscheint, ist ja in werkgenetischer Sicht ein Sukzessivprozeß mit Instrumental-Priorität, da ja das Gerüst in jedem Falle früher als der Einbau zu datieren ist. Dies wiederum bedingt kompositorische Präkonzeption, entweder in gedanklicher oder schriftlicher Fixierung, bei der die Frage des Zeitabstandes offen bleiben kann. Ebenso unerheblich ist es, ob sich der Präkonzeptionsakt einzügig über den ganzen Satzkomplex erstreckt oder nacheinander in einzelnen Schaffensabschnitten vollzieht[6].

In particular, „instrumental dominance" is taken to imply the dissociation of musical invention from any but the most cursory consideration of the text being „set". Indeed much of the music in question exudes a „superb disregard" of text, „*den Geist stolzer Textmißachtung*". The traditional image of Bach as a latter-day Schütz, „*die Theorie von der absoluten Textgezeugtheit der Bachschen Vokalmusik*", is chief among the misconceptions („*Vorurteile, Einseitigkeiten und Fehleinschätzungen*") of earlier interpreters of Bach. It can be accorded at best a narrowly limited validity, „*nämlich bezogen sowohl auf alle rezitativischen Gattungen als auch vokalgenuinen bzw. vokaldominanten Sätze oder Abschnitte in Arien- und Chorwerken*"[7].

We are led by Neumann's choice of language („*meist*"; „*in weiten Bereichen*"; „*häufig*") to infer that, for him, „genuinely vocal" or „vocally dominated" music occupies, outside of recitatives, a relatively small domain. In complex choral movements it can „always be clearly distinguished from instrumentally developed segments", even when Bach attempts by „structural artifice" to veil the fundamental dichotomy of conception. As for arias, Neumann proposes classifying them informally („*zwanglos*") upon a „continuous scale of dominance" whose endpoints are arias of „purely vocal" and „purely instrumental" provenance, respectively[8].

Alfred Dürr's pioneering studies have likewise given us much to think about concerning these and many other analytical aspects of, especially, the pre-Leipzig cantatas. Nonetheless, a systematic investigation of the entire body of Bach's arias from the above point of view is still lacking. Anyone who looks closely enough at a representative sampling of arias will find this scarcely surprising. The compositional means employed by Bach in response to several hundreds of individual text situations are of a multiplicity, and the resulting aesthetic and analytical problems of a subtlety and complexity, that are best described as staggering. I can offer here only a few tentative thoughts on the subject, deriving from a broader-based study still in progress; their intent is to help focus the questions rather than provide definitive answers.

A useful starting-point is the fact that a high percentage of the aria ritornellos contain melodies that are subsequently quoted by the voice, in degrees of completeness ranging from a brief incipit to an entire series of phrases. When a vocal o p e n i n g exhibits such quotation (in the absence of parody) we are, I think, justified in concluding that the melody was conceived with at least some awareness of its suitability as a vehicle for setting the text in question. The fact that Bach often calls for a singer to restate ritornello themes that happen to fit their instruments well does not, by itself, stamp the restatements as „vocalizations" of a (pre-existent) instrumental conception. Indeed the converse may well be true, particularly where there are demonstrable rhythmic-prosodic or figural-affective connections between a theme and its text. The point at issue then becomes not so much the assignment of structural features to the „instrumental" and

---

6 Ibid., p. 82.
7 Ibid., p. 83.
8 Ibid.

„vocal" domains, as the degree and nature of Bach's involvement with the literary model. Valuable evidence about this can often be gleaned from his re-use of musical material in the subsequent course of the movement.

The tenor aria „*O du von Gott erhöhte Creatur*" (BWV 121/2) illustrates the delicate balance of forces that may be at work in shaping both the ritornello and the vocal portions based upon it. With the exception of two scalar 16th-note connecting links and a modified cadential figure, the tenor opening is an intact restatement of the entire twelve-measure ritornello (see Example 1a, p. 47). Surely the opening phrase with its conspicuous three-bar length was invented in response to the first of the pair of rhyming pentameters with which the poetry begins: note the agogic reversal of the first poetic foot (corresponding to the initial exclamation), the melisma placement for „*Gott*", the figural correspondence with „*erhöhte*". Just as surely, Bach's choice of a matching „consequent" phrase in the relative major for Line 2 was not individually word-generated in the same way (though perfectly appropriate for „*nein, nein*" it violates the accentuation of „*begreife*"); but whether it was motivated s t r u c t u r a l l y , or merely retrospectively justified, by the poetic matching of line-lengths and masculine rhymes must, I think, remain moot. The remainder of this first ritornello quotation offers no conclusive evidence concerning the generative role (if any) of Line 3. We can however note not only that it „works" well, but also that Bach uses essentially the same music for this line in its only later reappearance (measures 41—46).

Meanwhile, the original antecedent-consequent pairing of Lines 1—2 has returned with minor variants dictated neither by specifically instrumental nor (except possibly for range, at „*nein, nein*") vocal considerations, but by a formal one: the need to regain the tonic key and hence to reverse the original tonal goals of the two phrases (Example 1b, measures 30—35, p. 48). This accomplished, Bach resorts to the device of *Einbau* for a further repetition of Line 2 (Example 1b, measures 36—40). Assigning to the voice a motive taken from the instrumental counterpoint at measure 13 (and in the process rectifying the accentuation of „*begreife*" by adding an anacrusis), he momentarily exchanges the roles of the two melody-carrying partners; the texted one appears to retreat into a position of subordination. Yet it may fairly be asked in what sense, and with what effect, the oboe d'amore actually predominates in this passage. Given the close and unvarying association of measures 1—3 with Line 1, we may in fact be justified in perceiving here an „instrumentalization" of those words in logical continuation of the pair of phrases just preceding. (We are thus „hearing" both poetic lines in simultaneous juxtaposition[9].) The voice, meanwhile, proves to be surprisingly independent. After only two measures it cuts across the instrument's three-measure phrase with a sequential repetition of „*begreife nicht*" not prefigured in the earlier counterpoint, placing an integral statement of Line 3 into a new three-measure context of its own. It is this competing metrical unit that ultimately prevails, the oboe quotation giving way to motivic sequencing in bar 40; we thus discover in retrospect that there is a real sense in which the texted melody-line has dominated all along. That is not equivalent to calling it „preconceived" or even „text-generated"; Bach is scarcely likely to have anticipated this subtle juxtaposition of (3 + 2)- against (2 + 3)-bar periods when devising his ritornello. But in conceding a large degree of serendipity („*Zufallsgliedrigkeit*" seems inappropriately negative, „*periodische Alogik*" simply inapplicable) here, as in the interior portions of most Bach arias, we should not fail to recognize that the composer's pen was guided throughout by a high degree of textual awareness as well as by more abstract musical concerns.

Turning to the middle section of this aria (measures 52—81, not reproduced here), we can discover some of the special nuances of the phenomenon of „text variability". In setting the

---

9 In an unpublished paper I have suggested for this phenomenon, which I believe may sometimes reflect conscious compositional intention, the name „verbal counterpoint". I must reserve a fuller discussion of it to another occasion.

first two lines of the „B" text Bach recognizably preserves both the characteristic rhythms and phrase-lengths of the opening line-pair. He does so free of any constraints that might have been imposed by actual ritornello (or other) quotation; there is not only no *Einbau*, but no sustained restatement whatever of any intervallic or harmonic context heard previously. In respect to the question of „dominance", the tenor line appears to be the controlling one for the larger part, if not the whole, of the section; certainly it leads unequivocally in those portions that might, because of their resemblance to the original vocal opening, be termed „textual variants". Thus the supposed evidential link between „text variability" and „instrumental dominance" is seen to be a fragile one at best. We can speak of this aria as an „instrumental" conception only in the Besselerian sense that m o t i v i c u n i t y prevails over the competing tendency towards fully individualized responsiveness to each new text line or segment[10].

In the bass aria *„Johannis freudenvolles Springen"* from the same cantata Bach departs from his ritornello to invent an entirely new theme for the contrasting text of the middle section (Example 2a, p. 49). Its paired phrases are (as in the preceding example) themselves a special instance of „text variability", to be encountered wherever sequential or antecedent-consequent structure is coupled with rhyming lines. But Bach later employs the same tune in a telescoped variant preserving the original rhythmic/intervallic characteristics but redistributing the text (Example 2b, p. 49). That is a wholly voluntary act of *„Phasenverschiebung"* from which we can draw no objective conclusion other than that he liked to temper unity with variety.

In BWV 75/3 (*„Mein Jesus soll mein alles sein"*) the theme associated with the first text line is also used (in modal or harmonic variants) to set repetitions — not first appearances, which may be additionally significant — of each of the remaining lines (measures 89–90, 91–92, 103–104, 105–106, 111–112). Similar treatment is found in the soprano aria of the same cantata (*„Ich nehme mein Leiden mit Freuden auf mich"*), again utilizing motivic references to the first text line (which quotes the ritornello opening) but without the contextual constraints of sustained ritornello quotation. Examples could be multiplied at will[11]. The limited relevance of this issue to that of „dominance" is underscored by the fact that „text variability" is no stranger even to Bach's motets: consider the musical identity between the following text segments in BWV 227:

measures 20–27:	Es ist nichts Verdammliches an denen, die in Christo Jesu sind
= 406–413:	So nun der Geist des, der Jesum von den Toten auferwecket hat, in euch wohnet
measures 37–39:	[die nicht nach] dem Fleische wandeln
= 424–436:	[um des] willen, daß sein Geist in euch wohnet

or the absence of textual consistency between Examples 3a and 3b (p. 49 f.) from BWV 229.

The reverse of the same coin is what Werner Neumann calls *„thematische Labilität"*. I take it to mean the failure to match repetitions of a given text to a consistent musical profile, thematic unity being sacrificed or (more usually) reserved to other segments or other strands of the compositional fabric. Such „instability" or inconsistency of association is of course virtually inevitable whenever a given line of text is projected, either in voice quotation or in *Einbau*, upon different segments of the ritornello. Such is the case, for example, in the opening aria of

---

10 Heinrich Besseler, Charakterthema und Erlebnisform bei Bach, in: Kongreßbericht Lüneburg 1950, Kassel and Basel o. J., p. 8: „[Der Einheitsablauf] stammt, wie ein Blick auf die vorangehende Formenwelt lehrt, nicht aus dem vokalen Bereich sondern aus dem instrumentalen."

11 A few notable ones: BWV 62/2 and 83/3 (compare vocal openings with „B" sections), 35/4 and 38/5 (the latter a trio; independent vocal openings recur to new text in both), 72/3 (independent solo *Devise* recurs for the rhyming Line 3 as part of a „Bar" structure), 84/3 (internal repetition within the theme as well as subsequent re-use with different words), 168/3, 175/5, 176/3. Viewed as entire compositions, these pieces evince widely varying degrees of dependence upon, or freedom from, ritornello structure.

BWV 84 (,,*Ich bin vergnügt mit meinem Glücke*''), too space-consuming to be reproduced here. Its vocal opening quotes the first phrase of the ritornello in a setting of Line 1 whose instrumental origins are at best debatable; but the central words ,,*ich bin vergnügt*'' are subsequently heard in partial quotation of the quite different ritornello segment from bars 8–12 (compare bars 32–36 and their extremely artful *Einbau* counterpart, bars 44–48) as well as in *Einbau* against an instrumental restatement of the opening (bars 37–38; note the switch to d i s - p l a c e d vocal quotation in bars 39–40, making the ,,dependent'' voice line an equal partner in a new imitative context). In light of this it seems noteworthy that the same text is set in yet another manner in bars 49–51, whose music is i n d e p e n d e n t of the preceding ritornello context. We thus have a voice part that is by definition thematically unstable yet (with the possible exception of bars 41–42) almost devoid of the ,,*Profilarmut*'' supposedly associated with that trait, particularly in the presence of *Einbau*. Instead, the line seems coherently shaped, with continuously varied yet beautifully spun and balanced phrases; it is further enhanced, rather than subjugated, by the duetting relationship with the oboe. It would seem inadmissably presumptuous to assert that Bach had no thought of these possibilities – particularly the association of Line 1 with the rhythm and upward leaps of bars 8–12 – in conceiving his ritornello. At all events it is demonstrable that his choice of continuous melodic variation, rather than thematic ,,stability'', was largely voluntary, not ritornello-imposed.

Extreme brevity of text appears to be a contributing factor in many instances of such non-uniform or ,,thematically unstable'' melodic writing. The first vocal section of the soprano aria ,,*Höchster, was ich habe*'' from BWV 39 ist at first glance a likely candidate for high ranking on the proposed scale of instrumental dominance. For its ritornello Bach has chosen a regularly periodized eight-bar flute melody consisting of two phrase-pairs, ending in the dominant key. The vocal opening (bars 9–12) is distantly related; its four measures set the entire text of this section: two lines of only three trochaic feet each. What now follows in the voice is counterpoint to a complete instrumental restatement of the ritornello, serving as the vehicle for two more runthroughs of the text; then still another – ritornello-free – text statement concluding with a repetition of the second line (see Example 4, p. 50).

Looking back over the nine successive two-bar phrases of the voice part (two of them linked by ,,enjambement''), I can find no obvious traces of an externally imposed melodic limitation which I know ,,ought to'' be there as the result of *Einbau*. (The regular periodicity is another matter, lying squarely in the chicken/egg domain.) Intervallically, rhythmically, and registrally, the eighteen measures of tune are an entity in which the eight measures of *Einbau* do not constitute the slightest intrusion. Each new period emerges from and complements its predecessor with a logic that we might term inescapable, did we not know of the ritornello's presence. Not one of them exactly matches any other; apart from the period structure itself, only one ,,unifying'' factor cuts across this continuously evolving melodic flow – and that is the text: four-and-a-half statements of a pair of rhyming lines of six syllables each, each line occupying two measures.

I suggest that the ultimate determinant of the nature and structure of this section was Bach's decision to treat the first sentence of the poetry as the separate entity which it obviously is. Indeed he had little choice in the matter:

Höchster, was ich habe,
Ist nur deine Gabe.
Wenn vor deinem Angesicht
Ich schon mit dem Meinen
Dankbar wollt erscheinen,
Willt du doch kein Opfer nicht.

It would be idle to speculate on the nature, order, and scope of the subsequent decisions that led to the piece as we now have it. The autograph (*Deutsche Staatsbibliothek Berlin*, Mus. ms.

Bach P 62) shows only one pair of corrections in the opening ritornello, whose implication is that Bach originally intended to tonicize f instead of c minor in measure 2^{12}. More informatively, at least one of his corrections in the following voice line has the effect of eliminating rhythmic and melodic parallelism between phrases; the conduct of the melody in continuously evolving, rather than matching, segments seems to have been a matter of some concern. To explain this I think we only need try to imagine the effect of a motet-like association between each brief text line (or indeed the whole sentence) and a single characteristic and unchanging melodic shape. The poetic structure itself all but forbids such thematically „stable" treatment. In attempting thus to relativize, rather than dispute outright, any claim that might be made here for instrumental dominance, I am not arguing the converse, but suggesting another respect in which the subtle interplay of musical and textual concerns transcends the vocal/instrumental dichotomy.

As the previous examples suggest, some rethinking of the full range of implications of *Vokaleinbau* itself seems in order. We must, I believe, beware of automatically attributing subordinate status to a voice part merely because it happens to be supplying counterpoint against a previously heard ritornello. In the opening *Einbau* segment of BWV 45/5, for instance (see Example 5, p. 50 f.), the equality of rank between alto and flute seems so complete and compelling that the preceding, purely instrumental statement of the ritornello strikes us in retrospect as being less than fully realized. Conceivably, the ritornello here has „priority" solely by virtue of the formal convention through which we happen to hear it first in its two-part (and arguably still incomplete) instrumental version. We cannot rule out the possibility that the flute-continuo texture was worked out in full awareness of its three-part potentialities and of the task of setting the opening pair of text lines. The „dependence" of the voice would, in this interpretation, be no greater than that of the instruments.

At the point we have just reached, the ritornello context is interrupted by a two-measure interpolation serving as a setting of Line 2. The flute, retreating from its four-bar ascent to the top b" in measure 13, reverses not only melodic direction but also the order in which its two rhythmic components lie within the bar. The momentary suggestion of a half-measure metrical shift is „layered" upon the vocal continuation, which preserves the original barline orientation. The actual ritornello quotation resumes in bar 16^b with the sequential passagework taken from bars 5^b and following, against which the voice restates Line 1, preserving the rhythms and principal melodic gestures though not the exact intervallic content of the first statement. At the final cadential measure of the ritornello the quotation is completed in the voice, the flute dropping out; this begins a concluding restatement of Line 2 in a (ritornello-free) melismatic passage with continuo alone.

The resumption of the ritornello context in measure 16^b becomes, in our perception of the passage, something of an arrival — less for musical/formal reasons (note that the strong dominant harmony of bar 5^a is here absent, the tonal context being quite different) than because it coincides with the return of the opening text line. The timing seems anything but fortuitous. Here as in many other *Einbau* segments in Bach's arias, rhythmically uniform and melodically neutral passagework serves as an ideal foil for vocal writing[13]. It both assures the prominence of the voice in the total texture and affords a wide range of possibilities for its quasi-autonomous melodic development. The gesturally consistent way in which (despite ritornello-imposed constraints) Bach is here able to spin out the repetitions of Line 1 is proof, not that he conceived the vocal passage in advance of the instrumental one (the reverse is obviously far likelier), but

---

12 See NBA I/15, KB, p. 192. The correction might mean either that Bach radically revised an originally quite different tonal/harmonic scheme, or that his ideas at this stage were still quite tentative. The latter seems likelier, but even that tells us nothing about the shaping forces behind either conception.
13 A few of the many other possible examples: BWV 36c/7, 51/1, 70a/4, 83/1, 105/5, 128/3, 140/3, 183/2.

that he has seized upon an opportunity implicit in the ritornello for achieving needed extension a n d textual recapitulation simultaneously, without appreciable sacrifice of melodic coherence. That in turn leads us to ask whether the design of the ritornello itself might not have been materially influenced by just such considerations. Viewed in this light, Bach's d e p a r t u r e from the ritornello structure for the initial presentation of Line 2 is peculiarly ambiguous. In the (apparently) unlikely event that he foresaw all of the contingencies of the vocal section in the act of composing his introduction, the latter would have to be interpreted as a compressed or elided version of a larger whole. (Improbable though this is, it is remarkable how, in the end, we gain the i m p r e s s i o n of such incompleteness; the varied Da Capo of this aria further contributes to this effect.) On the other hand, Bach's decision to interrupt the ritornello in bar 14 might be taken as confirming the notion that the introduction evolved autonomously: because it fails to serve all of the textual requirements of the section, it cannot have been conceived with more than token or generalized reference to those needs. In my view neither of these extreme positions is tenable. The truth, as usual, lies between them; serendipity, with Bach, is undeniable but seldom if ever pure to the point of randomness.

However we interpret them, interrupted or otherwise structurally altered ritornello quotations are a fairly common feature of Bach's arias. Some of their more extreme instances utterly belie the notion of an overall architecture that is „von den instrumentalen Baueinheiten bestimmt". The bass aria „Ich geh und suche mit Verlangen" (BWV 49/2) is a remarkable synthesis of Vokaleinbau and voice-dominated composition. Its 24-bar obbligato organ introduction is, despite possible figural/affective connections with the „seeking" and „longing" of the first poetic line, seemingly autonomous in other respects. It is not quoted by the voice, which opens with a twelve-bar ritornello-free setting of the entire „A" text, repeating its second line. The remaining vocal portions, from measure 37 to the end of the „B" section (!) in measure 98, make up a single non-repeating statement of the entire ritornello in Einbau segments of four, two, and (in one case) six measures' length, separated and surrounded by four-bar, two-bar, and even one-bar interpolations that are clearly prompted by the text layout and phrase structure of the vocal line. The two halves of the text are thus symmetrically distributed between the two halves of the ritornello; but it would seem absurd to regard the continually interrupted „instrumental" context as the governing architectonic factor. Even in the unlikely event that the ritornello should turn out to be the product of an entirely separate act of composition[14], any interpretation of „instrumental dominance" o v e r a l l would be based on a technicality that is almost beside the point.

Similarly suggestive are local variants introduced into Einbau segments for reasons that are demonstrably textual (and hence „vocal") in nature. An example that repays close study is the tenor aria BWV 13/1, in which the key words „Seufzer" and „Tränen" repeatedly call forth slight but meaningful changes of otherwise intact repetitions of the ritornello material.

In BWV 84/1 we encountered above an aria in which the alternation of Einbau with actual vocal quotation of ritornello motives may have special significance in terms of the larger argument of „pre-conception". I would like in conclusion to enlarge somewhat upon this line of reasoning by citing an example I find particularly rich in its possible implications. The vocal opening of BWV 10/2 („Herr, der du stark und mächtig bist") is projected upon an unaltered restatement of the first five measures of a ritornello that appears to epitomize concerto-like instrumental characteristics. The syllabically declaimed broken triads and tone repetitions of the soprano line seem at first to be an obvious confirmation of the melodically „impoverishing" effects of subordination to the instrumental context. Parenthetically, I would urge that such an interpretation fails to take account of the clear affective purpose of the acclamations („Herr")

---

14 See Werner Neumann's reasoning concerning other, provable instances of instrumental „pre-conception", Neumann, Das Problem „vokal-instrumental" . . ., p. 82 f.

and of the density and inner life of the texture that results. Be that as it may, the conclusion of this segment (measures 24—27) is given over to a doubling by the soprano of the final phrase of the ritornello melody (bars 10—13) for a statement of all three lines of the „A" text. This „new" setting, which recurs also in a later quotation (with range-dictated variants, bars 46—49), places the ritornello as a whole in a new light. The melodic cast of the final phrase, growing out of, yet rhythmically distinct from, the preceding context, appears to embody not only the prosody and word-emphasis but also the structure of its poetry. It is a culmination of what has gone before, accounting in retrospect for the way the three lines had been set initially, and suggesting unmistakably that the design of the entire twelve-measure introduction was to some considerable degree text-engendered, not only in the affective sense (*„stark und mächtig"* and the opening threefold acclamation being the obvious triggering agents) but also in respect to prosody and syntax. Though obviously unprovable, this appears far likelier than the converse interpretation, namely that the ritornello was „pre-conceived" in splendid isolation and then mechanically imposed upon an unresisting textual partner.

This example again underscores the complexity of the interpretive issues with which we are faced. If I have overemphasized this aspect of the problem, possibly even to the point of hairsplitting, it is because I am convinced that we have yet to develop sufficiently insightful means of dealing with it[15]. Unquestionably, Werner Neumann's more than forty years' campaign to reverse the traditional interpretation of Bach is a significant act of liberation from one-sided and previously untested preconceptions. In acknowledging its great value, we should at the same time recognize that the argument has been conducted within a frame of reference that may itself be prone to one-sidedness of a different sort. An analytical model based chiefly if not solely upon the interaction of „instrumental" and „vocal" components in Bach's music may well be an inadequate tool with which to pursue the action further. I believe that a more comprehensive view is not only possible, but essential.

---

15 In refining those means we should not neglect the possible implications of source study along the lines indicated in Robert L. Marshall, The Compositional Process of J. S. Bach, 2 vols., Princeton 1972, and in my article: Über Fehler und Korrekturen der Textunterlage in den Vokalwerken J. S. Bachs, in: BJ 1978, pp. 113—139. My impression to date, however, is that the composing scores will in the end add little information bearing materially on the kinds of problems addressed here. To give an example: It is often possible to show, even in *Einbau* segments, that Bach entered the voice part before that of the concurrent melody-carrying instrument. That knowledge, however, is of little or no use in reconstructing the order, let alone the conscious or unconscious mental processes, of the original act of musical invention.

Example 1a: Tenor aria „*O du von Gott erhöhte Creatur*" from the cantata „*Christum wir sollen loben schon*" BWV 121, measures 13–24.

Example 1b: Ibid., measures 29–41.

Example 2a: Bass aria „*Johannis freudenvolles Springen*" from the cantata „*Christum wir sollen loben schon*" BWV 121, measures 71–76.

Example 2b: Ibid., measures 93–96.

Example 3a: „*Komm, Jesu, komm*" BWV 229, measures 24–27.

Example 3b: Ibid., measures 57–60.

Example 3b (contd.)

Example 4: Soprano aria *„Höchster, was ich habe"* from the cantata *„Brich dem Hungrigen dein Brot"* BWV 39, measures 9–26.

Example 5: Alto aria *„Wer Gott bekennt aus wahrem Herzensgrund"* from the cantata *„Es ist dir gesagt, Mensch, was gut ist"* BWV 45, measures 8–19.

Georg von Dadelsen

Anmerkungen zu Bachs Parodieverfahren[1]

Das Parodieproblem im Werk Bachs und seiner Zeitgenossen ist heute so aktuell wie im vorigen Jahrhundert, als man (aus historischer Sicht) auf dieses Problem aufmerksam wurde. Der unvorbelastete Hörer des „Weihnachts-Oratoriums", dem dieses Werk von Jugend her zum Inbegriff weihnachtlicher Gedanken und Ahnungen geworden ist, reagiert schockiert, wenn er erfährt, daß die Musik der meisten Chöre und Arien aus weltlichen Glückwunschkantaten für das sächsische Königshaus entlehnt ist. Dies muß man auch unter Musikwissenschaftlern, die diesen Sachverhalt längst kennen, immer wieder betonen. Denn auch die Bachforschung hat sich mit dem Verständnis und der rechten Würdigung dieser sog. „Parodien" schwer getan. Dafür gibt es mehrere Gründe: Zunächst den modernen Begriff des Kunstwerks als einer einmaligen unveränderlichen Gestalt. Dann, für die Übertragungen vom weltlichen in den geistlichen Bereich, die säkularisierte Vorstellung, daß Kirchenmusik als „heilige" Musik mit der weltlichen nichts zu tun haben dürfe. Weiter die Verabsolutierung der Nachahmungsästhetik mit ihrer Affektenlehre und der gerade neu in den Blick gekommenen Figurenlehre: über dem Interesse an den Wort-Ton-Beziehungen, an der Sprachkraft der Musik sind die formalen Merkmale und Besonderheiten barocker Satzkunst lange vernachlässigt worden.

Schließlich stand auch noch der Begriff „Parodie" selbst im Wege. Denn inzwischen verstand man, nach dem Vorbild der Literatur[2], auch unter Musikern darunter jene Nachahmung, die durch Verzerrung und Übertreibung, auch durch Wechsel der Stilschicht komisch wirken will. So ist z. B. Jack Allan Westrups Polemik[3] gegen die Verwendung des Terminus „Parodie" im Sinne von umarbeitender Neutextierung zu verstehen, die er unter Berufung auf einen Aufsatz Lewis Lockwoods[4] über die originalen Bezeichnungen der sog. „Parodiemessen" im 16. Jahrhundert führt. Aber dieser Begriff wurde unter deutschen Musikern der Bachzeit durchaus unzweideutig gebraucht. Mattheson, Johann Gottfried Walther[5] und der Theologe Gottlieb Ephraim Scheibel verwenden ihn für eine mit Neutextierung einhergehende Zurichtung eines vorhandenen Werkes für einen neuen Zweck. Übrigens auch Carl Philipp Emanuel Bach. Auf dem Umschlag der in seinem Besitz befindlichen Kantate seines Vaters „Was Gott tut, das ist wohlgetan" (BWV 100) vermerkt er: „NB. kan nicht wol parodirt werden"[6]. Sicher: denn es handelt sich um eine Choralkantate. Gegen den Begriff läßt sich also nichts einwenden, obwohl er zunächst irritieren mag. Bleiben also die übrigen Vorbehalte.

Die Forschungsgeschichte zeigt, wie diese Gründe und Vorurteile nur sehr langsam abgebaut werden. Dabei macht die Forschung die üblichen Umwege, um zum Ziel zu gelangen. So kommt z. B. Philipp Spittas Auffassung[7] einer mehr autonomen, nicht primär auf Nachzeichnung des

---

1 Erweiterte Fassung eines Referats, gehalten am 3. 12. 1981 auf dem Wissenschaftlichen Kolloquium der Nationalen Forschungs- und Gedenkstätten Johann Sebastian Bach der DDR in Leipzig, das unter dem Thema Johann Sebastian Bach – Leipziger Wirken und Nachwirken stand.
2 Hierzu neuerdings: Theodor Verweyen und Gunther Witting, Die Parodie in der neueren deutschen Literatur, Eine systematische Einführung, Wissenschaftliche Buchgesellschaft Darmstadt 1979, besonders S. 16 ff.: „Die Wiederaufnahme des antiken musikalischen Wortgebrauchs".
3 In seiner Besprechung der Bände 9–14 der MGG, in: Die Musikforschung 22, 1969, S. 218.
4 Lewis Lockwood, On Parody as Term and Concept in 16th-Century Music, in: Aspects of Medieval and Renaissance Music: A Birthday Offering to Gustave Reese, New York 1966, S. 560–575.
5 Diese und weitere Nachweise bei Werner Braun im Artikel Parodie im Sachteil des Riemann-Lexikons (1967).
6 Dok III, S. 208.
7 Spitta II, S. 406 f.

Wortsinns gerichteten Tonsprache Bachs unseren neueren Erklärungen des Parodieverfahrens sehr viel näher als die Arnold Scherings in seinem berühmten Aufsatz „Über Bachs Parodieverfahren"[8], wonach unter Anknüpfung an Gottfried Ephraim Scheibels „Zufällige Gedanken von der Kirchenmusik, wie sie heutiges Tages beschaffen" (Frankfurt und Leipzig 1722) zu allererst die Beibehaltung des ursprünglichen Affekts die Parodie rechtfertige. Wo jedoch der Affekt dennoch geändert würde, sei das Verfahren durch entsprechend geänderte Vortragsweise legitimiert. Sein Hinweis, daß Bach wohl weltliche Werke geistlich, niemals aber geistliche Werke weltlich parodiert hat („das Geistliche adelt das Weltliche")[9] gilt bis heute, obwohl nicht unbestritten[10], als ein weiterer Rechtfertigungsgrund für dieses zunächst befremdende Verfahren.

Friedrich Smend hat diese Frage theologisch vertieft[11]. Er erklärt solche Parodien mit der für Bach noch gültigen, im Luthertum wurzelnden Ungebrochenheit des weltlichen und geistlichen Bereichs. Der Erfahrungssatz, daß Bach Geistliches nicht weltlich parodiert, der im Anschluß an Schering oft zu einem strikten Verbot dieser Parodierichtung hochstilisiert worden war, wird damit, führt man Smends Gedanken weiter, zugleich relativiert: Er erscheint eher als eine Regel, die Ausnahmen zuläßt. Darüber hinaus hat Smend die heuristische Methode, Parodien zu verlorenen Vorbildern nachzuweisen, weiterentwickelt und dabei einige beachtenswerte Erfolge erzielt[12].

Noch bis weit in die Nachkriegszeit hinein hat das Interesse an der Figurenlehre, an Wort-Ton-Beziehungen und musikalischer Rhetorik die Parodienfrage beherrscht. Erst in den 1960er Jahren kündigen sich neue Auffassungen an. In seiner grundlegenden Studie „Über Ausmaß und Grenzen des Bachschen Parodieverfahrens"[13] hat Werner Neumann die zahlreichen Parodien Bachs zum ersten Male systematisch geordnet und, etwa durch die Unterscheidung von „dichterischer" und „kompositorischer" Parodie, den Blick für die unterschiedlichen Verfahrensweisen Bachs geschärft. Daneben hat er den heuristischen Optimismus, nämlich neue Parodien durch metrischen und Wort-Ton-Vergleich nachweisen zu können, gedämpft, indem er gezeigt hat, wie Bach durch Änderung der Melodielinie nahezu jeden Text bruchlos einer bereits vorhandenen Komposition einpassen kann. Alfred Dürr wiederum verweist in verschiedenen Analysen[14] auf den weit über bloße Wortvertonung hinausgehenden Kunstcharakter der Bachschen Vokalmusik. Im selben Sinne, und zwar sehr grundsätzlich, erklären sich Werner Braun[15] und Ludwig Finscher[16]. Diese Forschungsgeschichte ist geradezu ein Musterbeispiel sich ergänzender und vervollkommnender Standpunkte. Ich möchte keinen neuen hinzufügen, aber einiges verdeutlichen.

Bachs Parodieverfahren ist Teil seiner umfassenden Bearbeitungspraxis insgesamt, die Ulrich Siegele hinsichtlich der Instrumentalmusik untersucht hat[17] und die dort auf systematische Verbesserung und Weiterentwicklung hinzielt. Bachs vokale Parodien sind jedoch zunächst anders motiviert: Nicht der Drang zu kunsthandwerklicher Vervollkommnung, sondern bloße Arbeitsökonomie sind der Anlaß für seine ersten Parodien. Sie entstehen in Leipzig (nicht vorher) unter dem Zwang der wöchentlichen Kantatenaufführungen. Die erste nachweisbare Parodie ist die

---

8 BJ 1921, S. 49–95.
9 BJ 1933, S. 37.
10 Siehe besonders Werner Neumann im BJ 1965, S. 80 ff.
11 Friedrich Smend, Bach in Köthen, Berlin (1951), S. 114 ff.
12 Neue Bach-Funde, in: Archiv für Musikforschung 7, 1942, S. 1–16; auch in: Friedrich Smend, Bach-Studien. Gesammelte Reden und Aufsätze, herausgegeben von Christoph Wolff, Kassel 1969, S. 137–152; ders., Joh. Seb. Bach, Kirchenkantaten, Heft 5 und 6, Berlin 1947/48.
13 BJ 1965, S. 63–85.
14 Besonders in der erläuternden Studie über das „Weihnachts-Oratorium" (München 1967).
15 Braun, a. a. O.
16 Zum Parodieproblem bei Bach, in den von Martin Geck herausgegebenen Bach-Interpretationen, Walter Blankenburg zum 65. Geburtstag, Göttingen 1969, S. 94–105.
17 Kompositionsweise und Bearbeitungstechnik in der Instrumentalmusik Johann Sebastian Bachs (Phil. Diss. Tübingen 1957), Neuhausen-Stuttgart 1975.

auf ein unbekanntes weltliches Werk zurückgehende Kirch- und Orgelweih-Kantate für Strömthal: „Höchst erwünschtes Freudenfest" (BWV 194), die dort am 2. November 1723 erklungen ist. Und als sich dieses Verfahren, das vielleicht nicht zufällig am auswärtigen Ort erprobt wurde, bewährt, wird es beibehalten und weiterentwickelt. Damit tendiert es dann mehr und mehr in die Richtung jener qualitativen Weiterbildungen, wie wir sie am Instrumentalwerk beobachten können.

Die Voraussetzungen dieses Verfahrens hat Werner Braun prägnant formuliert[18]. Es sind: „. . . die umfassende Stileinheit der damaligen Musik, ihr großer, über einzelnes hinwegführender Bewegungszug und die Variabilität bestimmter Ausdruckstypen (Affekte) und musikalischer Figuren." Schließlich entscheidend aber sei „die hohe Qualität der Bachschen Tonsprache", die den Austausch auch heterogener Dichtungen erlaubte. Ludwig Finscher nennt das einen „Überschuß" musikalischer Gestaltung jenseits der Textkomposition[19].

Unter den drei vorkommenden Parodierichtungen: weltliches Werk zum weltlichen, weltliches zum geistlichen und geistliches zum geistlichen Werk erscheinen uns vom ästhetischen Standpunkt her diejenigen am wenigsten problematisch, die im gleichen Bereich, im weltlichen oder im geistlichen bleiben. Bach müßte demnach bei den Übertragungen vom weltlichen zum geistlichen Werk am meisten geändert haben. Es zeigt sich aber, daß sich die meisten und einschneidensten Änderungen in geistlichen Sätzen finden, die aus Kirchenkantaten hervorgegangen sind. Die Gründe dafür sind zunächst äußerer, dann aber auch innerer Art. Den Hauptteil dieser Gruppe bilden die 26 Kantatensätze, die später zu Sätzen der „h-moll-Messe" und der vier lutherischen Messen umgearbeitet worden sind. Die andere Textform, lateinische Prosa statt deutscher metrischer Dichtung, die vorgegeben und unveränderlich war, wirkt sich hier ebenso aus wie der abweichende Affekt und der andere Wortsinn des neuen Werks. Dazu aber scheint der großformale Zusammenhang, die besondere „Aura" der Messe Bach hier zu neuer kompositorischer Anstrengung zu beflügeln.

Zu den vier lutherischen Messen einige Bemerkungen. Sie sind gleichartig aufgebaut: zwei Chorsätze für Kyrie und den Anfang des Gloria, ein dritter für den Schluß, das „Cum sancto spiritu". Dazu kommen drei Arien für den weiteren Gloria-Text. Für die vier Messen braucht er also insgesamt zwölf Chorsätze und zwölf Arien. Den Grundstock dafür bilden vier Kantaten mit je einem Anfangschor und zwei oder drei Arien, die er insgesamt parodiert. Es sind die Kantaten BWV 79 „Gott, der Herr, ist Sonn und Schild", BWV 102 „Herr, deine Augen sehen nach dem Glauben", BWV 179 „Siehe zu, daß deine Gottesfurcht nicht Heuchelei sei" und BWV 187 „Es wartet alles auf Dich". Die fehlenden acht Chöre und drei Arien wählt er als Einzelsätze aus dem Kantatenwerk aus, verwendet dabei auch ein früheres Kyrie eleison, Christe du Lamm Gottes (BWV 233a). Das gilt wahrscheinlich auch für die vier Sätze, deren Vorlagen bisher unbekannt sind. Zwar wäre es auch möglich, daß eine verlorene 5. Kantate mit allen ihren parodierbaren Sätzen das Kyrie und die Baßarie der A-dur-Messe und die Baß-Arie der F-dur-Messe abgegeben hat – aber dafür fehlen feste Anhaltspunkte. Vgl. die folgende Übersicht:

---

18 Braun, a. a. O., S. 705.
19 Finscher, a. a. O., S. 105.

Parodie-Vorlagen der lutherischen Messen

BWV 79,	1 Chor:	236/2 Gloria
	2 Arie:	234/5 Quoniam
	5 Duett:	236/4 Domine Deus

BWV 102,	1 Chor:	235/1 Kyrie
	3 Arie:	233/4 Qui tollis
	5 Arie:	233/5 Quoniam

BWV 179,	1 Chor:	236/1 Kyrie
	3 Arie:	236/5 Quoniam
	5 Arie:	234/4 Qui tollis

BWV 187,	1 Chor:	235/6 Cum sancto spiritu
	3 Arie:	235/4 Domine fili
	4 Arie:	235/3 Gratias
	5 Arie:	235/5 Qui tollis / Quoniam

BWV 17,	1 Chor:	236/6 Cum sancto spiritu
BWV 40,	1 Chor:	233/6 Cum sancto spiritu
BWV 67,	6 Soli:	234/2 Gloria
	+ Chor	
BWV 72,	1 Chor:	235/2 Gloria
BWV 136,	1 Chor:	234/6 In gloria Dei patris
BWV 138,	5 Arie:	236/3 Gratias
BWV 233a	Chor:	233/1 Kyrie
?	Chor:	233/2 Gloria
?	Arie:	233/3 Domine Deus
?	Chor:	234/1 Kyrie
	+ Solo (?)	
?	Arie:	234/3 Domine Deus

Wie bewußt und zweckentsprechend Bach diese Einzelstücke aus dem Gesamtbestand verwendbarer Kantatensätze ausgewählt hat, zeigt z. B. das Gloria der A-dur-Messe. Zugrunde liegt der Schlußsatz der Kantate BWV 67 mit seinem Wechsel von tumulthaften Kampfesszenen und dem von nazarenischem Pathos getragenen Baß-Solo „Friede sei mit Euch". Aus dem Gegensatz: Kampfgetümmel – Friede wird in der Messe der Gegensatz: „Gloria in excelsis Deo – Et in terra pax". Der ursprüngliche Satz basiert auf der Abwechslung unterschiedlicher Kampfsituationen: Kampfesfanfare (Instrumental-Ritornell), Angriffslust und Bestärkung beim 1. Chor („Wohl uns, Jesus hilft uns kämpfen, und die Wut der Feinde dämpfen. Hölle, Satan, weich!"), Aufrichtung der Verzagenden („Jesus holet uns zum Frieden und erquicket in uns Müden Geist und Leib zugleich"), verzweifelte Bitte um Sieg über den Tod („O Herr, hilf und laß gelingen durch den Tod hindurchzudringen in dein Ehrenreich") – er basiert auf der Abwechslung dieser unterschiedlichen Kampfsituationen mit dem Ruf: „Friede sei mit Euch!" Die Parodie ordnet sich diesem Wechsel nicht mit der gleichen Wortlogik unter, und in manchen Einzelheiten scheint der neue Text dem alten geradezu zu widersprechen: „Laudamus te, benedicimus te" statt Kampfgeschrei oder verzweifelte Bitte um Beistand. Und dennoch profitiert die Parodie von der alten Anlage, die nun im neuen Zusammenhang allerdings durch die Steigerung auf das beschließende „Gratias agimus" hin einen neuen Sinn erhält.

Es gibt in diesen Messen zahlreiche Widersprüche zwischen dem Text des Urbildes und der Parodie, die nur dem auffallen, der das Urbild Note für Note vergleicht, und die sonst unbemerkt blieben. Andere, in denen einige kleine Kunstgriffe dem Satz einen neuen Charakter verleihen, so z. B. beim „Domine Deus" der G-dur-Messe (BWV 236,4), einer Parodie des Duetts „Gott, ach Gott, verlaß die Deinen nimmermehr" aus der Kantate BWV 79. In der Kantate heißt es weiter:

Laß dein Wort uns helle scheinen;
Obgleich sehr
Wider uns die Feinde toben:
So soll unser Mund dich loben.

Die widerschlagenden Viertel und Achtel der unisono geführten Violinen drücken diese zuversichtliche Selbstbehauptung aus:

Zum Text „Domine Deus, Agnus Dei, Filius Patris, qui tollis peccata mundi, miserere nobis. . .‟ will das nicht recht passen. Bach formt deshalb die widerschlagenden Figuren zu bittender Gebärde um (siehe die obere Zeile des Beispiels, hier von a nach h transponiert).

Für das „Cum Sancto Spiritu‟ derselben Messe parodiert er den Anfangssatz der Kantate BWV 17 „Wer Dank opfert, der preiset mich‟, eine Chorfuge mit einer langen instrumentalen Einleitung. Die Einleitung muß selbstverständlich im Zusammenhang mit der Messe wegfallen. Bach ersetzt sie durch sieben ausdrucksvolle, homophon deklamierende Chortakte über einem Baßgang. Die sich etwas eintönig entwickelnde Chorfuge aber belebt er nach dem Vorbild der „Credo-Messen‟ durch blockartige Einwürfe: „in gloria Dei Patris‟ und verleiht ihr damit die nötige Schlußwirkung. So helfen verhältnismäßig geringfügige Änderungen, um den Satz dem neuen Zweck anzupassen.

Aufschlußreicher jedoch sind jene Sätze, in denen des neuen Textes und Zusammenhangs wegen ganz erheblich geändert wird. Als Beispiel diene das „Quoniam‟ dieser selben G-dur-Messe. Bach hätte sich dafür aus der Menge seiner Kantatenarien ein textlich passendes Vorbild wählen können, aber er nimmt die Tenorarie aus der Kantate BWV 179, deren Eingangschor und Sopranarie er ebenfalls parodiert — offenbar um die ganze Kantate für seine Messen zu nutzen (vielleicht auch um zu zeigen, wie man so etwas macht). So muß er also den ursprünglichen Text:

Falscher Heuchler Ebenbild
Können Sodoms Äpfel heißen,
Die mit Unflath angefüllt
Und von außen herrlich gleißen.
    Heuchler, die von außen schön,
    Können nicht vor Gott bestehn.

— so muß er diesen Text ersetzen durch:

Quoniam tu solus sanctus,
tu solus Dominus,
tu solus altissimus Jesu Christe.

Das gelingt bruchlos aus zweierlei Gründen. Erstens durch den aufbegehrenden, erregenden Gestus des kompositorischen Urbildes. Denn da man Häßliches nicht komponieren kann, mindestens nicht zu Bachs Zeit, ist der Satz ganz auf das Erschreckende, Außergewöhnliche dieses heuchlerischen Bildes gestellt. Zwar wird die Falschheit und das Gleißnerische auch durch musikalische Figuren abgebildet – durch unvorbereitete, „falsche" Dissonanzen und durch schmiegsamere Schlußkadenzen. Aber für den musikalischen Eindruck wichtiger ist das Erschreckende, Außergewöhnliche dieses zerklüfteten, rhythmisch· bedrängenden Satzes. Dieser besondere, außergewöhnliche Gestus bildet offenbar auch die Brücke für die Parodie mit dem neuen Text: „Quoniam tu solus sanctus, tu solus Dominus, tu solus altissimus". Die bizarre, drängende Gestik des Kantatensatzes wird durch den neuen Text und durch vortragsmäßige und kompositorische Eingriffe ins Hoheitsvolle, Achtunggebietende gewendet. Die Figuren werden umgedeutet, das ist der zweite Grund für die bruchlose Übertragung.

Der Instrumentalsatz wird auf die Außenstimmen, Oboe und Continuo reduziert, die bloß füllenden Streicherstimmen fallen weg. Die Bewegung wird durch die Vortragsbezeichnung „Adagio" erheblich verlangsamt. Die Vokalstimme wird dem neuen Text nicht nur prosodisch, sondern auch zum Ausdruck des neuen Inhalts angepaßt. Schließlich wird die Continuostimme musikalisch bereichert, dies wohl auch als notwendige Konsequenz der nun langsameren Bewegung, die der kontrapunktischen Bereicherung bedarf. Am stärksten wird der Schluß des ersten Teils der zweiteiligen Arie verändert und von 4 1/2 Takten (14–18) auf 7 1/2 Takte erweitert. Man beachte an der Neufassung vor allem, wie der Baß nun dort, wo die konzertierende Oboe schweigt, deren Rolle übernimmt. Es ist unverkennbar, daß der Satz in der neuen Fassung an musikalischem Gehalt gewinnt.

Das wichtigste aber: ein solcher affektuos konzipierter Satz Bachs ist vom Zeitmaß in einem hohen Grade unabhängig. Man kann ihn langsam oder schnell vortragen: sein kontrapunktischer und harmonischer Reichtum und seine folgerichtige formale Konstruktion machen solche Änderungen möglich. Mit ihnen ändert sich freilich auch die Aussage, und es ist durchaus die Aufgabe der Sänger und Spieler, die jeweiligen Affekte und die musikalischen Figuren überzeugend und lebendig darzustellen, aber das betrifft nur die äußere Seite, nicht die Substanz des Satzes. (Daß diese Eigenschaft der Bachschen Sätze die Erforschung des originalen Zeitmaßes erheblich erschwert, sei nur am Rande vermerkt.)

Die Wichtigkeit der Affektensprache und der wortgezeugten Figuren für die erste musikalische Erfindung, also bei der Urschrift, soll hiermit nicht geleugnet werden. Ganz im Gegenteil: Gerade hierin, in der Anregung der Phantasie bei der Erfindung der Themen, bestimmter rhythmischer Impulse und harmonischer Wendungen scheint mir ihre Hauptbedeutung zu liegen, und die viel kritisierten bildreichen Kantatentexte sind in dieser Hinsicht geradezu unersetzlich. Aber die so gezeugten Themen und Wendungen können den ursprünglichen Wortsinn abwerfen und bestehen, sofern sie nur genug „Substanz" haben, als rein musikalische Gebilde für sich fort.

Damit erklärt sich die Problematik aller primär auf der Figuren- und Affektenlehre beruhenden musikalischen Interpretation: den eindeutigen Begriff erhält die Figur erst durch das unterlegte Wort. Ohne Text ist sie mehrdeutig oder rein musikalische Geste – allerdings, wenn sie nur genügend musikalische Substanz hat, Geste mit jener überbegrifflichen Deutlichkeit, auf die Mendelssohn anspielt, wenn er einem lästigen Frager antwortet: „Das was mir eine Musik ausspricht, die ich liebe, sind mir nicht zu unbestimmte Gedanken, um sie in Worte zu fassen, sondern zu bestimmte."[20]

---

20 Brief an Marc-André Souchay vom 15. Oktober 1842.

Carl Dahlhaus

Christoph Graupner und das Formprinzip der Autobiographie

Daß eine Autobiographie eine Erzählung von Ereignissen ist, an die sich der Autor erinnert, weil sie aus dem Gleichmaß des Alltags hervorstachen oder sich im Rückblick als Wendepunkte erweisen, an denen der Lebensgang eine andere Richtung nahm, gehört zu den Gemeinplätzen, die als schiere Selbstverständlichkeiten erscheinen, in Wahrheit jedoch, wenn man einen Augenblick lang über sie reflektiert, überaus fragwürdig sind. Ob ein Vorgang ein „Ereignis" darstellt, das erzählt zu werden verdient, oder zum bloßen Schutt der Überlieferung gehört, den ein Historiker wegräumen muß, wenn er aus einer Häufung von Daten und Fakten das zu rekonstruieren versucht, was man „Geschichte" nennt, hängt weniger von den Vorgängen selbst als von den Bezugssystemen ab, in die sie sich einfügen oder aus denen sie herausfallen. Und was Biographen oder Autobiographen unter einer „Erzählung" verstehen, die einer ungeordneten Menge von Tatsachen ein Muster oder Formprinzip zugrundelegt – das der Autor als schlichte Rekonstruktion, eine spätere Generation dagegen in der Regel als artifizielle Konstruktion empfindet –, ist keineswegs so selbstverständlich, wie man im 19. Jahrhundert, als sich die Geschichtsschreibung bewußt oder unbewußt an der Romankunst Walter Scotts orientierte, zu wissen glaubte. Man kann, um lediglich Extreme zu skizzieren, von einer erzählten Geschichte erwarten, daß sie nach dem Schema von Anfang, Mitte und Ende strukturiert ist, kann aber auch eine Darstellung, die wie das Mozart-Buch von Wolfgang Hildesheimer den Gegenstand gleichsam umkreist, ohne die Chronologie zu respektieren, als durchaus realitätsnah empfinden, weil für eine Biographik, die nicht an eine kontinuierliche Entwicklung glaubt, sondern sich auf das Wagnis einläßt, sich von immer wieder anderen Seiten zu dem vorzutasten, was man „die dunkle Mitte eines Daseins" nennen darf, die Ordnung der Zeit sekundär bleibt.

Eine Biographie – und ebenso eine Autobiographie – ist also eine literarische Form; und die Vorstellung davon, was überhaupt ein „biographisches Faktum" ist, hängt in gleichem Maße von den literarischen Strukturprinzipien der Epoche ab, wie umgekehrt eine Biographie oder Autobiographie, um nicht in die Nähe des berüchtigten Genres „Roman-Biographie" zu geraten, sich an das halten muß, was ein Zeitalter als „biographische Fakten" – im Unterschied zu bloßen Fiktionen – gelten läßt. So stellt – um das umstrittene Exempel noch einmal zu zitieren – die Methode von Hildesheimers Mozart-Buch nichts anderes als eine genaue Analogie zur Romantechnik des 20. Jahrhunderts dar: einer Technik, in der die Position des allwissenden Erzählers, der sämtliche Vorgänge überblickt und deren Motive restlos durchschaut, preisgegeben wurde. Das Buch besteht, um einen Romantitel zu parodieren, aus „Mutmaßungen über Mozart", weil es von der Überzeugung getragen ist, daß der Glaube, aus Dokumenten – die Hildesheimer ausführlich analysiert – sei rekonstruierbar, „wie es eigentlich gewesen", schiere Anmaßung wäre. Ein Biograph, dessen Sinn für intellektuelle Redlichkeit von den Einsichten des modernen Romans nicht unberührt geblieben ist – und man wird Biographen, die es verschmähen, Romane zu lesen, eine gewisse Borniertheit nachsagen dürfen –, kann nichts anderes tun, als zu einer Realität, die er nicht kennt, einige Zugänge zu erproben. (Über die Naivität des Glaubens, daß in den überlieferten Dokumenten bereits die Fakten zutageliegen, die doch der Historiker erst aus den Dokumenten rekonstruieren muß, was ohne Beimischung von „Subjektivität" kaum möglich ist, braucht kein Wort verloren zu werden.)

Das Formprinzip der Autobiographie Christoph Graupners – einer Selbstdarstellung, die 1740 für Johann Matthesons „Grundlage einer Ehren-Pforte" geschrieben wurde[1] – tritt am

---

1 Johann Mattheson, Grundlage einer Ehren-Pforte, Hamburg 1740, Neudruck, herausgegeben von Max Schneider, Kassel ²/1969, S. 410–413.

deutlichsten hervor, wenn man sich vergegenwärtigt, welche Passagen in der wissenschaftlichen Graupner-Biographie, die Wilibald Nagel 1908/9 veröffentlichte[2], weggelassen wurden. Graupners pädagogische Sentenzen empfand Nagel, obwohl er häufig aus der Autobiographie zitiert, offenbar als überflüssige Pedanterie: als Zutat, die ein Biograph, der ein Gerüst aus Daten und Fakten zu rekonstruieren trachtet, vernachlässigen darf. „Weil ich aber auch schon in der Schule, bey dem damahligen Cantore, Wolfgang Michael Mylius, im Singen so weit gekommen war, daß ich wenigstens, was mir vorgelegt wurde, ziemlicher maassen treffen kunte: so gieng es mit dem Clavier desto besser von statten. (Man mercke es.)"[3] „Immittelst hatte ich bey dem nachherigen Capellmeister in Dresden, Johann David Heinichen, auch den Anfang zur Composition gemacht, worin es mir ziemlich gerieth, indem ich den Vortheil des Singens (NB.) und Claviers schon vor mir hatte."[4] Man mag das „Notabene" als ein wenig komisch empfinden; gerade in der Absicht aber, „ein Exempel zu statuieren", lag für Graupner die Rechtfertigung einer Autobiographie, die nicht der Selbstdarstellung einer durch Genialität herausragenden Ausnahme, sondern der Bestätigung einer durch Tradition gefestigten Regel dienen sollte. Die Erfüllung einer pädagogischen Norm, die für Graupner, als er sein Leben erzählte, zu dessen Substanz und Legitimation gehörte, wurde zwei Jahrhunderte später für Nagel zum bloßen Akzidens, über das ein Historiker, der solide Empirie zu vermitteln suchte, hinweggehen durfte.

Das besagt nicht, daß Nagel den trockenen Ton, den er zunächst anschlägt, niemals durchbräche. Zu Anfang des Jahrhunderts war ein Historiker, der zur Zunft gezählt werden wollte, zwar einerseits gezwungen, jedes Archiv zu durchsuchen, das Auskunft über einen der Lehrer geben konnte, von denen Graupner in der Thomasschule unterrichtet wurde. Andererseits aber war man, und zwar unwillkürlich und unreflektiert, auch Moralist. Daß Graupner von „vorfallenden Verdrießlichkeiten" sprach, denen er als Cembalist an der Hamburger Oper ausgesetzt war[5], bildete für Nagel einen Anlaß zu einem Exkurs, in dem der Empiriker, ohne sich dessen bewußt zu sein, die Grenze zwischen Biographie und Roman-Biographie entschieden überschreitet. „In dieser sinnlich-schwülen, in künstlerischer Beziehung eine tiefer angelegte Natur sicherlich nicht befriedigenden und unerquicklichen Atmosphäre wäre Graupner vielleicht nicht gerade verkommen. Aber es ist doch die Frage, ob er sich trotz der Anerkennung, die sein Schaffen fand, gegenüber Keiser auf die Dauer hätte halten und Geltung verschaffen können? Er selbst erzählt uns, er habe sich bald von Hamburg weggesehnt; allerlei ,Verdrießlichkeiten' hätten ihn gequält. Geldnöte mögen ihn bedrängt, galante Affairen ihn bedrückt und verfolgt haben."[6] Das bürgerliche Vorurteil gegen das Theater schlägt nahezu ungemildert durch und verdirbt dem positivistisch gesonnenen Chronisten, ohne daß er es merkt, das wissenschaftliche Konzept. (Daß eine Biographie nicht allein durch die Epoche, die sie schildert, sondern auch durch die Zeit, aus der sie stammt, stilistisch geprägt ist, mag ein Gemeinplatz sein; das Ausmaß aber, in dem die Abhängigkeit sich geltend macht, ist immer wieder frappierend.)

Die auffälligste Passage der Graupnerschen Autobiographie ist jedoch weder die Schilderung der Hamburger noch die der Darmstädter Zeit, sondern eine seltsame Anekdote, in der Nagel, der sie unterdrückt, zweifellos nichts anderes als eine skurrile Abschweifung zu sehen vermochte, die ein ernsthafter Biograph beiseite läßt. Graupner erzählt mit ungewohnter Umständlichkeit, wie er 1706, als die Schweden unter Karl XII. in Sachsen einrückten, Leipzig verließ, wo er an der Universität Jus studierte. „In solcher Verwirrung entschloß ich mich, nach Hamburg zu gehen; doch war ich nicht Willens, lange daselbst zu bleiben: wie ich denn auch deswegen meine

2 Wilibald Nagel, Das Leben Christoph Graupner's, in: Sammelbände der Internationalen Musikgesellschaft 10, 1908/9, S. 568–612.
3 Mattheson, a. a. O., S. 410.
4 Ebda., S. 411.
5 Ebda., S. 412.
6 Nagel, a. a. O., S. 577.

Stube in Leipzig nicht aufkündigte, sondern alle meine Bücher und Musikalien da ließ; vornehmlich viele schöne Manuscripte, davon ich hernach gar wenig wiederfand. Ich wartete also nur auf Geld von meinen Eltern. Meine Briefe mogten aber nicht wohl bestellet worden, daß es lange verzog: biß endlich ein schwerer Bündel anlangte, worin ich Geld vermuthete; zu meiner Befremdung doch nur Streusand und Goldfarbe fand, welches, wie ich nach der Hand vernahm, an einem andern Orte hätte bestellet werden sollen. Nichts desto weniger setzte ich meine vorgenommene Reise in Gottes Nahmen fort. Da ich nun nach Hamburg kam, war der Beutel leer, bis auf etwa zween Reichsthaler. Das Glück oder vielmehr die göttliche Vorsehung fügte es inzwischen so wunderbar, daß Johann Christian Schieferdecker, eben den Tag vor meiner Ankunft, von Hamburg, wo er in den Opern das Clavier geschlagen hatte, weg, und nach Lübeck, zur Bekleidung eines dasigen Organisten-Dienstes, hingereiset war: da ich denn, an dessen Stelle in Hamburg zu bleiben, mich bereden ließ, und in der Oper den Flügel spielte, auch mit solcher Verrichtung drey Jahr fortfuhr, einfolglich immer mehr Gelegenheit bekam, mich in der theatralischen Schreibart zu üben."[7]

Die Geschichte, so peripher sie bei flüchtiger Lektüre anmutet, ist länger als die Schilderung der Darmstädter Jahrzehnte, in denen Graupner zunächst Vizekapellmeister und dann Kapellmeister war. Und der Platz, den die Autobiographie ihr einräumt, bedeutet eine Akzentuierung. Gerade in der scheinbaren Absurdität der Anekdote, die ein psychologisierender Biograph den Gedächtnissprüngen eines alten Mannes zuschreiben würde, steckt der Sinn der gesamten Autobiographie, den ein Historiker, sofern er nicht bloß verschüttete Daten ausgräbt, sondern das Selbstverständnis einer vergangenen Epoche rekonstruiert, entziffern müßte. Was Graupner demonstrieren möchte, ist die metaphysische Einsicht, daß aus einer Verkettung von Umständen, deren Sinn zunächst niemand durchschaut, schließlich ein Resultat hervorgeht, das als Zeichen von Gottes Fügung, die Graupner ausdrücklich beim Namen nennt, verständlich ist. Daß Graupner, obwohl er Jus studierte, und zwar durchaus im Ernst — trotz der „vielen schönen Manuscripte", die in Leipzig verloren gingen —, dennoch Musiker wurde, erscheint als Ausweg aus einer Verwirrung, die sich dadurch, daß das Ende als Ziel interpretierbar ist, als nur scheinbar absurde Außenseite einer in letzter Instanz vernünftigen Ordnung der Dinge zu erkennen gibt. Die Lehre, die Graupners Autobiographie erteilt, besteht also in der frommen Maxime, daß die Berufung zum Musiker die verborgene Wahrheit eines Lebensweges darstellt, der gerade dort, wo er sich in ein Labyrinth von Zufällen verliert, dem Ziel, das er in sich trägt, am nächsten kommt.

Das Strukturprinzip aber, eine Welt zu schildern, die aus Schein und Täuschung besteht, in der jedoch am Ende ein göttlicher Plan sichtbar wird, der den undurchschaubaren Verwicklungen der Handlung als im Rückblick vernünftiges Muster zugrundeliegt, ist das des barocken Romans[8]. Graupners Autobiographie ist formal, ohne daß sie literarische Ansprüche erhöbe, ein Barockroman en miniature. Für eine Theologie, die an Gottes Fügung glaubte, sich jedoch nicht anmaßte, sie restlos zu erkennen, wurde in scheinbar sinnlosen Vorgängen, die sich schließlich zum Guten wenden, einen Augenblick lang ein winziges Stück der eigentlichen Wirklichkeit sichtbar, die hinter der Welt der Erscheinungen — einer Welt der Täuschungen und Verwirrungen — verborgen liegt. Die literarische Form, die des Barockromans, diktierte um 1740, welche der ungezählten Ereignisse, aus denen sich ein Leben zusammensetzt, dadurch zu „biographischen Fakten" werden, daß sie sich in das — theologisch-didaktisch determinierte — Muster einer biographischen Erzählung einfügen.

Als Reversbild ist wiederum Nagels Verfahren aufschlußreich. Die Berufung nach Leipzig, die am Einspruch des Hessischen Landesherrn scheiterte, wird von Graupner flüchtig erwähnt, von

---

7 Mattheson, a. a. O., S. 411 f.
8 Blake Lee Spahr, Der Barockroman als Wirklichkeit und Illusion, in: Deutsche Romantheorien, herausgegeben von Reinhold Grimm, Frankfurt am Main 1968, S. 17–28.

Nagel dagegen ausführlich dokumentiert, aber nicht, weil sie für Graupner besonders bedeutsam gewesen wäre, sondern weil sie in einem musikgeschichtlichen Kontext, in dessen Zentrum Johann Sebastian Bach aus der Menge der Zeitgenossen herausragt, von Interesse ist. Die geringeren Komponisten bilden die Folie, von der die wenigen, deren Größe durch eine lange Urteilstradition feststeht, sich abheben.

Das Leben Christoph Graupners, wie er es selbst erzählt, hat demnach mit der Biographie, die 1908 geschrieben wurde — von einem Historiker, der zweifellos überzeugt war, empirische Wirklichkeit und nichts anderes zu schildern —, trotz des feststehenden Datengerüsts — das aber nicht mit den eigentlichen „biographischen Fakten" verwechselt oder gleichgesetzt werden sollte — so wenig gemeinsam, daß man sich zu der Meinung gedrängt fühlt, die Substanz vergangenen Lebens sei lediglich in Konstruktionen faßbar. Bereits die Darstellung, die der Akteur selbst gibt, wenn er eine Autobiographie schreibt, ist unverkennbar eine — durch literarische Muster determinierte — Konstruktion und kann nichts anderes sein, wenn sie nicht im vor-biographischen Zustand bloßer Annalistik verharren soll. Und man kann es späteren Biographen darum schwerlich zum Vorwurf machen, daß sie — in dem Glauben, zu rekonstruieren, „wie es eigentlich gewesen" — gleichfalls konstruieren, und zwar nach Prinzipien, die ihnen selbst ebenso verborgen sind, wie sie für eine spätere Generation offen zutage liegen. Der Einwand, daß sich in dem universalen „Konstruktionsverdacht" gleichfalls ein Vorurteil zeige, und zwar das charakteristische eines Zeitalters, für dessen aktuelle Biographik Hildesheimers Mozart-Buch das drastischste Exempel bildet, liegt allerdings nahe und soll keineswegs unterdrückt werden. Auch der Grad von Skepsis, zu dem sich eine Epoche hingezogen fühlt — und nicht nur das Maß von Naivität, in dem sie befangen ist —, dürfte historisch bedingt sein. Der „erkenntnistheoretischen Falle" entkommt niemand, der sie anderen stellt.

Walther Dürr

Dona nobis pacem
Gedanken zu Schuberts späten Messen

Am 25. Januar 1827 erhielt Schubert von seinem Freund Ferdinand Walcher eine ungewöhnliche Konzerteinladung: „Credo in unum Deum![1] Du nicht! das weiß ich wohl, aber das wirst Du glauben, daß Tietze heute abend beim Vereine Deine ‚Nachthelle' singen wird, wozu Dich N. Fröhlich mittelst der 3 mitfolgenden Billetts einladet. . ."[2] Walchers Nachricht, eines der seltenen Zeugnisse von Schuberts Verhältnis zu Religion und Kirche, ist oft zitiert und gedeutet worden. Übereinstimmend sind die Biographen der Überzeugung, daß Schuberts Gott wohl nicht „der Gott der christlichen Kirche" gewesen sein könne[3]; Brigitte Massin erkennt darin sogar „une position catégorique"[4]. Außer Zweifel steht jedenfalls: Die Einladung muß sich auf eine gemeinsame Diskussion über religiöse Fragen beziehen, die kurz zuvor stattgefunden hat[5]. Der seltsam konstruierte Zusammenhang zwischen dem ersten Teil der Mitteilung („Credo in unum Deum! Du nicht!") und dem zweiten, um den es eigentlich geht („. . .daß Tietze heute abend . . . Deine ‚Nachthelle' singen wird"), lassen keinen anderen Schluß zu. Walcher muß sich auch sicher gewesen sein, daß Schubert wirklich nicht glaubte, jedenfalls nicht an den Gott des Glaubensbekenntnisses.

Walchers Zeugnis kann nun allerdings nur für die Zeit gelten, in der es geschrieben ist: Januar 1827; gerade die Spontaneität der Äußerung schließt eine allgemeine, für Schuberts Leben und Werk im ganzen geltende Deutung aus. Mit Sicherheit kontinuierlich belegen läßt sich nur eine distanzierte Haltung des Komponisten zur Kirche als Institution. Eine Abwehrhaltung gegen den strenggläubigen Vater spielt da wohl ebenso eine Rolle, wie die Auflehnung gegen die Kirchenbehörde als Aufsichtsorgan über die Schulen, der ja auch Schubert als Schulgehilfe zeitweilig unterworfen war. Sein Bruder Ignaz beneidete ihn, als es ihm gelungen war, sich dem Schuldienst und dieser Aufsichtsbehörde zu entziehen. „Du glücklicher Mensch", schrieb Ignaz am 12. Oktober 1818 nach Zseliz, wo Franz die Komtessen Esterházy unterrichtete, „du lebst in einer süßen, goldenen Freiheit. . ., indessen unsereiner als ein elendes Schullasttier allen Rohheiten einer wilden Jugend preisgegeben. . . und dummköpfigen Bonzen in aller Untertänigkeit unterworfen sein muß. . . Daß ich zu Deinem Namensfeste nicht ein Wort sage, wirst Du aus unseren Gesinnungen zu enträtseln wissen" (Dok., S. 71 f.).

Schuberts Distanz zur Kirche zeigt sich konsequent und eindeutig vor allem in einem: In allen Credo-Sätzen seiner Messen, von 1814 bis zu seinem Todesjahr, läßt er den auf die Kirche bezogenen Glaubenssatz „Et unam sanctam catholicam et apostolicam Ecclesiam" aus[6]. Im

---

1 Die Worte sind mit der gregorianischen Intonation notiert; vgl. das Faksimile des Schreibens in: Ernst Hilmar und Otto Brusatti, Franz Schubert. Ausstellung der Wiener Stadt- und Landesbibliothek zum 150. Todestag des Komponisten, Wien 1978, S. 199.

2 Schubert. Die Dokumente seines Lebens, gesammelt und erläutert von Otto Erich Deutsch, Kassel etc. 1964 (= Neue Schubert-Ausgabe VIII, 5; im folgenden abgekürzt: „Dok."), S. 403.

3 Maurice J. E. Brown, Schubert. Eine kritische Biographie, Wiesbaden 1969, S. 248; vgl. auch Walther Vetter, Der Klassiker Schubert, Leipzig 1953, I, S. 186 f.

4 Brigitte Massin, Franz Schubert, Paris 1977, S. 404.

5 Vgl. Alfred Einstein, Schubert. Ein musikalisches Porträt, Zürich 1952, S. 70.

6 Daß es sich bei dieser Auslassung um Absicht, nicht um ein Versehen handelt, kann heute als unbestritten gelten; vgl. hierzu u. a. Leopold Nowak, Franz Schuberts Kirchenmusik, in: Bericht über den internationalen Kongreß für Schubertforschung Wien 25. bis 29. November 1928, Augsburg 1929, S. 187; Reinhard Van Hoorickx, Textänderungen in Schuberts Messen, in: Schubert-Kongreß Wien 1978, Bericht, Graz 1979, S. 251; Doris Finke-Hecklinger, Vorwort zu: Neue Schubert-Ausgabe I, 3 (Messe in As), Kassel etc. 1980, S. XIII f.

Widerspruch dazu steht freilich, daß die Kirchenmusik in Schuberts Gesamtwerk einen verhältnismäßig großen Raum einnimmt. Sechs lateinische Messen hat er vollendet, dazu die Deutsche Messe (D 872) und das Deutsche Requiem (D 621); sieben weitere Messen sind Fragment geblieben. Daneben stehen zahlreiche kleinere geistliche Werke, darunter 25 liturgisch gebundene Kompositionen. Der Widerspruch ist evident.

Eine erste Erklärung dafür liegt nun freilich auf der Hand: Stand Schubert der Kirche in seinen Überzeugungen auch fern, so war doch sowohl seine musikalische Ausbildung als auch sein Werk ihr auf vielfältige Weise verbunden. Er hat seinen ersten gründlichen Musikunterricht bei Michael Holzer, dem Regens chori der Lichtentaler Kirche erhalten. Im Chor dieser Kirche, in seiner Heimatgemeinde, war Schubert erster Sopranist. In derselben Kirche wurde dann – am 16. Oktober 1814 – auch seine erste vollendete Messe, die Messe in F (D 105), aufgeführt. Es war dies nicht nur die erste öffentliche Aufführung eines seiner Werke überhaupt, es war auch eine repräsentative Aufführung: Die Messe wurde aus Anlaß des 100jährigen Jubiläums des ersten Gottesdienstes in dieser Kirche gesungen[7]. Die Aufführung war zudem ein großer Erfolg. Schubert konnte seither damit rechnen, daß seine großen Kirchenkompositionen auch öffentlich aufgeführt würden – anders als seine Bühnenwerke und Sinfonien. Es ist also verständlich, daß Schubert sich immer wieder mit der Messe beschäftigte. Die drei in den Jahren 1815–1816 entstandenen Messen in G (D 167), B (D 324) und C (D 452) waren vermutlich Auftragskompositionen, geschrieben für Michael Holzer und die Lichtentaler Kirche. Darauf deutet nicht nur die ausdrückliche Widmung der Messe in C „für Herrn Holzer"[8], sondern auch die besondere Faktur der drei Messen, die sich an den Möglichkeiten der Kirchenmusik in der Lichtentaler Kirche orientiert.

Auftragswerke dürften auch die meisten der kleineren liturgischen Kompositionen gewesen sein. So ist bezeugt, daß in demselben Gottesdienst, in dem am 8. September 1825 in St. Ulrich in Wien die Messe in C aufgeführt wurde, auch Schuberts Tantum ergo (D 739), das Graduale (D 136) und Offertorium (D 223) erklangen. Die vier Kompositionen erschienen anläßlich dieser Aufführung bei A. Diabelli & Co. als op. 48 und 45–47[9]. In anderen Fällen komponierte Schubert solche Werke für seinen Bruder Ferdinand. Dieser benötigte für seine Musikaufführungen im Wiener Waisenhaus und in der Alt-Lerchenfelder Kirche kleine, leicht auszuführende Sätze. Schubert schrieb für ihn daher das Deutsche Requiem (das dann auch unter Ferdinands Namen zuerst erschien) und die Sechs Antiphonen zum Palmsonntag (D 696); auch die Deutsche Messe gehört wohl in diesen Zusammenhang.

Ganz anders verhält es sich jedoch mit Schuberts späten Messen. Die Messe in As (D 678) kann keine Auftragskomposition gewesen sein. Dagegen sprechen die lange Entstehungszeit des Werkes und seine besondere Faktur. Im November 1819 hat Schubert mit der Komposition begonnen, im September 1822 ist sie beendigt. Er begann zunächst mit einem Entwurf der führenden Stimmen des Kyrie, unterbrach dann seine Arbeit einige Zeit und nahm sie im Frühjahr 1820 wieder auf, arbeitete das Kyrie aus und nach und nach auch das Gloria, Credo und Sanctus (diese drei Sätze hatte er wohl zuerst in Gestalt einer „Klavierskizze" entworfen; ein erhaltenes Bruchstück vom Ende des Credo weist auf Ende 1819 oder Anfang 1820); das Agnus Dei schrieb er dann wohl erst im Herbst 1822[10]. Aus Schuberts Biographie ist kein Fall bekannt, daß überhaupt je eine Komposition mehr als drei Jahre vor dem Aufführungstermin in Auftrag gegeben wäre. Überdies hat Schubert, wie in den meisten seiner größeren Werke, aber anders als in den früheren Messen, auf die Ausführbarkeit seiner Gedanken keine Rücksicht genommen.

---

7 Vgl. Lichtental-Chronik 1723–1973. Festschrift 250 Jahre Pfarre Lichtental, S. 38, und Dok., S. 34.
8 Vgl. Pier Paolo Scattolin, Vorwort zu: Neue Schubert-Ausgabe I, 2 (Messen in B und C), Kassel etc. 1982.
9 Vgl. die Verlagsankündigung in dem in Anmerkung 8 genannten Vorwort.
10 Vgl. Doris Finke-Hecklinger, Abschnitt „Quellen und Lesarten" zu: Neue Schubert-Ausgabe I, 3 (Messe in As), Kassel etc. 1980, S. 417, und den KB zu diesem Band (Tübingen 1981), S. 9 ff.

Chöre und Orchester im damaligen Wien (und nicht nur die in den Wiener Kirchen) waren durch diese Messe überfordert.

Dennoch hat Schubert die Aufführung der Messe mit großer Energie betrieben. Am 7. Dezember 1822 schrieb er an seinen Freund Josef von Spaun: „Meine Messe ist geendiget, und wird nächstens producirt werden; ich habe noch die alte Idee, sie dem Kaiser oder der Kaiserinn zu weihen, da ich sie für gelungen halte" (Dok., S. 173). Für die „Produktion" hat er aus der Partitur Stimmen herausschreiben lassen, z. T. auch selbst herausgeschrieben, und dabei erhebliche Unkosten auf sich genommen[11]. Wir wissen auch, daß eine Aufführung zu St. Joseph ob der Laimgrube (heute an der Mariahilfer Straße in Wien) stattfinden sollte, unter der Leitung des Chorregenten Hans Michael. Diesem nämlich, so erfahren wir aus einem erst kürzlich aufgefundenen Brief Schuberts an seinen Bruder Ferdinand vom 15. April 1823, sollte der Bruder, neben verschiedenem Stimmenmaterial, die Partitur der Messe „einstweilen hinschicken. Die Vollendung deiner Abschrift", so fügt er hinzu, „habe ich mit vieler Freude vernommen"[12]. Schubert hat also selbst die Partitur der Messe für die geplante Aufführung noch einmal abschreiben lassen. Ob diese Aufführung dann aber auch wirklich stattgefunden hat, ist nirgendwo belegt. Wir wissen nur, daß die Messe zu Schuberts Lebzeiten überhaupt „producirt" worden ist, freilich „nicht öfter als Ein oder zwei Male, und da (nach Aussage Ferdinand Schubert's) in höchst ungenügender Weise"[13]. Schubert jedenfalls ließ sich nicht entmutigen — er war an der „ungenügenden" Produktion ja selbst nicht unschuldig. So unterzog er die Messe einer gründlichen Revision. Er setzte Partien neu, die für den Chor zu hoch lagen, änderte Abschnitte, in denen komplizierte harmonische Passagen a cappella zu singen waren und stützte sie durch mitgehende Instrumente. Er faßte schwierige Streicherpassagen neu. Vor allem aber schrieb er eine neue Schlußfuge für das Gloria — davon wird noch die Rede sein.

Die Revision der Messe war Ende 1825 / Anfang 1826 beendet. Möglicherweise hängt sie mit Schuberts Bewerbung um die Stelle eines Vizehofkapellmeisters zusammen, für die nicht nur die Komposition von Messen, sondern auch ihre praktische Verwendbarkeit von Bedeutung war. Die Bewerbung verlief erfolglos. Schubert versuchte dann, den damaligen Hofkapellmeister Josef Eybler dazu zu bewegen, die Messe wenigstens aufzuführen. Aber auch diese Bemühungen führten zu nichts. Schubert, so erinnert sich der mit ihm befreundete Geiger Josef Hauer, berichtete darüber: „Unlängst brachte ich dem Hofkapellmeister Eibler eine Messe zur Aufführung in der Hofkapelle. . . Als ich nach einigen Wochen kam, um mich nach dem Schicksal meines Kindes zu erkundigen, sagte Eibler, die Messe sei gut, aber nicht in dem Styl componirt, den der Kaiser liebt. Nun so empfahl ich mich und dachte bei mir: Ich bin denn nicht so glücklich, im kaiserlichen Styl schreiben zu können."[14] In der Tat konnte die Messe dem Kaiser nicht zusagen, denn dieser wünschte, wie Kreißle berichtet, Messen, die kurz und nicht schwer auszuführen sind. Damit war aber auch „die alte Idee" gestorben, die Messe dem Kaiser oder der Kaiserin zu widmen.

Es ging aber Schubert offenbar in erster Linie weder um den Kaiser (die ironische Schlußbemerkung in Hauers Bericht macht das mehr als deutlich) noch um die Aufführung, sondern um die Messe selbst. Als er im Februar 1828 an den Mainzer Musikverlag Schott schrieb, in der Absicht, seine Werke „im Auslande mehr zu verbreiten", da schickte er ihm eine Liste der „vorräthigen Compositionen" (Lieder, Klavierstücke, Streichquartette etc.) und fügte dieser Liste

---

11 Vgl. Josef Hüttenbrenners „Ausgaben für Schubert" für 1822 („Für die Messe Kopiatur und Papier", insgesamt 11 Gulden) und vom Februar 1823 („Notenpapier für die Messe", „Sandbichler Kopiatur-Kosten", „Dem Kopisten bei Fürst Schwarzenberg bzlt für die Messe", insgesamt in der Zeit vom 9. 10. 1822 bis Februar 1823 30 Gulden 10 Kreuzer), vgl. Dok., S. 179 und 184.
12 Vgl. Christa Landon, Ein neuer Schubert-Brief und einige Konsequenzen, in: Österreichische Musikzeitschrift 32, 1977, S. 545 ff.
13 Heinrich Kreißle von Hellborn, Franz Schubert. Eine biografische Skizze, Wien 1861, S. 117.
14 Heinrich Kreißle von Hellborn, Franz Schubert, Wien 1865, S. 380.

noch einen Nachsatz an: „Dieß das Verzeichniß meiner fertigen Compositionen außer 3 Opern, einer Messe und einer Symfonie. Diese letztern Comp. zeige ich nur darum an, damit Sie mit meinem Streben nach dem Höchsten in der Kunst bekannt sind" (Dok., S. 495). Das Höchste in der Kunst: Schubert sieht es in seinen Opern „Alfonso und Estrella" (D 732), „Die Verschworenen" (D 787) und „Fierabras" (D 796), in der großen C-dur-Sinfonie (D 944) und in der As-dur-Messe. Die übrigen Werke dieser Gattungen – verschiedene Opern und Singspiele, sechs vollendete Sinfonien, vier Messen – zählen da nicht. Was aber, so fragen wir uns im Hinblick auf die As-dur-Messe, macht das Besondere dieser Messe aus?

Es ist, meine ich, gerade die Kompromißlosigkeit dieser Messe, die es Schubert erlaubt, sich ganz mit ihr zu identifizieren. Kompromißlosigkeit in beidem: in ihrer hohen Kunstfertigkeit und ihrer Aussage. Schubert will sich – und das ist zu zeigen – sowohl in seiner Kunst ausweisen als auch ein Bekenntnis ablegen. Dies gilt dann auch für seine erst später, im Sommer 1828 entstandene Messe in Es (D 950). Sie ist zwar, im Vergleich zu der As-dur-Messe, in verhältnismäßig kurzer Zeit komponiert worden; möglicherweise geht sie auch auf einen Auftrag der Kirchengemeinde in der Alser-Vorstadt zurück[15] – in ihrer Faktur aber ist diese zweite große Messe der früheren ganz ähnlich, und in manchem scheint sie, was in dieser angelegt ist, weiter und konsequenter auszuführen. Wir kehren damit zum Ausgangspunkt unserer Überlegungen zurück: Wie ist es möglich, daß Schubert 1828 das Höchste seiner Kunst gerade auch in seinen Messen sieht?

Schubert hat sich mit religiösen Fragen zweifellos immer wieder beschäftigt; um die Themen „Tod", „Unendlichkeit" und „Erlösung" kreisten unaufhörlich seine Gedanken. Die Liedertexte, die er wählte, zeigen dies ebenso deutlich wie seine freien geistlichen Kompositionen, Klopstocks deutsches „Stabat Mater" (D 383) etwa oder das unvollendete geistliche Drama „Lazarus" (D 649) nach einem Text von August Hermann Niemeyer. Im Sommer 1825, als er mit seinem Sängerfreund Johann Michael Vogl durch Oberösterreich reiste und mit ihm seine Lieder aus Walter Scotts Verserzählung „Das Fräulein vom See" (op. 52) aufführte, schrieb er an seine Eltern: „Besonders machten meine neuen Lieder. . . sehr viel Glück. Auch wunderte man sich sehr über meine Frömmigkeit, die ich in einer Hymne an die heil. Jungfrau ausgedrückt habe, und, wie es scheint, alle Gemüther ergreift und zur Andacht stimmt. Ich glaube, das kommt daher, weil ich mich zur Andacht nie forcire, und, außer wenn ich von ihr unwillkürlich übermannt werde, nie dergleichen Hymnen oder Gebete componire, dann aber ist sie auch gewöhnlich die rechte und wahre Andacht" (Dok., S. 299). Man „wundert" sich über Schuberts unerwartete Frömmigkeit, denn er nimmt sonst nicht teil am religiösen Leben und spricht wenig über Religion; man „wundert" sich, daß es ihm möglich ist, ein Lied zu komponieren wie das berühmte „Ave Maria", die Hymne an die heilige Jungfrau, von der Schubert spricht, die aber eigentlich viel prosaischer „Ellens dritter Gesang" heißt (D 839), den Hilferuf eines verzweifelten Mädchens: „O Jungfrau, sieh der Jungfrau Sorgen, o Mutter, hör ein bittend Kind!"

Schubert sieht in der Jungfrau den vollendeten, vollkommenen Menschen, in dem die Widersprüche der Welt aufgehoben sind. Den Komponisten, der sich so viel mit dem Denken und der Dichtung der Romantiker auseinandergesetzt hat, zwingt solche Vollkommenheit – „unwillkürlich" – zur Andacht. Es hatte sich ja gezeigt – die Erfahrungen der französischen Revolution schienen das bewiesen zu haben –, daß die Vernunft allein der Menschheit den Weg in paradiesische Zustände nicht zu weisen vermochte. An die Stelle rationaler Modelle traten daher Utopien, trat Irrationales und Metaphysisches. Jeder Verstandestätigkeit, so meinte Schubert, geht ein irrationales, utopisches Streben nach Vollkommenheit voraus, das die irdischen und auch die gesellschaftlichen Beschränkungen überwindet. In seinem Tagebuch notierte er 1824: „Mit

---

15 Schubert vertraute dem am 4. Oktober 1828 gegründeten Kirchenmusik-Verein in der Alser-Vorstadt die eben vollendete Messe zur Aufführung an; diese fand dann freilich erst nach Schuberts Tod, am 4. Oktober 1829, unter der Leitung Ferdinand Schuberts statt (vgl. Dok., S. 535 f.).

dem Glauben tritt der Mensch in die Welt, er kommt vor Verstand und Kenntnissen weit voraus; denn um etwas zu verstehen, muß ich vorher etwas glauben. . . Verstand ist nichts als ein analysirter Glaube" (Dok., S. 233). In einer ersten, noch zu Schuberts Lebzeiten in Wien erschienenen Rezension der „Winterreise" deutete man den Liederzyklus in diesem Sinne: „Schuberts Geist hat überall einen kühnen Schwung, in dem er alle mit sich fortreißt, die sich ihm nahen, und der sie durch die unermeßlichen Tiefen des Menschenherzens in weite Fernen trägt, wo ihnen die Ahndung des Unendlichen im dämmernden Rosenlicht sehnsüchtig aufgeht, wo aber auch zur schaurigen Wonne eines unaussprechlichen Vorgefühles der sanfte Schmerz beschränkender Gegenwart sich gesellt, der die Grenze des menschlichen Seins umstellt. Hierin liegt das Wesen der Romantik deutscher Art und Kunst. . ."[16] Allerdings: Schuberts „Schmerz" über die „beschränkende Gegenwart" ist keineswegs immer „sanft" — in der „Winterreise" ebensowenig wie, so scheint mir, in den späten Messen. Gerade für die Messen aufschlußreich mag hier ein Abschnitt aus einem umfangreichen Brief Schuberts an seinen Bruder Ferdinand vom 21. September 1825 sein, in dem er seine Reise von Salzburg nach Bad Gastein beschreibt und dabei ausführlich den Paß Lueg schildert. Er denkt dabei an die erbarmungslosen Kämpfe zwischen Bayern und Tirolern dort im Jahre 1809: „Dieses höchst schändliche Beginnen" — man beachte, daß er seinen Vorwurf in gleicher Weise gegen die angreifenden Bayern wie gegen die sich verteidigenden Österreicher richtet — „welches mehrere Tage und Wochen fortgesetzt wurde, suchte man durch eine Capelle auf der Baiern Seite und durch ein rohes Kreuz in dem Felsen auf der Tyroler Seite zum Theil zu bezeichnen, und zum Theil durch solche heilige Zeichen zu sühnen. Du herrlicher Christus, zu wie viel Schandthaten mußt du dein Bild herleihen. Du selbst das gräßlichste Denkmal der menschlichen Verworfenheit, da stellen sie dein Bild auf, als wollten sie sagen: Seht! die vollendetste Schöpfung des großen Gottes haben wir mit frechen Füßen zertreten, sollte es uns etwa Mühe kosten, das übrige Ungeziefer, genannt Menschen, mit leichtem Herzen zu vernichten?" (Dok., S. 320). Jesus, die „vollendetste Schöpfung" Gottes, Zeichen dafür, daß die romantische Utopie der Vollkommenheit nicht gänzlich unerreichbar bleiben muß, ist zugleich „das gräßlichste Denkmal der menschlichen Verworfenheit" und das Kreuz sowohl Zeichen der Sühne als auch der Friedlosigkeit.

Das „Höchste der Kunst" — das war, so sagten wir, Kunstfertigkeit und Bekenntnis. Seine kompositorische Meisterschaft zeigt Schubert in beiden Messen, der in As wie der in Es, auf mannigfaltige Weise: zunächst und vor allem durch eine gleichsam sinfonische Konzeption. Schuberts Orchester ist das klassische Sinfonieorchester seiner Zeit (in der Es-dur-Messe freilich ohne Flöten, in der As-dur-Messe nur mit einer). Die einzelnen Sätze sind breit disponiert und streben nach musikalischer Rundung, oft ohne Rücksichtnahme auf liturgische Konventionen und unter Veränderung des Textes. So ist das Kyrie der As-dur-Messe fünfteilig: Nach der ersten Wiederholung des „Kyrie eleison" folgt ein zweites „Christe eleison" und dann abermals ein „Kyrie eleison". Bei der Niederschrift des Satzes hatte Schubert offensichtlich Zweifel, ob das zulässig sei; er strich das zweite „Christe" zunächst aus, entschied sich dann aber gegen die Tradition und hob die Streichung durch den Zusatz „gültig" wieder auf[17]. Im Gloria ändert Schubert in beiden Messen den Mittelteil. Der vom lateinischen Meßformular vorgeschriebene Text hat eine komplizierte Struktur. Er beginnt mit einem dreifachen Anruf des Vaters und des Sohnes: 1. „Domine Deus, Rex caelestis, Deus Pater omnipotens." 2. „Domine Fili unigenite, Jesu Christe." 3. „Domine Deus, Agnus Dei, Filius Patris." Erst daran schließt sich die eigentliche Bitte um Erbarmen: „Qui tollis peccata mundi, miserere nobis. Qui tollis peccata mundi, suscipe deprecationem nostram. Qui sedes ad dexteram Patris, miserere nobis." Mit seiner Bitte

---

16 Wiener Allgemeine Theaterzeitung, 29. März 1828 (s. Dok., S. 506); vgl. auch Walther Dürr, Vorwort zu: Neue Schubert-Ausgabe IV, 4 (Lieder. Band 4), Kassel etc. 1979, S. XXI.
17 Vgl. hierzu das Faksimile in: Neue Schubert-Ausgabe I, 3, a. a. O., S. XVII.

beruft sich der Mensch auf Jesu Heiligkeit und Herrschaft: „Quoniam tu solus Sanctus. Tu solus Dominus. Tu solus Altissimus, Jesu Christe."

In der Messe in As nun zieht Schubert den zweifachen Anruf „Domine Deus" und „Domine Fili" mit dem vorangehenden „Gratias agimus" zusammen und formt daraus einen dreiteiligen, in sich geschlossenen Satz: „Gratias agimus tibi propter magnam gloriam tuam. [Andantino, A-dur, von den Solisten getragen] Domine Deus, Rex coelestis, gratias agimus. Deus Pater, Pater omnipotens, gratias agimus. Domine Jesu Christe, gratias agimus tibi. Fili unigenite, gratias agimus tibi. Domine Deus, Rex coelestis, Deus Pater omnipotens. [a-moll, im Wechsel von Chor und Solisten vorgetragen] Gratias agimus tibi propter magnam gloriam tuam. [Wiederholung des Anfangsteiles]". Den dritten Anruf verbindet Schubert dann mit der Bitte um Erbarmen in einem neuen Satz (Allegro moderato, cis-moll) und ändert dabei Anruf und Bitte so, daß die Analogie zum letzten Satz der Messe, dem Agnus Dei, überdeutlich wird: „Domine Deus, Agnus Dei, qui tollis peccata mundi, miserere nobis, Domine Deus, Agnus Dei, qui tollis peccata mundi, miserere nobis, Filius Patris, Agnus Dei, qui tollis peccata mundi, miserere nobis." Dann folgt, ganz neu ansetzend und gleichsam als Überleitung zur Schlußfuge, das „Quoniam". Schubert hat auf diese Weise das Gloria in vier in sich abgeschlossene Sätze gegliedert: Das eigentliche „Gloria", das „Gratias", das „Domine Deus, Agnus Dei" und — nach dem überleitenden „Quoniam" — die Fuge „Cum Sancto Spiritu". Er ist mit dieser Lösung aber offenbar noch nicht zufrieden; in der Es-dur-Messe geht er andere Wege. Er fügt das „Gratias agimus" (mit den beiden Anrufen „Domine Deus" und „Domine Jesu Christe") in den Hauptteil des Gloria ein und setzt als einzigen Mittelteil das „Domine Deus, Agnus Dei" dagegen, in neuer Tonart, neuem Tempo und neuer Taktart. Mit dem „Quoniam" hingegen greift er den Hauptteil des Gloria musikalisch wieder auf und schafft so eine musikalisch vollkommene Rundung.

Der Mittelteil aber erhält auf diese Weise ein besonderes Gewicht — ähnlich dem „Et incarnatus est" im Credo. Dieses besondere Gewicht prägt sich auch durch eine besondere musikalische Faktur aus. Schubert komponiert ihn in dreifacher Brechung. Die Bläser — Fagott und Posaunen zunächst — intonieren eine cantus-firmus-artige Melodie in großen Notenwerten, die zuerst in g, dann in c, in d und wieder in g vorgetragen, die vier Abschnitte dieses Mittelteils tonal determinieren:

Diesen festen, unbeirrbaren Linien, aus denen die Welt des Gesetzes spricht, stellt Schubert durch eingestreute Pausen zerrissene, im Tremolo bebende Streicherakkorde entgegen, die menschliche Angst und Ungewißheit malen:

Dazu fügt dann der Chor, zunächst nur zweistimmig, kurze, aber durch ungewöhnliche Tonschritte hochgespannte Rufe: „Domine Deus, Agnus Dei. . .!" Der vollstimmige Chor schließt dann, während das Orchester fast ganz aussetzt, im pianissimo die eigentliche Bitte um Erbarmen an: „miserere nobis":

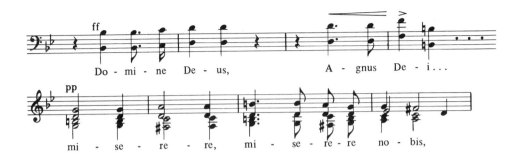

Wie im Gloria sucht Schubert auch im Credo nach musikalischer Rundung. Die Sätze sind in beiden Messen dreiteilig (wenn man von der Schlußfuge in der Es-dur-Messe absieht): Das „Et incarnatus est" ist nach alter Tradition von den beiden Außenteilen abgesetzt. Diese sucht Schubert zu binden, indem er auf das Wiener Modell der „Credo-Messe" zurückgreift[18]. Seine persönlichste Sprache aber findet er wieder im Mittelteil, der Jesus als Menschen darstellt. Ungewöhnlich ist dieser Abschnitt vor allem in der As-dur-Messe: Der Beginn, das „Et incarnatus est de Spiritu Sancto" ist als Aufschrei komponiert, als wolle Schubert Jesus schon bei seiner Geburt als jenes „gräßlichste Denkmal der menschlichen Verworfenheit" zeigen, von dem der Brief spricht; und so zeichnet denn auch der Chor im „Crucifixus" (wieder nach alter Tradition) das Kreuzzeichen nach:

Selbstverständlich suchte Schubert seine musikalische Meisterschaft vor allem in den Fugen zu beweisen, auf die auch der Kaiser besonderen Wert legte[19]. In ihnen liegt der eine jener beiden Aspekte im wesentlichen begründet, die Schubert, wie ich meine, als das „Höchste der Kunst" versteht — auch wenn die Fugen auf weite Strecken recht konventionell anmuten mögen. Die große Fuge der As-dur-Messe – das „Cum Sancto Spiritu" am Ende des „Gloria" – hat Schubert daher wenigstens dreimal vollständig komponiert. Von der frühesten uns bekannten Fassung dieser Fuge sind nur der Beginn, das eigentümlich gespannte Thema, und die 18 Schlußtakte überliefert; das übrige hat Schubert wahrscheinlich vernichtet[20]. Über die Gründe dafür lassen sich nur Hypothesen aufstellen — möglicherweise war ihm das Thema zu „barock", zu expressiv, nicht in dem Sinne vokal genug, wie er es bei seinem Lehrer Antonio Salieri gelernt hatte[21]. Die zweite Fassung der Fuge ist uns in der Abschrift der ersten Fassung der Messe überliefert, die Ferdinand Schubert angefertigt hat und von der bereits die Rede war. Das Thema dieser zweiten Fuge ist nun zwar durchaus vokal, aber zugleich auch in Schuberts Sinne „modern". Es ist achttaktig, von fast „klassischer" Prägung:

18 Vgl. hierzu vor allem Georg Reichert, Zur Geschichte der Wiener Messenkomposition in der ersten Hälfte des 18. Jahrhunderts, Phil. Diss. Wien 1935, S. 27–57, und: Mozarts „Credo-Messen" und ihre Vorläufer, in: Mozart-Jahrbuch 1955, Salzburg 1956, S. 117–144.
19 Vgl. hierzu Heinrich Kreißle von Hellborn, Franz Schubert, 1865, S. 380, Anmerkung 1.
20 Vgl. Neue Schubert-Ausgabe I, 3, a. a. O., S. 433–435 (Notenbeispiele 5 und 6).
21 Vgl. hierzu Alfred Mann, Schuberts Studien (Neue Schubert-Ausgabe VIII, 2, in Vorbereitung), Kapitel Fugenstudien.

Der Komponist führt es zwar regelmäßig durch — aufgrund seiner Struktur aber, und weil auch die Kontrasubjekte entsprechend achttaktig konzipiert sind, dominiert der Eindruck einer an der achttaktigen Periode orientierten Komposition; nur dem Kenner klingt sie wie eine wirkliche Fuge. Deshalb wohl entfernte Schubert bei der Revision der Messe auch diese zweite Fuge aus dem Manuskript und schrieb eine dritte. Deren Thema ist nun wieder vokal, aber sechstaktig und vermeidet klassische Periodik:

Wie die zweite Fuge, so ist auch die dritte großräumig angelegt (sie zählt 199 Takte), jedoch regelrecht in der Konzeption, durchaus dem Modell folgend, das Schubert bei Salieri erprobt hat. In einem ersten Teil (144 Takte) folgen auf die reguläre erste Durchführung verschiedene Themeneinsätze in lockerer Folge, die die Haupttonart E-dur umschreiben (Einsätze in E, H, A und E). In einer groß angelegten Steigerung führt Schubert die Fuge zu einer vollständigen Kadenz auf der Dominante. Dann folgt — nach einer Generalpause — die Engführung. Die Stimmen setzen im Abstand von je einem Takt ein; zunächst in Stimmpaaren und dann, ein wenig gegeneinander verschoben, in allen vier Stimmen. Über einem zweifachen Orgelpunkt (zunächst auf E, dann, regelrecht, auf H) führt Schubert die Fuge zum Schluß.

Was Schubert in seiner Messe in As vorgeführt hat, sucht er in der späteren in Es zu steigern. Dies zeigt sich schon daran, daß er nun nicht nur das Gloria, sondern auch das Credo mit einer ausgedehnten Fuge beschließt. Deutlich aber wird es vor allem an einer gesteigerten kontrapunktischen Dichte beider Fugen (die sich in ihrer Disposition von der letzten Fassung der Fuge in der As-dur-Messe jedoch nicht grundsätzlich unterscheiden). Solche kontrapunktische Dichte resultiert in der Fuge „Cum Sancto Spiritu" aus einer für Schubert neuen Variabilität der Stimmeinsätze.

Die erste, regelrechte, Durchführung schließt Schubert mit einer ausgedehnten Kadenz in der Grundtonart (B-dur), so als wäre die Fuge hier schon zu Ende. Um den Eindruck wettzumachen, beginnt er sofort mit einer neuen Durchführung, wieder in B, beantwortet das Thema aber diesmal in der Terz (im Alt), jedoch unvollständig, beginnt nach zwei Takten noch einmal (im Sopran), wieder, ohne das Thema zu Ende zu führen, und stellt mit dieser Pseudo-Durchführung gleichsam ein Programm für die ganze Fuge auf: Es geht um die Erprobung verschiedener Möglichkeiten von Engführung. Zunächst allerdings scheint Schubert seinem eigenen „Programm" auszuweichen: Er setzt ein drittesmal an, nun in G, und führt das Thema lediglich im Baß durch. Das Thema mündet hier übrigens in eine in Ganzen und bedeutsam vorgetragene Figur

Es-D-F-E, in der man eine Reverenz dem Namen Bach gegenüber gesehen hat[22]. Ob Schubert dies wirklich beabsichtigte, wird sich freilich mit Sicherheit kaum je sagen lassen. Wir wissen, daß Schubert sich mit Bach beschäftigt hat. Am 3. Juli 1824 schreibt Ferdinand Schubert an seinen Bruder in Zseliz, daß er ihm „die Bach'schen Fugen" geschickt habe (Dok., S. 248). Wie intensiv diese Beschäftigung gewesen ist, wissen wir allerdings nicht — es ist sicher, daß Schubert jedenfalls Händel gründlicher studiert hat als Bach. Einem vor wenigen Jahren aufgefundenen Blatt mit Entwürfen zu Fugenexpositionen für Simon Sechter läßt sich entnehmen, daß wahrscheinlich erst dieser ihn — und zwar nach Beendigung der Es-dur-Messe — auf die Möglichkeit hingewiesen hat, aus den Tonbuchstaben eines Namens musikalische „Soggetti" zu bilden[23]. Endlich mutet es merkwürdig an, daß Schubert — wollte er wirklich das B-A-C-H zitieren — dies Motiv nirgends als „Bach" lesbar in der Grundlage, sondern nur transponiert verwendet hat. Möglicherweise hat es sich auch nur wie von selbst als Gegenstimme zu den sequenzierenden Oberstimmen ergeben.

Schubert führt sein „Programm" nun aus. Eine neue Durchführung des Themas setzt auf Es ein. Der Baß beginnt, der Tenor imitiert es in einem Abstand von drei Takten. Alt und Sopran folgen dem Beispiel der Männerstimmen. Die nächste Durchführung des Themas steht in F; diesmal beginnt der Tenor, der Baß folgt im Abstand von zwei Takten in der Unterquint und abermals bestätigen die Frauenstimmen, was die Männerstimmen vorgetragen haben. Dann erst folgt — wie in der As-dur-Messe nach einer Generalpause — die eigentliche Engführung in der Grundtonart. Der Alt imitiert den Baß in der Quarte und im Abstand von nur einem Takt; Tenor und Sopran nehmen dies — den Themenkopf frei variierend — unmittelbar auf. Daß diese Variation tatsächlich freie Veränderung einer ursprünglich streng konzipierten Engführung ist, zeigt ein Blick auf die instrumentale Einleitung der Engführung: hier ist wenigstens der Themenkopf vierstimmig und im Abstand von je einem Takt getreu imitiert.

Schuberts handwerkliche Meisterschaft zeigt sich in seinen späten Messen deutlich genug. „Meine Erzeugnisse", notiert Schubert in seinem Tagebuch von 1824, „sind durch den Verstand für Musik und durch meinen Schmerz vorhanden; jene, welche der Schmerz allein erzeugt hat, scheinen am wenigsten die Welt zu erfreuen" (Dok., S. 233). Daß in den beiden Messen auch der „Schmerz", das Bekenntnis, von Bedeutung sind, daß eben erst „Verstand" und „Schmerz" das „Höchste in der Kunst" ausmachen, sollen die Schlußsätze, soll das „Dona nobis pacem" zeigen.

Wer immer hier ausgeglichene, vom Gedanken des Friedens getragene Kompositionen erwartet, den müssen diese Sätze verstören. In der „Messe in As" kehrt Schubert zwar nach dem f-moll

---

22 Vgl. etwa Arnfried Edler, Hinweise auf die Wirkung Bachs im Werk Franz Schuberts, in: Die Musikforschung 33, 1980, S. 286.
23 Vgl. Christa Landon, Neue Schubert-Funde. Unbekannte Manuskripte im Archiv des Wiener Männergesang-Vereines, in: Österreichische Musikzeitschrift 24, 1969, S. 317 ff. Sechter selbst notiert am Ende des Blattes ein Thema: Es-c-h – Viertelpause für „u" – b-e – Achtelpause für „rt".

des „Agnus Dei" zur Ausgangstonart zurück, deren Grundaffekt in der zeitgenössischen Musiktheorie als „frommer Sinn" definiert wird[24]; die Solisten tragen ihre Bitte in ruhigen Halben vor, an das Kyrie anknüpfend, doch die beiden Violinen, die sie begleiten, brechen die halben Noten auf, nehmen ihnen die Ruhe, und setzen schließlich zu dem Wort „pacem" eine gleichsam stolpernde, ausdrücklich mit einem Akzent versehene Synkope. Bei der Wiederholung des „Dona nobis pacem", dem zweiten Halbsatz der Periode, verschiebt sich der Akzent auf die letzte Silbe („pacém"), verbunden mit einer überraschenden Ausweichung in die Obermediante (C-dur), die einen dritten Viertakter notwendig macht, um die Periode zu Ende zu führen. Die verborgene Erregung führt nun zu einem unvermuteten Ausbruch. Auf die Solisten antworten Chor und volles Orchester im fortissimo, wieder unter starker Betonung der Synkope auf „pacem". Der Wechsel von Solo und Tutti, von piano und forte wird immer enger; dann bricht der Satz ab und beginnt von neuem. Wieder verdichten sich die Einwürfe von Solo und Chor, bis gegen Ende des Satzes die Synkope sich verschiebt, von „pacem" auf „dona". Dann erst klingt er im pianissimo aus. Wie unvermittelt hier — etwa im Vergleich zu dem vom Affekt zunächst verwandt erscheinenden Kyrie — die Kontraste aufeinanderstoßen, möge eine graphische Darstellung des dynamischen Verlaufs der beiden Sätze deutlich machen (siehe S. 74): man beachte dabei, daß die wenigen im Kyrie herausragenden dynamischen Höhepunkte vor allem fp-Rufe der Solisten im „Christe eleison" sind, die dem „Dona nobis pacem" inhaltlich nahestehen.

Was in der Messe in As noch als eine unter verschiedenen möglichen Deutungen eines seltsamen Satzes erscheinen mag — die vergebliche Bitte um Frieden —, bestätigt und präzisiert, so meine ich, das „Dona nobis pacem" in der „Messe in Es". Der Satz erscheint dem früheren zunächst verwandt: Auch hier setzen die Singstimmen (diesmal freilich der Chor, nicht die Solisten) in ruhigen Halben ein; das Tempo ist Andante, die Taktart ¢. Der Satz ist gleichwohl von Anfang an erregter als in der As-dur-Messe; die Streicherfiguren tragen Akzente zu jeder Halben und die Singstimmen übernehmen nun selbst den „stolpernden" Akzent auf „pacem", der in der früheren Messe noch den Instrumenten vorbehalten war. Instrumentalzwischenspiele verdeutlichen dies in einer dreitaktigen Echofigur, die die Viertaktgruppen aufbricht: Der Viertakter des Chores und die drei Echotakte der Bläser verschränken sich zu einem fünftaktigen Modell, das drängend wirkt, der Komposition eine Richtung gibt:

---

24 Gustav Schilling, Artikel As-dur, in: Encyclopädie der gesammten musikalischen Wissenschaften, oder Universal-Lexicon der Tonkunst, I, Stuttgart 1835, S. 295 f.: „Der psychische Ausdruck oder ästhetische Charakter dieser Tonart ist frommer Sinn; auf den Wellen ihrer Klänge scheinen Geist und Seele sich hinüber zu schaukeln in die Heimath himmlischer und geistiger Wesen". Ähnliches gilt für die Es-dur-Messe: der erste Teil des „Agnus Dei" steht dort in c-moll, der zweite in Es-dur. Der „psychische Charakter" von Es-dur „ist Sprache der Liebe, der Andacht, des traulichen Gesprächs mit Gott" (a. a. O., Band II, Stuttgart 1835, S. 625).

Solisten treten hinzu. Das rhythmische Modell scheint seinen Impetus zunächst zu verlieren, doch sobald der Chor wieder eingreift, ist es in alter Gestalt wieder da. Durch den Wechsel von Chor und Solo wächst die Erregung — wieder wie in der As-dur-Messe. Dann aber geschieht etwas Unerhörtes: Der Beginn des Meß-Satzes, der Anruf „Agnus Dei", kehrt wieder.

Dieses „Agnus Dei" verweist auf jene beiden Abschnitte, in denen Schubert (sieht man vom Kyrie und vom Sanctus einmal ab) nicht zufällig seine persönlichste Sprache findet: auf das „Domine Deus Agnus Dei", den Mittelteil des Gloria, und das „Et incarnatus est", den Mittelteil des Credo, d. h. auf jene Abschnitte, in denen es um den Menschen geht und seine „Schmerzen"[25]. Wie im Mittelteil des Gloria ist der Satz gebrochen. Der Anruf „Agnus Dei" beginnt als vierstimmiges Fugato über ein Thema, das ein Kreuz nachzeichnet (wie im „Crucifixus" der As-dur-Messe). Es ist ein Thema, das Schubert noch an anderer Stelle benutzt, in dem Lied „Der Doppelgänger" aus dem „Schwanengesang" (D 957, Nr. 13). Dort rezitiert der Sänger zu dem im Klavier gleichsam ostinat wiederholten Thema; das Kreuzzeichen erscheint wie das Symbol der Unvereinbarkeit von Traum und Wirklichkeit, an dem der Mensch zerbricht[26]. Das Thema selbst mag Schubert von Bach übernommen haben[27] — das Zeichen, das er damit setzt, ist aber ein ganz schubertisches. Im Agnus Dei der Messe tragen es Singstimmen und Bläser in gleichmäßigen punktierten Halben vor, wie einen neuen Cantus firmus. In den Bässen aber werden die Töne aufgelöst und umgeformt in eine rhythmische Figur, die wie die Streicherfiguren im Mittelteil des Gloria innere Erregung darstellen und doch zugleich das Agnus Dei auch zurückbeziehen auf das Kyrie, in dem wie hier die Bässe durch ein rhythmisches Quasi-Ostinato den Satz binden. Endlich setzt, noch bevor das Fugatothema ganz erklungen ist, eine expressive Gegenstimme ein, gleichsam als wolle Schubert mit dem Bild des Gekreuzigten die schmerzliche Klage des leidenden Menschen verbinden. Diesem vom vollen Orchester begleiteten Anruf folgt dann ganz anders, ganz verhalten, die eigentliche Bitte „miserere nobis":

---

25 Um den Menschen geht es natürlich auch im „Christe eleison" des Kyrie. Im Sanctus scheint es die Anrufung des Heiligen, des unerreichbar Vollkommenen zu sein, das die innere Erregung dieses Satzes in beiden Messen bestimmt.

26 Vgl. hierzu etwa Quoc-Hung Do, Le sentiment de la mort dans les lieder de Schubert, in: Revue musicale de Suisse romande 34, 1981, S. 162 f.

27 Vgl. die Fuge cis-moll im Wohltemperierten Klavier I; s. hierzu etwa Einstein, a. a. O., S. 341, und Edler, a. a. O., S. 288 ff.

Im „Dona nobis pacem" nun führt ein von Chor und Orchester vorgetragener letzter Aufschrei in den neuerlichen Anruf; das Kreuzzeichen, die ostinate Figur, die schmerzliche Klage kehren wieder. Mir scheint, es ist jenes „gräßlichste Denkmal menschlicher Verworfenheit", das Schubert der Bitte um Frieden entgegenhält, jenes Zeichen, mit dem — wie Schubert schrieb – die Menschen ihre „Schandthaten" „zum Theil zu bezeichnen und zum Theil zu sühnen" trachten, unter dem sie „das übrige Ungeziefer" ihrer Artgenossen mit leichtem Herzen vernichten. Nach dem neuerlichen Anruf des „Agnus Dei" erklingt dann die wiederholte Bitte „dona nobis pacem" im pianissimo des „miserere nobis"; das Es-dur des Schlußsatzes erscheint gebrochen, das Moll des „Agnus Dei" klingt immer von neuem an; die plagale Schlußkadenz führt nach As-moll, die Moll-Unterdominante, in einem letzten Aufschrei der Verzweiflung:

Traum und Wirklichkeit lassen sich nicht verbinden. Der Satz verklingt in Resignation. Schubert vermag an Frieden nicht zu glauben — obwohl 1828, als die Messe in Es entstanden ist, seit 13 Jahren Frieden war in Österreich. Aber Metternichs Frieden war wohl nicht Schuberts Frieden. Dennoch aber: Das Zeichen des Kreuzes steht in Schuberts Brief nicht nur für Heillosigkeit, sondern auch für Sühne. Der „herrliche Christus" ist nicht nur das Denkmal menschlicher Verworfenheit, sondern auch Gottes vollendetste Schöpfung. Das aber ist vielleicht Schuberts eigentliches Bekenntnis, deshalb war es ihm möglich, immer neue Messen zu komponieren: So wie im Sanctus der Mensch in aller Gebrochenheit das Heilige zu erreichen sucht, so ist das Agnus Dei — beide Teile des Satzes — Ausdruck seines Verlangens nach Frieden. Zwar ist die Bitte vergeblich, doch erwächst endlich aus der Intensität dieses Verlangens selbst die Hoffnung auf Sühne, auf Vollendung, auf Verwirklichung der Utopie.

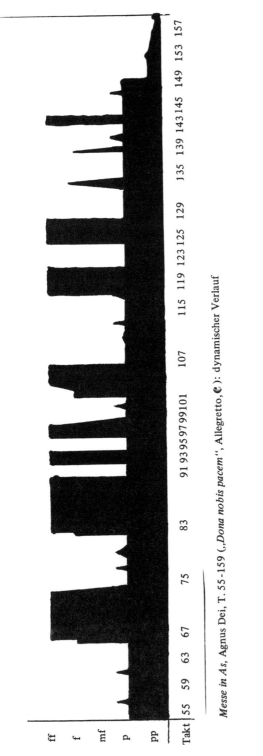

Messe in As, Agnus Dei, T. 55-159 („*Dona nobis pacem*", Allegretto, 𝄵): dynamischer Verlauf

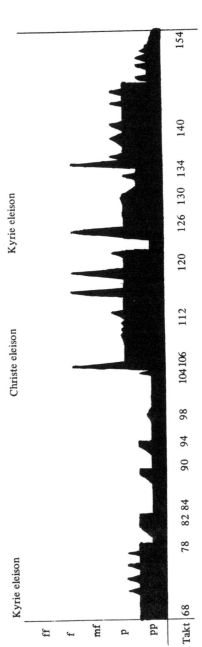

Messe in As, Kyrie, T. 68-155 (T. 68-122 entsprechen im wesentlichen T. 1-67): dynamischer Verlauf

Andante con moto, 𝄵

Georg Feder

Haydn und Bach
Versuch eines musikhistorischen Vergleichs*

Bach und Händel bilden ein vertrautes Namenpaar wie Haydn und Mozart. Bach und Telemann zu vergleichen, ist nicht ungewöhnlich. Bach und Vivaldi, Bach und Palestrina, Bach und
Pergolesi sind Themen mit konkretem historischem Gehalt, denn Bach hat sich mit Werken Vi-
valdis, auch Palestrinas und Pergolesis befaßt. Mozart und Bach — ebenfalls ein Thema mit Substanz, denn Mozart hat Bachsche Fugen gespielt und bearbeitet. Aber Haydn und Bach? Hat es
Sinn, zwei so verschiedene Komponisten miteinander zu vergleichen?
    Die Frage ohne weiteres zu verneinen, würde in gewisser Weise eine Kapitulation der Musik-
geschichte bedeuten. Eine zusammenhängende Musikgeschichte, die sich nicht in eine lockere
Folge von „Lebensbildern" auflösen will, wird immer versuchen, Standpunkte zu finden, von
denen aus sie auch scheinbar disparate Phänomene in den Blick bekommt. Der Zusammenhang
braucht nicht vordergründig oder direkt zu sein. Es kann zum Beispiel auch dann historisch eine
Beziehung zwischen zwei Komponisten bestehen, wenn das Schaffen beider Komponisten teilweise auf denselben musikalischen Traditionen fußt oder von verwandten geistigen Strömungen
beeinflußt worden ist oder wenn für den Lebenslauf beider Komponisten ähnliche gesellschaftli-
che Verhältnisse bestimmend waren.

Bach und Haydn im biographischen Vergleich

Trotz aller Verschiedenheiten waren Haydn und Bach Menschen und Musiker des 18. Jahrhunderts und hatten einen ähnlichen musikalischen Werdegang. Bach soll als Knabe in Eisenach
mit seiner schönen Sopranstimme bei der Kirchenmusik mitgewirkt haben. Als er mit neun Jahren zuerst seine Mutter und dann seinen Vater verlor, ging er zu seinem Bruder nach Ohrdruf,
um dort das Lyzeum zu besuchen. Von da aus wechselte er als 15jähriger nach Lüneburg an die
Michaelis-Schule und wirkte als Sängerknabe im Mettenchor mit.
    Haydn wurde mit etwa sechs Jahren aus seinem Elternhaus im niederösterreichischen Markt-
flecken Rohrau zu einem entfernten Verwandten in die Landstadt Hainburg an der Grenze nahe
bei Preßburg gebracht, um dort die Schule zu besuchen und neben anderen Elementarfächern
auch die Musik zu lernen. Haydn berichtete später, daß er damals schon „ganz dreist einige Messen auf den Chor herabsang, auch etwas auf dem Klavier und Violin spielte". Er fiel wegen seiner schönen Sopranstimme dem Wiener Kapellmeister Georg Reutter auf und wurde Sängerknabe in der Kantorei an St. Stephan, wo der Schulunterricht mit dem einer norddeutschen
Lateinschule zu vergleichen war und die Musik breiten Raum einnahm.
    Von einem Kompositionslehrer Bachs ist nichts bekannt. Auch von Haydn wird berichtet,
daß Reutter ihm kaum zwei Unterrichtsstunden in der Komposition gegeben habe. Bach übte
sich durch das Studium, vornehmlich das Abschreiben der Werke anderer Komponisten. Ähnlich war es mit Haydn, der rückblickend das Abschreiben, besonders das Spartieren nach Stimmen, für angehende Komponisten nachdrücklich empfahl. In unserem Zeitalter der „Leistungs-
verweigerung" lesen wir in Carl Philipp Emanuel Bachs Nekrolog seines Vaters mit Interesse von

* Bearbeitetes Manuskript eines in Anwesenheit des verehrten Jubilars bei der Sommerakademie Johann
  Sebastian Bach 1981 in Stuttgart gehaltenen Vortrags.

dessen „unerhörtem Eifer in seinem Studieren, wobei er, sonderlich in seiner Jugend, ganze Nächte hindurch saß". Haydn berichtet über seine Jugend Ähnliches: „. . . ich würde das Wenige nie erworben haben, wann ich meinen Kompositionseifer nicht in der Nacht fortgesetzt hätte."

An einer Universität haben beide, Bach und Haydn, nicht studiert. Schon in jungen Jahren verdienten sie ihren Lebensunterhalt durch die Ausübung ihres musikalischen Berufes. Bach wurde Organist an evangelischen Stadtkirchen. Haydn mußte sich, wie er berichtet, zunächst „in Unterrichtung der Jugend ganze acht Jahr kummerhaft herumschleppen". Dann wurde er Musikdirektor an einem Adelshof, bei einem Grafen Morzin. Auch Bach wechselte zu Adelshö-fen: zuerst nach Weimar und später, als Kapellmeister, nach Köthen. Diese Stellung war mit derjenigen Haydns vergleichbar, seit dieser als Kapellmeister des Fürstenhauses Esterházy in Eisenstadt und Eszterháza tätig war.

Dann gibt es einen Sprung und eine große Divergenz in der Biographie beider Meister. Bach wechselte in das zwar traditionsreiche, aber — wie er es selber sah — gesellschaftlich tiefer ste-hende Thomaskantorat. Seine Leipziger Kantorei war bunt zusammengesetzt: Sie bestand aus Thomasschülern, Stadtmusikanten und Studenten der Universität. Der Chor mußte auch bei Beerdigungen singen. Kein Wunder, daß Bach etwas neidvoll nach Dresden blickte, wo in der Hofkapelle bessere Bedingungen herrschten, nämlich ähnliche wie in Eszterháza bis 1790.

Als Hofkapellmeister hatte Haydn nur mit professionellen Musikern zu tun. Die Sänger und Sängerinnen, die im fürstlichen Opernhaus auftraten, waren aus Italien verschrieben. Das Orche-ster setzte sich zum Teil aus berühmten Musikern zusammen. Sie brauchten auch nicht etwa bei Hofbällen oder Feuerwerken zu spielen. Dazu holte man sich vielmehr den Thurnermeister — wie man in Österreich den Stadtpfeifer nannte — mit seinen Gesellen aus Eisenstadt oder Öden-burg. Als Haydn wie Bach das Hofkapellmeisteramt hinter sich ließ — ohne seine Bindung an das esterházysche Fürstenhaus ganz zu lösen —, übernahm er kein neues Amt, sondern ging nach London, wo er für vereinbarte Honorare eine Oper, zwölf Sinfonien und andere Werke kompo-nierte. Er trat in öffentlichen Konzerten auf und gab private Orchesterkonzerte beim Prinzen von Wales, ebenfalls gegen Honorar.

Ein wesentlicher Unterschied bestand auch in dem Verhältnis beider Komponisten zum Ver-lagswesen. Während Bach nur wenige Werke zum Druck gab und daraus vermutlich keine allzu großen Einnahmen erzielte, pflegte Haydn seit 1780 rege Geschäftsverbindungen mit Verlegern in Wien, Paris und London und erhielt ansehnliche Honorare. Trotzdem blieb Haydns wie Bachs Schaffen an äußere Anlässe und Aufträge gebunden. Das gilt für Haydns Londoner und späte Wiener Zeit ebenso wie für seine frühen und mittleren Jahre. Seine beiden Hauptwerke, die „Schöpfung" und die „Jahreszeiten", schrieb Haydn gegen Honorar im Auftrag einer Gruppe von Angehörigen des Wiener Hochadels.

Auch die Gesinnung, mit der Haydn sowohl seinen Kapellmeisterpflichten als auch den Kom-positionsaufträgen auswärtiger Besteller nachkam, wies mit derjenigen Bachs gemeinsame Züge auf. Bach überschrieb seine Manuskripte mit „Jesu juva", Haydn mit „In nomine Domini"; Bach endete mit „Soli Deo gloria", Haydn mit „Laus Deo". Da der fromme Brauch nicht selbst-verständlich war, möchte man ihn bei Haydn wie bei Bach (und später bei Mendelssohn) als Ausdruck der Persönlichkeit ansehen. Haydns Frömmigkeit ist verschiedentlich bezeugt. Aller-dings war sie nicht engherzig und vertrug sich mit einem vorübergehenden Freimaurertum.

War Haydn von Bach beeinflußt?

Der engste geschichtliche Zusammenhang zwischen beiden Meistern wäre gegeben, wenn ein direkter Einfluß Bachs auf Haydn nachweisbar wäre. Ein solcher Nachweis ist aber schwer zu führen. Haydn hat zweifellos einige Werke Bachs gekannt. Nach Ausweis des in seinen letzten Lebensjahren erstellten Verzeichnisses seiner Bibliothek und Musiksammlung und des 1809 erstellten Verzeichnisses seines Nachlasses besaß Haydn in seiner Spätzeit die „h-moll-Messe" in Abschrift, die Motetten in der 1803 erschienenen Ausgabe von Schicht und das „Wohltemperierte Klavier", dieses sowohl in einem abschriftlichen Exemplar des 2. Teils als auch in der kompletten Ausgabe Nägelis vom Jahre 1801. Die gedruckte Ausgabe der Motetten erschien zu spät, als daß sie Haydn noch beeinflußt haben könnte. Eher wäre dies bei dem „Wohltemperierten Klavier" und der „h-moll-Messe" möglich gewesen. Aber wir wissen nicht, wann Haydn in den Besitz dieser Abschriften kam.

Daß sich Haydn mit Bach beschäftigt haben muß, geht aus zwei Aussprüchen hervor, deren erster von Georg August Griesinger überliefert ist, dem Hauslehrer und späteren Legationssekretär beim Kursächsischen Gesandten in Wien. Griesinger war der Verbindungsmann zwischen dem Leipziger Verlagshaus Breitkopf & Härtel und Haydn und ging seit 1799 bei Haydn ein und aus. Am 11. Februar 1801 berichtet er von einem Gespräch mit Haydn:

Über Hofmeisters Bureau de musique lachte er herzlich, sowie über seinen Einfall, Sonaten von Sebastian Bach, „die vielleicht höchstens von sechs Frauenzimmern gespielt werden dürften und könnten", drucken zu lassen.

Gemeint war die damals von Hoffmeister und Kühnel in Leipzig begründete Verlagsfirma, die sich später zum Musikverlag C. F. Peters entwickeln sollte. Hoffmeister und Kühnel begannen um diese Zeit, Bachs Klavierwerke herauszugeben. Haydns Ansicht, daß diese „vielleicht höchstens von sechs Frauenzimmern gespielt werden dürften und könnten", klingt heute — trotz der Hochachtung für Bach, die aus dem Wort „dürften" spricht — absurd, ist aber aus der damaligen Situation heraus verständlich. Ein Jahrzehnt früher hatte Rellstab in Berlin das „Wohltemperierte Klavier" zur Herausgabe auf Subskription angekündigt, aber nur 20 Subskribenten gefunden, obwohl es von Berlin um 1800 hieß, es sei „vielleicht der einzige Ort in Deutschland, in welchem Sie noch immer, neben den wärmsten Verehrern der modernen Musik, die eifrigsten Verfechter des ältern Geschmacks finden. Johann Sebastian Bach und seine berühmten Söhne kämpfen noch mit Mozart, Haydn und Clementi um den Vorrang auf den Klavierpulten unserer Musikliebhaber und -liebhaberinnen: freilich aber jetzt mit geringem Erfolge". Wir müssen uns auch daran erinnern, daß der Dichter Schubart 1784/85 geurteilt hatte: Bachs Orgelstücke seien „so schwer, daß kaum zwey bis drey Menschen in Deutschland leben, die diese Stücke fehlerfrey vortragen können."

Haydns Urteil fiel also nicht aus dem zeitüblichen Rahmen. Wenn er als möglichen Käuferkreis die Damenwelt ins Auge faßte, so macht uns dies bewußt, daß gedruckte Klaviermusik zu Haydns Zeiten in Wien wohl in erster Linie für das weibliche Geschlecht bestimmt war. Im „Jahrbuch der Tonkunst von Wien und Prag 1796" überwiegen unter den namentlich genannten Dilettanten des Klaviers die Frauen sehr stark. Dagegen scheinen Bachs Inventionen, Suiten und das „Wohltemperierte Klavier" in erster Linie für die Ausbildung heranwachsender Musiker gedacht gewesen zu sein und verbreiteten sich in diesen Kreisen von Hand zu Hand. Auch der junge Beethoven, als er in Bonn von Neefe ausgebildet wurde, hat sie so vermittelt bekommen. Die um 1801 beginnende Verbreitung von Bachs Klavierwerken im Druck eröffnete eine neue Ära.

Die zweite Äußerung Haydns über Bach ist weniger gut bezeugt Sie findet sich im Oktoberheft 1799 der bei Breitkopf & Härtel verlegten „Allgemeinen musikalischen Zeitung". Johann Nikolaus Forkel, der bald darauf mit seiner Bach-Biographie hervortreten sollte, berichtet in einem Artikel dieses Heftes, daß Haydn, als er 1791 nach England kam, eine gegen die deutsche Musik feindlich eingestellte italienische Partei unter der Führung des schon bejahrten Violinvirtuosen Felice Giardini vorfand und daß der in London lebende deutsche Organist Kollmann, der 1799 eine Ausgabe des „Wohltemperierten Klaviers" ankündigte, zum Ruhm der deutschen Musik einen Kupferstich veröffentlichte, der im Bilde einer Sonne die ihm bekannten deutschen Komponisten vorstellte: Im Mittelpunkt sieht man Johann Sebastian Bach, im ersten Umkreis Haydn, Händel und Carl Heinrich Graun, im zweiten Umkreis Mozart in der Nachbarschaft Emanuel Bachs und Kozeluchs, Gluck in der Nachbarschaft Reichardts und Vanhalls, ferner Telemann, Georg Benda, Schulz und andere. Die dritte Reihe bilden Hasse, Quantz, Türk, Albrechtsberger, Forkel selbst und manche anderen Komponisten. Der Bericht Forkels schließt mit den Worten:

Unser würdiger Haydn soll dies Stück selbst gesehen haben, und man sagt, daß es ihm nicht übel gefallen, er sich auch der Nachbarschaft Händels und Grauns gar nicht geschämt, noch viel weniger es unrecht gefunden habe, daß Joh. Seb. Bach der Mittelpunkt der Sonne, folglich der Mann sey, von welchem alle wahre musikalische Weisheit ausgehe.

Ob Haydn allerdings damit einverstanden war, daß Mozart sich mit dem dritten Rang begnügen mußte, ist stark zu bezweifeln, denn über keinen Komponisten hat Haydn sich so oft und so bewundernd geäußert wie gerade über Mozart. Insofern müßte ihm ein Tableau, das der Maler Philipp Jakob Loutherbourg um 1801, ebenfalls in London, entwarf, besser gefallen haben: Hier nimmt Mozart neben Haydn die beherrschende Stellung ein.

Damit sind die Hinweise, die sich für Haydns Bach-Kenntnis ergeben, bereits erschöpft. So bleibt nur eine Betrachtung der Werke selbst übrig, um nach Spuren Bachschen Einflusses zu suchen. Ein Zeitgenosse Haydns, der Stettiner Pastor Triest, der 1801 in der „Allgemeinen musikalischen Zeitung" aufschlußreiche „Bemerkungen über die Ausbildung der Tonkunst in Deutschland im achtzehnten Jahrhundert" veröffentlichte, meinte: Haydn verband mit seinen übrigen Vorzügen „das innigste (durch Bachs u. a. Werke genährte) Studium der Harmonie, deren Früchte die kühnsten, überraschendsten, und dabei nichts weniger als barocken Modulationen sind, wodurch er uns begeistert." (3. Jahrgang, Sp. 407. – Das Wort „barock" hat hier noch einen negativ wertenden Sinn, bezeichnet keine Epoche.) Auch der französische Musiktheoretiker Momigny sah eine musikhistorische Verbindung zwischen Haydn und Bach: „Bach genuit Haydn", und: „Pour faire connaître la marche et les progrès de l'esprit humain dans la composition de la sonate, nous allons opposer Joseph Haydn à Jean-Sébastien Bach" (zitiert nach Palm, S. 234 f.). So ist es aus der Sicht des frühen 19. Jahrhunderts verständlich, wenn Isidor Neugaß 1805 für den Fürsten Esterházy ein Portrait von Haydn malte, auf dem man im Hintergrund die Büste Johann Sebastian Bachs erkennt.

Im einzelnen ist das Suchen nach den Spuren Bachschen Einflusses auf Haydns Stil nicht sehr ergiebig gewesen. Im Adagio der As-dur-Klaviersonate Nr. 46 von ca. 1770 hat man den Einfluß des langsamen Satzes aus Bachs „Italienischem Konzert" zu erkennen geglaubt. Ein expressiv-polyphones Fugato in der Fantasia des Es-dur-Streichquartetts (Op. 76) von 1797 scheint den quasi Bachschen Ton der frühen As-dur-Sonate weiterzuführen. Manchen Klavierspieler werden vor allem die Sequenzen im ersten Satz der A-dur-Klaviersonate aus dem Zyklus von 1773 an Bach erinnern. Aber ob an solchen Stellen direkte Einflüsse von Bach her vorliegen, ist nach der Quellenlage kaum zu entscheiden.

Bach und Haydn als Erben älterer Traditionen

Ergiebiger ist die Frage, welches die beiden Meistern gemeinsamen Traditionen waren. Es scheinen dies in erster Linie die Generalbaßpraxis, der Stile antico und der Fugenstil, die Figurenlehre, das Parodieverfahren und bestimmte musikalische Gattungen gewesen zu sein.

Der *Generalbaß*, bei fast allen Werken Bachs für mehrere Instrumente eine Selbstverständlichkeit, ist bei Haydn auf wenige Gattungen beschränkt. Am wichtigsten war der Generalbaß in der Kirchenmusik. In diesem Bereich, vor allem bei den Messen, dauerte die Generalbaßtradition wesentlich länger als die Periode des musikalischen Barock. Angefangen von seiner Missa brevis in F-dur vom Jahre 1749 bis zu seiner „Harmoniemesse" vom Jahre 1802 schreibt Haydn für die begleitende Orgel einen minutiös bezifferten Basso continuo vor. In seinen Opern sind Ziffern selten. In seinen Sinfonien, Streichtrios und Streichquartetten gibt es keine Generalbaßziffern mehr.

Der *Stile antico*, der Palestrina-Stil in der weiterentwickelten Form des 17. und 18. Jahrhunderts, ist gekennzeichnet durch den Allabreve-Takt, eine vorwiegend stufenweise Führung der Singstimmen, die Bevorzugung großer Notenwerte und eine mit den Singstimmen gehende, nicht selbständige Instrumentalbegleitung. Bach kannte diesen Stil aus der kirchenmusikalischen Praxis wie aus älteren Kompositionen, die in seinem Besitz waren. Er besaß auch den 1725 erschienenen „Gradus ad Parnassum" von Johann Joseph Fux, ein Lehrbuch, in welchem der Stile antico seine für das 18. Jahrhundert gültige Kodifizierung gefunden hat. Eine Übersetzung ins Deutsche, herausgegeben von Bachs Schüler Lorenz Christoph Mizler, erschien 1742 in Leipzig. Die neuere Forschung hat deshalb in Bachs Werken nach Einflüssen des Stile antico gesucht und solche in einigen Werken oder Sätzen aus den Jahren um 1740 auch gefunden.

Wie für Bach war für Haydn der Stile antico eine lebendige Tradition. Außerdem scheint ihm der strenge Satz von Nicola Porpora nahegebracht worden zu sein, denn er schreibt in seiner kurzen Autobiographie vom Jahre 1776, daß er „die Gnade hatte, von dem berühmten Herrn Porpora, so dazumal in Wien war, die echten Fundamente der Setzkunst zu erlernen". Haydn besaß auch, genau wie Bach, ein Exemplar der lateinischen Originalausgabe des Lehrbuchs von Fux; er hat es mit vielen Eintragungen versehen und es sogar — im Unterschied zu Bach — in dem Kompositionsunterricht, den er selbst gab, zur Grundlage genommen; seine Schüler, Beethoven eingeschlossen, lernten die Fuxschen Regeln anhand eines abschriftlichen Auszuges.

Jedoch hat Haydn ebenso wie Bach nur wenige Male in diesem Stil komponiert. Sein größtes Stück dieser Art ist die Psalmmotette „Non nobis Domine". Vermutlich war eine verlorengegangene d-moll-Messe aus den 1760er Jahren, mit dem Beinamen „Sunt bona mixta malis", ebenfalls im Stile antico gehalten. Etwas anders als in der Vokalmusik zeigt sich der altertümliche Stil in Haydns früher Instrumentalmusik, wo er namentlich in den seit 1765 entstandenen Barytontrios anzutreffen ist, und zwar in Allabreve-Sätzen, vor allem fugierten.

Der in Bachs Schaffen so sehr dominierende *Fugenstil* war nicht nur in gewissen Teilen der Messe, sondern auch in der instrumentalen Kammermusik bis über die Mitte des 18. Jahrhunderts hinaus lebendig geblieben. Haydn griff gelegentlich auf diese Tradition zurück, z. B. im Finale des Barytontrios Nr. 101. Am persönlichsten sind seine Fugen allerdings dort, wo die Technik in den Dienst eines neuen Ausdrucks gestellt wird, wie dies z. B. in dem Finale des C-dur-Quartetts (Op. 20) von 1772 geschieht: Fast die ganze Fuge mit ihren kunstvollen Verwicklungen wird sotto voce vorgetragen; erst am Schluß bricht sich die aufgestaute Spannung in einem plötzlichen und anhaltenden Forte Bahn.

Die *musikalisch-rhetorischen Figuren*, deren Anwendung im Werk Bachs die Beachtung der neueren Forschung gefunden hat, waren auch Haydn nicht fremd. Ihm waren selbst die Namen einiger solcher Figuren bekannt. Einen Hinweis darauf gibt uns die Anmerkung „per figuram retardationis" im Adagio des f-moll-Streichquartettes (Op. 20) vom Jahre 1772 (vgl. „Joseph Haydn. Werke", XII/3). Es handelt sich dort um eine bestimmte Art der Dissonanz, die Haydn glaubte entschuldigen zu müssen. In anderen Werken bringt Haydn solche Entschuldigungen gelegentlich mit den Worten „cum licentia" an. In der Regel jedoch erscheinen in seinen Werken musikalische Figuren, ohne als solche gekennzeichnet zu sein, zum Beispiel in dem Terzett „Betrachtung des Todes" vom Jahre 1796. Der Text von Gellert lautet:

Der Jüngling hofft des Greises Ziel,
Der Mann noch seiner Jahre viel,
Der Greis zu vielen noch ein Jahr,
Und keiner nimmt den Irrtum wahr.

Das Wort „Irrtum" vertont Haydn bei den ersten Wiederholungen unauffällig, dann aber hebt er es mit einer merkwürdigen Modulation von a-moll nach cis-moll hervor.

Haydn stellt also nach alter Art den Irrtum durch ein Sich-Verirren in der Tonart dar. Ähnlich ist es an einer Stelle in der Oper „Armida" von 1783. Ubaldo singt in seiner Arie im ersten Akt die Worte „Dove son? Dove son? Che miro intorno?" (Wo bin ich? Wo bin ich? Was erblicke ich um mich her?) Das Orchester malt das Nicht-Wissen, wo man sich befindet, mit einer verwirrenden Modulation von B-dur nach Des-dur, und zwar, wie in der „Schöpfung", vor den Worten, nicht nachher (siehe Beispiel auf S. 87).

Ein anderes Beispiel bietet die Arie des Raffaelle im 2. Teil des Oratoriums „Il ritorno di Tobia". Der Text von Giovanni Gastone Boccherini lautet:

Un dì sanguigna e torbida
Cintia risplenderà:
E Febo in nere tenebre
I raggi avvolgerà:
Cadran le stelle fulgide,
E agli astri, ed alle sfere
Il cielo mancherà,
Mancherà il suolo agl'uomini,
Mancheran l'onde al mar.

(Einst wird der Mond blutrot und trübe scheinen und die Sonne ihre Strahlen in schwarze Finsternis hüllen; die glänzenden Sterne werden fallen, und den Gestirnen und den Sphären wird der Himmel fehlen, den Menschen der Boden, dem Meere die Wellen.)

Die Musik drückt allgemein den Schrecken dieser Vision aus, aber sie malt auch einzelne Worte: das Trübe des Mondes, die Finsternis der Sonne, das Fallen der Sterne, das Zurückweichen des Meeres, sogar das Fehlen des Bodens, da der Baß bei den Worten „mancherà il suolo agl'uomini" weitgehend pausiert (vgl. „Joseph Haydn. Werke", XXVIII/1).

Die bekannten Tonmalereien in der „Schöpfung" und in den „Jahreszeiten" waren so auffallend, daß sie, wie früher die musikalische Wortausdeutung bei den Meistern des Barock, die Kritik der klassizistischen Ästhetik auf sich zogen. Reichardt hatte Händels „Pinseleien", Telemanns und Matthesons „Schildereien", Keisers „Malereien", Sebastian Bachs „Jagen nach auffallendem Ausdruck der einzelnen Worte" kritisiert. Ähnlich wird in der „Zeitung für die elegante Welt" vom 22. Dezember 1801 in einer Rezension der Haydnschen „Schöpfung" beklagt, „daß die Mahlereien der Schneeflocken (eines sichtbaren Gegenstandes!), der brüllenden Löwen, der zirpenden Lerchen, der kurrenden Tauben, der klagenden Nachtigall (obgleich der Dichter sagt: daß sie damals noch nicht geklagt habe) und die ewigen Pinseleien uns wieder in die Zeiten des Regenbogen mahlenden Telemanns zurücksetzen." Der Rezensent schließt mit den Worten:

Möge sich über das Froschgequäk etc., wie es in den Jahrszeiten vorkommen soll, freuen, der sich der Kindereien nicht schämt; ich für meinen Theil sehe mit Trauern daraus, daß die Sulzer, Engel und andere berühmte Männer in den Wind geredet haben und es mit der Aufklärung der Musik noch keinen sonderlichen Fortgang habe, indem der Geschmack an ähnlichen Werken uns um 30–40 Jahre zurückbringen dürfte.

Johann Georg Sulzer hatte 1771 in seiner „Allgemeinen Theorie der schönen Künste" geschrieben:

Aber diese Malereien sind dem wahren Geist der Musik entgegen, die nicht Begriffe von leblosen Dingen geben, sondern Empfindungen des Gemüts ausdrücken soll.

Und Johann Jakob Engel meinte 1780 in seiner Schrift „Über die musikalische Malerei", „daß musikalische Malereien das Objektive darstellen; hingegen das Subjektive darstellen heißt man nicht mehr malen, sondern ausdrücken". Ähnlich verlangte Herder 1802 von der Musik nicht „Schilderung", sondern „Empfindung". Von daher ist auch Beethovens Bemerkung im Programm des Konzerts von 1808 mit der ersten Aufführung der Pastoralsymphonie zu verstehen: „Mehr Ausdruck der Empfindung als Malerei". Beethoven schloß sich damit der herrschenden Ästhetik an und wehrte eine mögliche Kritik ab, wie sie Haydns Tonmalereien getroffen hatte.

Im Sinne der „aufgeklärten" Ästhetik war also der klassische Realismus Haydns und seines Textdichters Gottfried van Swieten keineswegs modern, sondern ein Überbleibsel des Barock. Der mit Haydns musikalischer Darstellung der Natur mehr oder weniger eng verbundene „Ausdruck der Empfindung" wurde von den Kritikern übersehen. Sie beachteten auch nicht die gelungene Einschmelzung der Bilder in den musikalischen Formverlauf. Unbildliche Abstraktheit des Gefühls war ihnen oberstes Gebot. Viel eher als Haydns „Schöpfung" entsprachen solchem Geschmack daher die empfindungsvollen, von Klopstock inspirierten Verse von Baggesen, die Friedrich Ludwig Ämilius Kunzen, der Verfasser der oben zitierten Rezension aus der „Zeitung für die elegante Welt", seiner gleichzeitig mit Haydns „Schöpfung" entstandenen Kantate „Das Halleluja der Schöpfung" zugrunde legte.

Das *Parodieverfahren*, von Bachs Werken her bekannt, tritt noch bei Haydn gelegentlich auf. Haydns Passionsoratorium von 1796 über die „Sieben Worte Christi am Kreuze" ist das Ergebnis einer Bearbeitung der rein orchestralen Urfassung von 1786: Das Orchester wurde vergrößert und ein vierstimmiger, von Soli unterbrochener Chor eingebaut; den einzelnen Sätzen wurden a-cappella-Intonationen vorangestellt. Da Haydns Parodie auf der des Passauer Musikers Joseph Friebert fußt, ist der Entstehungsvorgang besonders kompliziert. Ein einfacheres Beispiel bietet die „Mariazeller-Messe" von 1782. Haydn legte dem vierstimmigen Chor des Benedictus die Arie „Qualche volta non fa male" aus seiner Oper „Il mondo della luna" von 1777 zugrunde. So haben wir hier, wie oft in Bachs Messen, den Fall, daß der weltliche Text durch einen liturgischen ersetzt ist. Das gleiche geschieht bei dem „Et incarnatus est" in der Heiligmesse (1796). Grundlage ist Haydns Kanon „Gott im Herzen" (vgl. „Joseph Haydn. Werke", XXXI), dessen volkstümlicher Text folgendermaßen lautete:

Gott im Herzen,
Ein gut Weibchen im Arm,
Jenes macht selig,
Dieses g'wiß warm.

Haydn ist dazu eine alles andere als frivole Musik eingefallen. Ihre Qualitäten liegen nicht wie bei Bachs Kanons in kontrapunktischer Kunst, sondern in ihrem innigen Ausdruck.

Die *musikalischen Gattungen* sind im Schaffen Bachs und Haydns weitgehend verschieden. Dennoch gibt es auch hier auf Tradition beruhende Übereinstimmungen. In ihrem Kapellmeisteramt haben beide Meister höfische Huldigungskantaten geschrieben. Von Bach sind einige Werke dieser Art gut bekannt. Haydns Kantaten aus den 1760er Jahren, auf italienische Texte komponiert, harren noch der Veröffentlichung. Im Hintergrund stand bei Bach wie bei Haydn die Institution des absolutistisch regierenden, Huldigungen gewohnten Fürsten, ob dieser nun Fürst Leopold von Anhalt-Köthen oder Fürst Nicolaus von Esterházy und Galantha hieß.

Die wohl wichtigste der beiden Meistern gemeinsamen Gattungstraditionen mit institutionellem Hintergrund war jedoch die konzertierende Kirchenmusik, besonders die von Komponisten wie Caldara, Hasse und Gaßmann weitergeführte italienische Tradition der sogenannten Kantatenmesse, deren formaler Aufbau für Haydns erste „Mariazeller-Messe" (die sogenannte „Cäcilien-Messe") vom Jahre 1766 ebenso bestimmend war wie für Bachs „h-moll-Messe".

Die Auswirkungen der Idee der „wahren" Kirchenmusik

Mit der konzertierenden Kirchenmusik Bachs und des 18. Jahrhunderts teilten Haydns Messen das Schicksal, von den Befürwortern des reinen Chorgesangs in der Kirche abgelehnt zu werden. Das kirchliche a-cappella-Ideal wurde im protestantischen Deutschland schon in der zweiten Hälfte des 18. Jahrhunderts in den Schriften von Klopstock, Claudius, Herder und Reichardt aufgestellt. Es stand in betontem Gegensatz zu den vokal-instrumentalen Kirchenkantaten Bachs, seiner Zeitgenossen und seiner Nachfolger. Man könne „die Andacht nicht einpauken, eintrommeln und einfiedeln", war eine der zugespitzten Meinungsäußerungen in dem Streit um die „wahre" Kirchenmusik. Durch die 1829 eingeführte „Agende für die evangelische Kirche in den Königlich Preußischen Landen" wurde der a-cappella-Stil in Preußen gewissermaßen zum offiziellen Kirchenstil erklärt.

In der katholischen Kirchenmusik erfolgte eine durchgreifende Wandlung der Auffassungen erst später. Während der Norden schon weitgehend von der „edlen Simplizität und Würde" des reinen Chorgesangs überzeugt war, erlebte die vokal-instrumentale Kirchenmusik Österreichs ihren Höhepunkt in den Messen Mozarts, Haydns, Beethovens und Schuberts. Aber auch hier setzte sich das a-cappella-Ideal durch. Es gipfelte in dem Palestrina-Kult des Cäcilianismus. 1866 mußte ein Dr. Franz Lorenz in seiner Verteidigungsschrift „Haydn, Mozart und Beethovens Kirchenmusik und ihre katholischen und protestantischen Gegner" feststellen, bisher habe sich außer in einem einzigen Zeitschriftenaufsatz noch niemand gegen das Verdammungsurteil über die Kirchenmusik der drei großen Tonheroen gewandt. Auch in den folgenden Jahrzehnten änderte sich dieses Urteil, soweit es Haydn betraf, nicht, wenngleich die festtägliche Aufführung seiner Messen in österreichischen Kirchen nie ganz aus der Übung geriet.

In Norddeutschland erhielt die Auseinandersetzung um die protestantische Kirchenmusik einen neuen Akzent, als Mendelssohn 1829, im Jahr der Einführung der preußischen Agende, mit nachhaltigem Erfolg die „Matthäus-Passion" wiederaufführte. Zwar blieb die a-cappella-Strömung in der protestantischen Kirchenmusik auch weiterhin stark; Winterfeld, Tucher, Wackernagel, Schoeberlein und Liliencron waren ihre Hauptvertreter; sie hatten immer noch Vorbehalte auch gegenüber Bach. Aber das spielte keine große Rolle mehr, nachdem die „Matthäus-Passion", die „Johannes-Passion", die „h-moll-Messe", das „Weihnachts-Oratorium" und manche der Bachschen Kirchenkantaten im Musikleben Fuß gefaßt hatten und immer stärkere Beachtung fanden.

Die Beurteilung der Kirchenmusik Haydns — „skandalös lustig", urteilte Mendelssohn 1833 über eine Haydn-Messe — änderte sich demgegenüber nur allmählich. Daß dies überhaupt geschah, ist zum Teil dem Wiener Bibliothekar Alfred Schnerich zu danken, der sich seit der Jahrhundertwende publizistisch und editorisch für Haydns Messen einsetzte. Carl Maria Brand folgte ihm 1941 mit einer großen Dissertation. Durch die Haydn Society in Boston sind 1951 die ersten vier und durch das Joseph Haydn-Institut in Köln von 1958 bis 1967 die übrigen acht Haydn-Messen in kritischer Partiturausgabe veröffentlicht worden (vgl. „Joseph Haydn. Werke", XXIII/2–5). In jüngster Zeit kamen Haydns Messen auch auf Schallplatten heraus und sind wiederholt im Konzertsaal erklungen.

Haydns musikhistorische Stellung im Verhältnis zu Bach

Wir haben im biographischen und musikalischen Bereich Verbindungslinien zwischen Bach und Haydn gezogen, die gewöhnlich nicht sonderlich beachtet werden. Bach als der letzte und höchste Gipfel des musikalischen Barock scheint für den heutigen Musiker durch eine Kluft getrennt zu sein von Haydn, dem Begründer der Wiener Klassik. Manche Musikhistoriker meinen sogar, die musikgeschichtliche Kontinuität sei 1750 oder 1740 oder schon 1730 unterbrochen, die Tradition abgebrochen worden. Aber das ist eine stark vereinfachte Sicht.

Nur scheinbar findet sie eine Bestätigung durch Berliner, Hamburger, Leipziger Kritiker, die sich um die Mitte des Jahrhunderts gegen die musikalischen Neuerungen in Italien, Mannheim und Wien wandten: etwa Marpurg, den kritischen Musikus an der Spree, der das Vorwort zu der Ausgabe von Bachs „Kunst der Fuge" geschrieben hatte und der die Klaviermusik der Wiener Komponisten Wagenseil und Steffan scharf kritisierte; oder den Pädagogen und Theologen Johann Christoph Stockhausen, der in seinem 1771 in Berlin erschienenen „Critischen Entwurf einer auserlesenen Bibliothek" den Italienern, Mannheimern und Haydn eine „große Unwissenheit des Kontrapunkts" vorwarf, was Haydn möglicherweise zur Komposition seiner Fugenquartette (op. 20) von 1772 angeregt hat (vgl. „Joseph Haydn. Werke", XII/3, Vorwort).

Zu stark sind die Fäden der Tradition, die Haydn mit der ersten Hälfte des 18. Jahrhunderts verbinden. Zu verschieden sind im Musikleben des ganzen 18. Jahrhunderts die Gattungstraditionen und die regionalen Unterschiede, als daß von einem gleichzeitigen und allgemeinen Stilwandel gesprochen werden könnte.

Haydns Schaffen selbst war stilistisch nicht einheitlich. Ein großer Unterschied bestand in seiner frühen Zeit vor allem zwischen der Vokal- und der Instrumentalmusik. Deren Neuartigkeit und historische Bedeutung scheint dem Komponisten selbst zunächst keineswegs klar gewesen zu sein. Als er 1776 in einer autobiographischen Skizze diejenigen seiner Werke aufzählte, die am meisten Beifall gefunden hätten, nannte er das liturgische „Stabat Mater" (1767) und rühmte sich des Lobes, das ihm Johann Adolf Hasse für dieses Werk gezollt habe. Er nannte ferner das traditionell geformte italienische Oratorium „Il ritorno di Tobia" (1775) und seine bis dahin geschriebenen, ziemlich konventionellen italienischen Opern. Die epochemachenden Streichquartette und Sinfonien wurden von ihm unter dem Begriff „Kammerstil" nur summarisch behandelt. Haydn bemerkte allerdings, daß er in diesem Stil „außer den Berlinern fast allen Nationen zu gefallen das Glück gehabt" habe. Noch 1781, im Jahr seiner Streichquartette Op. 33, rühmte er sich bei dem Verleger Artaria seiner Opern „L'isola disabitata" (1779) und „La fedeltà premiata" (1780), die von der Nachwelt so gut wie vergessen worden sind und erst durch den Historismus unseres Jahrhunderts wieder ans Licht gebracht wurden. Für Haydn stand also, im Einklang mit der traditionellen Meinung, die Vokalmusik höher als die Instrumentalmusik, obwohl für sein eigenes Schaffen diese Rangordnung in der Frühzeit sicherlich nicht zutrifft.

Im übrigen hatte Haydn zur Musikauffassung der Jahrhundertmitte ein ambivalentes Verhältnis. Teilweise stimmte er mit ihr überein, zum Beispiel wenn er spieltechnische Schwierigkeiten meidet oder mindert, wo sie nicht hinreichend motiviert sind. In dem B-dur-Streichquartett aus

Op. 64 ändert er einen Takt im Cello mit der Anmerkung: „um es leichter zu spielen" (vgl. „Joseph Haydn. Werke", XII/5). In der „Theresien-Messe" hat er nach Fertigstellung der Partitur einige schwierige Begleitfiguren in der Violine vereinfacht, wie der Vergleich des Autographs mit den authentischen Aufführungsstimmen zeigt (vgl. „Joseph Haydn. Werke", XXIII/3). Bei seinen Korrekturen zum Klavierauszug der „Jahreszeiten", den der Leipziger Musiker August Eberhard Müller besorgt hatte, bittet Haydn an einer Stelle, „allen Schwürigkeiten auszuweichen". Das erinnert an Carl Heinrich Graun, wenn dieser 1751 in einem Brief an Telemann schreibt: „Und ich halte es vor eine Hauptregel: Man muß ohne erhebliche Ursache keine unnatürlichen Schwierigkeiten machen." Andererseits forderte Haydn Virtuosität, wann immer es angebracht war, z. B. in seinen Violoncellokonzerten.

Auch in seinem dem Rokoko zuneigenden literarischen Geschmack war Haydn — wie die Österreicher seiner Zeit überhaupt — von der Jahrhundertmitte geprägt. Das zeigt das Verzeichnis seiner Bibliothek ebenso wie die Auswahl der von ihm vertonten Gedichte. Aber in anderer, namentlich musikalischer Beziehung hat Haydn sich von den Vorstellungen der Jahrhundertmitte gelöst. Die Maximen der Simplizität, Natürlichkeit und Annehmlichkeit, mit denen sich die nachbachsche Generation gegen Bach gestellt hatte, waren für Haydn keine unumstößlichen Dogmen. Er stand nicht mehr, wie die Generation vor ihm, in unmittelbarer Opposition zu Bach oder Fux. Historisch ist seine Stellung zu den beiden älteren Meistern durch deren Schüler Emanuel Bach und Georg Christoph Wagenseil vermittelt: Auf der Grundlage des Stils von Wagenseil hat Haydn in seiner Klaviermusik Einflüsse von Emanuel Bach aufgenommen. Auf dem Gebiet der Sinfonie ist es ebenfalls klar, daß Haydn mit seinen Werken nicht eine Antwort gab auf die Orchestersuiten und -konzerte von Sebastian Bach, Händel und Fux, sondern auf die Sinfonien von Sammartini, Holzbauer, Johann Stamitz und deren Generationsgenossen.

Haydn näherte sich sogar in gewisser Weise der Ästhetik Sebastian Bachs wieder etwas an, indem er die Möglichkeiten des musikalischen Ausdrucks vergrößerte und die Ansprüche der Kunst erhöhte, letzteres vor allem durch Einbeziehung des Kontrapunkts und durch die bedeutende Rolle, die er in seiner späten Vokalmusik den Begleitinstrumenten zuwies. Ernst Ludwig Gerber in seinem Tonkünstlerlexikon von 1790 schrieb über Haydn:

Jede, sonst blos unbedeutende Füllstimme in den Werken anderer Komponisten, wird oft bey ihm zur entscheidenden Hauptparthie. Jede harmonische Künsteley, sey sie selbst aus dem Gothischen Zeitalter der grauen Contrapunktisten, stehet ihm zu Gebote. Aber sie nimmt statt ihrem ehemaligen steifen, ein gefälliges Wesen an, sobald Er sie für unser Ohr zubereitet. Er besitzt die große Kunst in seinen Sätzen öfters bekannt zu scheinen. Dadurch wird er trotz allen contrapunktischen Künsteleyen, die sich darinne befinden, populair und jedem Liebhaber angenehm.

Für manchen Zeitgenossen war die Kunstfülle beim späten Haydn schon wieder zu groß: Der oben bereits zitierte Kunzen gebrauchte in seiner Rezension der „Schöpfung" ähnliche Argumente gegen Haydn wie seinerzeit Johann Adolph Scheibe gegen Bach, nämlich daß in der „Schöpfung" „die Singstimmen wie Instrumente behandelt sind und von dem Getöse der Beiinstrumente erdrückt werden."

In musikalischer Hinsicht ist Haydn von den Maximen der Aufklärung also teilweise abgerückt: vor allem durch besonders expressive Werke und Sätze — die in seinem Schaffen nicht nur in der sogenannten „romantischen Krise" der Jahre um 1770, sondern immer wieder vorkommen —, ferner durch die von der norddeutschen Kritik lange Zeit unverstandene Synthese des Ernsten und Komischen und schließlich durch gesteigerte Ansprüche an die Auffassung des Spielers und Hörers. Auf solche Weise hat Haydn — nach Bach und Händel und neben Mozart — die um die Jahrhundertmitte teils in ihrem menschlichen Ausdruck, teils in ihrem intellektuellen Anspruch verarmte Musik von neuem bereichert.

In geistesgeschichtlicher Hinsicht ist Haydn den Maximen der Aufklärung verbunden geblieben. Die „Schöpfung" gilt als der klassische Ausdruck des gottgläubigen, nicht mehr dogmatisch gebundenen Humanismus der Aufklärung wie die „Matthäus-Passion" als der musikalische Inbegriff des lutherischen Protestantismus. Die „Schöpfung" ist seit ihrer ersten Aufführung im Jahr

1798 lebendig geblieben und seit langem in ihrem Rang als eines unserer großen musikalischen und geistigen Vermächtnisse unbestritten. Zwar entspricht die Schwermut der „Matthäus-Passion" unserer Weltsicht mehr als der Optimismus der „Schöpfung". Christlicher Erlösungsglaube und Jenseitshoffnung geben uns in Bachs Musik Trost. Aber auch Haydns Musik ist in der Gegenwart nicht ohne geistige Kraft. Sie stellt ja nicht nur den naiven Rückblick auf einen unwiederbringlich verlorenen Urzustand der Schönheit und Unschuld dar, sondern erfüllt uns auch mit der Diesseits-Hoffnung auf eine bessere Zukunft. Der Verinnerlichung und Transzendenz bei Bach entspricht bei Haydn Verklärung und Utopie. So erweist sich die Polarität der „Matthäus-Passion" und der „Schöpfung" als ein zentraler Punkt unseres Themas. Mit dieser Polarität muß sich auseinandersetzen, wer über das historische Verhältnis von Haydn und Bach zur Klarheit kommen will.

Literaturauswahl

Bach-Dokumente, herausgegeben vom Bach-Archiv, Leipzig, unter der Leitung von Werner Neumann, Kassel 1963–1972 (Band I–III).

Alfred Dürr, Die Kantaten von J. S. Bach, Kassel–München 1971.

Christoph Wolff, Der stile antico in der Musik J. S. Bachs, Wiesbaden 1968.

Friedrich Blume u. a., Geschichte der evangelischen Kirchenmusik, Kassel [2]/1965.

A. Peter Brown, Approaching Musical Classicism, in: College Music Symposium, 20/1 (Spring 1980), Indiana University.

Rolf Dammann, Der Musikbegriff im deutschen Barock, Köln 1967.

Warren Kirkendale, Fuge und Fugato in der Kammermusik des Rokoko und der Klassik, Tutzing 1966.

Helga Scholz-Michelitsch, Georg Christoph Wagenseil, Wien 1980.

Joseph Haydn, Gesammelte Briefe und Aufzeichnungen, unter Benützung der Quellensammlung von H. C. Robbins Landon, herausgegeben von Dénes Bartha, Kassel 1965.

Dénes Bartha, Die Entstehung der „Sieben Worte" im Spiegel des Haydn-Nachlasses in Budapest, in: Haydn Emlékére, herausgegeben von Bence Szabolcsi und Dénes Bartha, Budapest 1960.

Georg Feder, Haydns Korrekturen zum Klavierauszug der „Jahreszeiten", in: Festschrift Georg von Dadelsen zum 60. Geburtstag, Neuhausen-Stuttgart 1978.

Karl Geiringer, Joseph Haydn, protagonist of the Enlightenment, in: Studies on Voltaire and the Eighteenth Century, edited by Theodore Besterman, XXV, Geneve 1963.

Gernot Gruber, Musikalische Rhetorik und barocke Bildlichkeit in Kompositionen des jungen Haydn, in: Der junge Haydn, herausgegeben von Vera Schwarz, Graz 1972.

Alfred Mann, Haydn as Student and Critic of Fux, in: Studies in Eighteenth-Century Music. A Tribute to Karl Geiringer on His Seventieth Birthday, edited by H. C. Robbins Landon and Roger E. Chapman, New York 1970.

Albert Palm, Jérôme-Joseph de Momigny, Leben und Werk, Köln 1969.

Ernst Fritz Schmid, Joseph Haydn. Ein Buch von Vorfahren und Heimat des Meisters, Kassel 1934.

Martin Stern, Haydns „Schöpfung". Geist und Herkunft des van Swietenschen Librettos, in: Haydn-Studien, Veröffentlichungen des Joseph Haydn-Instituts, Kön, I/3 (Oktober 1966).

Ulrich Tank, Die Dokumente der Esterházy-Archive zur fürstlichen Hofkapelle in der Zeit von 1761 bis 1770, in: Haydn-Studien, IV/3—4 (Mai 1980).

Günter Thomas, Griesingers Briefe über Haydn. Aus seiner Korrespondenz mit Breitkopf & Härtel, in: Haydn-Studien, I/2 (Februar 1966).

Susan Wollenberg, Haydn's Baryton Trios and the „Gradus", in: Music and Letters, 54/2 (April 1973).

Herbert Zeman, Joseph Haydns Begegnungen mit der Literatur seiner Zeit, in: Jahrbuch für Österreichische Kulturgeschichte VI, Eisenstadt 1976.

Joseph Haydn, „Armida": Arie des Ubaldo „Dove son? Che miro intorno" (Arie Nr. 8 b, 1. Akt, Szene IV).

Werner Felix

Johann Sebastian Bach – Leipziger Wirken und Nachwirken[*]

Seit Jahren tritt in der Bachforschung zunehmend das Bemühen hervor, die Lebens- und Kunstwirklichkeit, die mit dem Namen Johann Sebastian Bachs verbunden sind, in ihrer geschichtlichen Eigenart, in ihren Zusammenhängen tiefer zu erfassen. Zum ersten Male wird dazu ein Kolloquium der komplexen Durchleuchtung seines Leipziger Wirkens und Nachwirkens gewidmet.

Die hiesigen Jahre Bachs waren reich an Werken, die Entwicklungen abschließen und eröffnen, reich an scheinbaren und realen Gegensätzen künstlerischer Orientierung und Haltung, an sozialen, beruflichen, personalen Vorgängen und an Spannungsfeldern. Sie sind noch heute reich an offenen Fragen. Es war eine Zeit, über die schon viel Abschließendes gesagt worden zu sein schien. Wenn aber die Bachforschung eine Erfahrung gemacht hat, dann wohl die, daß es mit abschließenden Festschreibungen seine eigene Problematik hat.

Es ist notwendig geworden, manche Vorstellung über die Leipziger Zeit Bachs zu überprüfen. Wissen wir genug über die Umstände seines hiesigen Lebens, über sein Verhältnis zur Stadt und ihrem Rat, zur Kirche und ihren Repräsentanten, zur Universität, zu Freunden und Kollegen, und zwar nicht nur punktuell, sondern prozessual und komplex? Sehen wir die Leipziger Musikszene, in der Bach gestanden und gearbeitet hat, mit ausreichender Genauigkeit und Objektivität? Kennen wir genug von dem, was die Bedingungen seiner Arbeit mit den Thomanern und an der Kirche bestimmt hat? Befinden wir uns nicht auch heute noch in der Gefahr, Einzelnes für das Ganze zu halten? So, wie in bezug auf die Freilegung vieler Zusammenhänge über die Entstehung und Entwicklung von Werken, über die Identifizierung von Schreibern etc. aus der sorgfältigsten Durcharbeitung der Quellen und Überlieferungen immer neue Einsichten erwachsen, so gilt es auch vorzugehen, um die Umstände und Bedingungen seines Lebens und Wirkens noch besser zu verstehen. Es zeigt sich, daß aus dem, was die Erschließung der vorliegenden Dokumente und die Analyse der kompositorischen Vorgänge in Bachs Schaffen uns an Wissen vermitteln, eben zugleich jene Fragen auftauchen, die das Bemühen um die komplexe Erfassung Johann Sebastian Bachs stimulieren: die Fragen nach dem inneren Bezug zwischen dem Menschen und dem Musiker (eine Trennung, die hier nur hypothetisch vorzunehmen ist, weil sie in praxi nicht existiert hat), die Frage nach dem Zusammenhang zwischen Bach und seiner geistigen und realen Umwelt, seinem Umfeld, seiner Wirklichkeit. Diese Frage steht wenigstens doppelt, in dem Sinne nämlich, daß Bach durch diese Welt geprägt und beeinflußt wurde, jedoch auch im Sinne seiner Wirkung auf diese Welt. Alles, was z. B. mit seiner Nachwirkung zusammenhängt, wäre ein Teil dieser Frage.

Es gehört zu den Unerläßlichkeiten unserer Arbeit, die Quellen immer wieder zu befragen, vorliegende Antworten abermals zu prüfen, die Strenge objektiver Sachverhalte freizulegen, die verläßliche Auskunft über den Menschen, seine erhaltenen Werke und die ihn berührenden Dokumente geben. Der Mensch besteht aber nicht nur aus den hinterlassenen Werken und nicht alles, was ihn betrifft, ist dokumentarisch überliefert. Von den „weißen Flecken" ist mehr als einmal und zu Recht gesprochen worden. Dennoch: Werke und Dokumente verkörpern, auch in bezug auf Bach, einen Teil seiner selbst und im besten Falle einen bestimmenden Teil, das Essentielle. Aber noch niemand hat ein Dokument oder ein Werk nur aus sich selbst heraus erklärt, verstanden, sich angeeignet. Es steht vielmehr immer und mit Notwendigkeit die Frage des eigenen Denkansatzes. Sie entscheidet darüber, in welches Verhältnis zum Dokument oder zum Werk wir zu treten vermögen. Sowohl geschichtliche Erschließung als auch ästhetische Aneignung oder musikalische Realisierung ist ja u. a. eine Frage des Inbeziehungsetzens.

---

[*] Eröffnungsreferat zum Wissenschaftlichen Kolloquium Leipzig 1981.

Werner Neumann hat in seinem Marburger Referat, ausgehend von der Analyse vokaler und instrumentaler Gestaltungsvorgänge, Bachs Leipziger Leistung „als Widerspiegelung jener grandiosen Verschmelzungsaktion" bezeichnet, „die Bach mit faszinierender Folgerichtigkeit in der Leipziger Endstation seines Weges vollzog, indem er die künstlerischen Belange des traditionsverpflichteten Kantorats und der freien, progressiven Kapellmeisterschaft zur Synthese des modernen Berufsbildes Kantor und Kapellmeister"[1] führte. Er kommt zu der Schlußfolgerung, dies sei „zweifellos eines der fesselndsten musiksoziologischen Phänomene der deutschen Künstlergeschichte"[2]. Werner Neumann stellt einen Vorgang dar, der bis in das Wesen der Bachschen Persönlichkeit reicht, bis in die Basis seines Musikdenkens, seiner Konzeption von Musik.

Woraus ergaben sich die Notwendigkeiten zur Verschmelzung? Wo lagen die Wurzeln ihrer Folgerichtigkeit? Indem er die musiksoziologische Seite anspricht, wird notwendigerweise die Frage nach dem Zusammenhang des Menschen und des Musikers oder Komponisten gestellt. Damit wird nolens volens der Schritt vom Individuum zur Societas vollzogen.

Es waren nicht nur die von Bach allein, autonom bestimmten Umstände, die den Schritt zur Verschmelzung jener beiden musikalischen Führungsgrößen bewirkten. Sie haben zwar Bachs eigenes Leben und Schaffen entscheidend geprägt, aber sie mußten neben ihm in qualitativ unterschiedlicher Weise auch von anderen bewältigt werden. Es war eine historisch herangereifte Stufe, auf der vereinigt wurde, was vordem künstlerisch und sozial stärker getrennt gewesen war. Ergaben sich daraus nicht gerade jene in die Zukunft weisenden Anstöße, die weder in der höfischen noch in der kirchlichen Musikpflege allein zu vollziehen gewesen wären? Die Leipziger Gewandhaustradition, in diesen Tagen offiziell 200 Jahre alt, war doch auch ein Ergebnis dieses Vorganges. Die Dialektik des Vokal-Instrumentalen bei Bach ist offensichtlich eine künstlerische Voraussetzung und auch Entsprechung zu diesem Vorgang, und mit Sicherheit nicht die einzige.

In seinen „Gedanken über Bachs Leipziger Schaffensjahre" hat Rudolf Eller die Krisenhaftigkeit herausgearbeitet, die konflikthaften Spannungen, die sich, auch schon in früher ausgeübten Ämtern, aus Forderung und Erwartung gegenüber Bach sowie dessen Intentionen und Verhaltensweisen ergeben hatten.

„Für die beiden Jahrzehnte von 1730–1750 – fast die Hälfte von Bachs gesamter Schaffenszeit – kann deshalb die gängige Annahme, Bachs Tätigkeit als Komponist sei durch Amt und Auftrag bestimmt gewesen, kaum aufrecht erhalten werden . . . Die Krise von 1730 bezeichnet eine Wende, von der an Bach sich vor allem eigene Aufgaben stellte und sich deshalb nicht mehr einem Amtsbegriff einzufügen vermochte."[3] Bezogen auf die Gruppe der Spätwerke fährt er fort: „In allen diesen Werken, in dem Zug zum Sammeln und Bewahren, aufs Eindringlichste aber in dem weitreichend-planenden Schaffen großer zyklischer Werke äußert sich vielmehr ein Selbstverständnis als Künstler, das nicht nur die Grenzen von Amt und Auftrag, sondern auch der Zeit überschreitet und den Blick auf die Nachwelt einschließt."[4]

Ganz offensichtlich zielt Eller hier auf eine andere Erscheinungsform jenes Vorganges, den auch Werner Neumann im Auge hat. Ein Vorgang mit einer spannungsvollen sozialen Grundlage. Bach vollzog, was Eller beschreibt, hier in Leipzig als bürgerlicher Musiker im sich wiederholenden Konflikt mit seiner Stadtregierung (dem Rat), mit seinem Rektor und seinen Kirchenoberen sowie in der nicht ganz unbegründeten Hoffnung möglicher Hilfe durch den sächsisch-polni-

1 Werner Neumann, Das Problem „vokal-instrumental" in seiner Bedeutung für ein neues Bachverständnis, in: Bachforschung und Bachinterpretation heute. Wissenschaftler und Praktiker im Dialog. Bericht über das Bachfest-Symposium 1978 der Philipps-Universität Marburg, herausgegeben von Reinhold Brinkmann, Kassel etc. 1981, S. 84.
2 Ebda.
3 Rudolf Eller, Gedanken über Bachs Leipziger Schaffensjahre, in: Bach-Studien 5, Leipzig 1975, S. 19.
4 Ebda.

schen Souverän in Dresden. Niemand von den Einflußreichen oder Mächtigen in diesem Leipzig, nicht im Rat, nicht an der Thomana oder im Konsistorium hatte eine echte Zuständigkeit in Bachs Profession. Er hatte sie allein, und man muß wohl hinzufügen, er hat das selbst auch so eingeschätzt. War das nicht eine wesentliche Quelle seines Selbstbewußtseins?

Aber er war kein Heros, sondern ein Mensch in seinem Widerspruch. Er hatte erfahren müssen, daß auch im bürgerlichen Lebensraum keineswegs jene Gleichheit von Denken und Glauben, Verhalten, Besitzen und Entscheiden bestanden hat, die eine nachträgliche und oberflächliche Berufung auf die bloße Klassenzugehörigkeit so leicht inauguriert. So hat er, die Dokumente weisen es nach, seine Position mit Taktik, auch mit Winkelzügen, mit dem Blick auf einen vorteilhaften Ausgangspunkt zur Durchsetzung seiner Interessen, mit hartnäckigem Beharren und dem nicht ganz erfolglosen Versuch verteidigt, den nach seiner Maßgabe Verständnislosen in Leipzig eventuell mit kurfürstlich-königlicher Autorität beizukommen.

Ist nicht gerade diese Verhaltensweise ein wirklicher Spiegel der Lage, in der sich das Bürgertum in jenen Jahrzehnten hier in Sachsen befunden hat? Entspricht das nicht haargenau der gesellschaftsgeschichtlichen Konstellation? Und Bach verbindet damit, was Blume[5] und Eller[6] als „Zug zum Sammeln und Bewahren" bezeichnen und Eller als weitreichend-planende Disposition seines Schaffens.

Der Enge, ja der Sturheit, aber auch dem rationalen Kalkül im Kampf gegen Unverständnis in den eigenen Reihen (aber nicht nur da), entspricht in der dialektischen Umkehrung jener Schritt zur großen Konzeption, zum Überschreiten herkömmlicher Grenzen der Technik des Komponierens, von Gattung, Stil und ästhetischer Beziehung zur Musik. Solches Maß an konflikthafter und widerspruchsvoller Selbstverwirklichung hat seine historische Dimension. Es steht nicht über den Zeiten und ihren Ordnungen, sondern in ihnen. Gerade dadurch wird es so bewundernswert.

Es scheint mir im Gedanken an Rudolf Ellers Darstellung eine Relativierung angebracht: Wenn der Kantor und der Kapellmeister in bloße Polarität geraten, entsteht eine Kluft zu den Werken, die Werner Neumann nicht hat entstehen lassen, indem er auf die Synthese, auf die Kraft zur Verschmelzung hingewiesen und sie im Komponiervorgang als reale geistige Position Bachs auch nachgewiesen hat.

Es ist problematisch, einzelne Dokumente herauszugreifen und als fixierte Positionen biografisch weitreichend zu bewerten. Daraus kann sehr leicht eine Verzeichnung oder Überspitzung entstehen. So bleibt im Hinblick auf Rudolf Ellers Darstellung durchaus zu fragen, ob der Erdmannbrief oder der „Kurtze Entwurff" wirklich nur als Dokumente einer Krise gelten können, ob sie die ganze Wahrheit zum Ausdruck bringen, ob sie das überhaupt sollten? Eingaben, Bewerbungen etc. enthalten doch, und warum soll das bei Bach anders gewesen sein als noch heute, eine zweckorientierte Informationsauswahl. Ich vermag, bei aller Würdigung der Bachschen Interessen, Erfahrungen und Forderungen, nicht zu dem Schluß zu kommen, daß dieser Leipziger Rat mit der Kennzeichnung als „eine wunderliche und der *Music* wenig ergebene Obrigkeit"[7] wirklich umfassend und objektiv charakterisiert worden ist. Die Gesamtvorgänge um Bachs Berufung z. B. deuten doch zumindest ein gewisses Interesse an Qualität, Leistung und Verantwortung an. Wenn man die Fakten der erhaltenen Dokumente allseitig berücksichtigt, dann hat es der Rat wohl nicht nur darauf angelegt, dem Kantor Bach Querelen zu bereiten. Andererseits ist den von Bach im „Kurtzen Entwurff" dargestellten Problemen hier in Leipzig auch schon eine Tradition eigen gewesen. Man kann in den Eingaben von Kuhnau Hinweise finden, die eine klare Vorläuferfunktion zu den Problemen Bachs aufweisen.

5 Friedrich Blume, Umrisse eines neuen Bachbildes, in: Syntagma musicologicum, Kassel etc. 1963, S. 478.
6 Eller, a. a. O., S. 19.
7 Dok I, Nr. 23, S. 67.

Es muß in diesem Leipzig um 1730, mit seinen ca. 35 000 Einwohnern und einer Fläche, die im wesentlichen vom heutigen Ring umschlossen ist, das in mehreren Kirchen ein entwickeltes Musikangebot offerierte und verschiedene Formen des geselligen Musizierens mit Übergängen zum öffentlichen Konzert aufzuweisen hatte, auch so etwas wie musikalische Konkurrenzwirkungen gegeben haben. Dabei ist neben den Wirkungsstätten Bachs der Blick vor allem auf die Neue Kirche zu richten, deren musikalische Aktivitäten übrigens auch vom Rat der Stadt unterstützt worden sind. Unter den Augen dieses Rates vollzog sich zu Bachs Lebzeiten, zwar auf privater Grundlage, aber doch mit einer öffentlichen Wirkung, die Gründung des „Großen Konzerts". Bachs eigene Arbeit mit dem Collegium musicum hatte dazu deutlich wegbereitende Wirkung. Solche Faktoren müssen in die Darstellung der Leipziger Zeit stärker integriert werden. Es könnte sich daraus wohl ergeben, daß die so weitreichende Krisendarstellung Rudolf Ellers zu relativieren wäre.

In Bachs unmittelbarem Wirkungskreis an der Thomasschule entstand mit dem Amtsantritt des Johann August Ernesti eine sich zuspitzende Konfliktsituation zwischen der Tradition der Musikausübung als wesentlicher Bestandteil der Erziehung und Bildung sowie von beträchtlicher Öffentlichkeitswirkung und dem neuen Bedürfnis nach einer verstärkten Wissenschaftsvermittlung. So gerieten der Kantor und sein Rektor in einen Zwiespalt von durchaus modernem Zuschnitt, der sich ja in anderer Form für Bach später noch einmal mit der Biedermann-Polemik aufgetan hat. Der Konflikt Ernesti–Bach–Rat bedurfte zu seiner Lösung des Kompromisses. Dieser aber hätte wohl einen weiter geöffneten Blickwinkel der Kontrahenten zur Voraussetzung haben müssen. Eben der konnte in der vorhandenen Konstellation nicht gefunden werden. Hier wirken im Denken und Verhalten sicher nicht nur Fachegoismus, aufführungspraktische Erfordernisse, Selbstbehauptung im Amt und kommunale Raison, sondern es traten ohne Zweifel auch die Langzeitwirkungen der deutschen Zustände hervor, die seit über 100 Jahren mit ihrem Partikularismus der rascheren Entwicklung eines Weitwinkel-Bewußtseins im Wege gestanden haben. Wir kennen doch diese Probleme aus den Erfahrungen unserer Geschichte noch bis in die Gegenwart. Wahrscheinlich muß man sagen, Ernesti stand in erster Linie nicht *gegen* Bach, er stand *für* seine Wissenschaft und für sein wissenschaftsbezogenes Erziehungsideal. Bach hatte seinerseits allen Grund, sich als Musiker anzusehen, der seine Profession mit keinem geringeren Anspruch betrieben hat als Ernesti die seine. Was Christoph Wolff in seinem Marburger Referat als den „Stilpluralismus"[8] bei Bach bezeichnet hat, diese Spannweite von Stile antico bis zur modernsten Kantabilität, das hatte ja jene universale und enzyklopädische Orientierung zur Voraussetzung, der sich Bach für seine Person wohl bewußt war, von der aber Ernesti, auf Bach bezogen, kaum eine Vorstellung gehabt haben dürfte. Freilich möchte ich den Begriff Stilpluralismus bei Bach modifizieren. Die Spezifik seiner künstlerischen Leistung ist mit Sicherheit weniger durch stilistischen Pluralismus als vielmehr durch das gekennzeichnet, was Werner Neumann eine Verschmelzungsaktion nennt. Dieser Vorgang entspricht den. von Christoph Wolff bekräftigten enzyklopädischen kompositorischen Bemühungen Bachs, denen ja letztendlich ein synthetisches Moment innewohnt. Dies aber steht ohne Frage mit der kompromißlosen professionellen Orientierung[9] Bachs im Einklang, die ja gerade in der gegebenen historischen Situation von so weitreichender Konsequenz sein mußte.

Es ist unumgänglich, daß wir dieses Leipzig der Zeit Bachs in seiner Vielfalt und in seinen Veränderungen erfassen: Was für Bach unerläßlich, ist für den komplexen Raum seines Wirkens billig. In seiner Lessinglegende hatte Franz Mehring schon 1893 über das Leipzig der letzten 40er Jahre, der Studienzeit Lessings in Leipzig, geschrieben: „Leipzig war damals nicht nur die geeignetste, sondern geradezu die einzige deutsche Stadt, wo ein Sprößling der bürgerlichen

---

8 Christoph Wolff, Probleme und Neuansätze der Bach-Biographik, in: Bachforschung und Bachinterpretation heute, a. a. O., S. 30.
9 Ebda.

Klassen eine handvoll Lebensluft schöpfen konnte . . . Die Universität bot dem jungen Lessing zwar mehr, als jede andere deutsche Hochschule geboten haben würde, und was er ihren frischeren Kräften, den Philologen Ernesti und Christ, dem Mathematiker Kästner verdankte, ist in seiner späteren Entwicklung wohl erkennbar . . . Auch an dieser Universität herrschte noch eine verstaubte und vertrocknete Gelehrsamkeit vor . . . die schöne Literatur bot einstweilen den einzigen Kampfplatz, auf dem die bürgerlichen Klassen um ihre soziale Emanzipation ringen konnten."[10]

Längst ist sicher, daß wir Mehrings letztgenannte Feststellung erweitern und auf die Musik, auf das Wirken Bachs hinweisen müssen, das in jenen Jahrzehnten die deutsche Literatur noch weit hinter sich gelassen hatte. Hier berühren sich Bach und Leipzig abermals im Sinne jener Komplexität, deren Freilegung zugleich das Verständnis für den Zusammenhang befördert. Können wir dazu beitragen, Wirken und Nachwirken Bachs in Leipzig gleichsam tomographisch zu erfassen, es in vielen Längs- und Querschnitten zu analysieren, die uns die Möglichkeit zum besseren Nachvollzug der inneren und äußeren Vorgänge eröffnen, so kommen wir dem näher, was das Anliegen unserer gemeinsamen Arbeit ist: Die Erscheinung, ihre Wirkung und Nachwirkung in einer unseren Bedingungen gemäßen Synthese zu erfassen und den eingeschlagenen Weg mit Stetigkeit weiterzugehen.

---

10 Franz Mehring, Die Lessinglegende. Zur Geschichte und Kritik des preußischen Despotismus und der klassischen Literatur, Berlin 1953, S. 267 ff. und S. 271 ff.

Walter Gerstenberg

Zum Cantus firmus in Bachs Kantate

Es liegt uns fern, den verborgenen Kräften und Strömungen nachzugehen, die in der Geschichte der Künste wirksam sind und dort ihre historisch gültigen Gestaltungen finden. Der vielberufene Rhythmus der Generationen, den man hierfür wohl verantwortlich gemacht hat, bietet eher Beschreibungen als Erklärungen. Dabei ist an Wilhelm Dilthey zu erinnern, für den Verstehen die eigentliche Aufgabe der Geisteswissenschaften gewesen ist.

Wie also soll man es verstehen, daß gerade Bachs Musik, in einer Zeit, deren säkularisierte geistige Grundlagen unübersehbar sind, im Musikleben unseres Jahrhunderts einen nie zuvor geahnten Aufstieg genommen hat? Über öffentliche Aufführungen Bachscher Musik in den Jahren 1911—1917 geben die Verzeichnisse Auskunft, die in den „Bach-Jahrbüchern" IX (134 bis 146), XI (171—220), XII (170—198) und XIII (36—62) erschienen sind. Auch bei flüchtiger Durchsicht dieser Listen wird deutlich, welche Gebiete seiner Kunst damals im Vordergrund des Interesses gestanden haben.

Gleichsam am Rande dieses Spiegels scheint, ungewiß und ohne schärfere Konturen, das Bild der Kantate auf. Heute berührt es seltsam, daß es oft genug einzelne, aus ihrem Zusammenhang herausgelöste Arien sind, die man auf den Konzertprogrammen findet. Wenn die Bach-Forschung und die Pflege seiner Musik in diesem Jahrhundert neue Wege beschritten, die zu einer Wende geführt haben, so können dafür mehrere, einander ergänzende Gründe angeführt werden. Von außen gesehen sind es einmal die planvollen, allwöchentlich stattfindenden Aufführungen der Kantaten, die Karl Straube als Leipziger Thomaskantor in den Jahren 1931—37 dort veranstaltet hat, und zwar, und dies ist etwas entscheidend Neues, mit Hilfe des mitteldeutschen Rundfunks. Diese Übertragungen, damals ganz ungewohnt, haben sich in der Folge eine Art Heimatrecht in den Programmen der deutschen Rundfunkanstalten erworben, das man nicht unterschätzen sollte. Jedenfalls haben sie die Kenntnis der Bachschen Kantate, zumal auch die Schallplatte bald ihr Interesse anmeldete, in einem Maße und Umfang verbreitet, die man sich heute kaum noch vorstellen kann. Seitdem ist man sich mehr und mehr bewußt geworden, damit bis dahin kaum erkannte zentrale Bereiche der Bachschen Kunst sozusagen entdeckt zu haben.

Als im Jubiläumsjahr 1950 der langgehegte Plan, die in den Jahren 1851—1899 erschienene Gesamtausgabe der Bachschen Werke durch eine neue zu ersetzen, Wirklichkeit zu werden begann, kam ein weiterer Anstoß hinzu; in der Folge sollte ihr Zusammenwirken berufen sein, der gesamten Bach-Forschung ein neues Fundament zu geben. Gleichzeitig machte das Erscheinen des Bach-Werke-Verzeichnisses von Wolfgang Schmieder erneut einen Hauptmangel der bisherigen Forschung eindringlich sichtbar: für Bach fehlte — anders als etwa für Heinrich Schütz, aber auch Mozart und Beethoven — eine hinlänglich gesicherte Chronologie. Hatte man sie bis dahin überhaupt vermißt, so besonders auch auf dem Gebiete der Kantate. Schmieder registriert regelmäßig anhand der Literatur den bisherigen Stand der Forschung. Wie wenig gesichert er war, erweisen diese Angaben, beinahe Seite für Seite. Verwirrend kam hinzu, daß die „alte" Bach-Gesamtausgabe die Kantaten äußerlich gezählt hatte, nämlich nach der Reihenfolge des Erscheinens in ihrer Edition, ohne jeden Anspruch auf eine chronologische Ordnung. In dieser Grundfrage haben seit dem Jahre 1958 die Forschungen von Georg von Dadelsen und Alfred Dürr zu Antworten geführt, die wahrhaft umstürzenden Charakter haben. Über die Methode, die dahin geführt hat, ist hier nicht zu referieren; es ist selbstverständlich, daß ihre Ergebnisse auch Widerspruch gefunden haben. In dem Vierteljahrhundert, das seitdem vergangen ist, sind, wenn wir recht sehen, diese Stimmen allmählich verstummt — und dies, obgleich alle Konsequenzen aus dieser Chronologie, wie es scheint, noch längst nicht gezogen werden konnten.

Unzweifelhaft hat die Erkenntnis der Bachschen Kirchenkantate bisher am meisten daraus gewonnen. Im extremen Fall des Choralkantaten-Jahrgangs (1724–25), der nach dem Vorbild Philipp Spittas und Friedrich Smends in der gesamten Bach-Literatur als Teil des Spätwerkes angesehen und so interpretiert worden ist, ergibt sich eine zeitliche Verschiebung um beinahe zwei Jahrzehnte (zum Vergleich: als ob Beethovens Opus 2 in die Entstehungszeit der Hammerklaviersonate fiele!).

In den Umrissen des veränderten Bildes, das wir seitdem von der Bachschen Kantate gewonnen haben und das sich zunehmend zu festigen beginnt, zeichnet sich, quer durch den Reichtum der Formen, in denen es sich verwirklicht, die unvergleichliche Bedeutung des protestantischen Kirchenliedes ab. Da dieses in der Literatur, einigermaßen mißverständlich, verbreitet „Choral" genannt wird, folgen wir diesem Brauch, zumal er, auf der anderen Seite, ja auch für *eine* Wurzel seiner Herkunft zutrifft. Wie es auch sei, schon dem Umfang nach – in der alten Gesamtausgabe füllen die Kantaten mehr als die Hälfte aller Bände – nimmt Bachs Kantate seit Arnstadt, Mühlhausen und Weimar wenigstens im ersten Jahrzehnt seiner Tätigkeit in Leipzig einen einzigartigen Raum ein, und zwar dies in mehrfachem Verständnis des Begriffes. Allein diese Tatsache widerlegt die absurde, auf verschiedenartige Quellen zurückgehende trübe Meinung, für Bach sei der Kirchendienst in Leipzig mehr oder weniger eine Fron gewesen.

Wer also, einerlei ob Kenner oder Liebhaber, tiefer in Bachs Kantate eindringen möchte, muß dazu als erstes eine gründliche Kenntnis des protestantischen Chorals und des Corpus seiner Melodien mitbringen. Natürlich schließt diese Forderung eine Bekanntschaft mit den zugehörigen Texten ein, gleich, welcher Rang ihnen im einzelnen zukommen mag. Bedenkt man diesen Zusammenhang, der dem Alternatim-Musizieren von Chor und Orgel im Jahrhundert der Reformation zugrunde liegt und der vielleicht für das Entstehen konzertanter Musizierstile im Frühbarock fruchtbar werden sollte, dann mag von einem Wort des Michael Praetorius, das sich im Vorwort seiner „Polyhymnia Caduceatrix" (1619) findet, ein weithin erhellendes Licht ausgehen. Praetorius schreibt: „Es ist und bleibet Gottes Wort, auch das da im Gemüt gedacht, mit der Stimme gesungen, auch auf Instrumenten geschlagen und gespielet wird."[1] Man muß diesen Satz aufmerksam lesen, um seines Gewichtes und seiner epochalen Bedeutung innezuwerden. Speziell auf Bach und die Musikanschauung des Protestantismus bezogen, postuliert er Identität der vokalen und instrumentalen Musik, soweit sie sich auf einem Cantus firmus erhebt, von dessen Ausführung oder Zitat sie ihren Ausgang nimmt. Nach Herkunft und Geschichte gehört der Terminus Cantus firmus dem strengstimmigen Satz zu, vor allem in seinem Rahmen vermag sich anfänglich die Kunst der Choralbearbeitung zu entfalten.

So gesehen, könnte man die „Idee" der Bachschen Kantate geradezu eine universale Choral-Phantasie nennen. Ihr anspruchsvoller Aufführungsapparat schließt Chor und Orchester, weiter solistische Partien von Instrumenten und Singstimmen ein. Mit ihren Mitteln und in ihrer Sprache dienen sie dem Ziel der Kantate, die liturgische Feier der Kirche in der ihr eigenen Weise zu reflektieren, sie auszugestalten und zu überhöhen. Derart überschneiden sich in der Cantus-firmus-Musik verschiedene Prinzipien, sie verkörpern bestimmte Gehalte in gestufter Ordnung. Unwillkürlich fühlt man sich an Thomas von Aquin erinnert, für den Integritas, Proportio und Claritas Attribute des Schönen im Kunstwerk gewesen sind.

In jenem Teil der Bachschen Orgelmusik, der für den Gottesdienst bestimmt ist, hat die Choralbearbeitung eine vergleichbare Stellung: die Orientierung am Cantus firmus ist dafür klingendes Symbol. Hier wie dort scheinen Fülle und Reichtum der musikalischen Formen und Satztechniken fast unerschöpflich. Die sog. „Schüblerschen Choräle", BWV 645–650, bekanntlich Übertragungen von Kantatensätzen, betonen die partielle Übereinstimmung von Kantaten- und

---

1 Gesamtausgabe der musikalischen Werke von Michael Praetorius, herausgegeben von Friedrich Blume, Band XVII, Wolfenbüttel und Berlin 1930, S. VII.

Orgelmusik, wenn ihr Titelblatt ausdrücklich die „verschiedene Art", den Choral auf der Orgel wiederzugeben, hervorhebt.

Versucht man, die Erscheinungsformen des Chorals in der Kantate behutsam zu klassifizieren, weiterhin aber daraus Schlüsse auf das Zeitmaß ihres Vortrages zu ziehen, ergibt sich in den Hauptlinien etwa das folgende Bild: als vierstimmiger Vokalsatz beendet der Choralgesang, an dem sich vielleicht auch die Gemeinde beteiligt[2], „in stylo simplici" nahezu regelmäßig eine jede Kantate; anders die anderen Sätze, wenn sie die vollständige Liedmelodie, vielfach ihre einzelnen Zeilen durch Pausen trennend, meist einstimmig, vokal oder instrumental, mit einer Arie, einem polyphonen Chorsatz oder, weit seltener, einem Rezitativ kombinieren; zuweilen bleibt dabei die Priorität in der Schwebe, die Frage also, ob die Arie (oder ein anderes Gesangsstück) den Choral interpretiert oder ob, umgekehrt, ein Cantus prius factus — diese Bezeichnung beim Wort genommen — zu einem in sich geschlossenen, abgerundeten Satz hinzutritt; gehören beide „parallelen" Tonarten an, so grenzen sich ihre Bereiche um so klarer voneinander ab[3]. Dieser Vergegenwärtigung des gesamten Cantus firmus tritt eine zweite Maniera, auf seine Stimme zu hören, an die Seite, gemeint ist das partielle Zitat. In mehrfacher Art kann es in der Kantate erscheinen. Begriff und Vorstellung von Cantus firmus und modernem Thema sind geschichtlich miteinander verbunden, ihre Quellen liegen nahe beieinander: so wird es möglich, aus einer Liedmelodie, und zwar meist aus ihrem Beginn, ein Thema zu gewinnen, das als Fuge oder in der Form einer mehr oder minder strengen Imitation einen ganzen Satz durchdringt; moderner — vielleicht sogar eine Bachsche Erfindung? — berührt der seit Weimar häufige „ariose" Ausklang eines Rezitativs, wenn dessen Figuration charakteristische Wendungen der Choralmelodie aufgreift und umspielt[4].

Das hiermit in einigen Grundzügen entworfene Bild ist kaum mehr als eine Skizze. Als solche ist sie einigermaßen „farblos", nämlich abstrakt, und läßt beispielsweise das Kolorit der Instrumente, aber ebenso das Spiel von Licht und Schatten — das nach barocker Auffassung ständig ihrer Natur nach über jeder Musik liegt — unberücksichtigt. Unabhängig von den verschiedenartigen kompositorischen Erscheinungsformen wohnt dem Choral ein normatives mittleres Zeitmaß inne, überzeugender Ausdruck seiner „aequalen" Deklamation. Zur „Natürlichkeit" des musikalischen Vortrags, die Musiker und Theoretiker seit dem 16. Jahrhundert immer wieder betont haben, gehört, daß ihm die Gesetzlichkeit einer proportionalen Ordnung, von der bereits die Rede gewesen, eingeboren ist. Daß Bachs Musikanschauung noch immer in historisch gewachsenen Theorien und Praktiken musikalischer Zeitordnung wurzelt, haben neuere Untersuchungen zu erweisen versucht. Nur an einige weiterführende Beobachtungen sei erinnert. Seit alters ist das gesamte System unserer Notenschrift proportional geschichtet. Diese Architektur ragt partiell in die Musik des 18. Jahrhunderts hinein, auch wenn ihre inneren absoluten Maße mit dem Ende des Barocks zunehmend relativiert, gewissermaßen „liberalisiert" werden. Während die einzelnen „Stile" der Musik auch in charakteristischen Notenbildern ihren Ausdruck finden, lockert sich allmählich das System. Es drängt sich die Vorstellung auf, nicht zuletzt beruhe die Größe der Bachschen Kantate auch darauf, daß sie in später Stunde drei große Tempo-Traditionen fruchtbar zusammengeführt habe[5]: einmal die Idee einer mensural fixierten Polyphonie im Stilus gravis, dann die individuell gelockerten Bewegungsformen der Tänze[6], endlich, ganz an

2 Vgl. Rudolf Wustmann, Konnte Bachs Gemeinde bei seinen einfachen Choralsätzen mitsingen?, in: BJ 1909, S. 102–124.

3 Vgl. hierzu auch Bach-Interpretationen, herausgegeben von Martin Geck, Göttingen 1969, S. 124 f.

4 Als Prototyp eines ausführlichen Arioso ist aus der „Johannes-Passion" Nr. 19 „Betrachte meine Seel" zu nennen; in BWV 116 „Du Friedefürst, Herr Jesu Christ" spielt selbst der Basso continuo in Rezitativ Nr. 3 die diminuierte Hauptmelodie an.

5 Vgl. die Ausführungen des Verfassers auf dem Kongreß der Gesellschaft für Musikforschung 1948 in Rothenburg ob der Tauber, in Helmuth Osthoffs Bericht, in: Die Musikforschung 1, 1948, S. 63.

6 Vgl. Doris Finke-Hecklinger, Tanzcharaktere in J. S. Bachs Vokalmusik (= Tübinger Bach-Studien 6), Trossingen 1970.

den Sprachduktus des Rezitativs gebunden, die affektuose Deklamation eines Secondo tempo (wie man im Anschluß an Monteverdi sagen könnte). Daß die einzelnen Klassen dieses Systems zugleich jeweils ein besonderes Verhältnis zur allgemeinen Satzstruktur, insbesondere zur Funktion des Basses, haben, ist sicher.

Umschließt eine innere Einheit beide Sphären der Bachschen Musik, die geistliche und die weltliche[7], so hat dieser Kosmos in der kirchlichen Musik im Choral einen eigenen Mittelpunkt, auf den zahlreiche kunstvolle Ausformungen zurückweisen. Das gebundene Spiel des Figurenwerks, das von Variation zu Variation wechselt, bestätigt in einigen, mit Sicherheit aus der Frühzeit Bachs stammenden Orgel-Partiten traditionell die überragende Stellung dieses Themas, eben eines Chorals. Ohne weiteres ließe sich diese Beobachtung auf Kantaten, die einem ähnlichen Prinzip folgen, übertragen. Im weiteren Sinne kann sie vielleicht allgemein als ein Regulativ der Kantate gelten, wenn deren Eigenart darin besteht, in diesem oder jenem Grade choralthematisch konzipierte Sätze mit solchen zu reihen, die mehr oder minder choralfrei verlaufen. Es wäre verlockend, diesen Gedanken auf die gottesdienstliche Bestimmung der Kantate überhaupt auszudehnen: dann erschiene sie im Medium der Musik als eine die Einzelsätze überformende Variation der Perikopen und der daran anknüpfenden Lieder.

Trifft dies zu, so fällt neues Licht auf die dem Protestantismus wesenseigene Verbindung von Contio und Cantio[8]. Wie das erklärende und auslegende Wort des Predigers alle Gläubigen angeht, sich zugleich an hoch und niedrig wendet, ehe es in der Gemeinschaft eines Gebetes endet, ähnlich führt die textinterpretierende und -paraphrasierende Kantate den Hörer über Stufen und Stationen der Einzelsätze zu einem Beschluß, der alles Vorhergehende in dem schlichten Gesang einer Kirchenliedstrophe zusammenfaßt. Dieser Vortrag aber geschieht, mit einem Bachschen Wort, „choraliter"; dabei bleibt offen, ob sich die gesamte Gemeinde am Gesang beteiligt oder stellvertretend lediglich der Figuralchor. Wie es auch sein mag, das Maß des Choralvortrags ruht in sich selbst und ist frei von subjektiver Willkür. Nach Auffassung zahlreicher Musikschriftsteller vom 16. bis 18. Jahrhundert aber ist ein objektivierendes Maß der menschlichen Natur eingeboren, es äußert sich in der Norm des Pulses, die etwa in 60 bis 80 Schlägen in der Minute besteht[9].

Daß eine mit diesen Ziffern umschriebene Tempo-Struktur, frei von extremen Beschleunigungen oder Verlangsamungen, die Grenzwerte der „natürlichen" Deklamation eines simpliciter gesetzten unisonen Gemeindegesanges anzeigt, bestätigt die Erfahrung. Man könnte zugespitzt formulieren: die Geschichte reflektiert die Natur des Menschen.

Einen Schritt weiter schlägt diese Anschauung ungezwungen eine Bresche, die den Aufbau zyklischer Bachscher Formen tiefer zu erschließen vermag. Die kompositorischen Voraussetzungen dieser Linien spiegeln sich in Bachs Notierung und sind daher einzig geschichtlich zu verstehen. In den authentischen Quellen gibt es eine Gruppe von Kompositionen, die in Doppel-Notierung überliefert sind; dazu gehören, zum Teil unabhängig von einem regulären Wechsel der Mensur- oder Taktzeichen, unter anderen die folgenden BWV-Nummern: 536 (Fuge), 656/656a (siehe weiter unten), 661/661a, 893; ferner aus der „Kunst der Fuge", BWV 1080, die Nummern 8–12, 14, 15, 17.

---

7 Siehe Walter Blankenburg, Die innere Einheit von Bachs Werk, Phil. Diss. Göttingen 1940.

8 Auch bei Praetorius a. a. O. findet sich dieses Wortspiel.

9 Vgl. hierzu Paul Horn, Studien zum Zeitmaß in der Musik J. S. Bachs. Versuche über seine Kirchenliedbearbeitungen, Phil. Diss. Tübingen 1954, maschinenschriftlich, S. 23 ff.; eine Liste der Proportionen für den Vortrag des Chorals in den verschiedenen Satzformen verdient besonderes Interesse, a. a. O., S. 156 ff.; ferner die scharfsinnigen Ausführungen von Franz Jochen Machatius, Die Tempi in der Musik um 1600. Fortwirken und Auflösung einer Tradition, Phil. Diss. Berlin-W 1952, Laaber 1977, S. 18 ff.; s. auch Werner Friedrich Kümmel, Puls und Musik (16.–18. Jahrhundert), in: Medizinhistorisches Journal 3, 1968, S. 269 ff.; ders., Der Puls und das Problem der Zeitmessung in der Geschichte der Medizin, a. a. O. 9, 1974, S. 1 ff.

Die Freiheit, dieselbe Musik in abweichender Notierung zu fixieren, ist ein Hinweis darauf, daß auch ihr anscheinend „absolutes" Notenbild mit den Augen historischer Erfahrung gelesen werden muß: entscheidend ist vielmehr die Bereitschaft zu proportionalen Modifikationen eines immanenten Grundtempos. Proportionale, und das heißt zahlhafte Ordnung, bestimmt untergründig die Maße dieser Musik, nicht die Folge frei wechselnder Affekte. Für die plastischen, gleichwohl von drängendem musikalischen Leben erfüllten Ausformungen der Choralmelodien gilt dieser Satz in erhöhtem Grade. Nochmals ist an die Choral-Partiten zu erinnern[10]. Diesen frühen vor-Weimarer Variationsreihen — ebenso aus etwas späterer Zeit den drei Versus von BWV 627 — liegen als Themen zu verstehende Choralmelodien zugrunde: Identität der Grundbewegung und Disposition, sie proportional zu verändern, sind ineinander verwoben. Vor anderen kann dies in BWV 766 „Christ, der du bist der helle Tag" und in BWV 767 „O Gott, du frommer Gott" die jeweils siebte Partita beweisen.

Diesen Orgelwerken steht, sicherlich aus der gleichen Schaffensperiode stammend, die Kantate 4, „Christ lag in Todesbanden", nahe, so daß man sie, wäre dieser Terminus erlaubt, eine Vokalpartita nennen möchte. Traditionell ist im ersten Versus der Portalton „Christ" im Verhältnis 2 : 1/2 übermäßig gedehnt; das Gleichmaß der ♩-Mensur, in dem alsdann die Kernmelodie im Sopran verläuft, wird, sobald das Wort Halleluja ertönt, von einer synkopisch-imitatorischen Verkettung dieses Jubelrufes in allen vier Stimmen abgelöst, die, erfaßt vom Atem einer Allabreve-Bewegung, den Satz zu einem ekstatisch krönenden Abschluß bringt. In Versus IV scheinen zwei Tonarten miteinander zu „ringen": gleichsam als Symbol für den „wunderlichen Krieg" von Tod und Leben, das der Text besingt, transponiert Bach die Choralmelodie um eine Quinte aus der Haupttonart (von e nach h). Die übrigen Versus der Lutherschen Dichtung (also die Strophen 2–3 und 5–8) sind auf die vier Hauptstimmen satztechnisch so verteilt, daß die melodischen Linien des Cantus firmus bleiben, sich jedenfalls ihre Umrisse stets charakteristisch abheben. Strenger noch gilt das Gleiche für den Text, der wortwörtlich erhalten ist. Luthers Osterlied steht am Beginn einer längeren Reihe der für das höchste Fest der Christenheit von Bach komponierten Kantaten.

Sind es auch deren nur einige wenige, die diesen Typus, einzig erweitert durch die Aufnahme biblischer Sprüche, vergleichbar oder annähernd rein verkörpern, so repräsentiert er vielleicht ein Ideal des jungen Bach und könnte Ausgang für eine substantielle Orientierung in die Welt der Kantate sein. Ihre Geschichte legt Zeugnis davon ab, wie auf breiter Front zeitgenössische „madrigalische" Dichtungen eindringen und das textlich geschlossene Gefüge aus Bibelwort und Kirchenlied dialektisch bereichern und — gefährden. In Rezitativ und Arie sollten sie ihre eigene musikalische Sprache finden.

Der wechselseitig literarisch-musikalisch kontrapunktierenden Kombination zahlreicher Bibelworte mit Chorälen verdanken, etwa aus der gleichen Zeit stammend, die Kantaten 106 (Actus tragicus) „Gottes Zeit ist die allerbeste Zeit" und 131 „Aus der Tiefe rufe ich, Herr, zu dir" vor anderen ihren ungemein „strengen" Charakter. Im dritten Satz des Actus tragicus führt die Verheißung „Heute wirst du mit mir im Paradies sein" unmittelbar hin zu den Worten „sanft und stille" (aus der ersten Strophe des Chorals „Mit Fried und Freud ich fahr dahin"); eine unvergleichliche Berührung der beiden Sphären.

Mit der Aufnahme der freigedichteten Texte wandelt sich das Bild; die Kantate wird aktualisiert, sie rückt die Heilsgeschichte sub specie einer Historia tripartita. Zum „alten" Bibelwort, das die Grundwahrheiten des Glaubens ausspricht, und zum Kirchenlied, das ins Reformationszeitalter weist, tritt als dritte Stimme die Dichtung der Gegenwart.

Seit die deutsche Literaturwissenschaft — eine Resonanz der wiederentdeckten Barockmusik? — ein Organ auch für die Poesie der Epoche gewonnen hat, wird man ihr eher gerecht. Un-

---

10 Vgl. BWV 766–768; zu 768 siehe auch Franz Eibner, Die authentische Reihenfolge von J. S. Bachs Orgelpartiten über „Sei gegrüßet, Jesu gütig", in: Österreichische Musikzeitschrift 7, 1952, S. 150 ff.

ter den zahl- und formenreichen Mitteln und Wegen, mit deren Hilfe die Komponisten dichterische Gehalte an die liturgische Bestimmung einer geistlichen Kantate anzuschließen trachten, ragt das Zitat einer Choralmelodie vor allen anderen hervor. Im Sprachgebrauch der Gegenwart hat sich der Begriff „Zitat" abgeschliffen und nivelliert; für die Kantate indes ist ein Zitat weit mehr als eine Erinnerung, nämlich ein Ganzes, das, mit der Autorität der Kirche und ihrer Lehre ausgestattet, so gegenwärtig wird. Hierin liegt die besondere Bedeutung eines instrumentalen Kirchenlied-Zitates, das seinen Sinn erst dann enthüllt, wenn seine textierte Weise eine Kantate choraliter beendet (so in BWV 161 „Komm, du süße Todesstunde"). Ihre Eingangsarie vertieft den Dialog symbolisch: dem modernen C-dur der Solosingstimme tritt, im dreizehnten Takt einsetzend, die kirchentonal phrygische Weise des „Herzlich tut mich verlangen" an die Seite. Wenn sich beim Musizieren des Werkes die Zeitmaße des Choralvortrags in den Ecksätzen entsprechen, wird deren innerer Zusammenhang zwiefach sinnfällig und wächst in eine neue Dimension hinein.

Eine verwandte Tendenz, über die äußere Mannigfaltigkeit der formalen Bausteine hinaus die innere Einheit der Kantate zu wahren, durchdringt das Rezitativ. Mag es dem oberflächlichen Kritiker der barocken Oper, in der es sich Heimatrecht erworben hat, wohl als eine Art „Halbmusik" erscheinen, so besteht auf der anderen Seite kein Zweifel, daß der Begriff „Deklamation" ein Zentrum der geistlichen Musik der Zeit umschreibt. Die Musiktheorie spricht denn auch von „singender Rede" wie von „redendem Gesang", um die Mittelstellung des Rezitativs zu charakterisieren. Die als Arioso bezeichneten Abschnitte haben darin eine eigene Aufgabe und tragen satztechnisch eigene Züge. Bereiten sie hier eine Arie vor, so läßt dort ihre figural konstante Satzanlage, gleichsam eine Vorstufe des Zitats und der Bearbeitung, den episodischen Anklang an die melodischen Linien des Cantus firmus zu. Eine literarisch befestigende Interpolation im Rezitativ kann in der Folge auf die Musik übergreifen.

Daß in BWV 656 der Vortrag des Chorals „O Lamm Gottes unschuldig" trotz des Wechsels im Bilde der Notation und der Mensur in allen drei Strophen sein natürliches Ebenmaß ($\downarrow$. etwa um 72 Pulsschläge) wahrt, wird beim Vergleich mit BWV 656a vollends und überzeugend deutlich (vgl. NBA IV, 2, 43 und 151). In Versus 3 widerlegt die Änderung des 9/8-Taktes in 9/4 jede Erinnerung an eine Gigue-Bewegung und tilgt sie.

Überträgt man diese Erfahrung auf solche Kantaten-Eingangssätze, die bei durchlaufender Choral-Bewegung nach dem Modell der Französischen Ouvertüre gebaut sind — beispielsweise auf BWV 20 „O Ewigkeit, du Donnerwort" —, so ergibt sich für das Verhältnis der Grave-Teile zum Vivace des Mittelsatzes die Proportion einer Sesquialtera. Vielleicht vermag diese Beobachtung über den Einzelfall hinaus einen Beitrag zur Erkenntnis „angemessener" Tempi für Bachs Musik zu liefern und neue Anregungen hierfür zu geben.

Die allgemeine Thematik dieses Aufsatzes hat zuerst Philipp Spitta in seiner Bach-Monographie erkannt. Den gegenwärtigen Stand der Forschung, an den der vorliegende Aufsatz vielfach anknüpft, verdanken wir den grundlegenden Arbeiten von Werner Neumann und Alfred Dürr.

Gerhard Herz

Bach-Quellen in Amerika

Amerika kann einen größeren Besitz an Musik-Autographen J. S. Bachs und anderen Quellen aus des Meisters Schaffen und Leben aufweisen als irgendein anderes Land außerhalb des ehemaligen Deutschlands: der heutigen Deutschen Demokratischen Republik (DDR) und der Bundesrepublik Deutschland (BRD). Ein im Manuskript abgeschlossener Katalog vom Autor dieses Beitrags hat sich zum Ziel gesetzt, möglichst viele dieser in Amerika aufbewahrten kostbaren Dokumente in Abbildungen wiederzugeben und ihre Bedeutung im einzelnen und als kollektives Ganzes darzustellen.

Wie aus einer systematischen Zusammenstellung der amerikanischen Bach-Quellen hervorgeht, befinden sich in den Vereinigten Staaten insgesamt 19 autographe Handschriften, 55 zu Kantaten gehörende Originalstimmen und andere autographe Schriftstücke wie Briefe, Quittungen, Signaturen sowie mindestens ein nach dem Leben gemaltes Ölportrait und Bachs dreibändige Luther-Bibel. Diese Schätze aus Bachs Nachlaß in einer Publikation der Öffentlichkeit zugänglich zu machen, scheint dem Verfasser eine der dringlichsten und naheliegendsten Aufgaben der amerikanischen Bachforschung zu sein.

Die bei weitem eindrucksvollsten der amerikanischen Bach-Quellen sind die schriftlichen Partituren von Kirchenkantaten, nicht nur was ihre Anzahl, sondern auch — wie zu zeigen sein wird — was ihre besondere Bedeutung betrifft. Während über fünfzig originale Stimmensätze von Bachschen Kirchenkantaten als verloren gelten müssen, haben sich etwa 140 erhalten, die meisten in der Deutschen Staatsbibliothek in Berlin, in der Staatsbibliothek Preußischer Kulturbesitz Berlin/West und im Bach-Archiv Leipzig. Amerika besitzt lediglich vier, und die nicht einmal komplett. Obgleich Bach die Stimmen gewöhnlich selbst revidierte, indem er Fehler verbesserte, Tempo-Angaben, dynamische und andere Zeichen sowie die Continuo-Bezifferungen hinzufügte, sind sie nur ganz selten vollständig in des Meisters Handschrift überliefert. Von den 55 in Amerika vorhandenen Stimmen ist nur eine einzige durchgehend autograph, nämlich die Basso-Stimme von Kantate 174.

Allerdings kommt nicht der Aufzeichnung der Stimmen, sondern der Niederschrift der Partitur primäre Bedeutung zu, wenn es darum geht, den Schöpfungsprozeß einer Komposition nachzuvollziehen. (Die musikalische Aufführungspraxis setzt andere Akzente.)

Eine erstaunlich große Zahl von Originalpartituren Bachscher Kirchenkantaten ist in Amerika nachzuweisen. Die autographen Partituren von mehr als 60 Kirchenkantaten sind verschollen. Von den etwa 130, die erhalten geblieben sind, befinden sich 14 sowie ein Kantatenfragment in Amerika, davon neun in New York, verteilt auf vier verschiedene Bibliotheken bzw. Privatsammlungen. Interessanterweise gehörte nicht eine einzige dieser Partituren einst zum Nachlaß von Carl Philipp Emanuel Bach, was durch dessen Nachlaßkatalog eindeutig belegt wird. Die Mehrzahl, vielleicht sogar sämtliche amerikanischen Originalpartituren, waren 1750 in den Besitz von Wilhelm Friedemann Bach gekommen, während Anna Magdalena Bach die meisten der originalen Stimmensätze geerbt hatte, die heute den kostbarsten Schatz des Bach-Archivs Leipzig bilden.

Wir wissen von Johann Nikolaus Forkel und mehreren anderen Zeugen, daß Friedemann das musikalische Erbe seines Vaters nicht mit derselben Sorgfalt hütete wie sein Bruder Carl Philipp Emanuel. Die nicht immer selbst verschuldeten, oft soziologisch bedingten Umstände, die Friedemanns Leben zu einer „via dolorosa" machten, zwangen den 64-jährigen schließlich, die von seinem Vater geerbten Manuskripte versteigern zu lassen. Ein Teil davon wurde 1827 aus zweiter Hand auf einer Auktion in Berlin zum Kauf angeboten. Als Interessent schien Karl Friedrich

Zelter besonders daran gelegen gewesen zu sein, diesen für seine Berliner Singakademie zu erwerben. Er wurde aber von dem Geheimen Berliner Postrat Karl Philipp Heinrich Pistor (1778 bis 1847) überboten und konnte diesen auch am nächsten Tag nicht dazu bewegen, ihm die Bach-Handschriften zum selben Kaufpreis zu überlassen. Pistors Tochter Betty sang schon als junges Mädchen zusammen mit den drei Kindern von Abraham und Lea Mendelssohn im Chor der Berliner Singakademie mit. Felix komponierte sein Streichquartett in Es-dur (Opus 12) für sie und bedauerte in einem Brief an Ferdinand David[1] halb ernst und halb scherzhaft, daß Betty sich mit dem jungen Akademiker Adolf Friedrich Rudorff (1803—1873) verlobt habe[2]. Mendelssohn war anscheinend der erste Musiker, der Bettys Eltern besuchte, um deren neuerworbene Bach-Manuskripte zu studieren. Er fertigte eine Übersicht dieser Sammlung an und erhielt als Belohnung für seine Mühe die autographe Partitur der Kantate 133: „Ich freue mich in dir". Später vermachte Pistor die Bach-Handschriften seinem inzwischen zum Professor der Jurisprudenz avancierten Schwiegersohn Adolf Friedrich Rudorff.

Dieser sah wohl kaum voraus, daß sein Sohn Ernst Friedrich Karl (1840—1916) eines Tages selbst den Beruf eines Musikers wählen würde; denn sonst hätte er die Stimmensätze von sechs Bachschen Kantaten gewiß nicht seinem Freunde, dem Weber-Biographen und Berliner Musikdirektor Friedrich Wilhelm Jähns (1809—1888) überlassen. Ernst Rudorff aber war hochmusikalisch. Seine Mutter sorgte dafür, daß der Fünfjährige Klavierstunden bei seiner Patin Marie Lichtenstein (1817—1890) bekam. Diese war die Tochter von Webers intimem Freund Heinrich Lichtenstein, dessen Korrespondenz mit Weber sie später Ernst Rudorff hinterließ und der sie im Jahr 1900 veröffentlichte. Zweihundertzwanzig Briefe zeugen von der engen Freundschaft, die sich zwischen Clara Schumann und Ernst Rudorff angebahnt hatte, als dieser, 18-jährig, bei ihr Stunden nahm. 1865 übersiedelte er von Leipzig nach Köln, wo er in Ferdinand Hillers Konservatorium als junger Lehrer eintrat und einen höchst erfolgreichen Bach-Verein gründete.

Drei Jahre später engagierte Joseph Joachim, der Ernst Rudorff einst von seiner Bestimmung zum Musiker überzeugt hatte, den Achtundzwanzigjährigen als Leiter der Klavierabteilung der neu-gegründeten Hochschule für Musik in Berlin (1869). Weihnachten 1888 stellte Ernst Rudorff eine Liste von fünf Bach-Kantaten auf, deren autographe Partituren er oder seine Eltern Freunden der Familie geschenkt hatten. Außer Mendelssohn, dem Pistor die Kantate 133 gegeben hatte, erhielt Joachim die Kantate 5 und Philipp Spitta, anscheinend aus Anlaß der Vollendung seiner monumentalen Bach-Biographie, als Weihnachtsgabe im Jahre 1879 die Kantate 10. Nach Spittas frühem Tod im Alter von 52 Jahren (1894) war der Wiener Pianist Paul Wittgenstein eine zeitlang Besitzer dieser kostbaren Handschrift. Während die anderen vier Kantaten, die in so großzügiger Weise an Freunde der Familie Rudorff verteilt worden waren, in Europa geblieben sind, gehört Spittas Kantate 10, das deutsche Magnificat „Meine Seel erhebt den Herren", jetzt zu den wertvollsten Schätzen der Library of Congress in Washington, D. C., ein Geschenk der Mäzenin Mrs. Gertrude Clarke Whittall aus dem Jahre 1948. Die Stimmen von sechs Bachschen Kantaten, die Ernst Rudorffs Vater um 1840 Jähns gegeben hatte und von deren Existenz und Aufbewahrungsort der Sohn versicherte, nichts gewußt zu haben, kehrten nach Jähns' Tod im Jahre 1888 auf Grund des Jähnsschen Testaments an Ernst Rudorff zurück. Dies ist insofern bemerkenswert, als die Hälfte dieser Stimmensätze, nämlich die der Kantaten 168, 174 und 176, sich gleichfalls in Amerika befinden. Nach Ernst Rudorffs Tod im Jahre 1916 erwarb die Musikbibliothek Peters in Leipzig Rudorffs musikalischen Nachlaß und wurde damit zu einer der großen Musiksammlungen Europas. Seit dem Ende des Zweiten Weltkriegs befinden sich die meisten dieser Bach-Handschriften in der Sammlung Hinrichsen in New York.

---

1 Vgl. Felix Mendelssohn Bartholdy. Briefe aus Leipziger Archiven, herausgegeben von Hans-Joachim Rothe und Reinhard Szeskus, Leipzig 1971, S. 129.

2 Vgl. hierzu und zum folgenden Nancy B. Reich, The Rudorff Family, in: Notes. The Quarterly Journal of the Music Library Association 31, 1974, S. 32 ff.

Diese Sammlung besteht aus den autographen Partituren der Kantaten (in chronologischer Folge) 20, 2, 113 und 114, den oben angeführten Stimmensätzen der drei Kantaten, die Jähns an Ernst Rudorff zurückgegeben hatte, und dem Stimmensatz der Kantate 187 – im ganzen 46 Stimmen – sowie der autographen Handschrift des G-dur-Praeludiums und Fuge für Orgel, BWV 541.

Ich hätte mich nicht so ausführlich mit den Bach-Handschriften, die einst Ernst Rudorff gehörten, befaßt, wenn diese nicht gleichzeitig die Frage nach der Provenienz von mindestens 5 der 14 heute in Amerika befindlichen Originalpartituren von Bach-Kantaten beantwortet und darüber hinaus auch die Provenienz der meisten Stimmen erhellt hätten; wie später zu zeigen sein wird, weit über die in der Hinrichsen-Sammlung aufbewahrten Quellen hinaus.

Worin liegt nun die eigentliche Bedeutung der amerikanischen Bach-Handschriften? Nehmen irgendwelche dieser Kompositionen oder Dokumente einen besonderen Platz im Bachschen Oeuvre oder Leben ein? In der Tat erweist sich eine erstaunliche Anzahl von ihnen im wörtlichen Sinne als außergewöhnlich. So ist die autographe Partitur von Bachs erster Kantate, BWV 131: „Aus der Tiefen rufe ich, Herr, zu dir", Privatbesitz einer bekannten Musikerin in New York. Dieses Manuskript stellt die früheste autograph überlieferte Partitur eines größeren Werkes des Meisters dar.

Bachs Weimarer Zeit ist dagegen in Amerika lediglich durch den vierstimmigen Canon perpetuus, BWV 1073, vertreten, den Bach am 2. August 1713 in das Stammbuch (vermutlich) eines Schülers eintrug. Dieser heute in der Harvard University aufbewahrte Kanon ist die erste überlieferte, wenn auch nur kurze Komposition Bachs, die der Meister selbst mit einem genauen Datum versehen hat. Das „Clavier-Büchlein vor Wilhelm Friedemann Bach", das Johann Sebastian am 22. Januar 1720 in Köthen begann – es gehört jetzt zu den kostbarsten Beständen der Bibliothek der Yale University –, ist offensichtlich ein aus dem Besitz von Bachs ältestem Sohn Friedemann stammendes Werk. Das 135 Notenseiten umfassende „Clavier-Büchlein" ist eines der beiden amerikanischen Bach-Manuskripte, die bisher in einer Faksimile-Ausgabe erschienen sind[3]. Das andere ist die Fantasia per il Cembalo in c-moll, BWV 906, deren Faksimiledruck Robert L. Marshall 1976 für die Mitglieder der Neuen Bachgesellschaft herausgegeben hat. Die Originalhandschrift befindet sich im Besitz von Amerikas ältestem Bach-Verein, dem 1900 in der kleinen Industriestadt Bethlehem in Pennsylvania gegründeten Bethlehem Bach Choir, der 1972 das Jubiläum seiner hundertsten Aufführung der „h-moll-Messe" feierte.

Da Carl Philipp Emanuel die Partituren und Duplikatstimmen der Kantaten geerbt hatte, die von Johann Sebastian in seinem ersten Amtsjahr in Leipzig aufgeführt worden waren (obwohl es sich bei diesen nicht nur um Neuschöpfungen, sondern auch um Wiederaufführungen von Weimarer Kantaten handelte), können wir nach den bisher ausgeführten Fakten keine von diesen in Amerika erwarten. Und es befinden sich auch tatsächlich keine von ihnen in den Vereinigten Staaten. Doch ist von Bachs Kantaten des zweiten Leipziger Jahrgangs, deren Originalpartituren und Dubletten Wilhelm Friedemann geerbt hatte, ein wahrer „embarras de richesses" in diesem Lande zu finden. Für Amerika ist es ein glücklicher Zufall, daß es sich bei diesen Kantaten um den sogenannten Choralkantaten-Jahrgang handelt. Die Choralkantate als solche ist oft und mit Recht als Bachs eigenständigster künstlerischer Beitrag zum Genre der Kantate angesehen worden. Ihre Form ist so vollkommen, daß Spitta in ihr Bachs krönende Leistung in seinem steten Ringen um eine Lösung des Kantatenproblems sah und die Entstehungszeit der Choralkantaten daher an das Ende seiner schöpferischen Laufbahn stellte (1735–44). Die neue, auf den Entdeckungen und Veröffentlichungen von Alfred Dürr und Georg von Dadelsen beruhende Chronologie hat die Choralkantaten hingegen als Bachs Hauptwerk seines zweiten Leipziger Jahrgangs enthüllt.

---

3 Yale University Press, 1959, herausgegeben und mit einem Vorwort versehen von dem namhaften Cembalisten Ralph Kirkpatrick.

Die mächtige, elfsätzige Kantate 20 „O Ewigkeit, du Donnerwort", mit der Bach diesen Choralkantaten-Jahrgang eröffnet, befindet sich heute in der Sammlung Hinrichsen in New York. In derselben Sammlung wird auch die zweite Kantate dieses Jahrgangs, BWV 2 „Ach Gott vom Himmel sieh darein", aufbewahrt. Das Wasserzeichen dieser Kantate wie auch der folgenden zeigt den für den Choralkantaten-Jahrgang charakteristischen großen Halbmond. Zwei Wochen nach BWV 2 führte Bach seine fünfte Choralkantate BWV 10 „Meine Seel erhebt den Herren" auf, deren Originalpartitur (wie wir schon wissen) Ernst Rudorff später Spitta schenkte und die nunmehr in der Library of Congress in Washington, D. C., aufbewahrt wird. Die autographen Partituren der Choralkantaten 113 und 114 jedoch, die Bach für den 11. und 17. Sonntag nach Trinitatis schuf, behielt Ernst Rudorff für sich. Sie gelangten schließlich über die Musikbibliothek Peters nach New York in die Sammlung Hinrichsen. Die zwischen diesen beiden Kompositionen für den 13. Sonntag nach Trinitatis entstandene Kantate 33 liegt heute in der Scheide Library der Bibliothek der Princeton University. Die letzte der 1724 für die Trinitatiszeit geschriebenen Choralkantaten in Amerika ist die Kantate 180 „Schmücke dich, o liebe Seele". Die Originalpartitur gehörte einst Mendelssohn, dann Julius Rietz, dem Herausgeber der „h-moll-Messe" in der alten Bach-Ausgabe, der sie seiner Freundin, der Sängerin Pauline Viardot-Garcia schenkte, und kam schließlich über die als Sammlerin bekannte Frau des Geigers Efrem Zimbalist an das Curtis Institute of Music in Philadelphia[3a]. Zusammenfassend können die letzten Ausführungen folgendes beweisen: Von den Choralkantaten, die am Anfang von Bachs zweitem Leipziger Jahrgang stehen (vom 1. bis zum 20. Sonntag nach Trinitatis) und vom 11. Juni bis zum 22. Oktober 1724 reichen, sind dreizehn in autographer Partitur überliefert; und von diesen dreizehn sind heute über die Hälfte, nämlich die genannten sieben, in den Vereinigten Staaten[3a].

Das weder durch einen Bibliotheksstempel noch durch Besitzvermerk, Verlags- oder Auktionsnummer verunzierte autographe Titelblatt der für den 8. Sonntag nach Trinitatis geschaffenen Choralkantate 178 (ebenfalls aus der Sammlung Ernst Rudorffs) ist eine der drei Bach-Quellen, die der heutigen Bachforschung bisher verborgen geblieben war. Während meiner dreijährigen Beschäftigung mit dem Thema fand ich dieses Titelblatt[4] an einem Ort, an dem man nicht ohne weiteres nach Bach-Autographen suchen würde, nämlich im Metropolitan Opera House in New York. Dort hängt es in dem nach einer 1979 verstorbenen Mäzenin benannten Belmont Room der Metropolitan Opera Guild, als Geschenk des aus Louisville, Kentucky, stammenden vormaligen ersten Trompeters des Metropolitan Opera Orchesters, Edwin Franko Goldman, dem späteren Leiter der berühmten Goldman Band, der besonders durch seine populären Konzerte in New Yorks Central Park in Amerika bekannt wurde.

Während dieses Titelblatt der einzige in Amerika befindliche Teil dieser Kantate ist, gehören die Stimmen der Choralkantate BWV 178 zu jenen sechs Kantaten, deren Stimmen Jähns 1888 an Ernst Rudorff zurückschicken ließ. Unter diesen waren auch die von BWV 176, der letzten Kantate aus Bachs zweitem Leipziger Jahrgang, von der sich heute dreizehn Stimmen in der Sammlung Hinrichsen in New York befinden. Von zwei weiteren Kantaten aus dem einstigen Besitz Jähns-Rudorff sind dort neun Stimmen der Kantate 168 „Tue Rechnung! Donnerwort" sowie dreizehn der Kantate 174 „Ich liebe den Höchsten von ganzem Gemüte" vorhanden. Vor kurzem erwarb die Bibliothek der Princeton University noch eine zehnte, leider nicht ganz vollständige zweite Violinstimme der Kantate 168. Zwei weitere Stimmen zu Kantate 174 liegen

---

3a Nach Fertigstellung dieses Beitrags sah sich das Curtis Institute of Music (Philadelphia), dessen Auftrag in der kostenlosen Ausbildung begabter junger Musiker besteht, genötigt, seine Manuskriptsammlung zum Verkauf anzubieten. Bei der Versteigerung, die am 21. Mai 1982 bei Christie's in New York stattfand, wurde die Partitur von BWV 180 von Hans Schneider, Tutzing, für die Internationale Bach-Akademie in Stuttgart erworben. Dieser Besitzwechsel stellt einen bisher einzigartigen Fall der Rückwanderung eines größeren Bach-Manuskripts aus Amerika nach Deutschland dar.

4 Hinweis von Professor Otto E. Albrecht, Amerikas unermüdlichem Detektiv musikalischer Handschriften, dem ich hier nochmals herzlich danken möchte.

in der Library of Congress in Washington, D. C., und in der Bibliothek der Stanford University in Kalifornien. Von diesen hat die letztere besonderen Schönheits- und Seltenheitswert, da sie ausnahmslos von der Hand Johann Sebastian Bachs stammt. Die elf Stimmen, d. h. die Instrumentalstimmen der Kantate 187 „Es wartet alles auf dich", runden die Bachdokumente der Sammlung Hinrichsen ab. Über diese Stimmen bemerkte Ernst Rudorff: „Waren immer im Besitz meiner Eltern (nie bei Jähns)"[5].

Außer zwei Einzelstimmen, der Altstimme der Kantate 130 und der bezifferten Continuostimme der Kantate 7, sind in Amerika nur noch drei weitere Stimmen erhalten. Sie gehören zu Kantate 9, deren autographe Partitur wiederum in der Library of Congress aufbewahrt wird. In dem Schreiben, in dem Ernst Rudorff die Stimmen der sechs Kantaten anführt, die sein Vater Jähns gegeben hatte, wird auch die Kantate 9 „Es ist das Heil uns kommen her" erwähnt. Da die Originalstimmen dieser Kantate, zusammen mit 43 anderen von Anna Magdalena Bach geerbten Stimmen schon 1750 an die Thomasschule gingen und seitdem in Leipzig geblieben sind, kann es sich bei den von Ernst Rudorff erwähnten Stimmen von Kantate 9 nicht um diese Leipziger Stimmen handeln. Vielmehr kann sich Rudorffs Bemerkung nur auf die Dubletten beziehen, die Friedemann zusammen mit der Originalpartitur geerbt hatte. Dieser Zusammenhang kann Rudorff kaum bekannt gewesen sein, besonders da das Vorwort zu Band 1 der alten Bach-Ausgabe (1851), der Kantate 9 enthält, nicht auf Einzelheiten der Stimmenüberlieferung eingeht. Obgleich „Es ist das Heil" eine späte Choralkantate aus der ersten Hälfte der 1730er Jahre ist, gehörte die autographe Partitur doch wiederum zum Erbteil Wilhelm Friedemanns. Und wie wir von konkreten Beispielen aus Philipp Emanuels Nachlaßkatalog wissen, erhielt der Erbe der Partituren auch deren Duplikatstimmen. Drei der Dubletten von Kantate 9 können in Auktionskatalogen von 1908 an (bei Stargardt in Berlin) nachgewiesen werden. Der Wiener Musiker Hugo Riesenfeld, der seit 1907 in Amerika lebte, erwarb sie 1926 auf der Auktion des Heyer Museums in Köln. Die „Violino 2" und die unbezifferte „Baßus"-Stimme wurden nach Riesenfelds Tod (1939) von Mrs. Mary Flagler Cary gekauft, deren überwältigend reiche Sammlung musikalischer Handschriften[6] 1968 der Pierpont Morgan Library in New York vermacht wurde[7]. Hugo Riesenfelds dritte Dublette, die Flötenstimme („Travers."), blieb selbst den großen Bachforschern unserer Zeit unbekannt. Doch tauchte sie um 1971/72 wieder auf. Sie wurde von einem New Yorker Herrn, dessen Name hier seinem Wunsch gemäß ausgelassen wird, in der Nähe von Greenwich Village in New York auf einem Schutthaufen gefunden. Man hatte dort einige Häuser abgerissen, um Platz für einen Neubau zu schaffen. Im Mai 1977 erfuhr ich in der Pierpont Morgan Library von diesem erstaunlichen Fund und konnte den Besitzer kurze Zeit darauf von der Notwendigkeit überzeugen, die Flötenstimme fotografieren zu lassen, wofür ihm hier nochmals bestens gedankt sei.

Das autographe Titelblatt der Metropolitan Opera Guild und die apographe Flötenstimme der Kantate 9 dürften beweisen, daß „neue" Bach-Quellen auch heute noch hier und da gefunden werden können. Freilich handelt es sich in den meisten Fällen um ein Wiederauftauchen alter, schon bekannter Quellen, die nur eine Zeitlang verschwunden waren.

Die Originalpartitur der Kantate 171 „Gott, wie dein Name, so ist auch dein Ruhm" hat als Leihgabe der Robert Owen Lehman Sammlung ihren jetzigen Standort in der Pierpont Morgan Library in New York. Ernst Rudorff erinnerte sich noch daran, daß seine Eltern diese Partitur

---

5 Diese Bemerkung findet sich am Ende der Inhaltsbeschreibung der Orchester-Stimmen, die Rudorff seinem Stimmensatz dieser Kantate beigefügt hat. Vgl. auch NBA I/18, KB, S. 92.

6 Was den Bestand an Musikautographen angeht — unter ihnen Haydns 91. Sinfonie, Mozarts „Haffner-Sinfonie" und „Der Schauspieldirektor", Beethovens „Geistertrio", Schuberts „Winterreise" und „Schwanengesang", Brahms' 1. Sinfonie, Strauss' „Don Juan" und „Tod und Verklärung" und Schönbergs „Gurrelieder" —, so steht die Pierpont Morgan Library in Amerika lediglich hinter der Library of Congress zurück.

7 Von den Treuhändern des Mary Flagler Cary Charitable Trust, ein Jahr nach Mrs. Carys Tod.

einst Jähns überlassen hatten[8]. Sie kehrte nach Jähns' Tod allerdings nicht an Rudorff zurück, sondern befand sich zur Zeit der BG Ausgabe dieser Kantate (Band 35, November 1888) in den Händen von Jähns' Sohn, Dr. Max Jähns in Berlin.

Die außergewöhnlich schöne Partitur der Kantate 112 „Der Herr ist mein getreuer Hirt" ist nicht auf dem Weg über die Musikbibliothek Peters nach Amerika gekommen. Als die BG diese Kantate 1876 herausgab, war die Originalhandschrift im Besitz von Ernst Rudorffs erster Klavierlehrerin Marie Hoffmeister, geb. Lichtenstein. Sie hatte die Partitur, die Karl Pistor besaß, entweder von ihm oder von seiner Tochter und seinem Schwiegersohn, Betty und Adolf Rudorff, als Geschenk erhalten. Da Pistor am 2. April 1847 gestorben war und Marie im Sommer 1847 heiratete, könnte man leicht an ein Hochzeitsgeschenk denken, oder eher noch an ein Abschiedsgeschenk für Marie, die jetzt Berlin mit dem dort geübten Bachkult verlassen und in die Kleinstadt Blankenburg i. Harz, der Amtsstelle ihres in der Evangelisch-Lutherischen Landeskirche tätigen Gatten, Dr. August Hoffmeister (1815–1895), übersiedeln mußte. Zwischen 1876 und 1886 entschloß sich Marie, deren Ehe kinderlos geblieben war, die Partitur ihrem 23 Jahre jüngeren Freund Ernst und damit der Familie Rudorff zurückzugeben. Die Handschrift erscheint sodann in einer bisher unveröffentlichten Liste, die Rudorff 1886 anfertigte, als er seine Bach-Handschriften zu verkaufen suchte. Nach Maries Tod im Jahr 1890 erbte Rudorff ihren restlichen musikalischen Nachlaß. Kantate 112 muß zwischen 1886 und 1916 verkauft worden sein. Falls sie 1893 zusammen mit Rudorffs Partituren von BWV 115 und 116 versteigert wurde, käme Dr. Max Abraham (1831–1900), der Gründer der Edition Peters (1867), der 1893, lediglich vier Wochen vor dieser Auktion, die Musikbibliothek Peters feierlich eröffnet hatte, als Käufer von Kantate 112 in Betracht. Von ihm hätte sein Neffe und Nachfolger Henri Hinrichsen die Partitur dann 1900, als er Alleininhaber des Verlags wurde, geerbt. Denkbar ist auch, daß Hinrichsen die Handschrift nach dem Tod seines Onkels von Rudorff oder aus dessen Nachlaß erwarb. Wie dem auch sei, die Partitur war 1916, als Ernst Rudorff starb, nicht, wie manchmal vermutet, unter den von der Musikbibliothek Peters angekauften Bach-Handschriften. Daß der charakteristische ovale Stempel „Musik/Bibliothek/Peters" im Gegensatz zu den Partituren der Kantaten 2, 20, 113 und 114 in Kantate 112 fehlt, spricht gegen den Besitz der Musikbibliothek Peters. Ferner wird die Originalpartitur auch nicht in Peter Krauses „Handschriften der Werke Johann Sebastian Bachs in der Musikbibliothek der Stadt Leipzig"[9] erwähnt. Daß Henri Hinrichsen auch eine Privatsammlung von Musik-Autographen besaß, erfährt man aus Liesbeth Weinholds 1940 verfaßtem Artikel: „Musikerautographen aus fünf Jahrhunderten. Eine bedeutende Erwerbung der Leipziger Stadtbibliothek"[10]. Dieser kurze Beitrag, der Kantate 112 mit einschließt, erwähnt auch einen Brief Leopold Mozarts vom 10. November 1762 als eine Neuerwerbung der Stadtbibliothek. Dieser Brief war bereits 18 Jahre vorher als Faksimile erschienen in der Veröffentlichung: „Briefe berühmter Meister der Musik aus meiner Autographensammlung. Den Teilnehmern am Jahresessen des Leipziger Bibliophilenabends gewidmet von Henri Hinrichsen. Im Februar 1922". Henri Hinrichsen, dem es 1926 gelang, die große Instrumentensammlung des Kölner Heyer Museums durch eine Stiftung für das musikwissenschaftliche Institut der Universität Leipzig zu erwerben, und dem diese Universität 1929 die Würde eines Dr. phil. honoris causa verlieh, starb im Alter von 74 Jahren am 30. September 1942 im Konzentrationslager Auschwitz. Nach dem Ende des Zweiten Weltkriegs brachte Henris Sohn Walter die Partitur der Kantate 112 sowie die zwei autographen Quittungen des Nathanischen Legats vom 26. 10. 1742 und 27. 10. 1744, die vielleicht auch zu Henri Hinrichsens Privatsammlung gehörten, nach Amerika. Die beiden Quittungen kaufte der Rechtsanwalt J. J. Fuld in New York, Mrs. Mary Flagler Cary die Partitur von „Der Herr ist mein getreuer Hirt". Obgleich diese Choralkantate erst im

---

8 Siehe: NBA I/14, KB, S. 84.
9 Bibliographische Veröffentlichungen der Musikbibliothek der Stadt Leipzig, 1964.
10 Liesbeth Weinhold, Musikerautographen aus fünf Jahrhunderten, in: Philobiblon 12, 1940, S. 52–57.

Jahr 1731 aufgeführt wurde, gehört sie dennoch zu dem von Friedemann geerbten Jahrgang. Der Reinschriftcharakter des ersten Satzes hat die berechtigte Vermutung aufkommen lassen, daß dieser Choralchorsatz früher entstanden sei.

Wie Kantate 9 ist auch Kantate 97 „In allen meinen Taten" (1734) eine von Bachs letzten unparodierten Kirchenkantaten. Spitta behauptet, daß auch die Originalpartitur dieses Werkes, die 1932 der Musikabteilung der Public Library in New York geschenkt wurde, einstmals in Ernst Rudorffs Besitz gewesen sei. Dies beruht allerdings auf einem Irrtum des großen Bachforschers.[11] Die 1736 oder 1737 komponierte Erstfassung der Trauermotette, BWV 118, „O Jesu Christ, meins Lebens Licht" ist die letzte der in Amerika aufbewahrten Partituren Bachs. Gleichzeitig ist sie die eigene Handschrift von Bachs letzter Motette. Sie befand sich lange Zeit im Archiv von Breitkopf & Härtel Leipzig, von wo aus sie schließlich in die Scheide Library der Princeton University gelangte.

Von zeitgenössischen Abschriften in Amerika, die zu Bachs Lebzeiten oder kurz nach seinem Tod hergestellt wurden, seien hier nur einige genannt. Das C-dur-„Praeludium pedaliter di Joh. Bach" (sic), BWV 531/1, aus dem Besitz der Library of Congress, wurde von Hans-Joachim Schulze kürzlich als Kopie von Carl Gotthelf Gerlach identifiziert[12]. Dieser wurde 1729 auf Bachs Empfehlung Organist an der Neuen Kirche in Leipzig. Das Wasserzeichen („IMK/kleiner Halbmond") sowie die Tatsache, daß Gerlach von 1716–1722 Schüler Kuhnaus an der Thomasschule war, läßt jedoch auf das Jahr 1723 als terminus ante quem für diese Abschrift schließen. Der Wert dieser Kopie ist umso größer, als Bachs Autograph dieses Orgel-Praeludiums nicht erhalten ist. Das Riemenschneider Bach Institute in Berea bei Cleveland, Ohio, ist der glückliche Besitzer der ältesten Kopie des ersten Teils des „Wohltemperierten Klaviers", das Bachs 23jähriger Privatschüler Heinrich Nicolaus Gerber[13] am 21. November 1725 abzuschreiben begann. Don Franklin datiert die Kopie der heute in der Newberry Library in Chicago aufbewahrten H-dur-Fuge aus dem zweiten Teil des „Wohltemperierten Klaviers" zwischen 1738 und 1741. Es scheint somit die erste und frühstüberlieferte Abschrift von Bachs Holograph zu sein (das seinerseits heute in der British Library in London aufbewahrt wird). Auch das Wasserzeichen des Papiers (der sog. „Doppeladler") weist auf diese Zeit hin, die der endgültigen Zusammenstellung des 2. Teiles des „Wohltemperierten Klaviers" vorausgeht. Im Zusammenhang mit den amerikanischen Bach-Quellen ist von besonderem Interesse, daß diese Chicagoer Kopie aus dem Besitz von Friedemann Bachs Berliner Lieblingsschülerin, Madame Sarah Levy, geb. Itzig, der Großtante Felix Mendelssohns, stammt. Die als Pianistin hochbegabte Sarah Levy besaß auch Altnickols besonders schöne Kopie der Französischen Suiten, die sich jetzt in der Library of Congress befindet. Die Library of Congress besitzt ferner eine Abschrift des fünften Satzes von Bachs Kantate 80 „Ein feste Burg ist unser Gott". Der Schreiber ist kein anderer als Wilhelm Friedemann Bach. Doch ersetzt Friedemann Luthers „Und wenn die Welt voll Teufel wär'" durch den neuen, weniger derben lateinischen Text „Manebit verbum Domini".

Während alle weiteren Abschriften Bachscher Kompositionen aus dem Hauptteil des eingangs erwähnten Katalogs zu ersehen sind, sei hier noch eine, obgleich spätere Abschrift erwähnt. Es ist die im Riemenschneider Bach Institute in Berea aufbewahrte Kopie der Fugen des 2. Teils des „Wohltemperierten Klaviers", die für den Baron van Swieten hergestellt worden war und die Mozart 1782 in Wien für seine Übertragungen einiger Fugen für Streichquartett benutzte.

Diese einzigartige autographe Kopie Mozarts von fünf Bachschen Fugen befindet sich ebenfalls (in Privatbesitz) in den Vereinigten Staaten. Außer Friedemanns Abschrift des oben er-

---

11 Vgl. Spitta II (engl. Übersetzung), London 1885, Neudruck 1951, S. 703. Der Irrtum ist in der deutschen Ausgabe (Spitta II, S. 805 f.) nicht zu finden.

12 Das Stück in Goldpapier – Ermittlungen zu einigen Bach-Abschriften des frühen 18. Jahrhunderts, in: BJ 1978, S. 42.

13 Er war der Vater des berühmten Musik-Lexikographen.

wähnten Satzes aus „Ein feste Burg ist unser Gott" und einem merkwürdigen Particell einiger Sätze aus seines Vaters Kantate „Es ist das Heil uns kommen her", beschränken sich die amerikanischen Kopien Bachscher Kompositionen auf Orgel- und Klavierwerke. Am zahlreichsten unter ihnen sind Abschriften von Präludien und Fugen für Orgel und Sätze aus den Triosonaten für Orgel sowie Kopien des „Wohltemperierten Klaviers" und der „Goldberg-Variationen". Fast alle wurden von Bachschülern oder Kollegen, unter denen sich Johann Gottfried Walther und Johann Caspar Vogler befinden, und wiederum von deren Schülern angefertigt. Bachs letzter wichtiger Schüler, Johann Christian Kittel, und dessen aktiver Erfurter Schülerkreis, stellen vielleicht den Hauptteil der amerikanischen Bach-Abschriften dar. Im ganzen gesehen liefern die amerikanischen Kopien Bachscher Kompositionen einen überzeugenden Beweis, daß Bachs Orgel- und Klaviermusik, im Gegensatz zu seiner Kirchenmusik, besonders in seinem Geburtsland Thüringen vor dem Aussterben bewahrt wurde.

Von den wenigen Bachschen Werken, die zu Lebzeiten des Meisters im Druck erschienen sind, befindet sich genau ein Fünftel in Amerika: 31 Drucke, d. h. ein bis sechs Exemplare von elf verschiedenen Kompositionen. Diese beginnen mit je einem Einzelexemplar der 1., 2. und 5. der Klavier-Partiten, die dem 1. Teil der Klavierübung[14] vorausgehen, und enden mit vier Exemplaren der Titelauflage (1752) der „Kunst der Fuge". Zwei von diesen 31 Frühdrucken sind bemerkenswert. So enthält das Exemplar des 1. Teils der Klavierübung in der Library of Congress einige autographe Zusätze in roter Tinte (besonders von Tempowechseln im ersten Satz der c-moll-Partita), die beweisen, daß Bach mehr als eine Handkopie besaß. Dies ist nicht verwunderlich, da Friedemann und Philipp Emanuel 1731 noch im Elternhause wohnten. Ferner gelang es William H. Scheide 1975, Bachs Handkopie der „Schübler-Choräle" für seine Scheide Library der Princeton University zu erwerben. Die erstaunliche Detektivgeschichte, welche die Provenienz dieses vom Komponisten reich annotierten Exemplares enthüllt, wurde jüngst von Christoph Wolff veröffentlicht[15].

1968 tauchte, beinahe wie ein Wunder, die Luther-Bibel wieder auf, die als erstes Werk auf der nach Bachs Tode aufgestellten Bücherliste stand. Das Bach gehörende Exemplar der dreibändigen, von dem Theologen Abraham Calov (1612—1686) mit reichen Kommentaren versehenen Bibel, das lange als verloren galt, war in Wirklichkeit schon vor mehr als 130 Jahren nach Amerika (Philadelphia) gelangt. Dies macht die Calov-Bibel zur ältesten Bach-Quelle in den Vereinigten Staaten. Es ist kaum zu glauben, daß Bachs Bibel seit 1938 in der Bibliothek des Concordia Seminars in St. Louis, Missouri, geruht hat, ohne daß ihre Identität, geschweige denn ihre Provenienz, über die Lokalpresse hinaus bekannt gemacht wurde. Dem Spürsinn Christoph Trautmanns gelang es, dieses Werk aus seinem Dornröschenschlaf aufzuwecken und es durch seine Initiative für die Zeit des Heidelberger Bachfestes 1969 zurückzugewinnen. Trautmann hat inzwischen über die Geschichte dieses sensationellen Fundes berichtet und die Bedeutung der von Bach gelegentlich hinzugefügten Randbemerkungen herausgestellt[16]. Bach hat seinen Namen sowie die Jahreszahl „1733" auf jeder der drei Titelblätter seiner Bibel eingetragen und damit seinen Besitz des Werkes dokumentiert. Diese drei Namenszüge sind in ihren graphologischen Einzelheiten mit einer eigenhändigen Unterschrift, die in meinem Besitz ist, fast identisch. Das Wiederauftauchen der Calov-Bibel ermutigte mich, die Detektivgeschichte der Provenienz und den Beweis der Authentizität meiner eigenen Bach-Signatur zu veröffentlichen[17] und zu zeigen, zu welchem Manuskript oder Buch aus Bachs Besitz sie einst gehört haben mag.

In der Kategorie der Bach-Dokumente, die sich nicht unmittelbar auf Musik beziehen, müs-

---

14 Von dieser befinden sich fünf Exemplare in Amerika.

15 Journal of the American Musicological Society 29, 1976, S. 224—241.

16 Christoph Trautmann, „Calovii Schrifften. 3. Bände" aus Johann Sebastian Bachs Nachlaß und ihre Bedeutung für das Bild des lutherischen Kantors Bach, in: Musik und Kirche 39, 1969, S. 145—160.

17 Gerhard Herz, J S Bach 1733: A „new" Bach Signature, in: Studies in Renaissance and Baroque Music in Honor of Arthur Mendel, Kassel und Hackensack (N. J.) 1974, S. 254—263.

sen zunächst Bachs Briefe erwähnt werden. Im Gegensatz zu Mozart war Bach alles andere als ein leidenschaftlicher Korrespondent. Von Bachs 29 autographen Briefen – seine Zeugnisse für Schüler und Orgelgutachten nicht miteingerechnet – haben nur zwei ihren Weg nach Amerika gefunden. Aber dies sind die beiden letzten erhaltenen Briefe des Meisters, nämlich die bekannten Briefe an seinen Vetter Johann Elias Bach. Der Brief vom 6. Oktober 1748 mit dem Hinweis auf die „Preußische Fuge" befindet sich in der Scheide Library in Princeton, der vom 2. November 1748 über das nicht so recht willkommene Geschenk eines „Fäßlein Mostes" in der Pierpont Morgan Library in New York. Obgleich dieser letzte Brief uns mit seinem prosaischen Inhalt beinahe amüsant anmutet, ist er, wie auch der einen Monat früher geschriebene, ein rührendes Zeugnis der verkrampften, fast unleserlichen Schrift des alternden Meisters.

Quittungen für gewisse jährliche Zahlungen gehören nicht unbedingt zu den interessanteren schriftlichen Selbstzeugnissen eines Genies. Aber auch hier sind von den zwölf in Amerika, die alle ihren eigenen graphologischen Wert haben, vier von besonderer Bedeutung: die jährlichen Quittungen des Nathanischen Legats aus den Jahren 1746 bis 1749. Die letzte vom Ende Oktober 1749 ist darum beachtenswert, weil sie nicht mehr von Bach selbst, sondern von seinem damals 14jährigen Sohn Johann Christian geschrieben ist. Dies kann wohl kaum anders als ein trauriges Zeichen von Johann Sebastians schwindender Sehkraft oder einer anderen schwer behindernden Krankheit gedeutet werden[18]. Das kleine, obendrein unvollständige Dokument von der Hand Johann Christians datiert zwischen Gottlieb Harrers allgemein als voreilig und taktlos empfundenen Probespiel[19] für die zukünftige Berufung als Thomaskantor, falls „der Capellmeister und Cantor Herr Sebast: Bach versterben sollte", und den zwei Augenoperationen Bachs[20] mit ihren ernsten und schließlich katastrophalen Folgen. Johann Christians Quittung bezeugt, daß sein Vater in den letzten Oktobertagen 1749 nicht mehr selber schreiben konnte oder wollte.

Das Titelbild unseres im Manuskript abgeschlossenen Katalogs, das besonders gut erhaltene Portrait des Meisters, welches im Musikzimmer des Hauses von William H. Scheide in Princeton hängt, soll den Schluß dieser Übersicht bilden. Von Elias Gottlieb Haußmann 1748 gemalt, ist es aller Wahrscheinlichkeit nach das Ölbild, das Carl Philipp Emanuel Bach gehörte, in dessen Nachlaßkatalog es genau beschrieben ist. Außerdem kennen wir die Beschreibung Charles Burneys, der das Bild in Carl Philipp Emanuel Bachs Wohnung in Hamburg gesehen hatte. Es ist demnach eine amerikanische Bach-Quelle, die nicht auf Wilhelm Friedemann, sondern – vielleicht als einzige in den Vereinigten Staaten – auf Philipp Emanuel Bach zurückgeht. Das Bildnis zeigt den Meister, wie er 1748 aussah, ein Jahr bevor seine Gesundheit und Sehkraft zu schwinden begannen, bis ein weiteres Jahr später ein höheres Geschick ihm die Feder aus der Hand nahm; jene Feder, die sowohl Bachs schöpferische als auch alltägliche Gedanken seiner Um- und Nachwelt übermittelte und die wir in den amerikanischen Bach-Quellen durch zweiundvierzig Lebensjahre des Meisters verfolgen können.

---

18 Schon drei Wochen früher, am 6. Oktober 1749, konnte Bach bei der Taufe seines Patenkindes Johann Sebastian Altnickol im nahegelegenen Naumburg nicht zugegen sein und mußte von einem anderen Taufzeugen vertreten werden. Vgl. Dok II, Nr. 587, S. 459.
19 8. 6. 1749. Vgl. Dok II, Nr. 584, S. 457.
20 Bach unterzog sich diesen Operationen in den letzten März- und ersten Apriltagen 1750. Vgl. Dok II, Nr. 598 und 599, S. 468 f.

Horst Heussner

Zur Musikpflege im Umkreis des Prinzen Maximilian von Hessen Pietro Locatelli und Johann Sebastian Bach in Kassel*

Aus den Jahren 1728 und 1732, gegen Ende der Regentschaft des Landgrafen Karl von Hessen und nach der Regierungsübernahme durch Friedrich I., sind mit dem Aufenthalt von Pietro Locatelli und Johann Sebastian Bach in der Residenzstadt Kassel zwei Ereignisse belegt, die sich nur schwer in das überlieferte Bild der offiziellen Musikpflege einfügen. Beide Besuche fallen in eine Zeit dynastischer und für das höfische Musikleben tiefgreifender Veränderungen.

Noch bevor am 23. März 1730 mit dem Ableben des Landgrafen Karl der Regierungswechsel in Hessen-Kassel sich vollzog, nötigte der Gesundheitszustand des Herrschers die Prinzen Friedrich und Wilhelm Einfluß auf die Staatsgeschäfte zu nehmen. Bereits im Jahre seiner Wahl zum König Friedrich I. von Schweden, 1720, hatte der Erbprinz, Friedrich, seinen jüngeren Bruder Wilhelm bei Eintritt der Erbfolge zum Statthalter bestimmt, da ihm die schwedische Verfassung eine direkte Wahrnehmung der Regentschaft seines Stammlandes versagte. Dieses Konstitut wurde im Jahre 1726 bekräftigt, und als der regierende Landgraf Karl in den folgenden Jahren immer weniger in der Lage war, den Aufgaben der Staatsführung allein zu obliegen, übernahm Prinz Wilhelm in zunehmendem Maße Regierungsgeschäfte, mit denen er am 21. Januar 1730 auch offiziell betraut wurde. Übergeordnete Entscheidungen blieben Friedrich I. vorbehalten, der seinen Bruder jedoch mit umfassenden Vollmachten ausstattete. Nur noch einmal, in den Monaten August bis November des Jahres 1731, hat er sich zur Entgegennahme der Huldigung in Hessen aufgehalten[1].

Während unter diesen Bedingungen sich der Übergang der Staatsgeschäfte ohne wesentliche Änderungen vollzog, hatte der Regierungswechsel für die Hofkapelle gravierende Folgen. Wilhelm reduzierte die Hofhaltung; die Hofkapelle wurde aufgelöst. Hierfür maßgebend sind sicher auch finanzielle Erwägungen gewesen: Prinz Georg berichtet aus Stockholm seinem Bruder Wilhelm in Kassel am 20. Februar 1729 von der kostspieligen Hofhaltung Friedrichs, für die aus Hessen beträchtliche Summen bereitzustellen waren. Anders als seinem Vater mangelte Wilhelm jedoch das Interesse für Theater und Musik, wie er überhaupt kulturellen Angelegenheiten — abgesehen von der bildenden Kunst — kaum Aufmerksamkeit widmete. Die Akten des Hessischen Staatsarchivs Marburg, „Landgräfliche Personalia. Landgraf Karl. Tod und Begräbnis", verzeichnen zwar noch im Todesjahr des Landgrafen Karl 28 Mitglieder der Hofkapelle[2], die Vermutung ist jedoch begründet, daß Wilhelm bereits vor der offiziellen Übernahme der Regierungsgeschäfte auf den Abbau der Hofkapelle hinwirkte. Mit Anschreiben vom 7. März 1729 ließ die Gattin des Prinzen Maximilian, Friederike Charlotte, geborene Prinzessin von Darmstadt, dem Erbprinzen Friedrich I. in Stockholm eine hierfür aufschlußreiche Bittschrift des Kapellmeisters Fortunatus Kellery zugehen. Vordergründig ersucht Kellery den König, den weiteren Unterricht „in der Music und besonders in der Composition" des ihm zur Ausbildung übergebenen jungen Ernst

---

* Für die mir freundlich gewährte Hilfe möchte ich dem Direktor des Hessischen Staatsarchivs Marburg, Herrn Dr. Hans Philippi, sowie Herrn Oberarchivrat Dr. Fritz Wolff sehr herzlich danken.
1 Zur Geschichte Hessens im 18. Jahrhundert vgl. die Arbeiten von Hans Philippi, Landgraf Karl von Hessen-Kassel, Marburg 1976 (Veröffentlichungen der Historischen Kommission für Hessen, Band 34); Wolf von Both und Hans Vogel, Landgraf Wilhelm VIII., München, Berlin 1964 (Veröffentlichungen der Historischen Kommission für Hessen und Waldeck, Band 27,1), und dieselben, Landgraf Friedrich II. von Hessen-Kassel, München, Berlin 1973 (Veröffentlichungen der Historischen Kommission für Hessen, Band 27,2).
2 Christiane Engelbrecht, Die Hofkapelle des Landgrafen Karl von Hessen-Kassel, in: Zeitschrift des Vereins für hessische Geschichte und Landeskunde, Band 68, 1957, S. 172.

Johann Londicer zu veranlassen. Im Jahre 1717 in Stockholm geboren, hatte der Knabe als Klavierspieler bei Hofe Aufsehen erregt und auf Betreiben der Gemahlin Friedrichs I., Ulrike Eleonore, ein zweijähriges Stipendium zur weiteren Ausbildung in Kassel erhalten. Mit 13 Jahren, im Jahre 1730, soll er die Organistenstelle an der Marien- und später der Hofkirche in Stockholm übernommen haben[3]. Nach diesem Präliminare kommt Kellery auf den eigentlichen Anlaß seines Gesuchs: daß er „nunmehr 4-jahre alß Capellmeister" Dienste leiste nach „Instruction in meiner Function. . . nebst der Information deren Hochfürstl. Printzen und Prinzeßinnen . . . (und) nichts mehr wünschen möchte alß die gnade zu haben Ew. Königl. Majest. und hiesigem Hochfürstl. Hauße lebenslang unterthänigst Dienste zu leisten. . .". Er habe „noch ohnlängst 2 vocationes. . . zu erhalten die gnade gehabt biß dato zu acceptieren bedenken getragen, in mehreren betracht, da Ihro Hochfürstl. Durchl. [Landgraf Karl] . . . an meinen unterthänigsten Diensten. . . gefallen bezeigen, und. . . falß hiernechst nach tödtlichen hintritt Ihro Hochfürstl. Durchl. . . . in meinem alter dimittirt und verstoßen werden solte. . . gelanget an Ew. Königl. Majest. meine allerunterthänigste bitte. . ., daß bey etwaiger hier nechst vorgehender veränderung mir meine jetzige gage zu meiner Subsistenz continuiret werden möchte. . ."[4]

Die Intervention hatte keinen direkten Erfolg, aber aufgrund eines weiteren Bittgesuchs, das Kellery nach dem Tod des Landgrafen Karl an Friedrich I. richtete, da er „dem Vernehmen nach unter denjenigen mit begriffen seyn soll, welche Ew. Königl. Majestät in Gnaden dimitieret", wurde ihm zunächst „vor die an dem kleinen Londicier gethaner Information" im August 1730 eine „halbjährige Gage aus Gnaden zugestanden". Sein erneutes Anstellungsersuchen, welches dem Regenten während dessen Kasseler Aufenthalt im Oktober 1731 zugeht, brachte dann, „bis zu anderweiter employ", die Zusicherung von 300 Reichstalern und vom dritten Quartal 1732 als „Capellmeister und Director über Unser HoffMusic in Caßell" jährlich 800 Reichstalern Gehalt[5].

Die offizielle Hofmusik in Kassel blieb nach Auflösung der Hofkapelle auf Kirchen- und Militärmusik beschränkt, was nicht ausschloß, daß auch hier nicht tätige Musiker Zuwendungen aus der Hofkasse empfingen. Ein „Zulags Rescript vor die aus Schweden gekommenen Hautboisten [Heinrich] Bogeler, [Johan Ludwig] Bantze [Bantzen, Banzen], [Valentin] Eulner und [Johan Andreas] Wehrmann. 1740." Z. B. erkennt „denen Supplicanten. . . bis sie anderweit hinwieder employiert werden können" monatlich 5 Rthlr. zu. Die Höhe der Gagen orientierte sich an denen der Hautboisten des fürstlichen Grenadier-Regiments: „Waldhornisten monatlich a 10 Rthlr. und das gewöhnliche Brodt, der premier Baßist 9, der premier Hautbois[t] 8 und die übrige[n] alle jeder 6 Rthlr. und obiges Brodt"[6].

Offensichtlich nicht ohne die Aktivität des Prinz Maximilianischen Hauses zustande gekommen ist auch der frühere der beiden für Hessen-Kassel herausragenden Musikerbesuche während der ersten Hälfte des 18. Jahrhunderts: der Aufenthalt Pietro Locatellis im Jahre 1728. Nach Ausweis eines im Hessischen Staatsarchiv Marburg verwahrten Journals der Einnahmen und Ausgaben für das Jahr 1728 wurde „dem Italienischen Musico Locabelli [sic!] wegen gethaner Aufwartung" am 7. Dezember 1728 ein Honorar von 80 Reichstalern bewilligt. Für die Zahlung

---

3 Vgl. Neues Universal-Lexikon der Tonkunst, herausgegeben von Eduard Bernsdorf, Dresden 1857, Band 2, S. 814.

4 Hessisches Staatsarchiv Marburg (StAM), Bestand 4ᵃ 73.28; die Petition (ohne Datum) stammt von der Hand eines Schreibers und ist „Kellery" gezeichnet. Chelleri, Kellery, Kelleri, Keller, Sohn eines Deutschen, wurde in Parma geboren.

5 „Friedrich" gezeichnete Rescripte vom 10. (22.) August 1730, 22. Oktober 1731 und 22. August (2. September) 1732. StAM Protokolle C.b.Nr. 10. Fürstliche Originalrescripte, Band XXIII, XIV. Nach Wilhelm Eggert, Chelleri, in: MGG 2, Sp. 1161 f., soll Kellery im Jahre 1732 von Friedrich I. nach Stockholm berufen worden und 1734 bei „Gewährung seiner reichen Einkünfte als Kgl. Hofrat" nach Kassel zurückgekehrt sein.

6 StAM Best. 4ᵇ, 817. Vgl. auch Anmerkung 15.

liegt kein Rescript, d. h. keine konkrete ad hoc-Anordnung des Regenten vor. Sie erfolgte vielmehr „Auf Serenissimi Hochfürstliche Durchlaucht Gnädigsten Special Befehl", welcher die Erledigung im persönlichen Stil zuließ, ohne daß der Regent zwingend davon hätte unterrichtet sein müssen, u. U. der Vollzug nicht einmal seinem Willen entsprach[7]. Wahrscheinlich ist Locatelli nach dem 20. Oktober von Frankfurt am Main nach Kassel gekommen und von hier nach Amsterdam weitergereist[8]. Welcher Art die honorierte Aufwartung gewesen ist und wie lange Locatelli sich in Kassel aufgehalten hat, ist nicht gesichert, die Verbindung zum Hause des Prinzen Maximilian jedoch durch einen Brief Locatellis vom 8. Dezember 1729 belegt. Das Schreiben, mit dem er eine erneute Einladung des Prinzen beantwortete, befindet sich in dessen Nachlaß[9] (siehe auch die Abbildung des Originals auf S. 115):

Altezza Serenissima
Delle molte finezze che ricevey nella corte
di V. A. S. in Cassel; non manco con
questa mia di novamente render (nder) gliene
mille grazie. Havendomi preso una
longa malatia qui in Amsterdam per lo
spazio di quattro mesi, mi conviene
passar l'inverno; dove qualche volta
non manca l'occasione, che vien sofferto la
mia povera abilità; et massime nelle
composizioni, ne cavo non poco profitto,
et essendosi le cose ben incaminate, non
partirò facilmente da questà città.
Supplico per tanto V. A. S. à scusarmi del
ardire che ho preso, attendendo qualche
Suo stimatissimo comando, che con l'obbedienza
del quale mi troverà qual mi soscrivo
di essere di
      V^a.A^a. S^a.
     Umilissimo, Devotissimo et Obbedientissimo
          servitore
         Pietro Locatelli

Amsterdam li 8 10ber 1729

Anders als der vertrauensvoll-einvernehmliche und — wie der umfängliche Briefwechsel zwischen Kassel und Stockholm ausweist — durch gewisse Herzlichkeit sich auszeichnende Umgang der Brüder Friedrich, Wilhelm und Georg, blieb deren Verhältnis zu Maximilian eher distanziert. Veranlassung hierfür mag nicht zuletzt die als prachtliebend und verschwenderisch charakterisierte Gattin Maximilians, Friederike Charlotte, und deren Bemühen gegeben haben, der nahezu permanenten Geldverlegenheit im Hause Maximilians durch Zuwendungen des regierenden Landgrafen abzuhelfen und sich darum der Gunst der von der landgräflichen Familie gemiedenen und heftig befehdeten Favoritin Karls, der Marquise de Langallerie, zu versichern. Noch im Jahre 1729 hatte Friederike ihrem Schwiegervater ein aus der Hessischen Kriegskasse gezahltes Geldgeschenk von 10.000 Reichstalern zu danken, gegen das die fürstliche Familie zwar intervenierte, letztlich aber erfolglos blieb[10]. Umso drastischer scheint der Hof sich nach dem Tod des alten Landgrafen der Finanzen Maximilians angenommen zu haben. Aus dem Jahre 1735, „Extrahiert Caßel 23. Aug.", den „Einnahmen und Außgaben derer von Hochfürstl. Durchl.

---

7 StAM Rechnungen II, Kassel 1728, Nr. 655, S. 132, Nr. 82. Vgl. Heinrich Otto Meisner, Archivalienkunde, Göttingen ^{2}/1969, S. 162. Diesen Hinweis danke ich Frau Oberarchivätin Priv.-Doz. Dr. Inge Auerbach.
8 Vgl. Albert Dunning, Pietro Locatelli, der Virtuose und seine Welt, 2 Bände, Buren 1981, dort Band 1, S. 116 f.
9 Niedersächsisches Staatsarchiv Oldenburg (StAO), Bestand 5A Nr. 17^c.
10 Philippi, a. a. O., S. 560 f.

Printz Maximilian. . . Von anno 1734 et 1735" beigefügt ist eine „Specification Desjenigen Silbers so des Printzen Maximilians Hochfürstl. Durchlaucht dem König. Fürstl. Kriegs-Zahl-Ambt, unter bekantlichen Bedingungen d. 26. Jan. 1736 liefern und übergeben laßen. . ."[11], und es ist nicht sehr wahrscheinlich, daß diese Maßnahme allein vom Finanzbedarf des Hofes nach dem eben beendigten Polnischen Thronfolgekrieg bestimmt worden ist. Am 20. März 1736 folgt eine „Specification desjenigen Kostgeldes, so denen in Cassel zurückgebliebenen bedienten von Hochfürstl. Durchl. Printz Maximilian zu Hessen und dero Frau Gemahlin Durchl. vom Jahr 1735 anoch gebühret. . ." Die Gesamtsumme beläuft sich auf mehr als 730 Reichstaler, von denen 104 Reichstaler „Vom 1. Jan. bis 31. Dezbr." (1735) auf den „Musicus Agrel"[12] entfallen. Eine beiliegende undatierte Aufstellung von Kunstwerken soll auf Vermögenswerte Maximilians verweisen: „Schildereyen", darunter Bilder von Bruegel und Cranach, „Alle Stücke von den besten Meistern um 200 Jahre alt", „Holtz und Kupferstiche" u. a. von Dürer und Cranach sowie „Zeichnungen" von Holbein und Cranach[13]. Ein „General-Extract derer Schulden" vom 22. Januar 1737 beziffert die Verpflichtungen Maximilians auf 169488 Reichstaler, denen jährliche Einnahmen von 26998 Reichstalern gegenüberstehen. Der künftig zu reformierenden „Haußhaltung" des Prinzen sollten 15000 Reichstaler zur Verfügung stehen, 11998 Reichstaler zur „Zahlung derer Schulden" Verwendung finden. Zu den Verbindlichkeiten zählen Forderungen der „Bediente und Domestiquen" der Prinzessin „biß ulti juny 1737" von 12188 Reichstalern und des Prinzen von 8216 Reichstalern; unter ihnen wiederum der „Musicus Agrell" mit 434 und der „Musicus Kreß" mit 262 Reichstalern[14]. Eine im Staatsarchiv Oldenburg erhaltene „Specification Samtlicher Creditorum in der Printz Maximilianischen liquidat. Sache. . ." nennt weiter die Oboisten Banzen und Kaltwasser mit Forderungen von je 10 Reichstalern[15].

Einzig gegenüber dem Neffen Maximilians, dem späteren Landgrafen Friedrich II., scheinen die unerquicklichen Verhältnisse innerhalb der fürstlichen Familie nicht zum Tragen gekommen zu sein und eine über das Formale hinausgehende persönliche Beziehung bestanden zu haben. Sie findet beim Ableben des Prinzen Maximilian Ausdruck in einem für diese Zeit ungewöhnlichen Legat: „Unser Wille und Meynung (ist), daß nach Unserm Tode Unser sämtliche hinterlassene Musicalia und was dazu gehörig ist nebst denen sämmtlichen estampes zu einem gleichmäßigen Andenken an des dermaligen Erbprinzen Printz Friedrich Unsers freundlich Vielgeliebten Herrn Neven Durchl. übergeben. . ."[16].

Die nach dem Tod Maximilians erstellte Inventarliste des fürstlichen Haushalts vermittelt einen Eindruck von der Vielfalt der Möglichkeiten, die dem Musizieren im Hause des Prinzen geboten waren: „Neben der Puderkammer" und „Auf dem Bange vor der Gewehrkammer" je „Ein Schrank mit Musikalien". ., „In der Garderobe des Burschen. . . Fünf Music-Polte. . . Im Audienzimmer / ein Clavecin. . . Im Vorzimmer / ein Clavier. . . In der Prinzeß Charlotte Vorzimmer / ein Clavicimbel. . . In der Laquaien Garderobe / ein Clavier / Zwey Violinen / Zwei Braccien / Eine Viole d'amour / ein Baßettgen. . . In der Prinzeß Caroline Vorzimmer / Eines (Klavier) dito / Zwey Hautbois / Zwei gelbe Flutes douces / Zwei braune dito / Ein Fagott / Eine Trompete". Ferner werden genannt als dem Instrumentenbestand zugehörig: „Zwey gute Violins so Ihro hochfürstl. Durchl. der Erbprinz haben"[17].

---

11 StAO, Best. 5A Nr. 17[c].
12 Vgl. Horst Heussner, Johan Joachim Agrell, in: MGG 15, Sp. 59.
13 StAO, Best. 5A Nr. 17[c].
14 StAM, Best. 4[a] Nr. 63.29.
15 StAO, Best. 50 5–7–2. Vgl. Anmerkung 6.
16 StAM, Best. 4[a] Nr. 64.11. Testament des Prinzen Maximilian vom 19. April 1753.
17 StAM, Best. 4[a] Nr. 64.13, „Inventarium von Weyl. Printz Maximilians Hochseel. Andenkens Verlaßenschaft", S. 388 und 389. Lt. „Actum Oberstadt Cassel den 24. 25. et 26. Septembris 1753" sollten die Instrumente verkauft werden. Während sämtliche veräußerten Gegenstände mit Käufer und Erlös verzeichnet sind, fehlt jeder Hinweis auf einen Verkauf der Instrumente; vgl. S. 437.

Die Stellung des Erbprinzen innerhalb der dynastischen Hierarchie nahm seit 1751, dem Todesjahr des in Stockholm residierenden Friedrich I., dessen Neffe Friedrich ein, ältester Sohn des regierenden Landgrafen Wilhelm VIII. und späterer Regent, Friedrich II. Einen Hinweis auf Art und Umfang seiner musikalischen Bildung bietet das „Reglement pour l'Instruction et la Conduite du Prince Frederic" vom 11. März 1730. Zweimal wöchentlich, Montag und Donnerstag von 16.30 Uhr bis 17 Uhr, ist „la basse de Viole"-Unterricht und sonntags „Apres l'Eglise il aura concert de quinze jours en quinze". Enthüllend sind die ebenso präzise festgelegten drakonischen Strafen für Vergehen des Prinzen: Unaufmerksamkeit, Schwatzen, Herumgehen. Und wenn der zehnjährige gelegentlich auch — gemäß den Gepflogenheiten der Zeit — gemeinhin Erwachsenen zufallende Repräsentationspflichten wahrnahm, zeigt ihn das Reglement völlig in Händen des Vaters und seiner Erzieher, August Moritz von Donop und Jan-Pierre de Crousaz. Friedrich selbst testierte: „Ich stimme allem bei, was in diesem neuen Reglement enthalten ist und bin sehr überzeugt, daß es zu meinem Vorteil gereicht." Abschließend versichert de Crousaz: „Diese Auflistung ist die Frucht der allertiefsten Überlegungen. . .", welche allerdings selbständigen Handlungen ihres Zöglings kaum Raum boten[18].

Während für den Instrumentalunterricht der Prinzen und Prinzessinnen des fürstlichen Hauses der Hofkapellmeister Kellery zur Verfügung stand, können nur Vermutungen darüber angestellt werden, welcher Art die Konzerte gewesen sind. Engagierter Mentor, insonderheit nach Auflösung der Hofkapelle, ist Prinz Maximilian, in dessen Haus der Umgang mit Musik Ausdruck aristokratischen Lebensgefühls bleibt. Die Musikausübung scheint im wesentlichen von den Familienmitgliedern getragen worden zu sein, dem Fürst, der fürstlichen Familie sowie den zum fürstlichen Haushalt gehörenden Personen, zu denen fallweise professionelle Musiker traten, die laut Ausweis der Akten gesondert abgerechnet wurden. Die Widmung des zweiten Buches seiner Triosonaten op. 1 durch Johann Adam Birkenstock (Vorgänger Kellerys im Amt des Hofkapellmeisters; das erste Buch ist dem Landgrafen Karl zugeeignet), Locatellis Aufenthalt im Hause Maximilians und dessen erneute Einladung nach Kassel, die Intervention Friederike Charlottes für Kellery sowie die Zahlungen an den bis 1746 im Dienst Maximilians stehenden Johan Agrell sind Indizien[19], die an Maximilian auch als Initiator des Bach-Besuches im Jahre 1732 denken lassen. Veranlassung hierzu hatten die Abnahme und Einweihung des von Nicolaus Becker aus Mülhausen vollendeten Umbaus der Orgel in der Martinskirche gegeben. Vom Aufenthalt Bachs in Kassel und seiner glänzenden Aufnahme ist wiederholt in der Literatur gehandelt worden. Träger der generösen Aufwendungen war jedoch nicht die Hofkasse, sondern je zu einem Drittel „der Stiftskirchenkasten, der Stadt-Gotteskasten und die Stadtkämmerei". Auch die Reparatur- und Umbauarbeiten wurden von der Martinsgemeinde ausgeschrieben und in einer hierfür bestimmten Kollekte am 16. Januar 1731 die Summe von 361 Reichstalern aufgebracht[20].

Die früheste Nachricht von einer Berufung Bachs „auff Hohen Obrigkeitlichen Befehl" enthält die „Casselische Zeitung" vom 22. September 1732; ca. 10 Jahre später gibt der Mündener Lyceums-Rektor Constantin Bellermann in seinem 1743 erschienenen „Programma in quo parnassus musarum" weitere Hinweise, die in der Bachliteratur — soweit sie eine Beteiligung des

---

18 StAM, Best. 4ª 90.12.

19 Ein „A. Waldeck" gezeichneter Brief vom 9. April 1738 belegt, daß Maximilian mit einem „agenten de Concert" Verbindung hielt. StAO, Best. 5A 16ª.

20 Die Gesamtkosten für den Aufenthalt Bachs beliefen sich auf 163 Rtlr; u. a. 50 Rtlr „zum praesent", 26 Rtlr „Reyse-Kosten", 84 Rtlr „Zehrungs-Costen dem Capellmeister Hn. Bach et uxori." Das Salär des Dieners, „der ihn während der acht Tage des Aufenthaltes aufzuwarten hatte", betrug 1 Rtlr. Vgl. Carl Scherer, Joh. Seb. Bach's Aufenthalt in Kassel, in: Monatshefte für Musikgeschichte 25, 1893, S. 129, sowie Ewald Gutbier, Ist Johann Sebastian Bach im Jahre 1714 in Kassel gewesen?, in: Die Musikforschung 9, 1956, S. 62, und Ferdinand Carspecken, Fünfhundert Jahre Kasseler Orgeln, Kassel und Basel 1968, S. 53.

Hofes betreffen – seit Philipp Spittas Bach-Biographie eher Verwirrung stifteten[21]. Bellermanns Bericht, Bach sei zur Prüfung der restaurierten Martinskirchen-Orgel nach Kassel gekommen, ist gesichert, ebenso deren Einweihung am Sonntag, den 28. September 1732, zu der Bach in „offentlicher versamblung" die „dorische" Toccata und Fuge BWV 538 spielte[22]. Dieses Ereignis fand Carl Scherer auch durch Abrechnungen belegt[23]. Infrage steht die Anteilnahme des Hofes. Bellermann berichtet von der Bewunderung des „Erbprinzen Friedrich" für Bachs Orgelspiel und daß er Bach zur Prüfung der Orgel von Leipzig nach Kassel habe rufen lassen. Einen „Erbprinzen" gab es zu dieser Zeit in Hessen-Kassel nicht, gleichwohl scheint es nicht gegen die Gepflogenheiten verstoßen zu haben, dem Sohn des späteren Landgrafen Wilhelm diesen Titel zuzuerkennen, bevor er ihn de iure führte[24]. Daß aber der zwölfjährige Prinz in eigener Verantwortung eine Einladung an Bach hätte ergehen lassen können, lag mit an Sicherheit grenzender Wahrscheinlichkeit außerhalb seiner Befugnisse und wohl auch seines Selbstverständnisses. Zwei Jahre zuvor hatte er das mehr oder minder kompromittierende „Reglement" seiner Erzieher in einer devoten Erklärung gebilligt, und noch der Sechzehnjährige erledigte 1736 eine Beschwerde von Donops lediglich mit der Zusicherung seiner Willfähigkeit[25].

Auch die Umstände am Hof selbst deuten kaum auf dessen offizielle Mitwirkung. Der regierende Landgraf Friedrich I. residiert in Schweden. Der Statthalter, Prinz Wilhelm, hielt sich im Jahre 1732 von Mai bis Dezember bei seinem Bruder in Stockholm auf und Prinz Friedrich beabsichtigte seit Juli 1732 an die Universität in Genf zu übersiedeln[26]. Daß er diese Reise erst ein Vierteljahr später antrat, gründete in einer langwierigen, bis in den September sich hinziehenden Krankheit.

Am 11. August unterrichtete er seinen Vater: „Vor einigen Tagen habe ich mich nicht wohlbefunden. Ich muß aber gestehen, daß ich selbst schuld daran gewesen, meine beständigen Unruhen und unordentlichen bewegungen des leibs und des gemüths. . . sind die Ursache gewesen . . . Unter deßen befinde mich an jetzo wiederum sehr wohl. . ."[27] Die Einschätzung seiner Erkrankung wie die abschließende Bemerkung, wohl durch von Donop veranlaßt, waren eher bestimmt zu beruhigen, als daß sie seinen tatsächlichen Gesundheitszustand beschreiben. Dies legt ein Brief nahe, den Prinz Georg, vier Wochen später, am 8. September, an den Regenten, Friedrich I., richtete: „. . .Prinz Friedrich leidet sehr unter Koliquen und Erbrechungen"[28]. Am gleichen Tag beschwichtigt von Donop erneut in einem an Prinz Wilhelm gerichteten Schreiben: Der Prinz habe schlimme Magenanfälle gehabt, sei aber abgesehen davon, daß er noch das Bett hüten müsse, zur Zeit wieder hergestellt. Die Anordnung Wilhelms, wegen der Erkrankung seines Sohnes die Abreise nach Genf bis zu seiner Rückkehr aus Schweden aufzuschieben, setzt von Donop Bedenken entgegen. Die Jahreszeit sei weit fortgeschritten und schlechtes Wetter könne für den jungen Prinzen, der von Natur zart sei, beschwerlich sein. Außerdem wäre ein längeres Verweilen in Kassel wegen der Trennung von Herrn Crousaz in hohem Maße unzweckmäßig und behindere die Erziehung[29]. Gleichwohl bezeugte Friedrich I. noch Mitte September durch Entsendung eines Arztes seine Besorgnis wegen der angegriffenen Gesundheit seines Neffen, der „in

21 Constantin Bellermann, Programma in quo Parnasus Musarum. . ., Münden 1743, S. 39; Jacob Adlung, Anleitung zu der Musicalischen Gelahrtheit, Erfurt 1758, S. 690; Spitta I, S. 801 f.; Scherer, a. a. O.; Heinz Ameln, Der Aufenthalt J. S. Bachs in Kassel im Jahre 1732, in: Hessenland 38, 1926, Heft 2; Gutbier, a. a. O.
22 Vgl. Casselische Zeitung vom 22. September 1732 und Dok II, Anmerkungen zum Dokument Nr. 316.
23 Vgl. Scherer, a. a. O., S. 132.
24 Vgl. Gutbier, a. a. O., S. 63.
25 Vgl. W. von Both, Wilhelm VIII., S. 94.
26 Brief vom 14. Juli 1732 an seinen Vater, StAM, Best. 4ᵃ 81.15; „Die Zeit meiner Reise nach Geneve kommt allgemach herbey. . ."
27 StAM, Best. 4ᵃ 81.15.
28 StAM, Best. 4ᵃ 77.8.
29 Brief von Donops vom 8. September 1732, StAM, Best. 4ᵃ 90.12.

den letzten acht Tagen fast keine Nahrung bei sich behalten wollte. Sein Magen war so schwach, daß er selbst die Medizin wieder von sich gab."[30] Nach dieser Intervention wiederholt von Donop erst vier Wochen später, am 13. Oktober 1732, sein Ersuchen an Prinz Wilhelm, die Abreise zu gestatten: Der Prinz sei nun für die Anstrengungen der Reise gerüstet[31]. Friedrich und seine Erzieher traten die Reise nach Genf am 20. Oktober 1732 an, wo sie nach einundzwanzigtägiger Reise – mit Aufenthalten in Frankfurt und Straßburg – am 11. November eingetroffen sind[32].

Im Oktober des Jahres 1732 hat auch Prinz Maximilian Kassel verlassen, um erneut Dienst in der kaiserlichen Armee zu nehmen. Er war im Jahre 1722 als Kaiserlicher Feldmarschall-Leutnant verabschiedet worden, nachdem er das Infanterieregiment seines 1706 verstorbenen Bruders, Prinz Ludwig, befehligte, im Türkenkrieg ein eigenes Kommando führte und in den Jahren 1719/20 mit seinem Regiment in Sizilien und Neapel stand[33]. Dem beabsichtigten Wiedereintritt in die Armee hatte der Landgraf im Jahre 1727 aus politischen Rücksichten widersprochen, als ihm Maximilian am 29. September 1732 den Tod des „kayserlichen Generalfeldmarschall[s]" meldete und mitteilte, daß er wegen dessen vakanten Regiments bei Prinz Eugen vorstellig geworden sei. Eine positive Antwort liege vor und er erbitte die Erlaubnis „selbsten dahin zu gehen. . ." Offensichtlich hat Friedrich I. diesem Wunsch sogleich entsprochen; ein Schreiben vom 18. Oktober 1732 belegt Maximilian bereits als „Inhaber des Kaiserlichen 27. Infanterieregiments" in Wien[34]. Maximilian beschloß seine Karriere im Jahre 1750 als Kaiserlicher Reichs-Generalfeldmarschall, dem höchsten im Reich zu vergebenden militärischen Rang.

---

30 Brief des Prinzen Georg an seinen Bruder Wilhelm vom 15. September 1732, StAM, Best. 4^a 82.4.
31 StAM, Best. 4^a 90.12.
32 Brief des Prinzen Friedrich an seinen Oheim, Prinz Georg, vom 24. Oktober 1732, StAM, Best. 4^a 91.8; Briefe von Donops an Prinz Wilhelm vom 30. Oktober 1732 und an König Friedrich I. vom 13. November 1732, StAM, Best. 4^a 90.12 und 77.13; Brief des Prinzen Friedrich an seinen Vater vom 14. November 1732, StAM, Best. 4^a 90.17.
33 StAO, Best. 5A, Brief des Landgrafen Karl vom 21. Januar 1719.
34 StAM, Best. 4^a 77.9, Briefe des Prinzen Maximilian an Friedrich I. vom 29. September und 18. Oktober 1732 sowie Carl Knetsch, Das Haus Brabant, 2 Bände, Darmstadt 1917–1931, S. 138.

Altezza Serenissima

Delle molte finezze che ricevei nella Corte
di V. A. S. in Cassel; non manco con
questa mia di novamente rendervene glie
mille grazie.   Facendomi preso una
longa malatia qui in Amsterdam p. lo
spazio di questi mesi, mi conviene
passar l'Inverno; dove qualche volta
non manca l'occasione, che vien'offerto la
mia povera abilità; et massime nelle
Composizioni, ne cacco non poco profitto,
et essendoni le cose ben incaminate, non
partirò facilmente da questà Città.
Supplico p. tanto V. A. S. à scusarmi del
ardir che ho preso, attendando qualche
suo Strond.re Comando, che con l'Obbedienza
del quale mi moverà qual p.mi soscriv.
d'essere di.

V.ª A.ª S.ª

Amsterdam li 8 8bre 1729

Um.o Dev.o et Obb.o
Servitore
Pietro Locatelli

Lothar Hoffmann-Erbrecht

Von der Urentsprechung zum Symbol
Versuch einer Systematisierung musikalischer Sinnbilder

Zu allen Zeiten und bei allen Völkern begegnet man der Anschauung, daß Musik nicht nur Klang und Form an sich sei, sondern darüber hinaus etwas „bedeute", d. h. einen Aussagewert besitze. Diese Feststellung ist auch in der langen Geschichte der abendländischen Musik nie ernsthaft bestritten worden. Eine aussagefreie, in ihrer sinnlichen Schönheit selbstwertige Musik trat bis etwa 1750 nur höchst selten in Erscheinung, und erst mit dem Sieg der Instrumental- über die Vokalmusik kam im 19. Jahrhundert die Vorstellung einer absoluten Musik auf. Was im einzelnen die Musik auszudrücken und darzustellen, in welchem Maße sie den Text und seinen Sinngehalt zu verdeutlichen habe und welche Mittel hierzu geeignet seien, darüber haben sich seit dem Mittelalter die unterschiedlichsten Ansichten herausgebildet. So entwickelten sich verschiedene „Zeichensprachen", die im Verlauf der Geschichte oft jahrhundertelange Gültigkeit besaßen. Dieser gesamte Problemkreis wird vielfach noch heute unter dem etwas verschwommenen Begriff der „musikalischen Symbolik" zusammengefaßt. In Wirklichkeit spiegelt er sowohl in systematischer als auch in historischer Sicht einen Komplex unterschiedlichster Anschauungen über das Wesen und die Rolle der Musik im Leben und Denken des Menschen wider. Mit seiner genaueren Untersuchung wurde erst vor etwa zwei Generationen begonnen.

Mit Recht gilt Arnold Schering als Vater einer allgemeinen musikalischen Symbolkunde[1]. Von Bach ausgehend, setzte er sich mit der Symbolik des Kanons, dem „Figürlichen", „Metaphorischen" und der psychologischen Grundlegung des Symbolbegriffs nach Christian Wolffs „Psychologia empirica" auseinander. Bei weitester Auslegung des Begriffs verstand er unter Symbol ein klingendes „Bild" oder einen „Spiegel" irgendeines Sinnes. Er rechnete dazu nicht nur die Darstellung der Affekte oder Klangerscheinungen und melodische Wendungen, denen eine gewisse „Bedeutung" zukommt, sondern beispielsweise auch den Ausdruckswert einer Konsonanz oder Dissonanz. Alle Erscheinungen in der Musik, die im Sinne einer Aussage gewertet werden können, sind für ihn „Symbole". In seinem Aufsatz „Musikalische Symbolkunde" und in anderem Zusammenhang stellte er eine Stufenleiter der Symbolik auf, die von der Elementar- und Klangsymbolik bis zur sog. „ideologischen" Symbolik reicht. Wenn wir auch heute seinen Arbeiten kritisch gegenüberstehen, ist andererseits nicht zu verkennen, daß er innerhalb der Musikwissenschaft als erster das Problem auf breitester Grundlage zur Sprache gebracht und weiteren Forschungen starke Impulse gegeben hat.

Auf Teilgebieten der musikalischen „Zeichensprache", vor allem im Bereich der sogenannten „Figurenlehre", sind nach Schering bedeutende wissenschaftliche Fortschritte zu verzeichnen. Dennoch fehlt bis heute eine strengere Systematisierung ihrer verschiedenen Erscheinungsformen, die für die Deutung des musikalischen Kunstwerkes, auch heute noch eine der wichtigsten Aufgaben der Musikwissenschaft, unerläßlich erscheint. Sie soll hier durch die Einteilung in Urentsprechung, rhetorische Figur, Allegorie und Symbol mehr skizzenhaft als ausführlich versucht werden, wobei über die erstgenannten drei nur zusammenfassend referiert werden kann, der Symbolbegriff in der Musik dagegen neu durchdacht und formuliert werden soll. Aus diesen Überlegungen wurde bewußt die umstrittene Zahlenkabbalistik wegen ihres spekulativen Cha-

---

1 Sieben verschiedene Aufsätze zu diesem Thema aus den Bach-Jahrbüchern 1925, 1928, 1934—1937 sowie aus dem Jahrbuch der Musikbibliothek Peters für 1925 sind zusammengefaßt in: Arnold Schering, Das Symbol in der Musik, herausgegeben von Wilibald Gurlitt, Leipzig 1941.

rakters ausgeklammert, zu der seit Friedrich Smends Deutungsversuch des Bachschen Kanons auf dem Haußmann-Gemälde[2] zahlreiche Aufsätze von verschiedenen Autoren vorliegen.

Die einfachste Kategorie der musikalischen Zeichensprache ist die *Entsprechung*. Ihre Erscheinungen werden von der modernen Psychologie als „Urentsprechungen verschiedener Sinnesgebiete" bezeichnet[3]. Sie haben in der Musik beispielsweise als Laut—Leise, Hoch—Tief, Schnell—Langsam, Steigen—Fallen, Schreiten—Springen jahrhundertelang die ihnen gemäße Darstellung gefunden. Von Guillaume Dufay im 15. bis zu Anton Bruckner im späten 19. Jahrhundert und darüber hinaus sind ungezählte Male Komponisten etwa den lateinischen Worten „ascendit" und „descendit" im Melodieverlauf ihrer Vertonungen des Ordinarium Missae gefolgt. Neben der sog. „Augenmusik"[4] gehören auch einfache numerische Entsprechungen in diese Kategorie. Fast selbstverständlich erschien es einem Komponisten wie Thomas Stoltzer, um 1525 bei der Vertonung des 12. Psalms „Hilf Herr, die Heiligen haben abgenommen" die Textworte der „siebenmal bewährten Rede des Herrn" durch die siebenmalige Wiederholung des betreffenden Motivs zu veranschaulichen[5]. Beispiele dieser Art lassen sich aus allen neueren Epochen der Musikgeschichte aufzeigen.

Die Erforschung der sog. *Figurenlehre* nahm ihren Ausgangspunkt von Arnold Schering. Sein Schüler Hans-Heinrich Unger arbeitete 1941 die Beziehungen zwischen Musik und Rhetorik vom 16. bis 18. Jahrhundert anhand zahlreicher Theoretikerschriften schärfer heraus und stellte sie systematisch dar[6]. Er wies nach, daß entsprechend den „loci topici" der Redekunst „Figuren", d. h. Tonformeln gebildet wurden, die konkrete Inhalte bedeuteten. Auf der Grundlage dieser Untersuchungen veröffentlichte 1950 Arnold Schmitz mit seiner Schrift „Die Bildlichkeit der wortgebundenen Musik Johann Sebastian Bachs" den seit Schering wertvollsten Beitrag zur Erforschung des gesamten Problemkreises[7]. In Analysen zeigte er den harmonischen und melodischen Anwendungsbereich der weit über 100 überlieferten grammatischen und wortausdeutenden Figuren und ihre Rangfolge auf. Nach Johann Gottfried Walther ist beispielsweise die „Exclamatio" „eine rhetorische Figur, wenn man etwas beweglich ausruffet, welches in der Music füglich durch die aufwerts springende ‚Sextam minorem' geschehen kann". Bach verwendet sie in diesem Sinne im Schlußchor des ersten Teils seiner Matthäuspassion auf die Worte „O Mensch, bewein dein Sünde groß", und zwar unmittelbar gekoppelt mit der Figur der „Katabasis", der Unterstreichung der Erniedrigung. Dieser Satz wie überhaupt die Anwendung der Figurenlehre bei Bach zeigt, daß für ihn die Figuren keine starren Kompositionsformeln, wie etwa bei weniger begabten Komponisten um 1700, waren, sondern ihre Verwendung große künstlerische Phantasie erforderte. Gerade er verstand es meisterhaft, sie aus musikalischen Motiven zu entwickeln und ihnen eine kraftvolle und deutliche Bildlichkeit zu geben. Zu welcher kompositorischen Dichte sich Bach gelegentlich bei der Anwendung musikalischer Figuren verstieg, hat kürzlich Wolfgang Budday am Beispiel des Orgelchorals „Durch Adams Fall ist ganz verderbt" BWV 637 nachgewiesen[8].

2 Friedrich Smend, Johann Sebastian Bach bei seinem Namen gerufen, Kassel 1950.
3 R. Müller-Freienfels, Psychologie der Musik, Berlin (1936), S. 69 ff.; Albert Wellek, Musikpsychologie und Musikästhetik, Frankfurt 1963, S. 244.
4 Friedrich Blume, Musik, Anschauung, Sinnbild, in: Musik und Bild. Festschrift Max Seiffert, Kassel 1938, S. 147.
5 Lothar Hoffmann-Erbrecht, Thomas Stoltzer. Leben und Schaffen, Kassel 1964, S. 127. Neuausgabe des 12. Psalms in: Thomas Stoltzer, Sämtliche Psalmmotetten, herausgegeben von Lothar Hoffmann-Erbrecht (Das Erbe deutscher Musik, Band 66), Frankfurt 1969, S. 110 ff.
6 Hans-Heinrich Unger, Die Beziehungen zwischen Musik und Rhetorik im 16.—18. Jahrhundert, Würzburg 1941.
7 Arnold Schmitz, Die Bildlichkeit der wortgebundenen Musik J. S. Bachs, Mainz 1950. Vgl. auch: ders., Die Figurenlehre in den theoretischen Werken Johann Gottfried Walthers, in: Archiv für Musikwissenschaft 9, 1952, S. 79 ff.
8 Wolfgang Budday, Musikalische Figuren als satztechnische Freiheiten in Bachs Orgelchoral „Durch Adams Fall ist ganz verderbt", in: BJ 1977, S. 139 ff.

Die große Bedeutung der rhetorischen Figur für Giacomo Carissimi[9], Heinrich Schütz[10], Johann Kuhnau[11] und viele andere Musiker des Barock haben zahlreiche weitere Einzelstudien in den letzten Jahrzehnten nachgewiesen. Es ist allerdings auch mehrfach darauf aufmerksam gemacht worden, daß ihr Erkennen oft Schwierigkeiten bereitet und parodierte Werke mit gänzlich neu unterlegten Texten mitunter kaum lösbare Probleme heraufbeschwören[12]. Auch auf musiktheoretischem Gebiet und im Hinblick auf die Wirksamkeit und Anwendung der Figuren im frühen 16. Jahrhundert wurden neue Erkenntnisse gewonnen[13]. Somit steht heute wenigstens dieser Zweig der musikalischen Zeichensprache auf gesicherten historisch-systematischen Grundlagen.

Über die dritte Kategorie, die musikalische *Allegorie*, liegt noch keine Spezialstudie vor. Ihr Fehlen ist auch kaum verwunderlich, weil die Allegorie, ganz im Gegensatz zur bildenden Kunst, Architektur und Poesie, in der Musik aufgrund ihrer spezifischen Gestaltungsmittel nur eine untergeordnete Rolle spielen kann. Deutet man sie als „Gleichnis" oder „Personifikation nicht anschaulicher Begriffe", so bedarf sie in der Tat einer visuellen Anschaulichkeit, die unserer Kunst von Natur aus nicht eigen ist. Unter den wenigen bekannten Beispielen findet sie sich in Bachs König Friedrich II. von Preußen gewidmetem „Musikalischen Opfer" in klarer und unmißverständlicher Form. An den Rand des 4. Kanons „per augmentationem" ließ Bach stechen: „Notulis crescentibus crescat fortuna Regis". Die Allegorie von den wachsenden Noten und dem gleichzeitig wachsenden Glück des Königs fällt somit unter das echt barocke Thema der Herrscherhuldigung, ist aus der Musik selbst nicht erkennbar und bedarf auf dem Notenblatt eines besonderen Kommentars.

Im Gegensatz zu anderen, sich häufig widersprechenden Lehrmeinungen soll hier der Begriff des musikalischen *Symbols* möglichst eng gefaßt und im wesentlichen auf den religiösen Bereich beschränkt werden. Bei dessen Definition sind zunächst mit Paul Tillich seine vier charakteristischen Merkmale, die Uneigentlichkeit, die Anschaulichkeit, die Selbstmächtigkeit und die Anerkanntheit kurz zu erläutern[14]:

1. Die Uneigentlichkeit besagt, daß der innere Akt, der sich auf das Symbol richtet, nicht das Symbol selbst, sondern das in ihm Symbolisierte meint. Dabei kann das Symbolisierte selbst wieder Symbol für ein Symbolisiertes höheren Ranges sein. Ein Beispiel setzt das Postulierte ins Bild: Das Kreuz ist ein christliches Symbol. Es meint die Kreuzigung auf Golgatha, die das erlösende Handeln Gottes versinnbildlicht, das wiederum symbolischer Ausdruck für eine Erfahrung des Unbedingt-Transzendenten ist.

2. Unter Anschaulichkeit ist zu verstehen, daß im Symbol ein wesenmäßig Unanschauliches, Ideelles oder Transzendentes zur Anschauung und damit zur Gegenständlichkeit gebracht wird. Die Anschauung braucht keine sinnliche, sondern kann auch eine vorgestellte sein. Das gleiche Beispiel erläutert auch dieses Merkmal: Das Kreuz bringt anschaulich etwas Unanschauliches, Tranzendentes, eben die Erlösung des Menschen durch Christi Tod, zur Darstellung.

3. Die Selbstmächtigkeit besagt, daß das Symbol eine ihm selbst innewohnende Macht besitzt, die es von dem bloßen, in sich ohnmächtigen Zeichen unterscheidet. Im Gegensatz zu diesem ist das Symbol nicht willkürlich austauschbar. Bemühen wir zum drittenmal das gleiche Beispiel:

9 Günther Massenkeil, Die Wiederholungsfiguren in den Oratorien Giacomo Carissimis, in: Archiv für Musikwissenschaft 13, 1956, S. 42 ff.

10 Georg Toussaint, Die Anwendung der musikalisch-rhetorischen Figuren in den Werken von Heinrich Schütz, Phil. Diss. Mainz 1949 (ungedruckt).

11 Wolfgang Reich, Semantische und formale Gestaltungsprinzipien in den Biblischen Historien von Johann Kuhnau, in: Archiv für Musikwissenschaft 15, 1958, S. 276 ff.

12 Werner Neumann, Über Ausmaß und Wesen des Bachschen Parodieverfahrens, in: BJ 1965, S. 63 ff.; Ludwig Finscher, Zum Parodieproblem bei Bach, in: Bach-Interpretationen, herausgegeben von Martin Geck, Göttingen 1969, S. 103 f.

13 Martin Ruhnke, Joachim Burmeister. Ein Beitrag zur Musiklehre um 1600, Kassel 1955.

14 Paul Tillich, Religiöse Verwirklichung, Berlin ²/1930, S. 88.

Symbole wie das Kreuz besitzen zumindest im christlich-abendländischen Raum eine große Macht. Jeder Christ verbindet mit ihm die Vorstellung der Erlösungstat Gottes. Es ist undenkbar, das Kreuz als Symbol gegen ein anderes Zeichen willkürlich auszutauschen.

4. Die Anerkanntheit versteht sich im Sinne einer Allgemeingültigkeit. Wird etwas zum Symbol, so immer im Hinblick auf die Gemeinschaft, niemals auf einen Einzelnen. Es muß als solches von einer breiten Öffentlichkeit wirklich erkannt und gewußt werden. „Privatsymbole" kann es also nicht geben.

Übertragen wir diese Merkmale auf musikalisches Gebiet, so läßt sich das Symbol in der Musik etwa folgendermaßen definieren: In Symbolen wird Ideelles oder Transzendentes mit musikalischen Mitteln anschaulich gemacht, ohne daß dieses unmittelbar aus der sinnlichen Wirkung der Musik „verstanden" werden kann, wenn es nicht zugleich „gewußt" wird.

Untersuchen wir zunächst die Stichhaltigkeit dieser Symboldefinition an zwei allgemein bekannten Symbolen im Schaffen Johann Sebastian Bachs, einem einfachen und einem zusammengesetzten. Die einfachen Symbole bedienen sich häufig bestimmter Zahlen oder beruhen auf einer vergeistigten Anwendung kompositionstechnischer Mittel, etwa des Kanons. In den zusammengesetzten hingegen überlagern sich zwei oder mehrere aufeinander bezogene zu einer Einheit und reichen von der musikalischen Kommentierung eines Sinnzusammenhanges bis zur theologischen Exegese.

Der Chorsatz der Jünger „Herr, bin ichs" in der „Matthäus-Passion" zeigt ein einfaches Symbol. Jesus hatte vorher gesagt: „Einer unter euch wird mich verraten." Der nur fünftaktige Turba-Chor bringt 11 mit „Herr" markierte Stimmeneinsätze, denn nur 11 Jünger stellen die Frage, der 12. (Judas) aber schweigt. Die Zahl 11 ist hier keine einfache numerische Entsprechung, sondern Sinnbild des Verrats an Jesu, jenes folgenschweren Vergehens, das zu seiner Festnahme und späteren Kreuzigung führte. Dieser Tatbestand war im 18. Jahrhundert allen Gläubigen bekannt, wurde „gewußt", besaß also den Anspruch der Allgemeingültigkeit. Somit erfüllt Bachs musikalische Gestaltung alle eben postulierten Voraussetzungen eines echten theologischen Symbols.

Ein treffliches Beispiel von komplexer Symbolik begegnet uns in dem kanonischen Duett „Et in unum Dominum" aus dem Credo der „h-moll-Messe". Der Text der Komposition, der zweite Glaubensartikel, legt die Weseneinheit von Gott Vater und Sohn dar. Bach führt die beiden Singstimmen in immer neuen Abschnitten als Kanon, anfangs im Einklang, dann im Quint- und Quartintervall, und versinnbildlicht damit die göttliche Einheit. Aber er begnügt sich nicht mit dem einen Symbol, sondern läßt dieses durch die Instrumentalstimmen gleichsam kommentieren. An allen Stellen nämlich, wo die Instrumente das Kanonthema vortragen, phrasiert er es unterschiedlich in beiden Stimmen mit zwei gestoßenen und zwei gebundenen Achteln, um die persönliche Verschiedenheit von Gott Vater und Sohn, die trotzdem eine Einheit bilden, darzustellen.

Neuere Forschungen haben dieses Stück als Parodie eines älteren weltlichen Werkes nachgewiesen. Bach trug bereits 1733 die instrumentale Einleitung der Komposition in die autographe Partitur seiner Herkules-Kantate „Laßt uns sorgen, laßt uns wachen" BWV 213 ein, strich sie aber gleich darauf wieder[15]. Der Satz sollte als Duett zwischen Herkules und der Tugend mit den Worten „Ich bin deine, du bist meine" textiert werden. Die doppelte Symbolik hätte auch mit diesem Text ihren vollen Sinn behalten: Herkules und die Tugend bilden eine Einheit, sind aber in der Person verschieden. Auch im weltlichen Werk besaß dieses Symbol seine Transzendenz, denn die Entscheidung des Herkules für die Tugend wurzelt im Übersinnlichen des vorchristlichen griechischen Mythos.

---

15 Hierzu Friedrich Smend, im KB zur Messe in h-Moll, NBA II/1, Kassel 1956, S. 148 ff.; ferner Georg von Dadelsen, Beiträge zur Chronologie der Werke Johann Sebastian Bachs (= Tübinger Bach-Studien 4/5), Trossingen 1958, S. 147.

An diesem Beispiel einer Parodie wird zugleich Bachs ganzheitliche Auffassung von der Musik, so wie sie Luther einst bekundet hatte, deutlich. Luther betrachtete gleich Augustinus den Bereich der weltlichen und geistlichen Musik als eine Einheit, „geschaffen zur Erkenntnis und zur Erfahrung des Schöpfers in seinen Schöpfungen, gestiftet zur laudatio Dei", wie es Augustinus im 10. Buch seiner Bekenntnisse formuliert hatte. Nur am Rande sei schließlich noch vermerkt, daß es zu dieser Bachschen Parodie auch vergleichbare Gegenstücke in der Kunstgeschichte gibt. Aus dem böhmischen Raum kennen wir Skulpturen, die ursprünglich Herkules und die Tugend darstellten, später aber, ins Geistliche gewendet, als Abbildung von Gott Vater und Sohn angesehen wurden[16].

Das erstgenannte Beispiel von den 11 Jüngern lenkt unsere Aufmerksamkeit auf die Zahlensymbolik einfacher Art, die sich grundsätzlich von der hier ausgeklammerten Zahlenspekulation unterscheidet. Daß Zahlen seit dem Mittelalter eine oder mehrere festumrissene theologische Bedeutungen besaßen, ist hinreichend bekannt. Beispielsweise galt die Zahl 3 als Sinnbild der Trinität, die Zahl 4 als Zahl der Evangelisten, der vier Himmelsrichtungen oder der vier Elemente, und die Zahl 5 schlechthin als „Christus-Zahl" entsprechend den fünf Wunden des Erlösers am Kreuz. Auf diese theologische Zahlensymbolik im Anschluß an den sogenannten Bungus-Index (Paris 1618) und ihre Verwendung in älterer Musik hat Fritz Feldmann 1957 erneut hingewiesen[17]. Aufschlußreich ist, daß sich im frühen 16. Jahrhundert solche symbolischen Zahlen im musikalischen Kunstwerk stets mit einer rhetorischen Figur verbinden, eine Kombination, der bisher in der Symbolkunde kaum Beachtung geschenkt wurde. Eigene, erst 1977 veröffentlichte Untersuchungen solcher Symbolik in den um 1525 komponierten deutschsprachigen Psalmmotetten Thomas Stoltzers, den ersten auf Luthers Psalterübersetzung überhaupt, forderten eine Fülle von Belegen zutage, von denen nur zwei hier kurz erläutert werden sollen[18].

Stoltzer verknüpft Zahlensymbolik stets mit der Figur der sogenannten Climax, die nach der Definition des Johannes Nucius (1613) dann vorliegt, „wenn je zwei Stimmen in ähnlicher Weise durch das Auf und Ab des Taktes schreiten, z. B. wenn der Diskant mit dem Baß in vielen Dezimen oder Baß und Tenor in mehreren Terzen zusammengehen"[19]. Bedenkt man, daß im traditionellen Kontrapunkt längere Ketten gleicher Intervallschritte oder gleicher Zusammenklänge verpönt waren, so stehen solche Normabweichungen im Brennpunkt besonderer künstlerischer Verantwortung und sind wohlüberlegt. Bei Stoltzer tritt diese Climax, die sich von der im Barock definierten Climax, nämlich nachdrückliches Hervorkehren durch Wiederholung eines Motivs bei gleichzeitigem stufenweisem Aufsteigen, grundsätzlich unterscheidet, immer als Terzen-, Sexten- oder Dezimenketten unterschiedlicher Länge besonders an den Kulminationspunkten einzelner Sätze auf.

Text und Musik im zweiten Teil des 86. Psalms „Herr, neige deine Ohren" gipfelt in den Worten „und Wunder tust und allein ein Gott bist". Das „Wunder" markiert er mit einer siebentönigen Climax im Sextenabstand zwischen Diskant und Tenor und symbolisiert mit der 7 die Schöpferzahl Gottes, denn nur Gott tut Wunder. Um der Stelle Nachdruck zu verleihen, wiederholt er sie notengetreu sogleich zwei Mensuren später und leitet zu einem unüberhörbaren Trugschluß nach F über, auf dessen harmonischer Grundlage er einen doppelten Kanon zwischen Baß und Quinta vox und Tenor und Diskant aufbaut, um die Worte „und allein ein Gott bist" symbolisch in der Einheit der Stimmen zu unterstreichen. Den geschulten Ohren der Musiker

---

16 Mündliche Mitteilung von Prof. Dr. Erich Herzog, Kassel.

17 Fritz Feldmann, Numerorum mysteria, in: Archiv für Musikwissenschaft 14, 1957, S. 102 ff.

18 Lothar Hoffmann-Erbrecht, Musik in Böhmen und Ungarn um 1525. Zur Gestaltung und zum Symbolgehalt der deutschen Psalmmotetten Thomas Stoltzers, in: Die musikalischen Wechselbeziehungen Schlesien – Österreich, Dülmen 1977, S. 27 ff.

19 Fritz Feldmann, Musiktheoretiker in eigenen Kompositionen, in: Deutsches Jahrbuch der Musikwissenschaft 1, 1956, S. 58.

und Musikkenner im frühen 16. Jahrhundert ist die mehrschichtige, beziehungsreiche Exegese dieser Stelle sicher nicht verborgen geblieben. (Beispiel 1: S. 123)

Auf dem ersten Höhepunkt des dritten Teils derselben Komposition hebt der Priester Stoltzer die Textworte „(Du aber,) Herr Gott, bist barmherzig" wiederum mit Hilfe einer Climax in breiten Notenwerten hervor. In dieser exponierten sechstönigen Climax zwischen Diskant und Tenor ist die Symbolzahl 6 enthalten, die in der mittelalterlichen Theologie als „numerus creaturae", als Zahl des Menschen gilt, denn Gott hat nach der Genesis den Menschen am 6. Tag geschaffen. So wird auch Stoltzers Auslegung des Textes offenkundig: Nicht das Tier kann der göttlichen Gnade der Barmherzigkeit teilhaftig werden, sondern ausschließlich das vernunftbegabte Wesen der Erde, der Mensch. Gerade diese Stelle macht hinreichend deutlich, wie tiefschürfend der Komponist mit Hilfe seiner Gestaltung einen Bibeltext auszudeuten vermag, wie es einzig der Musik gelingt, Bibelwort und Kommentar gleichzeitig auszusprechen. (Beispiel 2: S. 124)

Das letzte Beispiel aus der Gruppe der mit einer rhetorischen Figur kombinierten Symbole führt uns wieder zu Bach zurück. Um seine Deutung hat man sich bisher noch nicht ernsthaft bemüht. Es unterscheidet sich von allen bisher zitierten dadurch, daß es sich um einen textlosen Doppelkanon handelt und darüber hinaus – ein singulärer Fall in der Bach-Überlieferung – vom Thomaskantor als „Symbolum" bezeichnet wurde, was auch immer er unter diesem Begriff verstand. Nach neuesten Forschungen Christoph Wolffs taucht dieser Kanon bereits in jener Reihe von 14 Kanons über die ersten Fundamentalnoten der Aria aus den „Goldberg-Variationen" als Nr. 11 im handschriftlichen Anhang von Bachs Handexemplar des Druckes der „Goldberg-Variationen" auf[20], war allerdings schon früher als autographer Stammbucheintrag, datiert auf den 15. Oktober 1747, für den schlesischen Studenten Johann Gottfried Fulde in leicht veränderter Gestalt unter BWV 1074 bekannt. Bach kommentierte ihn für Fulde eigenhändig mit: „Symbolum. Christus coronabit Crucigeros". Was bedeutet aber: „Christus wird die Kreuztragenden krönen"? (Beispiel 3: S. 124)

Versucht man eine Interpretation, wird man zunächst von dem im Quartraum chromatisch absteigenden Thema des ersten Kanons auszugehen haben. Diese chromatische Quarte kommt im 17. und 18. Jahrhundert in zweierlei Gestalt vor:

1. In der Instrumentalmusik dient sie als Thema, meist in Fugen und fugierten Sätzen. Seit Sweelincks ungefähr um 1600 entstandener „Fantasia chromatica" für Orgel wird die chromatisierte Quarte zu einem typischen, generationenlang benutzten Thema, das sich besonders gut mit anderen, nichtchromatischen Themen kombinieren läßt. Auch Bach hat es in dieser Weise mehrfach benutzt, z. B. in der Zweithemenfuge für Klavier in a-moll BWV 904, wo es am Schluß mit dem ersten Thema enggeführt wird.

2. In der wortverbundenen Musik ist die chromatische Quarte unter dem Namen „passus duriusculus", d. h. „harter Gang", als rhetorische Figur bekannt. Schon 1610 verwendet sie Claudio Monteverdi im „Crucifixus" seiner „Missa in illo tempore". Bach benutzt diese Figur im gleichen Sinne u. a. in der Kantate „Weinen, Klagen" BWV 12 und überzeugend im „Crucifixus" seiner „h-moll-Messe" als mehrfach wiederholten Baß. Sie steht wortausdeutend für die Darstellung von Trauer und Schmerz, besonders für das Leiden Christi am Kreuz. Selbst Mozart läßt sie im „Don Giovanni" am Ende der Introduktion nach dem Tode des Komturs zweimal quasi als „inhaltlich säkularisierte" Figur erklingen, und noch Beethoven hat sie in gleicher Bedeutung verwendet[21]

---

20 Christoph Wolff, Bachs Handexemplar der Goldberg-Variationen – eine neue Quelle, in: Bericht über die Wissenschaftliche Konferenz zum III. Internationalen Bach-Fest der DDR Leipzig 1975, Leipzig 1977, S. 79 ff.; ders. (Herausgeber), J. S. Bach, 14 Kanons über die ersten acht Fundamentalnoten der Aria aus den Goldberg-Variationen (BWV 1087), Kassel 1976.

21 Erich Schenk, Barock bei Beethoven, in: Beethoven und die Gegenwart, Festschrift Ludwig Schiedermair, Berlin–Bonn 1927, S. 177 ff.

Bach kann mit „Symbolum" nicht die rhetorische Figur des „passus duriusculus" gemeint haben; dennoch wird sein Symbol erst durch diesen verständlich. Der tiefere symbolische Sinn erschließt sich erst demjenigen, der sich um die Auflösung des Kanons bemüht. Aus Kanon I und II ist jeweils die Umkehrung abzuleiten, die anderthalb Takte später auf der Quinte d' einsetzt. Dabei stellt man verblüfft fest, daß die „Kreuze" beider Kanons verschwinden: die „kreuztragenden" Töne ais, gis, cis und dis werden von ihrer Last befreit, das theologische Symbol wird also durch musikalische Zeichen vertreten[22]. (Beispiel 4: S. 125)

Das „Symbolum" Bachs ist zweifellos ein echtes Symbol im früher definierten Sinne, denn daß „Christus die Kreuztragenden krönen", d. h. erlösen werde, wußte damals jeder aus der Theologia crucis. Neu ist an diesem Beispiel allerdings, daß Bach hier eine wortverbundene rhetorische Figur samt ihrer ursprünglichen inhaltlichen Bedeutung, die bisher eben nur in der Vokalmusik Geltung besaß, in die reine Instrumentalmusik eines Kanons überführt und als Komponist selbst dessen symbolischen Sinngehalt theologisch interpretiert. So repräsentiert dieser Kanon gewissermaßen das Endstadium der Figurenlehre um 1750: sie löst sich vom Wort, dessen Bedeutungsträger sie ja war, und findet in die Instrumentalmusik Eingang, bedarf aber jetzt eines erklärenden Hinweises, um überhaupt verstanden werden zu können.

Diese kurzen Hinweise verfolgten zwei Ziele: erstens die Möglichkeiten sinnbildhaften Musizierens in einer gewissen Stufenordnung zu systematisieren und zweitens durch eine Neuformulierung des Symbolbegriffes in der Musik und der Darstellung einiger Erkenntnisse zu diesem Thema zu weiteren Überlegungen anzuregen. Viele Fragen bleiben noch offen. Ihre Beantwortung könnte zum Verstehen bedeutender Kunstwerke wesentlich beitragen.

---

22 Freundlicher Hinweis von Herrn Prof. Dr. Helmuth Osthoff, Würzburg.

Beispiel 1: Thomas Stoltzer, 86. Psalm „Herr, neige deine Ohren", 2. Teil.

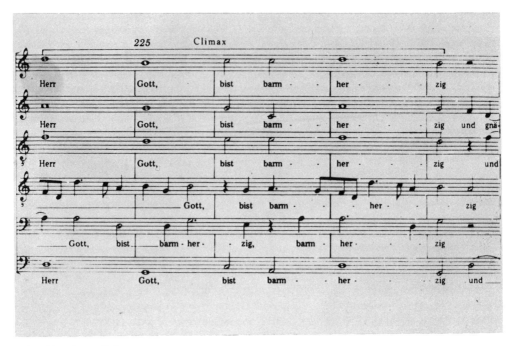

Beispiel 2: Ibid., 3. Teil.

Beispiel 3: Johann Sebastian Bach, Kanon BWV 1074, Bachs Rätselnotation.

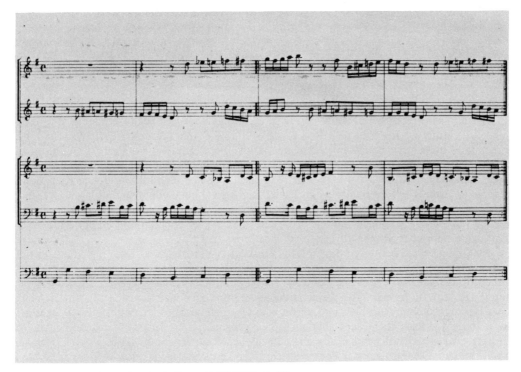

Beispiel 4: Johann Sebastian Bach, Kanon BWV 1074, Auflösung.

Klaus Hofmann

Zur Echtheit der Motette „Jauchzet dem Herrn, alle Welt" BWV Anh. 160

Wenn es unter den mehr als zwölfhundert Kompositionen, die uns unter oder in Verbindung mit Bachs Namen überliefert sind, so etwas wie Stiefkinder der Bach-Forschung gibt, dann gehört die Motette „Jauchzet dem Herrn, alle Welt" BWV Anh. 160 gewiß dazu. Das Werk, das gegen 1820 noch unter dem Namen Bachs im Druck herausgegeben worden war und bis in die zweite Hälfte des Jahrhunderts unter Bachs Namen aufgeführt wurde[1], geriet durch die negative Beurteilung Philipp Spittas, der es in dem 1880 erschienenen 2. Band seiner großen Bach-Monographie als „zum Theil zweifelhaft, zum Theil . . . unecht"[2] abqualifizierte, tief in die Grauzone zwischen vermuteter und erwiesener Unechtheit. Seither steht die Motette im Abseits, wird in der Fachliteratur gewöhnlich nur der Vollständigkeit halber erwähnt und im übrigen von der Forschung mehr oder weniger als „erledigt" betrachtet.

Die Gründe aber, aus denen die Motette zunächst in Verdacht und dann ins Abseits geriet, sind komplexer, zum Teil irrationaler Natur. Vorurteile müssen eine nicht geringe Rolle gespielt haben. Hinzu kam ein eigenartiger und schwer zu durchschauender Überlieferungs- und Stilbefund: Die Motette ist erkennbar keine Originalkomposition, sondern aus Sätzen unterschiedlicher Herkunft zusammengefügt, und wird in der Überlieferung des 18. und frühen 19. Jahrhunderts teils zwar Bach allein, teils aber auch Bach gemeinsam mit Telemann zugeschrieben. Der 2. Satz erweist sich als Bearbeitung eines Bachschen Kantatenchors, der 3. als auf Telemann zurückgehend. Der Eingangssatz aber zeigt ein uneinheitliches, nicht ohne weiteres Bach zuzuordnendes Stilprofil mit „unverkennbar Telemannschen Zügen"[3].

Daß die Motette bei alledem nicht vom Graubereich ins völlig Schwarze gerückt ist, verdankt sie offensichtlich nur der Tatsache, daß ihr Mittelteil, ein vierstimmiger motettischer Satz auf den Text „Sei Lob und Preis mit Ehren" (BWV 231), in seiner Substanz eindeutig auf Bach zurückgeht: Er ist eine Bearbeitung des Choralchors „Nun lob, mein Seel, den Herren" aus Bachs Kantate „Gottlob! nun geht das Jahr zu Ende" BWV 28. Die Bearbeitung ist qualifiziert; es fehlte an stilkritischen Argumenten, sie Bach abzusprechen. Der Satz wurde denn auch als einziger, freilich nicht ohne Bedenken, in den Motettenband der alten Bach-Ausgabe aufgenommen, während die beiden doppelchörigen Ecksätze mit Hinweis auf Spitta kurzerhand für unecht erklärt und weggelassen wurden[4]. Das Einzelstück hat von dem Motettenband aus den Weg in die Praxis gefunden, sich aber weder dort noch in der wissenschaftlichen Literatur ganz aus dem Schatten des über die Ecksätze ergangenen Verdikts zu lösen vermocht: Zu offensichtlich ist sein Schicksal eingebettet in das der Motette. Die Ecksätze aber blieben mit dem Ausschluß aus der Gesamtausgabe praktisch jeder weiteren Diskussion entzogen.

Mit den folgenden Darlegungen zu der Motette „Jauchzet dem Herrn, alle Welt" wird der Versuch eines späten Revisions- und Rehabilitierungsverfahrens unternommen — nach längst ergangenem und vollzogenem Urteil. Das Verfahren wäre nicht, oder doch nicht mit einem solchen Aufwand an Beweismitteln, erforderlich, gäbe es nicht eine prinzipielle Schwierigkeit: Die Motette ist nur in sekundären Quellen, nicht aber in einer Bachschen Originalhandschrift überliefert. Hier klafft also an der entscheidenden Stelle des Überlieferungsganges: zwischen Kom-

---

1 Spitta I, S. 800.
2 Spitta II, S. 820.
3 Spitta II, S. 821.
4 BG, Band 39: Motetten, Choräle und Lieder, herausgegeben von Franz Wüllner (1892); vgl. Vorwort, S. XXIII f.

ponist und Nachwelt, eine Lücke. Eine solche Überlieferungssituation bedeutet, daß Echtheitseinreden, wie auch immer sie begründet sein mögen, mit Hilfe quellenkundlicher Kritik zwar unter Umständen erhärtet, nicht aber endgültig widerlegt werden können. Beim Versuch der Widerlegung bleibt gewissermaßen das letzte, für die Tragfähigkeit des Ganzen entscheidende Glied der Beweiskette offen. Es ist nur mit analytischen, stilkritischen Methoden zu schließen und wird notgedrungen oft genug das schwächste bleiben.

Im folgenden soll, ausgehend von der Auseinandersetzung mit Spitta und seiner vorwiegend überlieferungsbezogenen Argumentation, die Beweiskette zunächst auf der Überlieferungsseite geprüft und gesichert werden: Es wird zu zeigen sein, daß die Überlieferung nicht nur keine Veranlassung bietet, an der grundsätzlichen Richtigkeit der Zuschreibung der Motette an Bach zu zweifeln, sondern, eher im Gegenteil, deutlich auf Bach und seinen Leipziger Wirkungskreis weist und die Quellen bei genauer Betrachtung mehr als erwartet zu einer positiven Lösung des Echtheitsproblems beitragen. Anschließend wird sich die Aufgabe stellen, für die beiden ersten Sätze das Endglied der Beweiskette mit den Mitteln der Stilanalyse zu schließen: stilkritischen Einwänden zu begegnen und den kompositorischen Befund glaubhaft mit der Person Bachs in Verbindung zu bringen.

Für den im weiteren hinzuzuziehenden Notentext muß ich den Leser, da es außer dem erwähnten, aber nicht in Betracht kommenden Erstdruck sonst keine vollständige Edition der Motette gibt, auf meine eigene, 1978 im Hänssler-Verlag erschienene Ausgabe des Werkes verweisen[5]. Der Kritische Bericht der Ausgabe enthält eine Gesamtdarstellung der Quellenlage, so daß ich mich in dieser Beziehung hier kurz fassen kann.

*

Wo immer in der Bach-Literatur der letzten hundert Jahre die Echtheit der Motette „Jauchzet dem Herrn, alle Welt" in Frage gestellt oder verneint oder das Werk gar einem anderen Komponisten zugewiesen wird — die Spuren führen sämtlich zurück zu Philipp Spitta und seiner Bach-Monographie[6]. Die einschlägigen Ausführungen finden sich in Band I (1873) in Anmerkung 24 auf S. 800 und in Band II (1880) auf S. 429 — hier nur den 2. Satz betreffend — sowie in Anmerkung 49 auf S. 820—821.

Die Behandlung der Motette in Band I umfaßt nur wenige — freilich folgenschwere — Zeilen und erfolgt in eher entlegenem Zusammenhang. Es geht Spitta an dieser Stelle darum, seine Vermutung, die unter Johann Sebastian Bachs Namen überlieferte Kantate „Herr Christ der ein'ge Gottessohn" BWV Anh. 156 sei ein Werk Telemanns, mit dem Hinweis auf einen Parallelfall zu untermauern. Er schreibt: „Daß die Bachsche Flagge Telemannsches Gut deckte, davon wäre dies nicht das einzige Beispiel. Im Kataloge über den Nachlaß Philipp Emanuel Bachs ist eine doppelchörige Motette aus C dur: ‚Jauchzet dem Herrn alle Welt' als Sebastians Arbeit bezeichnet, . . . die Telemann gehört und nur deshalb Bach zugeschrieben wurde, weil irgend wer den gewaltigen Choralchor aus des letztern Cantate ‚Gottlob nun geht das Jahr zu Ende' . . . in die Mitte hineingeschoben hatte".

Das klingt recht plausibel — solange man es nicht nachprüft: Was Spitta über die Entstehung der Motette und ihrer Zuschreibung an Bach schreibt, erweist sich als freie Erfindung. Der Unbekannte ist ein Phantom (nicht etwa ein als Bearbeiter auszumachender und nur dem Namen nach nicht bekannter Musiker); und eine aus den beiden Rahmensätzen bestehende Telemannsche Originalmotette, in die jener „irgend wer" den Bachschen Kantatensatz hätte einpassen

5 Johann Sebastian Bach (?), Jauchzet dem Herrn, alle Welt BWV Anh. 160. Motette für zwei vierstimmige Chöre und Generalbaß ad libitum, herausgegeben von Klaus Hofmann (Herbipol.), Neuhausen-Stuttgart 1978.
6 Siehe Anmerkung 1.

können, ist nicht nur nicht überliefert – sie hat nie.existiert. Die in der Tat von Telemann stammende Vorlage des Schlußsatzes gehört, wie sich inzwischen herausgestellt hat, nicht einer Motette, sondern der Weihnachtskantate „Lobt Gott, ihr Christen allzugleich – Herr Gott, dich loben wir" aus dem Jahre 1721 an[7]. Der Eingangssatz ist anderweitig nicht nachzuweisen. Hier sind Spitta also im Eifer der Beweisführung für ein anderes Werk Vermutungen zu Fakten geraten. Richtig ist lediglich, daß die Motette in dem 1790 in Hamburg gedruckten „Verzeichniß des musikalischen Nachlasses des verstorbenen Capellmeisters Carl Philipp Emanuel Bach" unter die Kompositionen Johann Sebastian Bachs eingereiht erscheint[8]. Die Anführung lautet: „Motetto: Jauchzet dem Herrn alle Welt. Für 8 Singstimmen und Fundament, in 2 Chören. In Partitur.". Daß die Motette an so prominenter Stelle Johann Sebastian Bach zugeschrieben wird, hätte Spitta warnen müssen.

Die Bemerkungen über die bearbeitete Fassung des Choralchors in Band II, S. 429, sind sachlich wenig ergiebig; in der Echtheitsfrage zeigt sich Spitta spürbar distanziert. Er formuliert, im Anschluß an eine Erwähnung des Kantatenchors BWV 28/2: „Diesen letztern hat man später als selbständiges Werk hingestellt, nachdem er in einer Weise überarbeitet war, daß der Continuo ganz wegfallen konnte." Dazu weist er in einer Fußnote auf die Einzelüberlieferung der Bearbeitung in Berliner Handschriften[9] hin, eigenartigerweise ohne zu vermerken, daß der Satz in dieser Form sonst Teil der Motette „Jauchzet dem Herrn" ist. Im Blick auf Umfang und Gewicht der Änderungen gegenüber dem Original, die als „durchgreifend" charakterisiert werden, heißt es: „Man möchte . . . Bach selbst als Überarbeiter annehmen, wenn nicht verschiedene Züge bedenklich machten." Welche, bleibt allerdings ungesagt.

In den wiederum die ganze Motette betreffenden, etwas ausführlicheren Darlegungen in Band II, S. 820 f., bezeichnet Spitta das Werk – wie bereits zitiert – als „zum Theil zweifelhaft, zum Theil . . . sicher unecht". Einen Beleg gibt er aber nur für den letzten Satz, den er als in Friedrich Rochlitz' „Sammlung vorzüglicher Gesangstücke"[10] unter Telemanns Namen abgedruckt nachweist; dabei Telemanns Autorschaft fast unnötigerweise bekräftigend, aber doch wohl nicht ahnend, daß des ehemaligen Thomaners Rochlitz Ausgabe nicht auf einer Telemannschen Originalquelle, sondern auf einer Abschrift der Motette „Jauchzet dem Herrn" beruht[11]. Was Spitta damit entgeht – und das ist nicht ganz unwichtig –, ist der Bearbeitungscharakter des Satzes. Auf den 2. Satz geht Spitta nicht erneut ein. Über den Eingangssatz bemerkt er durchaus treffend, aber ohne sich auf Details einzulassen: „Zweifelhaft bleibt die Echtheit des ersten Satzes, welcher unverkennbar Telemannsche Züge, aber auch einen gewissen großartigen Wurf und jene Tonfülle und imponirende Sicherheit der Stimmführung zeigt, welche man eigentlich nur an Bach kennt."

Obwohl damit die Echtheitsfrage für den 1. Satz offen bleibt und die Authentizität des 2. Satzes zumindest nirgends ausdrücklich ausgeschlossen wird, muß Spitta zutiefst überzeugt gewesen sein, daß die Motette als Ganzes mit Bach nichts zu tun haben könne. Diese Grundüberzeugung, von der schon die irreführende Darstellung im 1. Band ausgeht, versucht er dem Leser nun mit einem neuen, konkreteren Bearbeitervorschlag nahezubringen, wobei er es geflissentlich unterläßt, den Blick auf Johann Sebastian Bach zu lenken. Er schreibt: „Ich halte es für wahrscheinlich, daß Emanuel Bach das Werk aus heterogenen Bestandtheilen zusammensetzte."

Der neue Namensvorschlag klingt zunächst akzeptabel, ist aber quellenmäßig unfundiert und hat in Spittas Hypothesengebäude die höchst problematische Funktion, einen Echtheitsbeleg

---

7 Ausgabe von Adam Adrio, Berlin 1947. Zur Datierung der Kantate siehe das Vorwort.
8 S. 73 (BJ 1939, S. 90).
9 Amalienbibliothek Nr. 24 und Nr. 31 = Quellen L und M meiner Ausgabe.
10 Friedrich Rochlitz, Sammlung vorzüglicher Gesangstücke, Mainz 1838–1840, Band III, Abteilung 2, S. 66 bis 70 = Quelle Q meiner Ausgabe.
11 Vgl. S. 44 meiner Ausgabe.

ersten Ranges: die Zuschreibung des Werkes an Johann Sebastian Bach im Verzeichnis des Carl Philipp Emanuel Bachschen Nachlasses, abzuwerten und den Gedanken an eine Verwechslung von Vater und Sohn nahezulegen: „Die Angabe des Katalogs kann nicht entscheiden, da derselbe erst nach Emanuel Bachs Tode gefertigt wurde."

Was Spitta dem Leser vorenthält, ist der Hinweis, daß es sich bei der im Nachlaßverzeichnis angeführten Handschrift – die Echtheit des Werkes einmal angenommen – durchaus um Johann Sebastian Bachs Originalpartitur gehandelt haben könnte. Doch daß es eine solche Originalhandschrift je gegeben haben sollte, war Spitta anscheinend unvorstellbar. Jedenfalls gibt er ohne Zögern eine Berliner Handschrift, von deren Besitzvermerk („Parlaw") aus er mit einer waghalsigen Kombination eine Provenienzbrücke nach Hamburg schlägt[12], für die in Carl Philipp Emanuel Bachs Nachlaßverzeichnis angebotene Partitur aus. Doch diese Berliner Quelle, die sich anhand des Besitzvermerks als Teil des heute in der Staatsbibliothek Preußischer Kulturbesitz aufbewahrten Konvoluts Mus. ms. Bach P 37 identifizieren läßt[13], ist mehr geeignet, Spittas Theorien zu widerlegen, als sie zu stützen: Weder schreibt sie das Werk Carl Philipp Emanuel Bach zu, noch ist sie von diesem geschrieben. Vielmehr nennt sie als Komponisten Johann Sebastian Bach (und bestätigt damit das Nachlaßverzeichnis) und stammt – was Spitta nicht geahnt haben kann – von der Hand des Naumburger Organisten Johann Christoph Altnickol, der, Schüler und Schwiegersohn des Thomaskantors, wohl als verläßlicher Zeuge gelten darf. Überdies: Da Altnickol 1759 starb, hätte Carl Philipp Emanuel Bach die Motette bereits in Berlin oder gar in sehr jungen Jahren in Leipzig oder als Student in Frankfurt an der Oder geschaffen haben müssen, zu einer Zeit also, in der er kaum Veranlassung zur Komposition eigener, und schon gar nicht zur Bearbeitung fremder Kirchenmusik hatte. Nein – auch Spittas zweite Entstehungstheorie ist nicht zu halten!

So bleibt bei kritischer Betrachtung von Spittas Darlegungen nicht viel mehr übrig als das Echtheitsproblem selbst und das Spitta unstreitig zukommende allgemeine Verdienst, darauf aufmerksam gemacht zu haben; das speziellere der Rückführung des Schlußsatzes auf Telemann ist, wie erläutert, nicht völlig ungetrübt. Was bleiben und gelten mag, sind die „unverkennbar Telemannschen Züge", die Spitta dem Eingangssatz attestiert; was freilich, so wenig konkretisiert, kaum zählen kann, sind jene nicht näher bezeichneten „verschiedenen Züge", die ihn beim 2. Satz „bedenklich machten".

Man wird befürchten müssen, daß auch noch lange bleibt, was nicht mehr zählen darf: Zu lange und zu oft ist Spitta gutgläubig nachgeschrieben worden. Die alte Bach-Ausgabe hat mit der Weglassung der Ecksätze und der fadenscheinigen Begründung, „dass der grössere Theil der Motette schon in alten Zeiten als nicht von Bach stammend angesehen worden"[14] sei, ihr Gutteil dazu beigetragen. Über den allein abgedruckten 2. Satz schreibt Franz Wüllner, der Herausgeber des Motettenbandes, zwar im Vorwort: „Die . . . Änderungen sind mit so viel Selbständigkeit und Geschmack gemacht, dass man sie kaum für das Werk eines fremden Bearbeiters, sondern nur des Componisten selbst zu halten versucht ist"[15]; doch hat diese verschüchterte und nicht weiter belegte Meinungsäußerung gegen Spittas autoritative Bedenklichkeitserklärung nicht viel auszurichten vermocht. In Wolfgang Schmieders „Bach-Werke-Verzeichnis"[16] ist, der Kompromißlösung der alten Bach-Ausgabe entsprechend, der Mittelsatz mit eigener Werknummer (BWV 231) im Hauptteil registriert, während die Motette als Ganzes im Anhang unter die „Johann Sebastian Bach fälschlich zugeschriebenen Werke" eingereiht erscheint[17]. Die Motette

12 In Anmerkung 1.
13 Quelle A meiner Ausgabe. Der Besitzername wohl eher: Farlaw (etwa für Walraf[f]?).
14 BG 39, S. XXIV.
15 Ebda., S. XLII.
16 Wolfgang Schmieder, Thematisch-systematisches Verzeichnis der musikalischen Werke von Johann Sebastian Bach, Leipzig 1950.
17 BWV, S. 635 (Anhang 156 ff.).

wird bei der Ausführung im Anhang — offenbar im Anschluß an Spitta I, S. 800 — ohne ausdrückliche Einschränkung als Werk Telemanns bezeichnet; bei der Anführung des Mittelsatzes im Hauptteil ist vorsichtiger vom „Choralchor aus der im übrigen wohl von G. Ph. Telemann stammenden Motette" die Rede. Spittas Hinweis auf Carl Philipp Emanuel Bach bleibt bei Schmieder unerwähnt, hat aber wohl vor allem über das Vorwort zu Werner Neumanns praktischer Ausgabe der Motetten bei Peters[18] aus dem Jahre 1949 Verbreitung gefunden. Im Kritischen Bericht des von Konrad Ameln herausgegebenen Motettenbandes der „Neuen Bach-Ausgabe" (die die Entscheidung über die Veröffentlichung der Motette der umstrittenen Echtheit wegen einstweilen zurückgestellt hat) wird Spitta zwar insofern widersprochen, als Ameln dessen Vermutung, „daß Emanuel Bach das Werk aus heterogenen Bestandtheilen zusammensetzte", als „wenig begründet" bezeichnet und seinerseits dagegenhält, es sei „wahrscheinlicher . . ., daß Telemann den Satz für seine Motette zurichtete"[19]. Diese neuerliche Vermutung wird nun aber überhaupt nicht begründet und ist offensichtlich nichts als ein später Reflex auf Spitta I, S. 800, nur daß Spittas „irgend wer" nun mit Telemann selbst identifiziert wird.

Ein vereinzelter qualifizierter Einwand gegen Spitta, und zwar gegen dessen zweite Entstehungshypothese, findet sich in Georg Feders Dissertation „Bachs Werke in ihren Bearbeitungen 1750–1950"[20]. Feder bezieht sich auf Belege dafür, daß die Motette spätestens in den 1780er Jahren zum Thomanerchor-Repertoire gehört hat, und vertritt mit Recht die Ansicht, daß dies doch zunächst eher gegen eine Zuschreibung an Carl Philipp Emanuel Bach spreche und „Spittas Annahme ohne nähere Begründung nicht aufrecht erhalten" werden könne. In der Tat führen die Spuren der Überlieferung weder nach Berlin noch nach Hamburg.

*

Alle Wege führen nach Leipzig: Die gesamte Überlieferung der Motette weist auf Bach und seinen Leipziger Wirkungskreis[21]. Für die Abschrift Altnickols (Quelle A meiner Ausgabe) bedarf dies hier keiner Begründung; noch weniger für die inzwischen verschollenen Stimmbücher der Thomasschule aus der zweiten Hälfte des 18. Jahrhunderts (Quellen I und K), die Wüllner im Vorwort zu Band 39 der alten Bach-Ausgabe (S. XXIV) unter Buchstabe e erwähnt. Von den

---

18 Joh. Seb. Bach, Sämtliche Motetten. Neue Ausgabe, Leipzig o. J.

19 NBA III/1 (1965/67), KB, S. 8.

20 Kiel 1955 (maschinenschriftlich); das folgende Zitat von S. 27.

21 Für das Folgende sei nochmals auf die detailliertere Quellendarstellung im KB meiner Ausgabe hingewiesen. — Ergänzungen und Berichtigungen: Zu den Titel- und Komponistenangaben auf der ersten Partiturseite der Quelle C (vgl. S. 43 meiner Ausgabe) ist präzisierend anzumerken, daß „Motetto." überschriftartig oben in der Mitte steht, „di J. S. Bach." am rechten oberen Rand des Partiturfelds und „Telemann" als Nachtrag in erheblich kleinerer Schrift unmittelbar rechts von „Motetto.". Die Tatsache, daß die ursprüngliche Komponistenangabe weder gelöscht noch eingeschränkt worden ist, zeigt, unterstrichen vom optischen Gesamteindruck, daß, anders als Wüllner (der das stehengebliebene „di J. S. Bach" ignoriert) in BG 39, S. XXIV, annimmt, an eine ausschließliche Zuschreibung des 1. Satzes (oder gar der ganzen Motette) an Telemann nicht gedacht war. — Nachzutragen sind zwei verschollene (oder zumindest unter den erhaltenen Handschriften nicht zu identifizierende) Quellen: (1) Handschrift (wohl Stimmen) aus dem Besitz des Bach-Schülers Johann Christian Kittel (1732–1809), angeführt als Werk Johann Sebastian Bachs in dem gedruckten Katalog zur Versteigerung des Kittelschen Nachlasses, Erfurt 1809, Nr. 640. (2) Handschrift aus dem Besitz des vogtländischen Kantors Johann Gottlob Schuster (1765–1839). Näheres hierzu bei Yoshitake Kobayashi, Franz Hauser und seine Bach-Handschriftensammlung, Göttingen 1973, S. 106 ff., besonders S. 121 (Nr. 4). Quelle D meiner Ausgabe stammt, wie sich neuerdings herausstellt, aus dem Nachlaß von Erich Prieger (1849–1913) und läßt sich, anders als von mir im Anschluß an Kobayashi (S. 126 f., 191) angegeben, nicht auf Hauser als Zwischen- und Schuster als Vorbesitzer zurückführen. — Ferner wurden mir kurz vor Abschluß dieses Aufsatzes dank freundlicher Auskunft von Herrn Dr. Werner Menke, Müllheim (Baden), noch folgende Quellen bekannt: (3) Dresden, Sächsische Landesbibliothek, Mus. 1-E-775: Partiturabschrift um 1800 mit BWV Anh. 160 und BWV 226. BWV Anh. 160

übrigen bislang bekannten vollständigen Quellen lassen sich zwei, die Handschriften Mus. ms. Bach St. 640 (Quelle B) und P 1207 (Quelle C), beide Staatsbibliothek Preußischer Kulturbesitz Berlin/West, mit dem Umfeld der Thomasschule und der Person des Thomaskantors Johann Gottfried Schicht (1753–1823) in Verbindung bringen. Der anonyme Schreiber der in der Hessischen Landes- und Hochschulbibliothek Darmstadt liegenden Partiturabschrift Mus. ms. 1325 (Quelle D) läßt sich anderweitig als Kopist der Motette „Komm, Jesu, komm" BWV 229 nachweisen[22]; der Darmstädter Notentext deutet auf größte Nähe zu der – vielleicht ein wenig älteren – Partiturhandschrift V 6090 der Gesellschaft der Musikfreunde in Wien (Quelle E). Die Wiener Quelle wiederum zeigt die gleichen Schrift- und Papiermerkmale wie die in denselben Archivbeständen aus Mozarts Besitz erhaltene Partiturkopie der Motette „Singet dem Herrn ein neues Lied" BWV 225 und stammt offenbar wie diese aus Leipzig; vermutlich sind beide Handschriften gemeinsam 1789 im Zusammenhang mit Mozarts Leipzig-Besuch nach Wien gelangt[23]. Die Partiturabschrift des Wiener Sammlers Josef Fischhof (1804–1857) innerhalb des in der Staatsbibliothek Preußischer Kulturbesitz aufbewahrten Konvoluts Mus. ms. Bach P 457 (Quelle F) geht auf die Wiener Handschrift zurück. Der Erstdruck schließlich, der um 1819 von Johann Friedrich Samuel Döring (1766–1840) herausgegeben und offenbar bei Breitkopf & Härtel in Leipzig hergestellt wurde (Quelle G), bezieht sich in einer Notiz ausdrücklich auf Stimmen der Thomasschule. Die gemeinsame Abkunft der genannten Quellen spiegelt sich außerdem in gemeinsamen Fehlern; insbesondere weisen alle vorhandenen Quellen außer der Abschrift Altnickols in Satz 1 bei T. 4/5 einen durch Verschreibung entstandenen eintaktigen Einschub auf, ein Fehler, der offenbar erst nach der Herstellung der Altnickolschen Abschrift in das Leipziger Material eingedrungen ist und sich von dort aus weiter verbreitet hat[24].

Leider läßt sich Altnickols Abschrift, die älteste der erhaltenen Quellen, mit diplomatischen Mitteln nicht sicher datieren[25]. Aus einem noch zu benennenden Grunde ist sie jedoch wahrscheinlich nach 1750 anzusetzen. Versucht man, von den übrigen Quellen aus die mit der Thomasschule verbundene Überlieferung zurückzuverfolgen, so erweist sich der Döringsche Erstdruck als besonders ergiebig. Er enthält eine in mehrfacher Hinsicht bedeutsame Anmerkung, wonach der 3. Satz erst von Bachs Leipziger Amtsnachfolger Gottlob Harrer (1703–1755) hinzugefügt worden sein soll. Da Döring sich dabei auf den Bach-Schüler und nachmaligen Thomaskantor Johann Friedrich Doles (1715–1797) und den Görlitzer Organisten und Bach-Enkelschüler David Traugott Nicolai (1733–1799) beruft, der von 1753 bis 1755, also in Harrers Amtszeit (1750–1755), in Leipzig studiert hat, ist diese Angabe durchaus glaubhaft.

Die Anmerkung ist zwischen dem 2. und 3. Satz der Motette eingeschaltet und lautet: „Hactenus Seb. Cel.! Das folgende wurde in den ältesten Stimmen der Thomaschule, welche 1789 noch unbeschädigt waren, als Telemans Arbeit angegeben. Joh. Fr. Doles und Dav. Traugott Nikolai versicherten aber: es sey ein additamentum von Harrer, dem Nachfolger Bachs im Am-

---

wird hier ausschließlich Johann Sebastian Bach zugeschrieben. Vom Textstadium her ist diese Handschrift jedenfalls nach Quelle A einzustufen; möglicherweise fußt sie auf Quelle B. (4) Ebenda, Mus. 2392-E-615a: handschriftliche Stimmen nach dem Erstdruck. (5) Brandenburg, Katharinenkirche, Nr. 6. (6) Königsberg (Kaliningrad), UB. Rex 45 (GH.Qu.). (7) Stockholm, Kungl. Musikaliska Akademiens Bibliotek, ohne Signatur. – Ich konnte diese Handschriften noch nicht einsehen. Die Angaben zu den unter 3 und 4 genannten Quellen verdanke ich der Freundlichkeit von Frau Dr. Ortrun Landmann von der Sächsischen Landesbibliothek Dresden.

22 Nach Kobayashi, a. a. O., S. 127.

23 Vgl. Ernst Fritz Schmid, Zu Mozarts Leipziger Bach-Erlebnis, in: Zeitschrift für Musik 111, 1950, S. 297 bis 303; ferner NBA III/1, KB, S. 32 ff.

24 Näheres in meiner Ausgabe, S. 44. Daß der Fehler auch in den Quellen I und K steht, ist aus den Angaben Wüllners zu P 37, BG 39, S. XXIV oben, zu erschließen.

25 Vgl. Alfred Dürr, Zur Chronologie der Handschrift Johann Christoph Altnickols und Johann Friedrich Agricolas, in: BJ 1970, S. 44–65, besonders S. 48.

te." Die Formulierung ist nicht völlig unmißverständlich. Bei der letzten, auf Doles und Nicolai bezugnehmenden Bemerkung irritiert — zumindest heute — das Wort „aber", das zunächst auf einen Widerspruch zwischen schriftlicher und mündlicher Zuschreibungstradition hinweisen zu sollen scheint, woraus sich jedoch kein rechter Sinn ergibt: Die Stimmen mit dem Namenshinweis auf Telemann, auf die Döring sich beruft, waren unter Doles in Gebrauch gewesen; von Doles war also in der Komponistenfrage gar keine andere Auskunft als aus dem Aufführungsmaterial der Thomasschule zu erwarten. Offenbar darf man das „aber" nicht auf die Goldwaage legen: Doles' und damit auch Nicolais Aussage bezieht sich, den Hinweis auf Telemann lediglich ergänzend, ausschließlich auf die Hinzufügung des Satzes. Es geht Döring hier nicht um die Frage, wer denn der Komponist des Schlußsatzes sei, sondern darum, die mit seiner Einschaltung „Hactenus Seb[astianus] Cel[eberrimus]!" für den 3. Satz ausgesprochene Unechtheitsbehauptung weiter zu begründen: zu belegen, daß der Satz erst nach Bachs Tod angehängt worden, und zu erläutern, wie er in die Motette gelangt ist. — Ob Harrer auch als Bearbeiter des Telemannschen Satzes angesehen wurde, läßt die Anmerkung nicht erkennen.

Dörings Bezugnahme auf die „ältesten Stimmen der Thomasschule", in denen der Schlußsatz Telemann zugeschrieben gewesen sein soll, ist aus der Perspektive der Zeit der Veröffentlichung seiner Ausgabe, um 1819, zu verstehen. Döring war selbst einst unter Doles Thomaner gewesen und hatte in den Jahren 1788–1791 in Leipzig studiert. Er bezieht sich offenbar auf Stimmen, die er aus seinen Leipziger Jahren kannte, die aber — das soll die seltsam verknappte (vielleicht einen Seitenhieb auf die Leipziger Verhältnisse enthaltende) Formulierung „welche 1789 noch unbeschädigt waren" doch wohl andeuten — in den nachfolgenden Jahrzehnten allmählich zersungen und ersetzt und ausgeschieden worden waren und nun als Belege der Zuschreibung an Telemann nicht mehr zur Verfügung standen. Mit den „ältesten Stimmen" scheint Döring Originalstimmen aus der Zeit Bachs und Harrers zu meinen — oder zumindest Stimmen, die man dafür hielt. Daß er sich speziell auf diese Stimmen bezieht, und nicht etwa auf die in der Thomasschule in der Folgezeit angefertigten Abschriften, hat seinen besonderen Grund wohl darin, daß die jüngere Leipziger Überlieferung — für uns greifbar in den Quellen D und I sowie, mit einer nachgetragenen Angabe, C — den Schlußsatz nicht etwa nur Telemann (wie offenbar Dörings „älteste Stimmen"), sondern Telemann und Bach gemeinsam zuschreibt[26]. Es handelt sich bei dieser Doppelzuschreibung speziell zum 3. Satz allem Anschein nach um eine späte, wohl erst nach Doles' Amtszeit einsetzende Tradition. Man könnte sich nun damit zufrieden geben zu unterstellen, daß die Doppelzuweisung beim Schlußsatz irrig und wahrscheinlich nur aus der wohlmeinenden Absicht eines Schreibers entstanden sei, den gelegentlich beim 2. Satz auftretenden einschränkenden Zuschreibungsvermerk „von Joh. Seb. Bach allein" (Quelle I, Nachtrag in C) für den Schlußsatz durch Wiedereinsetzung der am Anfang stehenden doppelten Komponistenangabe „von Telemann und Bach" (so Quelle D, ähnlich E und K) zu widerrufen, träfe sich die partielle Inanspruchnahme für Bach nicht mit dem Befund bei jenen Quellen, die die Motette als Ganzes Bach zuschreiben und dies auch für den 3. Satz in keiner Weise einschränken. Es handelt sich hierbei um relativ frühe Quellen: die Abschrift Altnickols A und die — zumindest dem Textstadium nach A benachbarte — Stimmenabschrift B; es ist möglich, daß die Doppelzuschreibungstradition, soweit es den Namen Bach betrifft, unter dem Einfluß solcher älterer Quellen entstanden ist.

Der Widerspruch zwischen den Angaben Dörings und jenen Quellen, die den Schlußsatz in der einen oder anderen Weise für Bach in Anspruch nehmen, ist einstweilen nicht befriedigend aufzulösen. Eine Harmonisierung der divergierenden Aussagen ist zwar prinzipiell möglich: Harrer hätte der ihm vorliegenden zweisätzigen „Rumpfmotette" nicht eine eigene, sondern eine — etwa als Einzelstück bereitliegende — Bachsche Bearbeitung des Telemannschen Kanta-

---

26 Wüllners Bericht über die auf die einzelnen Sätze bezüglichen Komponistenangaben in Quelle K („III 3"), BG 39, S. XXIV, ist so vage, daß diese hier und im folgenden unberücksichtigt bleiben müssen.

tensatzes angehängt, und diese Sachzusammenhänge wären nur partiell in die Überlieferung eingegangen; aber die Lösung mutet allzu theoretisch an. Der Wirklichkeit näher kommt man wohl mit der Annahme, daß der Satz tatsächlich von Harrer bearbeitet und der Motette angefügt worden ist; wobei die Anhängung des Satzes im Material der Thomasschule in einer Form erfolgt sein müßte, die nicht ohne weiteres erkennen ließ, daß es sich um einen Fremdzusatz handelte. Das „additamentum" wäre dann von hier aus gutgläubig als vermeintlich authentischer Bestandteil in die frühen Abschriften übernommen worden und so auch in die Altnickolsche Partitur A und in die Stimmen B gelangt. In den „ältesten Stimmen", auf die Döring sich beruft, wäre der Sachverhalt durch die – vielleicht nachgetragene – Namensangabe Telemann klargestellt oder zumindest angedeutet gewesen. Die spätere Doppelzuschreibungstradition verbände synkretistisch die richtige mit der falschen Überlieferung.

Zu beweisen ist all dies freilich nicht. Leider ist in der Frage, ob es sich beim Schlußsatz um eine Bearbeitung Harrers oder doch etwa Bachs handelt, auch mit Mitteln der Stilkritik nicht weiterzukommen: Die Bearbeitung ist handwerklich sorgfältig ausgeführt, zeigt aber keine tieferen Eingriffe in die Vorlage; nur an einer Stelle, bei der Engführung des Hauptthemas in T. 60 ff., blitzt plötzlich für drei Takte in der deutlich über das Original hinausgehenden Verdichtung der Mittelstimmenmotivik kontrapunktisches Raffinement auf – aber glänzende Kontrapunktiker waren sie beide. Für Döring aber spricht, daß er seine Behauptung gut belegt: Er hätte sich schwerlich glaubwürdigere Zeugen suchen können. Und daß Doles' und Nicolais übereinstimmende Aussage auf Irrtum beruhen sollte, ist schlechterdings kaum vorstellbar.

Vertraut man Dörings Gewährsleuten, so hat die Motette „Jauchzet dem Herrn" bis in die Zeit Harrers hinein nur aus dem Eingangssatz und der Choralbearbeitung bestanden. Musikalisch ist dies zumindest unbedenklich, textlich sogar höchst plausibel, da die Motette in dieser Form die klassische Kombination von Psalmtext und abschließendem Trinitätslobpreis ausprägt. In dieser zweisätzigen Gestalt müßte das Werk also in der Partitur gestanden haben, die sich in Carl Philipp Emanuel Bachs Besitz befand. Und für die Abschrift Altnickols, die das Werk bereits dreisätzig überliefert, wäre, wie angedeutet, davon auszugehen, daß sie erst in den 1750er Jahren nach der Erweiterung durch Harrer angefertigt worden ist. Im Blick auf die Echtheit der zweisätzigen „Rumpfmotette" schließlich bliebe zu bedenken, daß die Gewährsleute Dörings, indem sie Harrer den Schlußsatz zuweisen, stillschweigend auch dessen Anteil am Ganzen auf diesen Satz begrenzen und dem vorangehenden Satzpaar so indirekt ein Echtheitszeugnis ausstellen[27].

Rückt mit unseren Überlegungen auch die Zuschreibung des Schlußsatzes in den Handschriften der jüngeren Leipziger Tradition ins Zwielicht, so wird man doch die Angaben, die sich in eben diesen Handschriften für die beiden vorangehenden Sätze finden, nicht ohne triftigen Grund in Zweifel ziehen dürfen. Immerhin bietet eine dieser Quellen mit einem Hinweis zum 1. Satz den Schlüssel zu der gesamten Echtheitsproblematik. Es handelt sich dabei um einen heute verschollenen, aber noch von Wüllner im Vorwort des Motettenbandes der alten Bach-Ausgabe beschriebenen unvollständigen Satz „älterer Stimmenbücher" (Quelle I meiner Ausgabe), und hier um die Stimme des 2. Basses, in der sich zu Beginn der Motette der Vermerk findet: „di Telemann, v. Joh. Seb. Bach verbessert". Diese Angabe ist, da auch der 2. und der 3. Satz entsprechende eigene Vermerke tragen („von Joh. Seb. Bach allein" bzw. „von Tel. und Bach"), nicht auf die Motette als Ganzes, sondern eindeutig auf den 1. Satz zu beziehen. Die heute etwas naiv klingende Formulierung besagt nichts weniger, als daß es sich bei diesem Satz um eine Bachsche Bearbeitung eines Telemannschen Originals handelt. Damit rückt also jene Lösung der Echtheitsfrage ins Blickfeld, die Spitta – in merkwürdiger Verkennung der Bedeutung seiner eigenen Beobachtungen zum 1. Satz – mehr oder weniger intuitiv ausschließt, indem er

---

27 Dies übersieht allerdings Feder, wenn er, a. a. O., S. 30, andeutungsweise Harrer für die Bearbeitung des 2. Satzes in Betracht zieht.

die Rolle des Kompilators und Bearbeiters der Motette anderen als Bach zuzuweisen trachtet. Für die Lösung spricht, daß sie als einzige mit dem gesamten Überlieferungsbefund zur Deckung zu bringen ist: In keiner der Quellen wird die Motette einem Dritten zugeschrieben, und zumindest für die „Rumpfmotette" werden keine anderen Namen genannt als diejenigen Bachs und Telemanns. Telemanns Name tritt ausschließlich in Verbindung mit demjenigen Bachs auf, aber der Name Bachs auch ohne denjenigen Telemanns; es ist also Bach, dem die dominierende Rolle zukommt. Teils wird das Ganze (Nachlaßverzeichnis Carl Philipp Emanuel Bach und Quelle A, ferner ursprünglich auch B und C), teils die „Rumpfmotette" (Erstdruck), teils ausdrücklich der 2. Satz (Quelle I sowie Nachtrag in C) Bach allein zugeschrieben. Der ausdrückliche Hinweis, der 2. Satz stamme von Bach allein, — dem im übrigen auch die Autorenangaben der Berliner Einzelüberlieferung des Stückes (L, M, N) nicht widersprechen — besagt, daß der Bearbeiter der Motette mit dem Komponisten dieses Satzes identisch ist. Die ausschließliche Zuschreibung der ganzen Motette an Bach entspricht der herkömmlichen Praxis, Bearbeitungen nicht dem Schöpfer des Originals, sondern dem Bearbeiter zuzuordnen. Fast überflüssig, zu vermerken, daß die „neue Lösung" sich auch darin mit dem Überlieferungsbefund deckt, daß sie zwanglos erklärt, warum die Überlieferungsspuren der erhaltenen Motettenquellen sämtlich nach Leipzig führen und ein Exemplar des Werkes sich im Besitz Carl Philipp Emanuel Bachs befand.

*

Die Tatsache, daß die Forschung bislang Bach als Bearbeiter der Motette nie ernsthaft in Betracht gezogen, den Eingangssatz als vermeintlich ausschließlich von Telemann stammend unbeachtet gelassen und mit ihrer Kritik vor allem bei der Überlieferung angesetzt hat, macht es, soweit es den Eingangssatz betrifft, unnötig, ja mangels Gegenargumenten unmöglich, dessen — im Sinne der Bearbeiterschaft Bachs verstandene — Echtheit zu verteidigen. Der einzige auf stilkritischer Ebene vorgebrachte Einwand, Spittas etwas ratlose Feststellung, der Satz zeige zugleich „unverkennbar Telemannsche Züge, aber auch einen gewissen großartigen Wurf und jene Tonfülle und imponierende Sicherheit der Stimmführung . . ., welche man eigentlich nur an Bach kennt", wird nicht nur als Gegenargument hinfällig, sondern erscheint geradezu als Bestätigung. Der Beweisführung allerdings sind, da das Telemannsche Original nicht vorliegt, enge Grenzen gesetzt. Die folgenden Ausführungen wollen zunächst den Bearbeitungscharakter des Satzes demonstrieren und damit die Glaubwürdigkeit des Quellenhinweises „. . . v. Joh. Seb. Bach verbessert" unter Beweis stellen. Dabei werden Rang und Eigenart der Bearbeitungstechnik deutlich werden und auf ihre Weise zur Bestätigung der Quellenaussage beitragen.

Bei näherer Betrachtung lassen sich zwei einschneidende Bearbeitungsmaßnahmen erkennen: Bei der Bearbeitung wurde eine ursprünglich vorhandene, teilweise selbständig geführte Generalbaßstimme eliminiert; und der 2. Teil des Satzes (T. 53 ff.) wurde nachträglich von der vokalen Vier- zur Achtstimmigkeit erweitert.

Das Fehlen der ursprünglich vorhandenen Continuostimme zeigt sich besonders deutlich beim letzten Baßeinsatz des Fugenthemas des 2. Teils in T. 95 f. im 2. Chor an einer Reihe von satztechnischen Mängeln: In T. 95 entsteht auf dem 3. Achtel — bei überdies extrem weiter Akkordlage — eine ungedeckte Quarte zum Baß, die dann zum 4. Achtel hin nicht korrekt aufgelöst, sondern in Verbindung mit einer ziemlich auffälligen Unterschreitung des Basses durch den Tenor in einen seinerseits unvorbereiteten Quartsextakkord weitergeführt wird. In T. 96 erscheint auf dem 1. Achtel wiederum ein durch Baßunterschreitung des Tenors gebildeter frei eintretender Quartsextakkord; dann auf dem 3. Achtel erneut eine frei eintretende ungedeckte Quarte zum Baß — bei wiederum extrem weiter Akkordlage — und auf dem 4. Achtel nochmals ein irregulär eingeführter, nur jetzt durch Durchgangsbildungen in den Oberstimmen leicht verschleierter Quartsextakkord.

Es soll hier nicht behauptet werden, daß diese Mängel gravierend seien. Aber in einem genuin vierstimmigen Vokalsatz, sei es Bachs, sei es Telemanns, wird man dergleichen nicht finden: Es sind ungetilgt stehengebliebene Spuren einer früheren Existenzform des Werkes. Die angeführte Stelle T. 95 f. fordert geradezu zur Unterlegung der gängigen Generalbaßformel  c–d–e–c g–a–h–g (zweimal; jeweils halbtaktig in Parallelbewegung zum Sopran bzw. Tenor) heraus. Eine analoge Baßunterlegung bietet sich für die ungestützt satztechnisch nicht ganz einwandfreie Engführung in T. 85 ff. an. Mit großer Sicherheit darf man annehmen, daß das Original von T. 53 an im Continuo weithin von „spazierenden Bässen" in Achtelbewegung geprägt war. Fragmente der originalen Generalbaßführung haben sich stellenweise in den vom Bearbeiter hinzugefügten Partien der beiden Vokalbässe erhalten, so in T. 54 in Baß I und T. 55 in Baß II. Aus dem Vergleich der Parallelstellen läßt sich erschließen, daß dem Fugenthema im Original eine formelhafte Generalbaßbegleitung in der folgenden Art unterlegt gewesen sein dürfte:

Im zweiten, erst nachträglich zur Achtstimmigkeit erweiterten Teil, „Kommet vor sein Angesicht" (T. 53 ff.), stehen sich zwei konträre Satzarten in ungewöhnlich enger Verschränkung gegenüber: Fugenpolyphonie auf der einen, rhythmisch-diastematisch profilierter Akkordsatz auf der anderen Seite. Der strukturelle Primat kommt offensichtlich der polyphonen Satzart zu: Der zweite Satzteil stellt eine frei geformte Fuge dar, bestehend aus einer regelmäßig angelegten Exposition mit der Einsatzfolge Sopran (T. 53) – Alt (59) – Tenor (65) – Baß (71) und einer unmittelbar an den letzten Einsatz der Exposition anknüpfenden, locker gefügten Reihe von Engführungskombinationen (T. 71, 79 f., 85 ff., 95). Der Akkordsatz prägt eine sekundäre Strukturschicht aus. Er ist Begleitsatz, sorgt für Klangfülle und -dichte und paßt sich dem Fugenverlauf beweglich an. Interessant ist, wie mit seiner Hilfe die geringstimmigen Partien der etwas weitläufigen Fugenexposition nicht nur klanglich gestützt, sondern zugleich auch durch einen in klassischer Doppelchormanier gehaltenen Dialog von Proposta und Risposta zwischen dem „freien" 2. Chor und den jeweils noch „unbeschäftigten" Fugenstimmen des 1. Chors belebt werden. In dem Maße, in dem der Fugensatz sich zur Vierstimmigkeit auffüllt, gibt der Akkordsatz das Terrain frei und zieht sich auf den „anderen" Chor zurück. Doch wird immer wieder aufs neue das kontrapostische Wechselspiel mit den freien Stimmen des Fugensatzes aufgenommen (T. 73, 81, 88, 97).

Indes kann die Kunstfertigkeit der Gestaltung des Begleitsatzes nicht darüber hinwegtäuschen, daß dieser nachträglich hinzugefügt worden ist. Wäre er Teil der Originalkonzeption gewesen, so hätte sich dies mit Sicherheit in einer erkennbaren Berücksichtigung der prinzipiellen Gleichrangigkeit der beiden Chöre in der Formdisposition des Fugensatzes niedergeschlagen; das ist jedoch sichtlich nicht der Fall. Offenbar haben wir es mit einer ohne jeden Gedanken an eine derartige Erweiterung entworfenen Fuge für nur vier Singstimmen (d. h. für zwei Chöre all'unisono) zu tun, die nachträglich mit einem Schnitt in T. 85, der schwerlich anders hätte gelegt werden können, auf die beiden Chöre aufgeteilt worden ist, wobei sich für den 2. Chor zwangsläufig eine erheblich geringere Beteiligung an der thematischen Substanz ergab.

Ein ganz anderes Indiz der nachträglichen Hinzufügung des Begleitchorsatzes ergibt sich aus der verhältnismäßig großen Zahl von regelwidrigen Parallelen jeweils zwischen einer Stimme des 1. und einer des 2. Chors (genauer gesagt: zwischen einer Fugen- und einer Begleitsatzstimme), darunter so auffällige Unregelmäßigkeiten wie die Einklangsparallele h'–g' zwischen Sopran I und Alt II in T. 54, die Oktavparallele d'–e'/d"–e" zwischen Alt I und Sopran II in T. 57 oder gar die doppelte Parallele in T. 91 zwischen Sopran I d"–e" und Alt II d'–e' sowie zwischen Baß I G–c (in meiner Ausgabe verbessert in g–c) und Sopran II g'–c".[28]

Was den Bearbeiter veranlaßt hat, den zweiten Teil des Satzes in die uns vorliegende Gestalt umzuarbeiten, läßt sich mit einiger Sicherheit erschließen. Ein übergeordnetes Motiv dürfte sich aus der beabsichtigten Kombination des Satzes mit dem nur vierstimmigen Choralchor ergeben haben: Für die vorgesehene Verbindung der Sätze mußte die Aufrechterhaltung der Doppelchörigkeit bis ans Ende des Eingangssatzes im Interesse der Formklarheit und Ausgewogenheit der Motette geboten erscheinen. Eine eher praktische Veranlassung gab die offenbar erforderliche (auch beim folgenden Satz vorgenommene) Eliminierung der Continuostimme, deren ersatzlose Streichung eine erhebliche klangliche Einbuße — vor allem in den geringstimmigen Fugenpartien — bedeutet und satztechnische Komplikationen nach sich gezogen hätte.

Die Erfindungsgabe und kompositorische Virtuosität, mit der der Bearbeiter das Problem gelöst und dem vorgegebenen Satz Spielraum für die Entfaltung weiterer Stimmen abgewonnen hat, spricht für sich. Ob es sich bei der Simultankombination von Fugen- und Cori-spezzati-Satz um eine neuartige Lösung handelt, ist schwer zu sagen. Singulär ist sie nicht, sicherlich aber ungewöhnlich. Ein Seitenstück findet sich im Kopfsatz von Bachs Motette „Singet dem Herrn ein neues Lied" BWV 225. Wer die Abschnitte „Die Kinder Zion sein fröhlich über ihrem Könige" aus „Singet dem Herrn" und „Kommet vor sein Angesicht" aus unserer Motette vergleicht, wird erkennen, daß sie nicht nur abstrakt, als Ausprägungen der gleichen Formungsidee, untereinander verbunden sind, sondern hier eines dem anderen als Muster gedient haben muß: Sie zeigen ein und dieselbe Handschrift.

*

Der große, 174 Alla-breve-Takte umfassende Choralchor „Nun lob, mein Seel, den Herren", der den formalen und stilistischen Rahmen der Leipziger Hauptmusik zum letzten Sonntag des Jahres 1725 fast zu sprengen scheint, ist komponierte Vergangenheit: eine streng kontrapunktische Cantus-firmus-Bearbeitung im Erscheinungsbild des Stile antico, ein Satz, den man bei einem flüchtigen Blick auf die erste Partiturseite gut und gern zwei Menschenalter zurückdatieren könnte. Der Text wird nach alter Motettenart zeilenweise vorgetragen. Der Cantus firmus liegt im Diskant. Seine Einsätze werden jeweils im Unterstimmensatz durch eine imitatorische Verarbeitung desselben Textabschnitts vorbereitet, wobei das thematische Material teils aus dem Cantus firmus gewonnen, teils frei gebildet ist. Themenbildung und -verarbeitung folgen dem klassischen Leitgedanken der Varietas. Für die Einheit des Ganzen bürgt die Geschlossenheit des stilistischen Gesamtbildes, das Gleichmaß des Bewegungsablaufs, der ausgewogene Linienfluß, die „Reguliertheit" der Satztechnik und die der Schreibart eigene — nur bei dem Abschnitt „Hat dir dein Sünd vergeben" (T. 49 ff.) stärker in den Hintergrund tretende — Tendenz zur Zurückhaltung in der Behandlung affektiver, bildlicher und deklamatorischer Textdetails. Es ist der Stil, besser: die Stiltradition, der klassischen Vokalpolyphonie[29]. Bach hat sich bekanntlich mit dieser Schreibart in späteren Jahren eingehend auseinandergesetzt und sich ihrer bevorzugt in dezidiert liturgischem Textzusammenhang bedient, so etwa in besonders ausgeprägter Weise im 2. Kyrie und im Eröffnungsteil des Credo der „h-moll-Messe" und in den drei großen Choralbearbeitungen zum Kyrie der „Orgelmesse", BWV 669–671. In diesen Werken erscheint der Stile antico als Inbegriff liturgischer Schreibart, als Sinnbild und gemäße musikalische Aussageform für das unwandelbar, zeitlos und überindividuell Gültige.

---

28 Weitere derartige Stimmführungsmängel in T. 72, 80, 88, 96 und 99.

29 Zur Bedeutung der Stiltradition bei Bach siehe: Christoph Wolff, Der stile antico in der Musik Johann Sebastian Bachs, Beihefte zum Archiv für Musikwissenschaft, Band IV, Wiesbaden 1968; Christfried Lenz, Studien zur Satztechnik Johann Sebastian Bachs. Untersuchungen einiger vom Erscheinungsbild der Vokalpolyphonie geprägter Kompositionen, Frankfurt am Main 1970.

In der Kantate von 1725 hat der stilistische Rückgriff einen anderen, besonderen Sinn. Er ergibt sich aus dem Text der Eingangsarie, die, am Ende des Jahres, zum Rückblick auffordert: „Gedenke, meine Seele, dran, wieviel dir deines Gottes Hände im alten Jahre Guts getan!". Im Choraltext wird der Rückblick mit einer Aufzählung der Wohltaten Gottes vollzogen. Bach greift die Aufforderung der Eingangsarie auf seine Weise auf. Mit seiner historisierenden Vertonung lenkt er den Blick zurück, über das vergangene Jahr hinaus, weit in die Vergangenheit — er verleiht der Textaussage geschichtliche, heilsgeschichtliche Dimension. Aus der Sicht Bachs ist das Stilzitat also gewissermaßen rhetorisches Mittel der Exemplifizierung an der und der Verweisung in die Geschichte. Aus dieser Funktion erklären sich auch einzelne nicht notwendig aus dem Rückgriff auf die historische Schreibart resultierende, bewußt archaisierende Züge: im Kleinen die bisweilen etwas gesuchte Sperrigkeit der Harmonik — man betrachte etwa die „unfunktionale" Fortschreitung am Taktübergang 152/153, die gleichsam „gegen den Strich gebürstete" Harmonisierung der Chromatik in T. 52—54, den Querstand in T. 17; im Großen die sozusagen historische Aufführungspraxis mit der Beschränkung der Rolle des Orchesters auf die Colla-parte-Stützung der Chorstimmen und die Renaissance-Patina, die das Klangbild durch die Einbeziehung von Zink und Posaunen erhält. Eine Ausnahme sowohl in dem mehr äußerlichen „aufführungspraktischen" als auch und besonders im satztechnischen Sinne macht allerdings der „moderne", stellenweise selbständig geführte Basso continuo, der, teils weil der Vokalbaß pausiert, teils aber auch um diesem größere Bewegungsfreiheit zu verschaffen, verschiedentlich die Fundamentfunktion allein übernimmt. Besonders auffällig tritt der Continuo als selbständiger und konstitutiver Satzfaktor am Schluß des Ganzen mit seinem über 12 Takte währenden Orgelpunkt in Erscheinung: Hier verrät der Satz sich schließlich doch noch — und im buchstäblichen Sinne — als Werk des Generalbaßzeitalters; wie denn überhaupt der Schluß nicht aus dem Geist der vokalpolyphonen Tradition gestaltet ist, sondern mit seinem ausgedehnten Dominant-Orgelpunkt eher das Vertrauen einer neueren Zeit auf großflächige Kadenzwirkungen bezeugt.

Der Bearbeiter, der den Entschluß faßte, dem Kantatenchor „Nun lob, mein Seel, den Herren" die Schlußstrophe „Sei Lob und Preis mit Ehren" zu unterlegen und den Satz mit dem Telemannschen Doppelchor „Jauchzet dem Herrn, alle Welt" zu verbinden, hätte kaum einen deutlicher kontrastierenden und stilistisch entlegeneren Satz wählen können. Praktische Motive werden die Wahl mitbestimmt haben. Aber er muß gewußt haben, was er tat; muß gesehen haben, daß der Doxologiecharakter der Schlußstrophe dem Satz eine neue Existenzform bot, bei der die retrospektive Stilhaltung der Musik einen neuen Sinn — den der „liturgischen Schreibart" — gewinnen würde aus dem Bezug auf die liturgische Funktion und Tradition des zu unterlegenden Textes.

Für die Umarbeitung vom Kantaten- zum Motettensatz stellten sich vordringlich zwei Aufgaben: Erstens mußte die Musik mit dem neuen Text verbunden werden. Zweitens mußte — offenbar — der teilobligate Continuopart eliminiert werden, und das bedeutete, daß die Stellen, an denen der Continuo selbständig geführt ist, auf dessen Entbehrlichkeit hin geprüft und je nach den Umständen geändert werden mußten. Die erste Aufgabe war, soweit es die Textdeklamation betraf, angesichts der prosodischen Identität der Strophen nicht mehr als eine Routinesache; gelegentlich mußten Noten unterteilt oder zusammengefaßt, Silben gedehnt oder verschoben werden — mehr nicht. Ein Problem aber entstand auf anderer Ebene: In der Vorlage sind die Worte „Hat dir dein Sünd vergeben" (T. 49 ff.) mit dem traditionellen musikalischen Bild menschlicher Sündhaftigkeit: dem Passus duriusculus, dem chromatischen „Gang einer Stimme gegen sich selbst", verbunden. Die Figur erscheint in Gestalt einer aufwärts in Halbtonschritten durchmessenen Quarte als Kontrasubjekt. In der Bearbeitung entfallen auf diese Stelle die Worte „daß wir ihm fest vertrauen", in denen also nicht von der Sünde die Rede ist und auch nicht von Schwachheit, sondern von Festigkeit. Die Bearbeitung behält gleichwohl das chromatische Kontrasubjekt bei.

Dies hat ihr Echtheitszweifel eingetragen: Georg Feder[30], der ausgehend von dieser Stelle „begründete Zweifel" an Bachs Bearbeiterschaft anmeldet, betont, daß nicht nur der Sinn-, sondern auch der Affektgehalt der chromatischen Figur dem Text widerspreche und „der schmerzliche Ausdruck des Motivs und der gläubig-zuversichtliche Ausdruck des Textes kaum miteinander zu vereinbaren" seien. Damit ist nun freilich die Diskrepanz zu hoch bewertet. Anders als bei der chromatisch absteigenden Linie, die eindeutig und ausschließlich dem negativen Affektbereich von Trauer und Verzagen zuzuordnen ist, ist der Affektcharakter der aufsteigenden Figur nur unscharf ausgeprägt und durchaus auch nach der positiven Seite hin modifizierbar, etwa im Sinne drängenden Eifers oder erwartungsvoller Zuversicht[31]. Zudem übersieht Feder, daß der Bearbeiter einiges getan hat, um die Spannung zwischen Musik und Text zu mildern. Da ist zunächst eine auffällige Entkoppelungsmaßnahme: Die Bindung des Textes „daß wir ihm fest vertrauen" an die chromatische Figur wird gelockert, der relative Anteil der Chromatik am Vortrag dieser Worte verringert, indem der Textabschnitt auf den vorwiegend diatonischen Unterstimmensatz der Takte 69–75 ausgedehnt wird, in denen eigentlich bereits der Text der folgenden Zeile „gänzlich verlass'n auf ihn" erscheinen müßte[32]. Außerdem aber wird die Rolle der Chromatik quantitativ und qualitativ zurückgedrängt: quantitativ durch die Änderung im Alt am Taktübergang 54/55, die Weglassung des Continuo in T. 53 und 55 ff. und die „Diatonisierung" der chromatischen Kontur im Vokalbaß in T. 56 ff., ferner durch die Vereinfachung im Tenor in T. 62 (61)[33]; qualitativ vor allem durch die Glättung der Harmonik, die Integration der Chromatik in schlüssige kadenzharmonische Verläufe, den Verzicht auf archaische, in dem neuen Verwendungszusammenhang des Stückes gewissermaßen im doppelten Sinne „unfunktionale" Wendungen — man vergleiche etwa die Takte 52–57 (52–56).

Betrachtet man beides, das Stehengebliebene und das Geänderte, zusammen, so weist der „kritische" Abschnitt eher auf Bach hin als von ihm weg. Daß der Bearbeiter an der ursprünglichen, chromatischen Konzeption festhält, kann bei dem kompositorischen Niveau, das seine Bearbeitungsmaßnahmen allenthalben zeigen, weder auf Unkenntnis der Zusammenhänge noch auf Gleichgültigkeit beruhen; es ist ein Akt künstlerischer Souveränität. Der Bearbeitungsvorgang selbst zeigt im Stehenlassen der chromatischen Figur, die von dem neuen Text nicht — oder doch nicht voll — „eingelöst" wird, wie in der Umsicht des nachträglichen „Modifizierens" des Übernommenen jene charakteristischen Züge, die Ludwig Finscher in seinem Aufsatz „Zum Parodieproblem bei Bach"[34] anhand der Arie „Bereite dich, Zion" und ihrer Vorlage für Bachs Parodieverfahren herausgearbeitet hat.

Wenden wir uns der zweiten Aufgabe des Bearbeiters zu: Auch im Zusammenhang mit der Eliminierung der selbständigen Continuoführung fiel ein Gutteil wenn schon nicht Routine-, so doch Handwerksarbeit an. Die Erfüllung dieses Teils der Aufgabe verrät die sichere Hand des Fachmanns: Satzfehler, wie sie beispielsweise in T. 53 und 55 f. durch den Wegfall des Continuo entstanden wären, sind durch sachkundige Änderungen vermieden. Vielfach ist die Continuostimme in mehr oder weniger veränderter Form in den Vokalbaß übernommen worden,

30 Feder, a. a. O., S. 27–30 (referiert im Bericht über den internationalen musikwissenschaftlichen Kongreß Hamburg 1956, S. 95 f.); die folgenden Zitate von S. 30 bzw. 29.

31 Ein Beispiel bietet Kantate 28 in Satz 5, T. 46 f. mit der aufsteigend chromatischen Wendung zum Text „Wir hoffen's". Eine Gegenüberstellung der beiden gegensätzlichen Affektvarianten findet sich in Schütz' Musikalischen Exequien (1. Teil, letzter Soloabschnitt) zu den Worten „Ich lasse dich nicht".

32 Feders Interpretation dieser Stelle als „haltlos gleitend zum Ausdruck der großen Schwachheit — aber gewiß nicht zum Ausdruck des festen Vertrauens" (a. a. O., S. 30) ist in dieser Form nicht nachvollziehbar. Die in der Tat ausdrucks- und bildhafte Stelle in T. 71 mit der Ausweichung in das exponiert eintretende „neapolitanische" b im Tenor ist bezeichnenderweise in der Bearbeitung durch die Eliminierung der figurhaften Melodieschritte quinta deficiens + quarta deficiens c'–fis–b und eine beiläufigere melodische Einführung des b „entschärft".

33 Bei doppelt angegebener Taktzahl bezieht sich die niedrigere auf BWV 28/2, die höhere auf BWV 231.

34 In: Bach-Interpretationen, herausgegeben von Martin Geck, Göttingen 1969, S. 94–105.

allerdings nicht nur aus satztechnischer Notwendigkeit, sondern sichtlich auch, um den Klangpegel der geringstimmigen Partien nicht allzusehr absacken zu lassen, den Bewegungsimpuls aufrechtzuerhalten und Formzäsuren zu überbrücken; man vergleiche etwa T. 7 f., 10 f., 81 (80) ff., 99 (98) f., 114 (113) ff., 144 (142) ff. Ein direkter Hinweis auf die Person des Bearbeiters ergibt sich aus diesen mehr handwerklichen Bearbeitungsmaßnahmen selbstverständlich nicht.

Anders dagegen bei einer Reihe von tiefergehenden Änderungen, bei denen der Aufwand des Bearbeitereingriffs weit über das handwerklich Notwendige hinausgeht und hinter der vordergründig praktischen eine künstlerische Motivation erkennbar wird. In diese Richtung weist bereits die aufwendige Sorgfalt, mit der der in T. 120 des Originals im Baß zum Cantus firmus tretende Engführungseinsatz, bei dem die Weglassung des Continuo zu Satzfehlern geführt hätte (T. 120, 123), durch Verlegung in den Alt (T. 121 ff.) in die Bearbeitung hinübergerettet worden ist. Ein einseitig auf Arbeitsökonomie bedachter Bearbeiter hätte hier wohl eine einfachere Lösung gewählt.

Daß es indes nicht um möglichst einfache Lösungen ging, zeigt deutlicher noch die Neufassung des Unterstimmensatzes in T. 128—135 (127—134). Hier wurde die Vokalbaßstimme, zunächst offenbar ausgehend vom Continuopart (vgl. T. 128 f.), vollkommen neu gestaltet. Dabei wurde der thematische Einsatz des Basses (T. 129) gestrichen. Die neue Baßführung zielt offensichtlich ab auf größeren harmonischen Reichtum und modulatorische Prägnanz. Satztechnisch gesehen wäre die ganze Stelle auch ohne Continuo korrekt gewesen. So verbirgt sich hier hinter dem massiven Eingriff in die Vorlage doch wohl auch Kritik — Selbstkritik — an der harmonischen und kontrapunktischen Simplizität der durchwegs auf Terzkoppelung beruhenden Choralzeilenengführung.

Eindeutig auf künstlerischer Ebene sind die Motive zu suchen, die zur Änderung des Schlußabschnitts geführt haben. Die letzte Choralzeilendurchführung von T. 158 (156) an ist völlige Neukomposition. Dabei hätte der Abschnitt mit geringfügigen satztechnischen Retuschen (in T. 161, 164/165 und eventuell 169) auch ohne Continuo weiterverwendet werden können, was freilich einen Verzicht auf die ausgeprägte Finalwirkung des Dominant-Orgelpunkts bedeutet hätte. Doch gerade um der Schlußwirkung willen wurde der Abschnitt neu gefaßt. Der Schluß der Neufassung ist, anders als der der Vorlage, ein Schluß aus dem Geist und mit den Mitteln der Vokalpolyphonie. Der Unterstimmensatz verarbeitet wiederum die Choralzeile — diese in einer von der Vorlage abweichenden, aber „korrekteren“, mit dem Cantus firmus übereinstimmenden Melodiegestalt — zusammen mit einem freien Kontrasubjekt, ist aber in allem übrigen neu konzipiert. Eine interessante Maßnahme der Schlußbildung ist, daß die Neufassung für das Kontrasubjekt auf dasjenige des 1. Mottenabschnitts, die in Vierteln aufwärts zum Zielton durchschrittene Quarte, dort auf die Worte „Sei Lob und Preis“, hier zu dem Text „glauben wir“, zurückgreift. Ebenso wird — auch dies ein neuer Schlußgedanke — mit der unter ausgehaltener Sopran-Finalis „ausklingenden“ Choralzeile im Alt in T. 173 ff. eine Brücke zum 1. Motettenabschnitt geschlagen (vgl. T. 8—12). Die abschließende Cantus-firmus-Zeile präsentiert sich, anders als in dem Kantatensatz, in Engführung (Baß, T. 167 ff.), und auch der dichte Unterstimmensatz trägt dazu bei, die kontrapunktische Gespanntheit des Satzes bis in den Schlußabschnitt aufrechtzuerhalten.

Bemerkenswert schließlich, daß auch ein Teil des vorletzten Motettenabschnitts in den Sog der Neugestaltung des Schlußabschnittes geraten ist, und zwar die Cantus-firmus-Phase, T. 149 (150) ff.: Hier ist die im Baß in T. 151 f. angedeutete Engführung der Melodiezeile eliminiert und der gesamte Unterstimmensatz in lockerer Fügung neu gefaßt worden. Es scheint, daß die Stelle mit Vorbedacht „ausgedünnt“ worden ist, um den dichten Satz und den Engführungseffekt des Schlußabschnitts um so wirkungsvoller zur Geltung zu bringen.

Die Frage nach der Person des Bearbeiters beantwortet sich nach alledem von selbst: Es ist wohl müßig, nach einem fremden Bearbeiter Ausschau zu halten. Welche Motive auch sollte er gehabt haben für eine derartig umfassende, weit über das vom Gebrauchszweck eines solchen

Gelegenheitswerks unmittelbar Geforderte hinausgehende Neubearbeitung? Die Intensität der Auseinandersetzung, die Souveränität des Geltenlassens und des Verwerfens und der künstlerische Rang des neu Geschaffenen deuten auf keinen anderen als den Komponisten selbst. Auch bei diesem Satz haben die Quellen das letzte Wort.

*

Die Quellen haben recht — nicht Spitta. Sie haben recht und man darf ihnen vertrauen, solange sie nicht untereinander in Widerspruch geraten. In diesem Sinne ergibt sich aus unseren Untersuchungen für die beiden ersten Sätze, die „Rumpfmotette", ein durchaus klares Bild: Der 1. Satz, nach einer der Quellen „di Telemann, v. Joh. Seb. Bach verbessert", weist neben bereits von Spitta konstatierten „unverkennbar Telemannschen Zügen" mit aller wünschbaren Deutlichkeit Spuren der Bachschen „Verbesserung" auf: Es handelt sich um eine Bachsche Bearbeitung eines Telemannschen Originals. Für den 2. Satz, der auf ein Bachsches Original zurückgeht und ohnehin in keiner der Quellen einem anderen als Bach, in einigen sogar ausdrücklich diesem allein zugeschrieben wird, bestätigt sich beim analytischen Nachvollzug des Umarbeitungsvorgangs die volle Authentizität im unverkennbar Bachschen Zugriff des Bearbeiters. Nicht völlig befriedigende Erkenntnisse ergeben sich lediglich für den 3. Satz. Eindeutig ist, daß es sich um die Bearbeitung eines Telemannschen Originals handelt, unklar aber, ob diese von Bach oder von dessen Leipziger Amtsnachfolger Harrer stammt. In der handschriftlichen Überlieferung erscheint die Motettenfassung des Satzes teils unter dem Namen Bach, teils unter der doppelten Namensangabe Telemann und Bach. Der Erstdruck dagegen vermerkt unter Berufung auf vertrauenswürdige Zeugen, der Satz sei erst von Harrer angefügt worden. Die Motette hätte demnach ursprünglich nur aus den beiden ersten Sätzen bestanden. Manches spricht dafür, daß die Angabe des Erstdrucks zutrifft. Man hätte dann Harrer wohl auch als den Bearbeiter des Satzes anzusehen.

Es bleiben offene Fragen. Es wäre eine Aufgabe für sich, Überlegungen zur Datierung und zum Gebrauchszweck der Motette anzustellen und in diesem Zusammenhange auch der offensichtlich engen Beziehung unserer Motette zu dem Schwesterwerk „Singet dem Herrn ein neues Lied" BWV 225 nachzugehen; eigenartigerweise erstreckt sich die Parallelität der Erscheinungen ja auch auf das für den 2. Satz zugrundegelegte Kirchenlied. Zu fragen wäre aber auch, was die Eliminierung des obligaten Continuoparts innerhalb der und für die Bachsche Motettenpraxis bedeutet. Sicher läßt sich von hier aus nicht ohne weiteres auf eine völlig unbegleitete Darstellung schließen; vermerkt doch das Verzeichnis des Carl Philipp Emanuel Bachschen Nachlasses bei Anführung der Motette ausdrücklich: „Für 8 Singstimmen und Fundament". Aber man muß doch wohl annehmen, daß Bach für die Motette wenigstens mit einem deutlich schwächeren „Fundament" als in der Kantatenpraxis gerechnet hat und diesem eine selbständige Funktion nicht zukam. Es bliebe zu erwägen, ob jene a-cappella-Tradition, die wir gewöhnlich mit der zweiten Hälfte des 18. Jahrhunderts in Verbindung bringen, mit ihren Wurzeln nicht zurückreicht bis in die Motettenpraxis und den Motettensatz Bachs. Hier bleibt für die Forschung noch manches zu tun: Wo immer bei Bach sich Antworten einstellen, ergeben sich neue Fragen.

Frederick Hudson

The Earliest Paper Made by James Whatman the Elder (1702–1759) and its Significance in Relation to G. F. Handel and John Walsh

The title brings together a triumvirate of eighteenth-century personalities, each of whom achieved fame and pre-eminence in his special field — the leading English composer, the most astute and successful music publisher in the country, and the first Englishman to make fine white writing and printing paper of such quality and in sufficient quantity that it equalled and then surpassed the finest paper imported from Holland, France und Italy. That composers, like their publishers, required paper before they could begin to communicate hardly needs mentioning, nor should it be necessary to add that consideration of the watermarks in their manuscripts and prints is one of many aspects which need to be included in a thorough bibliographical investigation.

Handel used the paper most readily available and in the size suitable for his purpose, the staves already ruled with five-nibbed pens by some unfortunate back-room hack: he used Venetian and other regional papers according to where he was resident in Italy, and imported Dutch paper mainly (with some French) from the time of his arrival in England until the last decade or so of his life when James Whatman's manufacture began to compete with that from abroad. John Walsh senior (1665–1736) began publishing in 1695 and, from the 1720s onwards, gained almost a monopoly, not only of Handel's works, but of the music trade in general. John Walsh junior (1709–1766) appears to have assumed control about 1730, when collaboration with Joseph Hare ceased and the firm began its series of numbered works (plate numbers), and then inherited the business on his father's death. Father and son knew the immense value of publicity, and London newspaper advertisements provide an almost complete record of their publications, as they also do of the opera and concert performances of Handel and his contemporaries. The leading Handel bibliographer, the late William C. Smith, has published three volumes of descriptive catalogues which document this firm's enormous output: (a) „A Bibliography of the Musical Works Published by John Walsh. . . 1695–1720“, London 1948, (b) jointly with Charles Humphries, the same title for „. . .1721–1766“, London 1968, and (c) assisted by Charles Humphries, „Handel — A Descriptive Catalogue of the Early Editions“, London 1960, revised 2nd edition, Oxford 1970. The fact that paper imported from Holland was the best available during the first four decades of the century (and the only fine white paper available in sufficient quantity to meet the demand) is supported by Walsh's occasional inclusion of „. . .printed on fine Dutch Paper. . .“ in his newspaper advertisements of this period, for example, that in „The Country Journal: or, The Craftsman“ of 2 November 1734 announcing new editions of Corelli's „12 Solo's made into Concerto's by Sig. Geminiani“, Bononcini's op. 7, also sets of concertos by Handel, Corelli, Geminiani, Albinoni, Alberti, Tessarini, Vivaldi, Locatelli and Woodstock. It is significant that this is the earliest advertisement traced which mentions Handel's name in conjunction with a set of concertos and undoubtedly it refers to his so-called Oboe Concertos, op. 3, which originated in or just before March of that year.

The origin and ascendancy of the firm of James Whatman is documented by Thomas Balston in his valuable monograph, „James Whatman, Father & Son“, London 1957[1]. In brief, James

---

1 Thomas Balston continues the history of the firm of Whatman in: William Balston, Paper-Maker (1759 to 1849), London 1954. The family history is supplemented in: The Housekeeping Book of Susanna Whatman, edited by Thomas Balston, London 1956, and: The Story of the Bosanquets, Grace Lawless Lee, Canterbury 1966. In The New Bedford MS Part-books of Handel's ”L'Allegro“, in: Notes. The Quarterly Journal of the [American] Music Library Association, March 1977 the present writer describes an investigation of paper made by James Whatman junior circa 1780.

Whatman senior (1702–1759) gained the legal title to the Turkey Mill, Maidstone, Kent, when he made a marriage contract with Ann Harris, widow of the former owner, on 2 July 1740, which marriage was celebrated in All Saints Church, Maidstone, on 7 August the same year. His earliest-known watermark consisted of his initials, „IW", which Thomas Balston in his search for its first occurence found in paper used in 1747[2]:

As no record can be found of any paper maker of this period except James Whatman with the initials ‚IW' or ‚JW', this can be confidently attributed to Whatman. It ist first found in a paper used in 1747, and is also found from 1748 to 1750, but thereafter only once, in a paper used in 1756. It seems probable that from about 1750 it was superseded by ‚JW'.

It was the War of the Austrian Succession, 1739–1748, which impeded the export of Dutch and French paper to England and which provided both the opportunity and the incentive for Whatman to make similar fine white writing and printing paper for the home market which, by the end of the War, he had captured completely.

During the course of investigation of sources for the volume, „Sechs Concerti Grossi Opus 3" in the Halle Handel Edition[3] the writer located and examined in detail 29 sets of part-books published by Walsh (currently held in Britain, Uppsala, Stockholm, Paris and Princeton) of which 14 sets can be isolated as representative of four editions or issues over the period 1734 to 1752, the remainder after 1752 (when Walsh used a new titlepage because of the break-up of the old plate). Descriptive bibliographical details are included in the separate critical report[4] and a preliminary report appeared in „The Music Review", Vol. 20, 1959[5]: the following salient points are extracted from these. Two sets of these Walsh issues representing the first edition in nine part-books (circa March 1734) and five sets representing the revised second edition now in seven part-books (December 1734 to June 1736) are printed on fine Dutch paper typical of Walsh's usage at this period: two types of main mark are present, either a fleur-de-lys, or a fleur-de-lys in a crowned shield over „LVG", each with its countermark of „IV" (original-size illustrations in „The Music Review" 20, p. 23). The third edition (from the same plates as the second, but with a return to nine part-books) represented by three sets, one each currently in Cambridge, Princeton, and the private library of Gerald Coke, Bentley, Hants., was advertised by Walsh in „The London Daily Post, and General Advertiser" of 11 November 1741:

This Day is published, Compos'd by Mr. HANDEL.
. . .Twelve Concertos for Hautboys and Violins
in 9 parts. Op. 3 & 4. . .

As the earliest-known use of Whatman paper was stated by Thomas Balston to be 1747, it was something of a revelation to discover that, apart from a few folios of Dutch paper with marks as described above, almost every folio in these three sets of part-books carried the earliest „IW" watermark of James Whatman senior, pointing to usage by a leading London music publisher some sixteen months after Whatman gained the legal title to the Turkey Mill, Maidstone.

Because of the interest of this discovery to the paper industry, the article in „The Music Review" 20 was reprinted in „The Paper Maker" later the same year[6]. This was read by Thomas

---

2 Balston, op. cit., p. 157.

3 Hallische Händel-Ausgabe (Kritische Gesamtausgabe = HHA), Series IV, Vol. 11, Kassel etc. and Leipzig, 1959.

4 KB to HHA IV/11, Kassel etc. and Leipzig, 1963, pp. 12–24, and 43–49.

5 Frederick Hudson, Concerning the Watermarks in the Manuscripts and early Prints of G. F. Handel, in: The Music Review 20, 1959, pp. 7–27, with facsimiles of titlepages, full-size reproductions of Watermarks and analytical table of op. 3 prints. This report includes a bibliography of relevant standard works concerning the study of paper and watermarks which is therefore not duplicated in the present essay.

6 Frederick Hudson, Musical Watermarks -- A scientific investigation of Handel's MSS and early prints, in: The Paper-Maker and British Paper Trade Journal, vol. 137; Part I in No. 5, May 1959, pp. 64–69, and Part II in No. 6, June 1959, pp. 38–43.

SELECT HARMONY

Fourth Collection.

SIX

CONCERTOS

in Seven Parts

For Violins *and other* Instruments

Compos'd by

Mr. HANDEL

TARTINI and VERACINI

Just Publish'd. a 2d Edition of

Select Harmony 1st. Set being 12 favourite Concertos Collected from all Vivaldi's Works. Select Harmony 2d. Set being 12 favourite Concertos Collected from all Albinoni's Works. Select Harmony 3d. Set being 6 Concertos by Geminiani and other Italian Authors.

London. Printed *for* I. Walsh *in Catherine Street in the Strand.*

N.º 682

Example 1: Titlepage of Walsh's 1st edition of *Select Harmony Fourth Collection*, 11 December 1740. Facsimile reproduction of *Hautboy Secondo* part in the Bodleian Library set, with *J: Rowell, 1740, p[retium]: 9ˢ* inscribed by the first owner.

Balston who had the kindness to write and express his pleasure concerning the new information. He gave his opinion that if one considers the time needed for the sheets of paper to mature at the Turkey Mill before being marketed (probably through a stationer or other intermediary) and usage by Walsh's printer, then this publication of 11 November 1741 could well have been printed on paper made in 1740, the same year that Whatman started his manufacture.

Succeeding volumes in the „Halle Handel Edition" were concerned with single concertos not belonging to the well-known sets of six or twelve and ranging over a wide period from Hamburg 1703 to the late 1740s when Handel composed a series of large-scale double- and triple-choir orchestral works[7]. Printed sources for three of these single concertos are found in the Walsh publication, „Select Harmony Fourth Collection", with the following titlepage common to each part-book (facsimile reproduction, Ex. 1: p. 143):

SELECT HARMONY / Fourth Collection. / SIX / CONCERTOS / in Seven Parts / For Violins and other Instruments / Compos'd by / M.r HANDEL / TARTINI and VERACINI... No. 682.

Walsh first advertised this edition in „The London Daily Post, and General Advertiser" of Thursday, 11 December 1740, beginning as follows (facsimile reproduction, Ex. 2):

Example 2: Walsh's advertisement of the 1st edition of *Select Harmony Fourth Collection* in the *London Daily Post, and General Advertiser* of 11 December 1740.

---

7 a) Georg Friedrich Händel, Acht Concerti, HHA IV/12, Kassel etc. and Leipzig, 1971; b) Georg Friedrich Händel, Concerti a due cori, HHA IV/16, full score in the press.

This Day is publish'd, / SELECT Harmony. Collection IV. Being / six Concerto's, in seven Parts, for Violins, and other Instru- / ments. Compos'd by Mr. Handel, Veracini, and Tartini. In this / Set is the celebrated Concerto in Alexander's Feast, never before / printed...

Though the titlepage states „....in Seven Parts", there were, in fact, nine part-books issued: Concertos 1—3 are by Handel, Concerto 4 by Veracini, and Concertos 5—6 by Tartini. The instrumental headings to Concerto 1 („Alexander's Feast") and the participation of the instruments in the six concertos are:

1. Hautboy Primo	1, 2, 3
2. Hautboy Secondo	1
3. Violino Primo Concertino	1—6
4. Violino Secondo Concertino	1—6
5. Violino Primo Rep^{o}	1, 3, 4, 5, 6
6. Violino Secondo Ripieno	1, 3
7. Viola	1, 2, 4, 5, 6
8. Violoncello [unfigured ripieno part]	1—6
9. Basso [figured, incorporates part for Violoncello concertino, Concerto 1]	1—6

In Concertos 2—6 inclusive, the parts for Violoncello and Basso have been printed from the same plates and are therefore identical. During the course of this investigation eight sets of „Select Harmony Fourth Collection" part-books were located:
1. National Library of Scotland, Edinburgh: BH. 193.
2. Bodleian Library, Oxford: Mus. 183. c. 21. (1—11).
3. Bibliothèque nationale, Paris: Rés.V.S.1670.
4. Music Library, British Library, London: g.26.a.
5. Royal College of Music Library, London: LX.E.2. (10).
6. Gerald Coke, Bentley, Hants., formerly in the possession of the late William C. Smith.
7. Royal Music Library, British Library, London: R.M.6.h.12. (1*.).
8. Library of Congress, Washington, D.C.: M 1040 S5 Case.
A detailed collation, including recording the watermark in every folio of each part-book, proved that the first three sets (Edinburgh, Oxford and Paris) are first editions of 11 December 1740, whilst the remaining five sets are re-issues of 11 November 1741 and later from the same plates. These three first-print exemplars are of special significance in that the folios of all three sets display the earliest „IW" watermark of James Whatman senior.

We thus have the astonishing situation that Whatman gained the legal title to the Turkey Mill and so was able to start work not earlier than 2 July 1740, that he would have to organize a regular supply of linen rags (the only material from which fine white paper could be made at that time — and linen was not widely used in England) and other raw materials, that he would have to order at least a pair of handmade paper-moulds with his „IW" initials in wire sewn into them (he may have started with three pairs), re-organize the Turkey Mill, and engage experienced vatmen and their assistants amongst other employees. On Thomas Balston's showing, the sheets of paper would need time to dry out and mature, and time would be needed to transport the packaged reams by hoy down the river Medway and up the Thames estuary to the London wharf where the wholesale stationer would arrange for delivery to his warehouse. Yet we have Walsh publishing a set of part-books of works by Handel, Veracini and Tartini printed on this paper a mere five months after the earliest date when Whatman could have started his production. The writer would have had grave doubts about the truth of this discovery if convincing proof had not been available in the Bodleian set of parts. On the titlepage of the Hautboy Secondo part the first owner has entered his signature, J: Rowell, the date of purchase, 1740, and the price he paid for the set, 9^{S}: these entries may be observed in the facsimile, Ex. 1 (p. 143). He has also entered his signature on the parts for Hautboy Primo, Violino Secondo Ripieno, Violoncello and Basso. Even if one considers the Old Style calendar whereby the year was calculated from 25 March 1740 to 24 March 1741, the owner's entry of 1740 would still prove a purchase of the first edition of 11 December 1740, and point to a use of Whatman paper some five months after he gained title to the mill. A further pointer that this might well be the very first paper he made is provided in the Edinburgh sets of parts. Here the third folio of the Basso part, pp. 3–4, is extremely thick paper, nearer to the texture of thin cardboard, and the original, curved edge of the sheet does not reach the deckle at that side, suggesting insufficient pulp in the mould, or that the pulp was too thick to respond to the paper-maker's flick of the wrist which discharged the surplus pulp after the mould had been dipped into the vat. Because of the thickness of this sheet the „IW" mark is indeterminate in outline, the total impression being that of experiment or inexperience, or that there was little or no grading of sheets and no rejections at this early stage of production.

The investigation of Whatman paper and watermarks, complementary but subsidiary to Handel studies, reached the stage described above by 1967. Initially, recording and reproduction of watermarks had been by the unscientific method of hand-tracing which was subject to human error and which could not hope to reproduce the intricate mesh of some 22 to 24 wire-lines (or laid-lines) to the inch. The next stage was the use of contact prints (or negatives) with strong back-lighting, but this had the disadvantage of recording the inked characters of the manuscript or print on both sides of the sheet, thereby obscuring the detailed contours of the watermarks. Happily, a sophisticated, refined, yet simple method had been developed from experiments begun in 1960 – betaradiography with Carbon-14 sources[8] – a method which records the exact size and contour of watermarks, chain-lines and laid-lines, and which is independent of colour and most inks used for writing and printing: the result is a negative of supreme clarity from which prints may be obtained in the normal way, so providing a precise image of the sheet as it came off the mould. By 1968 both the National Library of Scotland and the Bodleian Library had purchased betaradiographic sources and were able to provide negatives of the watermarks in their respective sets of „Select Harmony Fourth Collection" part-books, so permitting a precise and detailed collation. The watermark illustrations accompanying this essay are original-size reproductions of prints from the beta-negatives made by these two libraries.

The results from study of this Walsh publication printed on the first paper made by Whatman may be summarized as follows. The moulds Whatman used for making this paper measured approximately 34 x 50 cm and contained 18 chain-lines on average 2.6 cm (one inch) apart, with a further chain-line forming a half chain-space 1.4 cm before the first and after the eigtheenth chain-lines. From the evidence of the paper, three different *types* of wire patterns were sewn into these moulds producing three different watermarks, (a) fleur-de-lys, (b) „IV" (originally the initials of I VILLEDARY, the French paper-maker[9]), and (c) „IW" (the initials of James Whatman). The fleur-de-lys was sewn on the fifth chain-line from the outer edge of the mould, whilst the „IV" and „IW" were sewn on the fourth chain-line from the opposite

---

8 The writer provides a detailed, non-technical explanation in the paper, The Study of Watermarks as a Research Factor in Undated Manuscripts and Prints: Beta-Radiography with Carbon-14 Sources, printed in the Congress Report, Eleventh Congress of the International Musicological Society, Copenhagen, August 1972, vol. I, Copenhagen 1975, pp. 447–453. This also gives a select bibliography concerning beta-radiography from its inception in 1960 up to 1972, a table of known locations in Europe and the USA where a service is provided for accredited research workers, and a list of Carbon-14 Beta sources available from The Radio-chemical Centre (United Kingdom Atomic Energy Authority), Amersham, Bucks., (reproduced from their 1971 catalogue by kind permission). Since that time other libraries in Europe and the USA have obtained Beta sources (in addition, now available from the Amersham/Searle Corporation, Illinois).

9 Part of the French trade was controlled from Holland and the marks, „IV" and „I VILLEDARY", were hackneyed marks which came to be used both by Dutch and English paper-makers, not in a plagiaristic sense, but as an indication of paper of a certain size and/or quality.

edge, not counting the flanking half chain-lines. There are, however, several variants in size and contour within each of these three types of watermarks (proved by superimposing the beta-negatives within each of the three categories) and so pointing to the use of several moulds or pairs of moulds. A further complication is that the sheets of paper formed in these moulds have been cut in half (with one exception) with the main mark in one half and the countermark in the other, to produce a folio of average size 34 x 25 cm, and it is in this format that Walsh printed them and stitched them as separate sheets into these part-books.

The one exception occurs in the Violino Secondo Concertino part-book where pages 19—20, verso blank, evidence the original, uncut sheet, approximately 34 x 50 cm, printed by Walsh thus so that the performer would not need to stop playing to turn over the page at a difficult place[10]. In the Edinburgh exemplar the sheet is in its original state: in that at Oxford the sheet has been cut in half (at a later date by a former owner or book-binder), but an examination of

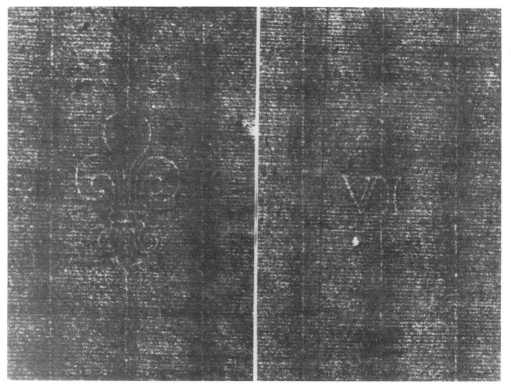

Examples 3 & 4: *Fleur* (Form 1) and *IV* (Form 1). Paired watermarks in original folio (34 x 50 cm), pp. 19—20, verso blank, *Violino Secondo Concertino* part, Edinburgh and Oxford exemplars of *Select Harmony Fourth Collection*. Betaradiographs.

---

10 Walsh's 1st edition of Handel's op. 3 (c. March 1734) presented similar difficulties in the Violino Secondo part-book which, in Concerto II, is shared by the players of the Violino Primo Concertino Grosso and Violino Secondo Concertino parts. In the 2nd edition (impressions from December 1734 to June 1736) he therefore provided a pull-out, folder arrangement of the size of three folios, printed on both sides to form six pages, so that both players could turn over this long sheet between the 2nd and 3rd movements. The original state of this arrangement is preserved in the Royal Academy of Music Library, Stockholm (Ob-R) and the University Library, Uppsala Instrumentalmusik i tryk, 64—69). Full description and illustration in KB to HHA IV/11, 1963, p. 21.

the laid-lines at the cut edges shows that they are exactly conjunct and that the two halves originally formed one sheet. In both exemplars the main mark is a fleur-de-lys with counter-mark „IV", and this is the sole example in this Walsh print where mark and countermark can be identified as belonging to the same mould. A further point is that the initials „IV" have been sewn into the right half of the mould in reverse order (i. e. as „VI") when viewing the mould from above, the fleur-de-lys in the left half. These are coded as „Fleur" (Form 1) and „IV" (Form 1), and are illustrated in the betaradiographs Ex. 3 and Ex. 4 respectively (p. 147).

In the combined Edinburgh and Oxford sets of parts there are in addition at least three further variants of the fleur-de-lys mark and three of the „IV" mark. As the original sheets have been halved, it is impossible to state which fleur and which „IV" have come from the same mould. From the watermark wire indentations, however, it can be seen that the „IV" wire pattern was reversed in the mould in all four variants. These variants are coded as „Fleur" (Forms 2, 3 and 4) and „IV" (Forms 2, 3 and 4), and are illustrated in the betaradiographs Exs. 5–7 and Exs. 8–10 respectively (pp. 148 f.). One may only speculate that two pairs of ‚twin' moulds (i.e. four moulds in all) formed the sheets of paper bearing these eight watermarks, but there is still the question of the sheets bearing Whatman's „IW" mark to be considered and whether or not this was a countermark to a fleur-de-lys main mark, or whether it was the main mark with the „IV" as a countermark.

A collation of the „IW" marks in the combined Edinburgh and Oxford parts (made by the same method of superimposing betanegatives) shows, first, that the sheets bearing the „IW" mark

Examples 5, 6 & 7: *Fleur* (Forms 2, 3 & 4). Three further variants of main watermark in left half of moulds as viewed from above, Edinburgh and Oxford exemplars of *Select Harmony Fourth Collection*, 11 December 1740. Betaradiographs.

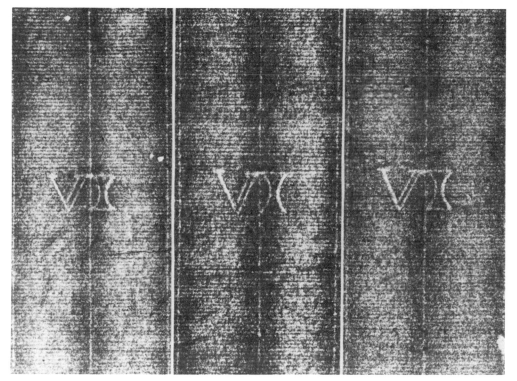

Examples 8, 9 & 10: *IV* (Forms 2, 3 & 4). Three further variants of countermark in right half of moulds as viewed from above, all reversed as *VI*, Edinburgh and Oxford exemplars of *Select Harmony Fourth Collection*, 11 December 1740. Betaradiographs.

in the Edinburgh parts were made in the same moulds and at the same time as those bearing this mark in the Oxford parts and, second, that at least five variants of the ,,IW" mark are present. In each of the five variants the ,,IW" wires have been sewn into the mould in this order (i. e. as ,,IW" when viewing the mould from above). These fall into two categories, first, in the first three where the half-space chain-line occurs at the right side of the mould as does the ,,IW" mark and, second, in the fourth and fifth variants where the half-space chain-line occurs at the left side of the mould as does the ,,IW" mark. The five variants in their two categories are illustrated in the betaradiographs Exs. 11—13 and Exs. 14—15 respectively (pp. 150 f.) Moulds were made by master craftsmen, but nevertheless by hand and, though the intention may well have been to make exact duplicates within a pair of ,twin' moulds (used in alternation by the vatman and passed on to his assistant), such mathematical precision was impossible. As five variants of the ,,IW" mark have been identified it could be concluded that Whatman had at least five moulds bearing his initials, three with the initials on the right side and two with them on the left, none of which was in reversed order. One may speculate that he started paper-making at the Turkey Mill with three pairs of ,twin' moulds, postulating three vats in use simultaneously and the employment of three vatmen and three couchers.

It is also open to speculation whether this ,,IW" mark was accompanied by a fleur-de-lys mark in the other half of the mould. A representational count of the various forms of the different types of marks in these two exemplars may give some hint. There is a total of 76 folios in the complete set of nine part-books (including titlepages) and this is true of the Edin-

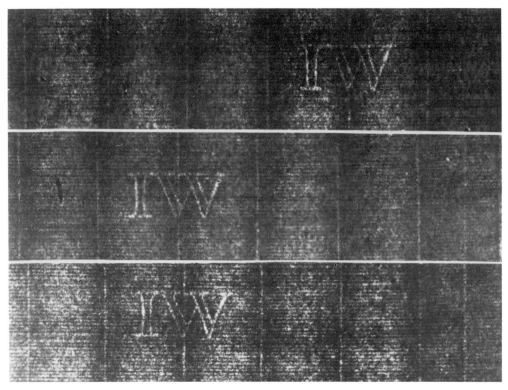

Examples 11, 12 & 13: *IW* (Forms 1, 2 & 3). First three variants of Whatman's earliest watermark in right half of moulds as viewed from above, Edinburgh and Oxford exemplars of *Select Harmony Fourth Collection*, 11 December 1740. Betaradiographs.

burgh exemplar. In that at Oxford the last six folios of the Violoncello part are missing and there are duplicate parts each for Violoncello and Basso, making a total of 93 folios. The distribution of marks in the Edinburgh parts is „Fleur" – 18, „IV" – 30, and „IW" – 28, whilst in the Oxford parts it is „Fleur" – 28, „IV" – 41, and „IW" – 24. Thus of the total of 169 folios in both libraries the distribution is „Fleur" – 46, „IV" – 71, and „IW" – 52. If this distribution can be considered typical of Whatman's earliest use of watermarks, then there would not seem to be sufficient examples of the fleur-de-lys to pair with both the „IV" and „IW" marks. To this should be added the statement that the late Allan H. Stevenson (the leading American filigranist) made to the writer in 1967, namely, that he knew of no Dutch paper of this size (approximately 34 x 50 cm) with a fleur-de-lys watermark. It is possible to speculate that Whatman was using a hackneyed „IV" mark to pair with his own „IW" mark in the complementary halves of the moulds, but to this should be added the fact that the „Fleur" (Form 1) mark is paired with the „IV" (Form 1) mark in both the Edinburgh and Oxford part-books.

An alternative and more likely solution is that Whatman began his production with *three* moulds, in each half of which his „IW" initials were sewn, paper from five half-moulds being identified so far and leaving the paper from the sixth half still to be located. It is open to grave doubt whether the „Fleur" + „IV" paper was made by Whatman, or whether Walsh's printer was using paper from another mill concurrently with this completely new source of supply from Whatman's Turkey Mill. The War of the Austrian Succession was undoubtedly making severe cuts in the supply of paper from abroad: Whatman's new source of supply could not

150

Examples 14 & 15: *IW* (Forms 4 & 5). Fourth and fifth variants of Whatman's earliest watermark in left half of moulds as viewed from above, Edinburgh and Oxford exemplars of *Select Harmony Fourth Collection*, 11 December 1740. Betaradiographs actual size of original marks.

have been more oppurtune and the variety of papers evident within a single publication suggests that printers were seizing on whatever paper was available. The main fact which has been established is that Walsh printed the first edition of „Select Harmony Fourth Collection" making use of Whatman paper a mere five months after Whatman started production.

By 1971 time and opportunity permitted the beginning of a project aimed at establishing, if it were possible, first, the type and origin of papers used by Walsh's printer during the two-year period bridging Whatman's earliest manufacture and, second, the extent to which Walsh's printer was using (or being compelled to use) Whatman's new source of good quality paper to replace a dwindling supply from Holland and elsewhere abroad. Obviously the location (and examination of paper and mark of every folio) of every exemplar extant of all works published by Walsh during this bridging period would be impossible without unlimited time and resources, and the solution seemed to be the selection of one library where holdings were especially rich in prints of Handel works. These conditions apply to the Balfour Handel Collection in the National Library of Scotland, Edinburgh, originally brought together by the nineteenth-century collector, Julian Marshall. In 1876 it was purchased by A. J. Balfour, later the Earl Balfour, another collector, who added to it. The Earl died in 1930 and, in March 1938, the Collection was purchased from his executors by the Trustees of the National Library of Scotland. It consists of some 600 items, including early Cluer and Walsh editions of almost all Handel's works. The first task was to list the various Walsh editions, issues and reprints of Handel's works (without attempting to include those of other composers issued by Walsh), using as a source check the 1970 edition of William C. Smith's authoritative „Handel — A Descriptive Catalogue of the Early Editions", already quoted above. This resulted in a list of twenty-four prints issued by Walsh during the period 18 January 1739 to 18 May 1741 (according to Smith's dating) which are included in the Balfour Handel Collection, not necessarily representing Walsh's complete Handel output, but including seven more items than are present in British Library holdings. The list of works described below thus constitutes a sample but, nevertheless, as complete a sample as may be taken of Walsh/Handel prints in any single library or private collection.

Details provided in the descriptive list include the Balfour Handel shelf-mark (and, in the case of BH.241, which of the seven periodic issues it refers to), the opus number where applicable, the description of the work as it appears on the titlepage, the Walsh imprint, the plate number where Walsh uses one and, below these, the Smith Catalogue page reference and item on that page, and the date of issue and name of the London newspaper where Walsh advertised the edition, issue or reprint (as far as bibliographical knowledge and expertise can identify these with features peculiar to that issue).

Prints of Handel works in the Balfour Handel Collection, National Library of Scotland, Edinburgh, published by John Walsh during the period 18 January 1739 to 18 May 1741

1. BH. 241   Sonatas or Chamber Aires for a German Flute Violin or Harpsichord Being the most Cel-
   [Part 1]   ebrated Songs and Ariets Collected out of all the late Operas Compos'd by Mr Handel. Vol.
               IV. [Part I.]
               London. Printed for & Sold by I. Walsh. . . N° 651.

   Smith: p. 320, no. 1.
   18 January 1739, „London Daily Post", („Just publish'd. Handel's Chamber Airs, Vol. 4, Part 1").

2. BH 148   Six Concertos For the Harpsichord or Organ Compos'd by Mr Handel. . .
   [Op. 4]   London. Printed for & Sold by I. Walsh. . . where may be had the Instrumental Parts to y^e
               above Six Concertos.

   Smith: p. 225, no. 3, [c. 1739].
   18 January 1739, „London Daily Post, and General Advertiser",
   („Just publish'd" — may refer to this edition).

152

3. BH. 152 Six Concertos for the Organ and Harpsichord; Also For Violins, Hautboys, and other Instru-
   [Op. 4]   ments in 7 Parts. Compos'd by M.ʳ Handel. Opera Quarta.
             London. Printed for & Sold by I. Walsh. . . N.º 647.

   Smith: p. 225, no. 4, [c. 1739].
   18 January 1739, „London Daily Post, and General Advertiser",
   („Just publish'd" – may refer to this edition).

4. BH. 199 Seven Sonatas or Trios for two Violins or German Flutes with a Thorough Bass for the
   [Op. 5]   Harpsichord or Violoncello Compos'd by M.ʳ Handel. Opera Quinta.
             London. Printed for & Sold by I. Walsh. . . N.º 653.

   Smith: p. 246, no. 1.
   28 February 1739, „London Daily Post".

5. BH. 241 Sonatas or Chamber Aires for a German Flute. . . [as in BH. 241, Part 1, above]. . . Vol. IV.
   [Part 2] Part 2.ᵈ
             London. Printed for & Sold by I. Walsh. . . N.º 651.

   Smith: p. 320, no. 3.
   18 May 1739, „London Daily Post".

6. BH. 241 Sonatas or Chamber Aires for a German Flute. . . [as in BH. 241. Part 1, above]. . . Vol. IV.
   [Part 3] Part 3.ᵈ
             London. Printed for & Sold by I. Walsh. . . N.º 651.

   Smith: p. 321, no. 5, [c. 1739].

7. BH. 143 The Songs in the Ode wrote by M.ʳ Dryden for St. Cecilia's Day Set by M.ʳ Handel.
             London Printed for & Sold by I. Walsh. . .

   Smith: p. 131, no. 1.
   13 December 1739, „London Daily Post, and General Advertiser".

8. BH. 134 Acis and Galatea A Serenade. With the Recitatives Songs & Symphonys Compos'd by M.ʳ
             Handel.
             London Printed for J: Walsh. . .

   Smith: p. 82, no. 5.
   13 December 1739, „London Daily Post, and General Advertiser".

9. BH. 137 The Favourite Songs in Alexander's Feast by M.ʳ Handel Price 5.ˢ
             London Printed for & Sould by I. Walsh. . .

   Smith: p. 90, no. 3.
   13 December 1739, „London Daily Post, and General Advertiser".

10. BH. 241 Sonatas or Chamber Aires for a German Flute. . . [as in BH. 241, Part 1, above]. . . Vol. IV.
    [Part 4] Part 4.ᵗʰ
              London. Printed for and Sold by I. Walsh. . . N.º 651.

    Smith: p. 321, no. 7.
    23 January 1740, „London Daily Post",
    („Just publish'd. A new Collection of Mr. Handel's Chamber Airs. . . Vol. IV. Part IV").

11. BH. 138 Songs in L'Allegro ed Il Penseroso. the Words taken from Milton, Set to Musick by M.ʳ
              Handel.
              London Printed for & Sold by I: Walsh. . .

    Smith: p. 93, no. 1.
    15 March 1740, „London Daily Post, and General Advertiser".

12. BH. 158 Twelve Grand Concertos in Seven Parts for Four Violins, a Tenor Violin, a Violoncello with
    [Op. 6]   a Through Bass for the Harpsichord. Compos'd by George Frederick Handel. Publish'd by
              the Author.
              London Printed for and Sold by Iohn Walsh. . . N.º 670.

    Smith: p. 222, no. 1.
    21 April 1740, „London Daily Post, and General Advertiser".

13. BH. 139   Songs in L'Allegro ed Il Penseroso. the Words taken from Milton, Set to Musick by Mr Handel.
London Printed for & Sould by I: Walsh. . .

Smith: p. 93, no. 2, [1740].

14. BH. 140   L'Allegro, Il Penseroso, ed Il Moderato. The Words taken from Milton. Set to Musick by Mr Handel.
London. Printed for I. Walsh. . . Where may be had, Twelve Grand Concertos. . .

Smith: p. 94, no. 4.
13 May 1740, „London Daily Post, and General Advertiser", („L'Allegro. . .Compleat").

15. BH. 231   Handel's Overtures in Score From all his Operas and Oratorios viz. Alexander Severus Page 1 Xerxes 6 Pharamond 11 Berenice 16. . . N. B. The same Overtures may be had for Violins in 7 Parts, or Set for the Harpsichord by way of Lessons. also Apollo's Feast in 5 Vol^s . . .
London. Printed for & Sold by I. Walsh. . . N°. 676.

Smith: p. 280.
20 October 1740, „London Daily Post, and General Advertiser".

16. BH. 206   Apollo's Feast or The Harmony of the Opera Stage Being a well-chosen Collection of the Favourite and most Celebrated Songs out of the latest Operas Compos'd by Mr Handel. . . Vol. V.
London. Printed for and Sold by I: Walsh. . . N°. 526.

Smith: p. 164, no. 10.
[Though the „London Daily Post, and General Advertiser" for 8 November 1740 advertises this work as „Just publish'd", Smith notes that the first 11 folios of BH. 206 contain 8 songs from „Deidamia" (1st performed 10 January 1741) and that this exemplar must be „1741 or later". He quotes advertisements in the „London Evening Post" which appeared 5–7 March 1741.]

17. BH. 241   Sonatas or Chamber Aires for a German Flute. . . [as in BH. 241, Part 1, above]. . . Vol. IV,
[Part 5]   Part 5th
London. Printed for & Sold by I. Walsh. . . N°. 651.

Smith: p. 322, no. 10, [c. 1740].

18. BH. 154   A Second Set of Six Concertos For the Harpsichord or Organ Compos'd by Mr Handel.
London. Printed for I. Walsh. . . where may be had. . . Forty two Overtures Set for the Harpsichord. . . N°. 681.

Smith: p. 229, no. 1.
8 November 1740, „London Daily Post".

19. BH. 193   Select Harmony Fourth Collection. Six Concertos in Seven Parts For Violins and other Instruments Compos'd by Mr Handel Tartini and Veracini. . .
London. Printed for I. Walsh. . . N°. 682 [1st edition].

Smith: p. 240, no. 1.
11 December 1740, „London Daily Post, and General Advertiser".

20. BH. 141   L'Allegro, Il Penseroso, ed Il Moderato. The Words taken from Milton. Set to Musick by Mr Handel.
London. Printed for I. Walsh. . .

Smith: p. 94, no. 5.
2 February 1741, „London Daily Post, and General Advertiser".

21. BH. 51   Deidamia an Opera Compos'd by Mr Handel. [Acts I, II and III in score, complete except for some recits, and choruses.]
London Printed for & sold by Jno. Walsh. . .

Smith: p. 22, no. 2.
21 February 1741, „London Daily Post, and General Advertiser".

22. BH. 57   The Favourite Songs in the Operetta call'd Hymen [= Imeneo] Compos'd by Mr Handel
                    Price 4^s
                    London Printed for & Sould by I: Walsh. . .

      Smith: pp. 35–36, no. 1.
      18 April 1741, „London Daily Post".

23. BH. 241   Sonatas or Chamber Aires for a German Flute. . . [as in BH 241, Part 1, above]. . . Vol. IV.
     [Part 6]   Part 6th
                    London. Printed for & Sold by I. Walsh. . .

      Smith: p. 322, no. 12.
      28 April 1741, „London Daily Post".

24. BH. 241   Sonatas or Chamber Aires for a German Flute. . . [as in BH: 241, Part 1, above]. . . Vol. IV.
     [Part 7]   Part 7th
                    London. Printed for & Sold by I. Walsh. . .

      Smith: p. 322, no. 14.
      18 May 1741, „London Daily Post".

Because of other commitments the detailed examination of paper and watermarks in these Walsh prints has had to be spread over the past five years. Here whole-hearted tribute must be paid to Miss Ruzena Wood, Research Assistant in the Music Room, National Library of Scotland, for the generous, unstinting help she has given over a large part of the investigation as her time permitted. The results of this combined work are set out below in tabulated form for greater ease of reference and comparison, and may be used in conjunction with the descriptive list of sources printed above. For identification of each of the twenty-four prints the Balfour Handel shelf-mark is quoted, as well as the Smith Catalogue reference and the date he attributes to each print. Four different *types* of watermarks are present in the folios of these prints. (There are, however, two prints [Nos. 3 and 15] which include a few folios lacking any mark save chain-lines and laid-lines, and one [No.6] in which all 14 folios are in this category.) The first three types are (a) a fleur-de-lys, (b) the countermark „IV", and (c) a fleur-de-lys in a crowned shield over the initials „LVG", varying in their respective sizes and contours but roughly approximating to the marks illustrated in this essay (for the first two) and in „The Music Review" 20, p. 23 (for all three). The three types are further subdivided according to whether the mark is centred *on* a chain-line (as are all the marks in the accompanying betaradiographs) or *between* two chain-lines (as in all three marks in „The Music Review" 20, p. 23). Whatman's initials, „IW", constitute the fourth type of mark and a constant factor is that all folios showing this mark have it centred on a chain-line as in the present betaradiographs. It is obvious that a sheet with, for example, a fleur-de-lys mark on a chain-line came from a different mould than that with a fleur-de-lys mark between the chain-lines, and this different mould could imply a different vat at the same mill, a different mill, or even a different country of origin. The same differentials could apply to two sheets apparently with the same mark, both on a chain-line, or both between chain-lines, but with a slightly varying size and contour – no dating conclusions can be deduced from these facts alone. The only solid facts on which the investigation could be based were the incidence of Whatman's „IW" mark, Thomas Balston's documentation of 2 July 1740 as the earliest date when Whatman could have started the processes leading to the production of his first paper, and proof that Walsh published „Select Harmony Fourth Collection" printed on Whatman paper on 11 December 1740, some five months later.

Table of Watermarks in Walsh/Handel prints of 1739–1741
in the Balfour Handel Collection, National Library of Scotland

PRINT: BH. Shelfmark	SMITH: Date and Ref.	Without watermark	FLEUR-DE-LYS		IV		FLEUR IN CROWNED SHIELD OVER LVG		IW All on chain-line	Total No. of folios	NOTES
			On chain-line	Between chain-lines	On chain-line	Between chain-lines	On chain-line	Between chain-lines			
1: 241	18 Jan 1739, 320/1	–	5	–	10	–	–	–	–	15	Part 1.
2: 148	[c. 1739], 225/3	–	10	–	15	–	–	–	–	25	18 Jan 1739?
3: 152	[c. 1739], 225/4	3	–	4	–	26	–	37	–	70	Vn. 1mo Rip. & Vn. 2do Rip. in duplicate, (7 + 6 ff.).
4: 199	28 Feb 1739, 246/1	–	–	8	–	7	–	–	42	57	IW sole mark in Vn. 2do and Basso (two copies), 3 x 14 ff.
5: 241	18 May 1739, 320/3	–	5	–	9	–	–	–	–	14	Part 2.
6: 241	[c. 1739], 321/5	14	–	–	–	–	–	–	–	14	Part 3. Sole marks chain- and laid-lines
7: 143	13 Dec 1739, 131/1	–	5	–	8	–	–	–	–	13	
8: 134	13 Dec 1739, 82/5	–	–	–	–	9	–	11	–	20	
9: 137	13 Dec 1739, 90/3	–	11	–	14	–	–	–	–	25	
10: 241	23 Jan 1740, 321/7	–	–	–	–	–	–	–	14	14	Part 4.
11: 138	15 March 1740, 93/1	–	–	–	–	4	–	4	10	18	Lacks title-page. IW mark runs consectively in ff. 5–14.
12: 158	21 April 1740, 222/1	–	–	29	–	81	–	55	25	190	Viola lacks 2 ff. IW marks in Vn. 1mo Rip. (2), Vn. 2do Rip. (2), Viola (1) and V'cello (20).
13: 139	[1740] 93/2	–	–	–	–	–	–	–	19	19	
14: 140	13 May 1740, 94/4	–	–	–	–	–	–	–	35	35	
15: 231	20 Oct 1740, 280	2	42	–	46	–	1	–	–	91	'Admetus 97' added to titlepage.
16: 206	[1741 or later], 164/10	–	5	45	6	50	–	2	–	108	5–7 March 1741?
17: 241	[c. 1740], 322/10	–	–	–	–	–	–	–	14	14	Part 5.

PRINT: BH. Shelf-mark	SMITH: Date and Ref.	Without water-mark	FLEUR-DE-LYS		IV		FLEUR IN CROWNED SHIELD OVER LVG		IW	Total No. of folios	NOTES
			On chain-line	Between chain-lines	On chain-line	Between chain-lines	On chain-line	Between chain-lines	All on chain-line		
18: 154	8 Nov 1740, 229/1	–	15	–	18	–	–	–	–	33	
19: 193	11 Dec 1740, 240/1	–	18	–	30	–	–	–	28	76	„Select Harmony Fourth Collection", 1st edition.
20: 141	2 Feb 1741, 94/5	–	23	–	10	–	–	–	–	33	
21: 51	21 Feb 1741, 22/2	–	25	–	22	–	–	–	–	47	
22: 57	18 April 1741, 35–36/1	–	7	–	10	–	–	–	–	17	
23: 241	28 April 1741, 322/12	–	7	–	7	–	–	–	–	14	Part 6.
24: 241	18 May 1741, 322/14	–	8	–	6	–	–	–	–	14	Part 7.
Totals		19	186 / 272	86	211 / 388	177	1 / 110	109	187	976	

The investigation of Walsh prints is full of snares and pitfalls for the unwary, a tortuous path through a veritable bibliographical jungle. The Walshs, father and son, were shrewd business men who took every opportunity of capitalizing on Handel's popular appeal, seeking to publish his works as soon as Handel or J. C. Smith senior provided the necessary copy for engraving, not only in original forms but in every conceivable arrangement or selection which would be likely to sell copies to a public eager to perform what they had heard or heard of in opera house and concert rooms. It is not known how many copies (or sets of copies in the case of instrumental parts) constituted an ‚edition'; from the average number of surviving copies of any one publication the writer guesses that fifty would be an above-average printing. The same titlepage plate was used for successive issues as well as for different part-books of the same issue (so the plate-number is not necessarily a guide to chronology), the make-up of the contents of ‚score' or part-book was varied from issue to issue with deletions or additions to the same plates, and extra pagination was added to the corners, top or bottom of the page as varying issues or sections of issues were combined (certain issues carrying three or even four different sets of pagination). Apart from the rare pull-out double- or triple-sheet provided to save performers turning the page at difficult moments, the Walshs' method was to print one plate on one sheet (i.e. the original sheet from the mill halved), repeat until the number of sheets required for an ‚edition' was reached, proceed thus for every plate, collect these with the appropriate titlepage, ‚Privilege', ‚Subscription List' and/or list of contents, and stitch the detached sheets up the spine as a ‚book'. It needs little imagination to visualize the ease with which the order of these sheets and the make-up of books could be varied, in error as well as intentionally.

Experience of these and other bibliographical hazards fills the writer with admiration for William C. Smith's achievement in cataloguing the enormous output of the firm of Walsh and the early editions of Handel in particular. Personal contacts with this respected bibliographer over many years revealed, however, that he had paid little heed to filigrany as an additional aid to investigation, and the writer felt obliged (of necessity) to apply study of this field to Handel as he had already learned to do with Bach. The following analysis of and commentary on the investigation of this Edinburgh sample thus extends the descriptions provided by William C. Smith and changes the dating for certain prints.

In 16 of the 24 prints (Nos. 1–3, 5–9, 15, 16, 18, and 20–24) not a single sheet of Whatman paper is present and the most logical conclusion is that imported paper, mainly Dutch, was still available in sufficient quantity during this period to supply most of the needs of Walsh junior's printer in spite of rising prices (both sides in the conflict benefitting financially from blockade-running!); there is therefore no concrete evidence in the watermarks to disagree with Smith's suggested dating for these prints. Conversely, Whatman paper is present in the remaining eight prints Nos. 4, 10–14, 17 and 19) thus postulating revised conclusions on dating.

PRINT 4
Walsh first advertised the publication of „Seven Sonatas or Trios for two Violins. . . with a Thorough Bass for the Harpsichord or Violoncello. . . Opera Quinta" for 28 February 1739, the issue consisting of three part-books. In BH. 199 the watermarks in Violino Primo are fleur-de-lys + „IV" and this could well belong to the first edition. In Violino Secondo and Basso (duplicate copies of the latter) every folio bears Whatman's „IW" mark and these three parts are almost certainly reprints from the same plates as the first edition of a date not earlier than 11 December 1740. Smith quotes the British Library print, R. M. 17. d. 6. (2.), as a later impression and states, „The work was advertised in the newspapers from time to time, on other works and listed in various Walsh catalogues, but this particular copy cannot be accurately dated". These three Edinburgh parts would thus fit into this category rather than into that of the first edition.

PRINTS 10 & 17
The respective first editions of the seven sections of „Sonatas or Chamber Aires for a German Flute. . . Vol. IV" were issued over the period 18 January 1739 to 18 May 1741, each part with the same titlepage but with the successive sections indicated thereon with a handwritten „Part 2^{d}", „Part 3^{d}", &c. Print 10 is „Part 4th" and consists of numbers from the „Ode for St. Cecilia's Day" and „Il Trionfo del Tempo". It is printed from the same plates as the first edition of 23 January 1740 but, as all 14 folios (including the titlepage) are printed on paper with Whatman's „IW" mark, this must be an impression of a date after 11 December 1740.
Print 17 is „Part 5th", containing numbers from „L'Allegro", „Il Penseroso", „Il Moderato" and „Il Trionfo del Tempo". Smith has not located a newspaper advertisement announcing the issue of this part and leaves his dating as „c. 1740", presumably because the previous part was issued on 23 January 1740 and the sixth part on 28 April 1741. All 14 folios of Print 17 (including the titlepage) are Whatman paper, so this is a reprint from the same plates of a date after 11 December 1740.
The paper of the remaining five parts in BH. 241, probably Dutch, could point to the dates given by Smith as first editions, or to later dates as foreign paper was still arriving in the country though in reduced quantities.

PRINT 12
Walsh published the first edition of „Twelve Grand Concertos", op. 6, on 21 April 1740. Smith quotes a reprint from the same plates but with the omission of the Privilege and Subscribers' names, these pages being blank, and gives a tentative dating of „c. 1740–41". In the first edition and this second impression only the Basso Continuo part was figured – not the Violoncello part. Early performances of these concertos were limited to Handel and his circle, he and J. C. Smith most probably playing the two continuo keyboard parts from their own manuscript performing material. Such was the popularity of op. 6, however, that Walsh (in response to public demand?) had the concertino figuring added to the plates of the Violoncello part, and published this with the other parts as a second edition (so indicated on the titlepage) on 11 July 1741. Now the seven parts in BH. 158 all carry first edition titlepages and it is most probable that the parts headed Violino Primo Concertino, Violino Secondo Concertino and Basso Continuo are exactly what the titlepages state – there is not a single folio of Whatman paper in them. On the other hand there are two folios of „IW" paper each in Violino Primo Ripieno and Violino Secondo Ripieno, one folio in Viola, and twenty folios in Violoncello, the last furthermore including the figuring added to the plates for the second edition. If some former owner has not resorted to cannibalization to make up incomplete copies of these four parts, then the presence of the folios of Whatman paper and the figuring in the Violoncello part point to the second edition, in spite of the first edition titlepages. Walsh advertised the publication of „Twelve Grand Concertos" on 11 December 1740 (facsimile in Ex. 2) and these four parts with „IW" marks may have been issued on this date

concurrently with „Select Harmony Fourth Collection". Can it be that Walsh issued a reprint of the first edition but with figuring added to Violoncello before the accepted date of 11 July 1741, still under first edition titlepages, and before he thought of calling this a second edition?[11]

PRINTS 11, 13 & 14

Though the titlepage of BH. 138 is missing, the contents and make-up correspond exactly to those of the first edition which Walsh advertised on 15 March 1740, including the first setting of „Or let ye merry Bells ring round" printed on pp. 23–24. In this copy, however, ten consecutive folios out of eighteen are Whatman „IW" paper with the folio containing pp. 23–24 in the middle of this run.

BH. 139 corresponds to the second edition of this first collection of „Songs in L'Allegro. . ." in which „Or let ye merry Bells. . ." was omitted, the equivalent space on pp. 23–24 being left blank. Smith leaves the dating of this issue simply as „1740", but all 14 folios of BH. 139 are Whatman paper.

The second collection of „Songs in L'Allegro. . ." issued by Walsh contained eight songs and a duet, including the second setting of „Or let ye merry Bells. . ." Smith links this with Walsh's advertisement of 7 May 1740 and quotes only one exemplar extant, that in the Bibliothèque nationale, Paris.

BH. 140 is the sole exemplar quoted by Smith representing Walsh's next issue of „L'Allegro. . .", an edition consisting of the issue represented by BH. 139 (i. e. without „Or let ye merry Bells. . .") combined with the second collection issued on 7 May 1740, with a new titlepage as quoted above in the descriptive list of sources, advertised on 13 May 1740 as „L'Allegro". . Compleat". All 35 folios (the 17th folio, pp. 31–32, is included twice in error) are Whatman paper.

As these three Edinburgh exemplars of „L'Allegro" are printed on Whatman paper it is apparent that Smith's dating of 15 March to 13 May 1740 is too early. They cannot have been issued before Whatman started to make paper and, if one regards five months as a reasonable minimum time in which Whatman could begin to produce, mature and market his first paper, then 11 December 1740 or later is a much more logical estimate.

We may draw certain conclusions from the investigation of this sample. Out of the total of 976 folios in the 24 sources, 187 bear the „IW" mark and are, without doubt, paper made by James Whatman senior and used by Walsh's printer for the whole or part of six publications issued by Walsh on and after 11 December 1740. These 187 Whatman folios represent just under 20% of the total, but, if it is accepted that of the 24 sources Nos. 4, 10–14, 17 and 19 must have been issued on 11 December 1740 and later, then the percentage of Whatman paper used from this date for the prints of this sample must be considerably higher. To draw general conclusions from the investigation of this sample would be both foolish and dangerous. This is the first attempt to investigate the use of the earliest paper made by Whatman senior, and the writer hopes that music librarians and others may be sufficiently curious to look at their exemplars of Walsh/Handel prints attributed to this limited period and just after (and not only of Walsh/Handel prints) and note the incidence of Whatman's „IW" mark with, possibly, revised thoughts on their dating[12]

*

Postscriptum

After the publication in 1977 of this twenty-years investigation of the earliest paper made by James Whatmann, the Elder, I sent a copy to Mr Hugh Balston, director (now retired) of the firm of Whatman, Maidstone/Kent, and a descendant of the founder. He passed this on to his cousin, Mr John N. Balston, a paper technologist who is vitally interested in the early history of this firm. Mr John Balston is currently writing a monograph on Whatman and the Paper Mills of Hollingbourne, Kent, (with an additional section on the early Mills of Sandling and Aylesford),

---

11 BH. 158 includes two extra, detached titlepages, with „2nd edition" engraved on one and „3rd edition" on the other. We may wonder how and when these were acquired by Julian Marshall or the Earl Balfour and whether their presence in BH. 158 is significant: each bears a fleur-de-lys watermark.

12 The writer expresses his appreciation to the Research Committee of the University of Newcastle upon Tyne for grants over the past twenty years which have encouraged the investigation of paper and watermarks complementary to Handel and other studies and the acquisition of expensive betaradiographs from very many libraries. Similarly, the writer expresses his gratitude to Dr. David Rogers, Assistant Keeper, Department of Printed Books, Bodleian Library, Oxford, for his friendly discussion and exchange of information concerning their set of part-books over the period of this investigation.

and my findings were contributory to the discovery (in American documents) of some early and unusual Whatman countermarks and the problems arising from this new information. Over the past four years Mr Balston has kindly kept me in touch with his progress, including the re-examination of the ground already covered by Thomas Balston in his book, „James Whatman – Father and Son", and Alfred Shorter in his „Paper-Mills and Paper-Makers in England 1495 to 1800" („Monumenta . . .", vol. 6, Hilversum 1957). He has reported to me recently that, whilst he has found some discrepancies between their accounts of these Mills and their occupants and the results of his search of the archival records, he has found nothing to disprove the findings of my investigation. On the contrary. With the proven date of 11th December 1740 when „Select Harmony Fourth Collection" printed on paper with Whatman's earliest countermark „IW", was published by Walsh, his reconstruction of the activities of James Whatman in the months leading up to this date shows that it was possible for Whatman to have prepared, equipped, activated and kept up the necessary volume of production to supply Walsh and others in a time of growing shortage within a period of three to four months minimum and five months maximum. He has even consulted the meteorological records for the years leading up to 1740, and has found that, after a series of unusually wet summers, the summer of 1740 was particularly fine and dry – an occurence which was providential for the success of the drying and maturing processes of his newly-made paper! However, Mr Balston's problems begin where mine end – he has to show how Whatman's capabiblities came to be there in the first place to enable him to take advantage of such a combination of opportunities.

Dietrich Kilian

Zu einem Bachschen Tabulaturautograph

I

Die „Neue Bach-Ausgabe" wird in absehbarer Zeit jene Bände in Angriff nehmen müssen, in denen die der Überlieferung nach nicht eindeutig als Werke Johann Sebastian Bachs ausgewiesenen, gleichwohl mit hinreichender Sicherheit Bach zuzuschreibenden Stücke zu publizieren sind. Zur Diskussion stehen werden vor allem zahlreiche Klavier- und Orgelwerke, darunter insbesondere offenbar viele Frühwerke, in denen der Bachsche Personalstil vielleicht noch nicht ausgeprägt ist. Die Bach-Forschung wird entscheidende Kriterien beizubringen haben.

Eines der frühesten erhaltenen, dem Wasserzeichen nach auf Arnstadt als Entstehungsort hindeutenden Autographe der Klavier- und Orgelwerke Johann Sebastian Bachs (Mus. ms. Bach P 488, Staatsbibliothek Preußischer Kulturbesitz Berlin/West) vereinigt die beiden Choralbearbeitungen über „Wie schön leuchtet der Morgenstern" unter den autographen Überschriften „Wie schön leuchtet der Morgenstern. a 2 Clav. Ped. JSB." BWV 739 und „a 4" BWV 764 (Fragment, mit Takt 23 abbrechend). BWV 764 ist strenggenommen anonym überliefert, doch die autographe Niederschrift im Anschluß an BWV 739 dürfte jeden Zweifel an der Autorschaft Johann Sebastian Bachs ausschließen[1].

BWV 739 und 764 sind in NBA bisher noch unveröffentlicht, beide Stücke gehören eigentlich in Band IV/3. Sie sind trotz autographer Überlieferung im genannten, 1961 erschienenen NBA-Band offenbar wegen Echtheitszweifel — registriert bei Wolfgang Schmieder: „Die Echtheit von Nr. 721, 730, 731 u. 739 wird angezweifelt"[2] — nicht aufgenommen worden, obwohl Philipp Spitta[3] ausdrücklich auf das Autograph hinweist und BWV 739 seiner Ansicht nach „in Bachs früheste (Arnstädter) Zeit" gehört. Hermann Keller[4] behauptet hingegen: „Dieser. . .Choral ist zwar. . .autograph überliefert, gilt aber doch als nicht ganz sicher beglaubigt; wenn er ist, so aus seiner Arnstädter Zeit, da seine Sprache ganz die einer norddeutschen Choralfantasie um 1700 ist." Daß Georg von Dadelsen[5] aber die Echtheit des Autographs in Frage zieht — „Wenn. . . das Manuskript. . .wirklich ein Autograph ist. . ." —, sollte verwundern.

Eine neuere stilkritische Analyse der erwähnten beiden Stücke ist umso dringender, als es gilt, für das Frühwerk J. S. Bachs diejenigen Charakteristica zu ermitteln, die anscheinend nicht mit dem bisherigen Bild übereinstimmen, sicherlich nicht mit dem offenbar keine rechte Maßstäbe setzenden Bild, welches das wohl eher zu den Gelegenheitswerken gehörende Capriccio BWV 992 vermittelt. Anzusetzen sein wird vielmehr bei jenen Stücken, die der junge Bach bei Amtsantritt 1703 zunächst benötigte, nämlich Choralvorspiele und ähnliche Sätze (vgl. BWV 690–765).

In den für Bachsche Werke relativ frühen Sammelbänden Andreas-Bach-Buch (ABB) und Möllersche Handschrift (MöHs) sind merkwürdigerweise nur zwei Choralbearbeitungen Johann

---

1 Faksimile aus P 488: Blatt 1 (recto und verso) in einer derzeit der Herkunft nach nicht feststellbaren Einzelblattreproduktion; Blatt 1^r in: Werner Neumann, Bilddokumente zur Lebensgeschichte Johann Sebastian Bachs, Kassel etc. 1979, S. 74, und in: Johann Sebastian Bach. Zeit. Leben. Wirken. Herausgegeben von Barbara Schwendowius und Wolfgang Dömling, Kassel etc. 1976, S. 112; Blatt 2^V in: Georg von Dadelsen, Beiträge zur Chronologie der Werke Johann Sebastian Bachs (= Tübinger Bach-Studien 4/5), Trossingen 1958, Tafel 7.

2 BWV, S. 458.

3 Spitta II, S. 983, Anmerkung I/250.

4 Hermann Keller, Die Orgelwerke Bachs, Leipzig ^{4}/1948, S. 174.

5 Georg von Dadelsen, Beiträge. . ., a. a. O., S. 76.

Sebastian Bachs enthalten, im ABB: „Gott durch | deine Güthe. | J. S. B." BWV 724, in MöHs: „Wie schön leuchtet der Morgenstern. a 2 Clav. con Ped. di JSB." BWV 739. Diese Abschriften stammen von der Hand des Hauptschreibers beider Sammelbände[6].

BWV 739 ist außer im Autograph P 488 und in MöHs auch im sogenannten Plauener Orgelbuch von 1708 überliefert[7], in dem von Johann Sebastian Bach ferner die Choralbearbeitungen BWV 720 und 735a sowie BWV Anhang 61 (anonym; Pachelbel?) und 63 (anonym; Pachelbel?) enthalten sind. In NBA wird noch darzulegen sein, wie sich die erwähnten frühen Abschriften BWV 739 den Lesarten nach zum Autograph P 488 verhalten.

BWV 724 ist im ABB in Tabulatur überliefert[8]; vermutlich stand bereits die Vorlage des Hauptschreibers – wohl das (nicht erhaltene) Autograph – in Tabulatur.

Daß Johann Sebastian Bach und der ABB- und MöHs-Hauptschreiber in enger Beziehung zueinander stehen, bezeugt die autographe Eintragung von BWV 535a, der Frühfassung von Präludium und Fuge g-moll, in MöHs[9]. Das Wasserzeichen der MöHs ist das gleiche wie im Autograph P 488. Die Schriftzüge Johann Sebastian Bachs stimmen in beiden Autographen weitgehend überein. Auch daß in BWV 535a ähnliche Passaggi wie in BWV 739 gegen Schluß auftreten, spricht für die nahe chronologische Verwandtschaft dieser beiden Werke.

Doch nicht nur in MöHs, sondern auch im ABB ist Johann Sebastian Bach mit einem autographen Beitrag vertreten, in diesem Sammelband mit der Tabulatureintragung jener Fantasia c-moll, die als Vorabdruck aus NBA geplant ist[10] und auf die weiter unten zurückzukommen sein wird.

II

Wird bei Bach von Tabulatur gesprochen, ist die sog. Deutsche Orgeltabulatur, also die Notierung in deutscher Buchstabenschrift, gemeint, die vor allem in Norddeutschland und Skandinavien üblich gewesen ist und der sich Bach zumindest partiell, so zur Verdeutlichung seiner Korrekturen durch beigesetzte Ton- bzw. Tabulaturbuchstaben, sowohl in den Autographen seiner Instrumental- wie Vokalwerke bis in die späte Leipziger Zeit bediente. Darüber hinaus verwendete Bach die Tabulaturschrift, wenn es galt, den Schluß eines Satzes noch auf einer und derselben Seite seiner Autographe einzutragen, um günstige Wendestellen zu ermöglichen. Er nutzte dabei einen wesentlichen Vorteil der Tabulaturschrift, die keiner Notenlinien bedarf und dadurch weniger Platz beansprucht.

Im zuletzt angedeuteten Sinn bediente sich Bach der Tabulaturschrift gelegentlich auch in seiner Abschrift von Nicolas de Grignys „Premier Livre d'orgue" (Paris 1699, 2. Auflage 1711) einschließlich von Charles Dieuparts Sechs Suiten (Amsterdam um 1710), und zwar bei den Schlußtakten der „Gique" in der zweiten Suite und bei mehreren Takten vor Schluß des 6/8-Teils der „Ouverture" in der sechsten Suite Dieuparts[11]. Die Grigny- und Dieupart-Abschrift Johann Sebastian Bachs (Mus. Hs. 1538, Stadt- und Universitätsbibliothek Frankfurt/M.) wird an dieser Stelle deshalb besonders hervorgehoben, weil sie neben P 488 und den in MöHs und

6 ABB: Musikbibliothek der Stadt Leipzig, Signatur: III.8.4; MöHs: Staatsbibliothek Preußischer Kulturbesitz Berlin/West, Signatur: Mus. ms. 40644.

7 Max Seiffert, Das Plauener Orgelbuch von 1708, in: Archiv für Musikwissenschaft 2, 1919/20, S. 371 ff.

8 Faksimile BWV 724 aus ABB in: NBA IV/3, S. VII.

9 Vollständiges Faksimile BWV 535a aus MöHs in: NBA IV/6, S. VIII bis X, der dritten Notenseite in: Georg von Dadelsen, Beiträge. ., a. a. O., Tafel 6.

10 Johann Sebastian Bach. Fantasia c-Moll. Für Orgel. Vorabdruck aus der Neuen Bach-Ausgabe. Mit dem Faksimile des im Andreas-Bach-Buch enthaltenen Tabulaturautographs. Herausgegeben von Dietrich Kilian (in Vorbereitung).

11 Faksimiles aus Mus. Hs. 1538: 1. Notenseite des Manuskriptes in: Johann Sebastian Bach. Zeit. Leben. Wirken. ., a. a. O., S. 100; 1. Seite der sechsten Suite Dieuparts im MGG-Artikel Notation, Abbildung 22.

ABB enthaltenen Bach-Autographen mit zu den wenigen erhaltenen frühen Handschriften Johann Sebastian Bachs gehört.

Relativ extensiven Gebrauch von der deutschen Orgeltabulatur macht Bach im Autograph des Orgelbüchleins (Mus. ms. Bach P 283, Deutsche Staatsbibliothek Berlin). Zu sieben Sätzen sind jeweils die Schlußtakte in Tabulatur niedergeschrieben, und zwar an folgenden Stellen und zu folgenden Chorälen[12]:

Blatt	Choral	BWV
	Takt(e) in Tabulatur	
1^r	„Nun komm der Heiden Heiland" 7^b Neufassung; notiert über der ursprünglichen Eintragung	599
5^r	„Der Tag, der ist so freudenreich" 21–24.	605
9^r	„Wir Christenleut" 14^b–16.	612
11^v	„Mit Fried und Freud ich fahr dahin" 13–15.	616
12^r	„Herr Gott, nun schleuß den Himmel auf" 24^b.	617
13^v	„Christus, der uns selig macht" 20–25.	620
15^v	„Wir danken dir, Herr Jesu Christ" 17 (3. Viertel)–18.	623
16^r	„Hilf Gott, daß mirs gelinge" Pedalstimme ganz: 1–16.	624

Auf der letzten Seite des Orgelbüchlein-Autographs, die für den Choral „Schmücke dich, o liebe Seele" vorgesehen war, jedoch nur die autographe Überschrift aufweist, ist von fremder Hand auf den zwei Systemen der ersten Akkolade die autographe Tabulatureintragung von Blatt 9^r – „Wir Christenleut" – in moderne Notenschrift übertragen worden. Die Übertragung ist bis auf die Auslassung zweier Haltebögen fehlerlos.

Wer durfte diese Eintragung im Autograph des Orgelbüchleins vornehmen? Der namentlich nicht bekannte Schreiber ist nach Georg von Dadelsen[13] wahrscheinlich identisch mit dem Schreiber der Passacaglia-Abschrift BWV 582 in Mus. ms. Bach P 274 (Staatsbibliothek Preußischer Kulturbesitz Berlin/West). Im Gegensatz zu dessen zuverlässiger Tabulaturübertragung im Orgelbüchlein ist die erwähnte Abschrift BWV 582 mit Abstand die fehlerhafteste aller erhaltenen Abschriften dieses Werkes. Wie erklärt sich dieser Umstand? Hat die Vorlage dieses mutmaßlichen Weimarer Bach-Schülers vielleicht eine Tabulatur – das (nicht erhaltene) Tabulaturautograph BWV 582 – dargestellt? Andererseits ist dem betreffenden Schreiber doch die Tabulaturübertragung im Orgelbüchlein fast fehlerlos geglückt.

In den Kritischen Berichten der NBA, Serie IV (Orgelwerke), wird gelegentlich die Vermutung geäußert, die nicht erhaltene Vorlage der einen oder anderen frühen Abschrift habe vielleicht eine Tabulatur dargestellt. Anlaß zu einer solchen Vermutung geben Abschriften, in denen gewisse Noten bzw. Abschnitte eines Werkes offensichtlich nicht in der richtigen Oktav-

---

12 Faksimiles aus P 283: Blatt 5^r (BWV 605) in: Werner Neumann, Auf den Lebenswegen Johann Sebastian Bachs, München 1957, S. 103; Blatt 11^v (BWV 616) in: Werner Neumann, Bilddokumente. . ., a. a. O., S. 120. Johann Sebastian Bach. Orgelbüchlein. BWV 599–644. Faksimile der autographen Partitur. Herausgegeben von Heinz-Harald Löhlein, Kassel etc. 1981 (= Documenta Musicologica. Zweite Reihe: Handschriften-Faksimiles. XI).

13 Georg von Dadelsen, Zur Entstehung des Bachschen Orgelbüchleins, in: Festschrift Friedrich Blume zum 70. Geburtstag, Kassel etc. 1963, S. 74–79, speziell S. 75, Anmerkung 8.

lage wiedergegeben sind, der Abschreiber also die Oktavstriche seiner Tabulaturvorlage mißdeutet hat. – Die Annahme, daß die Urschrift der Bachschen Passacaglia in Tabulatur stand, erscheint durchaus begründet; denn in mehreren zeitgenössischen Abschriften sind gewisse Noten bzw. Abschnitte des Werkes in unterschiedlicher Oktavlage wiedergegeben. – Die Oktavstriche sind überhaupt die häufigste Fehlerquelle bei der Übertragung einer Tabulaturvorlage in moderne Notenschrift. Doch auch besonders verderbte abschriftliche Lesarten könnten ihre Wurzel in der Fehlinterpretation einer Tabulaturvorlage haben.

Tabulaturen sind für Fehllesungen deswegen weitaus anfälliger als Partituren und Klavierpartituren, weil sie viel mehr Einzelzeichen als Partituren enthalten, nämlich zwei bis drei für eine Note. Bedient sich ein Komponist bei diesen Zeichen sogar seiner Individualschrift, könnte eine Tabulatur für einen ungeübten Benutzer gelegentlich schon schwer lesbar sein. Daher wird heute oft von „Auflösung" oder „Entzifferung" statt von Übertragung einer Tabulatur in moderne Notenschrift gesprochen. Doch gibt eine Tabulatur in der Regel keine Rätsel auf, in der Hand eines erfahrenen Musikers ist sie absolut präzis.

In MöHs bietet der Hauptschreiber zwei Werke von Nicolaus Bruhns („Praeludium ex G♮ . Pedaliter." und „Praeludium en E♭. Pedaliter") und den Schluß eines Werkes von Buxtehude (BuxWV 165) in Tabulatur; im ABB gibt er, wie bereits erwähnt, BWV 724 in Tabulatur wieder. Wahrscheinlich standen bereits die betreffenden (nicht erhaltenen) Vorlagen des Hauptschreibers in Tabulatur. Anzunehmen sein wird, daß der Hauptschreiber weitere Tabulaturvorlagen in moderne Notenschrift übertragen hat; denn die in MöHs und ABB stark vertretenen norddeutschen Komponisten pflegten ihre Werke in Tabulatur aufzuzeichnen, und zwar nicht nur ihre Klavier- und Orgelwerke, sondern auch ihre Vokalwerke. Der größere Teil der erhaltenen Vokalwerke Buxtehudes beispielsweise ist in Tabulatur überliefert.

Buxtehudes Toccata in G (manualiter) BuxWV 164 ist in der Abschrift eines Kopisten Johann Sebastian Bachs in Weimar vor 1717 – „Anonymus Weimar 1" nach Alfred Dürr[14] – überliefert (in Mus. ms. 30194, Staatsbibliothek Preußischer Kulturbesitz Berlin/West)[15]. Die nicht erhaltene Vorlage dieser Abschrift stammt offenbar aus dem Besitz Johann Sebastian Bachs, sie hat wahrscheinlich auch als Vorlage für die im Johann-Günther-Bach-Buch[16] enthaltene Abschrift BuxWV 164 gedient.

Die Abschriften, die Bach 1705 in Lübeck sicherlich angefertigt hat, sind nicht erhalten. Deren Vorlagen standen zum größeren Teil zweifellos in Tabulatur. Es wird sogar zu vermuten sein, daß auch die in Frage stehenden Abschriften Bachs in Tabulatur aufgezeichnet waren, also in einer später ungewöhnlichen, weil ungewohnten, von den Schülern Bachs im allgemeinen nicht mehr angewendeten Notierungsweise. Bach selbst scheint sich hingegen in seinen frühen Jahren der Tabulaturschrift viel öfter als überliefert bedient zu haben.

Die Untersuchungen zur Notenschrift Johann Sebastian Bachs sind inzwischen umfangreich, seiner Tabulaturschrift ist dabei jedoch kaum eine Zeile zugedacht worden. Im Gegensatz zu Bachs Notenschrift zeichnet sich in seiner Tabulaturschrift kein wesentlicher Entwicklungsprozeß ab. Doch trifft es nicht zu, daß bei Tabulaturschrift keine individuellen Züge zutage treten. Die Tabulaturschrift Johann Sebastian Bachs unterscheidet sich deutlich von der des ABB- und MöHs-Hauptschreibers, dessen Tabulaturschrift beispielsweise derjenigen Johann Pachelbels viel ähnlicher ist als derjenigen Johann Sebastian Bachs. Die Tabulaturschrift des Hauptschreibers erscheint „statisch", „gerade" und relativ dick (was bei dem verkleinerten Faksimile in NBA IV/3 weniger anschaulich ist), diejenige Johann Sebastian Bachs ist eher zierlich, dünn, fließend,

14 Alfred Dürr, Studien über die frühen Kantaten Johann Sebastian Bachs. Verbesserte und erweiterte Fassung der im Jahre 1951 erschienenen Dissertation, Wiesbaden 1957, speziell S. 236.
15 Vgl. Yoshitake Kobayashi in: BJ 1978, S. 59.
16 New Haven (Connecticut/USA), Yale University, The Library of the School of Music, Signatur: LM 4983. – Vgl. in dieser Festschrift den Beitrag von Yoshitake Kobayashi auf den Seiten 168–177.

leicht rechts geneigt und zuweilen raumgreifend, zwei Zeichen integrierend. Bachs Tabulaturschrift ist trotz des Zeitabstandes der Buxtehudes (z. B. im „Membra"-Autograph, 1680) ähnlicher als der des Hauptschreibers.

Wenn es zutrifft, daß der Ohrdrufer Johann Christoph Bach (1671–1721), Johann Sebastian Bachs älterer Bruder, der Hauptschreiber des ABB und der MöHs ist — wie Hans-Joachim Schulze behauptet[17] —, würde sich dadurch vielleicht auch die Ähnlichkeit der Schriftzüge des Hauptschreibers und Johann Pachelbels erklären; denn Johann Christoph Bach ist in Erfurt Schüler Pachelbels gewesen. Doch ist noch nicht einmal gesichert, daß die im MGG-Artikel „Pachelbel" auszugsweise faksimilierte Handschrift ein Autograph Pachelbels darstellt, daß überhaupt Autographe Pachelbels erhalten sind. Von Johann Christoph Bach (Ohrdruf) ist offenbar kein Notenautograph erhalten, anscheinend sind von ihm wohl sogar überhaupt nur wenige Werke erhalten, unter denen noch nicht einmal die Zuschreibung von Präludium und Fuge Es-dur BWV Anhang 177 an Johann Christoph Bach gesichert erscheint.

III

Die im ABB enthaltenen Tabulaturen (Nr. 30 und 33) finden sich in folgendem Zusammenhang (die Numerierung entspricht der im Kritischen Bericht NBA IV/5–6):

Nr.	Blatt	Werk	Kopftitel
30	69^V	BWV 724	„Gott durch │deine Güthe. │ J. S. B."
	70^r	[Unbeschrieben, lediglich Tabulaturfeldstriche]	
31	70^V–71^r	DTB IV/1, S. 15	„Toccata di Signor Johann Bachelbel"
32	71^V–72^r	BWV 921	„Praeludium. │Harpeggiando."
33	72^V–72a^r	BWV deest	„Fantasia │ex C dis. │adagio."
34	72a^V–73^r		„Capriccie. di C. F. W."

Bei der „originalen" Rötelfoliierung (Blattzählung) des ABB blieb das hier mit 72a bezeichnete Blatt unberücksichtigt. Der Tintendurchschlag auf Blatt 72^V rührt von der Eintragung des vorausgehenden, der auf Blatt 72a^r von der Eintragung des nachfolgenden Stückes (Christian Friedrich Witts Capriccio in e) her; das nicht mitgezählte Blatt ist also nicht etwa erst nachträglich eingefügt worden. Gründe für die fehlende Foliierung sind nicht ersichtlich.

Nr. 30 und 33 sind in deutscher Orgeltabulatur, die übrigen Stücke in moderner Notenschrift eingetragen.

Nr. 30, 32, 34 stammen von der Hand des ABB-Hauptschreibers, Nr. 31 vielleicht von der Hand eines Nebenschreibers, Nr. 33 von der Hand Johann Sebastian Bachs. Die Schriftzüge des Hauptschreibers bei Nr. 30 stimmen gänzlich mit denen der in MöHs enthaltenen Tabulaturen, diejenigen Johann Sebastian Bachs bei Nr. 33 mit denen der Tabulatureintragungen im Orgelbüchlein-Autograph überein.

Im Kopftitel „Fantasia │ex C dis. │ adagio." ist der Buchstabe F im Wort „Fantasia" genau so geschrieben wie im Wort „Fuga" (Volti seque Fuga) auf der ersten Notenseite des Autographs BWV 535a (Blatt 44^r der MöHs). Auch der Buchstabe d (mit stark nach links abknickender Oberlänge) im Wort „adagio" ist durchaus charakteristisch für zahlreiche ähnliche Eintragungen Johann Sebastian Bachs.

Die Tabulatur selbst ist deutlich geschrieben und sogar an der Stelle klar, an der die beabsichtigte Stimmführung — Takt 34, Baßstimme — zweifelhaft erscheinen könnte (siehe dazu weiter unten).

---

17 Hans-Joachim Schulze, Überlieferung früher Kompositionen für Tasteninstrumente: „Andreas-Bach-Buch" und „Möllersche Handschrift", Phil. Diss. (maschinenschriftlich) Leipzig, Frühjahr 1977, S. 22 f.

Im ABB liegt nicht nur die auf Blatt 72^V–72a^r enthaltene Fantasia, sondern u. a. auch das diesem Stück unmittelbar vorausgehende, vom Hauptschreiber eingetragene Präludium BWV 921 anonym vor, doch ist dieses Präludium in einer Abschrift anderer Provenienz (Nr. 1 in Mus. ms. Bach P 222, Staatsbibliothek Preußischer Kulturbesitz Berlin/West) unter dem Namen Johann Sebastian Bachs — und mit der Jahreszahl 1713 (wohl dem Datum der Abschrift) — überliefert, so daß durch diese Abschrift die Autorschaft Johann Sebastian Bachs für BWV 921 gesichert erscheint. Von der Fantasia ex C dis ist hingegen keine Abschrift genommen bzw. erhalten.

Diese Fantasia wurde unter Zugrundelegung derselben, einzigen erhaltenen Quelle erstmals in Heft IV/10 der Reihe „Organum" von Max Seiffert ediert, und zwar zusammen mit fünf anderen Stücken unter dem Titel „Anonymi der Norddeutschen Schule"[18]. Zur Frage der Autorschaft des sechsten Stückes, der Fantasia, führt Seiffert aus: „Bei No. 6 enthalte ich mich einstweilen einer Vermutung. Mit seinem formalen Bau und Gedankeninhalt steht es in der Literatur völlig isoliert da. Es muß einer der ganz großen Meister sein, dem wir dies wundersame Stück verdanken." Da Seiffert diese Fantasia für das Werk eines norddeutschen Komponisten hielt, könnte er an Buxtehude gedacht haben.

In einer für die Bibliothek des Johann-Sebastian-Bach-Institutes Göttingen angefertigten Kopie aus „Organum" IV/10 ist zur oben zitierten Ausführung Seifferts unvermittelt vermerkt: „Eine deutlicher auf J. S. Bach weisende Vermutung bei Hermann Keller, Die Orgelwerke Bachs, Leipzig ^{4}/1948, S. 71: ..." Diesen Vermerk hat Alfred Dürr wohl in dem Gedanken festgehalten, nicht Seifferts, sondern Kellers Vermutung könnte zutreffen. Hermann Keller führt a. a. O. aus: „Vergleicht man diese Fantasia mit der Canzone Bachs, so drängt sich geradezu der Gedanke auf, daß beide einander innerlich nahe stehen, — besonders auch in dem chromatischen Kontrapunkt der Fantasia, so daß es nicht ausgeschlossen ist, daß wir hier ein verschollenes Stück Bachs aus seiner Weimarer Zeit vor uns haben?"

Die mit dem Vorabdruck aus der NBA verbundene Zuschreibung des Stückes beruft sich, wie bereits festgestellt, auf die Quelle selbst: die Tabulatur ist autograph. Da kaum anzunehmen ist, daß Bach eine fremde Komposition ohne Autorangabe in das ABB eingetragen hat, liegt hiermit offenbar das einzige vollständig erhaltene Tabulaturautograph eines Bachschen Werkes vor.

Daß die Niederschrift dieser Fantasia bisher nicht als Bachsches Autograph und das Werk bisher nur vermutungsweise als Komposition Johann Sebastian Bachs erkannt worden ist, hat offenbar zwei Gründe. Erstens: Die stillschweigende Annahme, von Johann Sebastian Bach sei kein Werk vollständig in Tabulatur überliefert, erwies sich als eine Barriere, die zu überwinden war. Zweitens: Die Unsicherheit in stilkritischen Fragen insbesondere bei den frühen Klavier- und Orgelwerken Johann Sebastian Bachs scheint beträchtlich zu sein.

Die Fantasia ex C dis ist vierstimmig konzipiert, wie nicht zuletzt durch die konsequente originale Pausensetzung verdeutlicht, die auch zur Klarheit der differenzierten Stimmführung in Takt 15 f. (Imitation) und 44 f. (Stimmspaltung) beiträgt. Doch ist das Stück weitgehend nur dreistimmig ausgeführt; erst von Takt 35 an wird der vierstimmige Satz, der gelegentlich (Takt 51, 53 f.) sogar noch erweitert ist, zur Regel.

Die Tabulatur ist, wie bereits erwähnt, selbst an der Stelle klar, an der die beabsichtigte Lesart zweifelhaft erscheinen könnte, und zwar in Takt 34, Baß- bzw. Pedalstimme (Seite 1, Spalte 7, Takt 2 der Tabulatur): Die Stimmführung der Alt- und Tenorstimme ist eindeutig; die Sopranstimme pausiert. In der Baßstimme lautet der erste Tabulaturbuchstabe d; das darüberstehende Notenwertzeichen bedeutet Viertel, in diesem Fall Viertelpause vor dem nachfolgenden Tabulaturbuchstaben f (mit übergesetztem Notenwertzeichen für Halbenote), dessen Unterlänge mit dem Notenwertzeichen für das d — punktierte Halbenote — kollidiert. Die in unserer Neu-

18 Anonymi der Norddeutschen Schule. 6 Praeludien und Fugen, in: Organum, herausgegeben von Max Seiffert. Vierte Reihe: Orgelmusik, Nr. 10, Lippstadt o. J.

ausgabe getreu (sinngemäß) wiedergegebene originale Lesart beruht vermutlich auf einem kompositorischen Kompromiß.

Die Tabulatur enthält keinen Hinweis auf die Mitwirkung des Pedals, das Stück ist manualiter ausführbar. Der exponierte Einsatz der Baßstimme deutet dennoch darauf hin, daß diese Stimme dem Pedal zugedacht ist. Andererseits sind Baß- und Tenorstimme in engem Stimmenverband geführt. In dieser Hinsicht erinnert das Stück an die gleichfalls im ABB überlieferte Fantasia C-dur BWV 570, an die Imitatio h-moll in BWV 563, auch an die Canzona BWV 588, während die Eigenständigkeit der Pedalstimme in der im Notenbüchlein für Anna Magdalena Bach (1722) enthaltenen Fantasia C-dur BWV 573 (Fragment) stärker ausgeprägt ist und das Autograph[19] zu Beginn auch die Forderung „ped." aufweist. In der Fantasia c-moll BWV 562 bildet die Pedalstimme aber das Fundament, über dem sich die Manualstimmen entfalten[20].

Daß in der Fantasia ex C dis die Baß- als Pedalstimme nicht stärker ausgeprägt ist, geht einher mit dem überhaupt relativ geringen Skalenumfang des Stückes – F–c''', Baß- bzw. Pedalstimme F–c' –, der sogar nur gelegentlich voll ausgeschöpft ist; denn bis Takt 37 wird g'' nicht überschritten, c''' wird nur einmal (in Takt 39) erreicht, und in der tieferen Lage treten G und A jeweils nur einmal auf, F wird zweimal verlangt. Der äußere Aufwand des Stückes ist gering.

Die kompositorische Idee der Fantasia ex C dis wird darin zu erkennen sein, mehrere verschiedene musikalische Einfälle zu einem verbindlichen Gedanken (Satz) zusammenzufassen. Der Hinweis Hermann Kellers auf den chromatischen „Kontrapunkt" (Takt 7–9) besticht dabei nicht; denn im Gegensatz zur Canzona BWV 588 kann diese Tonfolge in der Fantasia nicht als Kontrapunkt zu einem „Thema" aufgefaßt werden, – der Fantasia liegt kein Thema zugrunde. Vermieden ist offenbar vielmehr, daß sich auch nur einer der heterogenen Einfälle zu einem thematischen Gedanken entwickelt. Der Satzzusammenhalt wird eher durch rhythmischen Einheitsablauf (vornehmlich Viertel bis Takt 42, danach vornehmlich Achtel) und durch intensive Intervallbeziehungen hergestellt.

Die vielfältigen musikalischen Wendungen – schreitende Viertel, chromatischer Baßgang, fallende Terzen, steigende Sekunden mit anschließendem Septsprung, imitatorische Abschnitte, viermalige steigende Sequenz bis zum höchsten Ton, danach absteigender Skalengang c'''–c'', eine gewisse harmonische Komplikation – vermitteln durchaus den Eindruck, den Friedrich Erhard Niedt 1721 im Artikel „Fantaisie" seiner Handleitung folgendermaßen beschreibt:

Fantaisie, ist Frantzösisch / und wird auf Italiänisch Fantasia genannt. Es heißt auf Teutsch ein eingebildetes Ding / eine Phantasey / und wird in musicalischen Sachen solchen Stücken beygeleget / die ein jeder nach seinem Sinn / wie es ihm einkommt / oder gefällig ist / ohne gewisse Schrancken und Maaße verfertiget / oder extemporisiret. Die Organisten halten viel davon: Denn / wer ein Organist will heißen / muß sich der Phantasie befleißen. . .[21]

---

19 Faksimile in: NBA IV/6, S. VII.
20 Faksimiles aus dem Autograph BWV 562 (P 490) in: NBA IV/5, S. IX f.
21 Friedrich Erhard Niedtens Musicalischer Handleitung Anderer Theil, Hamburg 1721. Reprint in: Bibliotheca Organologica, vol. 32: Musicalische Handleitung 1710, 1717, 1721, Buren 1976.

Yoshitake Kobayashi

Der Gehrener Kantor Johann Christoph Bach (1673–1727) und seine Sammelbände mit Musik für Tasteninstrumente

Die Bach-Forschung hat bisher dem Gehrener Kantor Johann Christoph Bach kaum Aufmerksamkeit geschenkt. Außer der Tatsache, daß er ein Angehöriger der Großfamilie Bach war, hat man sonst keinerlei Zusammenhang zwischen ihm und Johann Sebastian Bach festgestellt. Nun lassen sich zwei Sammelbände mit Tastenmusik verschiedener Komponisten, darunter auch Johann Sebastian Bachs, als Handschriften Johann Christoph Bachs nachweisen: Library of the School of Music, Yale University, New Haven, Sammlung Lowell Mason, LM 4982 und LM 4983 (im folgenden als Yale I bzw. Yale II bezeichnet)[1].

Yale I

Die Handschrift ist mit einem originalen Einband versehen, der heute stark lädiert ist. Auf der Innenseite des vorderen Deckels stehen oben ein Monogramm, das die ineinander verschlungenen Buchstaben J, C und B enthält (die richtige Reihenfolge ist vom optischen Eindruck her nicht erschließbar); darunter lateinische Verse, meist mit Akrostichon „MUSICA", aus Andreas Werckmeister „Die notwendigen Anmerckungen und Regeln wie der Bassus continuus, oder General-Baß wohl könne tractiret werden. . .", zweite Auflage, Aschersleben 1715[2]. Auf der Außenseite des rückwärtigen Deckels lautet die Aufschrift: „CLAVIR. | Übung. | ANNO. 1709: | den 3 April. | Mein Anfang und Ende | Ghet alles in Gottes Hände". Diese Stelle wurde später mit einem Zettel überklebt, der sich inzwischen teilweise gelöst hat, so daß die Schrift wieder zu erkennen ist. Die Handschrift umfaßt 17 Bogen (Format ca. 33 x 39 cm, beschnitten) in der Lagenordnung: zwei Ternionen — ein Quinternio — zwei Ternionen (die letzten zwei Blätter auf dem rückwärtigen Deckel aufgeklebt). Als Wasserzeichen sind zu erkennen: 1. Bl. a) aufrechte Gabel, flankiert von M und K, Bl. b) leer, enthalten in den ersten drei Lagen, Papiermühle Blankenburg in Thüringen, Papiermacher Michael Keyßner[3]. 2. Bl. a) Buchstabe P in gabelüberhöhtem Schild, Bl. b) MK (bei der zweiten Form seitenverkehrt), enthalten in der vierten Lage, Papiermühle und Papiermacher wie beim ersten Wasserzeichen. 3. Bl. a) Posthorn an Schnur (bei der zweiten Form seitenverkehrt), Bl. b) leer, enthalten in der letzten Lage, Herkunft unbekannt. Die Seiten sind folgendermaßen paginiert: 19, 47, 1–53, sieben unpaginierte Seiten, 41. Die Seitenzahlen 19, 47 und 41 wurden also zweimal verwendet. Diese Paginierung läßt sich damit erklären, daß die beiden ersten Seiten und die letzte Seite ursprünglich leer waren und nachträglich mit Stücken jeweils in gleicher Tonart als Alternativen zu denjenigen auf S. 19, 47 und 41 versehen wurden. Der Sammelband enthält folgende Stücke[4]:

---

1 Zur Sammlung Lowell Mason vgl. Henry Culter Fall, A critical-bibliographical study of the Rinck collection; M. A. Essay, Yale University 1958 (Maschinenschrift). Yale I und II stammen wie der größte Teil der Sammlung Mason aus dem Nachlaß des Kittel-Schülers Johann Christian Heinrich Rinck (1770–1846).
2 Die von Werckmeister zitierten Verse stammen nicht alle von ihm selbst. Ihre Verfasser sind zum Teil unbekannt.
3 Nach Wisso Weiß, Katalog der Wasserzeichen in Bachs Originalhandschriften (NBA IX/1, in Vorb.), Nr. 43, wirkte Keyßner von 1689 bis 1726 als Papiermacher. Sein Papier wurde von Johann Sebastian Bach in dessen Weimarer Zeit öfters benutzt.
4 Die Gesamtanlage von Yale I stellt eine für Süddeutschland typische Versettensammlung dar. Die als Intonatio bezeichneten Stücke sind kurze Präludien. Die „Fugen" sind meist Fughetten.

Seiten	Autoren	Werke
38–39	anonym	Fuge in D
39	anonym	Präludium in Es, Fuge in Es
40	anonym	Intonatio in Es
40–41	anonym	Fuge in Es
41	anonym	Präludium in A
	Johann Pachelbel	Fuge in A (nicht in DTB)
42	anonym	zwei Intonationen in A
	Johann Pachelbel (hier anonym)	Präludium in A (DTB IV/1, Abteilung I, Nr. 5, Variante)
43	anonym	zwei Präludien in f
43–44	anonym	Fuge in f
44	anonym	Intonatio in fis, Präludium in fis
45	anonym	Fuge in fis, Intonatio in h
46	anonym	Fuge in h
46–47	anonym	Präludium in h
47–48	Johann Pachelbel	Fuge in h (DTB II/1, Abteilung A, Nr. 49)
48	anonym	Intonatio in E
48–49	anonym	Präludium in E
49	anonym	Fuge in E, Präludium in E
50	anonym	Fuge in E
50–51	anonym	Präludium in e
51	Johann Pachelbel (hier anonym)	Toccata in d (DTB IV/1, Abteilung I, Nr. 8, Variante)
52–53	Johann Heinrich Buttstedt	Präludium und Fuge in D
53	Johann Sebastian Bach	Präludium in a (BWV 895, Fragment)
(54–60)	Andreas Werckmeister (hier anonym, identifiziert von Fall, siehe Anmerkung 1)	„Kurzer Unterricht, wie man ein Clavier stimmen und wohltemperiren könne" aus dem obengenannten Buch
(60)	Johann Christoph Bach	„Wie man ein Clavicymbel beziehen soll . . ."
41	anonym	Fuge in A

Yale II

Der originale Einband ist stark lädiert. Die Aufschrift auf dem ebenfalls stark beschädigten Etikett läßt sich nicht mehr entziffern. Das linke Blatt des ersten Bogens ist auf die Innenseite des vorderen Deckels aufgeklebt und trägt den Besitzvermerk „Johann Günther Bach". Die Außenseite des rückwärtigen Deckels enthält eine unleserliche Buchstabenreihe, vermutlich den Namen eines späteren Besitzers. Die Handschrift, deren Bogenformat ca. 32,5 x 39 cm (Ränder beschnitten) beträgt, weist folgendes Lagenschema auf: ein Bogen (das linke Blatt auf die Deckelinnenseite aufgeklebt) – zwei Ternionen – ein Blatt – ein Quaternio (Blatt 7 herausgeschnitten) – ein Blatt – ein Ternio (das letzte Blatt, das als Inhaltsverzeichnis dient, auf die Innenseite des rückwärtigen Deckels aufgeklebt). Als Wasserzeichen ist durchweg zu erkennen: Bl. a) Schlange am Kreuz, Bl. b) Buchstaben PM, Herkunft unbekannt. Die Seitenzahlen 12 und 13 wurden zweimal verwendet. Auf S. 3 steht aus Versehen die Seitenzahl 2. Die Handschrift enthält folgende Werke:

Seiten	Autoren	Werke
13	Johann Pachelbel	Choralbearbeitung „Jesus Christus, unser Heiland" (DTB IV/1, Abteilung II, Nr. 42), hier nur zweite Hälfte, erste Hälfte auf S. 12
12	anonym	Choralbearbeitung „Wie soll ich doch die Güte dein?"
	Johann Sebastian Bach	Choralbearbeitung „O Lamm Gottes unschuldig" (BWV deest, NBA IV/3, S. 74 f.), hier nur erste Hälfte, Fortsetzung auf S. 13
1–3	Dietrich Buxtehude	Toccata und Fuge in G (BuxWV 164)

Seiten	Autoren	Werke
3	Johann Caspar Ferdinand Fischer (hier anonym)	Präludium in G aus „Ariadne", identifiziert von Emery[5]
4–5	Johann Pachelbel (hier anonym)	Fuge in G (nicht in DTB), identifiziert von Riedel[6]
5	anonym	Präludium in G
6–7	Dietrich Buxtehude	Canzonetta in G (BuxWV 172)
7	anonym	„Pastorel oder Drio [sic!]" in F
8–9	Johann Pachelbel (hier anonym)	Choralbearbeitung „Jesus Christus, unser Heiland" (diese Fassung nicht in DTB), derselbe Choral mit anderen Lesarten auf S. 12 unter Pachelbels Namen
10–11	Johann Pachelbel (ursprünglich nur „J. P.")	Choralbearbeitung „Nun lob mein Seel den Herren" (nicht in DTB)
12	Johann Pachelbel (ursprünglich nur „J. P.")	Choralbearbeitung „Jesus Christus, unser Heiland", hier nur erste Hälfte, Fortsetzung auf S. 13
13	Johann Sebastian Bach	Choralbearbeitung „O Lamm Gottes unschuldig", hier nur zweite Hälfte, erste Hälfte auf S. 12
14	Johann Sebastian Bach	Choralbearbeitung „O Lamm Gottes unschuldig" (BWV deest, NBA IV/3, S. 76)
14–29	Johann Sebastian Bach	Inventionen (BWV 772–786)
30–45	Johann Sebastian Bach	Sinfonien (BWV 787–801, BWV 800 fehlt, dafür vorgesehene Seite 43 leer)
45	anonym	Choralbearbeitung „Erstanden ist der heilige Christ"
46	anonym	Choralbearbeitung „Erstanden ist der heilige Christ"
46–47	anonym	Choralbearbeitung „Wir danken dir, Herr Jesu Christ"
47	anonym	Choralbearbeitung „Erstanden ist der heilige Christ"
48	anonym[7]	Choralbearbeitung „Jesus Christus, unser Heiland"
49	anonym	Choralbearbeitung „Erschienen ist der herrliche Tag"
50–51	anonym	Choralbearbeitung „Christ lag in Todesbanden"
52	Johann Pachelbel	Choralbearbeitung „Christ lag in Todesbanden" (nicht in DTB)
53	Dietrich Buxtehude	Choralbearbeitung „Christ lag in Todesbanden" (BuxWV deest)
54–55	anonym	Choralbearbeitung „Ich erhebe, Herr, zu dir"
56	Johann Caspar Ferdinand Fischer (hier anonym)	Ricercar „Christ ist erstanden" aus „Ariadne", identifiziert von Emery[8]

Die beiden Bände stammen durchweg von der Hand eines einzigen Schreibers. In keiner der beiden Quellen ist der Name Johann Christoph Bach als Schreiber angegeben. Den Schlüssel zur Schreiberidentifizierung bot die Namenseintragung „Johann Günther Bach" in Yale II. Nach Geiringer[9] gab es zwei Träger dieses Namens in der Familie Bach: der eine, Organist in Arnstadt, lebte von 1653 bis 1683, kommt also aufgrund des in den Handschriften vertretenen Repertoires weder als Schreiber noch als Besitzer in Frage; der andere, Schullehrer, Violaspieler und Stadtmusikant in Erfurt, der von Johann Sebastian Bach als guter Tenor gerühmt wurde, ist 1703 geboren und 1756 gestorben. Dieser kann der Besitzer gewesen sein, aber nicht der Schreiber des 1709 begonnenen Sammelbandes Yale I. Wenn wir annehmen, daß der jüngere Johann

---

5 Walter Emery, An American manuscript: Two unknown pieces by Bach?, in: Musical Times, August 1954, S. 428.

6 Friedrich Wilhelm Riedel, Quellenkundliche Beiträge zur Geschichte der Musik für Tasteninstrumente in der zweiten Hälfte des 17. Jahrhunderts (Schriften des Landesinstituts für Musikforschung Kiel, Band 10), Kassel etc. 1960, S. 169.

7 Andreas Nikolaus Vetter? Vgl. Emery, a. a. O., S. 429.

8 Ebda., S. 429.

9 Karl Geiringer, Die Musikerfamilie Bach. Musiktradition in sieben Generationen, München 1977.

Günther Bach die Handschriften besessen, ja vielleicht geerbt hat, so liegt es auf der Hand, in seinem Vater Johann Christoph Bach den Schreiber zu suchen. Zur Schreiberidentifizierung genügt in diesem Fall lediglich eine Unterschrift Johann Christophs[10] vollkommen. Besonders charakteristisch ist der kleine Buchstabe p, der dem Aussehen nach aus einem kleinen r und einem darunter angehängten Schrägstrich zusammengesetzt ist, aber auch sonstige Buchstaben der Unterschrift stimmen gänzlich mit denjenigen in Yale I und II überein. Nachdem der Schreiber namentlich ermittelt worden ist, läßt sich nun das Monogramm in Yale I als die Initialen Johann Christoph Bachs deuten.

Die Johann Christoph Bach betreffenden Archivakten in der DDR sind zur Zeit nicht zugänglich. Bei der Zusammenstellung der biographischen Einzelheiten über ihn sind wir deshalb auf die bereits veröffentlichte Literatur[11] angewiesen. Johann Christian Bach wurde 1673 in Erfurt als Sohn des Direktors der dortigen Musikkompanie Johann Christoph Bach geboren[12]. Nach dem Tode seines Vaters im Jahre 1682 besuchte Johann Christoph von 1683 bis 1684 die Eisenacher Lateinschule, zu deren Schülern später auch Johann Sebastian Bach zählte. Zwischen der Erfurter und der Eisenacher Bach-Familie bestand damals eine besonders enge Verbindung. Johann Christophs Mutter war die Tochter des Eisenacher Kunstpfeifers Christoffel Schmidt, des unmittelbaren Vorgängers Johann Ambrosius Bachs. Bei diesem war Johann Christophs älterer Bruder Johann Jacob Lehrling und Geselle. Daher ist anzunehmen, daß der verwaiste Johann Christoph zusammen mit seinem Bruder bei Johann Ambrosius untergebracht war. Über seine weitere Ausbildung sind wir nur vage unterrichtet. Nach Spitta, Johann Sebastian Bach, Band I, S. 22, studierte er Theologie. Wann und an welcher Universität er sich seinem Studium widmete, ist unbekannt. Im Jahre 1693 wurde er wegen seiner musikalischen Fähigkeit und Gelehrsamkeit als Kantor nach Niederzimmern bei Erfurt berufen. Im selben Jahr heiratete er Anna Margaretha Susanna König aus Ringleben. Von 1695 bis 1698 bekleidete er das Kantorat an der Thomaskirche in Erfurt[13]. Im Jahre 1698 nahm er die Kantorenstelle in Gehren unweit Arnstadt an. In Gehren, wo Johann Michael Bach, der Vater von Johann Sebastian Bachs erster Gattin Maria Barbara, die Organistentätigkeit ausgeübt hatte, verbrachte Johann Christoph sein restliches Leben in wenig zufriedenstellenden Dienstverhältnissen. Ob seine Schwierigkeiten mit den Vorgesetzten – er mußte im Zuge von Streitigkeiten mit den Behörden längere Zeit in Arrest sitzen – auf seinen, wie Spitta (Johann Sebastian Bach, Band I, S. 22) behauptet, zänkischen, halsstarrigen und hochmütigen Charakter zurückzuführen sind oder ob ihm die Vorgesetzten mit ihrer unregelmäßigen Gehaltszahlung und verständnislosen Haltung gegenüber seiner Musik – sie rügten ihn wegen Verwendung weltlicher Tanzmotive in seinen geistlichen Werken – ein Unrecht antaten[14], muß angesichts der derzeitigen Unzugänglichkeiten der Dokumente dahingestellt bleiben. Er starb am 30. Juli 1727 an einer plötzlich eingetretenen Krankheit.

---

10 Abgebildet in: Arnstädter Bachbuch. Johann Sebastian Bach und seine Verwandten in Arnstadt. Im Auftrag des Rates der Stadt in Verbindung mit der Arbeitsgemeinschaft für Bachpflege im Kulturbund Arnstadt, herausgegeben von Karl Müller und Fritz Wiegand, zweite verbesserte und erweiterte Auflage, Arnstadt 1957.

11 Spitta I, S. 22 f.; E. W. Reichardt, Die Bache in Thüringen, in: Bach in Thüringen, Gabe der Thüringer Kirche an das Thüringer Volk zum Bach-Gedenkjahr 1950, Berlin o. J., S. 160 f.; Hermann Helmbold, Junge Bache auf dem Eisenacher Gymnasium, in: Johann Sebastian Bach in Thüringen, Festgabe zum Gedenkjahr 1950, Weimar 1950, S. 21 f.; Otto Rollert, Die Erfurter Bach, ebda., S. 203; Wilhelm Martini, Die Gehrener Bach, ebda., S. 216; Fritz Wiegand, Arnstädter Bachbuch (s. Anmerkung 10), S. 40; Karl Geiringer, Die Musikerfamilie Bach, S. 109 f.; Hans Engel, Musik in Thüringen (Mitteldeutsche Forschungen, herausgegeben von Reinhold Olesch, Walter Schlesinger, Ludwig Erich Schmitt, Band 39), Köln/Graz 1966, S. 232.

12 Nach Rollert, Die Erfurter Bach, S. 203, getauft am 13. Januar 1673.

13 Erwähnt nur bei Reichardt, a. a. O., S. 161.

14 Geiringer, a. a. O., S. 109 f.

172

Johann Christoph scheint zu seinem Verwandten Johann Sebastian in naher Beziehung gestanden zu haben. Abgesehen von dem alljährlichen Treffen der Bachschen Sippe, macht vor allem die geographische Nähe zwischen Gehren und Arnstadt, wo Sebastian von 1703 bis 1707 die Organistenstelle an der Neuen Kirche innehatte, einen engen familiären Kontakt der beiden Bache sehr wahrscheinlich.

Die Entstehungszeiten der Sammelbände lassen sich nicht exakt ermitteln. Das Datum 3. April 1709 in Yale I bezeichnet vermutlich den Beginn der Eintragungen. Der „kurze Unterricht" und die lateinischen Verse aus Andreas Werckmeisters obengenanntem Buch sind nicht in der ersten Auflage aus dem Jahre 1698 enthalten, sondern erst in der zweiten Auflage von 1715. Die lateinischen Verse stehen in Yale I ganz am Anfang, sie sind aber vermutlich auf das erste, ursprünglich unbeschriebene Blatt nachgetragen worden. Yale I ist also nach 1709 in einer großen Zeitspanne von mindestens 6 Jahren allmählich entstanden. Als Terminus ante quem stellt sich das Jahr 1727 – Johann Christoph Bachs Todesjahr – dar. Wann der Beginn der Niederschrift von Yale II anzusetzen ist, läßt sich nicht feststellen. Auch hier liegt die Annahme nahe, daß zur Vollendung des Bandes mehrere Jahre in Anspruch genommen worden sind[15]. Nur die Eintragung der Inventionen und Sinfonien Johann Sebastian Bachs läßt sich auf den Zeitraum 1723/24 eingrenzen (vgl. unten). Die Schrift Johann Christophs ist sehr konstant geblieben, so daß uns die Möglichkeit, aus der Schriftentwicklung chronologische Anhaltspunkte zu gewinnen, entzogen ist.

Wie aus den obigen Inhaltsangaben hervorgeht, ist in Yale I und II Johann Pachelbel besonders stark vertreten. Dies geht nicht nur auf die allgemeine Thüringer Pachelbel-Tradition zurück, sondern vermutlich auch auf eine unmittelbare Beziehung zwischen Pachelbel und der Erfurter Familie Johann Christoph Bachs, wie der folgende Umstand zeigt. Johann Christophs Vater besaß in Erfurt ein eigenes Haus. Nach seinem Tode ging es in das Eigentum der Witwe und der Kinder über, die es 1684 an den seit 1678 in Erfurt wirkenden Pachelbel verkauften[16]. Pachelbel scheint kompositorisch auf Johann Christoph Bach einen großen Einfluß ausgeübt zu haben. Vom letzteren ist zwar kein gesichertes Werk überliefert, ein Großteil der in Yale I anonym überlieferten anspruchslosen Kompositionen scheint jedoch von ihm zu stammen. Dafür sprechen manche Eigenkorrekturen und die stilistische Einheit. Die Yale-Handschriften bekommen ihren Wert aber vor allem durch die darin enthaltenen Werke Johann Sebastian Bachs und Dietrich Buxtehudes[17]

Präludium und Fuge in a-moll (BWV 895)

Die Echtheit des Werkes wird im BWV angezweifelt. Zur Beantwortung der Echtheitsfrage tritt die Abschrift Yale I aufgrund der Person des Schreibers als glaubwürdige Zeugin auf. Der Kopftitel auf S. 53 lautet: „Präludium. di Signor Giovanni Bastan [sic] Bach". Notiert ist hier nur das Präludium, und zwar nur bis zum Anfang des vierten Taktes. Die Kopierarbeit bricht hier aus heute nicht mehr feststellbaren Gründen abrupt ab. Daß es sich hier um ein Fragment handelt, mindert nicht die Glaubwürdigkeit der Komponistenzuweisung in Yale I. Eine vollständige, vermutlich um 1740 entstandene, zeitgenössische Quelle von der Hand Johann Peter Kellners (Staatsbibliothek Preußischer Kulturbesitz Berlin/West, Mus. ms. Bach P 804) weist das

---

15 Bei umfangreichen Sammelbänden wie etwa den Bachschen Klavierbüchlein ist die Entstehungszeit in großer Zeitspanne zu beobachten. Diese Möglichkeit ist also auch bei der Datierung der Möllerschen Handschrift und des Andreas-Bach-Buchs zu berücksichtigen.

16 Nach Rollert, a. a. O., S. 208.

17 Die in Yale I und II Pachelbel zugeschriebenen Werke gewinnen aufgrund der biographischen Daten Johann Christoph Bachs zwar an Authentizität, präsentieren jedoch nicht das höchste künstlerische Niveau des Komponisten.

Werk ebenfalls „Johann S. Bach" zu. Kellner war ein nicht immer zuverlässiger Kopist. Die Zuweisung an Bach stünde daher auf schwachen Füßen, wäre das Werk nur in Kellners Abschrift überliefert. Die Tatsache jedoch, daß zwei voneinander unabhängige zeitgenössische Quellen Johann Sebastian Bach als Komponist nennen und eine von der Hand Johann Christoph Bachs stammt, verleiht dieser Zuweisung außerordentlich großes Gewicht.

Choralbearbeitung „O Lamm Gottes, unschuldig" (BWV deest)

Die beiden Choralsätze „O Lamm Gottes, unschuldig" in Yale II gehören offenbar zusammen. Auf die reine Instrumentalausführung folgt der zweite Teil, in dem die Orgel vermutlich nur die Funktion der Begleitung zu einem vokalen vierstimmigen Choral übernimmt. Im folgenden nennen wir die beiden Teile daher jeweils Choralvorspiel bzw. Choral simplex. In der NBA IV/3, S. 74–76, hat Hans Klotz dieses Werk zum ersten Mal veröffentlicht, ohne auf die Echtheitsfrage einzugehen. Als Quelle dienten ihm zwei voneinander unabhängige Abschriften: Yale II und Johann Gottfried Walthers Abschrift in der Deutschen Staatsbibliothek Berlin, Mus. ms. Bach P 802 (hier ohne Choral simplex). Der Kopftitel des Choralvorspiels in Yale II lautet: „O Lamm Gottes unschuldig. Giovan Sebastin [sic] Bach"; der des Choral simplex: „Chorale. O Lamb Gottes unschuldig. G. S. Bach." In Walthers Abschrift ist als Komponist – vermutlich aus Versehen – „J. S. S." angegeben. Wäre Yale II nicht erhalten, so kämen wir bei dieser Angabe nicht ohne weiteres auf Johann Sebastian Bach, zumal der Stil des weitgehend geringstimmigen, schlichten kanonischen Choralvorspiels von der reiferen, dicht gewobenen, oft concertanten Schaffensweise Bachs abweicht. Yale II ist also die einzige Quelle, die das Werk unmißverständlich Johann Sebastian Bach zuweist. Walter Emery, der als erster auf dieses Werk aufmerksam gemacht hatte, meinte mit Recht, die Klärung der Echtheitsfrage hänge davon ab, wer das Manuskript Yale II geschrieben habe (An American manuscript, S. 430). Die Beweisführung der NBA zur Echtheit steht demnach auf schwachen Füßen, da Hans Klotz den Schreiber des betreffenden Werkes nicht ermitteln konnte. Die Autorschaft Bachs gewinnt nun an Glaubwürdigkeit, nachdem der Schreiber von Yale II als Johann Christoph Bach identifiziert worden ist. Liegt hier tatsächlich eine Bachsche Choralbearbeitung vor, so ist sie aus stilistischen Gründen als Jugendwerk (aus der Arnstädter Zeit?) anzusehen. Auch die Kombination von Choralvorspiel und Choral simplex deutet auf die frühe Entstehung hin, da sie in mutmaßlichen Frühwerken zu beobachten ist wie etwa in BWV 690, 695 und 713.

Choralbearbeitung „Christ lag in Todesbanden" (BuxWV deest)

Auch hier ist Yale II die einzige erhaltene Quelle. Die Komponistenangabe auf S. 53 lautet: „Buxtehude". Vermutlich aus stilistischen Gründen zweifelt Emery an der Autorschaft Buxtehudes: „very likely not by Buxtehude" (An American manuscript, S. 429). Der Stil der betreffenden Choralbearbeitung läßt jedoch alle Möglichkeiten offen. Buxtehudes Orgelchoräle lassen sich in zwei Stilrichtungen einteilen: Choralvariationen und Choralfantasien. Beide sind groß angelegt, und unsere Choralbearbeitung findet allein wegen ihres bescheidenen Umfangs von 31 Takten keinen Platz darin. Auch im Hinblick auf ihren fugenmäßigen formalen Aufbau, in dem die Choralmelodie selbst als Fugenthema ohne Kolorierung behandelt wird, läßt sie sich nur mit wenigen der erhaltenen Choralbearbeitungen Buxtehudes vergleichen (vgl. etwa BuxWV 214, dort allerdings nicht so streng durchgeführt und auch leicht koloriert). Buxtehudes Orgelchoräle sind, wenn sie strenge Sätze darstellen, in der Mehrzahl eher kanonisch als fugenartig, d. h. der Einsatz der nächsten Stimme erfolgt strettaartig in einem kurzen Abstand, oft noch im selben Takt. In Details sind hingegen manche Gemeinsamkeiten – insbesondere mit Buxtehudes Fugen zu beobachten, wie etwa gewisse rhythmische Wendungen (z. B. ♪ ♫♫ und häufige Reihung von Synkopen), Sechzehntelbewegungen in Terz- oder Sextparallelen und ein um einen halben Takt verschobener Themeneinsatz in der Fugenexposition. Aufgrund der Stilkritik kann die Echtheit des Werkes deshalb weder widerlegt noch bestätigt werden. Es wäre zu leichtfertig zu glauben, daß Buxtehude nur die erhaltenen, groß angelegten Orgelchoräle komponiert hätte; näherliegend wäre die Annahme, daß nur seine größeren Werke die Aufmerksamkeit weckten und deshalb überliefert worden sind, während seine kleineren Stücke in Vergessenheit gerieten und folglich verloren sind. Es ist also nicht zulässig, unsere Choralbearbeitung an der Größe der erhaltenen Werke zu messen und sie als unecht abzustempeln. Vielmehr ist die Komponistenangabe Johann Christoph Bachs in Yale II ernst zu nehmen, zumal die Thüringer Buxtehude-Tradition größtenteils auf Johann Sebastian Bach zurückzuführen ist, der fast vier Monate lang direkt bei Buxtehude dessen Werke studiert hat. Für Buxtehudes Autorschaft spricht ferner eine intensive Beteiligung der mutmaßlichen Pedalstimme. Die unterste Stimme scheint nämlich zu einer Pedalausführung bestimmt gewesen zu sein, wie aus einer weit auseinandergedehnten Stimmführung in Takt 27 (siehe Faksimile S. 177) hervorgeht. Weitere Kompositionen in Yale I und II sind aus ähnlichen Gründen als pedaliter auszuführende Orgelwerke anzusehen. Daß die Pedalstimmen nicht eigens gekennzeichnet sind, rührt vermutlich davon her, daß Johann Christoph Bach vielfach Orgeltabulaturen als Vorlagen benutzt hat. Dafür sprechen auch willkürliche Kaudierungen, welche das Erkennen der genauen Stimmführungen erschweren[18]. Ein weiteres Kriterium zur Echtheit könnte eventuell aus einer Untersuchung norddeutscher Gesangbücher aus Buxtehudes Zeit gewonnen werden, da sich Kantoren und Organisten bei ihren instrumentalen und vokalen Choralbearbeitungen an den in der jeweiligen Gemeinde üblichen Melodien orientierten[19]. Hinsichtlich des Chorals „Christ lag in Todesbanden" scheint um die Jahrhundertwende sowohl die archaisch klingende, dorische Melodie als auch die modernisierte Mollmelodie im Gebrauch gewesen zu sein[20]. In Choralvorspielen Georg Böhms und Johann Pachelbels lassen sich — vorausgesetzt, daß sie alle echt sind — beide Melodien nachweisen, während die darauf folgenden Generationen einschließlich Johann Sebastian Bach nur die Mollmelodie verwenden. Solange aber die Choralpraxis der Gemeinde Buxtehudes unerforscht ist, muß die Beantwortung der Echtheitsfrage von Seiten der Choralforschung noch dahingestellt bleiben.

Inventionen und Sinfonien (BWV 772–801, ohne 800)

Joh. Christoph Bachs Abschrift der Inventionen und der Sinfonien ist in zweierlei Hinsicht von Interesse: 1. hinsichtlich der Entwicklung des Werks und 2. hinsichtlich der Artikulation.

Die Abschrift Yale II geht auf das 1723 in Köthen entstandene Autograph in der Deutschen Staatsbibliothek Berlin, Mus. ms. Bach P 610, zurück. Dieses Autograph hatte nicht von Anfang an die heutige Gestalt; vielmehr lassen sich an Hand zeitgenössischer Abschriften Johann Christoph Bachs, Heinrich Nikolaus Gerbers (Beginn der Niederschrift vermutlich Jahreswende 1724/25) in Den Haags Gemeente Museum[21] und Johann Peter Kellners (datiert 1725)

---

18 Konfuse Kaudierungen auch in den oben besprochenen Choralbearbeitungen BWV deest und BuxWV deest.
19 Diese Feststellung, vor allem bei Bach, ist Alfred Dürr zu verdanken; s. Dürr, Zu den verschollenen Passionen Bachs, in: BJ 1949–1950, S. 87.
20 Bei Johannes Zahn, Die Melodien der deutschen evangelischen Kirchenlieder, Band IV, Gütersloh 1891, ist nur die dorische Melodie aufgeführt.
21 Diese Abschrift trägt den Schlußvermerk „descr: Lipsiae d. 22. Januarii Ao. 1725 . . .". Näheres über Gerbers Abschriften Bachscher Werke siehe Alfred Dürr, Heinrich Nikolaus Gerber als Schüler Bachs, in: BJ 1978, S. 7–18. Eine weitere zeitgenössische Abschrift der Inventionen und Sinfonien, Deutsche Staatsbibliothek Berlin, Mus. ms. Bach P 219 (Schreiber nach der Nomenklatur Alfred Dürrs, Zur Chronologie der Leipziger Vokalwerke J. S. Bachs. Zweite Auflage: Mit Anmerkungen und Nachträgen versehener Nachdruck aus Bach-Jahrbuch 1957: Anonymus Ih), geht weder auf das Autograph P 610 noch auf das Klavierbüchlein für Wilhelm Friedemann Bach im Besitz der Yale University zurück, sondern weist gemischte Lesarten zwischen den beiden Originalhandschriften P 610 und dem Klavierbüchlein auf.

im obengenannten Konvolut P 804 verschiedene Schichten feststellen. Auch wenn Yale II keine fehlerfreie Abschrift ist und dort gelegentliche Auslassungen von Haltebögen und Verzierungen zu beobachten sind, können die weitgehend unverzierten Lesarten der Inventionen Nr. 5, 9, 10, 11 und der Sinfonia Nr. 5 nicht als Ergebnisse solcher Auslassungen aufgefaßt werden, sondern als Widerspiegelung der frühesten — nach den Lesarten also früher als Gerbers Abschrift — Schicht des Autographs P 610. Als Entstehungszeit der Abschrift Johann Christoph Bachs kommt demnach der Zeitraum zwischen Johann Sebastian Bachs Berufung nach Leipzig von 1723 — wegen der Nennung Bachs als „Capell Maestro Lipsiae" im Kopftitel der Sinfonien — und der Jahreswende 1724/25 — Beginn der Niederschrift Gerbers — in Frage.

Die Artikulation weckte in letzter Zeit zunehmendes Interesse in der Bach-Forschung und veranlaßte mitunter kontroverse Diskussionen[22]. Im folgenden soll, unter Verzicht auf eine allgemeine Diskussion über Grundsatzfragen, gezeigt werden, wie hilfreich eine Abschrift unter Umständen sein kann, wenn die Artikulation im Autograph nicht determiniert ist. Während das Bild im Autograph P 610 hinsichtlich der Bogensetzung keine eindeutige Lösung zuläßt, bietet Johann Christoph Bachs Abschrift eine willkommene Hilfe. In der Invention Nr. 3 beispielsweise sind bei Notengruppen von sechs Sechzehnteln prinzipiell die dritte bis letzte Note gebunden

. In der Invention Nr. 9 reichen die über eine Sechzehntelgruppe hinausgehenden Bögen in der Regel bis zur vorletzten Note im jeweiligen Takt. Wo sie beginnen, bleibt in Yale II allerdings ebensowenig klar wie im Autograph. Besonders interessant ist die Artikulation in der Sinfonia Nr. 9. Im Autograph sind die Figuren und jeweils nur in demjenigen Takt, in dem sie zum ersten Mal auftreten, bezeichnet und erwecken deshalb den Anschein, als hätte der Komponist nur am Anfang exemplarisch demonstrieren wollen, wie sie weiter zu artikulieren seien. Während die zweite Figur in Yale II nicht gebunden ist — entweder hat der Schreiber den kurzen Bogen in der Vorlage übersehen, oder zum Zeitpunkt des Abschreibens stand der Bogen im Autograph noch nicht —, ist die erste Figur von Johann Christoph Bach weitgehend bezeichnet, und zwar konsequent . All diese Artikulationen sind zwar nicht als die einzigen authentischen, aber jeweils als eine der authentischen Lösungen anzusehen. Die bereits erwähnte Abschrift Gerbers, die im Rahmen seines Unterrichts bei Bach entstanden ist und deshalb als autorisiert gilt, zeigt eine andere Entwicklung als die des Autographs und der Abschrift Johann Christoph Bachs. Gerade die Vielfalt der Artikulationsmodelle ist aber eines der wesentlichen Merkmale der Musik Johann Sebastian Bachs.

---

22 Vgl. Dene Barnett, Non-uniform Slurring in 18th Century Music: Accident or Design?, in: The Haydn Yearbook 10, Wien 1978, S. 179–199; Georg von Dadelsen, Die Crux der Nebensache. Editorische und praktische Bemerkungen zu Bachs Artikulation, in: BJ 1978, S. 95–112; derselbe, De confusione articulandi, in: Ars Musica, Musica Scientia. Festschrift für Heinrich Hüschen zum 65. Geburtstag, Köln 1980, S. 71–75; Dietrich Kilian, Zur Artikulation bei Bach (Referat, gehalten im Rahmen des Wissenschaftlichen Kolloquiums, Leipzig 3. bis 5. Dezember 1981).

Dietrich Buxtehude, Choralbearbeitung „Christ lag in Todesbanden" (Library of the School of Music, Yale University, New Haven, LM 4983, S. 53).

Alfred Mann

Zur mährischen Bachpflege in Amerika

„It is by no means accidental that the small Moravian colony in Pennsylvania should have become in recent times the seat of a unique Bach cult, with yearly festivals participated in by the simple and the learned alike. The German Protestant musical memories of these people were handed down from generation to generation."[1]

Die Gründung dieser Siedlung erfolgte 1741 und ging von Nikolaus Graf von Zinzendorf aus, dem Verfasser zahlreicher pietistischer Hymnen und Erbauungsschriften. Auf Zinzendorfs Gut Berthelsdorf am Hutberg (Oberlausitz) hatte die mährische Brüdergemeinde Zuflucht von religiöser Verfolgung gefunden, und der neugegründeten Gemeinde Herrenhut folgten weitere Gründungen von Niederlassungen im In- und Ausland, unter denen sich die Siedlung in Pennsylvanien durch besondere musikalische Bedeutung auszeichnen sollte.

Typisch für den pietistischen Missionsgeist der Settler war die Namensgebung ihres neuen Heimatortes. Unter Leitung Zinzendorfs fand am Weihnachtsabend 1741 im ersterbauten Blockhaus eine musikalische Andachtsstunde statt, in der eine Hymne der Brüdergemeinde auf die Worte des Weihnachtsevangeliums Matth. II, 6 gesungen wurde — „Und du Bethlehem im jüdischen Lande bist mit nichten die kleinste unter den Fürsten Judas; denn aus dir soll mir kommen der Herzog, der über mein Volk Israel ein Herr sei", und auf Beschluß der neuen Gemeinde wurde der Name der Stadt Davids auf die Siedlung übertragen. In einem Vespergottesdienst — für den sich im mährischen Amerika der Name „Singstunde" bewahrt hat — fand am 25. Juni 1742 die formelle Ortsgründung Bethlehems durch seine ersten achtzig Einwohner statt.

Die mährischen Einwanderer brachten eine außergewöhnliche musikalische Tradition zum neuen Kontinent, und, wie die Chronik Bethlehems schildert, nahmen sie ihre Instrumente mit sich, wenn sie zum täglichen Ackerbau auszogen. Nach Art der deutschen Universitäten gründeten sie 1744 ein Collegium musicum — auch in Nachbarstädten entstanden Collegia —; Streichinstrumente wurden importiert und gebaut; ein Spinett aus London und ein Positiv aus Philadelphia bereicherten Kammer- und Kirchenmusik; George Washington und Benjamin Franklin zählten zu den frühen Besuchern der dortigen musikalischen Darbietungen.

Als sich in Europa das symphonische Element vom protestantischen Gottesdienst zunehmend löste, setzte sich dieser Einfluß in der Kirchenmusik der mährischen Gemeinden Amerikas fort. Die konzertante Kirchenkantate fand eine neue Form im mährischen „Anthem", dessen bedeutendster Vertreter Johann Frederik Peter (1746—1813), Organist an der mährischen Kirche in Bethlehem wurde. Diese Entwicklung läßt sich zum großen Teil durch den starken Gemeindesinn erklären, den sich die mährische Siedlung unverändert bewahrte. Weltliche und geistliche Musizierpraxis blieben eins. Bauer und Bischof saßen zusammen am Orchesterpult. Das „Gemeindehaus" blieb Mittelpunkt der Stadt, und noch heute werden vom Turm der Stadtkirche protestantische Choräle vom Posaunenchor geblasen.

Doch gerade diese Eigenständigkeit setzte der mährischen Kultur Amerikas Grenzen. Ihr Musikleben vermischte sich nicht mit dem, das langsamer in den englischen Kolonien Amerikas gedieh. Zwar gelangten Haydns Oratorien in Bethlehem zur amerikanischen Erstaufführung, zwar erklangen Symphonien und Kammermusikwerke Mozarts in Bethlehem wenige Jahre, nachdem sie erschaffen worden waren, aber mit dem zu späterer Zeit in Boston und New York ent-

---

1 Paul Henry Lang, Music in Western Civilization, New York 1941, S. 688 f.

stehenden Orchester- und Chorwesen konnte sich die Musizierpraxis der mährischen Siedlung nicht messen. Erst im 20. Jahrhundert wurde eine Stiftung gegründet, „The Moravian Music Foundation", die es sich zur Aufgabe machte, das Erbe zu bewahren; im 19. Jahrhundert drohte es auf provinzielle Bedeutung zu sinken[2]

*

Diese Krise wandte sich unerwartet durch das Aufblühen der Bachpflege in Bethlehem. Der Name Bach war im Musikleben der Siedlung nur durch die Bachsöhne, deren Instrumentalwerke eifrige Pflege fanden, vertreten gewesen. Eine Symphonie Johann Christoph Friedrich Bachs ist einzig durch eine Stimmenabschrift von J. F. Peter auf die Nachwelt gekommen. 1883 wurde nach Muster der neuen Oratorienvereinigungen ein gemischter Chor, die „Bethlehem Choral Union" von John Frederick Wolle, Organist am mährischen Seminar und später an der Stadtkirche Bethlehems, gegründet. Aus einer deutsch-schweizerischen, musikalisch prominenten Familie Bethlehems stammend und, wie schon sein Großvater auf die Vornamen von J. F. Peter getauft (mit Angleichung des zweiten Namens an die englische Schreibweise), ging Wolle 1884 zum Studium zu Rheinberger nach München. Die Berührung mit dem Werke Bachs im dortigen Musikleben wurde für ihn entscheidend, und nach dem überwältigenden Eindruck einer Aufführung der „Johannes-Passion" (im Bach-Jubiläumsjahr 1885) beschloß er, sich einem großangelegten Plan zur Aufführung Bachscher Chorwerke in seinem Heimatort zu widmen.

Er kehrte 1886 aus München zurück, und am 5. Juni 1888 fand unter seiner Leitung in Bethlehem die amerikanische Erstaufführung der „Johannes-Passion" statt. Weitere Bach-Aufführungen folgten, jedoch in beträchtlichen Abständen, in denen sich die Kühnheit des jungen Unternehmens und die Schwierigkeiten, mit denen es zu kämpfen hatte, abzeichnen. 1892 gelang eine Gesamtaufführung der „Matthäus-Passion", die schon 1879 in Boston zur amerikanischen Erstaufführung gekommen war; dann aber zwei weitere vollständige amerikanische Erstaufführungen in Bethlehem: 1900 die „h-moll-Messe" und 1901 das „Weihnachts-Oratorium".

Diese erste Phase der amerikanischen Bachpflege stellt eine Entwicklung dar, die keineswegs gradlinig verlief, denn an dem Vorhaben· einer Aufführung der „h-moll-Messe" waren die Pläne des jungen Dirigenten zunächst dramatisch gescheitert. Die Aufführungen der Passionsmusiken waren unter Mitwirkung der „Bethlehem Choral Union" erfolgt. Ein Verwandter hatte während Wolles Abwesenheit die Leitung dieses Chores übernommen, und im Laufe von zehn Jahren hatte sich aus anspruchslosen Anfängen ein Aufführungsprogramm gestaltet, das im wesentlichen der englischen Oratorientradition verpflichtet war; die Bach-Aufführungen bildeten Ereignisse, die von den Mitgliedern der Organisation als gewisse Ausnahmen angesehen wurden, und nach der Darbietung der „Matthäus-Passion" war das Interesse an weiteren Bach-Programmen durchaus geteilt. Die technischen Ansprüche, welche die Ausführung der „h-moll-Messe" an die Mitglieder des Chores stellte, gaben dann den Ausschlag: die Chorsänger streikten.

Bedenkt man die bescheidenen Ambitionen, mit denen der Chor zehn Jahre früher seine Arbeit begonnen hatte, so erscheinen die Meinungsverschiedenheiten, welche sich zwischen Chor und Dirigenten ergeben hatten, verständlich; anfänglich populär gehaltene Programme waren zwar größeren Aufgaben gewichen, aber Chor sowie Publikum beharrten bei einer allgemeinen Tendenz zu leicht faßlichen Programmen. Hier nun weigerte sich Wolle. Er war an einem Punkt seiner Arbeit angelangt, an dem sich eine neue unumstößliche Forderung herausgeschält hatte: ausschließliche Beschäftigung mit Bachschen Werken. Der Konflikt spitzte sich zu, und die Auflösung der „Choral Union" war die Folge.

---

2 Die Stiftung wurde, nach anfänglichen Arbeiten des Bachforschers Hans T. David im Archiv der mährischen Kirche Bethlehems, 1956 zur Bewahrung und Erforschung eines Bestandes von ungefähr 10 000 Handschriften gegründet. Die Gründung erfolgte in Winston-Salem, North Carolina; Geschäftsstellen der Stiftung, die den südlichen und nördlichen Bereich der mährischen Gemeinden Amerikas vertreten, sind in Winston-Salem und Bethlehem.

Aus dieser Situation erwuchs eine besondere Aufgabenstellung, in der sich das Gefühl der Verpflichtung zur musikalischen Tradition der Gemeinde geltend machte. Unter Leitung von Damen der Gesellschaft fanden sich verschiedene Gruppen zusammen, in denen die Bürger Bethlehems das Studium des umstrittenen Werkes erneut aufgriffen, und aus intensiver Arbeit in privaten Zirkeln formierte sich schließlich eine Abordnung, die mit der Bitte um einen neuen Aufführungsplan bei Wolle vorstellig wurde. Er sagte unter der Bedingung einer nur von ihm bestimmbaren Dauer der Vorbereitungszeit zu, und erst nach vierzehn Monaten angestrengten Probens wurde ein Datum für die amerikanische Erstaufführung der „h-moll-Messe" angesetzt.

*

Die Arbeit des „Bach Choir of Bethlehem", der somit entstanden war, wurde mit dieser Erstaufführung bewußt vom Leiter in den Rahmen der internationalen Bachpflege gestellt. Wolles Name war auf der Subskribentenliste der Ausgaben der Bach-Gesellschaft erschienen, und der Beginn amerikanischer Bachfeste im Jahre 1900 fiel mit den zahlreichen Ereignissen zur Feier der 150. Wiederkehr vom Todesdatum Bachs zusammen. Die Aufführung der „h-moll-Messe" in Bethlehem führte zu jährlichen dortigen Bachfesten, deren Programmgestaltung und Tragweite rasch anwachsen sollte. 1901 erstreckte sich das Bachfest auf drei Tage; es begann mit der amerikanischen Erstaufführung des „Weihnachts-Oratoriums", am zweiten Tag wurde die „Matthäus-Passion" aufgeführt, und den Beschluß am dritten Tage bildete eine Wiederholung der „h-moll-Messe". Die amerikanische Presse nahm regen Anteil, ein Sonderbericht erschien in der Zeitschrift der Internationalen Musikgesellschaft, und der Kritiker der New York Tribune würdigte das Ereignis zugleich in einem Bericht nach London, in dem er Bethlehem als ein „Bach Bayreuth" beschrieb.

Um den notwendigen Überblick über die Entwicklung seiner Pläne zu behalten, ließ Wolle das Jahr 1902 im Aufführungskalender aus, und im folgenden Jahr wurde aus dem dreitägigen Bachfest eine Veranstaltung, die eine ganze Woche in Anspruch nahm und in der die Form späterer Bachfeste in Bethlehem Gestalt gewann: Der jährlichen Wiederkehr einer Darbietung der „h-moll-Messe" wurden Programme vorangestellt, in denen Bachs Kantatenwerk systematisch erforscht wurde; zudem erschienen jetzt Bachsche Instrumentalwerke auf dem Festprogramm.

Mit dem Entwurf für das nächste Bachfest in Bethlehem hatte Wolle sich jedoch ein zu hohes Ziel gesetzt; es war ein Vorhaben, das sich nur einmal verwirklichen ließ. Das Festprogramm war über das ganze Kirchenjahr verteilt, und im Rahmen einer größeren Anzahl von Kantaten und Instrumentalwerken zeichneten sich die Jahreszeiten in ihrer liturgischen Bedeutung in drei dreitägigen Serien ab. Zur Adventszeit wurde das „Magnificat" und das „Weihnachts-Oratorium", zur Passionszeit die „Johannes-Passion" und verschiedene Passionskantaten (mit unbewußter Erweiterung der Passionsmusiken durch Einbeziehung der „Trauerode") und zum Himmelfahrtsfest eine Reihe von Oster-, Himmelfahrts- und Pfingstkantaten aufgeführt — mit einer abschließenden Wiederholung der „h-moll-Messe".

Die Vision hatte sich erschöpft. Als Wolle im Herbst 1905 der neue Lehrstuhl für Musik an der Universität von Kalifornien angeboten wurde, nahm er den Ruf an, und ein Interregnum in den Bachfesten Bethlehems folgte. Die Wirkung der dort geleisteten Arbeit war letzten Endes aber so nachhaltend, daß die Gemeinde eine Fortsetzung erstrebte. Hier erwies sich der wirtschaftliche Aufschwung der Stadt — nunmehr das Stahlzentrum Amerikas — als entscheidender Faktor. Charles Schwab, der Stahlkönig, der in einer abenteuerlichen Karriere zu einem der einflußreichsten Kunstmäzene Amerikas geworden war, holte Wolle aus Kalifornien zurück, und in Verbindung mit der Universität Bethlehems (Lehigh University) wurden 1912 die dortigen Bachfeste wiederaufgenommen. Das Finanzgenie Schwabs hatte den geeigneten Modus der materiellen Unterstützung gefunden. Statt das gesamte Defizit der Aufführungen zu decken, übernahm er nur jeweils die Hälfte unter der Bedingung, daß die andere Hälfte der Garantie von Mitgliedern der Gemeinde bestritten wurde, und zwar auf der Basis eines jährlichen Kostenanschlags, bei dem der Überschuß von Jahr zu Jahr auf die betreffenden Sponsoren zurückging.

Dies Dividendensystem setzte sich in den folgenden Generationen fort und ist bis heute erfolgreich geblieben.

Ähnlich festigte sich die Programmgestaltung. Die Programme wurden auf eine zweitägige Dauer reduziert (die allerdings seit Mitte des Jahrhunderts eine Gesamtwiederholung erforderte, so daß die Aufführungen jetzt in jedem Jahr auf zwei Wochenenden verteilt sind). Der erste der beiden Tage wurde stets der Darbietung von Kantaten gewidmet — nicht selten in Programmen, die sämtlich oder zu großen Teilen amerikanische Erstaufführungen darstellten (und die zu einer amerikanischen Veröffentlichungsreihe von Kantaten führte) —, gelegentlich auch den größeren Chorwerken; die Wiederaufführung der „h-moll-Messe" wurde stets dem zweiten Tage vorbehalten. Instrumentalwerke gelangten oft in einem gesonderten Morgenprogramm am zweiten Tage zur Aufführung; so bot u. a. Wolle selbst eine Gesamtaufführung der „Kunst der Fuge" als Orgelkonzert dar.

Es war dadurch ein besonderer Veranstaltungsmodus entstanden, der sich aus der Tradition des englischen Chorfestes herleitet, in dieser besonderen Abart aber eine Norm des amerikanischen Bachfestes begründete. Der Chor blieb seinem ursprünglichen Grundsatz treu und ist statutengemäß auf ausschließliche Erarbeitung der Werke Bachs festgelegt. Dadurch gelang es, den Aufführungen in Bethlehem eine besondere Stellung im Musikleben des Landes zu sichern. Seit ihrer Wiederaufnahme hatten die Bachfeste in Bethlehem ein Publikum aus allen Teilen der Vereinigten Staaten angezogen — oft auch Besucher von Übersee. Auf lange Zeit wurde die Mitwirkung des „Philadelphia Orchestra" gesichert. Der Chor wurde mehrfach ins Weiße Haus geladen, beschränkte sich aber mit wenigen Ausnahmen auf Aufführungen in Bethlehem, wo die Roosevelts, Cabots und andere Vertreter der amerikanischen Gesellschaft stetige Gäste wurden.

*

Wolle starb 1933, und die Fortsetzung seiner Arbeit läßt sich auf zwei Ebenen verfolgen. Schon im Jahr vor seinem Tod wurde von dem Bachforscher Albert Riemenschneider ein jährliches Bachfest nach dem Beispiel Bethlehems in Berea, Ohio begründet. Das dortige Programmschema ist demjenigen der Bachfeste in Bethlehem ähnlich und zeigt nur insofern eine Abweichung vom Muster, als in Vierjahr-Zyklen die Passionen, das „Weihnachts-Oratorium" und die „h-moll-Messe" den Abschluß zweitägiger Veranstaltungen bilden. Im übrigen wurde das Vorbild der mährischen Bachpflege Amerikas so getreu befolgt, daß sogar das Turmblasen, das sich in Bethlehem aus städtischer Tradition als Einleitung der Bachaufführungen bewahrt hat, übernommen worden ist. Daraus, daß sich das Bachfest in Berea mit gewissem Stolz als z w e i t ä l t e s t e s Bachfest Amerikas bezeichnet, läßt sich entnehmen, daß es seither zu Gründungen jährlicher Bachfeste in vielen Teilen des Landes gekommen ist, die sich alle aus der Norm des Bachfestes in Bethlehem herleiten.

Andererseits waren die später entstandenen Bachfeste weniger traditionsbeschwert als die ursprüngliche Organisation, und je mehr sich die Nachfolger im Beginn ihres Unternehmens der Neuzeit näherten, desto mehr machten sich die Fortschritte der internationalen Bachpflege geltend. Dieser Punkt erwies sich letzten Endes als der entscheidende bei der Fortsetzung der eigenen Arbeit in Bethlehem. Die ursprüngliche Pionierleistung hatte zwangsläufig den Charakter der Avantgarde verloren, und gerade die Beständigkeit der mährischen Bachpflege Amerikas barg die Gefahr einer zunehmend konservativen Orientierung in sich.

Dieser Gefahr versuchte der „Bach Choir of Bethlehem" in der Wahl neuer Leiter entgegenzutreten. Man war sich von vornherein darüber im klaren, bei der Neubesetzung der Dirigentenstelle über die mährische Gemeinde hinausgehen zu müssen; und während das Gemeindegefühl, durch das sich die ganze Stadt mit der Bachpflege identifiziert, nie gewichen ist, setzte es sich der Bachchor Bethlehems jetzt zum wichtigsten Ziel, seinen Aufgabenkreis zu erweitern.

Die Verantwortung für die Aufführungen in Bethlehem hat, von der Gründung der „Bethlehem Choral Union" an gerechnet, im Laufe eines Jahrhunderts nur fünf Leitern obgelegen. Die Nachfolger Wolles, zu denen der Verfasser dieser Zeilen gehört, waren verschiedentlich der britischen und deutschen Tradition der Bachpflege verbunden. Der jetzige Leiter ist ein Schüler Arnold Scherings und wuchs in der Chorarbeit unter Kurt Thomas auf.

Zu den Wandlungen in der Aufführungspraxis, die sich um die Jahrhundertmitte durch eine Stiftung aus privaten Mitteln für den Bau und Erwerb eines Cembalos ansagten, trat der wichtige Wechsel von der Verwendung englischer Übersetzungen zur ausschließlichen Benutzung der Originaltexte. Bei dem ausgeprägten Charakter des amerikanischen Gemeindechors war es nicht überraschend, daß dieser Neuerung beträchtlicher Widerstand entgegentrat. Wiederum galt es, sich auf die örtlichen Traditionen zu besinnen. Die Umgebung Bethlehems wird als „Pennsylvania Dutch country" bezeichnet – „Dutch" ist hier nicht im modernen Sinne von „holländisch" zu verstehen, sondern in seiner ursprünglichen Bedeutung als englische Abwandlung von „deutsch". Der Dialekt, der speziell als „Pennsylvania Dutch" bezeichnet wird, ein mit Englisch vermischtes verballhornisiertes Süddeutsch, hat sich zur lokalen Umgangssprache entwickelt, die Wochenzeitungen und anderen Veröffentlichungen dient und sich in einem „Pennsylvania Dutch Dictionary" legitimiert hat. In der Mitgliedschaft des Chores herrschen Namen wie Ackermann, Schankweiler und Luckenbach vor, und obgleich der Schritt vom „Pennsylvania Dutch" zum Deutsch der Barocktexte den Abkömmlingen deutscher Familien nicht leicht fiel, fügten sie sich doch mit Provinzstolz in seine Logik.

Bei der Gründung einer amerikanischen Sektion der Neuen Bach-Gesellschaft im Jahre 1972 übernahm der „Bach Choir of Bethlehem" die Pflichten einer ständigen Geschäftsstelle; ein erstes Treffen der Sektionsmitglieder fand 1976 in Bethlehem statt, und im Zusammenhang mit den Veranstaltungen zur Zweihundertjahrfeier der amerikanischen Union reiste der „Bach Choir of Bethlehem" mit Solisten und Orchester im selben Jahr nach Berlin und Leipzig – zu einer Aufführung der „h-moll-Messe" beim Bachfest in West-Berlin und einer Motetten-Aufführung in der Thomaskirche. 1979 fand eine erste öffentliche Bachtagung in Bethlehem statt, bei der die Mitglieder der mährischen Gemeinde mit Bachspezialisten aus verschiedenen Teilen des Landes zusammentrafen.

Nachdem schon 1918 eine Geschichte des Bachchors in Bethlehem von Raymond Walters, nachmaligem Präsidenten der Lehigh University, veröffentlicht worden war (Neuauflagen New York 1923 und 1971), wurden im Verlag der mährischen Buchhandlung in Bethlehem Berichte über die Ereignisse des Jubiläumsjahres 1976 sowie ein Konferenzbericht unter den Titeln „Bethlehem Pilgrimage" und „Bach in Bethlehem Today: A Conference Report 1979" veröffentlicht. Die mährische Bachpflege Amerikas ist heute gleichermaßen durch moderne Wandlung und Bewahrung ihrer Eigenart gekennzeichnet.

Robert L. Marshall

Editore traditore: Ein weiterer „Fall Rust"?

Daß die originalen Quellen der Werke Johann Sebastian Bachs fast stets eine erhebliche Reihe von fragwürdigen Varianten, widersprüchlichen, oder zumindest zweideutigen Lesarten und schließlich bloßen Fehlern aufweisen, ist jedem bekannt, der sich auch nur oberflächlich mit ihnen beschäftigt hat. Daß dieser Zustand den Herausgeber eines Bachschen Werkes somit nicht selten vor ungemein schwierige, wenn nicht gar unlösbare Probleme stellt, dürfte ebenso bekannt sein. Auf keinem Gebiet der editorischen Arbeit sind derartige Rätsel so zahlreich und sperrig wie bei der Feststellung der von Bach gemeinten Artikulation, genauer, der Bogensetzung, also dem, was Georg von Dadelsen einmal „Die Crux der Nebensache" in einem Aufsatz gleichen Titels genannt hat[1]. Die mehrdeutige Plazierung von Bachs eigenhändig gesetzten Bindebögen, die er anscheinend in großer Eile „im letzten Augenblick" in die Originalstimmen der Vokalwerke und überhaupt nur sporadisch in die Partitur einzutragen pflegte, führt oft zu den am schwersten faßbaren herausgeberischen Schwierigkeiten. „Oberbögen stehen, besonders bei schneller Arbeit, oft zu hoch, sind seitlich verschoben oder so klein, daß man zunächst nicht weiß, ob sie für die ganze Notengruppe oder nur einen Teil zu gelten haben. Wollte man die Geltung der Bögen jeweils genau von ihrer Position abhängig machen, käme man zu völlig widersinnigen und willkürlichen Lösungen. Unterbögen sind meist nicht gleichmäßig gerundet, sondern mit einem feinen Strich nach links unten angesetzt und aus einer starken Verdickung heraus nach oben rechts weitergezogen. Sie beginnen oft zu weit rechts. . . Sie werden deshalb leicht fälschlich auf 2—4 statt auf 1—4 oder 1—3 bezogen."[2]

Wie von Dadelsen im Lauf des Artikels zu zeigen versucht, lassen sich diese Mehrdeutigkeiten oft durch die sorgfältige Untersuchung von Kontext und Parallelstellen und durch die Vertrautheit mit Bachs Schreibgewohnheiten beheben. Selbst dann erhält man freilich selten mehr als eine konsequente und sinnvolle Fassung, die zuweilen sogar das eigentlich von Bach Gemeinte widerspiegeln dürfte. Beweisen läßt sich das aber fast nie. Man begnügt sich also, offen gesagt, meistens mit einer recht plausiblen Fiktion.

Angesichts dieser Lage ist man deshalb angenehm überrascht, ja entzückt, wenn die Bogensetzung in einer Bachschen Handschrift, was selten geschieht, offensichtlich mit besonderer Genauigkeit ausgeführt wurde. Nach kurzer Überlegung muß man sich aber oft gestehen: es ist „zu gut, um wahr zu sein". Derartige Bögen sind besonders auffällig und verdächtig, wenn sie nicht in den Originalstimmen, sondern in einer Bachschen Partitur auftreten. Die autographe Partitur der Kantate „Herr, deine Augen sehen nach dem Glauben" BWV 102 (Deutsche Staatsbibliothek Berlin: Mus. ms. Bach P 97) trägt in allen Sätzen deutlich Konzeptcharakter. Sie enthält jedoch in Satz 1, 3 und 4 eine Anzahl von Bindebögen, in Satz 4 auch Staccatopunkte, die mit spitzer Feder und schwarzer Tinte eingetragen wurden, und deren Zuweisung als autograph oder apograph vom bloßen Aussehen her nicht mit letzter Sicherheit erfolgen kann (Faksimile 1: S.189). Durch die Tintenfarbe unterscheiden sie sich von den übrigen in der Partitur vorhandenen und wie diese selbst mit dunkelbrauner Tinte notierten Bindebögen[3]. Das Hauptmo-

---

1 Georg von Dadelsen, Die Crux der Nebensache: Editorische und praktische Bemerkungen zu Bachs Artikulation, in: BJ 1978, S. 95—112.
2 Ebda., S. 104.
3 Von den Bögen auf Bl. 1ʳ der Autographpartitur (Faksimile 1) sind nur die auf den folgenden Systemen authentisch: 3. System (Violino I): Takt 1 und 2; 4. System (Violino II): Takt 4 (Teil einer Korrektur); 6. System (Continuo): Takt 3 und 4. Sämtliche Bögen in den beiden obersten Systemen der zwei Akkoladen (Oboe I und II) sind spätere Zusätze.

tiv des Anfangsritornells im Eröffnungssatz der Kantate gehört zu den Figuren, die mit einem dieser Bögen versehen sind. Es wird folgendermaßen artikuliert[4]:

und diese Artikulierung hat Wilhelm Rust für seine Edition der Kantate in Band 23 der alten Bach-Ausgabe (BG) übernommen. Es wäre ohnehin untypisch für Bach gewesen, die Artikulation eines Motivs so sorgfältig in eine Konzeptschrift einzutragen und zwar nicht nur beim ersten Auftreten, sondern auch bei zahlreichen Wiederholungen. Im vorliegenden Fall steht fest, daß die Bindebögen nicht von Bach stammen, da sich ihr Echtheitsanspruch vermittels der aus dem Autograph kopierten Partiturabschrift des Hamburger Kirchenmusikers Christian Gottlieb Schwencke (Staatsbibliothek Preußischer Kulturbesitz Berlin/West: Mus. ms. Bach P 98) zuverlässig kontrollieren läßt. Ein Vergleich der Bogensetzung ergibt, daß die in Rede stehenden Bindebögen des Autographs in Schwenckes Partitur sämtlich fehlen, während die offensichtlich von Bach — mit brauner Tinte — eingetragenen Bindebögen, jedenfalls was die Instrumentalsysteme anbetrifft, sämtlich vorhanden sind. Ferner sind uns zwei Quellen überliefert — ein Stimmensatz und eine Partitur —, die auf die großenteils verschollenen Originalstimmen der Kantate zurückgehen, und zwar in ihrem ursprünglichen Zustand vor Carl Philipp Emanuel Bachs Überarbeitung (siehe unten). Die Partitur ist ganz, der Stimmensatz teilweise von der Hand des vermutlich für Carl Philipp Emanuel Bach in Berlin tätigen S. Hering geschrieben[5]. Es läßt sich nun nachweisen, 1. daß die Heringschen Stimmen unmittelbar aus den Originalstimmen kopiert wurden, 2. daß Hering anschließend seine Partitur aus dem neuen Stimmensatz spartierte, mit gelegentlicher Heranziehung der Originalstimmen — speziell in Fragen der Bogensetzung. Die Bogensetzung im Hauptmotiv des Anfangsritornells lautet in P 48 eindeutig:

Es ist zugleich die ursprüngliche Bogensetzung der Heringschen Stimmen und spiegelt somit wohl die Bogensetzung der verschollenen Originalstimmen wider[6].

Allerdings wurde dieses Artikulationsmuster in den Heringschen Stimmen von einer anderen Hand abgeändert, so daß es mit der Bogensetzung des Autographs übereinstimmt (Faksimile 2: S. 190). Die Heringschen Stimmen enthalten nämlich eine große Anzahl mit spitzer Feder und graubrauner Tinte gezogener Bindebögen, die sich von den mit brauner Tinte eingetragenen originalen Bindebögen meistens deutlich unterscheiden. Zum Teil sind es neue, zusätzliche Bögen, oft jedoch werden die originalen Bögen durch die neuen insofern ungültig gemacht, als diese direkt an die originalen als offensichtliche Änderung angehängt wurden. Die Zusatzbögen sind in den wichtigsten Instrumentalstimmen besonders zahlreich vertreten, also in Satz 1 in der Oboen-, Violin-, sowie in den beiden Continuostimmen; in Satz 3 in der Oboe-I-Stimme; in Satz 4 in den Streicher- und der (g-moll) Continuostimme; in Satz 5 in der Flauto-traverso-Stimme.

---

4 Die Bögen treten in Takt 1 (Oboe I, II), Takt 26, 44, 98 (Violino I; zu Takt 26 auch in Violino II) auf. Eine vollständige Aufstellung enthält der KB zu NBA I/19.

5 Die Partitur findet sich in der Staatsbibliothek Preußischer Kulturbesitz Berlin/West (SPK), Signatur: Mus. ms. Bach P 48; der Stimmensatz gehört zu den Beständen der Hochschule der Künste Berlin-Charlottenburg, Zentrale Hochschulbibliothek, Hauptbibliothek 2 (Musik und Darstellende Kunst), Signatur: 6138[5].

6 Es sei angemerkt, daß der Viernotenbogen sich auch in den Hauptquellen der Parodie dieses Satzes, nämlich des Kyrie der g-moll-Messe BWV 235, findet: SPK, Signatur: Mus. ms. Bach P 15 sowie P 18. Siehe auch NBA II/2, S. 129 ff.

In der jeweils obligaten Bläserstimme von Satz 3, der Altarie „Weh der Seele" (Oboe), und von Satz 5, der Tenorarie „Erschrecke doch" (Flöte) sind die neuen Zusatzbögen besonders zahlreich vertreten. Überdies sind sie äußerst differenziert, musikalisch überzeugend und mit der Sorgfalt und Präzision ausgeführt, die der heutige Herausgeber sich wünscht und erträumt, aber in den Bachquellen eigentlich nie findet (Faksimiles 3 und 4: S. 190 f.). Auch alle diese Bögen hat Rust in seine Kantatenedition aufgenommen.

Es erhebt sich nun die Frage nach dem Urheber dieser Zusatzbögen in der autographen Partitur bzw. in den Heringschen Stimmen. Zunächst einmal können die neuen Bögen im Autograph nicht vor ca. 1800 hinzugefügt worden sein, da sie in der damals entstandenen Abschrift Schwenckes fehlen. Außerdem fällt auf, daß die in weit geringerem Umfang im Autograph vorhandenen zusätzlichen Artikulationszeichen denjenigen der Heringschen Stimmen entsprechen[7].

Die Überlieferungsgeschichte der Kantate verrät, daß von den späteren Manuskriptquellen keine auf das Autograph oder die Heringschen Abschriften zurückgeht. Nach Bachs Tod hat Carl Philipp Emanuel Bach die Kantate nämlich einer zum Teil tiefgreifenden Überarbeitung unterzogen, die in den zwei erhaltenen Originalstimmen zu mehreren mit brauner Tinte eingetragenen Änderungen und Streichungen führte[8]. Wie die originale Fassung besteht auch diejenige Carl Philipp Emanuel Bachs bei völliger Streichung der Altarie (Satz 3) und doppelter Verwendung des Schlußchorals aus sieben Sätzen: Satz 1 = BWV 102/1; Satz 2 = BWV 102/2 mit Neutextierung; Satz 3 = BWV 102/4; Satz 4 = BWV 102/7 mit Text „Die Wort bedenk, o Menschenkind" (Strophe 2 des Chorals „So wahr ich lebe, spricht dein Gott"); Satz 5 = BWV 102/5; Satz 6 = BWV 102/6 mit hinzukomponiertem Streicherchor; Satz 7 = BWV 102/7. Mit Ausnahme des jeweils unangetasteten Choralsatzes finden sich im Notentext aller übrigen Sätze der Carl Philipp Emanuel Bachschen Fassung Änderungen meist geringfügiger Art gegenüber dem Johann Sebastian Bachschen Original[9]. Die augenfälligste Abweichung in der zweiten Fassung ist zweifellos die Streichung des dritten Satzes, dessen Oboenpartie in den Heringschen Stimmen besonders reichhaltig mit den eben besprochenen Zusatzbögen versehen ist.

Außer den bisher erwähnten Quellen (der Autographpartitur, den zwei Heringschen Handschriften, der Schwencke-Partitur) überliefern alle übrigen das Werk in der Fassung Carl Philipp Emanuel Bachs[10]. Das bedeutet nicht nur, daß das Werk seit spätestens ca. 1800 und bis zur Erscheinung der BG-Ausgabe im Jahre 1876 hauptsächlich in der Fassung Carl Philipp Emanuel Bachs bekannt war, sondern auch, daß diese offensichtlich als die originale, als Johann Sebastian Bachs Fassung selbst galt. Keine der erhaltenen Quellen der Carl Philipp Emanuel Bachschen Fassung aus dem 19. Jahrhundert enthält einen Hinweis darauf, daß es sich um eine post-

---

7 Um es genauer zu sagen: die Zusatzbögen im Autograph (es handelt sich um ca. 85–90 Bögen) entsprechen entweder 1) den Zusatzbögen in den Heringschen Stimmen oder 2) den beibehaltenen, d. h. nicht von zweiter Hand geänderten Originalbögen der Heringschen Stimmen (die dementsprechend auch in der NBA beibehalten wurden). Zur ersten Gruppe gehören zusätzlich zu der oben erwähnten Fünfnotengruppe im Hauptmotiv des ersten Satzes noch ein Bogen über den beiden Kadenzsechzehntelnoten in Takt 21 des 4. Satzes (Violino I und II). Zur zweiten Gruppe gehören u. a. in Satz 1 der Bogen über den zwei Achtelnoten in Takt 2 des Hauptmotives der beiden Oboenpartien sowie an den Analogstellen; in Satz 3 die paarweise gesetzten Bögen im Continuo; in Satz 4 die Bögen im 3., 4. und 7. Takt des Hauptthemas und an den Analogstellen.

8 Es handelt sich um die Sopranstimme, Deutsche Staatsbibliothek Berlin (BB), Signatur: Mus. ms. Bach St 41, sowie um eine der Autographpartitur P 97 beigebundene (transponierte, durchweg bezifferte) Orgelstimme.

9 Am stärksten weichen die Singstimmen in den zwei Rezitativen (insbesondere Satz 6) sowie in Satz 5 Singstimme (ab Takt 72) und Continuo (ab Takt 75) vom Original ab.

10 Es handelt sich neben einer Orgelstimme aus dem Kreise Carl Philipp Emanuel Bachs und einer von dessen Hand geschriebenen Partitur der Bearbeitung des 6. Satzes um Partiturabschriften aus den Nachlässen Felix Mendelssohn Bartholdys und Gustav Wilhelm Teschners sowie um die von Adolph Bernhard Marx besorgte, um 1830 in Bonn bei N. Simrock erschienene Druckausgabe.

hume Neubearbeitung des Werkes handelt. Daraus ergibt sich, daß alle diese Quellen wohl mittelbar auf die verschollenen Originalstimmen zurückgehen, diesmal nachdem sie von Carl Philipp Emanuel Bach revidiert wurden. Demzufolge darf man wohl vermuten, daß von den Kopisten oder Besitzern der späteren Quellen keiner Ursache — oder sogar Gelegenheit — hatte, die autographe Partitur oder die Heringschen Handschriften heranzuziehen, und umso weniger, Eintragungen darin vorzunehmen[11].

Nur eine Person hat, soweit man weiß, diese Quellen benutzt, der erste Herausgeber der ursprünglichen Fassung dieser Kantate, Wilhelm Rust. Das Vorwort von BG 23 trägt das Datum, „Berlin, im Mai und Juni 1876" und gehört somit zu den letzten Bänden, die Rust für die Bachgesellschaft betreute. Als Vorlagen erwähnt Rust die Autographpartitur, die zwei vorhandenen Originalstimmen, die zwei Heringschen Handschriften, Carl Philipp Emanuel Bachs Orgelstimme und Partitur-Bearbeitung, die Marxsche Ausgabe, sowie „die Messen in G moll und F dur mit ihren Vorlagen" (Werke, die zu BWV 102 im Parodieverhältnis stehen). Wie erwähnt, enthält Rusts Ausgabe sämtliche zusätzlichen Artikulationsangaben der Heringschen Stimmen. Diese nämlich, und nicht die Autographpartitur, waren de facto Rusts Hauptquelle. Das originale Titelblatt des Stimmensatzes (das wohl ursprünglich ein als Umschlag dienender Bogen war, dessen zweites Blatt entfernt wurde) trägt neben einer normalen Aufschrift von der Hand Herings folgende Bemerkung von der Hand Rusts: „Rudorff" (mit Tinte), d. h. ein Hinweis auf den damaligen Besitzer Ernst Rudorff, ferner (Tinte auf Blei): „Stim[m]en von Hering", rechts davon: „Rust". Zusätzlich zu dem originalen Titelblatt wird mit dem Stimmensatz noch ein neueres Vorsatzblatt überliefert. Dieses trägt nicht nur eine Titelaufschrift von der Hand Rudorffs, sondern auch einen Hinweis auf BG Band 23 und darüber eine Anmerkung mit Blei und wohl auch von Rust: „Muster für die Redaktion gewesen / [1860?]".

Daß Rust 1. die Heringschen Stimmen nicht allein heranzog, sondern als „Muster", d. h. Vorlage für seine Ausgabe verwendete, 2. nichts dabei fand, Vermerke auf der ursprünglichen Titelseite der Quelle anzubringen und daß 3. diese Quelle umfängliche, sorgfältig gezogene und musikalisch feine Bindebögen enthält, die spätere Zusätze und nirgendwo sonst als in der BG-Ausgabe anzutreffen sind — all diese Erwägungen legen die Vermutung nahe, daß Rust selbst die neue Artikulierung in die Heringschen Stimmen eingetragen hat. Dies erweckt seinerseits den Verdacht — den man allerdings um vieles zögernder äußert — daß es wiederum Rust war, der die erheblich geringere Zahl von Zusatzbögen und Staccatopunkten in die Autographpartitur eintrug. Die Indizien dafür sind 1. ihre weitgehende Übereinstimmung mit denen in den Heringschen Stimmen und 2. die Tatsache, daß sie mit an Sicherheit grenzender Wahrscheinlichkeit nicht nur nach 1800 (dem Zeitpunkt von Schwenckes Abschrift), sondern nach 1841 hinzugefügt wurden, da zu diesem Zeitpunkt die Königliche Bibliothek Berlin das Autograph von seinem vormaligen Besitzer Georg Poelchau erwarb und somit allgemein zugänglich machte. Der Verdacht wird weiterhin dadurch genährt, daß, soweit man weiß und vermuten kann, sonst niemand im 19. Jahrhundert sowohl die Autographpartitur als auch die Heringschen Stimmen untersucht hat und endlich durch den zugegebenermaßen subjektiven Eindruck, daß der Duktus der Bögen in den beiden Quellen einander nicht unähnlich ist (vgl. die Faksimiles). Allerdings ist es eine prekäre Sache, mit Sicherheit zu bestimmen, wessen Hand einen Bindebogen gezogen hat.

Die obige Erörterung, das sei betont, ist weit davon entfernt, den schlüssigen Beweis dafür zu liefern, daß kein anderer als Wilhelm Rust nicht nur in einer wichtigen Sekundärquelle, sondern sogar in einem Bachautograph Artikulationszeichen geändert und hinzugefügt hat. Es ist ein Indizienbeweis; zudem darf eine solche Vermutung nicht leichtfertig ausgesprochen werden, denn sie läuft auf Urkundenfälschung hinaus und ist somit eine schwere Anklage.

---

11 Einzelheiten zur Überlieferung werden in NBA I/19 mitgeteilt.

Jedoch ist Wilhelm Rusts Ruf als zuverlässiger und gewissenhafter Herausgeber sowieso schon befleckt, allerdings nicht im Zusammenhang mit seiner immer noch monumentalen Leistung als Herausgeber der Werke Johann Sebastian Bachs. Bekanntlich hat Rust einen unerhörten musikhistorischen Schwindel verübt. 1912 hat Ernst Neufeldt in seinem Aufsatz „Der Fall Rust" als erster aufgedeckt, daß Wilhelm Rust als Herausgeber der Klaviersonaten seines Großvaters Friedrich Wilhelm Rust (1739–96) diese völlig umgeschrieben hatte, ohne etwas darüber verlauten zu lassen. Es war Rusts Absicht, sie mit stilistischen Merkmalen einer späteren Epoche auszustatten – mit Instrumentalrezitativen, thematischen Verknüpfungen, vollgriffigen Verdoppelungen und solchen Satzweisen, Harmonien und formalen Strukturen, die gewöhnlich als typische Errungenschaften eines Beethoven, Weber, Schumann, ja Wagner gelten – um dadurch seinen Großvater nicht nur zu einem wichtigen Komponisten und Neuerer, sondern gar zu einem Genie und (laut Vincent d'Indy, zitiert nach Calvocoressi – siehe Anmerkung 12) dem „Bindeglied zwischen Haydn und Mozart einerseits und Beethoven andererseits" zu erheben. Die Enthüllung war eine cause célèbre und bedarf hier keiner weiteren Erörterung[12]. Ihre Bedeutsamkeit für die vorliegende Untersuchung dürfte klar auf der Hand liegen. Neufeldt war sich der weiteren Implikationen seiner Entdeckung durchaus bewußt und schrieb: „Wird man nun nicht auch an den übrigen wissenschaftlichen Arbeiten Rusts seine berechtigten Zweifel haben müssen? Wenigstens solange nicht eine genaue Kontrolle eingesetzt hat? Rust hat länger als ein Jahrzehnt die große Bachausgabe ganz allein redigiert. Eine Arbeit, die ihm bisher als hohes Verdienst angerechnet worden ist. Und die ihm weiter als solches angerechnet werden soll, sobald sie einmal ernstlich nachgeprüft worden ist. Das scheint nach solchen Erfahrungen nun doch wohl nötig zu sein."[13] Auch Erich Prieger, der sich in einer Broschüre „Friedrich Wilhelm Rust, ein Vorläufer Beethovens" (Köln 1894) als einer der getäuschten Opfer von Rusts Ausgaben erweist, meldete später Zweifel an: „Bei der oben erwähnten Art der Redaktionstätigkeit drängt sich eine Schlußfolgerung auf. Wenn Wilhelm Rust so frei mit den Kompositionen seines Großvaters verfahren ist, wie hat er es denn mit den Werken Johann Sebastian Bachs gehalten? Man wird diese Frage niemandem, der nun einmal Mißtrauen gefaßt hat, verdenken."[14]

Wilhelm Rusts Ausgaben der Musik seines Großvaters erschienen zwischen 1885 und 1892[15], d. h. nach der 1881 erfolgten Veröffentlichung von Band 28 der BG, dem letzten von 26 Bänden, die er seit 1855 für die BG herausgegeben hatte. Wie Hermann Kretzschmar in seinem Essay „Die Bach-Gesellschaft. Bericht über ihre Thätigkeit", in Band 46, dem Schlußband der Gesamtausgabe, berichtet, waren die letzten Jahre von Rusts Tätigkeit als Hauptredakteur der BG problematisch. „. . . Auch bei Rust kam die Zeit, wo die Arbeitsfreudigkeit sich minderte. Vom sechzehnten Jahrgang ab tritt eine Aenderung des alten Geistes in verschiedener Form bald stärker, bald schwächer hervor. Das Direktorium kann wegen verspäteter Einsendung des Materials die Bände nur mit mehrjährigem Rückstand hinausschicken, in den Vorreden bleiben die eingehenden Untersuchungen da ganz aus, wo sie erwartet werden, sind lässiger geführt, mit mystisch-pietistischen Betrachtungen gefüllt. Im Text bürgern sich Eigenmächtigkeiten ein: den Bach'schen Noten sind Bibelverse und Choraltexte mit und ohne Parenthese übergeschrieben, wesentliche Titel sind weggelassen oder in die Vorrede versetzt. Es treffen aus dem Kreise der Mitglieder beim Direktorium Beschwerden ein und unter diesen tadelnden Stimmen erscheint auch der Bachbiograph Philipp Spitta." (S. XLVII)

---

12 Über die wichtigsten Stationen dieser Enthüllung berichtet Ernst Neufeldt, Der Fall Rust, in: Die Musik, 12/6, Dezember 1912, S. 339–344; Erich Prieger, Rustiana, ebda., 12/11, März 1913, S. 269–277; Michel Dimitri Calvocoressi, Friedrich Rust, His Editors and his Critics, in: The Musical Times 55, 1914, S. 14–16.
13 Neufeldt, a. a. O., S. 342 f.
14 Prieger, a. a. O., S. 276.
15 Vgl. Hofmeisters Jahresverzeichnis der Deutschen Musikalien und Musikschriften IX, 1880–1885, S. 547; X, 1886–1891, S. 642; XI, 1892–1897, S. 722.

Auch Georg von Dadelsen bemerkt in dem Artikel „Rust" in MGG: „. . . [Rust] neigte . . . allerdings auch zunehmend zu editorischen Absonderlichkeiten und war nicht mehr bereit, sich mit den Bach-Forschungen Ph. Spittas ernsthaft auseinanderzusetzen. Daß er 1882 seine editorische Tätigkeit für die Bach-Ausgabe niederlegte und 1888 auch aus ihrem Redaktions-Ausschuß ausschied, hat seinen Grund in dieser Haltung."[16]

Die Möglichkeit, daß Rust bewußt in Bachsche Handschriften eingegriffen habe, wird angesichts dieser Bemerkungen und des „Falles Rust" selbst leider weniger undenkbar. Allerdings sei erneut betont, daß kein schlüssiger Beweis vorliegt. Es besteht immer noch die Möglichkeit, daß Rust bei seiner Ausgabe von Kantate 102 in bestem Glauben handelte, als er — zu seinem Entzücken — in seinen Hauptquellen einige ungewöhnlich detaillierte und plausible Artikulationszeichen vorfand, die er nur allzugern übernahm. Seine einzige Missetat wäre in diesem Fall, daß ihm ihre dubiose Authentizität nicht auffiel[17]. Es wäre verfrüht, ihn der bewußten Fälschung schuldig zu sprechen.

Im Fall von BWV 102 ermöglichte es die Kontrolle durch die Schwencke-Partitur und vor allem der Zustand der Heringschen Stimmen, in denen der Revisionsprozeß sich beobachten läßt, die Artikulationszeichen in der Autographpartitur als posthume Zusätze zu bestimmen und demzufolge in der NBA wegzulassen. Leider sind die Umstände nicht immer so günstig. Bei der Herausgeberarbeit an Band I/19 der NBA stieß der Verfasser auf weitere Beispiele einer untypisch präzisen Bogensetzung in Bachschen Handschriften[18]. Der problematischste Fall betrifft einige originale Instrumentalstimmen der Kantate „Was frag ich nach der Welt", BWV 94[19]. Die Oboe-I- und Oboe-II-Stimme von Satz 3 und die (untransponierte) Haupt-Continuostimme von Satz 7 enthalten eine Reihe mit spitzer Feder gezogener Bindebögen, die durch ihre ungewöhnlich genaue Plazierung (die Anfangs- bzw. Endpunkte der Bögen treffen oft direkt auf die betroffenen Notenköpfe) starken Zweifel an ihrer Herkunft erwecken (Faksimile 5: S. 191). Der Verdacht verstärkt sich noch dadurch, daß die Bögen der Continuostimme im Gegensatz zu den meisten in ihr enthaltenen, als zweifellos autograph erkennbaren Ergänzungen, nicht in die überlieferte Dublette übernommen worden sind[20]. Da irgendwelche unmittelbar auf die Originalstimmen zurückgehenden Quellen in diesem Fall fehlen, kann nicht eindeutig beantwortet werden, ob die offensichtlich späten Nachträge noch unter Bachs Aufsicht erfolgten. Dem detaillierten musikalischen Charakter und dem Schriftduktus nach zu urteilen könnten sie leicht von der gleichen Hand hinzugefügt worden sein, die in der Autographpartitur von BWV 102 tätig war und ihrerseits durchaus die Bogensetzung in den Heringschen Stimmen für das gleiche Werk hätte revidieren können, das heißt, mutmaßlich die Hand Wilhelm Rusts. Doch wie gesagt, wir besitzen für BWV 94 keine Kontrolle. Man ginge deshalb willkürlich und unverantwortlich

---

16 Georg von Dadelsen, Artikel Rust, in: MGG 11, Sp. 1194.

17 Rust erwähnt unsere Kontrolle, die Schwencke-Partitur, in seinen Quellenangaben nicht. Normalerweise würde man daraus schließen, daß er nichts von ihrer Existenz wußte oder sie wenigstens nicht heranzog. Die Partitur war damals eher ganz bestimmt im Besitz der BB, denn ihre Signatur, Mus. ms. Bach P 98, folgt direkt auf das Autograph, P 97, und sie stammt ebenfalls aus dem Besitz Georg Poelchaus.

18 Zum Beispiel in der Autographpartitur von BWV 105 (BB: Signatur: Mus. ms. Bach P 99) und der — wiederum Heringschen — Partiturabschrift dieses Werkes (SPK, Signatur: Mus. ms. Bach P 48). Es erhebt sich die Frage, in welchem Umfang posthume Bögen, Artikulationszeichen und ähnliche Eintragungen musikalischer Art in den originalen Bachhandschriften und frühen Abschriften vorhanden sind. Vermutlich sind sie zahlreicher, als man bisher angenommen hat.

19 Originalstimmen der Thomasschule in Verwahrung des Bach-Archivs (Nationale Forschungs- und Gedenkstätten Johann Sebastian Bach der DDR), vorübergehend im Stadt-Archiv Leipzig.

20 Die beiden Oboenstimmen und die Hauptcontinuostimme sind hauptsächlich in der Hand von Johann Andreas Kuhnau. Ein zweiter Kopist, Anon. I[a], Alfred Dürr, Zur Chronologie der Leipziger Vokalwerke J. S. Bachs, in: BJ 1957, S. 5–162, trug den Schlußchoral ein. Die Continuo-Dublette kopierte Anon. V[o], ibid. Vgl. NBA I/19, KB. Es ist nicht ausgeschlossen, daß die Continuo-Dublette erst nach 1750 entstand. Vgl. NBA I/18, KB, S. 155.

vor, wollte man die Bögen, die immerhin in einer originalen Bachquelle stehen, rein subjektiv aufgrund ihres fragwürdigen Aussehens als unecht erklären und aus einer quellenkritischen Ausgabe eliminieren. Selbst ein authentischer Bogen unterliegt schließlich je nach dem Zustand des Federkiels, der Zusammensetzung der Tinte und der zur Verfügung stehenden Zeit gewissen Schwankungen. Infolgedessen erscheinen diese Bindebögen in der neuen Ausgabe ohne typographische Differenzierung. Selbstverständlich enthält sowohl der Kritische Bericht wie das Vorwort des Notenbandes eine ausdrückliche Stellungnahme des Herausgebers mit seinen Zweifeln und Einschränkungen. Doch das Vorhandensein von einigen genau angegebenen Bögen (im Normalstich) in der maßgebenden Ausgabe, der NBA, ein stets willkommener, weil seltener Fall, dürfte allein schon dafür sorgen, daß sie bei praktisch jeder Aufführung des Werkes berücksichtigt werden. Letzten Endes hat die Originalquelle den Herausgeber dazu gezwungen, eine Lesart zu perpetuieren, von der er bezweifelt, ob sie die wahren Absichten des Komponisten darstellt. Die pikante Frage lautet also: Ist der Herausgeber der „Neuen Bach-Ausgabe" in dem einen oder anderen der beiden hier beschriebenen Fälle das Opfer eines vom Herausgeber der alten Bach-Ausgabe angestellten Unfugs oder haben sie beide aufgrund noch ungeklärter Ereignisse in der Überlieferungsgeschichte der Bachquellen in noch ungeklärtem Ausmaß die Rolle des editore traditore spielen müssen?   (Übersetzung: Traute Maass Marshall)

Faksimile 1: Kantate „Herr, deine Augen sehen nach dem Glauben" BWV 102. Anfang des Bl. 1ʳ der autographen Partitur aus den Beständen der ehemaligen Preußischen Staatsbibliothek in der Deutschen Staatsbibliothek Berlin, Mus. ms. Bach P 97. Beginn des Satzes 1, Takt 1–11a.

Faksimile 2: Kantate „Herr, deine Augen sehen nach dem Glauben" BWV 102. Anfang der ersten Seite (Pultauflage: Bl. 2^V) der Stimme Hautbois Primo (Hochschule für Musik, Berlin-Charlottenburg, 6138⁵) von der Hand eines dem Kreise Carl Philipp Emanuel Bachs zugehörigen, anonymen Kopisten („Anonymus 307") mit nachträglich geänderten bzw. hinzugefügten Artikulationsbögen. Satz 1, Takt 1–23a.

Faksimile 3: Kantate „Herr, deine Augen sehen nach dem Glauben" BWV 102. Anfang der dritten Seite (Pultauflage: Bl. 1^V) der Stimme Hautbois Primo mit nachträglich geänderten bzw. hinzugefügten Artikulationsbögen. Satz 3, Takt 1–11a.

Faksimile 4: Kantate „Herr, deine Augen sehen nach dem Glauben" BWV 102. Anfang der ersten Seite der Stimme Traversière (Hochschule für Musik, Berlin-Charlottenburg, 6138[5]) von der Hand eines dem Kreise Carl Philipp Emanuel Bachs zugehörigen, anonymen Kopisten („Anonymus 300") mit nachträglich geänderten bzw. hinzugefügten Artikulationsbögen. Satz 5, Takt 1–19.

Faksimile 5: Kantate „Was frag ich nach der Welt" BWV 94. Bl. 4[r] (unten) der Originalstimme Continuo (Thomasschule Leipzig, ohne Signatur) von der Hand Johann Andreas Kuhnaus mit Artikulationsbögen zweifelhafter Herkunft. Satz 7, Takt 1–17.

Ulrich Meyer

„Brich dem Hungrigen dein Brot"
Das Evangelium zum ersten Sonntag nach Trinitatis in Predigten Luthers,
Lehre und Auslegung der Orthodoxie, Bachs Kantatentexten
und in heutigem Verständnis

Texte Bachscher Kirchenkantaten, seit ihrer Wiederentdeckung im vorigen Jahrhundert häufig angegriffen wegen mangelnder poetischer und theologischer Qualitäten, werden uns heute in
zunehmendem Maße bedeutsam als auslegungs- und frömmigkeitsgeschichtliche Zeugnisse. Eine
solche Sicht führt nicht nur den wissenschaftlich Arbeitenden zu einem Urteil, das seinem Gegenstand eher gerecht wird als jene Angriffe. Sie ermöglicht auch dem Leser der Texte, mehr
noch dem Hörer ihrer Vertonungen, beides zu erleben, ohne es als Widerspruch empfinden zu
müssen: Befremdung durch so manches, das uns inhaltlich oder sprachlich ferngerückt ist, und
Betroffensein da, wo die Frömmigkeit einer anderen Zeit uns dennoch unmittelbar anzureden
und zu bewegen vermag. Zugleich lenkt diese Betrachtungsweise den Blick auf die Dokumente,
die den Kantatentexten vorausgingen und sie in Gehalt und Gestalt möglicherweise mitgeprägt
haben. Bis zu welchem Grade das geschehen konnte, hat Elke Axmachers Synopse von Passionspredigten Heinrich Müllers und den Dichtungen Picanders zur „Matthäus-Passion" gezeigt. Auch
wo solche direkte Beziehung nicht nachgewiesen werden kann — und nach einem bedenkenswerten Satz von Carsten Colpe weist Analogie durchaus nicht immer auf Genealogie hin —,
dient doch die Arbeit an Predigt, Erbauungsliteratur und Dogmatik der Erhellung des Hintergrundes, vor dem die Texte der Kantaten entstanden sind. Dabei mögen dann neben mancherlei
Entsprechungen auch erhebliche Unterschiede oder doch Akzentverschiebungen deutlich werden.

So sieht der vorliegende Beitrag drei Bachsche Kantatentexte in frömmigkeits- und auslegungsgeschichtlichem Zusammenhang. Den Kantaten liegt das Evangelium zum ersten Sonntag
nach Trinitatis zugrunde, die Beispielerzählung vom reichen Mann und vom armen Lazarus
(Luk. 16,19—31). Die Arbeit stellt, referierend und hermeneutische Überlegungen einschaltend,
Auslegungen dieses Evangelientextes von Luther und von verschiedenen Autoren der lutherischen Orthodoxie dar, wendet sich dann den Kantatentexten zu und schließt mit Hinweisen auf
das heutige Verständnis des biblischen Textes und mit einem Versuch eigener Auslegung.

I

Martin Luther hat über Luk. 16,19 ff. mehrfach gepredigt. Erwin Mülhaupt, dessen Textfassung im folgenden übernommen wird, gibt zunächst die Predigt von 1522 wieder. Zu Beginn
dieses Jahres hatte Luther auf der Wartburg die deutsche Übersetzung des Neuen Testaments
fertiggestellt, war dann im März nach Wittenberg zurückgekehrt und hatte die dort mit bilderstürmerischem Eifer durchgeführten Reformen aufgehalten und teilweise rückgängig gemacht,
wobei er auf die notwendige „Schonung der Schwachen", also auf die bei solchem Reformeifer
fehlende Nächstenliebe hinwies.

Auch die am 22. Juni gehaltene Predigt handelt von der Lieblosigkeit und ihrer Wurzel, der
Glaubenslosigkeit. In der Einleitung heißt es: „Am Reichen sehen wir die Art des Unglaubens,
am Lazarus die Art des Glaubens." Der erste Teil spricht vom Reichen und von seiner Schuld.
„Dieser reiche Mann wird nicht darum gestraft, weil er köstliche Speise und herrliche Kleider
gebraucht hat. . . Aber deswegen wird er gestraft. . ., weil er dran gehangen ist. . ., ja seinen Ab-

gott daran gehabt hat. . . und sich selbst gelebt und gedient hat. Daran spürt man seines Herzens heimliche Sünde, nämlich den Unglauben, dessen böse Frucht dies ist. . . Daraus folgt nu die andere Sünde, daß er die Liebe gegen seinen Nächsten vergißt. . . Denn wer Gottes Güte fühlt, der fühlt auch seines Nächsten Unglück. Wer aber Gottes Güte nicht fühlt, der fühlt auch seines Nächsten Unglück nicht. . . So sehen wir nu an dem Exempel dieses reichen Mannes, daß unmöglich Liebe ist, wo kein Glaube ist, und unmöglich Glaube, wo keine Liebe ist. Denn es will und muß beides beieinander sein." – Der zweite Teil der Predigt handelt von Lazarus und seinem Dienst an uns. „Armut und Leiden macht niemand angenehm vor Gott, sondern wer zuvor schon angenehm ist, dessen Armut und Leiden ist vor Gott köstlich. . ." Luther statuiert Glauben bei Lazarus, „denn ohne Glauben kann man Gott nicht gefallen." Er statuiert weiter Liebe bei Lazarus; „denn jetzt nach seinem Tod dient er der ganzen Welt mit seinen Schwären, seinem Hunger und Elend. . ., indem er uns mit seinem Exempel tröstet und lehrt, daß Gott Gefallen an uns habe, wenn es uns übel geht auf Erden, falls wir glauben." Der Ursprung der Liebe liegt im Glauben, der Ursprung der Lieblosigkeit im Unglauben – diese fundamentalen Zusammenhänge entnimmt Luther dem Text. Und er findet bei „uns", den Hörern, angesichts konkreter Not die Haltung des Reichen: „Da sind vor unsern Augen Arme und Bedürftige, die Gott als den größten Schatz uns vorlegt, aber wir tun die Augen gegen sie zu und sehen nicht, was Gott da macht."

Im dritten Teil seiner Predigt entmythologisiert Luther mit erstaunlicher Kühnheit. „Wir halten den Schoß Abrahams für nichts andres als für das Wort Gottes, durch das ihm Christus verheißen ward. . . Alle Väter vor Christi Geburt. . . sind im Sterben mit festem Glauben bei diesem Spruch Gottes geblieben und in diesem Wort entschlafen, von ihm umfaßt und bewahrt wie in einem Schoß." Die Hölle ist hier „das böse Gewissen, das ohne Glaube und Gottes Wort ist." Das Gespräch zwischen Abraham und dem reichen Mann „geschieht zwischen einem verdammten Gewissen und Gottes Wort in der Stunde des Todes oder in Todesnöten." Kenntnisse über das Jenseits vermittelt dieser Text gerade nicht: „Sei klug und wisse, daß uns Gott nicht wissen lassen will, wie es mit den Toten zugeht, damit der Glaube Raum behält. . ." Schließlich begründet Luther aus dem Text die Ablehnung von Messen, die für die Seelen der Verstorbenen oder für „Rumpel- und Poltergeister" gehalten wurden.

Die zweite von Mülhaupt wiedergegebene Predigt hielt Luther am 6. Juni 1535. Die Reformation, seit 1532 toleriert, breitete sich in diesen Jahren stark aus; die Schwärmerherrschaft in Münster stand kurz vor ihrem Zusammenbruch. Luthers Predigt aber spiegelt nichts von diesem äußeren Erfolg; vielmehr zeigt sie seine Sorge, ja Enttäuschung im Blick auf die innere Verfassung der Gemeinden. Sein Thema ist der Geiz. Mit teilweise ironischer Schärfe predigt er: „Zu unsern Zeiten sind wir nu, Gott seis geklagt, alle fromm und ist niemand geizig!. . . Wer nicht geizig ist, den geht das Gleichnis nichts an. . . Aber geizen ist nicht recht. Reich ist in der Schrift an vielen Orten ein verdächtig Wort. Abraham ist auch reich, dennoch heißt reich in der Schrift fast soviel als Wucherer oder Gottloser. . . Der Reiche. . . ist ohne Glauben, ohne Liebe, ohne Barmherzigkeit und voll Geiz." Luther sagt, was ihn besonders schmerzt: „Unterm Papsttum hat man doch noch gegeben, jetzt, da das Evangelium leuchtet, schindet einer den anderen und will jeder alles allein haben. . . Und es ist auch wahr: Wenn Gott heute einen Engel senden würde und tät es drei oder viermal, so würde mans ebenso gewöhnt und ebenso viel davon halten als von des Pfarrers Wort; gleichermaßen auch, wenn ein Toter käme. Wen das Wort selbst nicht bewegt, den bewegt die Person auch nicht."

Noch einige Predigtäußerungen des Reformators seien aus Mülhaupts „Nachlese" wiedergegeben. Mehrfach wird vom Text her die Lehre vom Fegfeuer abgelehnt: „Es ist auch hier kein Mittleres erwähnt, sondern allein Hölle und Himmel" (1523). Zum Problem des Besitzes sagt Luther: „Es ist nicht Sünde, daß mans hat, aber das ist Sünde, daß andre darben müssen. . . Wer nicht die Augen auftun will, wenns ihm wolgeht, der wird sie scharf genug auftun müssen, wenns ihm übel geht" (1529). Und: „Man spricht: Es ist mein Gut! Nein, es ist Gottes Gut, daß du damit deinem Nächsten hilfst. . . Denn der Prophet spricht: Brich dem Hungrigen dein Brot und entzieh dich nicht von deinem Fleisch" (1538).

Wie predigt Luther den Text? Was läßt sich zusammenfassend über seine biblische Hermeneutik, wie sie sich hier zeigt, sagen? Einige Züge seien genannt.

1. „Christus ist scharf und streng in diesem Gleichnis" (Luther 1535). Soll die Stimme Christi in den Worten des Predigers hörbar werden, dann muß auch der Prediger „scharf und streng" auslegen; das heißt: er muß Gesetz predigen, das die Gewissen richtet, nicht Evangelium, das sie aufrichtet. Luther tut das in allen angeführten Predigten. Er hält sich an seine hermeneutische Forderung, Evangelium und Gesetz zu unterscheiden.

2. Den Einzelheiten des Textes geht Luther nach, ohne sich in ihnen zu verlieren. Vielmehr haben die Predigten jeweils einen Skopos, der aus dem Text und aus der Situation gleichermaßen erwächst. Sie sind „Homilien mit Schwerpunktbildungen" (Gerhard Heintze).

3. Souverän übt der Reformator Kritik an kirchlicher Lehre und kirchlichem Brauch, die vor dem Wort der Schrift nicht bestehen können. Biblische Bilder macht er als solche kenntlich, befragt sie auf ihren existentiellen Sinn und aktualisiert sie so — in erstaunlichem Maße auch für uns, bedenkt man die Einsichten heutiger Sterbeforschung.

II

Schon zu Lebzeiten Luthers, verstärkt nach seinem Tode, entbrannten Lehrstreitigkeiten, die an den Lebensnerv des lutherischen Kirchentums rührten. Die Konkordienformel von 1577 beendete im wesentlichen den Streit. Sie wurde zur Grundlage der lutherischen Orthodoxie. Diese aber bezahlte, indem sie in ihrem Bestreben, die neu gewonnene Einheit zu sichern, die alte Lehre von der Verbalinspiration ausbaute, einen hohen Preis. Denn diese Lehre nahm die Bibel „nicht als eine geschichtliche, wachstümliche, um eine Mitte geordnete Ganzheit, sondern als eine rein quantitative Gesamtheit. . . Damit aber verliert das bezeugte Wort sein Profil; die Bibel gleicht einem Kasten mit lauter gleichen Kugeln, aus dem man beliebig eine herausnehmen kann" (Otto Weber). So wird denn auch ein im Vergleich zu Luthers Hermeneutik tiefgreifend veränderter Umgang mit der Bibel in den Texten der Orthodoxie sichtbar, die im folgenden darzustellen sind. Diese Texte wurden aus der unüberschaubaren Fülle nach dem Kriterium ausgewählt, daß Johann Sebastian Bach sie aus der Schule kannte oder doch sie aus seiner Bibliothek kennen konnte. (Für die Luther-Predigten läßt sich das nicht zeigen.)

Leonhard Hutters „Compendium Locorum Theologicorum", 1610 erschienen und seitdem immer wieder aufgelegt, war Lehrbuch an der Lüneburger Michaelisschule, als Bach sie besuchte. Niemandem wurde die Reife zum Besuch der Universität zugesprochen, der sich nicht das Compendium zu eigen gemacht hatte; das geschah auch durch Auswendiglernen. Zweimal führt Hutter Luk. 16,19 ff. an. Im Locus quintus „Über die guten und die bösen Engel" wird die Frage nach dem Amt der guten Engel unter anderem damit beantwortet, „daß sie nach dem Tode die Seelen der Frommen in Abrahams Schoß oder das ewige Leben tragen." Im Locus vicesimus nonus „Über den Tod des Leibes und die Unsterblichkeit der Seele" antwortet Hutter auf die Frage nach dem Zustand der Seelen nach dem Tode: „Die Seelen derer, die an Christus glauben, sind in der Hand Gottes. . . Die Seelen der Ungläubigen aber sind am Ort der Qualen." Im ersten Fall wird Luk. 16,22 als Beweisstelle zitiert, im zweiten Luk. 16,22.25.28. Der Unterschied zu Luther ist deutlich. Bei diesem liegt das Schwergewicht auf der ersten Hälfte der Beispielerzählung; bei Hutter auf der zweiten. Luther warnt davor, diesem zweiten Teil Wissen über das Jenseits entnehmen zu wollen; Hutter tut ebendies. Wo Luther dem Ganzen des Bibeltextes gemäß entmythologisiert, da objektiviert Hutter unter Absehen vom Kontext Bilder zu Lehrstücken.

Ist das frühorthodoxe Lehrbuch relativ knapp gehalten, so stellen Predigtsammlungen der Hochorthodoxie durch ihre ausladende Breite die Darstellung vor eine nicht einfache Aufgabe.

Martin Geiers 1670 erschienener Jahrgang von Evangelienpredigten „Zeit und Ewigkeit" etwa umfaßt 1554 Seiten Text, dazu zwei ausführliche Register und die Vorrede, in der der Dresdener Oberhofprediger in warmen Worten seine frühere Leipziger Gemeinde anspricht. Im Predigtvollzug zeigt sich die hohe Bedeutung der Rhetorik für die Kanzelredner jener Zeit. Von den vier rhetorischen Arbeitsgängen Inventio – Dispositio – Decoratio – Elocutio hat bei Geier der zweite entschieden das Hauptgewicht. Denn jede dieser Predigten, gleich über welchen Text (und wie unterschiedlich sind diese Texte!), folgt genau ein und demselben Grundriß: Ein „Vor-Eingang" stellt alttestamentliche Bezüge her. Es folgt der Evangelientext. Ein „Eingang" führt auf unterschiedliche Weise, häufig, indem zunächst noch ein anderer Text ausgelegt wird, zum Hauptteil, der „Abhandlung". Diese gliedert sich in die „Anwendung der Zeit" und die „Erwartung der Ewigkeit". Die „Anwendung der Zeit" ist stets wie folgt untergliedert:
1. Im Blick auf die vergangene Zeit gilt es sich dessen zu erinnern, (1) was wir empfangen, (2) was wir begangen.
2. In der gegenwärtigen Zeit soll man (1) sich vom Bösen enthalten, (2) in der Züchtigung aushalten, (3) im Leiblichen sich mäßig halten, (4) im Geistlichen sich wohl halten.
3. Die zukünftige Zeit gibt zu bedenken (1) des Glücks Ende, (2) der Not Ende, (3) des Lebens Ende, (4) der Welt Ende.
Die „Erwartung der Ewigkeit" umfaßt stets
1. das ewige Wehe,
2. das ewige Wohl.

Es liegt auf der Hand, daß eine Predigt über Luk. 16,19 ff. sich einigermaßen in diese Disposition einfügt. Im „Vor-Eingang" wird Moses' Blick vom Nebo in das Gelobte Land mit dem uns ermöglichten Blick ins Jenseits verglichen. Im „Eingang" handelt Geier „von unterschiedenen Arten der uhren", die er emblematisch, insbesondere auf die Vergänglichkeit hin interpretiert. Die „Abhandlung" führt auf, was wir empfangen haben: wie der Reiche „ein Mensch" zu sein; zu haben, was wir zum Leben brauchen; vor allem: die Schrift ungehindert lesen zu können, anders als viele um des Glaubens willen Verfolgte. Begangen haben wir „nur allzuviel": Geier nennt Eitelkeit und Putzsucht, Völlerei bei Festen und „Repraesentiren. . ., ob gleich das meiste nur geborget / und noch nicht bezahlet worden." Dem steht die geringe Hilfswilligkeit den Armen gegenüber entgegen: „Viel haben ihre pferde / ihre hunde / viel lieber als den Lazarum." So ruft der Prediger zur Buße in der Gegenwart auf, zum Leiden nach Lazarus' Vorbild, zur Mäßigkeit im Sinne von 1. Kor. 7 und insbesondere zum Hören aufs Wort und zu tätiger Liebe „gegen den dürfftigen Lazarum". Nahe liegende Erläuterungen zum vierfachen zukünftigen „Ende" leiten über zum zweiten Hauptteil: „Ist ie im gantzen jahre ein Evangelium / das uns deutlicher nachricht von dem doppelten zustande der menschen nach diesem leben / gibet; so ist es sonder allen zweifel das heutige." Geier malt diesen doppelten Zustand breit aus und zitiert abschließend die Liedstrophe „Ach Herr, laß dein lieb Engelein / an meinem End die Seele mein / in Abrahams Schoß tragen. . ."

Auch für Geier ist der Text „locus classicus" für den „doppelten Zustand nach diesem Leben". Auf der anderen Seite betont er das Hören aufs Wort als die Grundlegung des Glaubens und die durch Lazarus geforderte Tat der Liebe. Für den heutigen Leser kaum erträglich und bei einigen der Evangelien zu grotesken Auslegungsverrenkungen führend ist die Starrheit, mit der die Texte in das Prokrustesbett der ein für allemal festgelegten Dispositio gepreßt werden.

Anders verfährt der Rostocker Superintendent Heinrich Müller in seinem erstmals 1681 erschienenen Jahrgang „Evangelisches Präservativ wider den Schaden Josephs in allen dreyen Ständen. . . Nebst beygefügten Paßions-Predigten". Bach hat diesen Autor offenbar besonders geschätzt; das zeigen die fünf Titel von Müller in seiner Bibliothek ebenso wie die erwähnten Analogien zwischen Müllers Passionspredigten und Picanders Passionsdichtung, hinter denen vermutlich Bach als Veranlasser steht. Seine Zielsetzung verdeutlicht Müller im Eingang der Predigt zum Ersten Advent: „Wir wollen aus den Sonn- und Fest-Evangelien heraus ziehen eine Regenten- Prediger- und Haus-Lehre." Der Aufbau der Müllerschen Predigten ist einfach. Auf eine Überschrift und den Evangelientext folgt ein „Eingang" unterschiedlicher Gestalt, dann als Hauptteil die „Erklärung", die in die erwähnte dreifache „Lehre" mündet. Müller schreitet die Texte nahezu von Wort zu Wort ab, um unmittelbar Auslegung anzuschließen. Das geschieht oft in emotionaler Bewegtheit; Ausrufe, Fragen, vor allem auch die direkte Anrede des Hörers „Mein Hertz" sind häufig; die Sprache ist von reicher Bildhaftigkeit. Das heißt aber: Für Müller sind die rhetorischen Arbeitsgänge Decoratio und Elocutio besonders wichtig und bezeichnend. Im folgenden soll dementsprechend auf einige rhetorische Figuren hingewiesen werden.

„Evangelium am 1. Sonntage nach Trinitatis / Vorstellend / Die Bewahrung für der Höllen" überschreibt Müller die Predigt über Luk. 16,19 ff. Im Eingang unterscheidet er im Anschluß an Jud. 22.23 zwischen denen, die aus Schwachheit sündigen – derer „muß man sich erbarmen" –, und denen, die wie der Reiche aus Bosheit sündigen – diesen soll man „Furcht einjagen", also Gesetz predigen. Hier wie im folgenden steht Müller in beträchtlicher Nähe zu Luther. Die „Erklärung" beginnt mit der bemerkenswerten Unterscheidung, das Evangelium sei „theils eine Geschicht" (Leben und Sterben des Reichen), „theils ein Gleichniß" (Gespräch nach dem Tode). Reichtum ist „eine Gabe GOttes", nicht „an ihm selbst verdammlich". Doch „ein volles Schiff mag leicht sincken, ein voller Zweig mag leicht brechen. . . Denn Schätze, Netze" (Hypotyposis = Bildhaftigkeit). „Mein Hertz, sey nicht stoltz, und hoffe nicht auf den ungewissen Reichthum, sondern auf den lebendigen GOtt. . . Diene auch mit deiner Fülle dem Mangel des Dürftigen." „Moses und die Propheten schreyen dich täglich an, und zeigen dir den Weg zur Seligkeit" (Hyperbole = übertreibende Rede). Der Reiche ist unentschuldbar. Er müßte, wie „der Mage im Cörper", Güter empfangen, um sie weiterzugeben. Auf „eine schöne Leich- und Lügen-Sermon" für den Reichen folgt: „Er wird begraben. Der zuvor ober der Erde gebauet, wohnet itzo unter der Erden. Der zuvor in einem großen Pallast wohnete, muß sich jetzt mit wenig Bretern behelfen. Der zuvor mit Purpur und köstlichen Leinwand bekleidet, lieget itzund in einem leinen Sterbe-Küttel. . ." (Anaphora = Wiederholung des Anfangs; Antitheton = Gegensatz). „Daran gedenck, o Mensch!. . . Was bauest du denn Schlösser ober der Erden? Die längste Zeit wohnest du unter der Erden. . ." (Exclamatio = Ausruf; Interrogatio = Frage; Antitheton). „Ich leide Pein in dieser Flammene. Er lag da im Feuer und brennete. Feuer war sein Bett, Feuer sein Kleid, Feuer seine Luft. . . Mein Hertz, wenn du nur soltest eine Stunde einen Finger im Feuer halten, wie wehe würds thun. Soltest du die gantze Hand ins Feuer stecken, und verbrennen, es würde noch weher thun. Wie wehe muß denn das thun, wenn man in der Höllen brennen soll?" (Anaphora; Klimax = Steigerung; Interrogatio). Doch hält sich Müller nicht lange bei der Schilderung der Hölle auf, sondern geht noch ausführlich auf das Gespräch zwischen Abraham und dem Reichen ein. Gedanken zu diesem Gespräch sind: Es ist barmherzig, daß der Reiche seiner Brüder gedenkt. „Du Welt-Kind" hast dem Reichen dies voraus: „Er brennet schon in der Höllen, du bist noch aufm Wege, die Gnaden-Thür steht dir noch offen. . . wer weiß, wie lang?" – Als „Lehren für die Stände" nennt Müller: Regenten sollen den Untertanen „eine heilsame Kleider-Ordnung vorschreiben", auch „das überflüssige Fressen und Saufen" verbieten; Prediger sollen ihren Hörern „das schreckliche Exempel" des Reichen vorhalten, ebenso Eltern ihren Kindern. Müller zitiert abschließend das Lied „Lustig, ihr Gäste, seid fröhlich in Ehren" mit acht Strophen, von denen jeweils die zweite der vorausgehenden warnend widerspricht.

Bildhaftigkeit, kräftige Affekte, Antithetik – das alles kehrt in Bachs Musik wieder, und man versteht gut seine Vorliebe für diesen Autor. Ein anderer, den er ebenso hoch schätzte, sei noch mit zweien seiner Bücher kurz angeführt: August Pfeiffer, Professor und Prediger an St. Thomas in Leipzig. Sein „Gazophylacion Evangelicum: Evangelische Schatzkammer" von 1686 legt jeden Text als Gesetz „zur Besserung der sicheren Sünder" und als Evangelium „zur Glaubens-Stärckung und Trost blöder Gewissen" aus. Theologisch ist das fragwürdig; rhetorisch ist es recht wirkungsvoll, zumal Pfeiffer zu Beginn jeder Predigt zwei bildliche Darstellungen, sogenannte „geistliche Schaugroschen", in Verbindung mit einprägsamen Zweizeilern bringt und von diesen her die Auslegung bestimmt sein läßt. So zeigt zu Luk. 16,19 ff. der „Mosaische Groschen" den Reichen an der Tafel, daneben in der Hölle, verbunden mit der Umschrift „Der dort stets soff und fraß / ist nun ein Höllen-Aas"; der „Evangelische Groschen" bildet Lazarus vor der Tür des Reichen, daneben in Abrahams Schoß ab, und die Umschrift lautet „Den dort die Welt verstieß / Tischt nun im Paradieß". Gegensätzlichkeit prägt nicht nur hier, sondern auch in den anderen Predigten die jeweils zwei sich an Bilder und Reime anschließenden Predigtteile. Pfeiffer hat sich also im Entwurf seiner Sammlung vom „Locus contrariorum" leiten lassen. Dieser aber ist einer der „Loci topici", und diese, die „Erfindungsörter", gehören zum ersten rhetorischen Arbeitsgang, der Inventio. Besondere Drastik des Ausdrucks verbindet sich im übrigen bei Pfeiffer mit breit vorgetragener Gelehrsamkeit. Beispiele für beides: Pfeiffer hofft in der „Vorrede", es seien unter seinen Hörern keine Gottlosen, „solche Mast-Säue des Teuffels". Im „Eingang" zitiert und interpretiert er einen hebräischen Jesaja-Text. – Zitiert wird von Pfeiffer auch Jes. 58,7–8 „Brich dem Hungrigen dein Brot. . ."; weiter das schöne Bernhard-Wort: „GOtt nicht schauen wird grösser als alle Höllen-Pein seyn". Die letztere wird dann aber doch ausführlich und drastisch geschildert, während über das Gespräch des Reichen mit Abraham kein Wort fällt.

In seiner „Evangelischen Christen-Schule" (erstmals erschienen 1688; 1404 Textseiten) unternimmt es Pfeiffer, das „gantze Systema Theologiae" aus den Sonn- und Festtagsevangelien abzuleiten. Hier wird also ausdrücklich von der Kanzel Dogmatik gelehrt. Pfeiffer hat, so die Vorrede, jeweils „nach kurtzer Auslegung des Textes. . . aus iedem Evangelio einen besonderen Glaubens-Articul gezogen." Wenn auch die Texte dabei zu bloßen „Veranlassungs-Texten" werden (so sind sie wiederholt genannt) – der Autor hält sein Verfahren für sachgemäß, denn „es ist vermutlich der ersten Stiffter solcher Texte eigentliches Absehn gewesen / durch die Evangelia denen Einfältigen zu weisen / wie sie recht glauben. . . sollen." In nicht weniger als sechs der insgesamt sechzig Kapitel führt Pfeiffer Luk. 16,19 ff. als Veranlassungstext an: in Kap. 1 „Von der Heiligen Schrifft", in Kap. 2 „Von der natürlichen Erkäntniß GOTTES" sowie in den Kapiteln 54 „Vom Tode", 55 „Vom Zustande des Menschen. . . nach dem Tode", 59 „Vom Himmel und ewigen Leben" und 60 „Von der Hölle und der ewigen Verdammnis".

Überblickt man, was aus Dogmatik und Predigt der Orthodoxie referiert wurde, so fällt zweierlei besonders auf:

1. Die Predigt dieser Zeit ist Lehrpredigt. Sie dient, wenn es ihr auch an seelsorgerlichen Zügen nicht mangelt, in erster Linie der Ausbreitung und Befestigung der „gesunden Lehre". Dabei hat die Rhetorik großes Gewicht. Sicher ist es nicht zuletzt der Perikopenzwang, der zu Schematismen in der Anlage der Predigtsammlungen führt, welche die je eigene Aussage der biblischen Texte oft zu kurz kommen lassen.

2. Das Verhältnis von Schrift und Auslegung erscheint als ambivalent. Einerseits führt die Überzeugung von der Verbalinspiration tatsächlich zur Einebnung der biblischen Profile, zur Bibel als „Kasten mit lauter gleichen Kugeln", die als Beweisstücke für dogmatische Richtigkeiten dienen sollen. Andererseits: Dogmatik und Lehrpredigt bewahren, indem sie so verfahren, die biblischen Bilder auf – als Lehre; aber sie bewahren sie doch auf in ihrer Fülle.

III

Die Autoren der drei Kantatentexte, denen nun das Interesse gelten soll, sind unbekannt. Leider kennen wir auch die Predigten nicht, die in Verbindung mit diesen Kantaten gehalten wurden. Wären sie bekannt, so ließe sich vielleicht Präziseres über das Verhältnis von Predigt und „Music", über Gemeinsamkeit und Unterschied ihrer Funktion im Gottesdienst feststellen, als das heute möglich ist. Da die Texte mittels verschiedener Handbücher und Plattentaschen jedermann zugänglich sind, werden sie im folgenden nur hinweisend zitiert. Philipp Spitta hat den Text von Kantate 75, Bachs Leipziger Antrittswerk aus dem Jahr 1723, abgewertet: Der Dichter ergehe sich „in lehrhaften Trivialitäten", die mit dem Evangelientext „nur mittelbar" zusammenhingen; in vier Arien und sechs Rezitativen habe Bach diese „Wortmenge bewältigt". Was aber liegt in diesem Libretto wirklich vor? Zunächst wird, ganz ähnlich wie im „Eingang" vieler Predigten aus den untersuchten Sammlungen, das Alte Testament zitiert, hier mit Psalm 22,27: „Die Elenden sollen essen, daß sie satt werden. . ." Dieses Verheißungswort weist höchst sinnvoll in die Blickrichtung alles Weiteren. Denn Thema des Librettos ist die Beispielerzählung Luk. 16,19 ff. in der Sicht eines armen, leidenden und dennoch glaubenden Menschen. Das Ich dieses dem Lazarus Gleichenden tritt in allen Arien und den Choralchören in Erscheinung, im ersten Kantatenteil sich zu Jesus als dem höchsten Gut und zu seiner Leidensnachfolge bekennend, im zweiten Teil der Kantate in mystischen Wendungen geistliche Armut als Reichsein in Jesus preisend. Die Rezitative treten gleichsam einen Schritt zurück und stellen Erwägungen an, die zu den Ich-Teilen hinführen. Besonders im ersten Teil arbeitet der Textautor dem Komponisten mit einer Reihe rhetorischer Figuren zu; hier geschieht auch, in Rezitativ und Arie Nr. 4 und 5, die stärkste Annäherung an den Bibeltext. Der instrumentale Cantus firmus „Was Gott tut, das ist wohlgetan" in der Sinfonia Nr. 8 stellt nicht allein nach der Predigt die Verbindung zum Vorausgehenden her; Bach unterstreicht durch dieses Zitat auch das in der Choralbearbeitung, die beide Kantatenteile beschließt, besonders deutlich sich zeigende Thema des Textes: Das Sonntagsevangelium aus der Perspektive dessen, der auf der „rauhen Bahn" der Not geht, den „bittern Kelch" schmeckt und doch an Gottes Wohltun glaubt.

Anders verhält es sich in Kantate 39 aus dem Jahr 1726. Wieder leitet ein alttestamentliches Wort den Text ein: „Brich dem Hungrigen dein Brot. . ." (Jes. 58,7–8). Wir begegneten ihm schon bei Luther und bei Pfeiffer. Helene Werthemann sagt einleuchtend, der Verweis auf Mose und die Propheten werde hier ernstgenommen, indem deren Forderung wirklich im Text enthalten sei. Zugleich weist dieser Eingang wiederum deutlich in die Blickrichtung des Folgenden: Thema dieses Librettos ist die Beispielerzählung in der Sicht eines reichen, aber – im Gegensatz zu dem in ihr Auftretenden – eines glaubenden Menschen. Er vernimmt aus der Erzählung den Ruf, „wohlzutun und mitzuteilen" (so der nun neutestamentliche Beginn des zweiten Teils aus Hebr. 13,16) – nicht als Gesetzesruf, sondern als Stimme des Evangeliums: Dem göttlichen Segen folgt wie selbstverständlich der Wunsch, „sein Erbarmen nachzuahmen" (Arie Nr. 4). Der Schlußchoral „Selig sind, die aus Erbarmen / sich annehmen fremder Not" unterstreicht wiederum das Thema des Librettos, das vom warmen Ton der Dankbarkeit erfüllt ist.

Und noch einmal anders die Kantate 20 „O Ewigkeit, du Donnerwort", mit welcher Bach 1724 seinen Choralkantatenjahrgang eröffnete. Das den Choral teils wörtlich, teils paraphrasierend wiedergebende Libretto hat zum Thema die Beispielerzählung in der Sicht eines Menschen, der angesichts der Ewigkeit tief erschrickt und aus diesem Erschrecken heraus zur Buße ruft. Im Duett Nr. 10 klingt die Erzählung direkt an. Die Sprache dieses Textes ist, inspiriert durch Johann Rists Lied, besonders bild- und affekthaltig; das Ich des Erschrockenen redet eindringlich auf das Du, das Ihr seiner Hörer ein – all das kommt wiederum dem Komponisten sehr entgegen. Biblische Bilder, in orthodoxer Lehre zu dogmatischen Loci erstarrt, werden in Lied- und Librettodichtung wieder lebendig – ein faszinierender Vorgang, der fragen läßt: War die von uns kritisch gesehene, weil quantierende und absichernde Dogmatik am Ende doch notwendige Voraussetzung des großartigen Kirchenliedgutes jener Zeit wie auch der Texte, die Bach zu seinen nicht minder großartigen Kirchenmusiken inspirierten?

Zusammenfassend kann man sagen:
1. Gemeinsamkeiten von orthodoxer Predigt und Kantatenlibretto zeigen sich in der einleitenden Zitierung des Alten Testaments; im „Schlußchoral"; in der hohen Bedeutung der Rhetorik; in der „reinen Lehre" als dem, was hier wie dort zugrundeliegt und was es auszubreiten gilt.
2. Aber auch Unterschiede sind deutlich erkennbar. Einmal haben Kantatentexte, anders als gesprochene Predigten, nicht für sich zu bestehen. Sie sind Libretti, die dem Komponisten zu-

arbeiten für seine praedicatio sonora, die „klingende Predigt". Diese Zuarbeit zeigt sich darin, daß — bei gelegentlich starker Lehrhaftigkeit auch in den Libretti — Bild und insbesondere Affekt viel größeres Gewicht haben als in orthodoxer Predigt. Zum andern und vor allem: Sind die Predigten weithin orientiert am formalen Schema des jeweiligen Jahrgangs, so setzen die Kantatentexte inhaltliche Schwerpunkte, die aus dem Bibeltext erwachsen; darin stehen sie reformatorischer Predigt mit ihrer Schwerpunkt- oder Skoposbildung nahe.

IV

Auslegungs- und Frömmigkeitsgeschichte enden nicht im 18. Jahrhundert. Heutige Exegeten und Prediger betonen durchweg ähnlich wie Helmut Thielicke: „Wenn hier von Himmel und Hölle die Rede ist, dann geht es nicht um eine Geographie des Jenseits — was ginge uns die an? . . . Sondern dann ragt das alles in unsere Lebensstunde hinein." Thielicke sieht als Schwerpunkt der Beispielerzählung: „Es kommt darauf an, daß man als einer der fünf Brüder dem Worte Gottes gegenüber die richtige Stellung findet." Ähnlich Joachim Jeremias: „Wer sich dem Wort Gottes nicht beugt, wird auch nicht durch Mirakel zur Umkehr gerufen werden." Georg Eichholz sagt: „Lazarus ist der, den wir in unser Leben nicht hineinlassen, obwohl er nur darauf wartet." Einige Gleichnisausleger, die nur unzweifelhaft authentische Jesusworte behandeln wollen, lassen die Erzählung aus, „weil sie nach Intention — Ermahnung zur Thoratreue. . . — und Denkart — das Jenseits als Ort der Vergeltung — eher zur Kategorie der rabbinischen Gleichniserzählung als zum Bestand der originalen Gleichnisse Jesu zählt"; so formuliert unbefangen der Katholik Eugen Biser. Aber auch wenn man dem zustimmt — verliert dadurch der Text seine Bedeutung für uns?

Der folgende eigene, die Arbeit beschließende Auslegungsversuch sieht sich Luther verpflichtet. Er soll jedoch hermeneutisch nicht weiter kommentiert werden.

Die Beispielerzählung vom reichen Mann und vom armen Lazarus finde ich in den Texten, die ihr bei Lukas vorausgehen, thematisch vorbereitet: Bereits dort geht es um den rechten Umgang mit dem Besitz und um die bleibende Geltung des Schriftwortes.

In der Erzählung ist zwischen dem Reichen und dem Armen die „große Kluft befestigt" von Anfang an. Vergeblich sucht zuerst der Arme, sie zu überwinden, danach der Reiche. Die tiefe, unüberbrückte Kluft ist für mich das eigentlich Erschreckende am Text. Ich fühle mich von ihr weniger als Individuum betroffen, umso stärker als Teilhaber einer Überflußgesellschaft. Wie mir mag es vielen gehen: Wir bejahen den Sozialstaat und seine Grundlage, das Solidaritätsprinzip; wir versuchen, es beruflich und privat im Geiste christlicher Diakonie zu verwirklichen, und wir sind darin, auch wenn wir versagen, jedenfalls nicht der Reiche, der neben dem Armen herlebt, als gäbe es ihn nicht. Aber wir sind und bleiben dieser reiche Prasser, sobald auf dem Bildschirm die Elendsgestalt des Lazarus auftaucht; denn wir sind Teilhaber einer Gesellschaft, die ihren Überfluß bisher nicht wirksam mit Hungernden und Verhungernden zu teilen vermocht hat.

Ich empfinde das als Kollektivschuld, in die ich verstrickt bin und von der mich Kindernothilfe und ähnliche sicher sinnvolle Spendenunternehmungen nicht lossprechen. Konsequenterweise müßte man in die Politik oder in die Entwicklungshilfe gehen, um an der Lösung des unlösbar scheinenden Problems mitzuarbeiten. Nicht jeder kann das. Es bleibt die tiefe, unüberbrückte Kluft. Wir bedürfen nicht der Jenseitsvorstellungen, um sie wahrzunehmen und an ihr zu leiden. (Wer übrigens dem Text Auskunft über den „Zustand nach dem Tode" entnimmt, handelt dem Text zuwider, der uns Lebenden solche Auskünfte gerade verweigert werden läßt. Sie führen ja nicht zur Buße, höchstens zur Besserwisserei.)

Wie kommt es aber zur Buße? Die Erzählung sagt: durchs Hören auf das biblische Wort. Für mich heißt das: durchs Hören auf diesen Text. Und Buße tun heißt hier für mich: Erkennen, daß die Schuld, in die ich mich verstrickt sehe, Schuld vor Gott ist. Beten, daß mir diese Schuld vergeben werde. Und darum bitten, daß wir Reichen endlich lernen, mit Lazarus zu teilen. Denn es gibt ein Zuspät – das sagt die Beispielerzählung mir ebenso wie die politische Vernunft.

Literatur

Elke Axmacher, Ein Quellenfund zum Text der Matthäus-Passion, in: BJ 1978, S. 181–191.

Eugen Biser, Die Gleichnisse Jesu. Versuch einer Deutung, München 1965.

Georg Eichholz, Gleichnisse der Evangelien. Form, Überlieferung, Auslegung, Vluyn 1971, [3]/1979.

Gustav Fock, Der junge Bach in Lüneburg, Hamburg 1950.

Martin Geier, Zeit und Ewigkeit, Leipzig 1670, [5]/1687.

Leonhard Hutter, Compendium Locorum Theologicorum, Wittenberg 1610, Neuausgabe Berlin 1961.

Joachim Jeremias, Die Gleichnisse Jesu, Zürich 1947, Göttingen [4]/1956.

Erwin Mülhaupt (Herausgeber), D Martin Luthers Evangelien-Auslegung, Dritter Teil, Göttingen 1953, [3]/1961.

Heinrich Müller, Evangelisches Präservativ, Frankfurt a. M. und Rostock 1681.

Werner Neumann (Herausgeber), Sämtliche von Johann Sebastian Bach vertonte Texte, Leipzig 1974.

August Pfeiffer, Gazophylacion Evangelicum: Evangelische Schatz-Kammer, Nürnberg 1686, [3]/1717.

August Pfeiffer, Evangelische Christen-Schule, Leipzig 1688.

Spitta II.

Helmut Thielicke, Das Bilderbuch Gottes. Reden über die Gleichnisse Jesu, Stuttgart 1957.

Otto Weber, Grundlagen der Dogmatik, Erster Band, Neukirchen 1955.

Helene Werthemann, Die Bedeutung der alttestamentlichen Historien in Johann Sebastian Bachs Kantaten, Tübingen 1960.

Werner Neumann

Über die mutmaßlichen Beziehungen zwischen dem Leipziger Thomaskantor Bach und dem Leisniger Matthäikantor Stockmar

Bei der Frage, in welchem Ausmaß Bachs Kantatenschaffen bereits zu seinen Lebzeiten eine aufführungspraktische Ausstrahlung in andere Orte erfahren hat, ist die sächsische Kleinstadt Leisnig, etwa 50 km südöstlich von Leipzig an der Freiberger Mulde gelegen, in das bachgeschichtliche Blickfeld getreten. In den 1930er Jahren hatte der dortige Kirchenmusikdirektor Franciscus Nagler (1873–1957), bekannt als rühriger Komponist von volkstümlichen Chorwerken, Liedern, Klavierstücken und kindertümlichen Singspielen, sowie als Verfasser von heimatverbundenen und autobiographischen Erzählungen, mit der sensationellen Mitteilung überrascht, „daß in den Jahren von 1734 bis 1747 zweiundzwanzig Aufführungen Bachscher Kantaten in den Gottesdiensten der Leisniger Matthäikirche stattgefunden haben. Und das in Leipzigs Nähe, wo Bach von 1723–1750 Thomaskantor war. Diese Tatsache wird nur erklärlich, wenn man ein kollegiales und freundschaftliches Verhältnis zwischen Bach und Stockmar annimmt, nach welcher auch die wiederholte Anwesenheit Bachs in Leisnig so gut wie sicher ist."[1] An anderer Stelle hatte Nagler diese Mitteilung über die zweiundzwanzig Kantatenaufführungen als Mehrfachwiederholung von acht verschiedenen Bachwerken präzisiert.

Es ist auf den ersten Blick ersichtlich, daß diese Sensationsmeldung ein Mixtum compositum aus gesicherten Tatsachen und wunschdenkerischen Hypothesen ist. Naglers ausufernde Fantasie offenbart sich besonders bei der Erwähnung (a. a. O.) des ehemals reichhaltigen Leisniger Kantoreiarchivs, dessen Inventaraufstellung des Jahres 1773 (durch Stockmars gleichnamigen Sohn und Nachfolger) angesichts der ausschließlich aus dem 16. und 17. Jahrhundert stammenden Archivalien keinerlei Anhaltspunkte für vorhandene Bachkompositionen bietet, ihn aber trotzdem zu der Bemerkung veranlaßte: „darunter sicher Kantaten von J. S. Bach, ja wohl gar Eigenhändiges von ihm."

Etwaige Leisniger Besuchsreisen wären natürlich für Bach leicht durchführbar gewesen. Die Route der „Dresdner oder Freyberger fahrenden Post" (Leipzig – Grimma – Colditz – Waldheim – Nossen – Dresden) führte mittwegs (nach viereinhalb Meilen) nahe an Leisnig vorbei, so daß Bach bei seinen mehrfachen Dresdner Reisen durchaus einen „Abstecher" nach dem traditionsreichen und musikaktiven Muldenstädtchen eingeplant haben könnte. Außerdem finden wir den Thomaskantor im November 1735 bei der Hochzeit seines Schulkollegen Abraham Kriegel (1691–1759) sogar in unmittelbarer Nähe von Leisnig im kleinen Kirchdorf Collmen bei Colditz im Pfarrhaus zu Gast[2].

Zum Thema „kollegiales und freundschaftliches Verhältnis" zwischen Bach und dem seit 1728 amtierenden Leisniger Kantor Johann Melchior Stockmar (1698–1747) hat Hans Löffler im „Bach-Jahrbuch" 1953 (S. 18) – ohne allerdings stichhaltige Belege beizubringen – geltend gemacht, daß Stockmar bereits „in seiner Grimmaer Zeit (1725–1728) persönliche Beziehungen zu Seb. Bach" unterhielt.

Hinsichtlich der in zweiundzwanzig Aufführungen erklungenen acht Kantaten ist uns Nagler leider, aber verständlicherweise, den Nachweis oder wenigstens die Wahrscheinlichmachung der Bachschen Autorschaft schuldig geblieben; denn von diesen Kantaten lagen ihm ja nur die Texte

---

1 Franciscus Nagler, Aus Leisnigs musikalischer Vergangenheit, in: Mitteilungen des Geschichts- und Altertumsvereins zu Leisnig, Heft 17, Leisnig 1932, S. 12, und gleichlautend in: Das klingende Land. Musikalische Wanderungen und Wallfahrten in Sachsen, Leipzig 1936, S. 264–266.
2 Dok II, Nr. 383, S. 275 f.

vor, die er aber als Individualtexte Bachs eingeschätzt und damit als Authentizitätszeugen über-
bewertet zu haben scheint. In Wirklichkeit handelt es sich um sechs Texte aus Erdmann Neumeisters Sammelband 1717, einen Text aus Georg Christian Lehms' Gedichtband 1711 und nur
einen Text eines bisher noch unbekannten Autors.

Die Neumeisterschen Texte gehören zu BWV 18 „Gleichwie der Regen und Schnee vom
Himmel fällt", BWV 24 „Ein ungefärbt Gemüte", BWV 28 „Gottlob! nun geht das Jahr zu
Ende", BWV 59 „Wer mich liebt, der wird mein Wort halten", BWV 61 „Nun komm, der Heiden Heiland", BWV 142 „Uns ist ein Kind geboren" (inzwischen als unecht aus dem Bachwerk-
bestand ausgeschieden). Lehms' Text liegt der Kantate BWV 54 „Widerstehe doch der Sünde"
zugrunde. Der autormäßig noch nicht identifizierte Text dient BWV 166 „Wo gehest du hin"
als Grundlage, so daß man geneigt sein könnte, gerade dieser entsprechenden Leisnig-Kantate,
falls man von der Hypothese eines bacheigenen Textes ausgeht[3], eine gewisse Chance für poten-
tielle Bachbezogenheit von vornherein einzuräumen. Dabei würde man aber an der Tatsache
vorbeiargumentieren, daß Bachs Leipziger Kantatentexte auch ohne deren Komposition allgemein zugänglich waren, da es seit Johann Kuhnaus Kantoratszeit (belegt durch Christoph Ernst
Siculs Mitteilung 1717)[4] üblich war, „Texte Zur Leipziger Kirchen-Music" zum Gebrauch der
Kirchgänger in regelmäßigen Kirchenjahrabschnitten gedruckt vorzulegen. Wenn uns leider auch
nur fünf solcher Hefte mit insgesamt 27 Kantatentexten aus den Jahren 1724, 1725, 1731 erhalten sind[5], so besteht doch kein Zweifel, daß diese nützliche Einrichtung für die ganze Amtszeit Bachs Bestand hatte. Die für den Cantate-Sonntag bestimmte und von Alfred Dürr auf den
7. 5. 1724 datierte Kantate BWV 166[6] hat zweifellos in dem an das erhaltene Textheft „Ostern
bis Misericordias Domini" anschließenden Heft „Jubilate bis Exaudi" ihre textliche Erstveröf-
fentlichung erfahren. Für Stockmar, der in Kuhnaus Amtszeit an der Leipziger Universität
Theologie studiert hatte[7], dürfte die regelmäßige Kenntnisnahme der Leipziger Kantatentext-
drucke keinerlei Schwierigkeit bereitet haben.

Im schroffen Gegensatz zu der dürftigen Überlieferung der Leipziger Textdrucke verfügt das
Leisniger Archiv über einen mehr als zwei Jahrhunderte umspannenden Bestand an Kirchenmu-
siktexten von einzigartiger Geschlossenheit und Aussagefähigkeit als unschätzbare Dokumentation einer konsequenten und intensiven Kirchenmusikpflege[8]. Für den bachgeschichtlich rele-
vanten Zeitabschnitt (aber erst 1732 beginnend) liegen 19 wohlgebundene Jahrgänge mit Text-
drucken für mehr als 450 verschiedene Kantaten vor[9]. Schon bald nach seiner Amtsübernahme,
nämlich in der Vorweihnachtszeit 1731, hatte Kantor Stockmar, zweifellos angeregt durch
solche andernorts bereits bewährte Einrichtungen[10], den löblichen Entschluß gefaßt, seinen
Gottesdienstbesuchern zum besseren Verständnis der gesungenen Texte (so laut Vorwort) fortan die von einem Leisniger Buchdrucker hergestellten „Blätchen Kirchen-Music" gegen Entgelt
von 1 bis 4 Pfennigen, je nach Umfang, allwöchentlich auszuhändigen. Zusammengefaßt bildeten sie dann, beginnend mit 1732, die gebundenen Jahrgänge, die später auch im buchgerechten

---

3 Rudolf Wustmann hatte in seinem Kantatentextbuch, Leipzig 1913, S. XXIV und 282, wegen des Predigt-
  charakters dieses Textes an einen Theologen (Christian Weiß d. Ä.) gedacht; vgl. auch NBA I/12, KB,
  S. 17–18.

4 Zitiert in BJ 1973, S. 10.

5 Zwei von ihnen (und außerdem ein Textheft zum Weihnachts-Oratorium „Anno 1734") stammen aus
  alten Leipziger Archivbeständen, die restlichen drei wurden erst 1971 von Wolf Hobohm in der Leningra-
  der Saltykow-Stschedrin-Bibliothek ausfindig gemacht; vgl. BJ 1973, S. 5–32.

6 BJ 1957, S. 69.

7 Vgl. Die Stadt Grimma im Königreiche Sachsen historisch beschrieben von M. Christian Gottlob Lorenz,
  Leipzig 1856, S. 1431.

8 Vgl. auch C. H. Müller, Die Cantorei zu Leisnig, in: Mitteilungen..., Heft 6, Leisnig 1881, S. 1–34.

9 Eine genaue Zahlenangabe ist wegen der gelegentlich schwierigen Abgrenzung der wirklichen Kantatentexte von Motetten- und Einzelsatztexten oder Choralstrophenfolgen kaum möglich.

10 Siehe Anmerkung 4.

Umbruchverfahren ausgedruckt wurden[11]. Die einzelnen, in übersichtlicher Satzordnung gedruckten Kantatentexte sind jeweils in die gesamte Gottesdienstordnung mit ihren biblischen Lesungen und Gemeindeliedtiteln eingefügt, wobei die Lieder sowohl nach dem Leisniger (L.) als auch nach dem Dresdner Gesangbuch (Dr.) seitenzahlenmäßig zitiert werden. Bei dem ersten handelt es sich um das 1722 im Verlag Chr. Gottl. Ludwig, Wittenberg, unter dem Titel „Das singende Zion. . ." erschienene und 541 Lieder enthaltende Gesangbuch; das zweite ist „Das Privilegirte Ordentliche und Vermehrte Dreßdnische Gesang-Buch. . .Dreßden und Leipzig, 1725", das in vielen weiteren Auflagen mit 801—804 Liedern auch im Leipziger Kirchendienst einen festen Platz hatte[12]. Die „Music" des Vormittagsgottesdienstes steht regelmäßig als Nr. 5 nach dem Eingangslied (1.), Kyrie-Gloria (2.), Allein Gott in der Höh sei Ehr (3.), Hauptlied (4.), Evangelium, sowie vor dem Glaubenslied (6.). In den Nachmittagsgottesdiensten gesellt sich zu den meist fünf Liednummern als Nr. 2 an besonderen Festtagen ebenfalls eine „Music" motetten- oder kantatenartigen Charakters. Schließlich erklingen auch „sub communione" an hohen Feiertagen häufig Ausschnitte aus Kantaten. (Siehe die Faksimilia auf S. 207 f.).

Vergleichen wir nunmehr im einzelnen die acht Leisniger Kantaten mit den entsprechenden Kompositionen Bachs und deren dichterischen Vorlagen hinsichtlich Detempore, Textgestalt, prosodische Form, wobei bloße Divergenzen in Orthographie, Interpunktion, Umlautbildung sowie kleinere Wortbildvarianten und offensichtliche Drucksatzfehler, die sich in Paralleldrucken nicht wiederholen, unberücksichtigt bleiben. Als Abkürzungen werden B für Bachkantate, L für Leisniger Kantate, T für Textgrundlage, Satznummer-Index für die Verszeile verwendet.

BWV 18   Gleichwie der Regen und Schnee (1713/1714)

Neumeister 1711. L: 1734, 1736, 1740 (ohne Satz 1), 1748
Detempore gleichbleibend: Sexagesimae

1   fällt (B, T) – fället (L); macht (B, T) – machet (L); das mir (B, T) – was mir (L); sende (B, T) – sende, spricht der Herr (L)
2^3 So (B, T) – Ach (L)
2^8 Worte (B, L) – Wort (T)
2^{16} unsre (B, L) – unsere (T)
2^{21} so stürzen sie (B, T) – sie stürzen sich (L)
2^{34} Die Welt, die (B, T) – Die Welt, so (L)
3^6 Fort mit (B, T) – Fort, fort mit (L)

BWV 24   Ein ungefärbt Gemüte (1723)

Neumeister 1714. L: 1736, 1743, 1744
Detempore gleichbleibend: 4. n. Trinitatis
2^7 Bösem (B, T) – Bösen (L)
2^{10} der Bahn (B, T) – die Bahn (L)
4^{16} geht es (B, T) – gehets (L)

BWV 28   Gottlob! nun geht das Jahr zu Ende (1725)

Neumeister 1714. L: 1734, 1738, 1749
Detempore wechselnd: S. n. Weihn. (B, L 1738), 3. Weihn. (L 1734), Neujahr (L 1749)
1^1 zu Ende (B, T) – zum Ende (L)
4^6 von Herzen (B, T) – begierig (L)
4^7 von bösen Wegen (B, T) – vom bösen Wege (L)

---

11 Vgl. Schleinitz, Die Liederzettel der Stadtkirche zu Leisnig, in: Mitteilungen. . ., Heft 9, Leisnig 1893, S. 46–56.
12 Vgl. BJ 1956, S. 115.

5¹ gesegnet (B, T) – ernähret (L)

5² daß Wohltun und Wohlsein (B, T) – viel Böses gewendet (L); einander begegnet (B, T) – viel Gutes bescheret (L)

BWV 54 Widerstehe doch der Sünde (1714)

(Bachs Originalhandschriften verschollen; Hauptquelle: Partiturabschrift Johann Gottfried Walther)
Lehms 1711. L: 1739, 1748
Detempore wechselnd: Oculi (T), 1. n. Trin. (L 1739), 7. n. Trin. (B), 20. n. Trin. (L 1748)

2² sind zwar (L 1748) – ist zwar (B, L 1739) – scheint zwar (T)

2¹¹ denselben (B, L 1748) – derselben (T, L 1739)

BWV 59 Wer mich liebet, der wird mein Wort halten (1723/1724)

Neumeister 1714 (siebensätzig), B: Satz 1–4, L 1737: Satz 1–7
Detempore gleichbleibend: 1. Pfingsttag

4⁹ der Erden (B, T) – auf Erden (L)

6 habt (L) – habet (T)

BWV 61 Nun komm, der Heiden Heiland (1714)

Neumeister 1714. L: 1736 (ohne Satz 2), 1739 (ohne Satz 2, 4), 1741, 1748
Detempore gleichbleibend: 1. Advent (1736 und 1749 im Nachmittagsgottesdienst)
Texte weitgehend übereinstimmend

BWV 166 Wo gehest du hin (1724)

Textdichter unbekannt. L: 1738 („Unter der Communion"), 1747 (Vormittagsgottesdienst), beide ohne Satz 1, 3, 6
Detempore wechselnd: Cantate (B), 6. n. Trin. (L 1738), 11. n. Trin. (L 1747)

4³ in der Welt (B) – dieser Welt (L)

BWV 142 Uns ist ein Kind geboren (angeblich Weimarer Ursprungs)

Die Kantate ist seit langem stilkritisch begründeten Zweifeln ausgesetzt gewesen. Alfred Dürr hat sie im Rahmen seiner Studien über die frühen Kantaten Johann Sebastian Bachs[13] erneut einer gründlichen Stilanalyse unterzogen und abschließend festgestellt, sie erweise sich „in Übereinstimmung aller Ergebnisse als nicht von Bach in seiner Weimarer Zeit komponiert, was jedoch ohne Zweifel eine Autorschaft Bachs überhaupt ausschließt". Ein Textvergleich mit Neumeisters Dichtung 1711 und den Leisniger Drucken 1732, 1737, 1747 ergibt die klare Sachlage, daß Leisnig und Neumeister nahezu vollständig übereinstimmen, während in BWV 142 beträchtliche Eingriffe in den Originaltext vorgenommen sind, indem ein Arientext ausgeschaltet, ein Rezitativtext stark gekürzt und der Schlußchoral durch einen anderen ersetzt wurden. Da auch die in Leisnig (ausnahmsweise) beigefügte Vokalstimmenbesetzung fast durchweg von der Leipziger Fassung abweicht, kommt eine direkte Abhängigkeit keineswegs in Betracht.

Die Ergebnisse unserer textvergleichenden Untersuchungen bleiben im ganzen unbefriedigend. In allen Fällen, wo als tertium comparationis ein gleichlautender Originaltextdruck verfügbar ist, gesellt sich bei Textidentität der potentiellen Bezugspartner zu der Deutungsmöglichkeit einer direkten Werkabhängigkeit die einer indirekten Abhängigkeitsbeziehung mittels gemeinsamer Zwischenquelle. Unerheblich sind dabei kleinere Lesartvarianten gegenüber dem Originaltext, solange sie als zufalls- oder situationsbedingt deutbar bleiben. Dies gilt auch für geringfügiges Umdichten einzelner Verse oder Auswechseln einzelner Worte (BWV 28), sowie für den Detempore-Wechsel einiger Kantaten (BWV 28, 54, 166), wie er unter Berücksichtigung lokaler Verwendungsbedingungen verständlich wird. Gerade Leisnig ist mit dem ein- oder mehrfachen

---

13 Alfred Dürr, Studien über die frühen Kantaten Johann Sebastian Bachs, Leipzig 1951, S. 194–196, bzw. Neuauflage Wiesbaden 1977, S. 209–211.

Bestimmungswechsel seiner Kantaten sehr freizügig verfahren, was sich durch zahlreiche weitere Fälle belegen läßt. Als einziges vollwertiges Indiz für 'eine von Zwischenquellen unabhängige, direkte Werkbeziehung würde eine gemeinsame, nicht anders erklärbare Sonderlesart spezifischer Signifikanz gelten können, doch findet sich eine solche in den vorliegenden Werkpaaren nicht. Allenfalls könnte man die sinnwidrige prädikative Pluralform in BWV 54 in Betracht ziehen; aber die Tatsache, daß diese Abnormität nicht in der Leisniger Erstfassung (1739), sondern erst in der Zweitfassung (1748) zutage tritt, verunklart die Abhängigkeitsbeziehung, deren Deutung ohnehin durch das Fehlen der Bachschen Originalniederschriften erschwert wird[14].

Die entscheidende Frage nach der musikalischen Provenienz der Leisniger Kantaten bedarf einer zusätzlichen Erörterung. Leider fehlt uns jegliche Kenntnis von Stockmars musikschöpferischer Potenz, aber seine kompositorische Inanspruchnahme für einen beträchtlichen Teil der zwischen 1731 und 1747 erklungenen riesigen Kantatenmenge erscheint durchaus nicht abwegig. Für seinen starken Textebedarf wären ihm als Orientierungs-, Anregungs- und Gebrauchsmaterial die leicht zugänglichen Textdrucke der Dichter und Kirchenmusiker willkommene Hilfen gewesen[15]. Andererseits dürfte Stockmar seinen enormen Kantatenbedarf wenigstens teilweise durch Rückgriff auf publizierte Werke fremder Komponisten gedeckt haben, wobei insbesondere Telemann schon deshalb in Betracht gezogen werden müßte, da zahlreiche Leisniger Texte in den 19 untersuchten Jahrgängen titelgleich mit Telemann-Kantaten sind, was noch durch gesamttextliche Vergleiche zu differenzieren wäre. Daß nun unter den Fremdkompositionen, dem Naglerschen Wunschtraume wenigstens teilweise entsprechend, möglicherweise auch Werke Bachs als Geschenk, Leihgabe oder Kopie vorhanden waren, läßt sich nicht völlig ausschließen, würde aber jedenfalls einer Beweispflicht unterliegen, für die unsere textkritische Argumentation nicht ausreicht. Auszuscheiden wären aber als diesbezügliche Anwärter von vornherein wohl BWV 28 wegen der genannten textlichen Eigenwilligkeiten, BWV 59 wegen der erheblichen Umfangsdivergenzen und BWV 166 wegen der Reduzierung um drei Sätze.

Endgültig zu beantworten ist die Frage der Bachrelevanz erst nach Wiederauftauchen der den Leisniger Textquellen zugehörigen Kompositionen, über die Reinhard Vollhardt schon 1899 in seiner Geschichte der Cantoren und Organisten von den Städten im Königreich Sachsen (S. 188) resigniert berichtet hatte: „Die werthvollen alten Noten der Cantorei habe ich leider nicht vorgefunden, bis 1883 sind sie vorhanden gewesen." In diesem Zusammenhang verdient auch die Tatsache Beachtung, daß drei der 1971 wieder aufgefundenen Leipziger Kirchenmusiktexte Neumeisterscher Herkunft, die vorerst nicht mit Bachschen Kompositionen belegbar sind, ebenfalls im Leisniger Bestand vorhanden sind: „Gelobet sei der Herr, der Gott Israel", „Der Segen des Herrn machet reich", „Wer sich rächet, an dem wird sich der Herr wieder rächen"[16]. Wolf Hobohm hatte sie in seiner ersten quellenkritischen Untersuchung (Bach-Jahrbuch 1973) vorsichtig als „wohl nicht von Bach" eingestuft. Man sollte aber gerade bei den authentischen Kantatenprogrammen der Leipziger Hauptkirchen grundsätzlich, solange keine vollwertigen Gegenargumente beizubringen sind, daran festhalten, daß die dort aufgeführten Werke Bachsche Schöpfungen oder mindestens Bearbeitungen sind. Ein unverbindliches Abspielen fremder Kirchenmusikwerke im Sinne moderner Konzertprogrammpraxis ist unter Bachs Kantoratsführung wohl nur in extremen Ausnahmesituationen denkbar gewesen[17]. Bachs bekannter Ausspruch

---

14 Vgl. NBA I/18, KB, S. 13 und 17 f.
15 Bezeichnenderweise sind diese Abhängigkeiten auch außerhalb unseres begrenzten Beobachtungsgebietes vielerorts erkennbar, so z. B., daß von den 70 Kantatentiteln des Neumeister-Jahrgangs Eisenach 1718 in den Leisniger Textbänden unseres Zeitraumes 52 auftreten.
16 Dort befinden sich übrigens auch die Texte der problemträchtigen Kantaten „Gott der Hoffnung erfülle euch" (BWV 218) und „Ich habe Lust zu scheiden" (BWV Anh. 157).
17 In dem betreffenden Zeitraum 24. 6.–8. 7. 1725 läßt sich keine außergewöhnliche Situation erkennen.

über „die musicalischen Kirchen Stücke so im ersteren Chore gemachet werden, und meistens von meiner composition sind", darf durchaus in diesem Sinne verstanden werden[18].

Außerdem ist mit dem Nachweis einer titel- oder textidentischen Komposition eines anderen Autors das Authentizitätsproblem im Bachschen Werkbestand natürlich nicht lösbar. Alfred Dürr hat deshalb wohlweislich den gleichfalls bachverdächtigen Neumeister-Text „Gesegnet ist die Zuversicht" (BWV Anh. 1), der übrigens auch im Leisniger Textbestand (1736) vorhanden ist, nur mit allem Vorbehalt einer Telemann-Kantate zugeordnet, zumal eine kleine Korrektur der Besetzungsangaben (im Breitkopf-Verzeichnis 1770), nämlich: „. . . 2 Viol., Viola S. A. T. B." in: „. . . 2 Viol. T. B." vorzunehmen und zu begründen war[19]. Natürlich kommt für das bei Bärenreiter edierte Telemann-Werk „Bach aus stilistischen Gründen nicht als Autor in Frage" (Vorwort 1953); aber das von Breitkopf 1770 angebotene Werk dieses Incipits und speziellen Besetzungshinweises könnte sich trotzdem auf eine wirkliche Bachkantate beziehen, die diesen (bachtypischen) Angaben voll entspricht. Bach könnte ja z. B. den Neumeister-Text, im Gegensatz zu Telemann, so vertont haben, daß das von Bibelwort (Satz 3) und Choralstrophe (Satz 4) gebildete Werkzentrum als Arioso und vierstimmiger Choralsatz profiliert erscheint, wobei sich für den Choral (Strophe 10 von „Warum betrübst du dich, mein Herz") der noch nicht bachwerkgebundene Satz BWV 420 aus der Choralsammlung 1784–1787 anbieten würde. Und wenn Bach dann diesem hervorgehobenen Zentrum einen gewichtigeren Kantatenschluß, als ihn Neumeisters Solo-Arie anbietet, entgegenstellen wollte, hätte er wahrscheinlich im üblichen schlichtvierstimmigen Chorsatz die Schlußstrophe des gleichen Chorals „Lob, Ehr und Preis sei dir gesagt" angehängt, wie sie uns möglicherweise im gleichtonartlichen Choralsatz BWV 421 derselben Sammlung überliefert ist.

Ich weiß mich mit meinem langjährigen Bach-Editionspartner Alfred Dürr einer Meinung, daß der gelegentlich zu beobachtende Trend der neuzeitlichen Bachforschung zur voreiligen Verbannung fraglicher Bachwerke aus dem potentiellen Gesamtwerkbestand allmählich einer bedachtsamen Eindämmung bedarf.

Schlußbemerkung

Der Autor ist sich der Tatsache bewußt, daß der vorliegende Beitrag zu seiner Abrundung und Klärung weiterer Recherchen im Akten- und Handschriftenbereich bedarf. Insbesondere würde die endliche Wiederentdeckung und Durchforschung der dem reichen Leisniger Textbestand zugehörigen Kompositionen mit Sicherheit neue Perspektiven eröffnen sowie Berichtigungen und Ergänzungen der bisher mühsam zu erzielenden Ergebnisse nach sich ziehen. Die Ermutigung zu solcher Weiterarbeit erwächst dem Autor vor allem aus der glücklichen Gegebenheit, daß sich in seinem Privatbesitz eine bibliophile Kostbarkeit echter Bachrelevanz befindet, nämlich ein in ornamentaler Lederprägung kunstvoll gebundenes und mit Goldschnitt versehenes „Leißniger Gesang-Buch 1722", das in seinem vorderen Innendeckel ein herzförmiges Klappfenster besitzt, welches, geöffnet, auf dem tiefroten Herzgrunde in Goldprägung die Bachschen Initialen mit der Jahreszahl „1733" sehen läßt. Zweifellos handelt es sich um ein sinniges Freundschaftsgeschenk, dem man aber nicht unbedingt eine amouröse Motivation andichten muß.

---

18 Eingabe an den Leipziger Rat vom 15. 8. 1736 (Dok I, Nr. 34, S. 88).
19 Vgl. BJ 1951/52, S. 41.

Evangelische
Sabbaths=
Freude,
oder
Heil. CANTATen
Auff die
Sonn= und Fest=täglichen
Evangelia
gerichtet,
und
In der Kirche zu St. Matthiæ
In Leipzig
musiciret,
Nebst richtiger Anweisung derer bey
täglichen Gottesdienst allda gebräuch-
lichen Lieder.

LEIPZIG, zu haben bey Gottfried
Zimmermann, Im Octbr. 1732.

Texte
zur
Kirchen=
Music

nebst denen Liedern,
So auff das
Heilige Weynacht=Fest
Den Sonntag nach dem-
selben 1731.
Auf das Neue Jahr 1732.
Das Fest der Erscheinung
Den Ersten und Andern Sonn-
tag nach Epiphanias
In der Kirche zu Leipzig
angestimmet werden.

❧ ○ ❧

Am Sonntage nach Weyhnachten.

〜〜〜〜〜〜〜

1. Puer natus in, Bethlehem. L. 31. Dr. 20.
2. Kyrie
3. Allein GOtt in der Höh sey Ehr. V. C. Ep. Gloria.
4. Ermuntre dich/ mein schwacher Geist. L. 38. Dr. 22. Evangelium.
5. Music.

Aria.

DEtlob/ nun geht das Jahr zum Ende/
Das Neue rücket schon heran/
Gedencke/ meine Seele/ dran/
Wie viel dir deines GOttes Hände
Im alten Jahre Guts gethan. (an/
Stimm Ihm ein frohes Danck-Lied
So wird Er ferner dein gedencken
Und mehr zum neuen Jahre schencken.

Choral.

Nun lob, mein Seel, den HErren, was in mir ist,
Nach dem den Nahmen sein, Sein Wohl-
thar thut, : : die leiden in seinem Reich/

31

So spricht der HERR:
Es soll mir eine Lust seyn, daß
Ich ihnen Gutes thun will/
und ich will sie in diesem Lande
pflantzen von gantzem Hertzen
und von gantzer Seele.

Recit.

GOtt ist ein Quell, wo lauter Güte fleust,
GOtt ist ein Licht, wo lauter Gnade scheinet,
GOtt ist ein Schatz, der lauter Segen heist,
GOtt ist ein HErr, der's treu und hertzlich
meinet.
Wer ihn im Glauben liebt, in Liebe kindlich ehrt,
Sein Wort begierig hört,
Und sich vom bösen Wege kehrt,
Dem giebt Er sich mit allen Gaben,
Wer GOtt hat, der muß alles haben.

Aria.

GOtt hat uns in dem heurigen Jahre
ernehret/
Viel Böses gewendet und Gutes bescheret.
Wir loben Ihn hertzlich und bitten
darneben/

Er woll auch ein glückliches neues
Jahr geben/
Wir hoffens von seiner beharrlichen
Güte/
Und preisens im Voraus mit danck-
barn, Gemüthe.

Choral.

Mit solch dein Güt wir preisen, Vater,
Mein Himmels Thron, die danmö.

6. Wir glauben 1. etc. Nach dem Ling. der Pr.
7. Ein Kindelein so löblich. Nach der Predigt.
8. Wir Christen Leut L. 35. Dr. 21. Unter der Communion.
9. Frölich soll mein Hertze springen. Nach dem Segen. Dr. 33.
10. GOtt sey uns gnädig und barmh.

Nachmittags.

1. Vom Himmel kam der Engel Sch. L. 27. Dr. 19.
2. Wir singen dir Immanuel. Nach der Predigt. Dr. 27.
3. Das alte Jahr vergangen ist. L. 42. Dr. 35. Nach dem Segen.
4. Nun dancket alle GOtt.

Wolfgang Plath

Zum Schicksal der André-Gerberschen Musikbibliothek

Auch ausgefuchste Musikbibliothekare werden mit der Bezeichnung ‚André-Gerbersche Bibliothek' nichts anfangen können. So sind zunächst wohl einige einführende Worte am Platz.

Der eine der beiden namengebenden Männer ist der berühmte Lexikograph Ernst Ludwig Gerber (1746–1819), von dem die communis opinio folgendes zu berichten weiß: „Seine ansehnliche Bibliothek verkaufte er bei Lebzeiten für 200 Louisdor an die Gesellschaft der Musikfreunde zu Wien, behielt sich jedoch den Nießbrauch bis zu seinem Tode vor, sie in uneigennützigster Weise weiter vergrößernd, veröffentlichte selbst deren Katalog: *Wissenschaftlich geordnetes Verzeichnis einer Sammlung von musikalischen Schriften* (Sondershausen 1804)."[1] Die näheren Umstände dieser Transaktion sind von Eusebius Mandyczewski eingehend beschrieben worden[2]. Gerber selbst hat seine Bibliothek offenbar etwas höher bewertet als der Verfasser des von uns zitierten Lexikonartikels; er nennt sie „eine Bibliothek, von der ich aber auch ohne Übertreibung, behaupten kann, daß sie die reichhaltigste und vollständigste, musikal. Bibliothek ist, welche je ein Privatmann, ja selbst irgend eine öffentliche Bibliothek in Europa, im musikal. Fache, besessen hat"[3]. Auch ist, was den Kaufpreis anlangt, bei ihm von „200 Friedrichs d'or" statt 200 Louisdor die Rede[4]. Von wirklichem Gewicht aber sind zwei miteinander zusammenhängende Irrtümer, denen die besagte communis opinio zum Opfer gefallen ist. Der erste Irrtum besteht in der Annahme, daß das gedruckte Verzeichnis von 1804 einen veritablen Katalog der Gerberschen Bibliothek darstelle. Tatsächlich aber enthält das Verzeichnis nur Druckschriften, d. h. Musikliteratur im engeren Sinne[5], und es fehlt die gesamte Musica practica, gleich ob gedruckt oder geschrieben. Der zweite Irrtum — er hängt, wie gesagt, mit dem ersten zusammen — besteht in der Annahme, daß ‚die Gerbersche Bibliothek', die komplette Bibliothek also, in den Besitz der Gesellschaft der Musikfreunde in Wien gelangt sei. Tatsächlich handelt es sich wiederum nur um die reine ‚Büchersammlung' Gerbers — ganz entsprechend dem gedruckten Verzeichnis von 1804 —, die nach Wien gelangt ist; es fehlen sämtliche Musikalien, und von der Gerberschen Portrait- und Kupferstich-Sammlung scheinen nur Teile vorzuliegen[6]. Die Gerbersche Bibliothek als Ganzes, d. h. Bücher u n d Musikalien, existiert nicht mehr; das einzige, was daran noch erinnert, ist ein von Gerber eigenhändig angelegter handschriftlicher Katalog[7], der weiterer Auswertung harrt. Was ist mit Gerbers Musikalien geschehen?

---

1 Vgl. Riemann Musiklexikon [12]/1959, Artikel Gerber. Im gleichen Sinne auch Richard Schaal in: MGG 4, Sp. 1779–1782 (1780).

2 Zusatz-Band zur Geschichte der k. k. Gesellschaft der Musikfreunde in Wien. Sammlungen und Statuten, zusammengestellt von Dr. Eusebius Mandyczewski. Wien 1912, Einleitung, S. III ff.

3 Zitiert nach Mandyczewski, a. a. O., S. IV.

4 A. a. O.

5 Gegliedert in die Abteilungen I. Geschichte und Kritik, II. Anfangsgründe, auch Anweisungen zum Gesange und zu Instrumenten, III. Anweisungen zum Generalbaß und zur Komposition, IV. Akustik, Ton- und Temperatur-Berechnungen; auch Orgel- und Instrumenten-Bau, V. Gedruckte in- und ausländische Musikverzeichnisse. Diesen sind noch angehängt: VI. Bildnisse musikalischer Schriftsteller und Tonkünstler, VII. Orgel-Prospecte.

6 Dem Archivar der Gesellschaft der Musikfreunde Wien, Herrn Dr. Otto Biba, bin ich für freundliche Auskünfte zu Dank verpflichtet.

7 Bibliothek der Gesellschaft der Musikfreunde Wien, Signatur $\frac{1656}{36}$: „Musikalische Werke / sowohl / theoretische als praktische / Dramatische Gedichte:/ Bildniße / berühmter Tonkünstler / und / Prospekte und Abriße / berühmter und merkwürdiger / Orgeln:/ gesammlet und angeschaft / von:/ Ernst Ludwig Gerber / Sondershausen./ 1791." (Mit Nachträgen von 1793/94 und alphabetischem Register von 1815.)

Der andere der beiden Männer ist Johann Anton André (1775–1842), der Offenbacher Musikverleger, nicht minder bedeutend als Komponist wie als Musiktheoretiker – sein großes, mehrbändiges Lehrbuch der Komposition ist leider Fragment geblieben –, jener André, der im Jahre 1800 in Wien den Mozart-Nachlaß erwarb, in der Folge zu einem der wichtigsten postumen Mozart-Verleger wurde und nebenher wohl auch als der überragende Kopf der Mozartforschung vor Otto Jahn und Ludwig Ritter von Köchel gelten darf. In seinen Schriften tritt uns André als ein vielseitig und fein gebildeter Mann von durchdringendem Verstand und großer Belesenheit entgegen; außer seiner berühmten Musikaliensammlung muß er eine Theoretiker-Bibliothek (dies zumindest) von respektablen Ausmaßen besessen haben. Wir sind hier allerdings auf Vermutungen angewiesen, denn die Andrésche Bibliothek existiert nicht mehr. Noch nicht einmal ein Katalog davon – wenn es je einen solchen gegeben haben sollte – ist bekannt geworden. Was ist mit Andrés Musikbibliothek geschehen?

Wir sind damit beim Thema angelangt. Was haben die Musikbibliotheken Ernst Ludwig Gerbers und Johann Anton Andrés miteinander zu tun? Anstelle einer direkten Antwort auf diese Frage sei ein kurzer Bericht gestattet.

Als ich vor etwa fünfzehn Jahren in der Stadt- und Universitätsbibliothek Frankfurt am Main nach Mozartiana fahndete[8], geriet mir bei der Musterung der im Lesesaal der Musikabteilung aufgestellten gedruckten Kataloge ein dünnes Bändchen in die Hände, das offensichtlich aus der Bibliothek Heinrich Henkels[9] stammte und von Henkel eigenhändig mit dem fingierten Titel „Catalog von alten musikl. Werken u. Choralbüchern" versehen worden war[10]. Der Inhalt des Bändchens bestand aus den aus irgendeinem umfangreicheren Katalogwerk herausgetrennten Seiten 449–472 mit der fortlaufenden Stücknumerierung 9257–9707. Am Kopf von Seite 449, vor Nr. 9257, war vermerkt: „Nachverzeichnete musikalische Werke sind aus dem Nachlasse der als Schriftsteller berühmten Herren Hofrath A n d r é in Offenbach und E. L. G e r b e r; in vielen derselben befinden sich werthvolle schriftliche Anmerkungen und die Autographen[11] dieser Herren." Entsprechend stand auf Seite 472 unten nach Nr. 9704 der eingeklammerte Hinweis „Schluß der A n d r é - G e r b e r' schen Bibliothek." Danach blieb nur noch die Aufgabe, den Katalog zu eruieren, dem die betreffenden Seiten entnommen waren – ein zunächst ziemlich aussichtslos erscheinendes Unterfangen, das dann schließlich aber doch noch zum Erfolg führte[12]: Es handelte sich um den Auktionskatalog der für den 10. Februar 1845 angesetzten Versteigerung des Frankfurter Antiquariats Joseph Baer, dessen Kataloge in der Stadt- und Universitätsbibliothek Frankfurt a. M. in lückenloser Reihe vorliegen[13]. Die Faksimilierung des uns hier interessierenden Katalogauszuges auf den Seiten 213–225 (nach dem kompletten Exemplar) erfolgt mit freundlicher Genehmigung der Bibliotheksleitung[14].

Leider erweist es sich als ganz unmöglich, anhand der beschreibenden Kommentare des Katalogs eine wenn auch noch so ungefähre Vorstellung davon zu gewinnen, in welchem numerischen Verhältnis die Provenienzanteile (André bzw. Gerber) zueinander stehen. Die große Masse der angebotenen Objekte ist – wenn man dem Katalogtext trauen kann – offenbar unsigniert geblieben und entzieht sich damit weitgehend der Provenienzbestimmung. Gerbers Name er-

---

8 Die Resultate dieser Fahndung habe ich im Mozart-Jahrbuch 1968/70 (Salzburg 1970) unter dem Titel „Mozartiana in Fulda und Frankfurt (Neues zu Heinrich Henkel und seinem Nachlaß)" vorgelegt.
9 Zu Henkel vgl. den in der vorigen Anmerkung genannten Aufsatz.
10 Es handelt sich um die Signatur Mus 500/965.
11 „Autograph" ist hier im Sinne von eigenhändiger Namenszeichnung zu verstehen.
12 Dies allerdings nur dank der kollegialen Unterstützung von Herrn Prof. Dr. Klaus Hortschansky (Frankfurt a. M.), dem ich mich besonders verbunden fühle.
13 Signatur Cat. libr. Ff. Baer.
14 Ich benutze die Gelegenheit, um dem Leiter der Musikabteilung der Stadt- und Universitätsbibliothek Frankfurt a. M., Herrn Dr. Hartmut Schaefer, für Hilfeleistung und Auskünfte verschiedenster Art herzlichen Dank zu sagen.

scheint bei den gedruckten Büchern überhaupt nur zweimal (Nr. 9292: Kühnaus vierstimmige Choralgesänge und Nr. 9372: Michael Praetorius' „Syntagma musicum" I–II), während André dort immerhin fünfmal genannt wird (Nr. 9261–9263, 9344, 9480). Bei den gedruckten Klavierauszügen erscheint Gerber dreimal (Nr. 9681, 9684, 9685), André überhaupt nicht. In der für uns besonders interessanten Abteilung der „musikalischen Autographa" werden Notizen und/oder Namenszüge von Gerber und André gemeinsam bei Nr. 9698 – Autographe von Johann Gottfried Walther – konstatiert. Überaus bedauerlich ist, daß die Gerber-Autographe im Sammelposten Nr. 9701 nicht genauer aufgelistet werden. Außer den für Gerber ausdrücklich bezeugten Manuskripten Nr. 9702 und 9704 läßt sich mittelbar auch noch das Eckolt-Autograph Nr. 9703 als aus Gerberschem Besitz stammend erschließen, denn Johann Valentin Eckolt (Eckold, Eckelt), Stadtorganist zu Sondershausen (gestorben 1732 dortselbst), war der letzte Lehrer von Gerbers Vater Heinrich Nicolaus Gerber vor dessen Übersiedlung zu Johann Sebastian Bach nach Leipzig im Jahre 1724[15].

Ob und bis zu welchem Grade die Frankfurter Auktion am 10. Februar 1845 erfolgreich verlief, entzieht sich meiner Kenntnis. Es mag mit der fehlenden bzw. unzureichenden Signierung der einzelnen Stücke zusammenhängen, daß es mir bisher nicht gelungen ist, auch nur ein einziges Objekt zweifelsfrei als heute noch existent nachzuweisen. Dies gilt erstaunlicherweise gerade auch für die Autographe Nr. 9692 ff., bei denen man Identifizierungsschwierigkeiten doch am allerwenigsten erwarten möchte. So ist es beispielsweise nicht möglich, die drei in der Deutschen Staatsbibliothek Berlin vorliegenden Autographe von Georg Bendas „Ariadne" in irgendeine Beziehung zu dem im Auktionskatalog unter Nr. 9692 genannten „Ariadne"-Autograph zu setzen: keines der drei Berliner Manuskripte zeigt eine Signierung, und bei keinem läßt sich über das Akzessionsjournal der Vorbesitzer ermitteln[16]. Oder um ein anderes Beispiel zu nehmen: Von den beiden im Auktionskatalog aufgeführten Autographen Michael Haydns läßt sich das eine, der „Prologus" Nr. 9696, überhaupt nicht identifizieren (eine Komposition mit dieser Bezeichnung ist nicht bekannt), während das andere, die Missa Nr. 9697, so unpräzise beschrieben ist, daß es sich ebenso gut um eine der bekannten Messen wie um ein unbekanntes bzw. verschollenes Werk handeln könnte[17].

Es ist übrigens – um auch dieses noch anzudeuten – evident, daß André mehr, vielleicht sogar erheblich mehr Musikalien aus der Gerberschen Bibliothek besessen hat, als sich aus dem Auktionskatalog der Firma Baer ersehen läßt. Das kostbarste Manuskript, das von Gerber zu André gelangte, ist zweifellos das „Coburger" Autograph der Kantate BWV 151 („Süßer Trost, mein Jesus kömmt") von Johann Sebastian Bach. Gerber trug es 1793 als Nachtrag in seinem handschriftlichen Katalog[18] ein. André seinerseits bietet es im Rahmen des von ihm lancierten sogenannten „French-Katalogs" (London, ca. 1838/39) zum Kauf an[19]. Auch die von Gerber auf Seite 126 seines Katalogs notierte „Sonate aus A.mol." von Tommaso Albinoni findet sich später bei André wieder[20]. Rechts am Kopf des Manuskripts steht von Gerbers Hand vermerkt: „Von Heinr. Nic. Gerber ausgesetzt und von Sebast. Bach eigenhändig corrigirt." Auf dem Umschlagblatt hat ein Nachbesitzer[21] die ganze komplizierte Überlieferungsgeschichte der Handschrift in eine knappe Bemerkung zusammengedrängt: „Die rechts oben stehende orien-

---

15 Dazu vgl. Alfred Dürr, Heinrich Nicolaus Gerber als Schüler Bachs, in: BJ 1978, S. 7–18 (8).
16 Freundliche Mitteilung des Leiters der Musikabteilung der Deutschen Staatsbibliothek Berlin, Herrn Dr. Wolfgang Goldhan.
17 Freundliche Mitteilung von Herrn Prof. Dr. Charles H. Sherman (University of Missouri-Columbia, USA).
18 Vgl. Anmerkung 7.
19 Dazu vgl. Wolfgang Rehm, Miscellanea Mozartiana II–1. A catalogue of musical manuscripts, in: Festschrift Otto Erich Deutsch zum 80. Geburtstag, Kassel 1963, S. 141–151 (143).
20 Manuskript im Besitz der Staatsbibliothek Preußischer Kulturbesitz Berlin, Musikabteilung, Signatur Mus. ms. 455.
21 = Philipp Spitta.

tirende Notiz ist von Ernst Ludwig Gerber geschrieben, laut dem Katalog der Musikaliensammlung des weil. Musikdirectors Rühl in Frankfurt a. M. Derselbe hat das Manuscript aus dem Nachlasse des Hofrath André, André aus [dem] Nachlasse Ernst Ludwig Gerbers erworben. Ich kaufte es im März 1876 von dem Antiquar Albert Cohn in Berlin für 45 Mark."

Ich übergehe eine Reihe von anderen Gerberiana, bei denen sich eine Beziehung zu André konkret nicht nachweisen läßt, um am Schluß, nicht ohne alles Bedenken, die halbwegs begründbare Vermutung zu äußern, daß möglicherweise noch bis in die Mitte der 1950er Jahre hinein im Hause André verschiedene Gerber-Manuskripte verwahrt wurden, die danach sozusagen mit einem Schlage im Antiquariatshandel auftauchen. So halte ich es für hoch wahrscheinlich, daß die Manuskripte Nr. 1, 22, 27, 28, 37, 38, 45, 48, 49, 50, 60, 65, 66, 74, 87, 88, 92 und 96 aus dem Katalog Nr. 54 des Musikantiquariats Hans Schneider Tutzing – sämtlich Gerberiana – aus demselben Besitz stammen wie das Manuskript Nr. 30, Johann Andrés Handexemplar des „Cadi Dupé" von Gluck: also wohl aus dem Hause André[22]. Übrigens befindet sich auch heute noch wenigstens eine Gerber-Handschrift im Offenbacher André-Archiv. Es ist eine von Gerber in Sondershausen 1770 angefertigte Kopie von Giovanni Battista Pergolesis berühmtem „Stabat Mater"[23].

Wir haben einen sehr kleinen, dabei aber doch nicht genau quantifizierbaren Teil des Gerberschen Musikalien-Nachlasses im späteren Besitz von Johann Anton André nachweisen können. Daraus wird hoffentlich niemand schließen wollen, daß somit nun wohl das rätselhafte Verschwinden der Gerberschen Musikalien insgesamt eine hinreichende Erklärung gefunden hat. Wir haben zugleich letzte Nachrichten von der offenbar spurlos zerstreuten oder gar vernichteten Andréschen Bibliothek vorlegen können. Es ist, alles in allem genommen, wahrhaftig nicht sehr viel, was wir über das Schicksal der André-Gerberschen Musikbibliothek zu berichten hatten. Möge es der verehrte Jubilar dennoch freundlich aufnehmen.

---

22 Ich entsinne mich mündlicher Mitteilungen von Dr. Ernst Fritz Schmid, dem ersten Editionsleiter der Neuen Mozart-Ausgabe, die sämtlich in diese Richtung zielten.
23 Freundliche Mitteilung von Herrn Prof. Dr. Klaus Hortschansky (Frankfurt a. M.). Es handelt sich um das Manuskript Signatur B 99.1 (früher M. 12643) des André-Archivs in Offenbach.

Dr. Hauceißen 31ᵗᵉⁿ Dec 1844. (handwritten)

Verzeichniß

einer werthvollen

Sammlung von Büchern,

Pracht-, Kunst- und Kupferwerken

J. G. Müller Dekanntnisse! (handwritten)

und

fürst einarbeit ... Sct. in (handwritten)

Kupferstichen,

sßz. ð. J. Fuist. (handwritten)

welche

Montag den 10. Februar 1845

und folgende Tage, Vor- und Nachmittags,

in Frankfurt am Main

im Prinzen Carl Lit. I. N° 199.

durch die geschworenen Herren Ausrufer dahier öffentlich
versteigert werden sollen.

(handwritten lines)

Für die nächste, im Monat Oktober zu haltende Versteigerung
werden bis Ende Juli Bücher angenommen.

Eingesandt von

Joseph Baer, in Frankfurt a. M. (Zeil H. 11.),
der sich zur Besorgung von Aufträgen bestens empfiehlt.

449

Choral- und Gesangbücher.

Nachverzeichnete musikalische Werke sind aus dem Nachlasse der als Schriftsteller berühmten Herren Hofrath André in Offenbach und E. L. Gerber; in vielen derselben befinden sich werthvolle schriftliche Anmerkungen und die Autographen dieser Herren.

257 Cantiones ecclesiasticae latinae, dominicis et festis diebus etc. per Joan. Spangenbergum. Kirchengesenge deudsch auff die Sontage vnd fürnemliche Feste, durchs ganze Jar, so man auch des Abendmals Christi handelt, durch Johan Spangenberg verfasset. Magdeburg 545. Folio. Der lateinische Theil dieses seltenen für Kirchenmusik höchst wichtigen Werkes ist ganz complet, die legtern Blätter des deutschen Theils sind etwas defect und ausgebessert. Durchgehends mit eingedruckten Musiknoten.

258 Kirchen Gesenge Latinisch vnd Deudsch, sampt allen Evangelien, Episteln vnd Collecten, auff die Sontage vnd Feste, nach Ordnung der zeit, durchs ganze Jhar ꝛc. Aus den besten Gesangbüchern vnd Agenden ꝛc. zusamen gebracht ꝛc. Witteberg 573. Folio. Durchgehends mit Musiknoten. Einige Blätter ausgebessert.

259 Geystliche Lieder. Mit einer newen Vorrede D. Mart. Luth. Valentin Bapsts Druck zu Leipzig 557. fl. 8°. Mit vielen vortreffl. Holzschnitten u Musik. [Höchst selten; in der Mitte scheinen 2 Blätter zu fehlen. — Beigeb. Psalmen vnnd Geistliche Lieder, welche von frommen Christen gemacht und zusamen gelesen sind. Ebend. 557. Mit vielen Holzschnn. Randleisten u. Musik. Complet. Sehr selten.

260 Das große Cantional oder Kirchen Gesangbuch, in welchem nicht allein Dr. M. Luther's, sondern auch vieler anderer gottseliger Lehrer der christlichen Kirchen geistreiche Lieder begriffen ꝛc. Darmstadt 687. Folio. Mit Musik. Titel geschrieben, Vorrede und mehrere andere Blätter defect u. ausgebessert.

261 Melodeyen Gesangbuch darinn D. Luthers und anderer Christen gebräuchlichste Gesenge, ihren gewöhnlichen Melodeyen nach durch Hieron. Praetorium, Joach. Deckerum, Jac. Praetorium, D. Scheidemannum, Musicos ꝛc. zu Hamburg, in vier stimmen vbergesezt ꝛc. Hamburg 604. — Beigeb. Kirchen Gesang vnd geistliche Lieder, D. M. Lutheri vnd anderer frommen Christen ꝛc. mit vier, etliche mit fünff stimmen, nicht allein auff eine, sondern der mehrentheils auff zwey oder dreyerley art ꝛc. vnd im Discant der Choral richtig vnd eizentlich behalten. Durch Melch. Vulpium, Cantoren zu Weymar. Leipzig 604. 8°. Hinter dem Titel des ersteren Werkes befindet sich ein sehr schönes Autograph mit Unterschrift des berühmten Friedrich Jacobs, welche besagt, daß dieses Werk als Doublette (aus der Gothaer Bibliothek) dem Herrn Hofrath André überlassen worden.

57

213

9262 Cantional oder Gesangbuch Augspurgischer Confession ic. verfertiget vnd mit 4, 5 vnd 6 Stimmen componirt von Joh. Herm. Schein. Leipzig 627. 8°. Hinter dem Titel derselbe Autograph, wie bei Nr. 9261.

9263 Cantionale sacrum, das ist Geistliche Lieder von Christlichen und Trostreichen Texten. Mit 3, 4, 5 oder mehr Stimmen unterschiedlicher Autorum. 3 Theile in 1 Bande. Gotha 651 — 57. 8°. Hinter dem Titel derselbe Autograph, wie bei beiden vorstehenden Nummern.

9264 Psalmen deß königlichen Propheten Davids, In Teutsche reimen verstendlich vnd deutlich gebracht, nach Französischer Melodey. vnd reimen art, mit vorgebender anzeig eines jeden Psalmes Inhalt ic. durch den Ehrenvesten hochgelerten Herrn Ambrosium Lobwasser. s. l. 1574. 12°. Mit vieler Musik.

9265 Der Psalter deß Königl. Propheten Davids, In Deutsche reymen verstendiglich vnd deutlich gebracht ic. durch Ambr. Lobwasser. Lpzg. 576. 8°. Ebenso.

9266 Dasselbe. Ebd. 584. 8°. Ebenso.

9267 Dasselbe. Zürich 704. schmal-8°. Ebenso.

9268 Dasselbe. Marburg 722. gr. 8°. Ebenso.

9269 Musica sacra von Philipp Friedr. Boedecker. Partitur. Straßburg 651. Folio. Etwas befleckt, Titel u. Dedication fehlen, sonst ist das Werk complet.

9270 Gesangbuch Christlicher Psalmen vnd Kirchenlieder, Herrn D. Martini Lutheri vnd anderer gottseligen Lehrer vnd frommen Christen, Theils mit den Noten vnd ihren rechten Melodeyen gesetzt, wie sie in der Churf. Sächs. Schloßkirchen zu Dreßden gesungen werden. Itzo auffs newe Revidirt ic. Dreßden 625. 4°. Mit Musik.

9271 Johann Rist, Frommer und Gottseliger Christen Alltägliche Haußmusik oder musikalische Andachten, bestehend in mancherlei und unterschiedlichen, gantz neuen geistl. Liedern und Gesängen ic. Lüneburg 654. 8°. Mit Musik.

9272 —— Himmlische Lieder, mit sehr lieblichen und anmuthigen, von dem fürtrefflichen und weitberühmten Joh. Schop, wolgesetzten Melodien ic. Ebd. 658 8°. Ebenso.

9273 Pet. Sohr, Musicalischer Vorschmack der jauchtzenden Seelen im ewigen Leben. Das ist: Neu außgefertirtes ic. Gesang-Buch. Ratzeburg 683. 8°. Mit Kf. u. Musik. Etwas gebraucht.

9274 Evangelischer Lust-Garten Hrn. Pauli Gerhards ic. Mit leichten Sangweisen gezieret und abermahls eröffnet von Joh. Georgio Ebeling. Alten Stettin 671. 8°. Mit Musik.

9275 Joachimi Neandri Glaub- und Liebes-übung: Auffgemuntert durch Einfältige Bundes-Lieder und Danck-Psalmen ic. Neugesetzet nach bekant- und unbekante Sang-Weisen ic. Bremen 683. fl. 8°. Ebenso.

9276 Schmertzhaffte Marianische Einöde, Alwo die Irrende Polymnia (die Menschliche Seel) durch den Echo od Widerhall eingelocket, die zwey lieb-eichne zu mahlen höchstbetrangte ic. Hertzen, Als den leydenden Jesum und dessen mißleydende liebste Mutter Mariam singend betrachtet. Mit schönen Sinbildern auf neuaufgerichten Arien und Ritornellen à 2 Violinis gezieret Durch Theobaldum. Costanz 699. 8°. Mit Kf u. Musik.

9277 Bodenschatz, Florilegium selectissimorum Hymnorum, quatuor Vocum, qui in gymnasio Portensi etc. singulis diebus festis et profestis etc. ab Alumnis decantantur. Numburgi 713. 8°. Mit Musik.

9278 Psalmodia sacra, oder andächtige und schöne Gesänge sowohl des sel. Lutheri als anderer geistreichen Männer ic. Gotha 715. 4°. Mit viel. Musik. — Beigeb. Anhang an das Gothaische Cantional etc. Ebd. 726.

9279 Neu Leipziger Gesangbuch, von den schönsten und besten Liedern verfasset ic. Mit 4. 5 bis 6 Stimmen, deren Melodeyen Theils aus Joh. Herm. Scheins Cantional, und andern guten Autoribus zusammen getragen, theils aber selbsten componiret ic. mit Fleiß verfert. u. hrsg. von Vopelio etc. Lpzg. 682. 8°. Das Titelkupfer u. ein Blatt der Vorrede fehlen. Mit viel. Musik.

9280 Neubezogenes Davidisches Harpfen- und Psalter-Spiel, oder: Neu-aufgesetztes Würtembergisch-vollständiges, nach der genauesten und reinesten Sing- u. Schlag-Kunst Eingerichtetes Schlag-Gesang- u. Notenbuch ic. ic. componirt u. mit Fleiß zusammen getragen v. Störl. Stuttg. 710. Quer-4°.

9281 Dasselbe. Ebd. 721. Quer-4°.

9282 Musicalische Kirch- und Hauß-Ergötzlichkeit, bestehend in denen gewöhnlichen Geistlichen Liedern, so durchs gantze Jahr ic. ic. in Italienische Tabulatur gesetzt ic. von Daniel Bettern. Lpzg. s. a. Quer-Folio. Mit Musik.

9283 Telemann, Fast allgemeines Evangelisch-Musicalisches Liederbuch, welches sehr viele alte Chorale nach ihren Uhr-Melodien und Modis wieder herstellet ic. ic. nebst Unterrichte, der unter andern zur vierstimmigen Composition und damit verknüpften General-Basse anleitet. Hamburg 730. Quer-4°. Prachtexemplar in Saffian mit Goldschnitt, aus der Uffenbach'schen Bibliothek, mit Uffenbach's Wappen.

9284 Des Evangelischen Sions Musikalische Harmonie, Oder: Evangelisches Choral-Buch ic. ic. nebst einem Anhang, von Ursprung, Alterthum, und sondern Merkwürdigkeiten des Chorals, hrsg. von Dretzeln. Nbg. 731. Quer-4°.

9285 Joh. Dav. Frischens Neu-Klingende Harpfe Davids ic. Frkf. u. Lpzg. 749. 4°.

9286 Bronner, die Stadt Hamburg priviligirt und vollkommenes Musicalisch-Choral-Buch ic. Hamb. (715). Quer-4°.

214

9287 Müller, neu-aufgeseztes, vollständiges, und nach der neu u. reinesten Composition eingerichtetes Psalm= u. Choral=Buch ꝛc. Frkf. a. M. 719. 4°.

9288 Neu vermehrtes Darmstädtisches Choral=Buch ꝛc. von Graupner. 728. 4°.

9289 König, harmonischer Lieder-Schatz, oder allgemeines Evangelisches Choral-Buch, Welches die Melodien derer sowohl alten als neuen biß bieher eingeführten Gesänge unsers Teutschlands in sich hält ꝛc. Frkf. 738. Quer=4°.

9290 Müller, vollständiges Hessen=Hanauisches Choral=Buch. Ebd. 754. 4°.

9291 Pflaum, Chur=Pfälzisch=Reformirt.=Choral=Buch. Heydelb. 766. 4°. Mehrere Blätter defect und ausgebessert.

9292 Kühnau, vierstimmige alte und neue Choralgesänge mit Provinzial=Abweichungen. 2 Bde. Bln. 786—90. Q.4°. Mit Gerber's Autograph auf d. Titel beider Bände.

9293 Melodeyen so wol alter als neuer Lieder, welche bey dem öffentl. Gottesdienst pflegen gebraucht zu werten, durchseben und verbessert von Grosse. Halle, im Verlag des Waisenhauses. Quer=4°.

9294 Joh. Sebast. Bachs vierstimmige Choralgesänge. 4 Thle. in 1 Bd. Lpzg. 784—87. 4°. Die erstern Blätter am Rande fleckigt u. ausgebessert, jedoch complet.

9295 Rein, vierstimmig Choralbuch, worinnen alle Melodien des Schleswig=Holsteinischen Gesangbuchs enthalten sind. Altona 755. Quer=4°.

9296 Choralbuch zum allgem. u. vollständ. Catholischen Gesangbuche von Franz. Breslau u. Hirschb. 778. Quer=4°.

9297 Vollständiges, rein u. unverfälschtes Choral=Melodienbuch zum Gebrauch der vorzüglichsten protestant. Gesangbücher in Deutschland ꝛc., größtentheils mit der harmonischen Begleitung des berühmten Organisten Joh. Chr. Kittels, gefertiget von G. P. Weimar. Erfurt 803. Quer=4°. Das Portrait fehlt.

9298 Döring, vollständiges Görlizer=Choral=Melodien=Buch in Buchstaben vierstimmig gesezt. Görliz 802. Quer=8°.

9299 List, Choralbuch. Offenbach. Quer=4°.

9300 Sörensen, Geistliche Gesänge, Oden und Lieder. Rudolstadt 810. 4°.

9301 Allgemeines Choral=Buch für die protestant. Kirche, vierstimmig ausgesezt, mit einer Einleit. über den Kirchengesang u. dessen Begleitung durch die Orgel von Umbreit, brg. v. Rud. Zach. Becker. Gotha 811. 4°.

9302 Choral=Buch zu den neuen sächsischen Gesangbüchern, vierstimmig für die Orgel ausgesezt nebst Vor= u. Zwischenspielen von Werner. Lpzg. 815. Quer=4°.

9303 Fischer, evangelisches Choral=Melodienbuch vierstimmig ausgesezt mit Vor= u. Zwischen=Spielen. 2 Bde. Gotha 820. 21. gr. Quer=4°. Ladenpr. fl. 14. 24 kr.

9304 Vollständ. Altenburger Choral=Melodien=Buch in Buchstaben vierstimmig gesezt u. hrsg. von Döring. Altenb. 815. Quer=8°.

9305 Hacker, Samml. deutscher Kirchengesänge ꝛc. für die Orgel mit einer, zwey od. drey Singstimmen zu gebrauchen. Erster Jahrg. Salzb. Quer=4°.

9306 Allgem. Choral=Buch für Kirchen, Schulen ꝛc., vierstimmig gesezt von Joh. Gottfr. Schicht. 3 Bde. Lpzg. (819). Quer=4°. Ladenpr. Thlr. 8.

9307 Gläser, Evangelisches Choral=Melodienbuch, enthaltend 140 Choralmelodien ꝛc. Essen 826. Quer=4°.

9308 Versuch einer musikalischen Agende od. Altargesänge zum Gebrauch in protest. Kirchen ꝛc. theils nach Urmelodien bearb., theils neu componirt von Joh. Fr. Naue. Halle. Quer 4°.

9309 Katholisches Choralbuch für die Mainzer Diöcese, vierstimmig mit zweckmäßigen Eingangs=, Zwischen= u. Nachspielen bearb. von Fr. Jos. Kunkel. Mainz (838). Quer=4°.

9310 Naue, J. F., allgemeines evangel. Choralbuch in Melodien, größtentheils aus den Urquellen berichtigt mit vierstimmigen Harmonien. Halle 829. Quer=4°.

9311 Heinroth, 169 Choral-Melodien nach Böttner, mit Harmonien begleitet ꝛc. Gött. 829. 4°.

9312 Schatz des evangelischen Kirchengesangs, der Melodie und Harmonie nach aus den Quellen des 16ten u. 17ten Jahrhunderts geschöpft u. zum heutigen Gebrauche eingerichtet, zugleich als Versuch eines Normal= od. Allgem. Choralbuchs ꝛc. unter Mitwirkung Mehrerer hrsg. von G. Freih. von Tucher. Stuttg. 840. 4°.

9313 D. B. Münters erste Sammlung geistlicher Lieder. Lpzg. 773. Quer=4°.

9314 Spazier, zwanzig vierstimmige Chöre im philanthropischen Betsaale gesungen. Ebd. 785. gr. 4°.

9315 Demme, neue christliche Lieder, mit vortreffl. alten Melodien deutscher Tonsezer für das deutsche Piano=Forte u. die Orgel ausgesezt. Gotha 807. Quer=4°.

9316 Werner, volledige Verzameling van Psalm=, Lof=Jen Evangelische Gezangen met voor= en tuschen=speelen by de Gereformeerden in Holland in Gebrück. 2 Bde. Te Nykerk (814). Quer=4°.

9317 Auberlen, christliche Festgesänge und Lieder mit neuen und alten vierstimmigen Choral=Melodien von verschiedenen Dichtern, mit Noten u. Text. 817.

9318 Der geistlichen Erquick=Stunden des fürtreffl. ꝛc. D. Heinr. Müllers poetischer Andacht=Klang von denen Blumgenossen verf., anjezo mit 60 Liedern vermehret ꝛc. Rbg. 691.

9319 Olearius, evangelischer Lieder=Schatz. Jena 707.

9320 Schemelli, musicalisches Gesang-Buch, darinnen 954 geistreiche, sowohl alte als neue Lieder ꝛc., mit wohlbesezten Melodien, in Discant u. Baß ꝛc. Lpzg. 736.

9321 Chur-Pfälzisch allgem. Reformirtes Gesang-Buch. Frff. 762.

9322 Neu-vermehrt u. verbess. Oranien-Nassauisches Kirchen-Gesang-Buch. Herborn 765.

9323 Gott-geheiligtes Harfen-Spiel der Kinder Zion; bestehend in Joach. Neandri sämmtlichen Bundes-Liedern ꝛc. Solingen 768.

9324 Neue Samml. auserlesener geistlicher Lieder zu dem Kirchen-Gesang-Buch der evang.-reform. Gemeinden in Cleve, Gülich, Berg u. Mark ꝛc. Cleve 775.

9325 Neu-verbessertes Kirchen-Gesang-Buch ꝛc. Frff. 743.

9326 Sammlung verbesserter u. neuer Gesänge zum Gebrauch bey dem öffentl. Gottesdienst ꝛc. Ebd. 772.

9327 Neu eingerichtetes Gesang-Buch ꝛc. Cassel 750.

9328 Neues Geist reiches Gesang-Buch, auserlesene, so Alte als Neue, geistliche und liebliche Lieder, nebst den Noten der unbek. Melodeyen ꝛc. Halle 726.

9329 Fürstl. Ysenburgisches Gesangbuch. Offenbach 810.

9330 Ziegler, die Psalmen Davids, sammt den üblichen Fest- u. Kirchen-Gesängen ꝛc. Zürich 763.

9331 Nouveau recueil de Pseaumes et de cantiques à l'usage des églises françoises. Francf. et Offenb. 787.

9332 Les Pseaumes de David, mis en vers françois, revus et approuvés par le Synode Walon des Provinces-Unies. Amst. 730. 4°.

9333 Verschiedene Melodien derer Gesänge in dem privileg. Pförtenschen Gesang-Buche ꝛc. Pförten 761.

9334 Natorp, Melodienbuch für den Gemeindegesang in den evangel. Kirchen. Essen 822.

9335 Rüttinger, Choral-Melodien über 109 Lieder des neuen hildburghäus. Gesangbuchs ꝛc. Hildburgh. Quer-4°.

9336 Rose, Grundmelodien zu dem neuen quedlinburgischen Gesangbuche. Quedlinb. 791. Quer-4°.

9337 Vollständ. Sammlung der besten alten u. neuen Melodien ꝛc. nach Anleit. des kathol. Gesangbuches. 1s Heft. Mchn. 812. Quer-4°.

                                      [büchern. Lpzg.

9338 Werner, Melodienbuch zu den neuen sächsischen Gesang-

9339 Die heilige Cäcilia. Lieder, Motetten, Chöre ꝛc. andere Musikstücke religiösen Inhalts hrsg. v. Sander. 1e Abthlg. Berlin. gr. Quer-4°. — Hinzu: Geistliche Lieder zu den in der 1n Abthlg. der heil. Cäcilia gesammelten Melodien. Ebd. 820. gr. 8°.

9340 Psalmen u. christliche Gesänge, mit vier Stimmen, auf die Melodien fugenweis componirt durch Haßler. Lpzg. 777. Folio.

9341 Jos. Antony, archäologisch-liturgisches Lehrbuch des gregorianischen Kirchengesanges. Mstr. 829. 4°.

9342 Mortimer, der Choral-Gesang zur Zeit der Reformation. Berlin 821. 4°.

9343 Rambach, über Dr. Mart. Luther's Verdienst um den Kirchengesang. Hamb. 813.

9344 Dasselbe Werk. Mit Papier durchschossen in 4°. mit handschriftl. Bemerkungen des Hofr. A. André.

9345 Frantz, üb. d. ältere Kirchenchoräle. Quedlinb. u. Lpzg. 818.

9346 Natorp, über den Gesang in d. Kirchen der Protestanten. Essen u. Duisb. 817.

9347 Umbreit, die evangel. Kirchen-Melodien zur Verbesserung des kirchlichen u. häuslichen Gesanges, m. einem Vorworte v. Dr. Bretschneider. Gotha 817. gr. 8°.

9348 Kirchenmusik-Ordnung. Erklärendes Handbuch des musikalischen Gottesdienstes. Wien 828.

9349 Much, biographische Notizen über die Componisten der Choralmelodien im baierischen neuen Choralbuche. Erlangen 823. gr. 8°.

9350 Müller, kurze u. leichte Anweisung zum Singen der Choralmelodien. Frff. 793. 4°.

9351 Anton. Eximenus, dell' origine e delle regole della musica. Roma 774. kl.-folio. Mit v. Notentafeln.

9352 Arte pratica di contrapunto dimonstrata con esempi di vari autori e con osservazioni di Fr. Giuseppe Paolucci. Tomo I. (unico). Venezia 765. 4°. Ebenso.

9353 Giambattista Martini essemplare o sia saggio fondamentale pratico di contrapunto sopra il canto fermo. Parte prima (unica). Bologna 774. 4°. Ebenso.

9354 Trattato di Musica secondo la vera scienza dell' armonia. Padova 754. 4°.

9355 Francesco Gasparini, l'armonico pratico al cimbalo, regole, osservazioni, ed avertimenti per ben suonare il Basso etc. Venezia 708. 4°.

9356 Estro poetico-armonico, parafrasi sopra psalmi, poesia di Giustiniani, musica di Benedetto Marcello. Vol. I. e II., V. e VI. Venezia 724—26. Folio. Höchst selten und selbst einzelne Theile von großem Werthe.

9357 Asioli, Dialoghi sul trattato di armonia. Milano 814.

9358 Athan. Kircheri musurgia universalis sive ars magna consoni et dissoni etc. 2 voll. Romae 650. Folio. Mit vielen Kupfern u. Musitstln.

9359 ——— Neue Hall- vnd Thon-Kunst ꝛc. Nördlingen 684. Folio. Mit vielen Kf.

9360 Chancos a quatre parties auquel sõt contenves (252) nouvelles chancons, conuenables tant à la Voix comme aux Instrumentz, Imprimees en Anvers par Thielman Susato. Superius. 8 livres (parties) 543—45. Quer-4°. Durchgehends Musik mit untergelegtem Texte. Diese höchst merkwürdige Sammlung altfranzösischer Lieder gehört unstreitig sowohl der Musik als auch des Textes halber zu den seltensten Productionen dieser Art. — Wohl erhalten.

9361 Recueil d'airs serieux et a boire, de différents auteurs, imprimé au mois de Fevrier 1710. Paris chez Chr. Ballard, seul imprimeur du Roy pour la Musique. gr. Quer 4°. Mufik u. Text. Sehr wohl erhalten.

9362 Nouveau recueil d'airs serieux et a boire etc. par Mlle Pinel. Paris 737. Quer 4°. Titel beflectt.

9363 Neues liebliches Muficalifches Luftgärtlein, In welchem Schöne luftige anmütige Sachen, von allerley Deutfchen Amorofifchen Gefängen, neben etlichen Newen Intraden, bey ehrlichen conviviis, Voce vnd Inftrumentis zu gebrau-chen, anzutreffen, gantz von Newen. Mit 5, 6 vnd 8 Stimmen Componiret, vnd in Druck verfertiget, durch Melchior Francken Erl. Sächf. Capellmeifter zu Coburg. 4 Hefte in 4°., enthaltend: den Cantus, Bassus, Quinta et Sexta vox. Coburgf 623. Von höchfter Seltenheit. Sehr wohl erhalten.

9364 Ant. Holzner, Viretum Pierium cujus Flosculi et moduli una, II., III. et V. vocibus Dei optimi, maximi et cae-licolarum laudes spirant et sonant etc. Pars continua et Pars Secunda. 2 Hefte. Monachii 621. 4°. Mufik u. Text. Ganz wohl erhalten.

9365 Partitura motetorum binis, ternis, quaternis, quinis, senis, septenis, octonisque vocibus concinendorum. Cum Basso ad Organum, Henrici Pfendneri, Rever. et Ill. princip. Phil. Adolphi, episc. Wirceb. etc. Organistae. 3 partes in 1 vol. Wirceb. 625. 4°.

9366 Partitura Georgii Aichinger, Flores musici ad mensam S. S. convivii quinque et sex vocibus concinendi et in xenium praeparati dicatique etc. August. Vind. 626. 4°.

9367 Exercitium musicum, beftehend in aufferlefenen Sonaten, Galliarden, Allemanden, Balletten, Intraden, Arien, Chi-quen, Couranten, Sarabanden und Branlen. Benebenft unterfchiedlichen Stücken, auff verftimmete Art, alle mit zweyen Difcanten, und Bäffen, von den fürnehmften Com-poniften diefer Zeit, auß Lieb, den Liebhabern der edlen Musica an Tag geben, und zufammen getragen durch N. B. N. Cantus I. et II. 2 voll. Frff. 660. 4°.

9368 Ludovicus Viadana, opera omnia sacrorum concertuum, I ; II., III et IV. vocum, jam in anum corpus conve-nienter collecta, cum Basso continuo et generali organo adplicato, novaque inventione pro omni genere et sorte cantorum et organistarum accomodata. Bassus generalis. Francofurti 620. 4°. Diefe feltene Sammlung enthält 147 Mufikftücke.

9369 Rudimenta musices, das ift: Eine kurze und Grund-richtige Anweifung zur Singe-Kunft, Wie folche denen Knaben fowohl in Schulen, als in der Privat-Information wohl und richtig bey zu bringen ꝛc. ꝛc. Mühlhaufen 685. Quer 8°. Mit vielen Notentafeln.

9370 Joh. Andr. Herbft, Arte prattica et poëtica, das ift: Ein kurzer Unterricht, wie man einen Contrapunct machen u. componiren fol lernen (in zehen Bücher abgetheilt) fehr kurz- und leichtlich zu begreiffen: So vor diefem von Giov. Chiodino latein. und Italien. befchrieben worden ꝛc. Franckfurt 653. 4°. Mit vielen Noten-Beyfpielen.

9371 Synopsis musica. Continens 1. Methodum, concertum har-monicum pure et artificiose constituendi. 2. Instructionem brevem, quamcunque melodiam ornate modulandi quibus 3. pauca quaedam de Basso generali etc. conscripta variis-que exemplis illustrata a Joh. Grugero. Berol. 624. 12°.

9372 Mich. Pratorius, Syntagma Musicum ex veterum et re-centiorum ecclesiasticorum autorum lectione etc. in can-torum, organistarum, organopoeorum caeterorumque Mu-sicam scientiam etc. collectum. 2 voll. Wolffenb. 604-18. 4°. Mit Gerbers Autograph auf dem Titel beider Bände.

9373 —— Theatrum Instrumentorum seu Sciagraphia. Darinnen Eigentliche Abriß vnd Abconterfeyung, faft aller derer Mufica-lifchen Inftrumenten etc. Ebend. 620. 4°. M. vielen Kpfrn.

9374 Hortulus Chelicus uni violino duabus, tribus et quatuor subinde chordis simul sonantibus harmonice modulanti, studiosa varietate consitus a Joh. Jac. Walthero. Mo-gunt. 688. Quer 4°.

9375 Joan. Crügeri Synopsis Musices continens rationem con-stituendi et componendi melos harmonicum. Berol. 630. 4°. Titel fehlt, fonft complet.

9376 G. Neumarks Fortgepflanzter Mufikalifch-Poetifcher Luft-wald, in deffen erftem Theile, fowohl zur Aufmunterung Gottfeeliger Gedanken ꝛc. Geift- u. weltliche Gefänge; als auch zu keufcher Ehrenliebe dienender Schäferlieder, mit ihren beigefügten Melodien u. völliger Mufikal. Zufammen-ftimmung ꝛc. ꝛc. Jehna 657. Kl. 8°.

9377 Werckmeifter, A., musicae mathematicae Hodegus curiosus, od. Richtiger Muficalifcher Weg-Weifer. Frff u. Lpzg. 686. 4°.

9378 —— Erweiterte u verbefferte Orgel-Probe. Quedlinb. 698. 4°. — Beigeb. Kretschmar, Einweihungspredigt, welche bey Einweih. der Neuen Orgel zu Görlitz ꝛc. Görl. 704. — Vor-berg, ausf. Befchreib. der groffen neuen Orgel ꝛc. Ebd. 704. 4°.

9379 —— Scripta de musica diversa. 2 voll. in-4°. Ent-haltend: 1) Werckmeifter, Harmonologia musica od. kurze Anleit. zur muficalifchen Composition etc. Frff. u. Lpzg. 702. 2) Ejusd. Der Edlen Muſie-Kunſt Würde, Gebrauch und Mißbrauch ꝛc. Ebd. 691. — 3) Ejusd. Hypomnemata musica, od. muficalifches Memorial ꝛc. Quedlinb. 697. — 4) Ejusd. Cribrum Musicum od. Muficalifches Sieb ꝛc. Ebd. 700. — 5) Ejusd. erweit. u. verbeff. Orgel-Probe ꝛc. Quedlinb. u. Afchersl. 716. — 6) Ejusd. Muficalifche Paradoxal-Discourse etc. Quedlinb. 707. — 7) Götzen's Staubrede auf Andr. Werckmeifter. 707.

9380 Werkmeister, Andr., erweit. u. verb. Orgelprobe. Lpzg. 754. ff. 8°.

9381 ——— Hypomnemata musica od. Musical. Memorial. Quedlinb. 697. 4°. — Ejusd. Cribrum musicum od. Musical. Sieb. Ebd. 700. — Ejusd. Harmonologia musica etc. Frff. u. Lpzg. 702.

9382 ——— Die Nothwendigsten Anmerkungen u. Regeln wie der Bassus Continuus oder General-Baß wol könne tractiret werden rc. Aschersleb. s. a. 4°.

9383 ——— Dasselbe Werk. Andere Aufl. Ebd. 715. 4°.

9384 Beyer, Primae lineae musicae vocalis das ist: kurze, leichte, gründl. u. richt. Anweisung, wie die Jugend, sowohl in öffentl. Schulen rc. ein Musical. Vocal-Stück wohl u. richtig singen zu lernen rc. Freyb. 703. Quer 4°.

9385 Joh. Mar. Bononcini Musicus practicus, welcher in Kurze weiset die Art rc. u. was die Kunst des Contra-Puncts. Stuttg. 701. 4°.

9386 Joan. Jos. Fux, Gradus ad Parnassum sive manuductio ad compositionem musicae regularem etc. Viennae Austr. 725. Folio. Titel ausgeb.

9387 ——— Gradus ad Parnassum oder Anführung zur regelmäßigen Musikal. Composition rc. Aus dem Latein. übers. mit nöthigen u. nützl. Anmerkf. von Lorenz Mizlern. Lpzg. 742. 4°. Titel ausgebessert.

9388 Mattheson, der vollkommene Capellmeister. Hamburg 739. Folio.

9389 ——— Odeon morale, jucundum et vitale, Sittliche Gesänge, angenehme Klänge, gut zur Lebenslänge. Text u. Ton von Mattheson. Nürnb. 751. Folio.

9390 ——— Der brauchbare Virtuoso welcher sich mit 12 neuen Kammer-Sonaten rc. hören lassen mag. Hamb. 720. Folio. Sehr selten geworden.

9391 ——— Critica musica d. i. grundrichtige Untersuch. u. Beurtheilung vieler theils vorgefaßten, theils einfältigen Meinungen rc. so in alten u. neuen, gedruckten u. ungedruckten musicalischen Schriften zu finden. 2 Bde. oder 8 Thle. Ebd. 722—25. 4°.

9392 ——— Große General-Baß-Schule. Ebd. 731. 4°. — Beigeb. Treulicher Unterricht im General-Baß rc. von D. K. Ebd. 737.

9393 ——— Kleine General-Baß-Schule. Ebd. 735. 4°.

9394 ——— Gloria Musica, Grundlage einer Ehren-Pforte, woran die Tüchtigsten Capellmeister, Componisten, Musikgelehrten rc. Leben, Werke, Verdienste rc. erscheinen sollen. Ebd. 740. 4°.

9395 ——— Der neue Göttingische aber viel schlechter, als die alten Lacedämonischen urtheilende Ephorus, wegen der Kirchen-Music eines andern belehret. Ebd. 727. 4°.

9396 Mattheson, die neu angelegte Freudenakademie zum lehrreichen Vorschmack unbeschreibl. Herrlichkeit rc. 2 Thle. in 1 Bd. Hamb. 751—53. 8°. Der Titel des 1n Thls. geschrieben.

9397 ——— Plus ultra, ein Stückwerk von neuer u. mancherley Art. 1—3. Vorrath. Ebd. 754. 55.

9398 ——— Das Neu-Eröffnete Orchestre. Ebd. 713. 12°.

9399 ——— Das Beschützte Orchester oder desselben Zweyte Eröffnung. Ebd. 717. 12°.

9400 ——— Das Forschende Orchester oder desselben Dritte Eröffnung. Ebd. 721. 12°.

9401 Sivers gelehrter Cantor, aus dem lat. übers. u. mit Anmerkf. von Mattheson. Ebd. 730. 4°.

9402 Unger, Entwurf einer Maschine, wodurch alles was auf dem Clavier gespielet wird, sich von selber in Noten setzt. Mit 8 Kfstn. Bschwg. 774. 4°. Beigeb. Winter, de cantu ecclesiastico. Hannov. 772. — Pfeiffer, über die Musik der alten Hebräer. Erlangen 779. — Mattheson, Kern melodischer Wissenschaft bestehend in den auserlesensten Haupt- u. Grund-Lehre der musicalischen Composition. Hamb. 737.

9403 (Marpurg) Kritische Briefe über die Tonkunst mit kleinen Clavierstücken u. Singoden begleitet von einer musicalischen Gesellschaft in Berlin. 2 Bde. à 4 Thle. u. 3n Bds. 1r Thl. (Mehr ist nicht erschienen). Berlin 760—63. 4°.

9404 Marpurg, Handbuch bey dem Generalbasse u. d. Composition. 3 Thle. u. Anhang, mit 35 Notentafeln. Berlin 760—62. 4°.

9405 ——— Abhandlung von der Fuge. 2 Bde. mit 132 Notentafeln. Ebd. 753—54. 4°.

9406 ——— Anleitung zur Musik überhaupt, u. zur Singkunst besonders. Ebd. 763. 8°.

9407 ——— Anfangsgründe d. theoret. Musik. Lpzg. 757. 4°.

9408 ——— Anleitung zum Clavierspielen. Mit 18 Kfstn. Berlin 755. 4°.

9409 ——— Dasselbe Werk. 2te Aufl. Ebd. 765. 4°.

9410 ——— Anleitung zur Singecomposition. Ebd. 758. 4°.

9411 ——— Kritische Einleitung in die Geschichte u. Lehrsätze der alten u. neuen Musik. Mit 8 Kfstn. Ebd. 759. 4°. — Beigeb. Dessen Anleitung zur Singecomposition. Ebd. 758.

9412 ——— Historisch-kritische Beyträge zur Aufnahme der Musik. 5 Bde. à 6 Stcke. complet. Berlin 754—78. 8°.

9413 ——— Versuch über die musikalische Temperatur nebst einem Anhang über den Rameau- u. Kirnbergerschen Grundbaß. Mit 4 Tabellen. Breslau 776. gr. 8°.

9414 Sorgen's Anleit. zum Generalbaß u. zur Composition. Mit Anmerkf. von Marpurg. Berlin 760. 4°.

9415 Großheim, Generalbaß-Catechismuß nach Marpurgischen Grundsätzen. Cassel 797. 8°.

9416 Sorge, Compendium harmonicum od. kurzer Begrif der Lehre von der Harmonie rc. Mit 24 Ktfln. Lobenstein. 4°

9417 —— Vorgemach der musicalischen Composition, od. ausführl. ordentliche rc. Anweisung zum General-Baß. 3 Thle. in 1 Bd. Ebd. 4°

9418 —— Anleit. zur Fantasie oder zu der schönen Kunst das Clavier wie auch andere Instrumente aus dem Kopfe zu spielen rc. Mit 17 Ktfln. Ebd. 4°

9419 Forkel, allgemeine Geschichte der Musik. 1r Bd. mit 5 Ktfln. Lpzg. 788. 4°. [778. 79. gr. 8°

9420 —— Musikalisch-kritische Bibliothek. 3 Bde. Gotha

9421 —— Allgemeine Litteratur der Musik od. Anleitung zur Kenntniß musikal. Bücher. Lpzg. 792. gr. 8°.

9422 —— Ueber Johann Sebast. Bach's Leben, Kunst und Kunstwerke. Mit B's Bildniß u. Ktfln. Ebd. 802. 4°.

9423 St Arteaga's Geschichte der italienischen Oper von ihrem ersten Ursprung an bis auf gegenwärtige Zeiten. Uebersetzt u. mit Anmerkf. von Forkel. 2 Bde. Ebd. 789. 8°

9424 Spiess, Tractatus musicus compositorio-practicus, das ist musical. Tractat, in welchem alle gute und sichere Fundamenta zur musical. Composition rc. Augsp. 745. Folio.

9425 Murschhauser, Academia musico-poetica etc. od. Hohe Schul der musicalischen Composition. Erster Theil. Nürnb. 721. Folio.

9426 Leonh. Euler, tentamen novae theoriae musicae. Petropoli 739. 4°.

9427 Kirnberger, die Kunst des reinen Satzes in der Musik. 2 Bde. (2r in 3 Abthlgn.) Bln. u. Königsb. 774—79. 4°. Mit viel. Notentfln.

9428 —— Die wahren Grundsätze zum Gebrauch der Harmonie rc. als ein Zusatz zu der Kunst des reinen Satzes. Ebd. 773. 4°.

9429 —— Gedanken über die verschiedenen Lehrarten in der Komposition. Berlin 782. 4°.

9430 —— Dasselbe Werk. Wien. 4°.

9431 Albrechtsberger, gründliche Anweisung zur Composition. Lpzg. 790. 4°.

9432 —— Generalbaß-Schule. Ebd. Quer-4°.

9433 Kleiß, Versuch eines Lehrbuchs der praktischen Musik. Gera 783. 8°. Mit Papier in 4° durchschossen, mit vielen schriftlichen Anmerkf.

9434 —— Lehrbuch der theoretischen Musik. Lpzg. u. Gera 801. 4°. Mit Kf.

9435 —— Dasselbe Werk. Offenbach 4°. Ebenso.

9436 Knecht, Elementarwerk der Harmonie. 2te umgearb. Aufl. 2 Abthlgn. in gr. 4° nebst 80 Notentfln. in Quer-Folio.

9437 —— allgem. musicalischer Katechismus. Biberach 803 8°

9438 —— Dasselbe Werk. 4te verbesserte u. vermehrte Aufl. Freyburg 816. 4°.

9439 Knecht, kleines alphabet. Wörterbuch rc. der musikalischen Theorie. Ulm 795. 8°.

9440 Koch, Versuch einer Anleitung zur Composition. 3 Bde. Rudolst. u. Lpzg. 782—93. 8°.

9441 Albrecht, gründliche Einleitung in die Anfangslehren der Tonkunst. Langensalza 761. 4°.

9442 Bach, kurze u. system. Anleit. zum General-Baß rc. mit Erempeln erläutert. Cassel 780. 4°.

9443 Heinichen, der General-Baß in der Composition oder Anweisung nicht allein den General-Baß im Kirchen-Cammer- u. Theatralischen Stylo zu erlernen, sondern auch in der Composition etc. Dreßden 728. 4°.

9444 —— Neu erfundene u. gründl. Anweis. wie ein Musie-liebender zu vollkomm. Erlernung des General-Basses selbst gelangen rc. Hamb. 711. 4°.

9445 Petri, Anleitung zur praktischen Musik. Lpzg. 782. 4°.

9446 Scheibe, über die musikalische Composition. 1r (einziger) Bd. die Theorie u. Harmonie. Lpzg. 773. 4°. Forkel's Autograph auf dem Titel.

9447 —— Critischer Musicus. Neue verm. u. verbeff. Aufl. Ebd. 745. gr. 8°.

9448 Anleitung zum Generalbaß. 4te verbeff. Aufl. Ebd. 752.

9449 Portmann, leichtes Lehrb. der Harmonie, Composition u. des Generalbasses. Darmstadt 799. 4°.

9450 Schröter, deutliche Anweisung zum General-Baß in beständiger Veränderung des uns angebohrnen harmonischen Dreyklanges mit zulänglichen Exempeln. Halberst. 772. 4°.

9451 —— Letzte Beschäftigung mit musicalischen Dingen. Nordhaus. 782. 4°.

9452 Kellner, treulicher Unterricht im General-Baß. Hamb. 767. 4°.

9453 —— Grundriss des General-Basses. 1r Thl. Cassel. Quer 4°.

9454 Human, Musicus theoretico-practicus bey welchem anzutreffen I. Die demonstrativische Theoria musica et II. Die methodische Clavier-Anweisung rc. Nurnb. 749. 4°.

9455 Kurze Anweisung zu den ersten Anfangs-Gründen der Musik. Langensalza 752. Quer 4°.

9456 Musicus αυτοδιδακτος oder der sich selbst informirende Musicus etc. Erfurt 738. 4°.

9457 Daube, Anleit. zum Selbstunterricht in der Musikal. Komposition, sowohl für die Instrumental- als Vokal-Musik. 2 Thle. Wien 798. 4°.

9458 Buttstett, Ut, Mi, Sol, Re, Fa, La, tota musica et harmonia aeterna oder Neu-eröffnetes rc. Fundamentum musices etc. Erfurt. 4°.

9459 Ried, Versuch über die Musikalische Intervallen rc. Berlin 753. 4°.

9460 Neidhardt, sectio canonis harmonici, zur völligen Richtigkeit der generum modulandi hrsg. Königsb. 724. 4°.

9461 Majer's neu-eröffneter Theoretisch- u. Prakt. Musik-Saal ꝛc. Nbg. 741. Quer 4°.

9462 Beer, Musicalische Discurse nebst einem Anhang, genannt der musical. Krieg zwischen der Composition u. der Harmonie. Ebd. 719. 8°.

9463 ——— Ursus vulpinatur List wider List, oder Musicalische Fuchs-Jagdt. Weißenfels. 4°.

9464 Steffani, Send-Schreiben dar. enth. wie große Gewißheit die Music aus ihren Principiis etc. habe, mit Anmerk. hrsg. von Andr. Werckmeister. Quedlinb. 700. 8°.— Beigeb.: Mattheson, Sieben Gespräche der Weisheit und Musik. Hamb. 751.— Derselbe, Philolog. Tresespiel ꝛc. Ebd. 752.— Musica Parabolica. 754. u. noch einige Abhdlgn. über Musik.

9465 Lingkens kurze Musiklehre. Lpza. 779. 4°.

9466 ——— Die Sätze der Musikalischen Haupt-Sätze in einer harten u. weichen Tonart ꝛc. Ebd. 766. 4°.

9467 Werneburg, allgem. neue, viel einfachere Musik-Schule für jeden Dilettanten und Musiker. Mit einer Vorrede von J. J. Rousseau u. 1 Kpfrtf. Gotha 812. Quer 4°.

9468 Wiedeburg, der sich selbst informirende Clavierspieler, nebst Unterricht im General-Baß, Fantasiren u. Componiren. 3 Bde. Halle u. Lpzg. 765—75. 4°.

9469 ——— Praktischer Beytrag zum sich selbst informir. Clavierspieler od. 24 leichte Präludia ꝛc. Halle 777. Quer 4°.

9470 Wolf's Unterricht im Klavierspielen. 2 Thle. Ebd. 789. gr. 8°.— Beigeb.: Kessel, Unterricht im General-Basse. Lpzg. 791.

9471 Löhlein's Clavier-Schule oder Anweisung zur Melodie u. Harmonie ꝛc. 3te Aufl. Lpzg. u. Züllich. 779. Quer 4°.

9472 Dasselbe Werk. 5te Aufl. umgearb. von Witthauer. Ebd. 791. Quer 4°.

9473 Bach, Versuch über die wahre Art das Clavier zu spielen. Bln. 753. 4°.

9474 Dasselbe Werk. 3te verm. Aufl. 2 Bde. Lpzg. 780—87. 4°.

9475 Türk, Klavierschule. Lpzg. u. Halle. 789. 4°.

9476 Nagel, kurze Anweisung zum Klavierspielen. Halle 797. Quer 4°.

9477 Knecht, kleine theoretische Klavierschule. 2 Abthlgn. complet. Mchn. 4°.

9478 Frig, Anweisung wie man Claviere, Clavecins u. Orgeln ꝛc. in allen zwölf Tönen gleich rein stimmen könne ꝛc. Lpzg. 780. 4°. — Beigeb.: d'Alembert, systemat. Einleit. in die Setzkunst nach den Lehrsätzen des Herrn Rameau, übers. u. m. Anmerk. von Marpurg. Ebd. 757. — Belz, Abhandlung vom Schalle, eine gekrönte Preisschrift. Berlin 764.

9479 Kirschner, Clavierinstrumentalmaschine nebst Anhang einer beweglichen Singmaschine. Schmalkald. 818. Quer 4°.

9480 Türk, Anweis. zum Generalbaßspielen. 2te Aufl. Halle u. Lpzg. 800. gr. 8°. mit Papier durchschossen u. m. schriftl. Anmerk. von Hofrath André.

9481 Drechsler, Harmonie- u. Generalbaß-Lehre. Wien. 8°.

9482 Rüeff, kurzer, faßl. doch vollst. Unterricht zum Generalbaß. Theoretischer Theil. Ravensb. gr. 8°. Praktischer Theil. Ebd. gr. 4°.

9483 Bannbal, Anfangsgründe des Generalbasses. Wien gr. 8°.

9484 Glöggl, allgemeine Anfangsgründe der Tonkunst. Offenbach. 8°.

9485 Weber, Gottfr., allgem. Musiklehre. Darmst. 822. 8°.

9486 Dasselbe Werk. 3e verb. Aufl. Mainz 831. gr. 8°.

9487 Koch, Handbuch bey dem Studium der Harmonie. Leipzig 811. Quer 4°.

9488 Schicht, Grundregeln der Harmonie nach dem Verwechslungs-System entw. u. mit Beispielen erläut. Lpzg. Folio.

9489 Portmann, die neuesten u. wichtigsten Entdeckungen in der Harmonie, Melodie u. den doppelten Contrapunkte. Darmstadt 798. 8°.

9490 André, vierstimmige Fuge nebst deren Entwurf u. den allgem. Regeln über die Fuge. Offenb. schmal 4°.

9491 Morigi, Abhandlung über den fugirten Contrapunct, herausg. von Asioli. Lpzg. gr. 8°.

9492 Blumenthal, kurzgef. theoret.-praktische Violin-Schule. Wien. Quer-Folio.

9493 Kobrich's prakt. Geig-Fundament. Augsb. 787. Quer 4°.

9494 Löhlein, Anweisung zum Violinspielen mit praktischen Beispielen ꝛc. Lpzg. u. Züllich. 781. Quer 4°.

9495 Mozart's gründl. Violinschule. m. 4 Kfftln. Augsb. 787. 4°.

9496 Stiastny, Violoncell-Schule. 2te Aufl. Quer-Folio.

9497 Tromlitz, Kurze Abhandlung v. Flötenspielen. Lpzg. 786. 4°.

9498 Quantz, Versuch einer Anweisung die Flöte traversiert zu spielen, mit Kfftn. Berlin 752. 4°.

9499 Dasselbe Werk. 2te Aufl. Breslau 780. 4°.

9500 Altenburg, Anleitung zur heroisch-musikalischen Trompeter- u. Pauker-Kunst. 2 Thle. Halle 795. 4°.

9501 Baron, Untersuchung des Instruments der Lauten. Nürnberg 727. 8°.

9502 Abt Vogler's Choral-System. Kopenhagen 800. 8°. Nebst Notenheft in Quer 4°.

9503 ——— System für den Fugenbau, nebst Notenbeispielen. 2 Hefte. Offenb. schmal 4°.

9504 ——— Tonwissenschaft u. Tonsetzkunst. Mannh. 776. 8°. — Beigeb.: Kurpfälzische Tonschule. Ebd.

9505 ——— Ueber die harmonische Akustik. Offenbach 806. 4°.

9506 ——— Data zur Akustik. Ebd. 8°.

9507 ——— Ueber Choral- u. Kirchen-Gesänge. Mchn. 813. 8°.

9508 ——— Utile dulci, Zergliederung der musikalischen Bearbeitung des Bußpsalmen im Choral-Style. Ebd. 807. 4°.

9509 Abt Vogler's Musik-Skole. 3 Dele. Kiöbnhavn 800. 8°. Dessen Inledning til Harmoniens kännedom. Stockholm 794. Dessen Claver-Schola. Ebd. 798. Zusam. 3 Bde. nebst Notentafeln in Quer 4°.

9510 Weißbeck, Protestationsschrift oder exemplar. Widerlegung einiger Stellen ꝛc. der Vogler'schen Tonwissenschaft und Tonsetzkunst. Erlangen 783. 4°. — Knecht, Erklärung einiger von einem N. G. B. in Erlangen angetasteten, aber mißverstandenen Grundsätze aus der Vogler'schen Theorie. Ulm 785. 4°.

9511 32 Präludien für die Orgel u. f. d. Fortepiano. Nebst einer Zergliederung ꝛc. mit praktischem Bezug auf das Handb. der Tonlehre vom Abt Vogler. Mchn. 806. 4°.

9512 Vierling, Versuch einer Anleit. zum Präludiren, m. Beispielen erläut. Lpzg. gr. 8°.

9513 Telemanens Unterricht im Generalbaß-Spielen auf der Orgel ꝛc. Hamb. 773. 4°.

9514 Kittel, der angehende praktische Organist. 1e Abthlg. mit v. Notentfln. Erf. 801. Quer 4°.

9515 Drechsler, kleine Orgel-Schule. Wien. gr. 8°.

9516 Werner, Orgelschule. 2 Thle. in 1 Bd. Mainz 824. gr. 4°.

9517 Türk, von den wichtigsten Pflichten eines Organisten. Halle 787.

9518 Samml. einiger Nachrichten von berühmten Orgel-Werken in Teutschland ꝛc. Breßlau 757. 4°.

9519 Halle, die Kunst des Orgelbaues, mit 8 Ktfln. Brandenb. 779. 4°. — Beigeb.: Marpurg, neue Methode allerley Arten von Temperaturen dem Claviere mitzutheilen. Berlin 790. — Gedanken über die welschen Tonkünstler. Halberst. 751. — Arnfiel, Gülden-Horn, 1639 bey Tundern gefunden ꝛc. Kiel 683.

9520 Adlung, Musica mechanica organoedi, das ist: gründl. Unterricht von der Struktur, Gebrauch ꝛc. der Orgeln, Clavicymbel, Clavichordien u. anderer Instrumente, brsg. u. mit Anmerk. von Albrecht. 2 Thle in 1 Bd. mit v. Kf. Berlin 768. 4°.

9521 Schlimbach, über die Structur, Erhaltung, Stimmung ꝛc. der Orgel. Mit 5 Ktfln. Lpzg. 801. gr. 8°.

9522 Beschreibung des Orgelbaues ꝛc. Ein Buch für Organisten ꝛc. von D. L. E. Offenb. 794. gr. 8°.

9523 Preus, Grundregeln von der Structur u. den Requisiten einer untadelhaften Orgel. Hamb. 729. 8°. — Fabricii, Unterricht wie man ein Orgelwerk probiren soll. Frkf. u. Lpzg. 756. 8°. — Scheibler Anleit. die Orgel zu stimmen. Crefeld 836. gr. 8°. Löhr, über die Scheibler'sche Erfindung überb. u. dessen Pianoforte- u. Orgel-Stimmung. Ebd. 837.

9524 André, Anleit. zum Selbstunterricht im Pedalspiel. Offenb. 834. Quer 4°.

9525 Vierstimmige Motetten u. Arien von verschiedenen Componisten, gesammelt und hrsg. von Hiller. 6 Thle. Lpzg. 776—91. gr. 4°.

9526 Neue Sammlung verschied. u. auserlesener Oden ꝛc. mit eigenen Melodien versehen ꝛc. 4 Thle. in 1 Bd. Ebd. 746. Quer 4°.

9527 Freimaeurer-Lieder m. neuen Melodien. Regensb. 5772. 4°.

9528 Klein, de arte musica inprimis de cantu. Giessae 812. 4°.

9529 Kirchrath, theatrum musicae choralis d. i. kurze und gründl. erklärte Verfassung der Aretin. u. Gregorian. Singkunst. Köln 782. 4°.

9530 Novitsch, Elementarbuch der Singkunst. Mit 6 Tabellen. Nördling. 784. 4°.

9531 Walder, Anleit. zur Singkunst. Zürich 788. 4°. Die erstern Blätter befleckt.

9532 Hiller, kurze u. erleicht. Anweis. zum Singen. Lpzg. 792. 4°. — Beigeb. Dessen Anweisung zum Violinspielen. Ebd.

9533 —— Anweis. zum musikalisch-richtigen Gesange, nebst Erempelbuch. 2 Bde. Lpzg. 774. 4°.

9534 —— Dasselbe Werk. 2e Aufl. Ebd. 798. 4°. — Beigeb. dessen Anweis. zum musik.-zierlichen Gesange. Ebd. 780.

9535 Tosi, Anleit. zur Singkunst, übers. u. mit Zusätzen von Agricola. Berlin 757. 4°.

9536 Michelmann, die Melodie nach ihrem Wesen sowohl, als nach ihren Eigenschaften. Danzig 755. 4°.

9537 Wolf, Unterricht in der Singkunst. Halle 804. gr. 8°.

9538 Lederer, neue u. erleicht. Art zu Solmisiren. nebst andern Vortheilen der Singkunst. Ulm 796. Quer 4°.

9539 Marr, die Kunst des Gesanges, theoret.-praktisch. Berlin 826. 4°.

9540 Döring's Anweis. zum Singen. 1r Cursus. Görl. 805. 8°.

9541 Markwort, Gesang- Ton- u. Rede-Vortraglehre. Erster Haupttheil: über Stimmen u. Gehör-Ausbildung, nebst Uebungsbeispielen. Darmst. 827. gr. 8°.

9542 Kirschner, element. Gesangbildungslehre. Schmalk. 816. 8°.

9543 Listovius, Theorie der Stimme. Mit 1 Ktfl. Lpzg. 819. fl. 8°.

9544 Grosheim, über Pflege und Anwendung der Stimme. Mainz 830. 4°.

9545 Minoja, über den Gesang. Lpzg. gr. 8°.

9546 Briefe an Natalie über den Gesang von Nina v. Engelbrunner. Ebd. 803. gr. 8°. Die erstern Blätter befleckt.

9547 Hunnius, der Arzt für Schauspieler und Sänger. Weimar 798. gr. 8°.

9548 Droes, Samml. mehrstimmiger Choräle, Lieder und Motetten. Mit Vorrede von Dr. Friedemann. Weilburg 834. gr. 4°.

9549 Schulz, musikalisches Schulgesangbuch. Lpzg. gr. 8°.

9550 Weitershausen, Liederbuch zum Gebrauche beim Gesang-Unterrichte. 2 Thle. Giessen 829. 8°.

9551 Miller's Lieder mit Musik u. einer Einleit. von Eschtruth. 1r Thl. Marb. 788. 8°. nebst Musikheft in Quer 4°. Cassel.

9552 Hillenhagen, 22 ein=, zwei=, drei= u. vierstimm. Lieder für Schulen. Offenb. 833. Quer 4°.

9553 Horstig, Kinder-Lieder u. Melodien. Lpzg. kl. 8°.

9554 Reichart, Liederspiele. Tüb. 804. fl. 8°.

9555 Symposion. Ein Liederkranz für Freunde einer fröhlichen Tafel von Spiritus Asper u. Nestorius. Altenb. gr. 8°.

9556 Becker, Mildheimisches Lieder-Buch von 800 lustigen u. ernsthaften Gesängen. Gotha 815. gr. 8°.

9557 Volkslieder. 1r (einziger) Thl. Lpzg. 778. 8°.

9558 Oesterreichische Volkslieder mit ihren Singeweisen, gesammelt u. hrsg. v. Ziska u. Schottky. Pesth 819. gr. 8°.

9559 Russische Volkslieder in russischer Sprache m. Melodien. gr. 8°.

9560 Sammlung von Schweizer-Kühreihen u. Volksliedern, mit Melodien. 3te verm. Aufl. Bern 818. Quer 4°.

9561 Kurzgefaßtes musicalisches Lexicon. Chemnitz 749. 8°. Mit Papier durchschossen u. mit schriftl. Anmerkk.

9562 Wolf, kurzgef. musikalisches Lexicon. Halle 787. 8°.

9563 Dasselbe. 3te verb. Aufl. Ebd. 806. gr. 8°.

9564 Walther's musicalisches Lexicon. Lpzg. 732. gr. 8°.

9565 Universal-Lexicon der Tonkunst. Unter Mitwirkung der Herren Fink, Dr. Heinroth, Dir. Naue, L. Rellstab, Ritter von Seyfried, Prof. Weber ꝛc. ꝛc. redigirt von Dr. G. Schilling. 6 Bde. à 6 Hefte. A—3. complet. Stuttg. 834—38. gr. 8°.

9566 Gerber, histor.-biographisches Lexicon der Tonkünstler ꝛc. 2 Bde. A—3. Lpzg. 790—92. gr. 8°. Im Buchhandel vergriffen u. höchst selten.

9567 —— Neues hist.-biograph. Lexicon der Tonkünstler. 4 Bde. A—3. Ebd. 812—14. gr. 8°.

9568 —— Wissenschaftl. geordnetes Verzeichniß einer Saml. v. musikal. Schriften ꝛc. als ein Beitrag zur Literaturgeschichte der Musik, von dem Besitzer derselben E. L. Gerber. Sondersh. 804. 8°.

9569 Gallerie der berühmtesten Tonkünstler des 18n u. 19n Jahrhunderts. 2 Bde. Erfurt 816. 8°.

9570 Licht=u. Schattenseiten eines berühmten Virtuosen. Mit 1 Holzschn. Berlin 818. 4°.

9571 Musikalische Charlatanerien. Berl. u. Lpzg. 792. 8°.

9572 Legende einiger Musikheiligen, Nebst 2 Notentsln. Cölln 786. 8°.

9573 Joseph Haydn. Seine kurze Biographie u. ästhetische Darstellung seiner Werke. Erfurt 810. 8°.

9574 Burney's Nachricht von G. Fr. Händel's Lebensumständen, übers. von Eschenburg. Berlin u. Stett. 785. 4°.

9575 Siegmeyer, über den Ritter Gluck u. seine Werke. Berlin 823. gr. 8°.

9576 Hiller, über Metastasio und seine Werke. Lpzg. 786. gr. 8°.

9577 Tonsystem von Johann Sebast. Hollbusch. Mainz 792. 8°.

9578 Ueber Logier's Musikunterrichts-System von Kollmann u. Müller. Mchn. gr. 8°.

9579 Gretry's Versuche über die Musik. Im Auszuge und mit kritischen u. historischen Zusätzen hrsg. von D. K. Spazier. Lpzg. 800. gr. 8°.

9580 Mozart u. Süssmayer, ein neues Plagiat erstorm zur Last gelegt, u. eine neue Vermuthung, die Entsteh. des Requiems betreff. von Sievers. Mainz 829. gr. 8°. — Abbé Stadler, Vertheidigung der Echtheit des Mozartischen Requiem, nebst erstem u. zweytem Nachtrag hierzu. 3 Hefte. Wien 826. 27. 8°. — Ergebnisse der bisher. Forschungen über die Echtheit des Mozart'schen Requiems. Mainz 826. gr. 8°.

9581 Sal. von Til, Dicht= Sing= u. Spiel-Kunst, sowohl der Alten als besonders der Hebräer. Frkf. u. Lpzg. 719. 4°.

9582 Burney's Abhdlg. über die Musik der Alten. Uebers. und mit Anmerkk. von Eschenburg. Lpzg. 781. 4°.

9583 Jones, über die Musik der Inder. Uebers. u. mit Anmerkk. v. Dalberg, nebst einer Samml. indischer u. anderer Volksgesänge u. 36 Kpfrn. Erfurt 802. 4°.

9584 Schellenberg, die Paßmusik od. das Hermannsspiel. Göttingen 811. gr. 8°.

9585 Jones, Geschichte der Tonkunst, übers. u. mit Anmerkk. von Edler v. Mosel. Wien 821. gr. 8°.

9586 Chladni, die Akustik. Mit 12 Ktsln. Lpzg. 802. 4°.

9587 —— Neue Beiträge zur Akustik. M. 10 Ktsln. Ebd. 817. 4°.

9588 Markwort, Umriß einer Gesammt-Tonwissenschaft überhaupt, wie auch einer Sprach= u. Tonsetzlehre ꝛc. Darmstadt 826. gr. 8°.

9589 Rausch's psychologische Abhandlung über den Einfluß der Töne und insbesondere der Musik auf die Seele. Breslau 782. gr. 8°.

9590 Hiller, über die Musik u. deren Wirkungen. Lpzg. 781. 8°.

9591 —— Nachricht von der Aufführung des Händelschen Messias in der Domkirche zu Berlin. 8°.

9592 Nägeli, Vorlesungen über Musik, mit Berücksichtigung der Dilettanten. Stuttg. u. Tüb. 826. gr. 8°. Einige Stellen unterstrichen.

9593 Bollioud v. Mermet, von dem Verderben des Geschmacks in der franzöf. Musik. Altenb. 750. 8°.

9594 Boecklin, Beyträge zur Geschichte der Musik. Freyb. 790. 8°. — Beigeb.: Wahrheiten, die Musik betreffend. Frkf. 779. — Lorber's Lob der edlen Musik. Weimar 696. und noch einige andere Abhdlgn.

9595 Wahrheiten, die Musik betreffend, gerade herausgesagt von einem teutschen Biedermann. Frkf. 779.

9596 Behauptung der himmlischen Musik Hamb. 747. 8°. — Beigeb.: Schmidt, Musico-Theologia od. erbaul. Anwendung musikalischer Wahrheiten. Bayr. u. Hof 734. 8°.

9597 Junker, Tonkünst. Bern 777. 8°. Beigeb.: Von der musical. Declamation. Gött. 775.

9598 ——— Ueber den Werth der Tonkunst. Bayr. u. Lpzg. 786. 8°. Beigeb.: Kalkbrenner, kurzer Abriß der Geschichte der Tonkunst. Bln. 792.

9599 Burney's Tagebuch einer musikal. Reise durch Frankreich und Italien, übersetzt von Ebeling. 3 Thle. in 1 Bd. Hamburg 772. 73. 8°.

9600 Reichardt, vertraute Briefe, geschrieben auf einer Reise nach Wien u. den Oesterreichischen Staaten 2c. 2 Bde. Amsterd. 810. 8°.

9601 ——— An das musikalische Publikum 2c. — Beigeb.: Derselbe über die Pflichten des Ripien-Violinisten. — Desselben Schreiben über die Berlinische Musik — und noch mehrere Abhdlgn. über Musik.

9602 ——— Briefe eines aufmerksamen Reisenden, die Musik betreffend. 1r Thl. Frkf. u. Lpzg. 774. Derselbe über die deutsche comische Oper. Hamb. 774. 8°.

9603 Geist des musikal. Kunstmagazins von Reichardt, hrsg. von J. A. Berlin 791. 8°.

9604 Adlungs Anleitung zur musikal. Gelahrtheit. 2te Auflage. bes. von Hiller. Dresd. u. Leipz. 783.

9605 Arnold, der angehende Musikdirektor. Erfurt 808. 8°.

9606 Drewis, freundschaftl. Briefe über die Theorie der Tonkunst u. Composition. Halle 797. gr. 8°.

9607 Rochlitz, für Freunde der Tonkunst. 1r u. 2r Bd. Leipzig 824. 25. 8°.   [chen 817. 4°.

9608 Harmonie. Erklärung dieser Idee in drei Büchern. Mün-

9609 Christ. Fr. Dan. Schubart's Ideen zu einer Aesthetik der Tonkunst, hrsg. von Ludw. Schubart. Wien 806. gr. 8°. Mit 1 Kpst.

9610 Rellstab, Versuch über die Vereinigung der musikalischen u. oratorischen Declamation, für Musiker u. Componisten. mit erläut. Beispielen. Berlin. Folio.

9611 Michaelis, über den Geist der Tonkunst. Lpzg. 795. 8°.

9612 Von der musikalischen Poesie. Berlin 752. 8°.

9613 Brown's Betrachtungen über die Poesie u. Musik, übers. u. m. Anmerkk von Eschenburg. Lpzg. 769. 8°.

9614 Webb's Betracht. über die Verwandtschaft der Poesie u. Musik, übers. v. Eschenburg. Ebd. 771. 8°.

9615 Harris, Abhdlgn. über Kunst, Musik 2c. Halle 780. gr. 8°.

9616 ——— Drey Abhdlgn. über Kunst, Music, Mahlerey u. Poesie. Danzig 756. 8°. — Beigeb.: Gruber, Litteratur der Musik. Frkf. u. Lpzg. 792.

9617 ——— Dasselbe Werk. Beigeb.: Rößig, Versuche im musikalischen Drama. Bayreuth 779. — Briefe über Musikwesen besonders Chöra in Halle. Quedlinb. 781.

9618 Junker, Betracht. über Mahlerey, Ton- u. Bildhauerkunst. Basel 778.

9619 Algarotti, Versuche über die Architektur, Mahlerey u. musicalische Opera, übers. von Raspe. Cassel 769. 8°.

9620 Fidler, Musikal. Naturgeschichte der europäischen Haus-Landwirthschaftlichen u. Jagdbaren Thiere, mit musikal. Blättern von Clasing. Hamb. 806. 8°.

9621 Ast, System der Kunstlehre od. Aesthetik. Lpzg. 805. 8°.

9622 Lyceum der schönen Künste. 1n Bds. 1r u. 2r Theil. Bln. 797. gr. 8°.

9623 Kurzgefasstes Handwörterbuch über die schönen Künste, von einer Gesellschaft von Gelehrten. 2 Bde. A — Z. Lpzg. 795. 8°.

9624 Apel, Metrik. 2 Bde. Lpzg. 814 — 16. gr. 8°.

9625 Von Kempelen, Mechanismus der menschlichen Sprache nebst der Beschreib. seiner sprechenden Maschine. Mit 27 Kpstn. Wien 791. gr. 8°.

9626 Carl Pilger's, Roman seines Lebens. 3 Bde. Blz. 793. 8°.

9627 Allgaier, Anweisung zum Schachspiel. 2 Thle. in 1 Bd. mit Kf. Wien 802.

9628 Ein Packet mit über 50 Opern- u. Oratorien-Terte.

9629 Rameau, traité de l'harmonie reduite à ses principes naturels. Paris 722. 4°. Mit Forkel's Autograph auf dem Titel.

9630 ——— Code de musique practique ou methodes pour apprendre la musique, même à des aveugles etc. etc. Ib. 760. 4°.

9631 ——— Abregé de la nouvelle methode d'écrire ou de tracer toutes sortes de dances etc. gr. in-8°. Titel geschrieben. Sehr selten.

9632 Elémens de musique, théorique et pratique. suivant les principes de Mr. Rameau. Paris 759. gr. in-8°.

9633 Origine et progression de la musique suivies du parallele de Lully à Rameau etc. Ib. 769. 4°.

9634 Affilard, principes très-faciles pour bien apprendre la musique etc. Amst. Quer 4°.

9635 Fux, traité de composition musicale. 3 partes en 1 vol. Paris. gr. in-8°.

9636 Bemetzrieder, nouvel essai sur l'harmonie. Paris 779. 8°. avec un cahier de musique in-4°.

9637 Abbé Roussier, observations sur différens points d'harmonie. Genève 765. gr. in-8°.   [Ib. 781. 8°.

9638 Projet concernant de nouveaux signes pour la musique.

9639 Bordier, nouvelle méthode de musique. Paris. Folio.

9640 Reicha, cours de composition musicale ou traité complet et rais. d'harmonie pratique. Ib. Folio.

9641 Asioli, grammaire musicale. Lyon 819. gr. in-8°.

9642 Azopardi, le musicien pratique, trad. par Framery. 2 voll. Paris 786. gr. in-8°.

9643 Grétry, mémoires ou essais sur la musique. 3 voll. Ib. an V. gr. in-8°. (1r Bd. doppelt.)

9644 Histoire de la musique et de ses effets depuis son origine etc. 4 voll. Amst. 725.
9645 Rousseau, dictionnaire de musique. 2 voll. Ib. 769.
9646 Brossard, dictionnaire de musique. Ib. gr. in-8°.
9647 Castil-Blaze, dictionnaire de musique moderne. 2 voll. Paris 821. gr. in-8°.
9648 Choron et Fayolle, dictionnaire historique des musiciens. 2 voll. Ib. 810. 11. gr. in-8°.
9649 Lacombe, dictionnaire des beaux-arts. Ib. 753. 8°.
9650 Dubreuil, dictionnaire lyrique au choix des plus jolies ariettes de tous les genres, disposées pour la voix et les instrumens, avec les paroles franç. sous la musique. 4 voll. Ib. 769—71. gr. in-8°.
9651 Journal hebdomadaire ou recueil d'airs choisis dans les opera comiques mélé de Vaudevilles, Rondeaux, Ariettes, Duo etc etc 20 voll. Ib. 764—83. gr. in-8°. Fehlt Vol. III., IV. und XV. Sehr selten.
9652 Anthologie françoise ou chansons choisies, depuis le 13e siècle jusqu'à présent. 3 voll. Ib. 765. 8°.
9653 Nouvelle Anthologie françoise. 2 voll. Ib. 769. 8°.
9654 De l'art du théâtre et de la musique adoptée au théâtre. 2 voll. Ib. 769. 8°.
9655 La cantatrice par infortune ou les aventures de Mad. de N.... N... 3 part. en 1 vol. av. figg. Ib. an VII.
9656 La musique du diable ou le Mercure galant devalisé. Ib. 711. 12°.
9657 Molino, nouvelle méthode complète pour Guitarre ou Lyre. Ib. Folio.
9658 Kollmann, an essay on practical musical composition. London 799. Folio.
9659 Stanhope principles of the science of tuning. Ib. 806. gr. in-8°.
9660 Busby, a complete dictionary of music. Ib. 8°.
9661 Gay, the Beggar's opera, with the musik to each song. Ib. 754. gr. in-8°.

9662 Allgemeine musikalische Zeitung. 1r—25r Jahrgang, nebst Registerband über die ersten 20 Jahrg. Lpzg. 1798—1823. 4°. Ganz wohl erhalten. Ladenpr. Rthlr. 110.
9663 Dieselbe. Jahrg. 1835 u. 1841 (bei letzterem fehlt der Titel). 2 Bde. Ebd. 4°.
9664 Allgem. musikalische Zeitung, mit besonderer Rücksicht auf den Oesterreich. Kaiserstaat. 1r—5r Jahrg. 1817—1821. Wien. 4°.
9665 Berlinische musikalische Monatsschrift, Wochenblatt u. Zeitung 1792—94 In 1 Bd. 4°.
9666 Reichardt, musikalisches Kunstmagazin. 1r Bd. 1—3. Stück. Berlin 782. gr. 4°.
9667 ———— Berlin. musikal. Zeitung. 2 Bde. Ebd. 805. 06. 4°.

9668 Des critischen Musicus an der Spree erster Band. Berlin 750. 4°.
9669 Wöchentlicher musikalischer Zeitvertreib, Sommer-Quartal 1760. 40s—52s Stück, Winter Quartal 14s—26s Stück. 2 Bde. Lpzg. Quer 4°.
9670 Wöchentliche Nachrichten u. Anmerkk. die Musik betreffend. 1r—4r Jahrg. 4 Bde. Ebd. 766—70. 4°.
9671 Musikalische Real-Zeitung für die Jahre 1788—1791. Nebst musikalischer Anthologie hierzu. 2 Bde. Speier. 4°.
9672 Musikalischer Hausfreund für d. J. 1822—1827. 6 Bde. Mainz. 4°.
9673 Leipziger Kunstblatt, insbesondere für Theater u. Musik. 1r Jahrg. 1817. 18. 4°.
9674 Betrachtungen der Mannheimer Tonschule. 1r—3r Jahrg. 1778—1781. 3 Bde. 8°.
9675 Lorenz Mizler's musikalische Bibliothek oder gründliche Nachricht nebst unpartheyischem Urtheil von alten und neuen musikalischen Büchern 2c. Bd. 1—4n Bde. 1r Theil. Lpzg. 739—54. 8°.
9676 Etwas von und über Musik fürs Jahr 1777. Frkf. — Musikalischer Almanach für Deutschland für die Jahre 1782, 1783, 1784 u. 1789. Lpzg. — Musikal. Handbuch a. 1782, Alethinopol. — Musikalischer u. Künstler-Almanach auf das Jahr 1783, Kosmopolis. — Jahrbuch der Tonkunst von Wien u. Prag 1796. — Musical. Almanach von Reichardt. 1796. — Musical. Taschenbuch m. Musik v. Schneider 1803 u. 1805. Penig. Zusammen 11 Bde.
9677 Koch, Journal der Tonkunst. 1s u. 2s Stück in 1 Bd. Erfurt 795. 8°.
9678 Almanach musical 1776 — Calendrier musical universel 1788 et 1789. ensemble 3 voll. Paris 12°.

Clavier-Auszüge in Quer-Folio.

9679 Die Liebe im Narrenhause. Komische Oper von Edl. von Dittersdorf, für d. Clavier eingerichtet v. Walter. Mainz.
9680 Benda, der Dorfjahrmarkt. Komische Oper. Lpzg. 776.
9681 Naumann, Cora. Eine Oper. Mit Gerber's Autograph.
9682 Gretry, Richard Löwenherz. Clavier-Auszug von Zulehner. Mainz.
9683 Hiller, die Liebe auf dem Lande. Komische Oper. Lpzg. 769.
9684 Wolf, die Dorfdeputirten. Komische Oper. Weimar 773. Mit Gerber's Autograph.
9685 —— Die treuen Köhler. Operette. Ebd. 774. Ebenso.
9686 —— Das Rosenfest. Operette. Berlin 775.
9687 —— Polyxena. Lyr. Monodrama. Lpzg. u. Weimar 776.
9688 Neefe, die Einsprüche. Komische Oper. Lpzg. 773.
9689 Rolle, der Tod Abels. Musikal. Drama. Lpzg. 771.
9690 —— Saul od. d. Gewalt d. Musik. Musik. Drama Ebd. 776.
9691 Seydelmann, Arsene. 780.

Musikalische Autographa.

9692 Ariadne von G. Benda. Seine eigenhändige Original-Partitur, welche er in Gotha componirte. Quer Folio.

9693 Serenata von G. Benda. Dessen eigene Handschrift. Quer Folio.

9694 Missa Pastoritia vom Abt Vogler u. dessen eigenhändiges Manuscript. 1804. Quer Folio.

9695 Dasselbe Werk, Abschrift des vorigen, mit Gottfried Weber's Autograph, u. wahrscheinlich durchgehends von seiner Hand geschrieben. Folio.

9696 Haydn, G. M., Prologus. Durchgehends dessen eigenhändiges Manuscript, auf dem ersten Blatte dessen Autograph. Folio.

9697 Missa von G. M. Haydn, dessen eigenhändiges Manuscript nebst Autograph. Folio.

9698 Zwey Hefte Kirchen-Musik aus Joh. Gottfr. Walther's Nachlaß u. dessen eigene Handschrift. 4°. Mit Gerber's u. Andrè's Certificaten u. resp. Autographen a. d. Umschlage.

9699 Stölzel's, G. H., geistliche Cantaten, Messen ꝛc. 5 Hefte in Quer Folio, dessen eigene Handschrift nebst Autograph.

9700 Missa da Oratio Benevoli. Sehr sauberes Manuscript in hoch 4°.

9701 Ein Packet Blätter u. diverse musikalische Manuscripte aus E. L. Gerber's Nachlaß u. dessen eigene Handschrift.

9702 Die sämmtliche Chöre benebst den auserlesensten Arien, m. hinzugefügten Nahmen derjenigen Sänger u. Sängerin so sie ausgeführt, aus der im Jahr 1756 zu Dresden aufgeführten und von Capellm. Gassen compon. Oper: Olimpiade, gesammelt von E. L. Gerber. Leipzig 1767. 4° Gerber's eigene Handschrift.

9703 Fantasiee, Fugen und Capricciosen von Joh. Valentin Eckolt. 1692. Folio. Merkwürdiges Original-Manuscript, worin die Noten mit Buchstaben bezeichnet.

9704 Schiörring, Choral-Buch, oder Melodien zum Kopenhagener Gesangbuch. Kopenh. 1783. Quer 4°. Titel u. Register gedruckt, das Werk selbst aber das Original-Manuscript des Verfassers, welches er an E. L. Gerber (laut dessen eigenhändiger Bemerkung) verehrte.

(Schluß der Andrè-Gerber'schen Bibliothek.)

9705 Schiller, Geschichte des Abfalls der verein. Niederlande. 2 Thle. Lpzg. 801. ör.

9706 —— —— Geschichte d. 30jähr. Krieges. 2 Thle. Ebd. 802. br.

9707 —— —— Supplementband, enthaltend die Fortsetzungen der Geschichte des Abfalls der verein. Niederlande v. Curths und der Geschichte des 30jähr. Krieges von Woltmann. Ebd. 831.

Frieder Rempp

Zum Wandel der Tonbeziehungen in der italienischen Musiktheorie des 16. Jahrhunderts

Johann Kuhnau bemerkt in seiner am 8. 12. 1717 datierten, an Johann Mattheson gerichteten Stellungnahme über den Wert der Solmisation in der zeitgenössischen Musik, „daß, wie... alle redliche Musici angemercket haben, die Guidonischen 6 Voces zur Expression der 7 Clavium nicht zulangen, und die dahero nöthige Mutationes denen Lernenden eine grosse Tortur verursachen müssen, so sind sie auch nur auf das Genus Diatonicum, und die daraus bestehenden alten Modos musicos appliciret worden". Weiter fährt er fort, daß er in seiner Jugend noch zur Solmisation angeleitet worden sei, aber einige seiner Präzeptoren die „Transpositiones" nicht verstanden und oft Mi statt Fa und umgekehrt gesungen hätten; heutzutage benutze man die Guidonischen Tonsilben nur noch unter den katholischen Musici und den Italienern, sowie bei der Vorgabe eines „Soggetto", um damit die große oder kleine Terz in den beiden „Modi moderni" anzudeuten[1].

Der Streit über den Wert des Hexachordsystems hatte bis dato eine bis ins späte 15. Jahrhundert zurückreichende Tradition, und die schwerwiegendsten Auseinandersetzungen spielten sich gerade unter denjenigen ab, denen Kuhnau noch das Festhalten an den Tonsilben attestiert hatte. Bereits im Jahr 1491 berichtet Giovanni Spataro, daß viele cantori die Solmisationssilben außer Acht ließen und daß seine eigenen Schüler den Gesang ohne die sechs Tonsilben leichter erlernt hätten[2]. Der Widerspruch, den solche Worte in jener Zeit hervorriefen, war indes übermächtig, und das aus verständlichen Gründen. Denn das Hexachordsystem war längst nicht mehr ein bloß pädagogisches Moment zur leichteren Erlernung des Gesangs. Nach den ursprünglichen Intentionen Guidos bilden die beiden Sechstongruppen auf G und C im Rahmen der heptatonisch gegliederten diatonischen Skala die größtmöglichen Ausschnitte, in denen die Intervallverhältnisse gleich beschaffen sind. Grundgedanke der Gliederung ist die Idee von den ähnlichen Qualitäten der Töne im Quartabstand. Ihr Sinn besteht in der Unterscheidung zwischen der durch die Tonsilbe ausgedrückten Tonqualität und der durch den Tonbuchstaben bezeichneten Tonhöhe; dem Schüler war so ein mnemotechnisches Hilfsmittel gegeben, mit dem er die Lage der Ganz- und Halbtöne einer Melodie leicht bestimmen konnte. Mit der Einführung des Hexachordum molle etwa in der Mitte des 13. Jahrhunderts wird die Hexachordlehre problematisch, denn sie wird mit dem tonsystematischen Transpositionsgedanken verknüpft. Die beiden Hexachorde auf G und C stellen ja zwei verschiedene Ausschnitte aus der diatonischen Skala dar; das „naturale" ist durch den Halbton unter c–Ut, das „durum" durch den Ganzton unter g–Ut charakterisiert. Das Hexachordum molle dagegen ist vom streng diatonischen Stand-

---

1 Johann Mattheson, Critica Musica II, Hamburg 1725, S. 230 f. – Kuhnaus Äußerungen bilden zusammen mit Stellungnahmen anderer den Nachklang der zwischen dem Erfurter Organisten Johann Heinrich Buttstedt und Mattheson 1616/17 ausgetragenen Kontroverse.

2 Giovanni Spataro, Musices ac Bartolomei Rami Pareie honesta defensio in Nicolai Burtii Parmensis opusculum, Bologna 1491, fol. 16: „Quante persone . . . hanno lassato de imparare musica: Solo per quelle ambage de mutatione? E molti cantori che in cantar sono doctissimi non le observano. . . .Io insegnava ad alcuni nostri puti e zoveni per questa arte. Alcuni di loro usando questa per tri di: et alcuni per spacio de una septimana. Non audendo da alcuno: ma solamente contenuti della regula: Da se hanno imparate molte antiphone: e dapo senza dubitatione le proferiano: e dapo questo non passando molti di prima vista ex improviso senza vitio cantavano ogni cosa che era descritto per illas notas musicas: lo quale li cantori comuni fin qui non hano potuto fare:"

punkt aus eine Transposition des Hexachordum naturale, da es wie dieses den Halbton unter Ut hat[3]. Durch die Einbeziehung des b—Fa in die diatonische Skala wird deren heptatonische Gliederung zweideutig: Entweder gibt es eine Skala mit zwei verschiedenen Ganzton-Halbton-Ordnungen[4], oder es gibt nur eine Tonordnung, die auf zwei Skalen im Unterquintabstand verteilt ist. Das System der drei Hexachorde verschleiert diesen Tatbestand; die Hexachorde werden von den Theoretikern beschrieben als Bestandteile einer Skala mit der diatonischen Doppelstufe b—Fa/♮—Mi, in der sich b und h im unmittelbaren melodischen Nacheinander gegenseitig ausschließen. Hinzu kommt, daß man sehr bald mit Hilfe weiterer Hexachordtranspositionen die alterierten Töne als „musica ficta" in die Theorie miteinbezog und damit den Unterschied zwischen der Färbung einer Tonstufe und der Transposition der Skala völlig verdeckte. Die Tonsilben erhielten auf diese Weise eine zusätzliche tonsystematische Bedeutung; ihre beliebige Versetzbarkeit innerhalb der drei diatonischen und verschiedener „fiktiver" Hexachorde führte schließlich dazu, daß sie zu einer Art zweiten Tonbezeichnung wurden. In den späteren Hexachordlehren wie etwa der „Expositio manus" des Johannes Tinctoris erscheinen die Tonsilben als fundierendes, nicht als abgeleitetes Moment des Systems der Tonbeziehungen.

Einen neuen Denkansatz bringt nun Bartolomeo Ramos de Pareia in seiner 1482 zu Bologna gedruckten „Musica practica" in die Theorie. Ramos ersetzt die sechs bisherigen Tonsilben durch die acht Silben „psal-li-tur per vo-ces is-tas" und verbindet diese fest mit der C-Oktave. Einzige Mutationsstufe ist c (tas zu psal). An der diatonischen Doppelstufe b/h hält er weiterhin fest, jedoch bezeichnet er h als „is in disiuncto" und rückt b durch die Bezeichnung „is in coniuncto" terminologisch in die Nähe der alterierten Töne („coniunctae")[5]. Die Aufstellung der Acht-Silben-Reihe bedeutet, daß die „similitudo vocum" für Ramos in der Oktavähnlichkeit der Töne besteht und nicht mehr in der Quartähnlichkeit. Damit wäre nun eigentlich die Basis geschaffen für ein System transponierbarer Oktav-Skalen, die alle in derselben Weise wie die C-Oktave solmisiert werden könnten. Doch Ramos geht nicht so weit. Die Diatonik ist für ihn untrennbar mit der C-Skala verbunden, die ihrerseits — das Festhalten an der diatonischen Doppelstufe deutet es an — als Zusammensetzung zweier verschiedener Ganzton-Halbton-Ordnungen begriffen wird. Die alterierten Töne stehen nach wie vor außerhalb der Skala. Um die Ordnung des Tonmaterials einschließlich der alterierten Töne darzustellen, ist er daher gezwungen, wieder auf das System der Hexachordtranspositionen zurückzugreifen („Musica practica"1. II/5; Wolf S. 34 f.). Das 12-tönige System (mit den Alterationen cis, es, fis, as, b) der „manus perfecta" besteht aus drei gleichgebauten Drei-Hexachord-Ordnungen im Sekundabstand:

---

3 Vgl. Jacques Handschin, Der Toncharakter, Zürich 1948, S. 328.
4 Die Darstellung der Oktaven beider Skalen als konjunkte oder disjunkte Zusammensetzung zweier gleichgebauter Tetrachorde bei Gaston G. Allaire, The Theory of Hexachords, Solmization and Modal System, in: Musicological Studies and Documents, Band 24, herausgegeben von Armen Carapetyan, Rom 1972, S. 16 ff. (T = Ganzton, S = Halbton):

$$\overline{\text{T T}}\, \text{S}\, \overline{\text{T T}}\, \text{T}\, \text{S}$$
disjunkt: F G A B C D E F
           C D E F G A H C
$$\overline{\text{T T}}\, \text{S}\, \overline{\text{T T}}\, \text{S}\, \text{T}$$
konjunkt: C D E F G A B C
           G A H C D E F G

beruht auf der Voraussetzung, daß das Tetrachord T—T—S als diatonischer ‚Kern' der Tonordnung aufgefaßt worden sei. In der italienischen Musiktheorie des 16. Jahrhunderts kann davon keine Rede sein.
5 Ramos de Pareia, Musica Practica, Bologna 1482, 1.II/2, Beiheft II der Internationalen Musikgesellschaft, herausgegeben von Johannes Wolf, Leipzig 1901, S. 29. Die Begriffe disiuncto und coniuncto sind Übersetzungen der griechischen Termini „diezeugmenon" und „synemmenon"; sie bezeichnen die Herkunft der Töne h und b aus den gleichnamigen Tetrachorden der antiken griechischen Skala.

					Ut	Re	Mi	Fa	Sol	La		
		Ut	Re	Mi	Fa	Sol	La			Ut	Re
	Ut	Re	Mi	Fa	Sol	La		Ut	Re	Mi	Fa	Sol
ordo accidentalis dexter:	F	G	A	B	c	d	♭e	f	g	♭a/a	b	c'
ordo naturalis:	G	A	H	c	d	e	f	g	a	b/h	c'	d'
ordo accidentalis sinister:	A	H	♯c	d	e	♯f	g	a	h	c'/♯c'	d'	e'

Ramos nennt für die in allen drei „ordines" nicht alterierten Tonstufen d und g, die jeweils mit allen sechs „voces" solmisiert werden können, nur 18 Mutationsmöglichkeiten statt der rein rechnerisch möglichen 30 („Musica practica" 1.II/4; Wolf S. 33 f.). Das bedeutet, daß Mutationen nur zwischen Hexachorden möglich sind, die sich zu einer Drei-Hexachord-Ordnung zusammenschließen lassen. Die „manus perfecta" läßt sich also darstellen als Folge von sieben im Quartabstand aufsteigenden Hexachorden, aus denen sich fünf verschiedene gleichgebaute Drei-Hexachord-Ordnungen ergeben:

$$\overbrace{A - \underbrace{D - G}_{} - \overbrace{C - F}_{} - B - E}$$

A – D – G – C – F – B – E

Es ist in diesem System nicht möglich, etwa vom d–Ut des D-Hexachords nach d–La des F-Hexachords zu mutieren. Das Mutationsverbot über mehr als zwei quartverbundene Hexachorde hinweg korrespondiert mit der Vorschrift, daß die Alteration stets eine Vertauschung von Mi und Fa sein muß: Ein cis im „ordo naturalis" bedeutet also die Permutation des c–Fa im G-Hexachord zu cis–Mi im A-Hexachord usw. Jede Alteration außer der Permutation b–Fa/♮–Mi muß tonsystematisch als punktuelle Transposition nicht nur eines Hexachords, sondern einer Drei-Hexachord-Ordnung erklärt werden[6].

Die Erweiterung des aus sieben Hexachorden gebildeten 12-tönigen Systems zu einem aus 12 Hexachorden gebildeten 17-tönigen System durch John Hothby[7] und Pietro Aaron[8] macht die Hexachordlehre noch verwirrender, obwohl beide das b–Fa als alterierten Ton betrachten und demzufolge von einer aus den Hexachorden durum und naturale gebildeten diatonischen Skala ausgehen. In diesem System kann jede diatonische Tonstufe mit jeder Tonsilbe solmisiert werden, es sind also auf jeder Tonstufe theoretisch 30 Mutationen möglich. Damit, so scheint es, wird nicht nur die Drei-Hexachord-Ordnung, sondern auch die Auffassung der Alteration als Vertauschung von Mi und Fa aufgehoben; denn die Mutation von c–Fa im G-Hexachord zu c–Mi im As-Hexachord ist weder eine Alteration, noch findet sie innerhalb einer Drei-Hexachord-Ordnung statt. Jedoch erkennen sowohl Hothby wie Aaron die bisherige Alterationspraxis und damit indirekt auch die herkömmliche Hexachordordnung an. Während Aaron den Widerspruch zwischen den theoretischen und praktikablen Mutationsmöglichkeiten bestehen läßt, schränkt Hothby die Mutationsmöglichkeiten wieder ein, indem er verlangt, daß man wieder zur „alten" (d. h. im Normalfall zur diatonischen) Ordnung zurückkehren muß, wenn der Zweck der Alteration erreicht ist. Die transponierten Hexachorde dürfen also nur punktuell zur Alteration heran-

---

6 Aus dem Umstand, daß die Transposition stets die Verschiebung einer Drei-Hexachord-Ordnung (also zweier verschiedener Ganzton-Halbton-Ordnungen) bedeutet, ergeben sich unterschiedliche Vorzeichnungen bei gleichen Transpositionsabständen in verschiedene Richtungen. Die Unterquinttransposition des „ordo naturalis" ergibt die Skala mit einem vorgezeichneten ♭ und der Doppelstufe es–Fa/e–Mi. Aus der Oberquinttransposition dagegen resultiert eine Skala ohne Vorzeichen und mit der Doppelstufe f–Fa/fis–Mi. Vgl. hierzu Allaire, a. a. O., S. 27 f.

7 Vgl. Anton Wilhelm Schmidt, Die Calliopea legale des John Hothby, Leipzig 1897, S. 13–36; vgl. ferner Hugo Riemann, Geschichte der Musiktheorie, Berlin ²/1921, S. 309 f.

8 Zuerst 1531 im ohne Titel und Autorenangabe gedruckten Supplement zu Aarons Trattato della natura et cognitione di tutti gli tuoni; vgl. auch Pietro Aaron, Lucidario, 1545, IV/5–12 und Pietro Aaron, Compendiolo, Mailand, o. J., II/59 ff.

gezogen werden; die ♯-alterierten Töne sind stets als Mi, die ♭-alterierten Töne stets als Fa zu solmisieren, und die Vertauschung von Mi und Fa ist stets eine Permutation (Alteration), niemals eine (diatonische) Mutation. Gis ist also stets Mi, ges stets Fa, und g ist entweder Ut oder Sol. Die Alteration ist damit eindeutig als Färbung diatonischer Tonstufen ausgewiesen, ihre Erklärung mit Hilfe transponierter Hexachorde ist im Sinne des Wortes eine Fiktion.

Hothbys System war zu kompliziert, als daß es für die Praxis von Bedeutung hätte sein können, es machte zudem die Widersprüchlichkeit des Hexachordsystems überdeutlich. Die Bestrebungen der Theoretiker zielten in der Folgezeit mehr auf Vereinfachung, doch wurden dadurch die alten Widersprüche nicht beseitigt. Gaforis Bemerkung, daß vielfach die Subsemitonien mit der Tonsilbe der diatonischen Tonstufen solmisiert werden[9], barg keine Lösung, und Spataros radikale Abkehr von den Tonsilben ließ offen, wie man sich die Tonbeziehungen vorzustellen hatte. Vielversprechender war dagegen der auf Johannes Gallicus zurückgehende, von Pietro Aaron aufgegriffene[10] und von Giovanni Maria Lanfranco („Scintille di musica", 1533, S. 12 bis 30) weiterentwickelte Versuch, jeden Ton nur noch mit einer Tonsilbe zu solmisieren.

Von Aaron übernimmt Lanfranco die Teilung der „Hand" in zwei diatonische Ordnungen, eine „mano dell'ordine di ♮ quadro et di natura" und eine „mano dell'ordine di b molle et di natura", und fügt noch eine dritte Ordnung, die „mano dell'ordine della musica fitta", hinzu. Die Ordnungen sind, wie die Namen andeuten, jeweils aus zwei Hexachorden zusammengesetzt. Alle drei Ordnungen werden im gleichen Tonraum F–f" exponiert; die Mutationsorte sind für jede Ordnung festgelegt, sie differieren geringfügig beim melodischen Auf- und Abstieg. Die mittlere Oktav des Tonraums hat demnach folgendes Aussehen:

	f	g	a	b/h	c'	d'	es'/e'	f"	
per ♮:	Fa	Sol	Re	Mi	Fa	Re	Mi	Fa	(aufsteigend)
	"	"	La	"	"	Sol	La	"	(absteigend)
per ♭:	Fa	Re	Mi	b–Fa	Sol	Re	Mi	Fa	(aufsteigend)
	"	Sol	La	"	"	La	"	"	(absteigend)
per musica fitta:	Sol	Re	Mi	b–Fa	Re	Mi	es'–Fa	Sol	(aufsteigend)
	"	La	"	"	Sol	La	"	"	(absteigend)

Ferner differenziert Lanfranco die Ordnungen durch jeweils besonders hervorgehobene Tonstufen: 1. Die „chorda stabile", die ihren der antikisierenden Genuslehre entlehnten Namen deshalb trägt, weil sie stets nur eine Tonsilbe tragen kann, ist in der ♮-Ordnung f, in der ♭-Ordnung b und in der musica fitta-Ordnung es. 2. Die „chorde della permutatione", die man zur Vermeidung des Tritonus in Fa verwandeln kann, sind h–Mi (per ♮), e–Mi (per ♭) und a–Mi („per musica fitta"). Ob Lanfranco die Ordnungen als gleichgebaute Transpositionsskalen oder als unterschiedliche Tonordnungen aufgefaßt hat, ist definitiv nicht zu entscheiden. Einerseits beschreibt er die im „canto figurato" häufige Oberquart-Transposition (♭-Ordnung) als Verschiebung der Ganzton-Halbton-Ordnung innerhalb des Tonraums, damit die Tonart nicht zerstört wird („Scintille", S. 108). Andererseits sind die Ordnungen ihrer Funktion nach eindeutig Transpositionsskalen. Das wird nicht nur durch die jeweils im Unterquintverhältnis zueinander stehenden „chorde stabile" und „chorde della permutatione" deutlich, sondern vor allem dadurch, daß mit dem Prinzip „eine Tonsilbe pro Ton" die Oktavidentität der Töne nunmehr auch durch die Tonsilben ausgedrückt wird: Die Oktavspezies etwa des ersten Modus wird stets mit Re–Mi–Fa–Sol–Re–Mi–Fa–Re solmisiert, unabhängig davon, ob der Modus transponiert

---

9 Franchino Gaffurio (Gafori), Practica musicae, Mailand 1496, III/13; vgl. Riemann, a. a. O., S. 347.
10 Johannes Gallicus, Ritus canendi II, in: Coussemaker, Scriptores de musica medii aevi IV, S. 375–380; vgl. auch Riemann, a. a. O., S. 305 f., Pietro Aaron, Institutione harmonica, Bologna 1516, II/3; vgl. auch Aaron, Lucidario 1545, I/3. Die vereinfachte Solmisation gilt nach Aaron nur für den cantus figuratus, während für den cantus planus weiter die umständlichen Mutationsregeln der Drei-Hexachord-Ordnung gelten.

ist oder nicht. Die Unterscheidung zwischen Transpositionsskala und Ganzton-Halbton-Ordnung ist für Lanfranco ohne Bedeutung, nicht nur, weil eine Verschiebung der Tonordnung im selben Tonraum im Grunde eine Transposition ist, sondern auch, weil die Ordnungen nicht mit einer charakteristischen Oktavgattung verbunden sind. Weder ist die ♮-Ordnung eine C-Skala, noch ist die ♭-Ordnung eine F-Skala.

Die Gleichsetzung der ♮-Ordnung mit der C-Skala bzw. der ♭-Ordnung mit der F-Skala steht im direkten Zusammenhang mit dem Aufkommen der harmonischen Stimmung. Der erste, der die schon in der Antike bekannte harmonische Oktavteilung als Grundlage der geltenden Stimmung beschreibt, ist Lodovico Fogliano („Musica theorica", 1529, III/3). Die Form der heptatonisch gegliederten „harmonischen" Oktav[11] führt zwangsläufig zu einer Spaltung des diatonischen Tonmaterials (mit der Doppelstufe b/h) in eine C- und eine F-Skala. Für Fogliano ergeben sich daraus jedoch keine weiterreichenden Konsequenzen für die Tonbeziehungen, er ist nur interessiert an der Stimmung und ihrer praktischen, eine Temperatur erfordernden Anwendung. Das ist nur zu verständlich; denn im System der Modi bilden C- und F-Skala das Korrelat der harmonischen Stimmung, nicht der Tonart. Die charakteristische Oktav ist ein Kennzeichen des Modus, nicht der Skala.

Lanfrancos System der Ordnungen verdrängte ziemlich rasch die alte Hexachordgliederung. Die im neuen System (wieder) zur Geltung kommende Oktavidentität der Töne führte dazu, daß man sehr bald die Töne nur noch durch die Tonbuchstaben bezeichnete. So ist z. B. die „mano in musica" für Giovanni Del Lago nur noch „eine kurze und leichte Regel, die aus sieben Tonbuchstaben besteht, welche die sieben Tonunterschiede bezeichnen" („Breve introduttione", 1540, S. 4). Ein Übriges besorgte die harmonische Stimmung. Gioseffo Zarlino, durch dessen „Istitutioni harmoniche" ([1]/1558, benutzt wurde hier die 3. Auflage von 1573) die harmonische Stimmung allgemeine Verbreitung fand, erklärt schließlich die frühere Verbreitung des Hexachordsystems damit, daß die Töne der „Hand" nach der pythagoräischen Stimmung angeordnet sind („Istitutioni" II/30). Die Anspielung auf die Verschiedenheit der Ganz- und Halbtöne in der harmonischen Stimmung, welche die Gleichsetzung etwa des Sekundschrittes Ut—Re mit Fa—Sol (c—d) sowie die Erklärung der Alteration als Mi-Fa-Vertauschung fragwürdig machen[12], ist unüberhörbar.

Weder das System der Ordnungen noch die harmonische Stimmung bargen in sich allein die Möglichkeit, die zur Lösung des Problems der „musica ficta" hätte führen können. Erst die Beschäftigung mit der antiken Genus-Lehre veränderte allmählich die Vorstellung von den alterierten Tönen. Der um die Jahrhundertmitte zu beobachtende terminologische Umschwung – die alterierten Töne werden nun als dem chromatischen Genus zugehörig beschrieben – bedingte auch einen Unterschied in der Sache; denn zu verschieden sind „musica ficta" und „genere cromatico", als daß man beide unterschiedslos für dieselbe Sache hätte verwenden können.

---

11 Die Proportionenreihe 9:8 – 10:9 – 16:15 – 9:8 – 10:9 – 9:8 – 16:15 ergibt sich dadurch, daß man von der 1., 4. und 5. Stufe der Oktavskala jeweils eine harmonisch geteilte Quinte aufwärts (5:4 und 6:5) abmißt.

12 Die große Sekund c—d ist in der C-Skala (Ut—Re) ein großer Ganzton, in der F-Skala (Fa—Sol) ein kleiner Ganzton. Die Verwandlung von Mi zu Fa als Vertauschung von Ganz- und Halbtonschritten setzt die pythagoräische Stimmung voraus:
a   (9:8)   h (256:243) c'
a (256:243) b   (9:8)   c'. In der harmonischen Stimmung ergeben sich für C- und F-Skala verschiedene Teilungen:
C-Skala: a   (9:8)   h (16:15) c'
           a (27:25) b (10:9)   c'; b:h = 25:24
F-Skala: a (16:15) b   (9:8)   c'
           a   (9:8)   h (16:15) c'; b:h = 135:128.
Vgl. Carl Dahlhaus, Untersuchungen über die Entstehung der harmonischen Tonalität, Kassel 1968, S. 157 ff.

Zwar brachte man schon früher gelegentlich die Töne der „musica ficta" mit der Chromatik in Verbindung[13], doch konnte dies nicht darüber hinwegtäuschen, daß die „musica ficta" als Hexachordtransposition gelehrt wurde. Es macht für die ältere Theorie also keinen Unterschied, ob man eine rein diatonische Melodie etwa um einen Ganzton tiefer transponierte oder ob man in einer untransponierten Melodie alterierte Töne verwendete, man benutzte stets die Töne der „musica ficta". Das chromatische Tongeschlecht, dessen verschiedene Spezies Gafori im 2. Buch der „De harmonia musicorum instrumentorum opus" (1518) einem breiteren Kreis wieder bekannt gemacht hatte, beruht dagegen auf einer anderen Skalenteilung, die für die damalige Musik nicht praktikabel war. Indem man nun das chromatische Genus für die Praxis nutzbar zu machen suchte, veränderte man auch den tradierten Bereich der „musica ficta". Die Geschichte der Chromatik im 16. Jahrhundert ist die Geschichte einer wechselseitigen Umformung von antikem und mittelalterlichem Ideengut.

Der erste erwähnenswerte Versuch in diese Richtung stammt von Franchino Gafori („De harmonia" I/15—17). Sein „genus permixtum", das die enge Verwandtschaft zwischen diatonischem und chromatischem Genus aufzeigen soll, beruht auf der Darstellung der drei diatonischen Quartgattungen innerhalb eines Tetrachords bzw. der vier diatonischen Quintgattungen innerhalb eines gleichbleibenden Quintraums. Die Oktav des „vermischten Tongeschlechts" umfaßt neben den sieben diatonischen Tonstufen die sieben alterierten Töne cis, es, dis, fis, as, gis, b[14]. Die 14-tönige Skala enthält genau diejenigen Töne, die es ermöglichen, „Dreiklänge" mit kleiner oder großer Terz auf allen diatonischen Tonstufen zu bilden. Es scheint, als wolle Gafori dem diatonischen Tonbestand einen ganz bestimmten Bereich alterierter Töne zuordnen, die bislang als exterritoral, weil außerhalb der „Guidonischen Hand" stehend, betrachtet worden waren.

Gaforis Versuch, die Alteration vom Transpositionsgedanken der „musica ficta" zu trennen, blieb zunächst ohne Folgen. Erst um die Jahrhundertmitte, als die Diskussion über den Wert der antiken Genera für die zeitgenössische Musik — erinnert sei an den berühmten Disput zwischen Vicente Lusitano und Nicola Vicentino im Jahre 1551 — mit Vehemenz betrieben wurde, erfolgte ein weiterer Schritt. In seiner „L'antica musica ridotta alla moderna prattica" (1555), I/10, unterscheidet Vicentino die alterierten Töne nach „spetie del genere cromatico" und „spetie cromatiche". Der erste Begriff bezeichnet die Stufenintervalle („spetie") des chromatischen Tetrachords; die „spetie cromatiche" hingegen bezeichnen die Veränderung eines diatonischen (oder enharmonischen) Stufenintervalls zu einem den „spetie del genere cromatico" analogen Tonstufenschritt. Die Veränderung eines diatonischen Ganztons zu einem chromatischen Halbton ist ebenso eine „spetie cromatica" wie die Verwandlung eines diatonischen Halbtons in einen „chromatischen" Ganzton. F—fis und fis—a etwa sind „spetie del genere cromatico", weil sie im chromatischen Tetrachord e—f—fis—a vorkommen, gis—a, g—as oder es—f sind „spetie cromatiche", weil sie keine Stufenintervalle in der Skala des chromatischen Tongeschlechts bilden. Mit der Kategorie der „spetie cromatica" umgeht Vicentino die antike Vorstellung, welche das diatonische g und das chromatische fis als Varianten derselben Tonstufe („Lichanos meson") erklärt, und er ebnet damit der „modernen" Vorstellung den Weg, welche die Chromatik nun auch tonsystematisch als Färbung — und nicht als Transposition — begreift. Wie genau Vicentino zwischen Chromatik und Transposition unterscheidet, demonstriert er bei der Behandlung der sieben diatonischen Oktavgattungen, die er unter anderem auch mit drei ♭-Vorzeichen notiert („L'antica musica" III/14): Derartige Vorzeichnungen, so bemerkt er,

---

13 So bezeichnet z. B. Hothby die Töne der transponierten Hexachorde der 2. und 3. Ordnung als chromatisch; vgl. Schmidt, a. a. O., S. 26.

14 Die ♭-Alterationen es und as werden durch Ganztonrelationen zu f bzw. zu b dargestellt, da die verschiedenen Quart- und Quintgattungen in den Tonräumen H—e, e—a bzw. A—e, e—h außer dem b nur ♯-Alterationen erzeugen.

habe man bislang „musica finta" genannt, doch müßte man sie eher „transcrittione finta" nennen, denn der Unterschied zwischen derselben Komposition, einmal mit mehreren und einmal ohne Vorzeichen notiert, sei nur mit den Augen, nicht aber mit dem Gehör wahrnehmbar. Chromatik beruht für Vicentino auf der Veränderung der diatonischen Halbton-Ganzton-Ordnung mittels der „spetie cromatiche"; sie hat mit Transposition nichts zu tun[15].

Die Gleichsetzung der alterierten Töne mit dem chromatischen Tongeschlecht und – daran anschließend – die Gleichsetzung der chromatischen Töne mit den schwarzen Tasten des Klaviers (so Zarlino, „Istitutioni" II/46) wird nach Vicentino allgemein üblich, ohne jedoch den Begriff der „musica ficta" sogleich zu verdrängen. Zarlino etwa verbindet mit der Chromatik den Aspekt der Färbung und den der Transposition, wenn er sagt, daß man mit Hilfe der Töne des chromatischen und enharmonischen Tongeschlechts[16] sowohl die imperfekten Konsonanzen größer oder kleiner machen als auch eine Modustransposition, welches man auch als „cantar per musica finta" bezeichne, bewerkstelligen kann („Istitutioni" III/77). Und Ercole Bottrigari, der ansonsten streng zwischen Chromatik als Skalenteilung und „musica finta" als Tansposition unterscheidet, wendet sich ausdrücklich gegen jene Instrumentalisten, welche die alterierten Töne („voci sollevati") auch für diatonisch halten („Il Desiderio", 1594, S. 19). Man unterschied also sehr wohl zwischen Färbung und Transposition, subsumierte jedoch beides unter dem Begriff der Chromatik. Widerspruch regte sich erst (wieder) gegen Ende des Jahrhunderts. So bemerkt etwa Giovanni Maria Artusi, daß die schwarzen Tasten des Klaviers nicht nur dem chromatischen, sondern auch dem diatonischen Tongeschlecht dienen („Delle imperfettioni della moderna musica", 1600, I, fol. 16^V), und zuvor schon richtet Vincenzo Galilei an Zarlino die ironische Frage, ob denn eine transponiert ausgeführte Komposition nun „naturale, o accidentale o pure artifiziale" sei.[17]

In Galileis Theorie des Tonsystems[18] verbindet sich die Chromatik mit den diatonischen Ordnungen, die nunmehr eindeutig als Transpositionsskalen aufgefaßt werden. Die ♮-Ordnung wird als C-Skala, die ♭-Ordnung als F-Skala dargestellt („Dialogo della musica antica et della moderna", 1581, S. 6). Die analog zu den antiken Skalenbezeichnungen „Systema teleion metabolon" und „ametabolon" gebildeten Begriffe „sistema disgiunto" (♮-System) und „sistema congiunto" (♭-System) erscheinen zunächst irreführend; doch die Systeme bezeichnen eindeutig Skalen im Unterquintabstand: Das f des „sistema disgiunto" entspricht dem b des „sistema congiunto" („Primo libro de contrapunto, fol. 98^V). Beide Skalen sind eng miteinander verbunden: Ein b im ♮-System bedeutet stets einen punktuellen Wechsel ins ♭-System, niemals eine chromatische Alteration. Die alte Drei-Hexachord-Ordnung scheint in Galileis Systemen insofern noch durch, als die Transposition, so ist zu folgern, stets die Verschiebung beider Skalen bedingt. Mit Chromatik oder gar „musica ficta" hat die Transposition nichts mehr zu tun; die Funktion und tonsystematische Bedeutung der Chromatik ist eingeschränkt auf die Färbung.

---

15 Don Nicola Vicentino, L'antica musica, Rom, 1555, III/14: „et accio che alcuno non dica Musica Cromatica à quella compositione, che sarà notata con quattro b. molli, noi già ... haviamo dichiarato che cosa sia Musica Cromatica, laquale sarà la tramutatione che si sentirà quando prima serà tono, poi che si tramuterà in semitono, et di semitono in tono, con le spetie Cromatiche et con la privatione del caminare per i gradi naturali".

16 Als enharmonisch bezeichnet Zarlino die weniger gebräuchlichen Alterationsstufen ais, his, eis (Istitutioni III/72), ferner des, dis, ges und as (ebda. II/47). Die Bezeichnung enharmonisch ist insofern zutreffend, als im Tetrachord:
e (25:24) eis (128:125) f (5:4) a die zweite Tonstufe eis (Parhypate hypaton) dem diatonischen f entspricht.

17 Vincenzo Galilei, Il primo libro de contrapunto, 1587/1591, fol. 98^V, Die Kontrapunkttraktate Vincenzo Galileis, herausgegeben von Frieder Rempp, 1980, S. 70.

18 Die Aspekte Chromatik und Enharmonik der nicht systematisch ausgeführten Theorie sind hauptsächlich im Discorso intorno all'uso dell'enharmonio (Rempp, a. a. O., S. 163–180, vgl. auch S. 206 ff.) enthalten.

Nach übereinstimmenden Aussagen der Theoretiker besteht die Färbung in der Perfizierung verminderter Quinten und übermäßiger Quarten sowie in der Veränderung imperfekter Konsonanzen. Solange man tonsystematisch nicht zwischen Färbung und Transposition unterschied, konnte offenbleiben, ob die alterierten Töne beide Funktionen erfüllen, also Bestandteile perfekter wie imperfekter Konsonanzen sein konnten, oder ob einige Alterationen nur in einer Funktion gebraucht werden durften. Anders verfährt nun Galilei in seinem „Discorso intorno all'uso dell'enharmonio": Die Töne fis, b und es können beide Funktionen der Färbung erfüllen, die Töne dis, gis und as können nur Bestandteile imperfekter Konsonanzen sein („Discorso", fol. 22ᵛ). Ferner ordnet er den beiden diatonischen Skalen bestimmte chromatische Töne zu: Fis, cis und es gehören beiden Skalen an, gis gehört nur zum ♮-System, as zum ♭-System („Discorso", fol. 26). Somit ergeben sich zwei gleichgebaute 12tönige chromatische Skalen:

per ♮ : c – cis – d – es – e – f – fis – g – gis – a – b – h
per ♭ : f – fis – g – as – a – b – h – c – cis – d – es – e.

Die Zwei-Skalen-Ordnung umfaßt jedoch insgesamt 14 Töne. Das fehlende dis erklärt Galilei als „enharmonisch", weil es ohne eine primär chromatische Alteration (fis) und ohne eine diatonische Tonstufe (h) nicht im Zusammenklang verwendet werden könne („Discorso", fol. 25ᵛ)[19]. Aus der unterschiedlichen Funktionsbestimmung der chromatischen Töne und ihrer unterschiedlichen Zuordnung zu den beiden Skalen – das enharmonische dis muß seiner Bestimmung nach als Bestandteil einer imperfekten Konsonanz dem ♮-System zugeordnet werden, ihm entspricht ein enharmonisches gis im ♭-System – ergibt sich, daß die alterierten Töne perfekte und imperfekte Konsonanzen nur zu diatonischen Tonstufen bilden können. Fis etwa kann nur mit h zusammen eine perfekte Quinte bilden, nicht aber mit cis, weil cis nur Bestandteil einer imperfekten Konsonanz sein kann. Und cis kann auch nicht Bestandteil des „Sextakkords" e–gis–cis sein, weil es mit gis zusammen eine „perfekte" Quarte bildet („Discorso", fol. 25). Galileis Theorie der Chromatik und Enharmonik ist im Grunde eine Dreiklangstheorie; sie erlaubt nur alterierte „Dur- und Molldreiklänge" und deren „erste Umkehrungen" über den diatonischen Tonstufen der Zwei-Skalen-Ordnung. „Dreiklänge" über alterierten Tonstufen und Töne außerhalb des 14-tönigen diatonisch-chromatischen Systems müssen, so ist zu folgern, als Bestandteile anderer, transponierter Skalen aufgefaßt werden. Eine „Transpositionstheorie", welche über die Zwei-Skalen-Ordnung hinausgeht, gibt es noch nicht; sie ist auch überflüssig in einer Zeit, in der die Transposition keineswegs gleichbedeutend ist mit einem Wechsel der Tonart. Durch die Gleichsetzung von Oktavgattung und Skala gerät allerdings die Skala in eine gefährliche Nähe zum Modus. Am Beispiel der vierstimmigen Kadenz:

bemerkt Galilei, daß sie, wenn man lange genug im ♭-System moduliert habe, trauriger wirke, als wenn sie im ♮-System erklinge („Primo libro de contrapunto", fol. 86 f.). Nicht der Modus ist also verantwortlich für die Klangfolge, sondern die Skala, die Materialleiter, in welcher die Töne aufgrund ihrer unterschiedlichen Quart- und Quintrelationen zu den anderen Skalenstufen, so die Begründung Galileis, unterschiedliche Qualitäten besitzen. Bis zur endgültigen Umwandlung der Materialleitern zu Tonleitern ist es aber noch ein weiter und verschlungener Weg. In Deutschland hat sich dieser Wandel endgültig, wenn auch nicht ohne Widerstand, erst zur Zeit Bachs und Matthesons vollzogen.

---

19 Galilei negiert ähnlich wie Zarlino (vgl. Anm. 16) die kleine enharmonische Diesis (128:125) als melodisch aktives Intervall; vgl. Discorso intorno all'uso dell'enharmonio, fol. 7ᵛ f.

William H. Scheide

Bach Vs. Bach – Mühlhausen Dismissal Request Vs. Erdmann Letter

On June 25, 1708 the twenty-three year old Johann Sebastian Bach tendered his resignation as organist of St. Blasius Church in the Thuringian town of Mühlhausen and used the following words:

Wenn auch ich stets den Endzweck, nemlich eine *regulirte* kirchen *music* . . . gerne aufführen mögen . . .: so hat sichs doch ohne wiedrigkeit nicht fügen wollen . . . Alß hat es Gott gefüget, daß eine Enderung mir unvermuthet zu handen kommen, darinne ich mich in einer hinlänglicheren *subsistence* und Erhaltung *meines endzweckes wegen der wohlzufassenden* kirchen*music* ohne verdrießligkeit anderer ersehe . . .[1]

Here we are principally concerned with the strong word „Endzweck" (ultimate purpose) and the terms „regulirte *kirchen* music" and „wohlzufassenden kirchen*music*" which we assume are essentially synonymous. Their meaning has been variously interpreted by modern authors but we will endorse that given by Walter Blankenburg as *„die regelmäßige liturgische Einordnung der Kirchenmusik nach dem Kirchenjahr"*[2] and by Rudolf Eller as *„regelmäßige Kantatenaufführungen"*[3]. This view had already been elaborated at greater length by Alfred Dürr[4].

Such an interpretation suggests that Bach's goal was anything but unusual. Lutheran Germany in the early eighteenth century was full of church musicians who were continually preoccupied with composing music for the Sundays and feastdays of the church year. If the above quotation is accepted at its face value it seems obvious that Bach wished to become a church musician and it would therefore be only natural to associate himself with such a group.

If therefore we adopt this interpretation and consider how reliable Bach's words may be the only way I can conceive that the question might be answered is by the study of Bach's later life. To what extent did his professional work relate to *„regelmäßige Kantatenaufführungen"*? The first clear indication is Bach's promotion at Weimar on March 2, 1714 to concertmaster with the new assignment *„Monatlich neue Stücke ufführen"*[5]. Beginning with March 25, 1714 it seems clear that Bach performed a cantata roughly every four weeks until at least early 1716, a period of almost two years. The second indication is his appointment as Cantor of the Thomas-Schule and his undertaking on May 5, 1723, among other things, *„Die* Music *in beyden Haupt-Kirchen dieser Stadt, nach meinem besten Vermögen, in gutes Aufnehmen bringen"*[6]. Since Bach retained this position until his death on July 28, 1750 we may assume that his professional responsibilities for Leipzig church music extended over a period of twenty-seven years, well over half of his entire career. When this is added to the two years in Weimar we have a total of twenty-nine years in which Bach could consider that his principal professional preoccupation was *„eine* regulirte *kirchen* music", that is, he was engaged in realizing his *„Endzweck"*.

Something else that seems relevant here may be mentioned. In the inventory of Bach's estate there is a list of books[7]. Since Bach has become famous as a composer musicians have been

---

1 Dok I, no. 1, pp. 19 f.
2 Acta Musicologica 37, 1965, p. 121, n. 21.
3 Bach-Studien 5, Eine Sammlung von Aufsätzen, 1975, p. 9.
4 Alfred Dürr, Studien über die frühen Kantaten Johann Sebastian Bachs. Verbesserte und erweiterte Fassung der im Jahre 1951 erschienenen Dissertation, Wiesbaden 1977, pp. 223 f. Cf. also the 1951 edition, pp. 212 f.
5 Dok II, no. 66, p. 53.
6 Dok I, no. 92, p. 177.
7 Dok II, no. 627, pp. 494–496.

interested to know what books he consulted. But except for „Wagneri *Leipziger Gesang Buch 8. Bände"* there are no music books. The category is labeled „*An geistlichen Büchern"* and consists, aside from the above mentioned exception, of over fifty theological and devotional tracts of which several are in more than one volume. A three volume Bible with commentary by Johann Abraham Calov is now owned by Concordia Theological Seminary in St. Louis, Mo. It contains marginalia in Bach's autograph including the following opposite II Chr. 5:13: „*NB. Bey einer andächtig Musig ist allezeit Gott mit seiner Gnade Gegenwart"*[8]. This Biblical comment by the Leipzig Thomascantor certainly suggests his „*Endzweck".*

But whether one looks at Bach's music or at his life, there are few things about him that are simple. And so, after setting forth evidence tending to show that Bach pursued his „*Endzweck"* during much of his life, we now come to what has often been regarded as contrary indications. The most famous instance is probably the years 1717–1723 which Bach spent as Capellmeister to Duke Leopold of Cöthen. Since the Duke was Calvinist no „regulirte *kirchen* music" was performed at his court or church. Bach's duties as Cöthen Capellmeister were thus completely secular.

Another non-ecclesiastical musical activity with which Bach was identified in his later life was his direction of the Leipzig weekly concerts called the „Collegium Musicum"[9]. According to Werner Neumann the periods involved appear to have been (1) from perpaps early 1729[10] to the summer of 1737 and (2) from October 2nd, 1739 to at least 1741 and possibly until about 1744[11]. That is, we might estimate the first period at about eight years and the second at from two to four years making ten to twelve years in all that Bach was associated with the Collegium Musicum. No records are known of most of the music performed but Neumann remarks: „*Bach . . . dürfte . . . weit mehr, als man gemeinhin glaubte, in Anspruch genommen worden sein"*[12]. There is, however, one distinction to be drawn between Bach's activities with the Leipzig Collegium and his earlier employment by the Duke of Cöthen: in 1717–23 Bach's Cöthen Capellmeistership was his only activity while in Leipzig his direction of the Collegium Musicum was assumed in addition to his continuing responsibilities as Cantor and Director Musices. It must be admitted, however, that on the basis of extant evidence it is difficult to judge in any objective or precise way how important this distinction may be.

We now come to a large body of evidence indicating that Bach's relations with his Leipzig ecclesiastical colleagues and superiors were not always of the best. There is first his dispute with Leipzig University concentrated mainly in 1725[13] followed by the choosing of hymns in 1728[14]. Then come three significant documents in 1730: the Council's characterization of Bach as „*incorrigibel"*, Bach's „*Entwurff einer wohlbestallten Kirchen* Music" and his letter to Georg Erdmann[15]. The „*Entwurff"* contrasts the ideal conditions in Dresden with the miserable situation of music and musicians in Leipzig and to Erdmann he writes that his own Leipzig

---

8 Christoph Trautmann, „Calovii Schrifften. 3. Bände" aus Johann Sebastian Bachs Nachlaß und ihre Bedeutung für das Bild des lutherischen Kantors Bach, in: Musik und Kirche 39, 1969, pp. 145–160.

9 Cf. Werner Neumann, Das „Bachische Collegium Musicum", in: BJ 1960, pp. 5 ff.

10 The first indication is Bach's postscript in a note to Christoph Gottlob Wecker dated March 20, 1729: „ . . . ich . . . (das) . . . *Collegium* zu übernehmen willens" (Dok I, no. 20, p. 57). But since (1) there are no other indications of his activity with the Collegium in 1729, (2) he does not state explicitly that he had regularly directed concerts of the Collegium before March 20, 1729, (3) he performed a massive amount of funeral music for the Duke of Cöthen on March 24, 1729 and (4) he performed his longest extant work, the St. Matthew Passion, on April 15, 1729, we conclude that Bach's regular weekly activities with the Collegium began not earlier than the post-Easter season of 1729.

11 Neumann, op. cit., p. 10.

12 Ibid., p. 25.

13 The following sixteen documents are relevant: Dok I, nos. 10, 11, 12, Dok II, nos. 159, 187, 189, 192, 194, 195, 196, 197, 198, 201, 202, 203, 205.

14 Cf. Dok I, no. 19 and 19 A, Dok II, no. 246 and reference to Bitter under „Lit."

15 Dok II, no. 280, Dok I, nos. 22 and 23 respectively.

position has become so intolerable that he must secure some other post. Nothing came of this wish and six years later occurred what was perhaps the fiercest of all his disputes with the new rector Ernesti regarding the right to appoint chorus prefects, a controversy lasting at least one and a half years from August 1736 to February 1738[16]. In 1739 Bach declared that performing the annual passion on Good Friday Vespers was *„nur ein* onus"[17] which expresses anything but ¨enthusiasm for *„eine* regulirte *kirchen* music". Although no further dispute is documented for the next ten years Bach must have been intensely disliked for in 1749 two documents discuss his successor „in case he should die"[18]. Ten days after he did die one year later his successor was elected with the sarcastic comment: *„Die Schule brauche einen* Cantorem *u. keinen CapellMeister"*[19]. Such was Bach's eulogy from his employers.

The combination of an essentially secular Cöthen Capellmeistership, at least ten years of secular Collegium Musicum concerts in Leipzig and so lengthy a record of strife and ill-feeling between Bach and his Leipzig ecclesiastical associates has sufficed to create a doubt as to the reliability of Bach's words about his *„Endzweck"* in the minds of many who have written about Bach's life and work. In general they can be said to base their case on one or more of the following six quotations from the 1730 letter to Erdmann:

(1) (in Cöthen I, Bach) „vermeinete meine Lebenszeit zu beschliessen." (2) (But Duke Leopold of Cöthen, Bach's employer, married) „da es denn das Ansehen gewinnen wolte, als ob die *musicalische Inclination* bey besagtem Fürsten in etwas laulicht werden wolte, zumahln da die neüe Fürstin schiene eine *amusa* zu seyn" (3) (Bach) *„vociret* wurde" (to Leipzig) (4) „Ob es mir nun zwar anfänglich gar nicht anständig seyn wolte, aus einem Capellmeister ein *Cantor* zu werden" (5) „wurde mir diese *station* dermassen *favorable* beschrieben . . . (zumahln da meine Söhne denen *studiis* zu *incliniren* schienen). . ." (6) „Da aber nun (1) finde, dass dieser Dienst bey weitem nicht so erklecklich als man mir Ihn beschrieben, (2) viele *accidentia* dieser *station* entgangen, (3) ein sehr theürer Orth u. (4) eine wunderliche und der *Music* wenig ergebene Obrigkeit ist, mithin fast in stetem Verdruss, Neid und Verfolgung leben muss, als werde genöthiget werden mit des Höchsten Beystand meine *Fortun* anderweitig zu suchen."

There thus seems little doubt that the letter to Erdmann stands in conflict with the Mühlhausen document[20]. It may therefore be useful to probe some of the above six quotations.

The validity of (2) has already been questioned[21]. That is because Duke Leopold married on December 11, 1721, his wife died on April 4, 1723 and Bach obtained the Duke's permission to accept the Leipzig Cantorate ten days later on April 14, 1723. That means that if the Duke's wife had been the cause of Bach's desire to leave he could still have changed his mind after her death and remained there in accordance with his intention stated in quotation (1) of the letter to Erdmann.

What then of quotation (1)? There is first Dok II (No. 102, p. 78), which reports that on November 21, 1720 Bach was present in Hamburg and was one of a group who *„sich . . . zu*

---

16 Another aggregation of sixteen documents, several very long and turgid, are again relevant: Dok I, nos. 32, 33, 34, 35, 39, 40, 41, Dok II, nos. 382, 383, 392, 394, 399, 401, 403, 406, 412.

17 Dok II, no. 439, p. 339.

18 Dok II, nos. 583, 584. The respective words are: „bey sich dereinst ereignenden Abgang Herrn Bachs" and „wenn der . . . Herr . . . Bach versterben sollte".

19 Dok II, no. 614, p. 479. Bach's successor Johann Gottlob Harrer entered on active service on St. Michael's Day 1750, two months after Bach's death. This may be compared with Bach entering on active service about one year after Johann Kuhnau's death (June 5, 1722 to May 30, 1723).

20 Cf. Friedrich Blume in MGG 1, column 983: „Von einem Bewußtsein, damit seinem Mühlhausener ,Endzweck' näher gerückt zu sein, verlautet kein Wort" (in the letter to Erdmann).
It is difficult for me to imagine that this letter was originally an isolated expression of Bach's adverse feelings about Leipzig. I would think it more likely that, at the time of the Erdmann letter, Bach's feelings were such that he wrote to every person he could think of asking for help in securing another position. This hypothesis would thus assume that the Erdmann letter is the only extant member of an original group of letters on the same subject the rest of which are lost. Some three years later Bach wrote similarly to the King of Saxony (cf. note 38 below).

21 For example, by Blume, op. cit., columns 982 f.

der Wahl eines Organisten *angegeben"*. It is likely that during this visit Bach played for Reinken and impressed him and even that he performed BWV 21 since Mattheson mentioned its repetition of text in 1725 (Dok II, No. 200, p. 153)[22]. He did not receive the appointment. About three months later, on March 24, 1721, Bach dated his dedication in French of the six Brandenburg Concertos to the Elector of Brandenburg and included these words: *„je n'ai rien tant à cœur, que de pouvoir être employé en des occasions plus dignes d'Elle (Altesse Royalle) et de son service"*[23]. These documents, all dating from Bach's Cöthen period, are offered here as evidence that, before the Duke acquired his allegedly unmusical wife, Bach had already made more than one effort to leave his service. In addition, Bach's notation: *„Ante Calvinismus . . . von D. Pfeifern"* on the title page of the *„Clavierbüchlein vor Anna Magdalena Bachin Anno 1722"* evidently alludes to August Pfeiffer's Anti-Calvinismus, 1699. It was in Bach's library at his death.[24] Mention of it in a context suggestive of Calvinistic Cöthen would seem to increase the likelihood that Bach wished to leave that community and return to a Lutheran environment. All this would be in direct conflict with quotation (1) of the letter to Erdmann written some ten years later. We conclude that quotation (1) is not reliable.

Bach's use of the passive voice in quotation (3) suggests that his call to Leipzig, or at least the initiative in that matter, was none of his doing. Here we may cite the first mention of Bach in the Leipzig Council proceedings on December 21, 1722:

Diejenigen, so wegen des *Cantorats* zur probe aufgestellet werden solten, wären lezthin *denominiret*, es hätten sich noch mehrere gemeldet, als der Capellmeister Graupner in Darmstadt und Bach in Köthen, (und) Fasch.[25]

This surely indicates some previous gesture on Bach's part. We therefore conclude that quotation (3) is misleading and that Bach himself was responsible for his being brought to the attention of the Leipzig Council.

The same citation is also useful in considering quotation (4). As Friedrich Smend noted:

Ausser dem Hofkapellmeister Bach bewarben sich um das Leipziger Amt Johann Friedrich Fasch, Hofkapellmeister in Zerbst, und Christoph Graupner, Hofkapellmeister in Darmstadt.[26]

Smend then quoted Mattheson's remark that after Bach's unsuccessful quest for an organist's position in Hamburg he was *„nach Verdienst, zu einem ansehnlichen Cantorat befördert worden"*[27] and concluded: *„Das klingt nicht nach ,sozialem Abstieg' "*. And if comparative rank is to be considered, the position of a Hamburg organist would seem to be even lower than that of the Leipzig *„Cantor und Director Musices"*. We thus conclude that quotation (4) is also unreliable.

Quotation (5) divides into two parts. We will first consider the concluding words, those dealing with the *„sons' inclination to studies"*. This presumably means that Bach considered that Wilhelm Friedemann and Carl Philipp Emanuel, aged approximately thirteen and nine years respectively, were likely to prove good students in Leipzig University and that therefore their father should be near them. But it may be asked what percentage of students at Leipzig University in the seventeen twenties came from Leipzig homes. If the percentage was high and widely recognized Bach's attitude is understandable; if the parents of many students lived in

---

22 Cf. Paul Brainard, Cantata 21 Revisited, in: Studies in Renaissance and Baroque Music in Honor of Arthur Mendel, Kassel and Hackensack 1974, p. 237. For the tradition that Bach played for Reinken, see Nekrolog, p. 165 (Dok III, no. 666, p. 84).
23 Dok I, no. 150, pp. 216 f.
24 Cf. NBA, V/4, p. VI (facsimile) and KB 1957, p. 23. Also Dok II, no. 626, p. 495.
25 Dok II, no. 119, p. 88.
26 Friedrich Smend, Was bleibt?, in: Der Kirchenmusiker 13, 5. Heft, Sept./Okt. 1962, p. 11.
27 Dok II, no. 253, p. 187.

other localities it loses its force. We conclude that the reliability of the second part of quotation (5) depends upon the geographical distribution of the parents of students at Leipzig University in the seventeen twenties.

The rest of quotation (5) and all of quotation (6) are of a piece. Undoubtedly Bach was told that the Leipzig „station" was „favorable" and when he wrote to Erdmann he was expressing bitter disillusion. But that explains why he wrote to Erdmann, not why he had originally accepted the Leipzig „station".

How then can the unreliability of Bach's letter to Erdmann be explained? Blume, in his 1949 MGG Bach article, called Bach's letter to Halle dated March 19, 1714 a „temperamentvolle Schreiben" (column 974). Perhaps those words could be applied to the letter to Erdmann. I for one would be inclined to give Bach full sympathy for any temperament he felt like displaying in that letter. Such a letter, however, would not be the most reliable place to look for facts stated with coldly objective, detached precision and accuracy.

But if the Erdmann letter is unreliable, if our interpretation of the Mühlhausen document is reliable, there is still the problem of explaining the Cöthen period, the „Bachische Collegium Musicum" and the intense ecclesiastical strife at Leipzig. Let us first consider Cöthen. The record of three attempts (or at least gestures) to leave in a period of only five and a half years suggests the question: how did Bach happen to go there in the first place? This requires a review of the preceding Weimar period with the hope of answering another question: why might Bach have wanted to leave Weimar so strongly that he was willing to go even to prison to achieve this aim?

We will begin by assuming that one of the reasons why Bach went to Weimar was because he expected to find there the „Erhaltung meines endzweckes wegen der wohlzufassenden kirchenmusic ohne verdriessligkeit andere". But however that may have been, his first position at Weimar was as court organist[28]. He is also occasionally called „Cammer-Musicus". The Capellmeister was Johann Samuel Drese (1644–1716) but during the years 1708–1716, when Bach and Drese were both at Weimar, the Capellmeister's duties were performed by the Vice-Capellmeister who in those years was Drese's son, Johann Wilhelm Drese (born 1677)[29]. Duke Wilhelm Ernst of Weimar was noted for his conservative tastes and preference for seniority guided his appointments. It is therefore not surprising that the younger Drese succeeded his father as Capellmeister when the latter died on December 1, 1716, the Tuesday after the First Sunday in Advent.

Since in 1708–1713 Bach is always (and often only) called „Organist" we may start with that activity. At various times during that period, especially around 1712, he must have been considerably inconvenienced because of extensive repairs not only of the building but of the organ itself. In 1714 there was installed what amounted to a new organ. But by that time Bach had acquired the additional responsibility of producing a cantata every four weeks. Nevertheless, in spite of all this, many writers have agreed with Blume's words: „In Weimar ist der Großteil von Bachs freien Orgel-Kompositionen und eine beträchtliche Anzahl seiner Choralbearbeitungen entstanden."[30] We may therefore consider the Orgelbüchlein which, despite its Cöthen title, is generally assumed to have originated in Weimar. It consists of over one hundred and eighty pages all labeled with the titles of Lutheran chorales beginning with Advent hymns and proceeding through the church year. About one quarter of these pages are filled with music in Bach's autograph (most of the other pages contain no music). Bach's autographs, which in-

---

28 Dok I, nos. 84, 147, Dok II, nos. 38, 39, 40, 41, 42, 44, 45, 46, 47, 48, 49, 50, 50a, 51, 52, 53, 54, 55, 56, 57, 59, 61. The period covered by these twenty-four documents runs from 7/14/1708 to 11/27/1713.
29 Reinhold Jauernig, Johann Sebastian Bach in Weimar, in: Johann Sebastian Bach in Thüringen, 1950, p. 102, note 27.
30 Blume, op. cit., column 975.

clude most of the Advent and Christmas chorales, have been assigned mostly to two periods: 1713–14 and 1715–16[31]. The earlier stage, which includes fifteen Advent and Christmas chorales, must therefore involve the Advent season in 1713. Moreover, since the first stage also includes three chorales from the late pages, the book itself must have been already acquired and the titles must have been previously entered. In other words, the overall plan of the *Orgelbüchlein* must antedate Advent season in 1713. This is the point that attracts our present interest. For the plan of the *Orgelbüchlein* organizes organ music according to the church year. It could thus be considered „*eine* regulirte *kirchen* music" for the organ. But the term „*kirchen* music" traditionally did not mean music for the solo organ but for voices and instruments, that is, cantatas. Thus Bach's conception in the *Orgelbüchlein* of a set of solo organ chorales arranged according to the church year could be considered a substitute for a *Jahrgang* of cantatas. In this way the court organist might be considered to be fulfilling his „*Endzweck*" since circumstances were not permitting him to fulfill it in any other way.

Such a hypothesis may serve to throw some light on the unfinished state of the *Orgelbüchlein*. All that would be necessary would be to assume that after March 2, 1714 Bach perceived and set his heart on the possibility of constructing a *Jahrgang* of cantatas; completion of the *Orgelbüchlein* no longer became an inner necessity for him. We thus conclude that the plan of the *Orgelbüchlein* was Bach's earliest extant effort to fulfill his „*Endzweck*", an effort that he knew to be inappropriate and that he used only because of his inability to express himself in any other way, and which he abandoned as soon as more appropriate means of expression became available to him.

But there is an additional reason to think that Bach's preoccupation with the plan of the *Orgelbüchlein* may antedate Advent, 1713. That is because on December 14, 1713 Bach was offered the post of organist at the Liebfrauenkirche in Halle with the extra assignment „*über den dritten Sonntag . . . eine . . . andächtige* Musique *zu* exhibiren" and also on feast days[32]. Bach's letter of January 14, 1714 indicates definite interest and suggests a few changes, for example „*wegen des* salarii"[33] but Halle was not favorable to this request. In the meantime Bach's salary at Weimar, which was already more than that offered by Halle, was further substantially increased in addition to the new and important duty „*Monatlich neüe Stücke ufführen*". Thus it would appear that everything that Halle offered had been equalled or bettered by Weimar.

In his letter of March 19, 1714[34] Bach was careful to deny that any of this was more than a coincidence. It is, however, hard to believe him. The scenario gives a strong impression that Bach used the Halle offer to extract concessions from Weimar. Why might he have wished to remain there? Capellmeister Drese, who was sixty-nine years of age in 1713, had been ailing for years and unable to perform the duties of his office. In such circumstances it would be not at all unnatural for Bach to be thinking of succeeding to that post. What he would need was a chance to prove his worth. For over five years he had had no such chance. But less than three months after the Halle offer of cantatas „*über den dritten Sonntag*" came the Weimar directive on March 2, 1714 „*Monatlich neüe Stücke ufführen*". We conclude that Bach regarded this as a significant step forward[35].

31 See Georg von Dadelsen, Zur Entstehung des Bachschen Orgelbüchleins, in: Festschrift Friedrich Blume, Kassel etc. 1963, pp. 74–79, and Ernst Arfken, Zur Entstehungsgeschichte des Orgelbüchleins, in: BJ 1966, pp. 41–58.
32 Dok II, no. 63, p. 50. The implied meaning might be: „the third Sunday of every month" or „every third Sunday". We incline to the first alternative.
33 Dok I, no. 2, p. 21.
34 Dok I, no. 4, pp. 23 f.
35 March 2, 1714 was the Friday before the Third Sunday in Lent (Oculi). This was the day celebrated by the text of BWV 54 in the 1711 textbook of Georg Christian Lehms „Gottgefälliges Kirchen-Opffer" but no day is mentioned in any musical source of Bach's setting (four copy scores; cf. NBA I/18, KB, 1967,

In 1714 and 1715 there are reasonably convincing indications that Bach was following his „Monatlich" (evidently every fourth Sunday) schedule with some regularity. But after the Second Sunday after Epiphany, 1716 we are in darkness as to his Weimar activities which, with one interruption, continues until the startling news of his imprisonment (November 6, 1717) „wegen seiner Halsstarrigen Bezeügung v. zu erzwingenden Dimission" which was followed, after twenty-six days, by release and dismissal „mit angezeigter Ungnade" on December 2, 1717[36]. The only interruption in this generally obscure period occurred one year earlier with BWV 70a on December 6, 1716, the Second Sunday in Advent, BWV 186a on December 13, 1716, the Third Sunday in Advent and BWV 147a/1 for the Fourth Sunday in Advent which in 1716 would have fallen on December 20th.

It is at the minimum a curious coincidence that this single indication of cantata composition occurs immediately following the death of Capellmeister Johann Samuel Drese on December 1, 1716. But if those events were connected we might better understand why Bach ceased to compose BWV 147a after its opening movement. His purpose in composing this music would have been not only to relieve the deceased Capellmeister's son, Johann Wilhelm Drese, the Vice-Capellmeister, from his regular duties so that he could attend to his father's burial, funeral and other affairs for a reasonable period, but more importantly to bring himself to the attention of Duke Wilhelm Ernst with the intention of persuading him to appoint him (Bach) as the new Capellmeister. Since this did not occur all that here needs to be assumed is that Bach learned of this fact as he finished the composition of BWV 147a/1. His ceasing to compose further would be interpreted as part of his reaction to his failure to secure the Capellmeistership. We would conceive the situation to have been somewhat as follows: for eight years Bach had been organist at a strictly Lutheran court capelle at which a „regulirte kirchen music" was practised. There on countless occasions he would have perceived how crucially and even totally the character of this „regulirte kirchen music", which he regarded as his „Endzweck", depended upon the power and whims of the person who was exercising the office of Capellmeister. From 1708 to December 1, 1716 the Capellmeister was the senior Drese who, however, was so infirm that his duties were all performed by the Vice-Capellmeister who was his son. We will now assume that Bach, over the course of the years, did not acquire much respect for the musical abilities of Drese Junior. His remaining at Weimar after the Halle offer would therefore be interpreted as caused by his hope of succeeding the senior Drese upon the latter's expected death. Accordingly, when Drese Senior died and his office was conferred, not upon Bach, but upon Drese Junior, it might be assumed that Bach suffered extreme frustration and disappointment. He concluded 1) that, in order to realize his „Endzweck", he himself must be the person in charge of the musical forces in the place where he worked and 2) he could no longer hope to secure that position at Weimar. We therefore assume that he began to look for such a position somewhere else. We assume further that his emotional (or perhaps temperamental) state was such that it affected his view of what he sought. That is, his frustration was such

---

pp. 9 ff.). In 1715 that day was filled by BWV 80a. Why then are two Weimar cantatas for the same day extant? A suggestion might be (1) that when Bach heard on the Friday before Oculi that he was to perform „Monatlich neüe Stücke" he consulted the available textbooks and noticed that Lehms offered an unusually short text of only two arias and one recitative. So Bach was able to compose BWV 54 on Friday evening, March 2, 1714. (2) But on Saturday, March 3rd, he learned that no work of his could be performed until March 25th. BWV 54 was therefore not performed on Oculi, 1714. (3) Composition (and presumably performance) of BWV 80a for Oculi, 1715 suggests that BWV 54, in spite of its Oculi text, had nevertheless been already performed in 1714 and thus become associated with some other day (perhaps the Seventh, Fifteenth, Nineteenth or Twenty-Third Sunday after Trinity in that year, all of which are at present without an extant Bach work). The main possibility to be suggested here is that BWV 54 may be evidence of Bach's enthusiastic welcome of the new opportunity to realize his „Endzweck".

36 Dok II, no. 84, p. 65.

that a position of chief responsibility was primary in his mind, be it a capellmeistership or otherwise, and this preoccupation was so intense that it left no room for the additional and important question: what music would he be required to perform? With such a point of view it is not surprising that he accepted a position where, in due course, he found that his *„Endzweck"* could not be fulfilled. But his eagerness to obtain a capellmeistership, whether or not he knew of Cöthen's *„Calvinismus"*, was such that he was willing even to go to prison in order to achieve it.

If then we assume that Bach went to Cöthen because the aura, power and authority of a Capellmeister's office interested him at that time far more than what kind of music he was supposed to perform it may become easier to understand his repeated efforts, already alluded to, to leave within five years. On the other hand, once he had put into effect his *„Endzweck"* in the first Leipzig years as Cantor and Director Musices he evidently saw no obstacle to adding the secular responsibilities of the Collegium Musicum. It is indeed unfortunate that so little is known about what was actually performed at those concerts. For one thing, the extant music that seems most likely to have been used (for example, several concertos, the Coffee Cantata) barely equals in amount the church cantatas attributable to the same period (principally chorale cantatas of which the most famous is BWV 140, aside from the Missa BWV 232^I and the Christmas Oratorio). While we may hope that Bach found relief as well as variety in secular musical circles we may also recall that the words in the letter to Erdmann: *„(ich) fast in stetem Verdruss, Neid und Verfolgung leben muss"* were written when he was directing the Collegium as well as the *Thomanerchor.* And his retirement from the former in 1737 (he never left the latter) may exemplify the truism that problems in human relations exist in the secular as well as the ecclesiastical world. As to his disputes with the Leipzig authorities *(„der* Cantor incorrigibel")* we may add that his duel in Arnstadt, the *„verdriessligkeit andere"* to which he alluded in Mühlhausen, his imprisonment *„wegen seiner Halsstarrigen Bezeügung"* in Weimar and his dissatisfaction *(„Anti-Calvinismus")* with Cöthen all underline Wilhelm Dilthey's famous remark:

Seb. Bach war aus einem starken, eigenwilligen Geschlecht, und die Konflikte, in die er mit seinen Obrigkeiten immer wieder geriet, lassen vermuten, dass mit dem gewaltigen Mann schwer zu leben war.[36a]

In Leipzig Bach was simply continuing to be the same difficult and temperamental person that he had been in Arnstadt and in every other place in between.

This essay makes no attempt to answer all the questions about Bach's intentions and his inner life. I am sure he is a figure that will always remain mysterious. But some things are clearer about him than others. One of the many reasons why I am so delighted to give honor to Alfred Dürr is the extent to which he has demonstrated the connection between Bach's Mühlhausen words about his *„Endzweck"*, the *„Kantaten-Frühling"* in Weimar and the full *Jahrgänge* in Leipzig. The primary intention of this essay is to undergird that connection and to make it as broad and strong as possible by trying, among other things, to resolve apparent contradictions. In such an attempt it is not impossible that fresh insights into Bach's personality and motivations may be obtained. If sometimes he seems to waver and falter he may yet underneath be steady; at other times when he seems steady he may yet be wavering and faltering[37].

Some time around the year 1700 the two teenagers Bach and Handel visited Hamburg and made very different decisions, on the basis of what they saw and heard, that largely determined the rest of their lives. At that time Handel had every bit as much opportunity as Bach to become a church musician and Bach had every bit as much opportunity as Handel to become an opera composer. Handel of course wrote much church music but Bach never seems to have

---

36a Wilhelm Dilthey, Von Deutscher Dichtung und Musik, Leipzig/Berlin, 1933, p. 205.
37 Cf. BWV 33/3 and 96/5.

written even one opera[38]. Handel went on to outstanding success and fame. Bach's career, at least in Leipzig, has been called nothing less than „tragic" and „a tragedy" by Leo Schrade[39]. In that he was expressing nothing new. Almost a century earlier Spitta had written:

Es wird allgemein als Tatsache hingenommen und verbreitet, dass Bachs Kirchenmusiken unverstanden verklungen seien und seiner grossartigen compositorischen Thätigkeit überhaupt der angemessene Erfolg gefehlt habe.

But Spitta disagreed: „*Dass aber (Bachs) Kunstrichtung sehr bald (in Leipzig) die herrschende wurde, kann unter den obwaltenden Verhältnissen nicht bezweifelt werden*"[40]. A century earlier than Spitta Forkel had apparently questioned C. P. E. Bach about his father's fame and received the following reply:

Fürst *Leopold* in Cöthen, Herzog Ernst August in Weimar, Herzog Christian in Weissenfels haben ihn besonders geliebt u. auch nach *proportion* beschenkt. Ausserdem ist er in Berlin u. Dresden besonders geehrt worden. Ueberhaupt aber hatte er nicht das *brillanteste* Glück, weil er nicht dasjenige that, welches dazu nöthig ist, nemlich die Welt durchzustreifen. Indessen war er von Kennern u. Liebhabern genug geehrt.[41]

Obviously no success or fame such as Handel's but apparently no tragedy either, and Emanuel proceeded to paint a picture of life in his father's house which is definitely affirmative in character:

Bey seinen vielen Beschäftigungen hatte er kaum zu der nöthigsten Correspondenz Zeit, folglich weitläufige schriftliche Unterhaltungen konnte er nicht abwarten. Desto mehr hatte er Gelegenheit mit braven Leuten sich mündlich zu unterhalten, weil sein Haus einem Taubenhause u. dessen Lebhaftigkeit vollkommen gliche. Der Umgang mit ihm war jederman angenehm, u. oft sehr erbaulich. Weil er nie selbst von seinem Leben etwas aufgesetzt hat, so sind die Lücken unvermeidlich. Ich kann nicht mehr schreiben . . .[41]

The atmosphere of this description seems thoroughly of a piece with music such as the Canonic Variations on „*Vom Himmel Hoch*", the Musical Offering, the Art of the Fugue or choruses such as the „Credo in unum Deum", „Confiteor" and „Et incarnatus est" and with the unquestionably „*temperamentvoll*" expression of the 1748 Haussmann portrait which alternately snarls („*incorrigibel*") or smiles („*angenehm u. oft sehr erbaulich*") at the viewer but in which there is certainly no trace of resignation or defeat.

We conclude that an acute and central problem for anyone who considers the personality of Johann Sebastian Bach is: how could a man with the spiritual, mental and musical powers which he exhibits in such overwhelming abundance, richness and intensity, and who „sooner or later was bound to consider his European reputation"[42], sing in honesty: „*Ich bin vergnügt mit meinem Glücke, Das mir der liebe Gott beschert*"[43] or if he did indeed so sing? Certainly his career was modest compared to that of Handel. For myself, I think Bach sang honestly and I find him a uniquely fascinating figure because of the honesty I impute to that particular aria. I believe that, underneath and beyond all his Leipzig complaints, Bach basically knew what he was doing and was happy with it, and it is the task of later ages to discover what it was.

---

38 Even when Bach petitioned the King of Saxony for „ein *Praedicat* von Dero Hoff-*Capelle*" he mentioned only „Kirchen *Musique* sowohl als zum *Orchestre*" that he might compose. No mention of opera even in Dresden on July 27, 1733 (Dok I, no. 27, pp. 74 f.).
39 Leo Schrade, Bach. The Conflict between the Sacred and the Secular, in: Journal of the History of Ideas 7, 1946, pp. 8, 108, 111.
40 Spitta II, p. 168.
41 Dok III, no. 803, p. 289.
42 Schrade, op. cit., p. 70.
43 BWV 84/1.

Hans-Joachim Schulze

„Monsieur Schouster" — ein vergessener Zeitgenosse Johann Sebastian Bachs

Widmungsexemplare von Kompositionen Johann Sebastian Bachs sind in nicht gerade reichlichem Maße erhalten geblieben, manches vielleicht nur durch Zufall oder begünstigende Umstände, die sich im einzelnen nicht mehr klären lassen. An die Spitze der entsprechenden Autographe gehört ohne Zweifel die Partitur der Sechs Brandenburgischen Konzerte von 1721, bei den Drucken gebührt die Palme dem wenigstens zum Teil noch vorhandenen Dedikationsexemplar[1] des „Musikalischen Opfers" aus dem Jahre 1747.

Vieles ist wohl für immer verloren, so die frühen Originale der dem ältesten Bruder Johann Christoph Bach (1671–1721) in Ohrdruf zugeeigneten Tastenwerke BWV 913 (Toccata d-moll) und 933 („Capriccio in honorem Joh. Christoph Bachii Ohrdruf:") oder jenes Exemplar der „Goldberg-Variationen", das 1741 (?) dem Grafen Keyserlingk mit einer Widmung übergeben worden sein dürfte[2], oder auch diejenige Niederschrift der Kanonischen Veränderungen über „Vom Himmel hoch da komm ich her", die Bach der Societät der Musikalischen Wissenschaften nach seinem Eintritt (Ende Juni 1747) übergeben haben muß. Ob die Englischen Suiten wirklich für einen „vornehmen Engländer" bestimmt waren, ob sie auf seine Bestellung hin komponiert oder aber in einer redaktionellen Reinschrift lediglich zusammengestellt worden sind, hat sich trotz allen aufgewendeten Scharfsinns nicht ermitteln lassen[3]; Auskunft könnte hier wohl nur das verschollene Original geben.

Auch die erhaltenen Autographe geben ihr Geheimnis zuweilen nur ungern preis; erinnert sei an Bachs Kanonwidmungen, bei denen nur in zwei Fällen der biographische Zusammenhang klargestellt werden kann, während die übrigen Niederschriften viele Fragen offenlassen[4].

Vor einem bisher ungelösten Rätsel steht die Bach-Forschung auch bei jenem Widmungsautograph der g-moll-Lautensuite BWV 995, das sich seit über einem Jahrhundert in der Bibliothèque Royale Bruxelles befindet, zunächst wenig beachtet wurde[5], durch Edition[6] und Faksimiledruck[7] jedoch jetzt allgemein bekannt ist. Eine Merkwürdigkeit dieses Autographs besteht in einem gewissen Mißverhältnis zwischen Titelaufschrift und Notentext. Der in breiter Schönschrift präsentierten Dedikation „Piéces pour la Luth à Monsieur Schouster par J. S. Bach" steht ein Notentext gegenüber, der keineswegs arm an Korrekturen ist und an einigen Stellen eher ein Bachsches Arbeitsexemplar darstellen könnte als ein Ergebnis ambitionierter Kalligraphie.

Immerhin beweisen die Korrekturen, daß die Lautensuite keine Originalkomposition ist, sondern durch Umarbeitung der c-moll-Suite für Violoncello solo BWV 1011 entstand. Da von den Violoncellosuiten kein Autograph überliefert ist, war die Zeitfolge der beiden Fassungen durchaus nicht von Anfang an klar; Hans Neemann formulierte 1931 entsprechend vorsichtig[8]: „Erst eine spätere Gelegenheit wird den Meister bewogen haben, dieser Cellokomposition eine

---

1 NBA VIII/1, KB, S. 58 ff.
2 NBA V/2, KB, S. 112 f.
3 NBA V/7, KB, besonders S. 86 f.
4 Vgl. Hans-Joachim Schulze, Johann Sebastian Bachs Kanonwidmungen, in: BJ 1967, S. 82 ff., sowie NBA VIII/1, KB, S. 29 ff.
5 Vgl. Wilhelm Tappert, Sebastian Bachs Compositionen für die Laute, in: Die Redenden Künste 6, 1900, Heft 36–40.
6 NBA V/10.
7 Beilage zu Musica viva (Revue trimestrielle, herausgegeben von Hermann Scherchen), Heft 3, Brüssel 1936.
8 BJ 1931, S. 78 f.

neue Fassung zu geben und das Werk in bewundernswerter Arbeit zu einem vollkommenen Lautensolo umzugestalten."

Zurückhaltung in solchen Fragen war freilich auch angebracht in einer Zeit, da Erkenntnisse zu Schriftentwicklung und Wasserzeichen im wesentlichen noch auf dem von Philipp Spitta erreichten Stand verharrten, so daß von da her nur ungefähre Datierungsmöglichkeiten zu erwarten waren. Hans Neemann meinte denn auch[9]: „Lediglich wenn wir wüßten, wer der in der Dedikation genannte unbekannte ‚Monsieur Schouster' war und wann er lebte, ließe sich ein Anhaltspunkt finden, zu welcher Zeit diese Lautensuite entstanden ist."

Neemann selbst war der erste, der das Geheimnis um jenen Unbekannten zu enträtseln suchte[10]; er dachte an den Dresdener Hofbassisten Joseph Schuster (den Vater des gleichnamigen Komponisten), der nach späterer Überlieferung auch Kammermusiker gewesen sein soll und insoweit das Lautenspiel beherrscht haben könnte. In ihm die gesuchte Person zu sehen, war so lange möglich, als seine Lebensdaten nicht sicher ermittelt waren und eine exaktere Datierung des Brüsseler Autographs ausstand. Mit der Feststellung, daß jene Quelle das Wasserzeichen „MA mittlere Form" aufweist[11], wurde dank den Erkenntnissen Alfred Dürrs zur „Chronologie der Leipziger Vokalwerke Bachs"[12] eine Eingrenzung der Entstehungszeit auf die Jahre 1727 bis 1731 möglich. Das war mit den Lebensdaten des Dresdener Sängers schwer zu vereinbaren, denn aus dessen Sterbealter ließ sich ein Geburtsjahr um 1722 errechnen, so daß Bachs Widmung einem höchstens zehnjährigen „Monsieur" gegolten haben müßte. Ein bisher nicht genutztes Nachschlagewerk nennt für Joseph Schuster das anderwärts fehlende Geburtsjahr 1721, dazu – ein Beleg für die Vertrauenswürdigkeit der Mitteilungen – Herkunft und Ausbildungsgang[13]. Die Chancen für jene Zuweisung sind damit dahin.

So gilt es, nach einem neuen Kandidaten Ausschau zu halten, wenngleich nicht eben viele Anhaltspunkte zur Verfügung stehen. Insbesondere macht sich das Fehlen des Vornamens für jenen „Schouster" nachteilig bemerkbar. Vornamen zu kennen, war aber wohl ohnehin nicht Bachs Stärke[14].

Der Titulierung „Monsieur" läßt sich kaum etwas entnehmen. „Monsieur" nannte Bach seine Schüler im Studentenalter, aber auch ältere Respektspersonen sowie Verwandte. Der Gebrauch dieser Anrede reicht von den frühesten Briefen bis in die letzte Lebenszeit und verdichtet sich Ende der 1720er Jahre in dem Widmungskanon BWV 1074 für „Monsieur" Houdemann aus dem Jahre 1727, den Briefen an „Monsieur" Wecker in Schweidnitz und „Monsieur" Nicolai in Görlitz von 1729 sowie den Zeugnissen für „Monsieur" Wild (Mai 1727) und „Monsieur" Dorn (Mai 1731)[15]. Alles dies würde für eine Datierung in den Zeitraum 1727 bis 1731 sprechen; aber das wußten wir ohnehin schon.

Einen Hinweis, der über diesen Ausgangspunkt hinausführen könnte, lieferte ein 1968 erstmals veröffentlichter Brief[16], den der berühmte Dresdener Lautenist Silvius Leopold Weiß am 28. September 1741 an Luise Adelgunde Victoria Gottsched in Leipzig richtete und in dem es heißt, daß Weiß der Gottschedin „vor einiger Zeit" „mit einer kleinen Galanterie-Partie" – mit

---

9 Ebda., S. 79.
10 Archiv für Musikforschung 4, 1939, S. 167.
11 Die Musikforschung 19, 1966, S. 33.
12 BJ 1957, besonders S. 138 f.
13 Gottfried Johann Dlabacz, Allgemeines historisches Künstler-Lexikon für Böhmen und zum Theil auch für Mähren und Schlesien, Prag 1815, Band 3, Sp. 74 f. Danach stammte Schuster aus Königswalde auf der Herrschaft Schluckenau in Böhmen, unweit von Sebnitz, war zunächst Singknabe in Dresden, dann Schüler von Domenico Annabili.
14 Bach-Studien 5. Eine Sammlung von Aufsätzen, herausgegeben von Rudolf Eller und Hans-Joachim Schulze, Leipzig 1975, S. 152, 154.
15 Dok I, passim.
16 Hans-Joachim Schulze, Ein unbekannter Brief von Silvius Leopold Weiß, in: Die Musikforschung 21, 1968, S. 203 f.

Sicherheit für Laute — aufgewartet habe, nun aber etwas Neues „Eintzig und allein vor Sie"
sende, weil bei der vorigen Lieferung „(wie Mons: Schuster mir nachgehends gemeldet) Sie aber
schon ein und anders Stück zuvor gehabt."

Datum und Inhalt dieses Briefes legten vorerst nahe, in dem 1741 erwähnten „Mons: Schuster" den älteren Joseph Schuster (1721–1784) zu sehen, der als Mitglied der Dresdener Hofkapelle zum Kollegenkreis des Lautenisten Weiß gehörte. Damit aber entfiel die Möglichkeit,
jenen Dresdener Schuster mit dem „Monsieur Schouster" des Bachschen Widmungsautographs
gleichzusetzen. Freilich galt das nur so lange, wie jener „Schuster" in Dresden gesucht und ihm
unterstellt wurde, daß — mutatis mutandis — ein Brief der Gottschedin den Tatbestand der
Repertoireüberschneidung nach Dresden berichtet und Schuster diese Nachricht mündlich an
Weiß weitergegeben hätte.

Geht man allerdings von der umgekehrten Annahme aus, daß etwa eine mündliche Mitteilung
in Leipzig erfolgt und die schriftliche Nachricht von hier nach Dresden gegangen sei, dann wäre
die intendierte Gleichsetzung noch nicht ausgeschlossen, sofern sich in Leipzig ein entsprechender Kandidat vorfinden ließe[17].

Vernachlässigt man die Möglichkeit, daß „Monsieur Schouster" und „Monsieur Schuster"
zwei verschiedene Personen sein könnten, so ergäben sich aus der Datierung des Brüsseler Autographs sowie den Mitteilungen des Silvius Leopold Weiß von 1741 folgende Anhaltspunkte zur
Identifizierung des Gesuchten:

1. Zum Zeitpunkt der Widmung — irgendwann zwischen 1727 und 1731 — befand er sich in für
Bach erreichbarer Nähe, vermutlich in Leipzig.

2. 1741 war er noch am Leben.

3. Er war mit Frau Gottsched in Leipzig bekannt, unterhielt aber auch Verbindungen nach
Dresden.

4. Er befaßte sich — ob professionell, bleibt offen — mit Angelegenheiten des Lautenspiels, war
also mindestens musikalisch interessiert.

Ehe diese Spuren weiterverfolgt werden können, sei ein Blick auf die frühe Überlieferung von
Bachs Lautenwerken geworfen. Dokumente[18], die hierüber Auskunft geben, existieren einzig in
Form von Verkaufsangeboten des Leipziger Hauses Breitkopf aus den Jahren 1761, 1836 sowie
um 1820 (vor 1829)[19]. Diesen spärlichen Notizen stehen zwei Handschriftengruppen gegenüber:

1. Die in der Musikbibliothek der Stadt Leipzig aufbewahrten, 1840 nachweislich im Besitz Carl
Ferdinand Beckers befindlichen Tabulaturhandschriften zu BWV 995, 997 und 1000, die durch
Eintragungen bestimmter Chiffren als zeitweilig im Besitz Breitkopfs zu erkennen sind und die
sich dem vor 1829 anzusetzenden Angebot am leichtesten zuordnen lassen.

2. Weitere Handschriften, die schon 1761 im Besitz des Hauses Breitkopf waren und wohl 1836
bei der Verauktionierung von Stammhandschriften abgegeben wurden. Bei dieser zweiten Gruppe wäre vor allem an das Brüsseler Autograph von BWV 995 zu denken, da dessen Vorbesitzer,
François-Joseph Fétis, bei der Auktion von 1836 nachweislich als Käufer aufgetreten ist. Vielleicht gehört hierher auch das Autograph von BWV 1006a, wenngleich für dessen späteren Ei-

---

17 In die gleiche Richtung zielt eine Vermutung von André Burguéte, in: BJ 1977, S. 43 f.

18 Vgl. Die Musikforschung 19, 1966, S. 32; Dok III, S. 164; Johann Sebastian Bach, Drei Lautenkomposi-
tionen in zeitgenössischer Tabulatur (BWV 995, 997, 1000). Faksimiledruck nach den in der Musikbibliothek der Stadt Leipzig aufbewahrten handschriftlichen Originalen. Mit einer Einführung von Hans-Joachim Schulze, Leipzig 1975.

19 Vgl. Beiträge zur Musikwissenschaft 17, 1975, S. 54, sowie die Einführung zu dem in Anmerkung 18 genannten Faksimiledruck. Die dort ausgesprochene Datierung des Breitkopf-Angebotes orientierte sich an
der überlieferten Jahreszahl 1820 für den Verkauf der darin noch genannten Partitur zur Kantate BWV 97.
Da die betreffende Jahreszahl in der autographen Partitur (New York, Public Library) nicht sicher zu
entziffern ist und auch 1829 lauten könnte, wird hier das genannte Angebot vorsichtshalber „vor 1829"
angesetzt.

gentümer Franz Hauser eine Beteiligung an der Breitkopf-Auktion nicht nachzuweisen ist; merkwürdigerweise enthalten Hausers Bach-Kataloge keinerlei Hinweis auf BWV 995, obwohl Hauser in seinen Leipziger Jahren (1832–1835) einige der in Verlagsbesitz befindlichen Bachiana für sich katalogisiert beziehungsweise kopiert hat[20].

So kann bei dieser zweiten Gruppe nicht zweifelsfrei auf das Haus Breitkopf als Vorbesitzer geschlossen werden. Auf jeden Fall müßte zumindest ein später verlorengegangener Umschlag aus den 1760er Jahren postuliert werden, der einen gemeinsamen Titel für die drei damals angebotenen Lautenwerke getragen hätte sowie von der Hand Johann Gottlob Immanuel Breitkopfs die übliche Preiskalkulation für auf Bestellung anzufertigende Abschriften.

Die Überlieferung erlaubt also kein definitives Urteil über die Vorgeschichte des Autographs der g-moll-Suite BWV 995. Sollte die Quelle freilich vor 1761 von Breitkopf erworben worden sein, kämen als Verkäufer „die Bachischen Erben" ebenso in Frage wie die Erben jenes obskuren „Monsieur Schouster". Im ersteren Fall wäre denkbar, daß die Handschrift aus nicht mehr zu klärenden Gründen den Weg zu Bach zurückgefunden hätte, eine Möglichkeit, die sich nicht völlig ausschließen läßt[21].

Daß die 1761 annoncierten Lautenwerke mit den erwähnten Tabulaturhandschriften aus dem Besitz Beckers nicht identisch sein dürften, ergibt sich aus den Lebensdaten des Schreibers von zwei dieser Tabulaturen (zu BWV 997 und 1000), Johann Christian Weyrauch (1694 bis 1771), der als Notar (und Musiker) in Leipzig tätig war und hier zum Umkreis Bachs gehörte. Weyrauch war, wie 1966 gezeigt werden konnte, in der südwestlichen Umgebung Leipzigs aufgewachsen und möglicherweise durch den fast gleichaltrigen Adam Falckenhagen (1697 bis um 1761) mit dem Lautenspiel in Berührung gekommen. Falckenhagen wirkte später in Merseburg, Leipzig, Weißenfels, Jena, Weimar und seit 1732 in Bayreuth, hat aber die Verbindung zu seiner Heimat nicht ganz aufgegeben: Die im Zusammenhang mit dem Dresdener Brief des Silvius Leopold Weiß konsultierte Gottsched-Korrespondenz enthält auch zwei — offensichtlich eigenhändige — Schreiben Falckenhagens[22], datiert Nürnberg, 25. Oktober 1738 und Bayreuth, 22. März 1739. Im erstgenannten Brief bittet Falckenhagen die Gottschedin um „das Trio welches Dieselben bey meiner Gegenwart in Leipzig gespielet haben." Falckenhagens Schrift, insbesondere deren kalligraphische lateinische Buchstaben, weist eine bemerkenswerte Ähnlichkeit mit der noch nicht identifizierten Tabulaturschrift der Suite BWV 995 in der Musikbibliothek Leipzig auf. Freilich ist diese Ähnlichkeit nicht so groß, daß man die Intavolierung Falckenhagen ohne Bedenken zuweisen dürfte. Denkbar wäre immerhin, daß es sich um eine Schönschriftkopie handelt, die im Auftrag Falckenhagens von einem Kopisten, vielleicht einem Hofnotisten, angefertigt worden ist (wobei der Schreiber sich möglicherweise an gewisse Formen seiner Vorlage anlehnte), und daß ein Wende- sowie ein Wiederholungsvermerk von der Hand Falckenhagens stammen[23]. Auf diese Weise wäre die gemeinsame Überlieferung dieser Quelle mit den beiden Tabulaturen, die Falckenhagens Jugendfreund (?) Weyrauch, allerdings mehr in Gebrauchsschrift, aufgezeichnet hat, zwanglos zu erklären.

Wie dem auch sei, die Leipziger Tabulatur zu BWV 995, die sich als praktikable Einrichtung von Bachs — für eine 14chörige theorbierte Laute bestimmter — Vorlage erweist[24], kann ohnehin nicht vor dem Brüsseler Autograph geschrieben sein, von dem sie — vermutlich über eine

20 Vgl. Yoshitake Kobayashi, Franz Hauser und seine Bach-Handschriftensammlung, Phil. Diss. Göttingen 1973, passim.

21 Einen entsprechenden Fall, Werke Johann Gottfried Walthers betreffend, schildert Walther in einem Brief an Heinrich Bokemeyer in Wolfenbüttel (25. Januar 1732).

22 Universitätsbibliothek Leipzig, Cod. Ms. 0342, Vol. IV, fol. 457–458, Vol. V, fol. 63–64.

23 Vgl. die in Anmerkung 18 genannte Faksimile-Ausgabe.

24 Vgl. BJ 1977, S. 43 f., sowie Hans Radke, War Johann Sebastian Bach Lautenspieler?, in: Festschrift Hans Engel zum siebzigsten Geburtstag, Kassel etc. 1964, S. 281 ff.

Zwischenquelle (Falckenhagens Autograph?) – abhängt[25], gehört also allenfalls in die 1730er Jahre. Auch hier zeichnet sich wenigstens theoretisch die Möglichkeit ab, daß das Brüsseler Autograph in Leipzig geblieben sein könnte, nachdem Bach es aus der Hand gegeben hatte.

Suchen wir unter Beachtung aller dieser – zugegebenermaßen vagen – Anhaltspunkte nach einem geeigneten Namensträger Schuster in Leipzig, so bieten sich zunächst einige Personen an, die zur fraglichen Zeit in Leipzig studiert haben: Johann Christian Schuster aus Jena (Inskription an der Universität Leipzig am 28. April 1723), Johann Gottreich Schuster aus Oschatz (19. Januar 1729), Johann Heinrich Schuster aus Buttstädt (28. November 1729). Über alle diese Kandidaten ist jedoch nichts Näheres bekannt, so daß ihre Spuren vorerst nicht weiter verfolgt werden können. Aus der Leipziger Beamtenschaft wäre ein Rat und Oberpostkommissar Andreas Schuster zu nennen, der schon 1715 nachweisbar ist, aber am 8. Januar 1737 starb, auf den die oben unter 2 gestellte Bedingung also nicht zutrifft.

Wenden wir uns nunmehr, ohne noch nach weiteren Namensträgern in Leipzig um 1730/40 zu fahnden, dem Leipziger Buchhändler und Verleger Jacob Schuster zu. Gemeint ist nicht jener Jacob Schuster, der ziemlich genau ein Jahrhundert früher, zwischen 1634 und 1652, als Verleger für den Thomaskantor Johann Hermann Schein tätig war[26]. Vielmehr geht es um einen von 1719 an nachweisbaren Namensvetter, dessen Aktivitäten in der Leipziger Literaturgeschichte zwischen 1720 und 1730 eine gewisse Rolle gespielt haben.

Schuster könnte seine Laufbahn im Geschäft des Buchhändlers und Verlegers Johann Friedrich Groschuff[27] begonnen haben, das er bald nach Groschuffs Tode (22. März 1718) übernommen und fortgeführt zu haben scheint. Hierfür spricht sowohl, daß Christoph Ernst Sicul in seinem „Jahr-Gedächtniß der Itzt-Lebenden in Leipzig" (Anfang 1720)[28] unter den Buchhändlern „Jac. Schuster (Groschuffs Handlung) 1719" verzeichnet, als auch, daß einer der ersten Verlagsartikel Schusters, „Erdmann Uhsens . . . Wohl-informirter Poet" (1719) am Ende ein Verzeichnis von Büchern enthält, die in Groschuffs Handlung zu haben waren[29]. An anderen Titeln der frühen Jahre seien genannt eine „Curieuse Studenten-Bibliothec" (1721)[30], das Periodikum „Historie der Gelehrsamkeit unserer Zeiten" (1721–1725) sowie das „Verzeichniß Aller Teutschen Poetischen Schrifften, Welche . . . die Teutsch-übende Poetische Gesellschaft, . . . 1719. biß 23. . . . gesammlet hat" (1724)[31].

Weitere Vorhaben in der ersten Zeit betrafen Werke der aus Königsberg stammenden Dichter Gottlieb Siegfried Bayer (1694–1738) und Johann Valentin Pietsch (1690–1733). Für den Letztgenannten plante Schuster sogar eine – unautorisierte – Gesamtausgabe, doch wußte Gottsched ihm dieses Projekt auszureden. Im März 1724 dankte Pietsch Gottsched, daß dieser den Raubdruck abgewendet habe. Allerdings hinderte dies Gottsched nicht, ein Jahr später gesammelte Werke von Pietsch bei einem anderen Verleger herauszubringen, und zwar wiederum ohne Zustimmung des Autors[32].

Mit den Schweizern Bodmer und Breitinger muß Schuster schon sehr früh in Berührung gekommen sein; den Vertrieb ihrer „Discourse der Mahlern", der sich zunächst sehr schwer anließ,

---

25 NBA V/10, KB. Erwähnenswert erscheint, daß die Intavolierung auf die Übernahme der Dedikation verzichtet. Zu dieser „Vereinfachungstendenz" vgl. auch BJ 1979, S. 45 f.

26 Adam Adrio, in: Musik und Verlag. Karl Vötterle zum 65. Geburtstag am 12. April 1968, Kassel etc. 1968, S. 133 f.

27 Bei Groschuff erschienen 1710 die heute als Quellenwerke geschätzten Veröffentlichungen „Leipziger Kirchen-Staat" und „Unfehlbare Engel-Freude".

28 In Siculs Annales Lipsienses, Band 2, Leipzig 1719–1721.

29 Bibliotheca Societatis Teutonicae Saeculi XVI–XVIII. Katalog der Büchersammlung der Deutschen Gesellschaft in Leipzig, Leipzig 1971, S. 702 f.

30 Ebda., S. 673.

31 Ebda., S. 217.

32 Gustav Waniek, Gottsched und die deutsche Litteratur seiner Zeit, Leipzig 1897, S. 47 f.; Eugen Reichel, Gottsched, Berlin 1908–1912, Band 1, S. 103 f., 145 ff.

besorgten 1722 Buchhandlungen in Zürich, Bern, Basel, St. Gallen, Schaffhausen und – als einziges Geschäft außerhalb der Schweiz – Jacob Schuster in Leipzig[33]. Zwei Briefe Schusters an Johann Jacob Bodmer vom 7. Mai 1723 und 1. Juni 1728 sind im Nachlaß des Adressaten noch vorhanden[34]. Weitere Hinweise liefern Briefe des Dresdener Hofdichters Johann Ulrich König aus den Jahren 1725, 1726 und 1727, die auf beständige Kontakte zwischen Bodmer, König und Schuster schließen lassen[35]. So schickte Bodmer seine 1725 verfaßte Schrift „Anklagung des verderbten Geschmacks, oder Anmerkungen über den Hamburger Patrioten und die Halleschen Tadlerinnen" an Schuster mit der Bitte um sprachliche Ausfeilung und um die Suche nach einem Verlag. Schwierigkeiten mit der Zensur verhinderten die erhoffte Drucklegung, und auch die Einschaltung Königs beschwor nur weitere Spannungen herauf[36]. Überhaupt waren diese Jahre ständig von Konflikten erfüllt. Sie betrafen auch das Verhältnis zwischen Schuster und Gottsched: Schuster regte den „Biedermann" als Nachfolger des „Hamburger Patrioten" an[37], als Verleger der neuen Wochenschrift fungierte dann allerdings Wolfgang Christoph Deer[38]. Schuster blieb für einige Zeit wenigstens am Vertrieb beteiligt[39], dann entzweite er sich mit Gottsched[40], hauptsächlich wohl im Zusammenhang mit seinem Brief vom 1. Juni 1728 an Bodmer. Schuster nannte Gottsched einen „arroganten Menschen", der sich einbildete, „alles was er redete oder schriebe müßte als oracula angenommen werden"[41].

Wenige Jahre später finden wir Schuster unter den Unterzeichnern einer Eingabe an den Leipziger Rat (17. März 1734), mit der ein Einschreiten gegen Auswüchse der Bücherauktionen gefordert wird, sowie eines Protestschreibens (10. März 1735) gegen den Plan Johann Heinrich Zedlers, durch eine recht zweifelhafte Bücherlotterie weitere Mittel für die Fortsetzung seines Universallexikons aufzutreiben[42].

1740 ist Schuster dann standesgemäß in der Festschrift „Gepriesenes Andencken von Erfindung der Buchdruckerey wie solches in Leipzig beym Schluß des dritten Jahrhunderts von den gesammten Buchdruckern daselbst gefeyert worden" vertreten[43]. Zum Ansehen seines Geschäftes mag – ungeachtet des Scheiterns so mancher Projekte – nicht wenig beigetragen haben, daß der einflußreiche Leipziger Professor Johann Jacob Mascov seine wichtigsten Werke, beginnend mit der „Geschichte der Deutschen" (1726)[44], bei Schuster herausbrachte.

Beziehungen Schusters zu Angelegenheiten des Musikverlagswesens lassen sich nur hin und wieder nachweisen, was angesichts der im ganzen spärlichen Überlieferung keineswegs verwunderlich ist. 1727 ist Schuster – gemeinsam mit Johann Christoph Kißner (Hamburg) – als Verleger von Matthesons Kampfschrift „Der neue Göttingische Aber Viel schlechter, als Die alten

---

33 Die Discourse der Mahlern. Zweyter Theil. Zürch, Drückts Joseph Lindinner. M DCC XXII., S. 206. Vgl. Friedrich Braitmaier, Geschichte der Poetischen Theorie und Kritik von den Diskursen der Maler bis auf Lessing, Band 1/2, Frauenfeld 1888–1889, besonders Band 1, S. 24, sowie Reichel, a. a. O., Band 1, S. 233 f.

34 Zentralbibliothek Zürich, Ms. Bodmer 4c. 22. Vgl. J. C. Mörikofer, Die Schweizerische Literatur des achtzehnten Jahrhunderts, Leipzig 1861, S. 83; Eugen Wolff, Gottscheds Stellung im deutschen Bildungsleben, Kiel und Leipzig 1895–1897, Band 2, S. 58–60.

35 Alois Brandl, Barthold Heinrich Brockes. Nebst darauf bezüglichen Briefen von J. U. König an J. J. Bodmer, Innsbruck 1878, S. 140 f., 148, 160, 167.

36 Brandl, a. a. O., S. 160, 167; Braitmaier, a. a. O., S. 54 f.; Wolff, a. a. O., S. 59; Waniek, a. a. O., S. 74 f.

37 Waniek, a. a. O., S. 63 f.

38 Er verlegte 1732 Johann Gottfried Walthers Musicalisches Lexicon.

39 Sein Name findet sich noch im Impressum des 36. Stücks vom 5. Januar 1728.

40 Waniek, a. a. O., S. 63 f.; Wolff, a. a. O., Band 2, S. 60.

41 Reichel, a. a. O., Band 2, S. 717.

42 Archiv für Geschichte des deutschen Buchhandels 14, 1891, S. 197 ff.

43 Vgl. a. a. O., S. 148.

44 Bibliotheca Societatis Teutonicae (vgl. Anmerkung 29), S. 415. Aus einem Exemplar der Auflage von 1744 geht hervor, daß Breitkopf den Druck besorgte.

Lacedämonischen, urtheilende Ephorus" tätig. Im September 1730 verzeichnen ihn Breitkopfs Geschäftsbücher als Besteller eines Kantatentextes, ohne daß sich hierzu Genaueres ermitteln ließe[45]. Vielleicht handelte es sich um eine Hochzeitskantate für eine Trauung in oder außerhalb von Leipzig, vielleicht auch um eine Trauermusik, etwa für den am 5. September 1730 verstorbenen Merseburger Rektor Erdmann Uhse, mit dessen Erfolgswerk „Der Wohl-informirte Poet" Schusters Aufstieg begonnen haben mag.

Eine in den Leipziger Meßkatalog von Michaelis 1734 eingerückte und zu Ostern 1735 wiederholte Anzeige[46] verspricht „Allerhand Musicalia von den berühmtesten Meistern, Berario, Hendel, Valentini, Quantz, Boismortier, Marcello, Tessarini, Santis, Tartini, Fiocco, Bausteder, Fesch, Hurlebus, d'Bouck, fol. Amsterd. & Lips. apud Iac. Schuster". Eindeutig ist diesem Repertoire zu entnehmen, daß es sich samt und sonders um Verlagswerke des Amsterdamer Musikdruckers Gérard Frédéric Witvogel handelte[47], unter ihnen auch jene „ganz falsch und zerstümmelt" publizierten Kompositionen von Conrad Friedrich Hurlebusch, die dann 1735 durch eine autorisierte Neuausgabe ersetzt wurden[48].

Nach einer Ankündigung in Lorenz Christoph Mizlers „Musikalischer Bibliothek"[49] vom Oktober 1738 sollte „mit nächsten heraus kommen: Musikalischer Staarstecher, . . . Alle drey Wochen ein Bogen auf sauber Schreib-Papier. In Schusters Buchhandlung." Hierzu kam es nicht; Mizlers Staarstecher erschien im Selbstverlag des Autors.

In den Leipziger Zeitungen[50] vom 23. Mai 1739 findet sich schließlich die Anzeige: „Es soll Hrn. Adam Falckenhagen, Hochfl. Bayreuthischen Virtuosen und Cammer-Lautenisten, zweytes Opus Lauten-Partien bey der andern Auflage mit Praeludiis und Fugen, und statt der sechsten, einer ganz neu componirten Partie vermehrt, binnen 3. Monathen zum Vorschein kommen, das Exemplar à 4. fl. Rhein. Diejenigen aber, welche gesonnen, zu praenumerieren, geben nur 2 fl. welches in Leipzig bey Hr. Jacob Schustern, Buchhändl. In Nürnberg bey Hr. Joh. Wilh. Störn, Kupferstecher in der alten Leder-Gasse, und in Bayreuth beym Autore angenommen wird."

Auch hier trat Schuster letzten Endes nicht als Verleger in Erscheinung[51]. Die 1739 nachweisbare Verbindung zu dem Lautenisten Falckenhagen bedeutet aber dennoch ein bezeichnendes Indiz, das dazu ermutigt, in dem 1741 brieflich erwähnten „Monsieur Schuster" eben den Leipziger Verleger zu sehen. Trifft diese Annahme zu, so wären die Beziehungen Schusters zu Luise Adelgunde Victoria Gottsched und Johann Jacob Mascov[52] allein schon durch die Tatsache zu erklären, daß alle drei Landsleute waren: Mascov und die Gottschedin stammten ebenso aus Danzig (geb. 1689 beziehungsweise 1713) wie Schuster, den das Leipziger Bürgerbuch am 26. Oktober 1719 als „Herr Jacob Schuster, ein Buchhändler, von Danzig" verzeichnet. Der

---

45 Hermann von Hase, in: BJ 1913, S. 124. Ein angemessener Anlaß war beispielsweise die Trauung des Leipziger Oberstadtschreibers Carl Friedrich Menser mit einer Tochter des Ratsherrn Johann Friedrich Kreuchauff am 5. September 1730 (Traubuch der Thomaskirche Leipzig, Anhang).

46 Albert Göhler, Verzeichnis der in den Frankfurter und Leipziger Messkatalogen der Jahre 1564 bis 1759 angezeigten Musikalien, Leipzig 1902, Teil 3, Nr. 557. Die Originale im Deutschen Buch- und Schriftmuseum Leipzig wurden hiermit verglichen.

47 Albert Dunning, De muziekuitgever Gerhard Fredrik Witvogel en zijn fonds, Utrecht 1966, verzeichnet Autoren und Editionen korrekt und weist erhaltene Exemplare nach. Schusters Angebot umfaßt nahezu alle Editionsnummern Witvogels zwischen (4 bzw.) 6 und (mindestens) 33; einzelne Seltenheiten, wie Kirchhoffs ABC Musical (Nr. 31) erscheinen auch hier nicht.

48 Dok II, S. 373 f.

49 Band 1, Teil 5, S. 78.

50 Extract der eingelauffenen Nouvellen, XXI. Stück, S. 88.

51 Musik und Verlag, Kassel etc. 1968 (vgl. Anmerkung 26), erwähnt S. 333 eine Nürnberger Anzeige von Falckenhagens op. 2 vom 2. September 1737.

52 Daß Johann Christoph Clauder, nachmals Textdichter von Bachs Huldigungskantate BWV 215, jahrelang als „obersächsischer Sprachkorrektor" Bodmers fungierte, geht auf eine Empfehlung Mascovs zurück; vgl. Wolff, a. a. O., Band 2, S. 60, sowie BJ 1959, S. 170.

Zusammenhalt von Landsleuten war in einer Universitätsstadt wie Leipzig aber von jeher an der Tagesordnung[53].

Die Indizienkette ist damit weitgehend geschlossen: Von allen Namensträgern Schuster in Leipzig und wohl auch in Dresden kommt der Verleger Jacob Schuster am ehesten dafür in Betracht, mit dem „Monsieur Schouster" in Bachs Widmungsautograph der Lautensuite g-moll BWV 995 identisch zu sein.

Ob Schuster selbst das Lautenspiel beherrschte, bleibt leider unbekannt; vielleicht plante er auch nur den Druck eines Sammelwerkes, in das Bachs Suite aufgenommen werden sollte und das dann wie so vieles nicht zustandekam.

Ob Bach dem zu vermutenden Wunsch Schusters nach ein paar Lautenstücken sofort entsprochen oder sich wie so manches Mal Zeit mit der Erfüllung[54] gelassen hat, wissen wir nicht. Vielleicht gab die Anfertigung einer Abschrift aller sechs Suiten für Violoncello solo BWV 1007 bis 1012, die Anna Magdalena Bach in jenen Jahren – aller Wahrscheinlichkeit nach 1728 – für Georg Heinrich Ludwig Schwanberg aus Braunschweig herstellte[55], den äußeren Anstoß für die Umarbeitung der fünften Suite zu einem Lautenwerk. Aber auch eine Entstehung im Jahre 1730 wäre in Betracht zu ziehen, die sogar als diplomatischer Schritt interpretiert werden könnte. Der Kontakt zu dem musikinteressierten Verleger Schuster hätte dem einflußreichen Professor Mascov und vielleicht weiteren „Herren Danzigern" gelten und so Bachs Anfrage vom 28. Oktober 1730 bei Georg Erdmann in Danzig nach einer „convenablen station" „dasiges Ohrtes" von einer anderen Seite her vorbereiten oder unterstützen können. Vielleicht geht diese Hypothese schon zu weit; unter dem Aspekt des Zusammenhanges zwischen Kunstwerk und Biographie bietet sie sich jedoch an, sofern man den geheimnisvollen „Monsieur Schouster" mit dem aus Danzig stammenden und von 1719 bis zu seinem Tode[56] im Februar 1751 als Verleger in Leipzig wirkenden Jacob Schuster gleichsetzt[57].

---

53 Vgl. Albert Predeek, Ein vergessener Freund Gottscheds, in: Beiträge zur Deutschen Bildungsgeschichte. Festschrift zur Zweihundertjahrfeier der Deutschen Gesellschaft in Leipzig 1727–1927, Leipzig 1927, S. 109 ff.

54 Vgl. Beiträge zum Konzertschaffen Johann Sebastian Bachs, herausgegeben von Peter Ahnsehl, Karl Heller und Hans-Joachim Schulze, Leipzig 1981 (Bach-Studien. Band 6), S. 15.

55 BJ 1979, S. 49.

56 Schuster starb im Alter von 67 Jahren am 5. Februar 1751, war also etwa 1685 geboren. Da er ledig geblieben war, könnte Breitkopf neben einigen Verlagswerken auch persönlichen Besitz übernommen haben. Ob der Danziger Verleger von Christoph Nichelmanns Die Melodie nach ihrem Wesen. . . (1755), Johann Christian Schuster, zum Verwandtschaftskreis gehörte, konnte nicht geklärt werden.

57 Gottscheds Trennung von Jacob Schuster im Jahre 1728 (s. oben) könnte dagegen sprechen, daß jener 1741 zum Bekanntenkreis der Gottschedin gehörte. Hier ist aber wohl der Zeitabstand zu berücksichtigen und auch die Tatsache, daß das Verhältnis zwischen den Ehegatten keineswegs frei von Spannungen war, zumal Gottsched die Arbeitskraft seiner Frau von Anfang an rücksichtslos für seine Vorhaben ausnutzte. Im übrigen war die Gottschedin erst anläßlich ihrer Verheiratung nach Leipzig gekommen (1735).

Oskar Söhngen

Brauchen wir heute ein neues Konzept für die Kirchenmusik?
Aktuelle Überlegungen

Seit seiner Göttinger Dissertation: „Studien über die frühen Kantaten Johann Sebastian Bachs" (Leipzig 1951) steht das Werk von Bach im Mittelpunkt von Alfred Dürrs Forschertätigkeit. Man würde aber fehlgehen, wenn man annähme, daß sich diese darin erschöpfe. Dürr ist ein Mann, der sich gerade auch der heutigen Musik, insbesondere der neuen Kirchenmusik, verpflichtet weiß und um ihre kritische Förderung bemüht ist. Ihm verdanken wir aus der letzten Zeit eine aufschlußreiche Untersuchung der nichtliturgischen geistlichen Musik Max Regers und ihrer geistigen Hintergründe[1], zum 60. Geburtstag Ernst Peppings schrieb er eine ausführliche, überaus positive, aber auch von kritischen Anfragen nicht freie Würdigung des Komponisten[2], und öfter haben seine Überlegungen um das „neue" Kirchenlied gekreist. Von daher dürfte es nicht abwegig sein, dem Jubilar den nachstehenden Diskussionsbeitrag als Geburtstagsgabe darzubringen.

Es läßt sich nicht übersehen, daß die kirchenmusikalischen Veranstaltungen seit der Schaffung eines hauptberuflichen Kirchenmusikerstandes in den dreißiger Jahren unseres Jahrhunderts eine wesentliche Rolle im öffentlichen Musikleben spielen. Nicht nur ist ihr quantitativer Anteil in vielen Städten überraschend groß, sondern die von den Organisten und Chören gezeigten Leistungen sind durchweg auch von hohem Rang. Das allgemeine Niveau der Kirchenmusikpflege hat sich erstaunlich gehoben, und schon in manchen Pressebesprechungen wurde darauf hingewiesen, daß es sich unter künstlerischen Aspekten oft mehr lohne, kirchenmusikalische Veranstaltungen zu besuchen als Solistenkonzerte oder andere Veranstaltungen in weltlichen Konzerträumen. Damit scheint die anderthalbjahrhundertlange künstlerische Baisse der Kirchenmusik überwunden zu sein, über die ein Mann wie Karl Straube urteilen konnte: „In Deutschland, dem Lande von Johann Sebastian Bach, bedeuteten die Kantoren und Organisten des 19. Jahrhunderts für das nationale Musikleben so gut wie nichts. Vor allem deshalb, weil Begabung, Wissen und Können dieser Männer zu gering waren — die wenigen Ausnahmen bestätigen nur die Regel —, als daß sie sich im allgemeinen Musikleben unseres Volkes hätten durchsetzen können."[3]

Überraschend ist auch die Breite der Programme. Sie reichen von mittelalterlicher über Renaissance- und Barockmusik und über die Vorklassik, Klassik, Romantik und Neuromantik bis hin zu kühnen avantgardistischen Experimenten. Nun hat es Kirchenkonzerte auch schon in der Aufbruchszeit des jungen Kirchenmusikerstandes gegeben; bereits in der ersten Dienstanweisung des Evangelischen Oberkirchenrats in Berlin für hauptberufliche Kirchenmusiker vom 1. August 1941 wurden diese zur Veranstaltung von regelmäßigen Kirchenmusiken veranlaßt, „in denen Instrumental- und Gesangwerke dargeboten werden"[4]. Hinter dieser Vorschrift stand die Überzeugung, daß die Kirchenmusik ihre geistliche Vollmacht auch im Konzert zu bewähren vermag, und dementsprechend hatten die Kirchenmusiken durchweg eine einheitliche Ausrichtung.

---

1 Alfred Dürr, Zur geistlichen Musik Max Regers, in: Religiöse Musik in nicht-liturgischen Werken von Beethoven bis Reger, herausgegeben von Walter Wiora (= Studien zur Musikgeschichte des 19. Jahrhunderts, Band 51), Regensburg 1978, S. 195—219.
2 Alfred Dürr, Gedanken zum Kirchenmusikschaffen Ernst Peppings, in: Musik und Kirche 31, 1961, S. 145 bis 172.
3 Karl Straube, Briefe eines Thomaskantors, herausgegeben von Wilibald Gurlitt und Hans-Olaf Hudemann, Stuttgart 1952, S. 140.
4 Gesetzblatt der Deutschen Evangelischen Kirche 1941, S. 37.

Darin hat sich in der letzten Zeit ein tiefgreifender Wandel vollzogen. Das Tuttifrutti und die Unverbindlichkeit vieler heutiger Programme hat mich schon manches Mal veranlaßt, an die Veranstalter, die mir diese zugeschickt hatten, mit dem Dank die Frage zu verbinden: Für welche Musik schlägt eigentlich euer Herz? Gibt es überhaupt etwas, wofür euer Herz schlägt? Oder ist euch das Musizieren zum Selbstzweck geworden?

Das ist eine Frage, die ins Zentrum der Kirchenmusik und ihrer Zukunft zielt.

I

Wenn wir ein Musikwerk hören und dazu Stellung nehmen sollen, wird zunächst die Frage nach dem künstlerischen Wert der Komposition im Vordergrund stehen: nach der Originalität der thematischen Einfälle und der Prägnanz der musikalischen Sprache, nach der Kunst der Verarbeitung und dem architektonischen Aufbau des Werkes, nach der rhythmischen Kraft und dem harmonischen Reichtum, nach der mühelosen Leichtigkeit, ja vielleicht Eleganz des musikalischen Spiels oder der Innigkeit und Tiefe des Ausdrucks; jedes große Kunstwerk setzt sich selbst die Maßstäbe, an denen es gemessen werden will. Aber es kann geschehen, daß ein solches Werk, selbst wenn ihm unser ästhetisches Urteil bezeugen muß, daß es sich dabei um große Kunst handelt, uns kühl bis ins Herz hinein läßt. Hier meldet sich eine zweite Sicht der Beurteilung zu Wort. Wir erwarten von einem Musikwerk, und zumal einem geistlichen, „Aktualität" seiner Sprache in dem Sinne, daß wir unmittelbar spüren: Das ist unsere Sprache, und in unserer Sprache auch unsere Sache, diese Musik geht uns an und zwingt uns zur — nun nicht mehr ästhetisch-distanzierten, sondern — persönlichen Stellungnahme. Das Phänomen, auf das wir hier stoßen, ist das des charakteristischen Idioms einer Zeit, sich und ihre Sicht der Dinge auszudrücken. Weil wir an das Lebensgefühl unserer Zeit gebunden sind, haben wir ein feines Gespür dafür, ob eine Musik uns etwas zu sagen hat oder nicht. Dieses Urteil braucht sich nicht mit dem Urteil über den künstlerischen Wert der Musik zu decken. Viele Werke, die uns wegen ihres zeitgenössischen Idioms brennend interessieren, ja vielleicht sogar erregen, bestehen die Bewährungsprobe der Zeit nicht. Signum des großen Kunstwerks ist, daß Aktualität und künstlerischer Rang im Einklang stehen.

Diesen Entdeckungsvorgang möchte ich an zwei persönlichen Erlebnissen deutlich machen: Als ich 1927 auf einer Studienreise nach Schweden in Lübeck Station machte, hörte ich in der dortigen Marienkirche Karl Lichtwark die berühmte Totentanz-Orgel Arp Schnitgers spielen. Ich wußte von der Orgelbewegung wenig genug, und einer Protesthaltung gegenüber der „Fabrikorgel" des 19. Jahrhunderts stand ich um so ferner, als ich ein Freund und Bewunderer der Orgelmusik Max Regers war. Wenn ich beschreiben soll, was über dem Klangerlebnis der Totentanz-Orgel in mir vorging, zitiere ich am besten — man verzeihe — das analoge Erlebnis, das Christian Morgenstern in seinem heiter-tiefsinnigen Gedicht: Geburtsakt der Philosophie schildert:

Erschrocken staunt der Heide Schaf mich an,
als säh's in mir den ersten Menschenmann.
Sein Blick steckt an; wir stehen wie im Schlaf.
Mir ist, ich säh zum ersten Mal ein Schaf.[5]

Ich hörte die Orgel neu, wirklich wie zum ersten Mal. Mir fiel es wie Schuppen von den Ohren, und spontan drängte sich mir der Eindruck auf: Das ist das Instrument, das die gewandelte Klangsprache unserer Zeit spricht! Originale Barockorgeln standen seit Jahrhunderten, meist unbeachtet, in vielen Kirchen. Sie warteten auf eine Generation, die sie für sich entdeckte, weil sie aus ihren Tönen und Klängen sich selbst heraushörte und sich darum mit ihnen zu identifizieren vermochte.

---

5 Christian Morgenstern, Gesammelte Werke in einem Band, München 1965, S. 297.

Der zweite Entdeckungsvorgang: Ich erlebte die Uraufführung von Kurt Weills Oper „Die Bürgschaft" im Jahr 1932 in der Städtischen Oper in Berlin-Charlottenburg mit. Da ich schon seit früher Jugend begeisterter Anhänger der Ersten Moderne eines Strawinsky, Bartók, Hindemith, Orff, Honegger, Frank Martin und Casella war, berührte mich auch Weills Musik ganz unmittelbar. Daß Geist und Stil der sich damals langsam entfaltenden neuen Kirchenmusik mit dem Geist und Stil der neuen Musik überhaupt identisch sein müßten, war mir längst deutlich geworden. Aber ich stutzte doch, als zu dem profanen Text „Es ändert sich nicht der Mensch. Es sind die Verhältnisse, die sich ändern", einstimmig und mehrmals vorgetragen, eine Melodie erklang, die ich nicht anders als kultisch, als im engeren Sinn liturgisch-gottesdienstlich empfinden konnte. So etwa, schwebte mir vor, müßte die liturgische Sprache der Kirchenmusik unserer Zeit aussehen.

Es ist sehr schwer, das sich unmerklich wandelnde Idiom einer Zeit näher zu bestimmen oder gar zu definieren. Keineswegs ist die tintenfrische Neuheit eines Werkes schon eine Garantie dafür, daß es auch das Idiom seiner Zeit spricht. Bisweilen sind einzelne Werke ihrer Zeit so weit voraus, daß sich erst die kommende Generation von ihrer Sprache angesprochen fühlt und solche Werke als das lösende Wort für ihre Welt empfindet. Es gibt aber auch das Aufregende, daß Werke einer bestimmten Epoche der Vergangenheit mit einem Mal die aufgeschlossenen Geister einer Generation mit der andringenden Gewalt unmittelbarer Präsenz zu ergreifen und in Bann zu schlagen beginnen, – weil diese hier das gleiche Idiom zu sich reden hören wie in der Musik ihrer Zeit; ja bisweilen wird solche „alte" Musik Helferin dazu, daß die Gegenwart zu ihrer eigenen Sprache hinfindet. Auch unter den Idiomen der Musikgeschichte gibt es Wahlverwandtschaften, Idiome, die wir als gleich=zeitig mit uns empfinden. So war es etwa vor sechzig Jahren mit der Musik des Barock. Zur Wiederentdeckung dieser Musik konnte es nur kommen, weil ein neues Musik- und Klangideal aus höchst wachem Zeitbewußtsein ans Licht drängte. Wie sehr damals tatsächlich eine neue Konstellation eingetreten war, läßt sich mit einer Fülle von Einzelheiten belegen. So hat Walter Wiora darauf hingewiesen, daß man sich noch um die Jahrhundertwende scheute, die alten a cappella-Chöre öffentlich aufzuführen, weil sie dem Publikum als etwas Fremdartiges erschienen[6], und Friedrich Högner konnte von der Verständnislosigkeit selbst führender Kirchenmusiker noch im ersten Jahrzehnt unseres Jahrhunderts für das Werk von Heinrich Schütz und Dietrich Buxtehude berichten[7]. Arnold Schering hat das Verwandtschaftsgespür, das in dem neuen Kairos als heuristische Kraft für die Wiederentdeckung der Barockmusik wirksam wurde, im Jahr 1927 so beschrieben: „Wir kehren heute zu diesen Klangerscheinungen wieder zurück in dem unbestimmten Gefühl, in ihnen etwas im tiefsten Grunde Verwandtes zu finden. Dieses Verwandtschaftsgefühl ist jedoch nicht nur äußerer, klanglicher Art, sondern gründet sich auf eine Umstellung unseres Musikhörens und Musikempfindens überhaupt. Indem die Musik unserer Tage mehr und mehr von der malerisch-koloristischen Technik weggedrängt zu einer mehr plastisch-rhythmisch bestimmten, nähert sie sich in vielen Zügen dem Grundzug der Barockmusik. . ."[8] Friedrich Blume erweiterte den Katalog der Verwandtschaftsbeziehungen zwischen der gewandelten Musikauffassung der Zeit nach dem Ersten Weltkrieg und der alten Musik noch durch andere, wesentliche Züge: man entdeckte „eine bedeutende Musik, die der eigenen asketischen Haltung, dem Hang zum Dünnen und zugleich Durchsichtigen, dem Geschmack an der polyphonen Stimmenvereinzelung, überdies der Neigung zu klangli-

---

6 Walter Wiora, Grenzen und Stadien des Historismus in der Musik, in: Die Ausbreitung des Historismus in der Musik, herausgegeben von Walter Wiora (= Studien zur Musikgeschichte des 19. Jahrhunderts, Band 14), Regensburg 1969, S. 318.
7 Friedrich Högner, Fünfzig Jahre evangelische Kirchenmusik, in: Zeitschrift für Musik 111, Hefte 1 und 4.
8 Zitiert nach Wilibald Gurlitt, Musikgeschichte und Gegenwart, herausgegeben von Hans Heinrich Eggebrecht, Band 2, Wiesbaden 1966, S. 98.

cher Härte und harmonischer Sprödigkeit entgegenkam und vielfach aus der Dur-Moll-Tonalität herausführte, deren man überdrüssig war"[9].

Man würde den existentiellen Ernst dieses Identifizierungsvorgangs verkennen, wenn man hier von „Historismus" sprechen wollte. Es geht ja nicht darum, daß die Musikgeschichte wahllos ausgeschlachtet würde, sondern es erfolgt eine strenge, vom wachen Gegenwartsbewußtsein bestimmte Auswahl. Wo das Idiom einer Zeit aber das gleiche oder verwandte Idiom entdeckt, da bedeutet die Heraufbeschwörung solcher Musik aus der Vergangenheit keine Flucht aus der Gegenwart, sondern umgekehrt gerade ein Bekenntnis zur Gegenwart.

II

Der andringenden Gewalt der Aktualität bedarf auch und vor allem die Sprache der Kirchenmusik. Darum wird die Kirchenmusik immer musique engagée sein müssen. Denn sie soll nicht nur das Lob Gottes singen, sondern hat durch die Reformatoren noch eine zweite Aufgabe zugewiesen bekommen: mitzuhelfen bei der „Ausbreitung der großen Taten Gottes", und zwar mit den spezifischen Mitteln der Musik. Der Fachausdruck, den Sixt Dietrich in den Vorreden zu seinen Ausgaben der Antiphonen und Hymnen (1541 bzw. 1545) dafür gebraucht, ist „decantare". Neben ihrem Lobamt hat die Kirchenmusik also auch einen Verkündigungsauftrag wahrzunehmen und rückt damit auf die Ebene der Predigt. Predigt ist für Martin Luther viva vox, d. h. verlebendigtes, aktualisiertes Wort Gottes. Sie will den Zuhörer ins Herz treffen und setzt dafür die zündende, mitreißende Kraft der Sprache ein, die der Heilige Geist als sein Werkzeug (vehiculum) gebrauchen will[10]. Ebenso wenig kann die Kirchenmusik, die dem Hörer die großen Taten und Wunder Gottes nahebringen will, auf eine Sprache verzichten, die er als ihn unmittelbar angehend und anrührend empfindet. Nicht zufällig kulminiert die klassische Kirchenmusik der evangelischen Kirche in der Predigtmusik eines Heinrich Schütz und eines Johann Sebastian Bach. Auch die neue Kirchenmusik unseres Jahrhunderts ist reich an großartigen Beispielen solcher Wort- oder Predigtmusik.

Eine Aktualität der Sprache der Kirchenmusik abseits von dem musikalischen Idiom ihrer Zeit aber kann es nicht geben. Friedrich Blume hat sein grundlegendes Werk: „Die evangelische Kirchenmusik" (1931) mit folgenden lapidaren Sätzen eröffnet: „‚Evangelische Kirchenmusik' ist keine selbständige Gattung Musik. Sie ist weder autochthon noch autark. Sie ist weder aus sich selbst, aus einer ihr allein angehörigen Substanz und ihr allein eigentümlichen Prinzipien erwachsen, noch hat sie sich, einmal vorhanden, in einem selbstgenügsamen Beharrungsvermögen von anderen Gattungen isoliert. . . Die reformatorische Bewegung sog auch den musikalischen Bestand ihrer Zeit in sich auf. Ganz bewußt ergriff sie das Vorhandene, um es in ihren Dienst zu stellen."[11] Aber nicht jedes musikalische Idiom eignete sich für die Sprache des Gottesdienstes. Heinrich Besseler hat in seinem Leipziger Bachvortrag 1950 festgestellt, daß es nur drei Epochen in der Musikgeschichte gegeben hat, in denen die Sprachen der Musik überhaupt und der liturgischen Musik sich deckten: das Zeitalter Leonins und Perotins, das Zeitalter Dufays und das Zeitalter Bachs — Epochen, in denen das Parodieverfahren möglich war[12]. Einen neuen Kairos für die Wiedergeburt einer schöpferischen Kirchenmusik gab es dann in der ersten Hälfte unseres Jahrhunderts. Komponisten wie Igor Strawinsky und Paul Hindemith, deren Schaffensschwerpunkt eindeutig bei der weltlichen Musik lag, konnten auch Werke für

9 Friedrich Blume, Alte Musik in unserer Zeit, in: Neue Zürcher Zeitung vom 7. Januar 1968.

10 Augsburgisches Bekenntnis Art. V.

11 Friedrich Blume, Die evangelische Kirchenmusik, in: Handbuch der Musikwissenschaft, herausgegeben von Ernst Bücken, Potsdam 1931, S. 1.

12 Heinrich Besseler, Bach und das Mittelalter, in: Bericht über die Wissenschaftliche Bachtagung der Gesellschaft für Musikforschung Leipzig 1950, Leipzig 1951, S. 108 ff.

den Gottesdienst schreiben, ohne ihre Notenfelder wechseln zu müssen. Über die reiche Ernte, die die Kirchenmusik in jener Zeit in die Scheuern fahren konnte, brauche ich kein Wort zu verlieren.

III

Das musikalische Idiom einer Zeit wechselt mehr oder weniger rasch. Das können wir an uns selber feststellen. Die Älteren werden vielleicht über die Beobachtung verwundert sein, daß sie heute romantischen Werken einen Geschmack abgewinnen, den sie ihnen noch vor zwanzig Jahren verweigert haben. Der kürzlich verstorbene Direktor der Kirchenmusikschule in Esslingen, Hans-Arnold Metzger, schickte mir im Jahr 1975 ein Programm seiner Aufführung von Mendelssohns Oratorium „Paulus" mit dem Zusatz hinter seinem Namen: „der früher geschworen hätte, nie einen Mendelssohn aufzuführen. Und doch hat es sich irgendwie gelohnt." Selbst bei Johann Sebastian Bach entdecken wir heute „romantische" Züge und möchten seine Werke nicht mehr so motorisch und starr-objektiv interpretiert sehen wie einst.

Was geschieht aber mit den Werken, die wohl wirkliche Kunstwerke sind, jedoch nicht mehr das Idiom der gewandelten Zeit besitzen und uns darum nicht mehr zu erregen vermögen? Sie werden entweder ignoriert oder vergessen, oder aber sie werden fortan, wenn es sich um überragende Schöpfungen handelt, nur noch ästhetisch gewürdigt. Das Konzert ist die bevorzugte Pflegestätte solcher Musik. Wenn das Oeuvre Igor Strawinskys im Mittelpunkt der Berliner Festwochen 1980 stand oder wenn in der Wuppertaler Konzertsaison 1980/81 ein Hindemith-Zyklus mit nicht weniger als 35 Aufführungen stattfand, so will mir scheinen, als hätten diese Werke — bis zu einer später vielleicht möglichen echten Renaissance — diese Endstation erreicht. Ihre Wirkung ist nicht mehr dieselbe wie noch vor 30 oder 40 Jahren, und der elektrisierende Funke springt wenn überhaupt nur noch selten über.

Damit sind wir beim Kern der Fragestellung unseres Themas angelangt: „Brauchen wir heute ein neues Konzept der Kirchenmusik?" Denn daran kann kein Zweifel bestehen, daß sich die Musikauffassung und Klangvorstellung gegenüber der ersten Hälfte unseres Jahrhunderts unter dem Einfluß der Zweiten Moderne eines Arnold Schönberg, Anton Webern und Alban Berg heute entscheidend gewandelt hat. Von der relativ kurzen Übergangsperiode der rein seriellen Musik abgesehen, ist dieser Wandel in der postseriellen Musik, wie man sie heute immer noch mangels einer spezifischen Bezeichnung zu nennen pflegt, sehr mannigfaltig und unterschiedlich. Die späte Initialzündung dazu ging offenbar von dem dritten Stück aus Schönbergs „Fünf Orchesterstücken" (op. 16) aus dem Jahr 1909 aus, „Klangfarben" betitelt. Jedenfalls wurden die eigenständigen Klangmaterialien, die melodischen und rhythmischen Strukturen und Spielelemente mit einem Male sacht oder elementar, meditativ oder rauschhaft-entfesselt wieder von einer lang angestauten Emotion, von der Freude am Klang, von der leidenschaftlichen Expression, kurz von dem von Igor Strawinsky als Eigenschaft der Musik abgestrittenen Willen zum Ausdruck durchblutet. Es kann nicht unsere Aufgabe sein, das weithin neue Feld des musikalischen Aufbruchs, einer neuen Musik- und Klanggesinnung hier zu beschreiben, das von den revolutionären Anrufen der Musik eines Luigi Nono über die kosmischen Visionen eines Karlheinz Stockhausen bis hin zu den geistlichen Bekenntnismusiken eines Krzysztof Penderecki reicht. Zudem ist dieses Feld in ständiger Bewegung und Entwicklung zur sog. Postmoderne hin begriffen. Vielerorts wirken die Elemente des Jazz, insbesondere des Free Jazz, nach, weithin wird auch die Tonalität wieder entdeckt und feiert eine mehr oder weniger offen bekannte Romantik neue Triumphe. Damit aber hat die Kirchenmusik im Ganzen erneut, wie in der Mitte des 18. Jahrhunderts, den Übergang zur nichtliturgischen Geistlichen Musik vollzogen[13]

---

13 Vgl. Oskar Söhngen, Die moderne Musikentwicklung und die Kirchenmusik, in: Musik und Kirche 41, 1971, S. 281–290.

In diese neue Situation der Musik ist auch der lebendige, aufgeschlossene Kirchenmusiker von heute hineingestellt, und man muß von ihm erwarten, daß er sich mit ihr auseinandersetzt, mehr noch: daß er die Verwandtschaft mit ihrem neuen Idiom herausspürt und auch ein Stück von sich selbst darin wiederfindet. Er wäre des Namens Musiker nicht wert, wenn er sich nicht auch persönlich für die neue Musik wo nicht engagierte, so doch zumindest interessierte, schon um der Klärung seines persönlichen Standortes willen. Am leichtesten fällt ihm das meist bei der romantischen Komponente der neuen Musik. Denn die Musik der einst verpönten Romantik ist heute wieder mit Macht auch in die Kirche zurückgekehrt. Und zwar handelt es sich dabei um eine Wiederentdeckung mit all den Symptomen, die wir an der neuen Kirchenmusik der dreißiger, vierziger und fünfziger Jahre aufgezeigt haben. Die Jugend hat sich leidenschaftlich wieder des Werkes von Max Reger bemächtigt, nicht etwa, weil sie in ihm einen „zweiten Bach" zu finden glaubt (als welcher Reger zu seinen Lebenszeiten gefeiert wurde), sondern gerade weil sie die Andersartigkeit seiner Musik stark empfindet. Und Felix Mendelssohn Bartholdys Motetten und Psalmenkompositionen wirken mit der Kraft einer neuen Offenbarung. Franz Schuberts Messen werden heute ebenso liebevoll gepflegt wie Orgelwerke der französischen Spätromantik (gegen die Reger Frontstellung bezogen hatte). Der Ernst und das echte Pathos dieser Stilwende zeigt sich auch darin, daß die Kompositionen der Kleinmeister der kirchenmusikalischen Romantik, bis hin zu Joseph Rheinberger, Heinrich Reimann und Sigfrid Karg-Elert, neu entdeckt und aufgeführt werden. Freilich ist die Gefahr nicht zu unterschätzen, daß der Qualitätsmaßstab dabei zu kurz kommt. Denn Martin Weyer hat zweifellos mit seinem Urteil recht, daß die Orgelmusik des fin de siècle unter dem Fluch des Epigonentums stand[14]. Gleichzeitig entstehen neue Werke von meditativ-romantischer Grundhaltung, die das Idiom unserer gewandelten Zeit sprechen. Alles in allem wird man an der Feststellung nicht vorbeikommen, daß — alte und neue — romantische Musik „aktuell" ist und einen legitimen Platz im heutigen Kirchenkonzert beanspruchen darf.

Die soziologische Diskrepanz zwischen nichtliturgischer Geistlicher Musik, die sich vorwiegend an die Adresse der Gesellschaft richtet, und der der gottesdienstlichen Gemeinde vorbehaltenen liturgischen Kirchenmusik wird noch durch die gegenwärtige Krise des Gottesdienstes unterstrichen. Es würde zu weit führen, auch diese hier zu erörtern, sowenig sich die beiden Themenkreise auch von der Sache her voneinander trennen lassen. Ein bezeichnendes Symptom dafür ist das gesunkene Interesse an der Aufführung gottesdienstlicher Musik, vor allem bei zahlreichen Pfarrern und Gemeindekirchenräten, aber auch bei manchen Kirchenmusikern selbst. Die Folge davon ist, daß das Kirchenkonzert heute weithin eine Schwerpunktrolle einnimmt. Man wird dafür auch Verständnis aufbringen, wenn der Kirchenmusiker wirklich Werke aus dem Geist unserer Zeit musiziert, Werke, die dadurch Aussicht haben, auch die Herzen der Zuhörer anzurühren. Denn auch die Geistliche Musik ist ja nicht nur Gegenspielerin, sondern zugleich auch Verbündete der liturgischen Kirchenmusik und will meist, in persönlich-subjektiver Weise, auch die Botschaft des Evangeliums bezeugen. Für ausgesprochen gefährlich halte ich dagegen die Wendung auf das Konzertant-Ästhetische und den Verlust des inneren gottesdienstlichen Engagements des Kirchenmusikers, der Hand in Hand damit zu gehen pflegt. Denn der konzertante Trieb benötigt keine Bindung an die Aktualität der Tonsprache, sondern ihm dient nach Art der großen Generalmusikdirektoren die ganze Musikgeschichte lediglich als Steinbruch, aus dem er sich nach Interesse und Neigung bedient. Es nimmt daher nicht wunder, daß auf den Programmen dieser Kirchenkonzerte Werke aller Epochen der Musik friedlich nebeneinander stehen.

---

14 Martin Weyer, Ars organi, 1980, Heft 3.

IV

Ich versuche, die bisherigen Ausführungen in einen größeren, grundsätzlichen Zusammenhang zu bringen.

1. Als in den dreißiger Jahren unseres Jahrhunderts, zunächst in der Evangelischen Kirche der altpreußischen Union, ein hauptberuflicher Kirchenmusikerstand begründet wurde, wurde er in den amtlichen Kommentaren durch eine dreifache Funktion gekennzeichnet: Das Amt des Kirchenmusikers sei zuvor ein *künstlerisches*; denn für den Gottesdienst sei die beste Leistung gerade gut genug. Deshalb schärfte gleich die erste Dienstanweisung die Anlegung „strengster künstlerischer Maßstäbe" ein und wurden die Anforderungen in den Prüfungsordnungen laufend erhöht, so daß der heutige A-Kirchenmusiker zu den best- und umfassendst ausgebildeten Musikern zählen darf. Zugleich ist das Amt, das der Kirchenmusiker verwaltet, ein *liturgisches*. Wie alle echte Kirchenmusik aus dem Gottesdienst herausgewachsen ist, so bildet auch der Gottesdienst das Herzstück der Wirksamkeit des Kirchenmusikers. Das bedeutet nicht, daß er die musikalischen und religiösen Schätze der Kirchenmusik der Öffentlichkeit vorenthalten sollte; wie schon erwähnt, veranlaßt ihn seine Dienstanweisung vielmehr auch zu regelmäßigen Kirchenkonzerten. Und schließlich ist das Amt des Kirchenmusikers ein *kirchliches* Amt. Wo man mit dem lutherischen Gedanken von der Mannigfaltigkeit des Predigtamtes wieder Ernst macht, wird der Kirchenmusiker auch als Mitarbeiter des der Kirche eingestifteten Predigtamtes anerkannt und wertgeschätzt. Das In- und Miteinander dieser drei Funktionen ist konstitutiv für das Amt des Kirchenmusikers. Insofern kann es kein neues Konzept der Kirchenmusik geben. Wohl können gelegentliche Schwerpunktverlagerungen innerhalb dieser Dreiheit eintreten.

2. Der Himmel der Musik hat heute seine Sterne gewechselt, und eine neue Konstellation ist heraufgezogen. Wenn aber, aufs Ganze gesehen, das Idiom der heutigen modernen Musik und die Sprache der liturgischen Kirchenmusik sich nicht mehr wie in der ersten Jahrhunderthälfte decken, droht da nicht ein echtes Dilemma auf den Kirchenmusiker zuzukommen? Auf der einen Seite soll er als aufgeschlossener Künstler mit der Musik seiner Zeit gehen, auf der anderen wird von ihm erwartet, ja gefordert, daß er sich mit ganzer Überzeugung für die liturgische Musik des Gottesdienstes einsetzt. Man wird die Spannung, die der einzelne Kirchenmusiker damit durchzustehen hat, nicht ignorieren dürfen. Ich meine aber, daß sie sich reduzieren und sogar fruchtbar machen läßt. Zwei Argumente dafür: Einmal soll der Kirchenmusiker ja nicht wahllos irgendwelche liturgischen Werke aufführen, sondern sich auf die künstlerisch-bedeutsamen Schöpfungen der klassischen und der neuen Kirchenmusik beschränken — und das kann ein schlichter Choralsatz sein, wie der des Michael Praetorius zu „Es ist ein Ros entsprungen". Jedes wirkliche Kunstwerk hat seine eigene, zeitüberlegene Aura und Überzeugungskraft. Gewichtiger ist freilich das zweite Argument, das in das Innere der Problematik führt. Die Kirche des Dritten Glaubensartikels ist zwar in der Welt, aber nicht von der Welt, weil sie gerade auch als ecclesia semper reformanda die ecclesia semper mansura ist; sie ist nicht von gestern und heute und läßt sich nicht in die Welt auflösen. Weil das aber so ist, gibt es für ihre Glieder, soziologisch gesprochen, ein *schichtenspezifisches Gruppenethos*, das will besagen: Je stärker sich ihre Glieder dem speziellen Auftrag, dem opus proprium der Kirche, nämlich dem Lob Gottes und der Verkündigung des Evangeliums, verpflichtet fühlen, je entschlossener sie die Wirklichkeit der Kirche Jesu Christi bejahen und sich im Glauben in sie hineinstellen, desto selbstverständlicher werden ihnen auch die besondere Sprache und die Lebensformen der Kirche werden. Zu ihnen gehören aber auch, und zwar in erster Linie, der Gottesdienst und die liturgische Musik. Das hat mit Konventikeltum nichts zu tun, sondern findet in einer pluralistischen Gesellschaft eine Fülle von säkularen Entsprechungen. Der Höhepunkt der Krise des Gottesdienstes scheint überwunden zu sein, eine rückläufige Bewegung hat eingesetzt. Die junge Generation der Theologie- und Kirchenmusikstudierenden hat weithin die Kirche wiederentdeckt und beginnt, Gottesdienst und Liturgie wieder ernst zu nehmen.

V

Wenn wir auch die grundsätzliche Frage des Themas unseres Aufsatzes mit einem dezidierten Nein beantwortet haben, so möchten wir doch die Frage bejahen, ob es heute nicht spezifisch neue Akzentuierungen der kirchenmusikalischen Arbeit gibt. Einige davon seien abschließend kurz aufgezeigt.

1. Ein für das Musikleben in der Deutschen Demokratischen Republik bezeichnender Zug ist der überraschend starke Zustrom von Jugendlichen, vielfach aus außerkirchlichen Kreisen, zu den Orgelkonzerten, die dort veranstaltet werden. Der Dichter Reiner Kunze hat ihm ein bewegendes Kapitel in seinem mutigen Buch „Die wunderbaren Jahre"[15] gewidmet. Darin zeigt sich, daß der Kirchenmusik auch starke missionarische Kräfte innewohnen. Was die Jugend mit Hilfe der Orgelmusik sucht, ist Stillewerden, Einkehr, Meditation. Diese Bewegung hat hier und da, allerdings in weniger elementarer Form, auch auf die Bundesrepublik übergegriffen. Damit ergibt sich eine Gelegenheit, über das unverbindliche Potpourri vieler Orgelkonzerte hinaus wieder zu einer neuen Sinngebung und Aktualisierung zu kommen: indem nämlich Werke von meditativer Grundhaltung in den Mittelpunkt des Programms gestellt werden.

2. Um meine Stellung zum Kirchenkonzert, dieses Thema abschließend, noch einmal klar zu formulieren: Die geistig-geistliche Mitte der Tätigkeit des Kirchenmusikers muß im Gottesdienst liegen. Wir brauchen daneben aber nach wie vor und heute erst recht das Kirchenkonzert,
a) weil die neue Geistliche Musik unserer Tage nicht im Gottesdienst beheimatet ist, der lebendige, auf der Höhe der Zeit stehende Kirchenmusiker aber für sie aufgeschlossen sein soll;
b) weil auch von der Geistlichen Musik religiöse Wirkungen, insbesondere meditativer Art, ausgehen können;
c) weil im Kirchenkonzert auch gottesdienstliche Werke aufgeführt werden können, die bei thematischer Konzentration des Programms verkündigende Macht besitzen.

3. Wir leben heute in einem stark pädagogisch ausgerichteten Zeitalter. Daran ist auch die Kirchenmusik beteiligt, vor allem indem sie sich vielerorts der musikalischen Heranbildung der Kinder annimmt. Das geschieht nicht nur in der Form von Kurrenden und Kinderchören, sondern auch in eigenen Singschulen, in denen die musikalischen und kreativen Fähigkeiten der Kinder, auch im Spielen von Instrumenten, entwickelt werden. Sicherlich spielt dabei das Interesse an der Sicherung eines vorgebildeten Nachwuchses für die Kantoreien und Kirchenchöre mit, aber im Vordergrund steht doch der amour désintéressé an der Entwicklung der Gaben und Anlagen der Kinder. Dieser wichtige Zweig der kirchenmusikalischen Arbeit, der in der großen Öffentlichkeit wenig bekannt ist, sollte meines Erachtens systematisch weiterentwickelt und ausgebaut werden.

4. Das Wissen um die therapeutische Kraft der Musik war schon im Altertum verbreitet. Über das Griechentum und den Humanismus ist es auch ins Abendland getragen worden. Aber erst seit einigen Jahrzehnten beginnt man hier, damit Ernst zu machen und musiktherapeutische Heilmethoden zu erproben und zu praktizieren. Als einer der Ersten hat der Altmeister der Singbewegung Alfred Stier in seinem Buch mit dem bezeichnenden Titel: „Musika eine Gnadengabe Gottes. Vom Dienst der Musik am Menschen" (1960) von den Erfahrungen berichtet, die er auf Singwochen damit gemacht hatte; seine Forderung geht dahin, gerade auch Werke der Kirchenmusik dafür einzusetzen[16]. Sie ist in unserer Zeit, die ihre Fürsorge erfreulicherweise gerade auch den Behinderten und Leidenden zukommen läßt, aufgegriffen worden, und es gibt heute schon manche Kirchenmusiker, die eine entsprechende Ausbildung durchgemacht haben und sich nun bemühen, ihre musiktherapeutischen Erkenntnisse und Praktiken in ihre

---

15 Reiner Kunze, Orgelkonzert, in: Die wunderbaren Jahre, Frankfurt/Main 1976, S. 76–80.
16 Alfred Stier, Heilende Wirkungen der Singwoche, in: Musika eine Gnadengabe Gottes, Berlin 1960, S. 73 bis 106.

Tätigkeit einzubeziehen. Sicherlich stehen sie damit erst am Anfang, aber dieser Anfang ist nicht ohne Verheißung.

5. Eine weitere allgemeine Erscheinung des heutigen gesellschaftlichen Lebens muß wegen ihrer Auswirkungen auf die Kirchenmusik noch erwähnt werden: das ist der Drang der Jugend nach Kommunikation, nach Gemeinschaftserleben. In vielen Liedern unseres Gesangbuchs vermag sie sich nicht wiederzuerkennen. Deshalb ist die Suche nach dem neuen Kirchenlied eines der wichtigsten Symptome der gewandelten kirchenmusikalischen Situation. Und zwar erstreckt sich diese sowohl auf die Texte als auch auf die Weisen. Was die Texte betrifft, so rächt sich oft, daß man „Texter" vor die Front gerufen hat, vor die Dichter gehören; es gibt kaum solche Texte, die höheren Ansprüchen genügen und die Tradition der Qualität fortsetzen, in der das evangelische Kirchenlied steht. Das gilt auch für viele Melodien, die Anleihen bei der Unterhaltungsmusik machen. Aber es gibt doch auch, z. B. aus der Notenfeder von Paul Ernst Ruppel und Heinz Werner Zimmermann, schöne, würdige und zündende Weisen, die z. T. geistig und musikalisch vom Spiritual befruchtet sind und einen neuen Typus des Kirchenliedes darstellen. Die Klippe der mangelnden qualifizierten Texte umgehen diese Lieder bisweilen dadurch, daß sie auf Prosatexte, meist aus der Bibel und vorzugsweise aus den Psalmen, zurückgreifen. Weitere Verbreitung haben auch, in Verbindung mit der sog. narrativen Theologie, Erzähllieder gefunden, in denen in Versen biblische Geschichten mit Nutzanwendung auf die heutige Zeit berichtet werden. Hier scheint sich wirkliches Neuland für die evangelische Kirchenmusik aufzutun[17].

6. Die Epoche der Orientierung am vokalen Melos und am polyphonen Chorklang, die für die Renaissance der Kirchenmusik in der ersten Hälfte unseres Jahrhunderts kennzeichnend war, ist vorerst vorüber. Die Werke der neuen Geistlichen Musik unserer Zeit sind durchweg nicht nur instrumental geprägt, sondern meist auch auf die Mitwirkung von Instrumenten angewiesen. Das muß seine Auswirkungen auch auf die Ausbildung der Kirchenmusiker haben. Unterricht in Instrumentenkunde und Orchesterleitung war zwar schon bisher in den Ausbildungsordnungen für die A-Kirchenmusiker vorgeschrieben. In der Praxis aber kommt die Orchesterleitung infolge Fehlens eines entsprechenden Apparates meist nicht über symbolische Ansätze hinaus; mit Übungen im Trockendirigieren allein ist es nicht getan. Hier werden künftig ernsthafte Bemühungen einsetzen müssen, um diesem Fach zur realen Verwirklichung zu verhelfen. Man wird schwerlich darauf verzichten können, das Fach Orchesterleitung auch für die Ausbildung der B-Kirchenmusiker verbindlich zu machen.

---

17 Vgl. das verdienstvolle Werk von Karl Christian Thust, Das Kirchen-Lied der Gegenwart. Kritische Bestandsaufnahme, Würdigung und Situationsbestimmung, Göttingen 1976.

Martin Staehelin

Zu einer umstrittenen Bach-Porträtzeichnung des 18. Jahrhunderts

Seitdem man sich im 19. Jahrhundert für die Ikonographie der authentischen Bach-Porträtdarstellungen zu interessieren begonnen hat, haben die großformatigen Ölbilder im Vordergrund der Beachtung gestanden[1]. Man wird hier zunächst an jene Stücke denken, die dem bekannten Typus des Bach-Porträts von Elias Gottlob Haußmann zugehören und deren früheste Vertreter durch Signatur, Zuschreibung, Provenienz und ikonographische Folgetradition den weitgehenden Charakter des Authentischen beanspruchen dürfen[2]. Aber es trifft auch für andere Ölgemälde zu, so fast durchweg für jene, die erst vor fünfundzwanzig Jahren als wirklich echte Bach-Darstellungen bezeichnet worden sind[3]. Nicht in Öltechnik geschaffene Bach-Porträts dagegen sind — von einzelnen Ausnahmen abgesehen — in der Diskussion von Anfang an eher zurückgetreten, sei es, weil sie an sich weniger zahlreich und, meist geringeren Formates, weniger repräsentativ, sei es, weil sie zuweilen erst im Laufe des 20. Jahrhunderts überhaupt bekannt geworden sind, sei es schließlich, weil ihre Echtheit von Beginn an umstritten gewesen ist. Dabei hat sich der Widerspruch entweder gegen die Identität des Dargestellten mit Bach gerichtet, manchmal auch nur gegen den ad-visum-Charakter des Porträts, oder es ist schon die Entstehungszeit des 18. Jahrhunderts und damit eine wesentliche Voraussetzung bezweifelt worden, die ein Bach-Bild hätte besitzen müssen, um als authentisch gelten zu können[4].

Die überaus problemreiche Gesamtlage der authentischen Bach-Porträtüberlieferung ist dem Jubilar, dem diese Festschrift zugedacht ist, natürlich genau bekannt; er selbst hat sich auch öffentlich sehr besonnen dazu geäußert[5]. Wenn ein der zünftigen Bach-Forschung fernerstehender Autor sich hier ebenfalls um, wenn auch nur ein Teilproblem der Bach-Ikonographie bemüht, dann geschieht dies zunächst in der Absicht, den überaus verdienten Editionsleiter-Kollegen zu ehren; dazu tritt aber der Anlaß, daß die Gunst des Zufalls die hier zu behandelnde, lange verschollen geglaubte Bach-Porträtzeichnung in deutschem Privatbesitz jüngst wieder ans Tageslicht gebracht und damit die folgenden weiterführenden Beobachtungen und Überlegungen ermöglicht hat[6].

Das fragliche Stück gehört dem obengenannten, eher übergangenen Bereich der kleinformatigen, nicht in Öl gehaltenen Bilder an. Es handelt sich um eine mit Deckweiß und Sepia kolorierte Bleistiftzeichnung auf leichtem weißem Karton[7] (siehe Abbildung 1 auf S. 265); der im Brustbild Wiedergegebene ist in ein hochgestelltes, an den weitesten Stellen 11, 2 bzw. 8, 4 cm mes-

---

1 Vgl. zum folgenden allgemein die Literatur, die Werner Neumann, Bilddokumente zur Lebensgeschichte Johann Sebastian Bachs, Kassel etc. 1979 (im folgenden: Neumann, Bilddokumente), S. 351 f. (Schrifttum zur Bach-Ikonographie), aufführt.

2 Vgl. Wilhelm His, Anatomische Forschungen über Johann Sebastian Bach's Gebeine und Antlitz nebst Bemerkungen über dessen Bilder, in: Abhandlungen der mathematisch-physikalischen Classe der Königl. Sächsischen Gesellschaft der Wissenschaften, Band 22, Nr. 5, Leipzig 1895, S. 377–420 (im folgenden: His, Forschungen), S. 410 ff.

3 Vgl. Heinrich Besseler, Fünf echte Bildnisse Johann Sebastian Bachs, Kassel etc. 1956.

4 Als „authentisch" gilt hier nur ein Bild, das „ad visum" geschaffen ist; Bach selbst müßte also dafür Modell gesessen haben.

5 Vgl. Alfred Dürr, Probleme der Bach-Ikonographie, in: Musica 11, 1957, S. 176 f., und 12, 1958, S. 207 f.

6 Herrn Dr. h. c. Hermann J. Abs, Frankfurt a. M., danke ich auch an dieser Stelle bestens dafür, daß er mir die Zeichnung zur Kenntnis gebracht und zum Studium überlassen hat; auch für seine gütige Erlaubnis, die Zeichnung hier zu behandeln und zu reproduzieren, sei ihm sehr ergeben gedankt.

7 Es handelt sich also nicht um eine Silberstiftzeichnung, und sie ist auch nicht auf Pergament aufgebracht, wie die Literatur gelegentlich behauptet hat.

sendes Oval eingezeichnet, und dieses ist heute unter Passepartout in einem rechtwinkligen, verglasten kleinen Holzrahmen gefaßt. Materialbeschaffenheit, Zeichentechnik und -stil weisen das Stück nach kunsthistorischer Fachauskunft[8] in die Spanne von Mitte bis Ende des 18. Jahrhunderts oder sprechen jedenfalls in keiner Weise gegen diese, wenn auch leider ziemlich unpräzise bleibende Datierung. Vom Äußeren her ergibt sich übrigens keinerlei Anlaß, das Bild etwa als nachträgliche Fälschung anzusprechen und ihm so schon von vorneherein die Möglichkeit zu nehmen, authentisch zu sein.

Ganz unbekannt ist die Zeichnung der Öffentlichkeit nicht geblieben. Offenbar hat schon im Jahre 1895 Friedrich Edwin Bormann in Leipzig, der damalige und zugleich der erste bezeugte neuere Besitzer des Porträts, „unter Nachweis einer direkten Familienfolge", eine Photogravüre veröffentlicht und das Stück „als authentisches ad-visum-Porträt" Bachs bezeichnet[9]. Im gleichen Jahr allerdings stellte der ebenfalls in Leipzig wirkende Mediziner Wilhelm His die Echtheit des Bildes aufgrund anatomischer Beobachtungen zur Kopfform des Dargestellten entschieden in Frage[10]. 1907/08 sprach sich Otto Landmann jedoch wieder für eine Authentizität aus[11]. Danach trat das Bild aus der Diskussion zumindest vorläufig zurück. Erst viel später, im Jahre 1950, wurde die Zeichnung von Wilhelm Martin Luther in den Katalog der Göttinger Bach-Ausstellung wieder aufgenommen und auch abgebildet, nach Ansicht Friedrich Smends aber in ihrer, unten noch zu behandelnden Provenienz und damit in ihrer Echtheit neuerdings angezweifelt[12]. Auch im Jahre 1964 urteilte Conrad Freyse, dem die Zeichnung zu einem ungenannten früheren Zeitpunkt im Original vorgelegen hatte, entschieden ablehnend: einerseits berief sich Freyse auf die oben berührte Meinung von His, und andererseits datierte er Papier und Malweise kurzerhand auf das Ende des 18. Jahrhunderts, ein Vorgang, für den allerdings jede Begründung unterblieb und dessen zeitliche Präzision nach dem obengenannten kunsthistorischen Fachurteil ohne weitere Informationen ebenfalls nicht zu rechtfertigen ist. Freyse leugnete immerhin nicht, daß Bach derjenige gewesen sein könnte, der hier dargestellt ist, sprach aber für einen solchen Fall von einem „dilettantischen Versuch"[13]; daß die künstlerische Qualität der Zeichnung nicht erheblich ist, wird man Freyse auch heute ohne weiteres zubilligen wollen. In jüngster Zeit nahm Werner Neumann das Porträt mit Reproduktion der alten Bormannschen Photogravüre und kurzem Kommentar in seine schöne Sammlung von Bach-Bildzeugnissen auf, wobei er durch die der Zeichnung zugewiesene späte Stellung offenbar ebenfalls Zweifel an ihrer Echtheit ausdrücken wollte; einen Besitzer des Porträts konnte er nur noch bis zum Jahre 1944 nachweisen, und es ist sogar denkbar, daß er das Original des Bildes selbst gar nie zu Gesicht bekommen hatte[14].

Mit der großzügigen Erlaubnis des derzeitigen Besitzers durfte der rechteckige Rahmen des Bildes kürzlich geöffnet und die Originalzeichnung freigelegt werden. Leider traten dabei keiner-

8 Für freundlich gewährte kunsthistorische Beurteilung danke ich auch an dieser Stelle Frau Dr. Ingeborg Krueger und Herrn Dr. Hans M. Schmidt vom Rheinischen Landesmuseum Bonn bestens.

9 Neumann, Bilddokumente, S. 363, bringt unter B 42 einen willkommenen knappen Kommentar zu dem Bild, der auch ältere Informationen verwertet. Die beiden Zitate stammen von dort; die erwähnte Photogravüre und Bormanns Kommentar waren mir nicht erreichbar. – Nach His, Forschungen, S. 419, war dem Besitzer des Bildes 1895 nur bekannt, daß „es der Großmutter des Herrn Bormann gehört habe und zum mindesten seit Beginn des Jahrhunderts im Besitz der Familie gewesen sei". Danach scheint diese ältere „Familienfolge" von 1895 viel weniger umfangreich gewesen zu sein als die im Jahre 1907 vom Sohne Bormann festgehaltene (s. unten).

10 His, Forschungen, S. 419.

11 Otto Landmann, Bachporträts, in: Die Musik 7, 1907/08, S. 216–228 (mit Abb.), besonders S. 223 f.

12 [Wilhelm Martin Luther], Johann Sebastian Bach, Documenta, herausgegeben durch die Niedersächsische Staats- und Universitätsbibliothek (zum Bachfest 1950 in Göttingen), Kassel etc. 1950 (im folgenden: Luther, Documenta), S. 47, Nr. 289 und S. 120.

13 Conrad Freyse, Bachs Antlitz, Eisenach 1964, S. 88. Herrn Dr. Klaus Hofmann, Göttingen, danke ich für freundlich gewährte Einsichtnahme in Freyses Schrift bestens.

14 Neumann, Bilddokumente, S. 363, B 42.

lei Auf- oder Zuschriften zutage, auch nicht auf der blanken Rückseite des Kartons. Interesse weckt indessen eine auf der Rahmenrückseite aufgeklebte, von Edwin Bormann, dem Sohne des obengenannten Friedrich Edwin Bormann, im Jahre 1907 angefertigte maschinenschriftliche Besitzer-Genealogie (siehe Abbildung 2 auf S. 266); ihr Inhalt ist in der Literatur bisweilen zwar angedeutet, aber nie getreu wiedergegeben oder gar kritisch geprüft worden. Bormann führt hier den Besitz des Bildes über insgesamt sieben vorangegangene Generationen auf Johann Balthasar Reimann (1702–1749), Organisten in Hirschberg in Schlesien, zurück, dem anläßlich einer Leipziger Reise Bach auf der Orgel vorgespielt und überhaupt freundliche Aufnahme gewährt hatte; mit Reimann als dem ersten Bild-Besitzer und dessen persönlicher Verbindung zu Bach war also für Bormann die Authentizität des Bildes dokumentiert. Nach Reimanns Tod ging, so wie Bormann es darstellt, das Bild auf Reimanns älteren Hirschberger Musikerkollegen und Vorgesetzten Tobias Volckmar (1678–1756) über, und von da an vererbte es sich, im Laufe von vier Generationen, jeweils über eine Tochter weiter, bis es an den genannten Friedrich Edwin und dann dessen Sohn Edwin Bormann gelangte. Die von diesem beigegebenen Jahreszahlen und Namen wirken so präzis, daß man zunächst glauben möchte, hier sei gute, etwa in Bormannschen Familiendokumenten überkommene Tradition verwertet und es sei damit gleichzeitig die Echtheit des Bildes gesichert[15].

Aus verschiedenen Gründen war es nicht möglich, nach solchen Begleitdokumenten der Familie Bormann, in Leipzig oder an anderen Orten, zu suchen. Aber auch ohne derartige Studien erheben sich beträchtliche Zweifel, ob die von Edwin Bormann gegebene Besitzer-Genealogie auf weiteren, zusammen mit dem Bild überlieferten Familiendokumenten beruht haben könnte. Das wird vor allem dort deutlich, wo Bormann über die einzigen beiden Berufsmusiker in der Reihe, also über Reimann und Volckmar, Auskunft gibt. Die Musikforschung weiß im wesentlichen über sie Bescheid durch ihre autobiographischen Aufzeichnungen von 1740, die Mattheson in seine im selben Jahr gedruckte „Grundlage einer Ehren-Pforte" aufgenommen hat[16]. Eben diese Aufzeichnungen waren es aber offensichtlich, auf die sich 1907 auch Edwin Bormann bei der Abfassung seiner Bild-Genealogie stützte. Das lehrt namentlich der Vergleich einiger einschlägiger Mattheson-Ausschnitte mit den von Bormann auf der Bilderrückseite festgehaltenen Angaben[17]:

Reimann	Bormann
. . . Jm Jun. des Jahrs 1729. wurde ich nach Hirschberg, als Untersucher des daselbst . . . neuerbauten großen Orgelwercks verschrieben, und *bald darauf* zum Organisten dahin einhellig berufen, in welchem Amte ich mich nun schon beynahe eilff Jahr befinde.	*1730–1749* Johann Balthasar Reimann, Organist in Hirschberg in Schlesien, der *ums Jahr 1730* nach Leipzig gereist war, *um Bach spielen zu hören, die freundlichste Aufnahme* genossen hatte und 1749 unverheiratet starb.
Unter dieser Zeit bin ich . . . nach Leipzig gereiset, *um* den berühmten Joh. Sebast. *Bach spielen zu hören.* Dieser große Künstler *nahm mich liebreich auf* . . .	
(Mattheson, „Ehren-Pforte", S. 292)	

15 Hans-Joachim Schulze, Art. Volckmar, in: MGG 13, Sp. 1916 f., teilt Sp. 1916 mit, daß sich zu Volckmar „einige Schriftstücke . . . im Besitz eines direkten Nachkommen, des Leipziger Mundartdichters Edwin Bormann (1851–1912)" befunden hätten. Ich halte für denkbar, daß sich der Verfasser hier auf jene Informationen bezieht, die Bormann auf der Zeichnungsrückseite festgehalten hat und die Schulze in einer älteren Aufzeichnung im Leipziger Bach-Archiv zugänglich waren; sollte das jedoch nicht der Fall und tatsächlich noch anderes Material aus der Familie Bormann gemeint sein, so können sich, wie das Folgende lehrt, darunter jedenfalls keine direkt auf die Zeichnung bezogenen Begleitdokumente befunden haben.

16 Johann Mattheson, Grundlage einer Ehren-Pforte, Hamburg 1740, Neudruck, herausgegeben von Max Schneider, Kassel ²/1969 (im folgenden: Mattheson, Ehren-Pforte), S. 290–292 und S. 383–386.

17 Die sich bei Mattheson und Bormann entsprechenden Informationen sind im folgenden kursiv gedruckt.

Volckmar

... Endlich gab GOTT einen gantz unvermutheten Winck nach Hirschberg, zum Collegen der Schule, *Director der Musik*, und Organisten ...: welche Stellen ich ... versehen muste: biß ... man mir, nebst dem Directorio der Musik ... das Cantorat übergab; folglich das Organisten-Amt abgesondert, und einem andern aufgetragen ward. Also bin ich kein Organist mehr; sondern *Director und Cantor*. (Jtzund ist Johann Balthasar Reimann, Organist zu Hirschberg. S. p. 292.) ...

(Mattheson, „Ehren-Pforte", S. 384 f.)

Bormann

1749–1756
Tobias Volckmar, *Musikdirektor und Kantor* in Hirschberg, Reimanns Vorgesetzter, mein Vorfahr 6. Generationslinie.

Es wird deutlich, daß Bormann in seinen Angaben die von Mattheson angebotenen Informationen verwertet und bis in einzelne Formulierungen hinein übernommen, teilweise auch mißverstanden hat[18]. Damit schwindet nun aber auch das Vertrauen, das nötig wäre, um Bormanns Darlegungen als aus guter und die Authentizität des Bildes stärkender Familientradition geflossen zu verstehen. Von dieser Einsicht her wird man versucht sein, den Weg des Bildes auch durch die Folgegenerationen zu bezweifeln: vor allem der Umstand, daß, nach Volckmar, dieser Weg bis zu Friedrich Edwin Bormann durchweg über Töchter führte, wirkt nicht überzeugend, sondern eher wie ein ex eventu unternommener Versuch, in der eigenen Vorfahrenschaft einen Weg zu rekonstruieren, der das Bild schließlich bis zu einem Musiker des 18. Jahrhunderts, in diesem Fall zu Volckmar, und damit in Bachs berufliche Umgebung zurückführte[19]; da aber für Volckmar keine direkte Beziehung zu Bach bezeugt ist[20], konnte, nachdem man mit jenem ins schlesische Hirschberg gelangt war, doch dessen Musikerkollege am selben Ort Reimann einspringen, für den die persönliche Verbindung mit Bach durch Matthesons Angaben ja schön dokumentiert war. Die etwas irritierende Konsequenz, daß damit das Bild an wichtiger früher Stelle der Genealogie sich ausgerechnet im Besitze eines mit Volckmar nicht Verwandten befunden hätte, erklärt zweifellos, weshalb Bormann in seiner Bild-Genealogie hervorhebt, Reimann sei „unverheiratet" gestorben.

Man wird hier also begründete Zweifel an Bormanns Angaben zur Bild-Genealogie äußern müssen. Diese Zweifel verstärken sich vollends, wenn man die Darstellung als eine einigermaßen dilettantische, in Miniaturform gehaltene Nachzeichnung nach einem der Haußmannschen Bach-Porträts erkannt hat[21]; diese Einsicht ist seltsamerweise bisher nur von Wilhelm Martin Luther angedeutet, aber in keiner Weise kommentiert worden[22]. Bei allen Unterschieden der künstlerischen Qualität — und sie sind unübersehbar — ist die leicht nach rechts gedrehte Haltung vor allem von Bachs Kopf mit derjenigen des Haußmann-Typus identisch, und auch die Übereinstimmung der Gesichtszüge ist, obgleich nicht vollkommen erreicht, so doch offensicht-

---

18 Bormanns Behauptung, Reimann sei „ums Jahr 1730" nach Leipzig gereist, beruht auf einem Mißverständnis der Angaben bei Mattheson. „Bald darauf", also bald nach 1729, geschah nämlich nicht, wie Bormann es versteht, Reimanns Leipziger Reise, sondern seine Berufung zum Organisten in Hirschberg; nach Leipzig reiste Reimann richtigerweise „unter dieser Zeit", was so viel heißt, wie während der genannten „beynahe eilff Jahr", die Reimann vor 1740 bereits in Hirschberg verbracht hatte.

19 Den Gedanken an eine Rekonstruktion legt auch die oben, Anmerkung 9, ausgesprochene Annahme nahe, daß die ältere, von Friedrich Edwin Bormann 1895 festgehaltene „Familienfolge" nicht so umfangreich war wie die 1907 vom Sohne Edwin Bormann dargelegte; nach His, Forschungen, S. 419, wußte der Bild-Besitzer im Jahre 1895 nur, daß die Zeichnung aus dem Besitz seiner Großmutter stammte.

20 In eine gewisse Nähe führen die Dokumente, die, lange nach Bormann, Fritz Hamann, Siegismund Freudenberg, in: BJ 37, 1940/48, S. 149–151, bekannt gemacht hat.

21 Angesichts der Bekanntheit des Haußmann-Typus glaube ich, hier von einer Reproduktion eines der ihm zugehörigen Bilder absehen zu können.

22 Luther, Documenta, S. 47; möglicherweise hat auch Neumann, Bilddokumente, S. 363, B 42, diese Genealogie erkannt, sie dann allerdings nicht ausgesprochen.

lich intendiert. Die Kleidung mit Frack, darunter vorstehender Weste, Rüschenhemd und -manschette ist wiederum im wesentlichen dieselbe, vor allem auch in der Wiedergabe der Knöpfe auf Ärmel und Frack. Daß der Rand der Weste von oben bis fast ganz unten und mit insgesamt sieben Knöpfen sichtbar wird, unterscheidet die Zeichnung zwar zunächst vom Haußmann-Typus, ist aber ganz offensichtlich dadurch begründet, daß der Zeichner das Haußmannsche Notenblatt unterdrückt und stattdessen Bachs rechte Hand in die Weste hat greifen lassen; der Notentext wäre im kleinen Format der Zeichnung gar nicht mehr lesbar gewesen. Diese Änderung gegenüber der Vorlage hat den Zeichner dazu gebracht, den Rand der Weste in der beschriebenen Weise vortreten zu lassen; auch konnte so verhindert werden, daß das Hemd unter der Weste zu weit hervorgequollen wäre. Was schließlich die Knopflöcher betrifft, so hat sich der Zeichner grundsätzlich auch hier an das Vorbild gehalten: sie stimmen sowohl auf der Weste als auch — in der Reproduktion wenig deutlich sichtbar — auf dem Frack wesentlich mit dem Vorbild des Haußmann-Typus überein.

Welches der Exemplare des Haußmann-Typus dem Zeichner vorlag, ist allerdings kaum zu entscheiden. Denkbar wäre, daß es die heute verschollene Replik von Johann Marcus David vom Jahre 1791 war, da auch sie den Porträtierten in eine ovale Bildbegrenzung einfügte und, wie die Zeichnung, die Schulterfalten des Fracks besonders stark ausbildete[23]; sollte das zutreffen, so würde die Zeichnung erst in die letzten Jahre des 18. Jahrhunderts gehören. Eine sichere Aussage zur wirklich benutzten Vorlage läßt sich allerdings sowenig mehr machen, wie zur Identität des Zeichners oder zur Entstehungszeit und zum Entstehungsort. Man wird sich deshalb mit dem Ergebnis zufrieden geben müssen, daß die Zeichnung zwar aus dem 18. Jahrhundert stammt und gewiß auch Johann Sebastian Bach darstellt, aber authentischen Charakter im Sinne eines ad-visum-Bildes nicht beanspruchen kann. Als ein seltener Beleg für eine mehr private, wenn auch künstlerisch nicht besonders hochstehende Zuwendung zu Bach im Bild wird die Zeichnung aber trotzdem das Interesse der Forschung verdienen.

---

23 Abbildung z. B. bei Neumann, Bilddokumente, S. 12, B 3.

Abbildung 1: Bleistiftzeichnung mit Porträt von Johann Sebastian Bach.

Johann Sebastian Bach,
Musikdirektor und Kantor in Leipzig,
1685-1750.

Besitzer dieses Bachbildes waren:

1730-1749 Johann Balthasar Reimann, Organist in Hirschberg in Schlesien, der ums Jahr 1730 nach Leipzig gereist war, um Bach spielen zu hören, die freundlichste Aufnahme genossen hatte und 1749 unverheiratet starb.

1749-1756 Tobias Volckmar, Musikdirektor und Kantor in Hirschberg, Reimanns Vorgesetzter, mein Vorfahr 6.Generationslinie.

1756-1761 Sabina Magdalena verw.Volckmar geb.Neunhertz in Hirschberg, meine Vorfahrin 6. Generationslinie.

1761-1762 Anna Sabina verw.Obermann geb.Volckmar in Hirschberg, beider Tochter, meine Vorfahrin 5.Generationslinie.

1762-1765 Sabina Eleonore Lachmann geb.Obermann in Lauban, deren Tochter, meine Ururgrossmutter.

1765-1799 Johann Christoph Lachmann, Kaufmann in Lauban, deren Witwer, mein Ururgrossvater.

1799-1812 Johanne Christiane Eleonore Werner geb. Lachmann, beider Tochter, meine Urgrossmutter.

1812-1858 Wilhelmine Henriette Eleonore Bormann geb. Werner, ihre Tochter, meine Grossmutter.

1858-1904 Friedrich Edwin Bormann, Kaufmann in Leipzig, deren Sohn, mein Vater.

Seit 1904 August Edwin Bormann, Schriftsteller in Leipzig.

Das Bild befand sich also bereits zu Lebzeiten Bachs in den Händen meiner Familie und erbte bis auf heutigen Tag durch 6 Generationen von Kind zu Kind weiter.

Dies habe ich nach bestem Wissen und Gewissen niedergeschrieben.

Leipzig, 1.März 1907. Edwin Bormann.

Abbildung 2: Edwin Bormann, Genealogie der Besitzer der Bach-Zeichnung (1907).

Joachim Stalmann

Bach im Gottesdienst heute
Zur Integration seines Vokalschaffens in gegenwärtige liturgische Praxis

I. Bach im Gottesdienst damals

Bach im Gottesdienst damals, in den Fünfzigerjahren: Das sind Erinnerungen an Göttinger Studien- und Organistenjahre. In der Stadtkantorei unter Ludwig Doormann und der Jakobi-Kantorei unter Hans Jendis war die Aufführung von Kantaten und Kantatenteilen und von großen und kleinen Orgelwerken im Gottesdienst nichts Ungewöhnliches. Die regelmäßige „Kantate" in St. Marien war eine Art musikalischer Wochenschlußandacht der Stadtkantorei, wo Bach dann mit den Lesungen aus Luthers Postillenpredigten konfrontiert wurde (abwechselnd gelesen von den Marienpastoren Benfey und Runte, dieser hatte sich dafür die Conclusio „So Martin Luther!" ausgedacht, zur Ergötzung angehender Liturgiker).

An der Albanikirche wirkte unser Jubilar als Kantor und Organist unter der auch andernorts bekannten Schwierigkeit, neben zwei „großen" Kantoreien eine „dritte Kraft" zu entfalten. Sein Vorteil: der überragende musikgeschichtliche Überblick und der unmittelbare Zugang zu den Quellen, insbesondere der Bach-Familie. So zog es denn Studenten der Musikwissenschaft auch hierhin. Als dann der Verfasser während seiner Tätigkeit als Repetent der Theologischen Fakultät und des Gerhard-Uhlhorn-Sprachenkonvikts, später als Vikar an St. Albani, zwei Jahre hindurch die dortige zweite Organistenstelle versah, wurde „Bach im Gottesdienst" zur gemeinsamen Aufgabe. So manche Kantate haben wir – ganz oder teilweise – im Gottesdienst aufgeführt, wobei der zweite Organist nicht nur als Continuospieler, sondern gern mit konzertanten Orgelpartien kräftig herangenommen wurde. Aber auch auf der Orgel allein – damals noch ein ziemlich unerfreuliches pneumatisches Instrument – war Bach im Gottesdienst häufig präsent.

So mag ein Nachdenken über „Bach im Gottesdienst heute" zugleich eine Einladung an den Jubilar zum Erinnern an gemeinsames Musizieren (das sich privatim in wöchentlichem Vierhändig-Spiel fortsetzte) sein.

Dieses Nachdenken kann nicht ganz absehen von „Bach im Gottesdienst ursprünglich", nämlich in Arnstadt und Mühlhausen, Weimar und Leipzig. Günther Stiller hat uns mit seiner Arbeit über „Johann Sebastian Bach und das Leipziger gottesdienstliche Leben seiner Zeit"[1] einen ausführlichen, genauen und fesselnden Einblick gegeben, sowohl in Bachs Einstellung zum Gottesdienst als auch in die Gottesdienstpraxis, mit der er zu tun hatte. Er wertet die von Friedrich Blume[2] ausgelöste Diskussion um das innere kirchenmusikalisch-gottesdienstliche Engagement

---

1 Günther Stiller, Johann Sebastian Bach und das Leipziger gottesdienstliche Leben seiner Zeit, Kassel etc. 1970. Außerdem seien genannt: Christhard Mahrenholz, Johann Sebastian Bach und der Gottesdienst seiner Zeit, in: Musicologica et Liturgica. Gesammelte Aufsätze, herausgegeben von Karl Ferdinand Müller, Kassel etc. 1960, S. 13–27; Hans-Arnold Metzger, Johann Sebastian Bach und der evangelische Gottesdienst seiner Zeit, in: Musik und Kirche 20, 1950, S. 49–54; Albrecht Oepke, J. S. Bach als Abendmahlsgast, in: Musik und Kirche 24, 1954, S. 202–208; Oskar Söhngen, Bach und die Liturgie, in: Der Kirchenmusiker I, 1950, S. 124–127. Unentbehrlich ist aber auch in unserm Zusammenhange nach wie vor Arnold Schering, Johann Sebastian Bachs Leipziger Kirchenmusik, Leipzig 1936 (²/1954, ³/1968).
2 Friedrich Blume, Umrisse eines neuen Bachbildes, in: Musica 16, 1962, S. 169–176; dazu Alfred Dürr, Zum Wandel des Bach-Bildes, in: Musik und Kirche 32, 1962, S. 145–152; hierzu Friedrich Blume, Antwort, ebda., S. 153 ff.; Friedrich Smend, Was bleibt? – Zu Friedrich Blumes Bach-Bild, in: Der Kirchenmusiker 13, 1962, S. 178–188; Manfred Mezger, Ein neues Bach-Bild?, in: Die Welt Nr. 126 vom 14. 7. 1962.

Bachs aus, mit dem Ergebnis eines vertieften, besser begründeten Verständnisses desselben. Aber es verdient hier besondere Erwähnung, daß gerade Alfred Dürr der Blumeschen Behauptung, die musica sacra sei Bach keineswegs eine „Herzensangelegenheit" gewesen, ebenso begründet wie besonnen widersprach. Seine quellenkritischen, der Bachforschung neue Koordinaten setzenden Forschungen sind – in gewissem Sinne gelesen – ja auch geradezu Chronologien der gottesdienstlichen Arbeit Johann Sebastians, der schließlich eben deshalb weniger hierfür komponierte, weil er ein Repertoire beisammen hatte, das er offenbar ebenso wiederholten Gebrauchs würdig befand wie seine kantoralen Nachfahren heute.

Günther Stiller zeigt seinerseits, wie selbstverständlich Bach in fast allen seinen Ämtern – am wenigsten gewiß in Köthen, aber auch da noch mit einigen Werken – den Gottesdienst als Koordinatensystem seines geistlichen Schaffens akzeptierte. Wie weit das auch für die Orgelmusik galt, die ja schon im 17. Jahrhundert in den Niederlanden wie in den norddeutschen Hansestädten über den Gottesdienst hinaus Ort einer repräsentativen Musikpflege wurde, ist gewiß zu fragen. Daß Bach sowohl seine choralgebundenen wie freien Orgelwerke auch im Gottesdienst praktizierte, bzw. improvisatorisch konzipierte, kann kaum bezweifelt werden.

Die Gottesdienstordnung, in der der Kirchenmusiker Bach sich bewegte, tritt bekanntlich besonders klar in Bachs handschriftlichen Notizen zu den beiden Adventskantaten „Nun komm, der Heiden Heiland" zutage[3]. Diese Notizen werden wir bei der Nachfrage nach heutiger Bach-Praxis im Gottesdienst im Auge zu behalten haben. Indessen sind sie selbstverständlich nicht etwa Handlungsanweisung für alle Zeiten. Der Leipziger Gottesdienst zur Zeit Bachs war, das zeigt Stillers Arbeit ganz klar, verschieden ebenso von dem der Reformation wie dem unsrigen heute. Er kann auch kaum als vorbildlich gelten, sondern befindet sich mitten in jenem Auflösungsprozeß alter gottesdienstlicher Formen, den Paul Graff[4] erkannt und beschrieben hat. Bach hat – wie jeder Kirchenmusiker zu jeder Zeit – versucht, das Beste daraus bzw. dafür zu machen – wie wir inzwischen erkannt haben, mit beispiellosen und bleibenden Ergebnissen.

II. Bachs Kantaten im Gottesdienst damals und heute

Die genannten Adventskantaten hat Bach zweiteilig aufgeführt: Teil I nach der Evangelienlesung und einem „Praelud. auf die Haupt Music"; Teil II nach den „Verba Institutionis", also den Einsetzungsworten, ebenfalls nach einem „Praelud. auf die Musica" und jedenfalls als „musica sub communione", zur Austeilung.

Das ist eine auch heute noch grundsätzlich einleuchtende Aufteilung und Anordnung. Man kann freilich nicht immer auf den ersten Blick erkennen, ob an eine Zweiteilung gedacht, bzw. eine solche sinnvoll ist. Um bei unsern beiden Kantaten zu bleiben:

In BWV 61 bietet sich die Zäsur hinter der ersten Arie geradezu an:

I Ouvertüre (Eingangschor) – Rezitativ – Arie
II Rezitativ – Arie – Schlußchoral

Im 2. Rezitativ fällt sogar das Stichwort „Abendmahl" und auch die folgenden Stücke sind voller eucharistischer Anspielungen.

In BWV 62 hingegen zögert man, zwischen Baß-Rezitativ und -Arie (Nr. 3 und 4) eine Zäsur zu machen. Aber offensichtlich ist hier ja die Paarung Rezitativ – Arie umgekehrt und der inhaltli-

---

3 BWV 61 und 62. Der Text aus BWV 61 ist vielfach zitiert. Vgl. NBA I/1: Adventskantaten, KB, S. 9. Auch BWV 62 vermerkt die Gottesdienstordnung auf dem Rücktitel. Vgl. ebda., S. 51. Auf diese Bachschen Notizen hat (vor Stiller) besonders Mahrenholz a. a. O. hingewiesen.

4 Geschichte der Auflösung der alten gottesdienstlichen Formen in der evangelischen Kirche Deutschlands, 2 Bände, Göttingen 1921 (²/1937) und 1939.

che Zusammenhang der Arien mit den nachfolgenden Rezitativen ist so stark, daß die Stimmgleichheit von Nr. 3 und 4 dagegen nicht genug Gewicht hat. Ich halte für möglich, daß auch hier die Arie Nr. 4 die Abendmahlsausteilung mit Anspielungen eröffnete: „. . . sei vor uns im Fleische kräftig! Sei geschäftig, das Vermögen in uns Schwachen stark zu machen!"

Man wird also versuchen, wo es irgend geht, Bach-Kantaten im Gottesdienst durch Aufteilung zu integrieren und für die Gemeinde verträglich zu machen. Der Bezug auf das Evangelium verleiht dann der Kantate einen Antwort-Charakter (Quasi-Responsorium), die Fortsetzung während des Abendmahls aktualisiert die Wesenseinheit von Wort und Sakrament. Aber auch zum Dankopfer ist eine Kantaten-Musik denkbar und sinnvoll, auch nach der Predigt, wenn diese sich ebenfalls mit dem Evangelientext befaßte oder sonstwie auf den Inhalt der Kantate einging. Hier ist freilich zu erwägen, daß die Gemeinde nach einer Predigt ein Bedürfnis zu eigener Äußerung empfindet und dieses dann allzulange bezähmen muß.

Freilich ist durch das 1978 in Gebrauch genommene neue Lektionar für ev.-luth. Kirchen und Gemeinden[5] der kirchenjahreszeitliche Bezug des Bachschen Kantatenwerks auf das Evangelium (oder auch die Epistel) bei gottesdienstlicher Verwendung in Frage gestellt. Daß im Gefolge des Lektionars auch die Ordnung der Wochenlieder sich teilweise änderte, ist bei den Choralkantaten zu beachten. Wo im einzelnen Bezüge verloren gingen, ist nach Möglichkeit die Bach-Kantate dem Gottesdienst desjenigen Sonntags zuzuordnen, auf den der Bezugstext oder Choral „abgewandert" ist. Im Einzelfall kann notfalls auch auf den alten Lesetext zurückgegriffen werden. Es gibt gewiß auch Kantaten, deren kirchenjahreszeitlichen Bezüge so allgemein sind, daß eine Umstellung nicht erforderlich ist. Aber in anderen Fällen sind die Beziehungen so stark, daß sie nicht übersehen oder vernachlässigt werden dürfen. Das gilt auch für die sonntäglichen Bach-Kantaten im Rundfunk.

Nun hat man freilich grundsätzlich angezweifelt, ob es zumut- und verantwortbar ist, im Gottesdienst heute Bach-Kantaten zu musizieren. Oskar Söhngen[6] zitiert dafür einen Aufsatz von Hermann Keller[7] und führt selbst drei Gründe dagegen an:
a) die Problematik des Nebeneinanders zweier „Predigten"; Bachs Auslegung läuft heutiger theologischer Aussage nicht selten stracks zuwider;
b) die einen Gottesdienst heutiger Länge (der Bachsche dauerte ja vier Stunden!) sprengende Dauer einer Bachkantate von 20 bis 45 Minuten;
c) der (angebliche) „Einschub"-Charakter der Bachkantate, die „an der Peripherie der liturgischen, d. h. der fest zum Gottesdienst gehörenden Musik" liege.

Dazu ist zu sagen:
a) Das Nebeneinander von musikalischer und gesprochener Predigt kann gewiß problematisch werden. Es kann aber auch sehr fruchtbar korrespondieren, wenn Kantor und Prediger zusammenarbeiten, auch bei der Gottesdienstvorbereitung, und wenn der Prediger die Chance sieht, auf Bach einzugehen, womöglich selbst von ihm zu lernen oder auch in teilweiser Antithese oder Abweichung, das eigene theologische Verständnis umso deutlicher zu artikulieren. Nicht Konkurrenz, sondern Korrespondenz und Partnerschaft sollte diese Doppelheit der Verkündigung auszeichnen.
b) Wie gesagt, wird die Länge einer Bach-Kantate durch Teilung, wie sie schon Bach praktizierte, für die Aufnahmefähigkeit der Gemeinde wesentlich zumutbarer. Allerdings sollte auch der Prediger gerade in einem Kantatengottesdienst seine Zeit nicht überziehen und eher 15 als 20 Minunten in Anspruch nehmen.

---

5 Lutherisches Verlagshaus Hamburg 1978. In einer „Konsonanz" zu diesen Lesungen steht auch die neue Ordnung der Predigttexte mit ihrem sechsjährigen Zyklus nebst einigen Zusatztexten (ebenfalls Lutherisches Verlagshaus Hamburg 1978).
6 Söhngen, a. a. O., S. 124, die folgenden Ausführungen auf S. 126 f.
7 Hermann Keller, Bach und die Säkularisation der Kirchenmusik, in: Universitas 1947.

Wesentlicher aber scheint mir die Revision des schon nicht mehr ganz aktuellen Vorurteils, ein Gottesdienst dürfe unter keinen Umständen länger als 60 Minuten dauern. Wir haben bei Beatmessen, Liturgischen Nächten und Feierabendmählern die Relativität liturgischer Dauer wieder entdeckt. 90 oder 120 Minuten liturgisch, homiletisch und musikalisch sorgfältig gestaltet, sind „kürzer" als 45 Minuten liturgisch-homiletisch-musikalischer Kurpfuscherei (die es übrigens zu allen Zeiten gegeben hat!)

c) Der Einwand, Bachs Kantatenmusik sei ein liturgischer Fremdkörper, stellt die Frage nach dem Wesen des Gottesdienstes überhaupt. Handelt es sich um einen von einer stilreinen Ideal-vorstellung geprägten „Kultus"? Oder um von der Gemeinde innerlich mitvollzogene — christliche Lehrveranstaltung? Um „Volksmission"? Oder um „eine Aktion der Gemeinde", so daß sich alles vor jeder Gemeinde als verständlich, leicht und jederzeit mitvollziehbar er-weisen muß? Für Söhngens Einwand ist anscheinend die erstgenannte Vorstellung ausschlag-gebend.

Demgegenüber möchte ich eine andere, meines Erachtens reformatorische Einstellung zur Liturgie für Bachs Kantatenmusik ins Feld führen: Die zu innerer Geschlossenheit, aber auch Selbstgenügsamkeit neigende Liturgie wird in der Reformation einerseits durch die freie Wort-verkündigung der Predigt, andrerseits durch das deutsche Kirchenlied aufgesprengt — gleichsam eine liturgische Hausbesetzung! Beide kamen „von außerhalb", die Predigt aus dem akademi-schen Raum, das Lied — von der Straße. Es wäre wohl übertrieben, entsprechend zu behaupten, die Kantate komme vom Madrigal oder von der Oper her (mit gleichem Recht müßte man dies von Schützens Motette und Geistlichem Konzert behaupten). Wer vermag denn letztschlüssig diese oder jene Musik, diesen oder jenen Stils mehr oder weniger ausgeprägter Länge für „genuin liturgisch" zu erklären?

Gottesdienst ist Gottes Dienst an der Gemeinde in der Verkündigung seines Wortes und in der Gabe seiner Gegenwart; Gottesdienst ist zugleich Dienst der Gemeinde an Gott im „Gebet und Lobgesang". „Stimmt" der Ton und die Aussage in diesem Zusammenhang, diesen Koordi-naten, dann ist es recht. Stimmt der eine oder die andere nicht, dann ist Widerspruch geboten. Aus dieser Begründung und dieser Spannung lebt aller Gottesdienst und auch alle gottesdienst-liche Musik. Aus ihnen gewinnt auch die Kirchenkantate Johann Sebastian Bachs ihre liturgische Legitimation. Sie war und sie ist keineswegs als solche schon „liturgisch peripher", es sei denn wir hörten sie liturgisch unkonzentriert.

Nun kann allerdings im Einzelfall der liturgischen Integration ebenso wie der Korrespondenz mit der Predigt dennoch ein erhebliches Hindernis im Weg stehen: die barocke Textdichtung. Darüber ist ja oft genug geredet und geschrieben worden. Es ist angesichts der Fülle abschrecken-der Beispiele eher verwunderlich, daß es um die textlichen Schwierigkeiten des Bachschen Vo-kalwerkes in letzter Zeit eher stiller geworden ist (während das Kirchenlied jener Zeit im Blick auf das zu reformierende Gesangbuch weiter unter Beschuß steht). Gerade der Gottesdienst, der ein angeblich „rein ästhetisches" Hören verwehrt, wird zum Prüfstand, ob solche Texte in ihrer Sprache und Bilderwelt (von der Theologie, weil oben bereits angesprochen, hier gar nicht zu reden!) uns Heutigen einen unmittelbaren Zugang erlauben.

Es ist nicht zu verschleiern, daß diese Prüfung in vielen Fällen negativ verläuft, wenn man den Text seinerseits von der Musik abstrahiert[8]. Es ist aber nun auch zu beobachten, daß man-cher Text an „Exotik" verliert in der Einheit mit der Bachschen Musik, so daß sich hier auf

---

8 Nur zur Illustration sei an den Anfang der Kantate BWV 199 erinnert, der einem da immer zuerst einfällt: „Mein Herze schwimmt im Blut / weil mich der Sünden Brut / in Gottes heilgen Augen zum Ungeheuer macht. / Und mein Gewissen fühlet Pein, / weil mir die Sünden nichts als Höllenhenker sein. / Verhaßte Lasternacht! . . ." „Anstößig" sind vor allem die Texte der Vor-Leipziger Kirchenkantaten, während die Texte in Leipzig glatter, wenn auch nicht gerade tiefsinniger werden und die Seltsamkeiten sich auf die weltlichen Huldigungskantaten zu verlagern scheinen.

modifizierte Weise Luthers Wort anwenden läßt „Die Noten machen den Text lebendig"[9]. Die Musik bringt es offenbar zuwege, daß der Hörer auch den für sich seltsamen Text erkennt als betroffen durch die biblische Botschaft; daß er sich selbst in gleicher Betroffenheit erkennt und darin als „vor Gott gleichzeitig" mit Bach, seinen Dichtern und seinen Hörern erfährt. Dies war übrigens auch die Erfahrung der Reformation mit dem vorreformatorischen — lateinischen und deutschen — Liedgut gewesen.

Damit will ich die textlichen Grenzen einer gottesdienstlichen Verwendung Bachscher Kirchenkantaten nicht generell in Abrede stellen. Ich möchte aber auch davor warnen, hier allzu schnell zu kapitulieren. Und ich möchte auch in dieser Hinsicht den Prediger anregen, in einer ihrerseits engagierten Predigt auf die Textaussagen Bachscher Kantaten gerade auch dann einzugehen, wenn sie ihm weniger theologisch als in Sprache und Bildwelt problematisch erscheinen, also den Versuch zu wagen, die Brücke zu schlagen von dem Ausdruck von Betroffenheit damals zu eigener Betroffenheit heute. Er könnte dabei unversehens reiche Entdeckungen machen[10].

Hier sollen anmerkungsweise Beobachtungen zur Gegenwartspraxis zugefügt werden:
a) Der Bach-Kantaten-Gottesdienst wird derzeit von vielen Kirchenmusikern und Theologen gemeinsam neu entdeckt.
b) Sogar die 6 Kantaten des „Weihnachts-Oratoriums" werden — über die Festzeit verteilt — mit durchaus ordentlicher Besetzung und sogar in mittelgroßen Städten liturgisch neu entdeckt (und in einer hannoverschen Vorstadt standen 1981 Kantate 1—3 im Mittelpunkt einer Christnacht-Vigil).
c) Nicht nur im Hauptgottesdienst, sondern auch etwa in der Vesper werden heute Bach-Kantaten aufgeführt, wo sie z. B. Funktionen des Psalms oder des Hymnus übernehmen können.
d) Verschiedentlich werden neuerdings im Gottesdienst „Bachkantaten zum Mitsingen" für „Chorsänger a. D." angeboten, sei es in einem ad-hoc-Chor, sei es in der Gemeinde zum mehrstimmigen Mitsingen der Choräle. Das sind einigermaßen neue, aber durchaus sachgemäße Integrationsversuche in einem „Gottesdienst der Gemeinde".

III. Messen und Passionen im Gottesdienst heute?

Diesen Gedanken habe ich lieber gleich mit einem Fragezeichen versehen. Zu selbstverständlich scheint die Einsicht, daß es sich um künstlerische Überhöhung und Verabsolutierung ursprünglich liturgischer Formen handelt. Und selbst wenn die Passionen ursprünglich einmal im Karfreitagsgottesdienst erklangen und mittendrin gepredigt wurde, ist das denn nicht unwiederbringlich dahin, weil für unser Empfinden diese Passionen ebenso wie die „h-moll-Messe" jeden liturgischen Kontext überspülen und jeden homiletischen Kontrapunkt übertönen würden? Gewiß, es gab nach dem Kriege eine Zeit, da diese Großwerke ohne weitere „Zutat" als Gottesdienst erfahren wurden. Ich selbst habe die „Matthäus-Passion" erstmals Ende der Vierzigerjahre in der Göttinger Johanniskirche so gehört. Es gibt sie ja nach wie vor, Aufführungen Bachscher Großwerke, die so dicht, so „hingebungsvoll" und „ergriffen" musiziert sind, daß sie über sich hinausweisen auf die Sache selbst, ihr Thema, und insofern im besten Sinne „Gottesdienst" sind, Verkündigung und Anbetung, Lobpreis und Bekenntnis, Fest und Feier in einem.

Aber Messen und Passionen *im* Gottesdienst? Könnte dabei mehr herauskommen, als eine historisierende Expedition, deren Mißlingen vorprogrammiert scheint? — Gegenüber so starken und gewiß auch begründeten Bedenken möchte ich wenigstens ein paar schüchtern anfragende Überlegungen vortragen dürfen:

---

9 Tischreden Nr. 2545b (Weimarer Ausgabe).
10 Das in Anmerkung 8 zitierte Beispiel könnte ja vielleicht in einer pastoral-psychologisch kundigen Predigt eine überraschende Aktualität enthüllen!

1. Wenn Friedrich Smend die Einheit der „h-moll-Messe" geleugnet und ursprüngliche Einzel-verwendung ihrer Teile angenommen hat, so liegt immerhin ein entsprechender Versuch nahe. Gewiß wird dann etwa durch die „Missa" – also das Kyrie-Gloria-Paar – der Anrufungsteil, durch das Credo der Verkündigungsteil, durch Sanktus und Agnus die Eucharistie besonderes Gewicht bekommen und werden demgegenüber andere Phasen des Gottesdienstes etwas zurück-treten. Wir haben neu erkannt, daß dies eine liturgisch legitime Möglichkeit ist[11]. Auch hier ist allerdings eine entsprechend orientierte Predigt und Liturgie vonnöten; es wäre undiskutabel, lediglich ein Stück Ordinarium figuraliter, nun eben von Bach, auszuführen, als sei's ein Stück von Haßler. Dazu sind diese Stücke nun allerdings zu emanzipiert von reiner Funktionalität. Aber die Gleichung Liturgizität = Funktionalität (liturgieren = funktionieren), die beruht doch wohl auf einem Vorurteil, das zu hinterfragen Theologen und Musiker gemeinsam berechtigt, ja aufgerufen sind.

2. Auch in diesem Zusammenhang muß ich an neuere Erfahrungen von Protestanten mit mehrstündigen Gottesdienst-Festen erinnern. Wäre es nicht vielleicht doch versuchenswert, ein-mal die Aufführung der „h-moll-Messe" oder einer Passion zu einem Gottesdienst auszubauen? Natürlich in einer Gemeinde, die speziell hierfür aufgeschlossen ist, die Gelegenheit erhält, die Choräle, sofern hierzu in der Lage, mehrstimmig mitzusingen. Mit einem Liturgen und Prediger, der sich auf Wesentliches konzentriert: Keine Lesung, wenn die Passion schon als solche Schrift-lesung ist, kein Introitus, wenn der Eingangschor diese Funktion hat, aber Gebete vor und nach der Predigt. Diese kann bei den Passionen zwischen den Teilen, bei der Messe vor oder nach dem Credo gehalten werden; bei der Messe etwa als „Ordinariumspredigt" über das Gloria oder das Credo. Die Messe müßte auf alle Fälle mit dem Abendmahl verbunden werden. Hier dürften überhaupt bisher die meisten Erfahrungen in der erwogenen Richtung vorliegen, während die Passionen als überdimensionale Passionsandachten wohl noch kaum versucht wurden.

Sicherheitshalber merke ich an, daß das alles natürlich nur in großen Kirchen mit großen Kanto-reien zu besonderen Gelegenheiten gedacht ist. Aber so wenige sind das ja gar nicht, und da könnte ja der alle Jahre wiederkehrende kirchenmusikalische Betrieb eine heilsame Elementari-sierung und Belebung erfahren, ähnlich wie bei den über die Weihnachtszeit verteilten Kantaten des „Weihnachts-Oratoriums" (wovon vorhin die Rede war).

IV. Bachs Motetten im Gottesdienst?

Wenn wir es heute richtig sehen, so hat Bach im Gottesdienst kaum eigene Motetten aufge-führt. Die zu Beginn vorgesehene „Motetta" überließ er dem Chorpräfekten, der sich mit dem Repertoire aus dem „Florilegium Portense" in herkömmlicher und offenbar hinreichender Wei-se versorgt sah[12]. Bachs eigene, großangelegte Motetten scheinen dagegen Kasualmusik, vor allem zu Beerdigungen, gewesen zu sein. Das heißt gewiß noch nicht, daß sie auch heute im Ge-meindegottesdienst keinen Platz hätten. Ihre Einfügung erfordert aber auch hier genaue Über-legung, da sie den Umfang einer Psalm-, Epistel- oder Liedmotette ja weit überschreiten.

So könnte die Motette „Jesu, meine Freude" einen reich ausgebauten Verkündigungsteil darstellen, eine Lesung Römer 8 in Auswahl, gegliedert durch die „Antworten" des Liedes, da „Gott mit uns redet durch sein Wort und wir wiederum mit ihm durch Gebet und Lobgesang" (um einmal mehr Luthers Torgauer Schloßweihpredigt zu zitieren).

---

11 Vgl. das sog. „Strukturpapier" der Lutherischen Liturgischen Konferenz: „Versammelte Gemeinde" – Struktur und Elemente des Gottesdienstes – Zur Reform des Gottesdienstes und der Agende, Hamburg 1974; wie eine Agende ad hoc sachgemäß variiert und verschieden akzentuiert werden kann, zeigen die Beispiele in: Gottesdienst als Gestaltungsaufgabe, reihe gottesdienst 10, Hamburg 1979.

12 Schering, a. a. O., S. 121 ff.; Stiller, a. a. O., S. 75.

„Singet dem Herrn ein neues Lied" könnte eine Neujahrsmotette sein[13]. Wenn Bach den doppelchörigen Mittelteil – Choral mit Aria – mit vertauschten Chören wiederholt haben will, so legt sich hier nun doch der Gedanke einer Aufführung im Vormittagsgottesdienst nahe. Es ergibt sich dann eine zweiteilige Anlage:

Teil I – Ps. 149, 1–3, Choral mit Aria: vor der Predigt (und dem Credo)
Teil II – Choral mit Aria, Ps. 150, 2 + 6: nach der Predigt.

Heute bieten sich auch noch andere Lösungen an: Teil I zwischen den Lesungen, Teil II zum Dankopfer und zur Austeilung.

Auch eine noch stärkere Aufgliederung wäre vielleicht zu erwägen:

Ps. 149: als Introitus oder zwischen den Lesungen
Choral mit Aria: zwischen den Lesungen oder vor der Predigt
Choral mit Aria: nach der Predigt oder zum Dankopfer
Ps. 150: zur Austeilung oder nach dem Segen.

Diese zwei Beispiele mögen hier genügen. Deutlich zeigt sich, daß die Motetten da, wo man sie heute in den Gottesdienst einzubeziehen sucht, unversehens ähnliche Funktionen bekommen wie die Kantaten. Und gerade bei diesen biblisch-hymnischen Kombinationen eröffnen sich für eine Predigt reiche Möglichkeiten der Bezugnahme.

V. Keine ganz unmögliche Möglichkeit: Schallplatte oder Tonband

Es gibt auch außerhalb kirchenmusikalischer Zentren einige positive Erfahrungen mit Bachs Vokalwerk im Gottesdienst. Voraussetzung ist allerdings, daß man Medien im Gottesdienst nicht von vornherein ablehnt. Ich gebe ein selbsterprobtes Beispiel:

Gottesdienst am Sonntag nach Weihnachten
Vorspiel – Eingangslied – Votum – Eingangsgebet
Predigtteil I – Hinführung zum
1. Teil der 3. Kantate des Weihnachts-Oratoriums (bis zum 1. Choral)
Predigtteil II – Hinführung unter dem Stichwort „Herr, dein Mitleid, dein Erbarmen tröstet uns und macht uns frei" zum
2. Teil der 3. Kantate des Weihnachts-Oratoriums
Schlußgebet – Vaterunser – Lied – Segen
Schlußchor: Wiederholung des Eingangschors der Kantate[14]

(Man kann dabei auch die Predigtteile mit Musikzitaten versehen, muß dann aber für sorgfältige Tonbandmontage sorgen, damit technische Tücken nicht den Gottesdienst stören.)

Solche gelegentlichen Einspielungen von Bach-Werken über Tonband oder Schallplatte eignen sich meiner Meinung nach besonders für die Sonntage vor und nach Weihnachten, aber auch zu kleineren Festen, etwa am Abend des Michaelis- oder Reformationstages. Auch sie erfordern eine sorgfältige Erarbeitung und Gestaltung des Gottesdienstes und eignen sich nie und nimmer als improvisierte Verlegenheitslösungen, etwa weil der Prediger plötzlich heiser geworden ist.

So zeigt sich, daß das Bachsche Vokalwerk, überlegt eingesetzt und sorgfältig in Bezug gesetzt, auch im Gottesdienst heute viele reiz- und sinnvolle Möglichkeiten hat. Die Überlegungen zu einer Revision und Reform des agendarischen Gottesdienstes, die im vergangenen Jahrzehnt

---

13 Diese „vielfach vertretene Annahme" präzisiert Alfred Dürr, Zur Chronologie der Leipziger Vokalwerke. J. S. Bachs, Kassel 1976, S. 93, auf den 1. 1. 1727 („wahrscheinlich").
14 Nähere Dokumentierung dieses in einem kleinen Gemeindehaus durchgeführten Gottesdienstes in: Für den Gottesdienst, Informationen aus der Arbeitsstelle für Gottesdienst und Kirchenmusik Hannover, vom Oktober 1981, S. 13 ff.

aufkamen, wirken sich hierfür eher günstig aus. Und auch das Bachsche Instrumentalschaffen, orchestral und konzertant in so mancher Kantateneinleitung präsent, tritt organistisch hierzu in Beziehung, wenn wir einmal darüber nachdenken, welche Rolle es in Bachs besagten Adventsnotizen spielt[15].

Bach im Gottesdienst heute — das könnte aufs neue die tiefe Wahrheit der Erkenntnis seines reformatorischen Vorläufers Johann Walter über das Verhältnis der Musik zur Theologie bestätigen:

... sie gehört auch eigentlich und erblich zu der heiligen Theologia, ja sie ist in der Theologia gar eingewickelt und verschlossen, also daß, wer der Theologia begehrt, nachforscht und lernt, der wird auch die Kunst Musica, ob er's gleich nicht siehet, fühlt noch verstehet, darunter erwischen.[16]

Er kann es auch poetisch sagen:

Sie sind in Freundschaft nahe verwandt,
daß sie für Schwestern werdn erkannt.
Wo Gottes Wort das Herz entzündt,
daselbst die Music bald sich findt.[17]

Möchte die Musik Bachs sich jedenfalls auch in Zukunft immer da finden, wo Menschen vom Wort Gottes versammelt werden und miteinander Gottesdienst feiern!

---

15 „Präludieret" heißt es dort: vor der Motette, vorm Kyrie; vor dem Choral zwischen Epistel und Evangelium; vor der Kantate/Teil I; vor der Kantate/Teil II; während der Kommunion „wechselweise" mit gesungenen Chorälen (vgl. Anmerkung 3).

16 Widmung eines Lobgedichts auf die Musik an die ernestinischen Herzöge, zitiert nach: Luther-Jahrbuch 1933, S. 93.

17 Johann Walter, Sämtliche Werke, Band 6, Kassel 1970, S. 154, Zeilen 44 f.

Lothar und Renate Steiger

Die theologische Bedeutung der Doppelchörigkeit in Johann Sebastian Bachs „Matthäus-Passion"

Ein Beitrag zur theologischen Auslegung der „Matthäus-Passion" von Bach wird mit der Betrachtung des Textes einzusetzen haben, der der Komposition zugrunde liegt. Da wir aber nach der Auslegung fragen, die Bach diesen Texten gegeben hat, werden wir immer auch die Musik im Blick haben; ja, unsere Interpretation wird sich in einem Hin- und Hergehen zwischen Text und Musik, verbaler Aussage und den Elementen musikalischer Gestaltung vollziehen, wird Beobachtungen sammeln und einander zuordnen, da sich Text und Musik gegenseitig beleuchten: „die theologische Aussage des Textes hat heuristische Funktion für die Entdeckung und Deutung bestimmter musikalischer Vorgänge; die musikalische Gestaltung beziehungsweise einzelne aus ihr zu erhebende Elemente haben den Text erschließende theologische Bedeutung"[1].

Das Libretto der „Matthäus-Passion" vereinigt Texte verschiedener Provenienz: Bibelwort, Kirchenlied und freie Dichtung. Zugrunde liegen die Kapitel 26 und 27 des Matthäus-Evangeliums. Bach hat ihre 140 Verse in 27 Abschnitten vertont, zwischen die er 14 Choralstrophen sowie 26 Stücke freier Dichtung, Rezitative und Arien gestellt hat. Eine Aria mit Choral als Eingang und ein Schlußchor bilden den Rahmen. Eine weitere (16.) Choralstrophe und ein Bibelvers (HL 6,1) sind in die freie Dichtung eingearbeitet (Nr. 19 und Nr. 30).

Es ist communis opinio, daß Bach auf die Gestaltung des Textes Einfluß genommen hat. Dies gilt zunächst für die Choräle. Daß sie von Bach ausgewählt worden sind, kann man daraus schließen, daß Picander sie in den Druck innerhalb seiner fünfbändigen Gedichtsammlung[2] nicht aufgenommen hat (außer den zwei schon erwähnten Choralstrophen, die in die freie Dichtung unmittelbar einbezogen sind). Wahl und Plazierung der Choräle sind aber sowohl für den Gesamtaufbau als auch für die theologische Deutung im einzelnen so konstitutiv, daß Picander an entsprechender Stelle wenigstens die Anfangszeilen vermerkt hätte, wenn dies seine Leistung gewesen wäre.

Entsprechendes muß man sich bezüglich des Bibelwortes bewußt machen. Picander hatte 1725 unter dem Titel „Erbauliche Gedancken Auf den Grünen Donnerstag und Charfreytag Uber den Leidenden JESUM" schon einmal eine Passionsdichtung vorgelegt, in der er sich der unter dem Einfluß der italienischen Oper aufgekommenen neuesten, von Christian Friedrich Hunold und Barthold Heinrich Brockes angeführten Richtung angeschlossen und den biblischen Bericht durchlaufend in Verse gesetzt hatte. Es war so ein Passionsoratorium vorwiegend dramatischen Charakters entstanden, in dem neben dem Evangelisten, der den gereimten Passionsbericht vorträgt, die handelnden Personen in Rezitativen und Arien zu Wort kommen. Außer den in den Evangelien erwähnten Personen führt Picander zwei betrachtende Rollen ein: die Tochter Zion, der er Passagen des von alters auf die Passion Christi gedeuteten Hohenliedes in den Mund legt, sowie die Seele, die sich auch zum Soliloquium der Seelen beziehungsweise dem Chor der gläubigen Seelen vervielfachen kann. Diesen beiden Rollen ist die Reflexion über das Geschehen zugeteilt. Wenn nun Picander für die „Matthäus-Passion" nur Rezitative und Arien dichtet und der Evangelist den biblischen Bericht wörtlich vorträgt, so ist dies als auf Bach selbst zurückgehendes bewußtes Festhalten an der älteren Tradition zu deuten.

---

1 Vgl. Renate Steiger, Methode und Ziel einer musikalischen Hermeneutik im Werke Bachs. Erich Hübner zum 60. Geburtstag, in: Musik und Kirche 47, 1977, S. 209–224, S. 209.

2 Texte zur Paßions-Music, nach dem Evangelisten Matthäo, am Char-Freytage bey der Vesper in der Kirche zu St. Thomä, in: Ernst-Schertzhaffte und Satyrische Gedichte, Anderer Theil, Leipzig 1729.

Seit neuestem hat man nun auch ein genaueres Bild von dem Einfluß, den Bach auf den dritten Bestandteil seines Librettos, auf die frei gedichteten Partien, genommen hat. Elke Axmacher hat in ihrer demnächst erscheinenden Dissertation den Wandel des Passionsverständnisses im frühen 18. Jahrhundert untersucht[3]. Dabei hat sie entdeckt, daß fast die Hälfte der madrigalischen Stücke der „Matthäus-Passion" auf eine gemeinsame Vorlage zurückgeht, nämlich auf die Passionspredigten des Rostocker Superintendenten und Erbauungsschriftstellers Heinrich Müller (1631–1675)[4]. Diese 1669 gehaltenen Predigten waren zusammen mit anderen Passionsbetrachtungen 1688 erstmals veröffentlicht worden und erlebten zahlreiche Auflagen bis ins 19. Jahrhundert hinein.

Bach hat Heinrich Müller hoch geschätzt. Wie wir aus dem Nachlaßverzeichnis wissen, hat er fünf umfangreiche Bände mit Werken von ihm besessen[5]. Damit ist Müller nach Luther und dem orthodoxen Theologen August Pfeiffer der in Bachs Bibliothek am häufigsten vertretene Autor. Wir dürfen schließen, daß Bach selbst seinen Librettisten auf die Predigten Müllers aufmerksam gemacht, vielleicht sogar ihm eines seiner Bücher ausgeliehen hat. Picander hat sich, wie die von Elke Axmacher vorgelegten Synopsen zeigen, so eng an seine Vorlagen gehalten, daß man von Nachdichtungen einzelner Passagen aus den Predigten sprechen kann. Solche Dichtung nach Vorlagen war zur Zeit des Barock — jedenfalls im Bereich des niederen Stils, zu dem die geistliche Dichtung weithin gerechnet werden muß — durchaus gebräuchlich und nicht mit dem Makel des Plagiats behaftet. Es liegt nahe anzunehmen, daß Picander sich auch für die übrigen, nicht von Müller beeinflußten Stücke, von Vorlagen hat anregen lassen[6], allzu deutlich heben sich diese Texte in ihrer theologischen Qualität von Picanders früherer Passionsdichtung ab. Aber auch ehe dies vollständig und im einzelnen nachgewiesen ist, dürfen wir als wichtigstes Ergebnis der Axmacherschen Entdeckung folgendes festhalten: Choräle und freie madrigalische Dichtung haben in der „Matthäus-Passion" die gleiche Funktion: Sie sind Auslegung des Passionsgeschehens, gereimte Predigt. Daß dabei die einer Einzelstimme in den Mund gelegten Texte die theologische Aussage stellenweise anders akzentuieren als die Choräle, die nach ihrer liturgischen Herkunft die Stimme der Gemeinde repräsentieren, tut nichts zur Sache. Entscheidend ist, daß Picander Predigten nachdichtet. Die Unterschiede, die das Libretto inhaltlich gegenüber den zwei Generationen früher entstandenen Predigten aufweist, sind hier nicht zu untersuchen. Sie sind Gegenstand der Arbeit von Elke Axmacher, die sie im Rahmen der allgemeinen Entwicklung zum Passionsverständnis der Aufklärung hin interpretiert. Unser Thema ist der Text der „Matthäus-Passion", wie er vorliegt und von Bach komponiert worden ist.

Die Interpretation wird dabei von folgender Frage bewegt: Wenn Bach seinem Librettisten Predigten zum Vorwurf gab und damit — wie wir schließen dürfen — auch die Rezitative und Arien nicht als dramatische Vergegenwärtigung gestalten wollte, sondern als Ausdruck des Gleichzeitigwerdens im Glauben, wie ist dann die doppelchörige Anlage des Werkes zu verstehen? Der dramatische Effekt, den die Doppelchörigkeit in den Turbae zweifellos hat, kann von der eben bestimmten Grundhaltung her nicht die primäre Intention sein. Das Wechselspiel verschiedener Chöre als rein musikalisches Mittel der Strukturierung zu sehen, verbietet sich bei einem so bewußt die musikalischen Mittel in den Dienst der Textauslegung stellenden Komponisten. Daß die Doppelchörigkeit Bach aber sehr wichtig gewesen ist, läßt sich daran erkennen, daß er an ihrer konsequenten Durchführung immer weitergearbeitet hat und um ihretwillen

---

3 Unter dem Titel: Aus Liebe will mein Heyland sterben. Die umfangreiche Arbeit soll 1983 im Hänssler-Verlag, Stuttgart, erscheinen.
4 Vgl. auch Elke Axmacher, Ein Quellenfund zur Matthäus-Passion, in: BJ 1978, S. 181–191. Danach sind folgende Sätze von Müller abhängig: Nr. 19, 22, 23, 34, 42, 48, 49, 56, 57, 60, 64, 65, 67.
5 Vgl. Hans Preuß, Bachs Bibliothek, in: Festgabe für Theodor Zahn, Leipzig 1928, S. 105–129. Müllers Schriften finden sich in dieser Liste auf S. 106 f. unter den Nummern 8, 19, 20, 41, 42.
6 Auf Beziehungen der Sätze 8, 51 und 52 zu Predigten von Valerius Herberger und Johann Arndt weist Elke Axmacher bereits hin (Aus Liebe . . ., II Kap. 7,2).

auch Schwierigkeiten in Kauf nahm: so war das Werk in der Nikolaikirche, in der im Wechsel mit der Thomaskirche die Karfreitagsvesper stattfand, gar nicht aufführbar, denn hier gab es nur eine Orgel. Trotzdem hat Bach erst bei der Wiederaufführung 1736 beide Klangkörper vollständig voneinander getrennt, indem er auch jedem Chor seinen eigenen Continuopart zuwies und die Chöre — wie dies in der Thomaskirche möglich war — getrennt bei den beiden Orgeln aufstellte. Nachdem 1740 die zweite, an der Ostwand stehende Orgel der Thomaskirche unbrauchbar geworden war, wies Bach für eine neuerliche Aufführung des Werkes in den 40er Jahren dem zweiten Chor ein Cembalo als Continuo-Instrument zu, wofür eine neue Stimme ausgeschrieben werden mußte, und nahm einige Änderungen in der Besetzung vor, die der Balance des nun klangschwächer begleiteten zweiten Chores dienten.

Wir gehen für unsere Interpretation von der Arbeitshypothese aus, daß die doppelchörige Anlage der „Matthäus-Passion" mit der dialogischen Struktur einiger Sätze ihres Librettos zusammenhängt. Das sind diejenigen Sätze, die Picander der Tochter Zion und den Gläubigen in den Mund legt. Sie bilden, was man unsres Wissens bisher noch nicht beachtet hat, das Grundgerüst für den Aufbau des Werkes und bieten damit eine wichtige Verstehenshilfe. Es sind vor der Predigt die Sätze 1, 19 und 20, 27; nach der Predigt die Sätze 30, 59 und 60 sowie 67. Wir beziehen diese Sätze so aufeinander, daß die Nummern 1 und 30, also die beiden Einleitungssätze zum ersten und zweiten Teil einander entsprechen, ferner die beiden Satzpaare 19/20 und 59/60 und die Sätze 27 und 67.

Wenden wir uns dem Chor Nr. 1 zu:

Die Tochter Zion und die Gläubigen
Aria
(Z.) Kommt, ihr Töchter, helft mir klagen,
Sehet — (Gl.) Wen? — den Bräutigam,
Seht ihn — (Gl.) Wie? — als wie ein Lamm!

Alle in diesem Text anklingenden Motive sind uralter Herkunft[7]. Der Bräutigam ist der Bräutigam des Hohenliedes. Die Töchter Zions kennen wir aus HL 3,11: „Kommt heraus und sehet, ihr Töchter Zions, den König Salomo mit der Krone, mit der ihn seine Mutter gekrönt hat am Tage seiner Hochzeit, am Tage der Freude seines Herzens." Der Tag seiner Hochzeit ist der Tag, an dem Jesus in sein Leiden geht, an dem er im Opfer seine Liebe erweist. Die Töchter Zions werden auch Töchter Jerusalems genannt (HL 1,5; 2,7; 3,10 u. ö.). Als diese begegnen sie Luk. 23, 28, wo Jesus ihnen auf dem Weg zum Kreuz zuruft: „Ihr Töchter von Jerusalem, weinet nicht über mich, sondern weinet über euch selbst und über eure Kinder."

Die Deutung des Hohenliedes auf die Passion Jesu durch Bernhard von Clairvaux (1090 bis 1153)[8] hat dazu geführt, daß die Bilder vom Bräutigam und vom Lamm zusammenwuchsen. „Gottes Lamm, mein Bräutigam" ist uns allen aus der 1. Strophe von „Jesu, meine Freude" geläufig (EKG 293). Das Lamm ist einerseits das Opferlamm von Jes. 53 und Joh. 1,29: „Siehe, das ist Gottes Lamm, welches der Welt Sünde trägt." Es ist aber auch das Osterlamm (2. Mos. 12; 1. Kor. 5,7), das den Auferstandenen meint, der sich den Seinen im Abendmahl schenkt. So laufen auch in der Auslegung des Gleichnisses vom königlichen Hochzeitsmahl Mt. 22,1—14 die Vorstellungen von Christus als Bräutigam und als Lamm ineinander[9]. Schließlich spielt noch das Bild vom apokalyptischen Lamm hinein (Apok. 5,6 ff.; 14,1 ff.). Die Hochzeit des Lam-

---

7 Picander hat sie der 8. Predigt Müllers entnehmen können; vgl. Axmacher, a. a. O., II Kap. 7,3a.
8 Bernardus Claraevallensis, Sermones super Cantica canticorum (Sancti Bernardi Opera, rec. Jean Leclercq, Charles Hugh Talbot, Henricus M. Rochais, Rom 1957 ff., vol. VI, 1, 1970). In deutscher Übertragung von Agnes Wolter und Eberhard Friedrich, Schriften des Honigfließenden Lehrers B. v. Cl., Band 5 und 6, Wittlich 1938.
9 Vgl. Kantate BWV 162 auf den 20. Sonntag n. Trin.

mes von Apok. 19,7, die Vereinigung Christi mit seiner Kirche am Ende der Zeit, wird als Hochzeit mit der Braut des Hohenliedes vorgestellt, wie man besonders schön in mittelalterlichen Bibelillustrationen ablesen kann[10]. Der zum Gericht wiederkommende Herr ist auch Mt. 25,1–13, im Gleichnis von den zehn Jungfrauen, als Bräutigam gedacht, der die klugen Jungfrauen mit sich zur Hochzeit hineinführen wird (vgl. „Wachet auf, ruft uns die Stimme", EKG 121).

Die Braut des Hohenliedes nun wurde allegorisch als Ekklesia, die Kirche, gedeutet, oder tropologisch als die Seele des einzelnen Gläubigen. Beide Deutungen stehen nebeneinander: die Tochter Zion als die königliche Braut (nach Ps. 45,10), in bildlichen Darstellungen prächtig gewandet und mit einer Krone auf dem Haupt (dem entspricht dann die Bezeichnung Christi als König, vgl. „. . . mein König und mein Bräutigam", „Wie schön leuchtet der Morgenstern" Str. 1, EKG 48), oder als Liebende, die den Bräutigam umfängt (in der sog. Sponsus-Sponsa-Gruppe).

„Kommt, ihr Töchter, helft mir klagen!" Wer spricht hier? Die Seele, die Braut des Hohenliedes, die den Bräutigam verlieren soll, denn der am Ende der Zeit zur Hochzeit Erwartete geht in sein Leiden. Mit einer elementaren Invention, durch Aufruf und Gegenfrage, wird eine Szene aufgerissen, wird der Blick auf die Historia gelenkt. Die Historia ist der Fundus der Auslegung. Denken wir daran, wie Luther gepredigt hat: im Vormittagsgottesdienst hat er die Historia erzählt[11], und nachmittags das Evangelium daraus gezogen, denn die Geschichte drängt auf Betrachtung und Applikation. Aber zuerst ist der sensus grammaticus zu erheben, der nach reformatorischem Verständnis der wahre sensus theologicus ist. Das sichert dem Bibelwort seine Vorrangigkeit und Dignität. Der Evangelist rezitiert die Historia nicht als etwas Fremdes, sondern geht mit, ist ganz darinnen. (Das spüren wir besonders, wo aus dem Erzählfluß sich eine Betonung heraushebt, eine Bewegung nachgezeichnet oder eine Expression angedeutet wird, am stärksten, wenn das Secco ins Arioso übergeht!)

„Sehet!" Zur Betrachtung ruft die liebende Seele auf. Was gibt es zu sehen? Den, der selbst das Holz zu seinem Opferplatz trägt, den wahren Sohn, in dem Abraham, dem Vater des Glaubens, unzählige Nachkommen erweckt werden sollen. Die Wendung „Holz zum Kreuze selber tragen" spielt auf die Typologie der Biblia Pauperum an, nach der Isaak, der selbst das Holz zu seiner Opferung trägt, auf Jesu Kreuztragung vorausdeutet. In der Armenbibel erscheint dann Isaaks Opferung als Vorabbildung der Kreuzigung Jesu. Diese Typologie war zu Bachs Zeit noch im allgemeinen Bewußtsein. So stellt auch Picander neben das Bild dessen, der zu seinem Kreuz unterwegs ist, mit einem zweiten „Sehet" das Bild des Gekreuzigten:

(Z.) Sehet, Jesus hat die Hand,
Uns zu fassen, ausgespannt,
Kommt! – (Gl.) Wohin? – (Z.) in Jesu Armen
Sucht Erlösung, nehmt Erbarmen,
Suchet! – (Gl.) Wo? – (Z.) in Jesu Armen.
Lebet, sterbet, ruhet hier,
Ihr verlass'nen Küchlein ihr,
Bleibet – (Gl.) Wo? – (Z.) in Jesu Armen. (Nr. 60)

Auch dies ein Text voller Anspielungen. Von Augustin stammt das Wort „Inter bracchia Salvatoris mei et vivere et mori cupio" – „In den Armen meines Heilands will ich leben und sterben". Das Ausrecken der Hände am Kreuz wird in der frühmittelalterlichen Kunst oft als Geste

---

10 Vgl. dazu Gertrud Schiller, Ikonographie der christlichen Kunst, Band 4,1, Die Kirche, Gütersloh 1976, S. 94–97.
11 Das ist, was heute die narrative Theologie wieder versucht!

des Christus Redemptor, als Umspannen des Weltalls gedeutet[12]. Auch Bach hat hier zweifellos Christus den König und Weltenherrscher im Blick und nicht den Leidenden. Das zeigt der musikalische Gegensatz zwischen dem vorangehenden Rezitativ (Nr. 59) und dieser Arie (Nr. 60), der trotz gleicher Besetzung mit Continuo und den tiefen Oboi da caccia nicht größer sein könnte. Dort äußerste Expression in den Sextsprüngen der Singstimme, Schmerz in den übermäßigen Intervallen, Enge, die einem die Luft abschneidet, in den begleitenden Septakkorden, fahles Licht in den Pizzicati der Violoncelli. Hier Ruhe, ein Sich-Ausspannen, das keinen Schmerz mehr verrät, die Seufzerketten der beiden Oboen, die den Satz motivisch (und inhaltlich!) mit Nr. 29, dem Schlußchoral des ersten Teils („O Mensch, bewein dein Sünde groß"), verbinden, verwandeln sich unversehens in das Bild der unter die schützenden Flügel eilenden Küchlein (Mt. 23,37; vgl. besonders Singstimme T. 34), wie auch die wiederholten, über zwei Oktaven staccato aufsteigenden Dreiklangsfiguren (T. 1–3; 13–15 u. ö.) den Blick emporführen zum Kreuz und dann verweilen lassen. Auch mit der Verwendung des trinitarisch ausgezeichneten Es-dur für diese Arie deutet Bach an, daß hier Jesus nach seiner göttlichen Natur betrachtet wird, „der Herr der Herrlichkeit", wie er im Rezitativ zuvor genannt wurde.

Wir kennen aus dem Mittelalter Darstellungen, wie Ekklesia den Zug der Gläubigen unter das Kreuz des Pantokrator führt[13]. Eine Erinnerung daran spielt in der Zuweisung der Arie Nr. 60 an Zion und die Gläubigen. Zion wäre dann die Allegorie der Kirche. Entsprechend kann Bach ihren Part in Nr. 1 einem Chor zuweisen. Zion ist aber zugleich die Braut, die liebende Seele, wie wir in Nr. 59 erkennen können. Der Text dieses Rezitativs gehört in seiner Dialektik sprachlich und theologisch zu den stärksten Stücken in Picanders Libretto!

Zion: . . .Der Herr der Herrlichkeit muß schimpflich hier verderben,
Der Segen und das Heil der Welt
Wird als ein Fluch ans Kreuz gestellt.
Der Schöpfer Himmels und der Erden
Soll Erd und Luft entzogen werden . . .   (Gal. 3,13)

Es ist der Schöpfungsmittler, der leidet; die kosmische Dimension dieses Leidens und Sterbens wird hier bewußt, der Verlust des Geliebten geht mit der Braut der ganzen Natur nahe:

So ist mein Jesus nun gefangen.
Mond und Licht
Ist vor Schmerzen untergangen,
Weil mein Jesus ist gefangen. . .

singt die Tochter Zion in Nr. 27. Dieses Mitleiden der Natur, von dem in der „Matthäus-Passion" nach der Gefangennahme die Rede ist, ist in der „Johannes-Passion" nach Jesu Tod Gegenstand der Betrachtung.

Mein Herz, indem die ganze Welt
Bei Jesu Leiden gleichfalls leidet,
Die Sonne sich in Trauer kleidet . . . (Arioso Nr. 34 – vgl. Mt. 27,45)

---

12 Dies ist meist an den beigegebenen Herrschaftssymbolen zu erkennen: Gestirnen, den vier Elementen oder Engeln, die sich verneigen oder Weihrauchgefäße schwingen. – Das Bild geht zurück auf Hippolyt von Rom, der um 220 in seiner Schrift über den Antichristen mit der Wendung „extendit manus suas cum pateretur" eine Kurzformel für die Erlösungstat Christi prägte und die ausgebreiteten Arme bereits mit schützenden Flügeln (nach Jes. 65,2 und Mt. 23,37) verglich (De antichr. 52, Die griechischen christlichen Schriftsteller der ersten Jahrhunderte I,2, S. 42,10–19). Die Wendung ist in eines der neuen Eucharistiegebete der römischen Liturgie übernommen worden, das der Priester hindeutend mit ausgebreiteten Armen spricht, vgl. Balthasar Fischer, Homilie zum Zweiten Hochgebet (1), Mit ausgebreiteten Armen, in: Gottesdienst. Information und Handreichung der Liturgischen Institute Deutschlands, Österreichs und der Schweiz, 1982, Nr. 7, S. 56. Für die freundliche Mitteilung des Quellennachweises danken wir Herrn Prof. Dr. Balthasar Fischer, Trier.

13 Sammelhandschrift, Reichenau, Ende 10. Jahrhundert, Bamberg Staatl. Bibliothek, Cod. Bibl. 22, fol. 4ᵛ.

Diese Parallele zeigt die Entsprechung von Gethsemane- und Golgathaszene an. Aber zunächst weiter im Rezitativ Nr. 59:

...Die Unschuld muß hier schuldig sterben...

das ist das Thema der ganzen Passion, das der vorangestellte Choral formuliert hatte:

O Lamm Gottes unschuldig
Am Stamm des Kreuzes geschlachtet...
All Sünd hast du getragen... (Nr. 1)

...Das gehet meiner Seele nah...

weil die Größe des Einsatzes, mit dem für mich bezahlt wird, die Größe meiner Schuld anzeigt:

Ich bin's, ich sollte büßen,
An Händen und an Füßen
Gebunden in der Höll.
Die Geißeln und die Banden
Und was du ausgestanden,
Das hat verdienet meine Seel. (Choral Nr. 10)

...Ach, Golgatha!...

das ist die Klage der Buße und Reue zu Füßen des scheidenden Geliebten.

...unsel'ges Golgatha!...

die Seele muß noch erkennen, daß das unselige das selige Golgatha ist, der Abschied die Bedingung der Möglichkeit des Wiederfindens.

Ich will hier bei dir stehen;
Verachte mich doch nicht!
Von dir will ich nicht gehen,
Wenn dir dein Herze bricht.
Wenn dein Herz wird erblassen
Im letzten Todesstoß,
Alsdenn will ich dich fassen
In meinen Arm und Schoß. (Choral Nr. 17)

Die letzten Worte zeigen, daß die Passionsmystik der „Matthäus-Passion" ganz stark von der Brautmystik her geprägt ist. Motive der Brautmystik finden sich in fast jedem ihrer Sätze. Nehmen wir gleich die vorangehende Choralstrophe dazu.

Erkenne mich, mein Hüter,
Mein Hirte, nimm mich an!
Von dir, Quell aller Güter,
Ist mir viel Gut's getan.
Dein Mund hat mich gelabet
Mit Milch und süßer Kost,
Dein Geist hat mich begabet
Mit mancher Himmelslust. (Choral Nr. 15)

„Erkennen", „annehmen", „Himmelslust" gehören in die Sprache der Liebe, wie die Umschreibung der „süßen Kost" des Mundes, die sich an HL 4,11 und 5,16 anschließt.

So ist das Ausbreiten der Arme am Kreuz in Nr. 60 nicht nur die umfassende Gebärde des Erlösers (Redemptor) und die segnende des Hohenpriesters (Mediator), sondern zugleich eine einladende Geste an die Braut:

Bleibet — Wo? — in Jesu Armen.

Der Kruzifix ist in der bildenden Kunst vereinzelt auch so ausgelegt worden. Auf eine Vision Bernhards geht der Darstellungstyp zurück, bei dem Christus die Arme vom Kreuz genommen hat und sie vor sich hält, als wolle er jemanden umarmen[14]. Das Motiv der Umarmung zur Darstellung der unio mystica, der Vereinigung der liebenden Seele mit Christus, ist allerdings häufiger in der Christus-Johannes-Gruppe anzutreffen, die sich aus dem Abendmahlsbild verselbständigt hat und als inhaltliche Parallele zum Bräutigam-Braut-Bild anzusehen ist.

Werfen wir daher gleich einen Blick auf die Abendmahlsszene in der „Matthäus-Passion": auch hier bestimmen Motive der Brautmystik das Bild. Im Anschluß an die Einsetzungsworte singt der Sopran, der sich hier als die Stimme der Anima, der durch Jesu Blut reingewaschenen und mit seiner Gerechtigkeit geschmückten Braut einführt, die Worte:

Wiewohl mein Herz in Tränen schwimmt,
Daß Jesus von mir Abschied nimmt,
So macht mich doch sein Testament erfreut:
Sein Fleisch und Blut, o Kostbarkeit,
Vermacht er mir in meine Hände.
Wie er es auf der Welt mit denen Seinen
Nicht böse können meinen,
So liebt er sie bis an das Ende. (Rez. Nr. 12)

Auch in diesen Worten wieder die Dialektik des unselig-selig, die uns im Rezitativ Nr. 59 schon begegnete: der Abschied die Bedingung der Möglichkeit der Freude, nur im Weggehen kann der Geliebte seine Liebe erweisen. Abschiedstränen als Tränen des Glücks. Mit den begleitenden zwei Oboi d'amore macht Bach das deutlich. In der anschließenden Arie ist dann der beglückte Schmerz zum reinen Glück geworden:

Ich will dir mein Herze schenken,
Senke dich, mein Heil, hinein!
Ich will mich in dir versenken;
Ist dir gleich die Welt zu klein,
Ei, so sollst du mir allein
Mehr als Welt und Himmel sein. (Arie Nr. 13)

Ich in dir — du in mir: das ist die Grunderfahrung der Liebe. Im Anschluß an Mt. 22,1—14, das Gleichnis von der königlichen Hochzeit, ist, wie wir oben schon andeuteten, das Abendmahl als Vorabbild, als Antizipation der endzeitlichen Gemeinschaft mit Jesus, verstanden worden. Für Bach konnotiert dabei das Bild von der ehelichen Gemeinschaft das Bild vom fröhlichen Wechsel, der nach Luther geschieht, wenn sich im Glauben die Seele mit Christus vereinigt und dieser seiner Braut alles, was ihm gehört, schenkt, Leben und Gerechtigkeit, und dafür ihre Krankheit und Sünde auf sich nimmt[15]. Unio mystica ist für Bach die Selbsterfahrung der Liebe, die sich durch den Zuspruch der Rechtfertigung geliebt weiß[16]. (Insofern ist bei ihm die Rechtfertigungslehre Grund und Korrektiv aller Mystik[17] und die unio-Aussagen über jeden Verdacht der Ketzerei erhaben, obgleich sie sich am Rande der Orthodoxie bewegen und Heinrich Müller und Johann Arndt, seine theologischen Gewährsmänner, von seiten der Konservativen nicht unangefochten geblieben sind!)

---

14 Vgl. Schiller, a. a. O., Band 2, Die Passion Jesu Christi, Gütersloh 1963, S. 160. Ein solcher Kruzifix steht in der Neumünsterkirche in Würzburg (Mitte 14. Jahrhundert).

15 Vgl. Martin Luther, Von der Freiheit eines Christenmenschen, Zum zwölften; s. Renate Steiger, Die Einheit des „Weihnachts-Oratoriums" von J. S. Bach, in: Musik und Kirche 51, 1981, S. 273—280 (besonders S. 275 f.), und 52, 1982, S. 9—15.

16 Um sich das deutlich zu machen, lese man nur die Texte seiner Kantaten zum 20. Sonntag nach Trinitatis, BWV 162, 49, 180! Vgl. etwa BWV 49 Nr. 3.

17 Das hat Wolfgang Herbst in seinem Buch Johann Sebastian Bach und die lutherische Mystik, Phil. Diss. Erlangen 1958, völlig richtig herausgestellt und dabei zutreffend bemerkt, daß die lutherische Mystik nicht als Mystik im eigentlichen Sinne anzusprechen ist. Vgl. besonders S. 137 f.

Ich will dir mein Herze schenken, senke dich, mein Heil, hinein!

bittet die Seele in Nr. 13 – in Nr. 65 finden wir die Entsprechung zu dieser Arie:

Mache dich, mein Herze, rein,
Ich will Jesum selbst begraben.
Denn er soll nunmehr in mir
Für und für
Seine süße Ruhe haben.
Welt, geh aus, lass Jesum ein!

Diese Worte hat Bach jetzt dem Baß zugewiesen. Wer singt sie? – Wir sind bei der Interpretation des „Weihnachts-Oratoriums" darauf gekommen, daß Bach in den Duetten, die er Sopran und Baß zuweist, das dialogische Moment zur Darstellung bringt, das im Glauben selbst liegt[18]. An dem zweigeteilten Rezitativ mit Choral im IV. Teil wird deutlich, daß der Sopran die Stimme der liebenden Seele, die Stimme der Betrachtung ist, der Baß die Stimme der Reflexion, der glaubenden Aneignung:

Jesu, du mein liebstes Leben,
Meiner Seelen Bräutigam,
Der du dich vor mich gegeben
An des bittern Kreuzes Stamm!

singt der Sopran, dazu tropiert der Baß:

. . . Komm! ich will dich mit Lust umfassen,
Mein Herze soll dich nimmer lassen,
Ach! so nimm mich zu dir!

und fährt fort:

Auch in dem Sterben sollst du mir
Das Allerliebste sein. . .
Mein Jesus! Wenn ich sterbe,
So weiß ich, daß ich nicht verderbe. . .

Ja, ist denn die Seele und der Glaube nicht dasselbe? Ist nicht das Herz der Sitz der Person, die Identität des Ich? Fides „ponit nos extra nos" sagt Luther in seiner großen Vorlesung über den Galaterbrief[19] – der Glaube setzt uns aus uns selbst heraus. Die iustitia aliena ist zugleich eine fides aliena. Christus ist unsere Gerechtigkeit. „Ich lebe, doch nun nicht ich, sondern Christus lebt in mir. Denn was ich jetzt lebe im Fleisch, das lebe ich im Glauben an den Sohn Gottes, der mich geliebt hat und sich selbst für mich dargegeben" (Gal. 2,20). Wenn Christus meine Gerechtigkeit, und das heißt: mein Leben ist, muß sich der Glaube an ihn halten: „in negotio iustificationis mussen wir bey samen bleiben", sagt Luther, und werden dann gleichsam ein Leib im Geist (per. . .inhaesionem fidei reddimur quasi unum corpus in spiritu)[20]. Dieses Hängen an Christus macht, daß ich von den Schrecken des Gesetzes und der Sünde befreit, aus meiner Haut herausgenommen und in Christus und sein Reich versetzt werde[21]. „Eins werden" und „In-den-Anderen-Versetzt-werden" sind Hauptbegriffe der Mystik! Diese ist im Glauben immer schon angelegt, denn im Glauben ist die Subjekt-Objekt-Beziehung überwunden. Der Glaube verhält sich immer zu sich, d. h. zu dem Menschen, der glaubt, der angefochten, der bedroht ist, der beziehungslos und nur identisch mit sich ist.

---

18 Vgl. Steiger, Die Einheit. . ., a. a. O., S. 11 f.
19 D. Martin Luthers Werke. Kritische Gesamtausgabe, Band 40, 1. Abteilung, Weimar 1911, S. 589,8–10. Vgl. dazu Gerhard Ebeling, Luther. Einführung in sein Denken, Tübingen 1964, ⁴/1981, S. 197; 301.
20 Luther, a. a. O., S. 284,4.6.
21 Luther, a. a. O., S. 284,16–18.

Ein Abbild dieses Verhältnisses ist der Dialog. Ein Abbild des Glaubens ist im Menschlichen die Liebe zwischen Mann und Frau, denn auch die Liebe ist nie allein sondern stets im Verhältnis zum Geliebten. Deshalb konnte das Hohelied geistlich so relevant werden! Wer liebt und allein ist, ist unglücklich. Der Glaube soll lernen, daß seine unglückliche Liebe zum leidenden Christus sein Glück ist. Das Dialogische liegt darin, daß der Glaube ein Verhältnis zu Christus ist. Wenn der Glaube erfährt, daß er Christus verloren hat, so bleibt doch die Beziehung zu ihm zurück, d. h. er verhält sich zu sich selbst. Selbsterfahrung gewinnt man aus der Beziehung zu einem anderen. Das ist die Reziprozität der Liebe: die Erfahrung eines anderen wird zur Selbsterfahrung. Die glaubende Seele will nicht Identität, sondern sie findet sich selbst in Jesus. Weil sie ein Gespräch mit dem Geliebten führen will, führt sie Selbstgespräche:

...Ach! was soll ich der Seele sagen,
Wenn sie mich wird ängstlich fragen?
Ach! wo ist mein Jesus hin?

singt die Tochter Zion in Nr. 30, dem Einleitungssatz zum 2. Teil. Zion, die gläubige Seele, ist zugleich die Fragende. Diese Struktur deutet Bach in Nr. 27 dadurch an, daß er die Worte der Tochter Zion „So ist mein Jesus nun gefangen..." im Duett von Sopran und Alt singen läßt. Dabei ist der Sopran die Stimme der reinen Anima, der mit Christi Gerechtigkeit hochzeitlich geschmückten Braut[22], während der Alt die Stimme der Seele ist, die über dem Verlust des Bräutigams in Tränen der Buße und Reue ausbricht[23]. In Nr. 67, dem entsprechenden Satz des 2. Teils, der wie Nr. 27 das Fazit aus der vorangegangenen Handlung zieht und deren Abschluß markiert, stellen beide Stimmen sich mit ihren zugehörigen Stichworten noch einmal vor:

Alt: O selige Gebeine,
Seht, wie ich euch mit Buß und Reu beweine,
Daß euch mein Fall in solche Not gebracht!
Sopran: Habt lebenslang
Vor euer Leiden tausend Dank,
Daß ihr mein Seelenheil so wert geacht'.

So ist das Duett von Sopran und Alt in Nr. 27 die Redeweise des Glaubens, der sein Verhältnis zu Christus in seinem Selbstverhältnis bewahrt. Die fragende Seele von Nr. 30 nimmt die leere Stelle des Bräutigams ein. Auch Verzweiflung ist ein Verhältnis zu sich selbst. Das Gegenüber ist das konstruktive Element der „Matthäus-Passion".

Die unglückliche Liebe geht aus sich heraus und sucht den verlorenen Freund: „Kommt, ihr Töchter, helft mir klagen!" Wir wenden uns noch einmal dem Eingangschor zu. Er hat eine doppelte Funktion: er ist Auftakt und Erhebung. Als Auftakt fordert er zur Betrachtung der Historia auf: „Kommt, ihr Töchter!" Davon sprachen wir schon. Die Historia der Passion ist aber nicht einfach ein Bericht, sondern ist eine hohe Geschichte, zu deren Betrachtung der Hörer erhoben werden muß. Der erste Schritt in der Meditation ist die excitatio mentis. Sursum corda! Erhebet eure Herzen! Die poetische Erhebung, die Anrufung der Muse bei Homer etwa, macht offenbar, daß der excitatio ein dialogisches Moment innewohnt. „Helft mir klagen!" Die Klage ist eine Form des Gebets, wie wir aus den Klagepsalmen wissen und wie es der Choral, zu dem dieser Text komponiert ist, deutlich macht, denn er ist selbst ein Gebet: „Erbarm dich unser, o Jesu!" So haben wir es hier mit einer liturgischen Form zu tun. Das bedeutet ein Doppeltes. Erstens: Nach biblischem Verständnis gibt es auf eine Klage immer eine Erhörung; die Klage selbst ist die Bitte um Erhörung. Damit hängen die Stimmungsumschwünge zusammen, die wir in der „Matthäus-Passion" zwischen Rezitativ und Arie mehrfach beobachten können, so z. B. bei der schon besprochenen Folge Nr. 59/60, wo das, was die liebende See-

---

22 Siehe Anmerkung 20.
23 Siehe auch Nr. 6: „Buß und Reu knirscht das Sünderherz entzwei".

le im Rezitativ mit höchstem Affekt ablehnen muß, das Leiden des Geliebten, in der Arie in seiner Heilsbedeutung akzeptiert ist. Die Klage „Ach Golgatha!" hat Erhörung gefunden: Ruhe in Jesu Armen.

Die liturgische Form des Gebets bedeutet noch ein Zweites: Die Klage geht aus sich heraus. Zion führt nicht nur Selbstgespräche sondern ruft die Freundinnen auf, den Verlorenen mit ihr zu suchen. Weil das Evangelium dem Glauben immer von außen zugesprochen werden muß, sind der Tochter Zion die Gläubigen beigegeben. In der Doppelchörigkeit der „Matthäus-Passion" spiegelt sich die Applikation des jetzt Glaubenden in die Geschichte Jesu. Dem „Sehet!" der Sätze 1 und 60 steht gegenüber die Frage Zions in Nr. 30: „Ist es möglich, kann ich schauen?"[24] Die Frage der Seele ist, wie sie mit Jesus nach seinem Fortgang gleichzeitig werden kann.

Die Doppelchörigkeit und die Disposition der beiden Teile der Passion hängen so theologisch miteinander zusammen. Bach hat kongenial erfaßt, wo die entscheidende Zäsur liegt. Nach dem biblischen Bericht tritt Jesus gemeinsam mit seinen Jüngern in die Passion ein. Nach Gethsemane geht Jesus allein. Nach der Flucht der Jünger gibt es keine Augenzeugen mehr[25]. Wer erzählt jetzt die Leidensgeschichte? Eine Kontinuität der Betrachtung ist nur möglich aufgrund der Gleichzeitigkeit des Glaubens. Das Getrenntsein von Jesus wird von der Seele klagend eingeholt. Insofern ist die Doppelchörigkeit theologisch im 2. Teil begründet und der erste Auftakt (Nr. 1) durch die Notwendigkeit des zweiten Auftaktes (Nr. 30) evoziert.

Daß dies Bach bewußt gewesen ist, erhellt aus Folgendem: In der Frühfassung der „Matthäus-Passion" schloß der 1. Teil bekanntlich mit dem Choral „Jesum laß ich nicht von mir", der letzten Strophe des Liedes von Christian Keymann „Meinen Jesum laß ich nicht"[26]. Dieses Lied taucht noch in zwei Kantaten auf den 1. Sonntag nach Epiphanias auf. Das Evangelium auf diesen Sonntag ist Luk. 2,41—52 (Der zwölfjährige Jesus im Tempel). Aus ihm übernehmen die Kantaten BWV 154 „Mein liebster Jesus ist verloren"[27] und BWV 124 „Meinen Jesum laß ich nicht"[28] das Motiv der Suche nach dem verschwundenen Jesusknaben. Dabei ist der Text der erstgenannten voll von Anspielungen auf das Hohelied, z. B.:

Rez. Nr. 2
Wo treff ich meinen Jesum an,
Wer zeiget mir die Bahn,
Wo meiner Seele brünstiges Verlangen,
Mein Heiland, hingegangen? ... (vgl. HL 6,1)
Rez. Nr. 6
Dies ist die Stimme meines Freundes ... (vgl. HL 2,8)
Ich war vor Schmerzen krank ... (vgl. HL 5,8)
Duett Nr. 7
Wohl mir, Jesus ist gefunden,
Nun bin ich nicht mehr betrübt.
Der, den meine Seele liebt, (vgl. HL 1,7)
Zeigt sich mir zu frohen Stunden. . .[29]

Nehmen wir dazu, daß die dritte Kantate auf diesen Sonntag, Kantate BWV 32 „Liebster Jesus, mein Verlangen", ein Dialogus zwischen der Seele und Jesus (Sopran und Baß) ist, so wird

---

24 Durch das Stichwort „Lamm" („Ach! mein Lamm in Tigerklauen") ist dieser Satz ausdrücklich auf den Eingangssatz zum 1. Teil bezogen!

25 Vgl. Lothar Steiger, Erzähler Glaube. Die Evangelien, Gütersloh 1978, S. 40 ff.

26 Daß später an die Stelle dieses Satzes der Choral „O Mensch, bewein dein Sünde groß" trat, macht die vorzutragende Beobachtung nicht ungültig. Auf die Intention der Umarbeitung wird an anderem Ort eingegangen werden.

27 Diese Kantate schließt mit Strophe 6 von „Meinen Jesum laß ich nicht".

28 Dieser Kantate liegen die 6 Strophen des gleichnamigen Liedes zugrunde.

29 Wichtig ist hier auch wieder der Bezug auf das Abendmahl (s. die Bemerkung zu „Matthäus-Passion" Nr. 12/13, S. 281 f.) in Rez. Nr. 6.

deutlich, wie nach dem Verschwundensein Jesu, dem Verlust seiner leiblichen Gegenwart, kurz, angesichts des historischen Bruchs und Grabens, der Glaube sich in den Bildern der Brautmystik wiederfindet.

Bach hat unseren Choral noch ein drittes Mal verwendet. Kantate BWV 157 „Ich lasse dich nicht, du segnest mich denn" auf Mariae Reinigung schließt wie Kantate 154 mit seiner 6. Strophe. Hier tritt im Anschluß an die Lesungen des Sonntags[30] der endzeitliche Aspekt der Brautmystik noch einmal hervor[31]. Wir werden so zurückgeführt auf Arie Nr. 65 der „Matthäus-Passion", die wir in Entsprechung zu Nr. 13 sahen[32]. „Mache dich, mein Herze, rein" beschreibt wie „Ich will dir mein Herze schenken" die Gemeinschaft mit Jesus im Abendmahl[33] als Antizipation seiner endzeitlichen Gegenwart mit dem Bild der liebenden Vereinigung.

. . .Denn er soll nunmehr in mir
Für und für
Seine süße Ruhe haben. . .

Die „süße Ruhe" ist der Schlaf der erfüllten Liebe[34]. Dies ist nicht platt sondern als doppelt reflektierte Rede zu verstehen. Hier wird nicht der Tod als Schlaf verharmlost, sondern es spricht sich eine Umkehrerfahrung aus.

Aus Liebe will mein Heiland sterben. . .
Daß das ewige Verderben
Und die Strafe des Gerichts
Nicht auf meiner Seele bliebe. (Arie Nr. 49)

Von denen, die durch Jesu Tod zur Ruhe finden, wird dieser Tod verstanden als Zur-Ruhe-kommen: „Die Müh ist aus, die unsre Sünden ihm gemacht". Diese Worte der Tochter Zion in Nr. 67 läßt Bach vom Tenor singen, und deutet damit auf Nr. 19 zurück, auf die Betrachtung der Gethsemane-Szene durch Zion, die er gleichfalls dem Tenor zugewiesen hatte:

O Schmerz! Hier zittert das gequälte Herz. . .
Der Richter führt ihn vor Gericht,
Da ist kein Trost, kein Helfer nicht.
Er leidet alle Höllenqualen. . .

Das Satzpaar 19/20 ist theologisch das Herzstück des 1. Teils und inhaltlich die Entsprechung zu Nr. 59/60, der Betrachtung der Golgathaszene. Das Rezitativ „O Schmerz!" zeigt Christus vor dem eschatologischen Richter, Christus, der die Seelenangst des Endes ausgestanden, den Tod gefühlt hat[35]. Was am Kreuz geschieht, ist in Gethsemane in der Erfahrung der Seele beschrieben[36].

Und hier wird nun anschaulich, daß das „ich in dir – du in mir" der Liebesmystik theologisch kein Wechselverhältnis im einfachen Sinne ist, sondern eine communicatio: Die Liebe geht

---

30 Mal. 3, 1–4; Luk. 2, 22–32.

31 Vgl. Arie, Rez. und Arioso Nr. 4.

32 Siehe oben.

33 Der Bezug wird deutlich in den Schlußworten des vorhergehenden Rezitativs (Nr. 64). „O heilsames, o köstlichs Angedenken" spielt auf die Einsetzungsworte nach Lukas an (Luk. 22, 19).

34 Der 12/8-Takt, der die Gegenwart des Heils, die eschatologische Freude anzeigt (vgl. Renate Steiger, „Die Welt ist euch ein Himmelreich". Zu J. S. Bachs Deutung des Pastoralen, in: Musik und Kirche 41, 1971, S. 1–8; 69–79), bestätigt diese Auslegung. Die Pastorale eine Metapher der Seligkeit. Auch im Schlußchor (Nr. 68) wird Jesu Tod und die Ruhe der Gewissen als Schlaf der Seligen, als der Schlaf der Liebenden verstanden („höchst vergnügt schlummern da die Augen ein").

35 Auf Golgatha (Nr. 59/60) wird nicht mehr auf Jesu Todeserfahrung Bezug genommen, sondern deren Heilsbedeutung appliziert.

36 Dies ist in Übereinstimmung mit den Evangelien; Lukas stellt Jesu Gebet am Ölberg als Todeskampf dar, Luk. 22, 39–46.

von Jesus aus; gleichwohl teilt er sie so mit, daß es zu einer Dialektik und Wechselseitigkeit kommt.

Ach, könnte meine Liebe dir
. . . dein Zittern und dein Zagen
Vermindern oder helfen tragen. . . (Nr. 19)

Der Irrealis zeigt: Am Kreuz (im ersten Tod) und unter dem Gericht (angesichts des zweiten Todes) ist Jesus allein. Erst aufgrund der geschehenen Geschichte, der erfahrenen Liebe, erst nach Jesu Tod gibt es ein compati, wird der Glaubende selber zum Leiden, zur Nachfolge fähig:

Ich will bei meinem Jesu wachen (Nr. 20)
Komm, süßes Kreuz, so will ich sagen (Nr. 57)

Wir müssen hier die Interpretation abbrechen. Es war nicht die Absicht, das vielschichtige Werk in einem Durchgang auszulegen. Wir haben es unter einem bestimmten Aspekt befragt und gefunden, daß seine musikalische Faktur Grunderfahrungen des Glaubens spiegelt, die zugleich Grunderfahrungen des Menschlichen sind.

Rudolf Stephan

Regeriana I
Der junge Max Reger als Rezensent*

Max Reger trat erstmalig, zwanzigjährig, vor eine breite musikalische Öffentlichkeit, die ihn, wie es scheint, keineswegs feindselig, sondern eher wohlwollend erwartungsvoll empfing. Im Jahre 1893 stellte der damals weithin berühmte, in Berlin wirkende Musiker und Musikschriftsteller Heinrich Reimann den Komponisten in der vielgelesenen und einflußreichen „Allgemeinen Musik-Zeitung" (20. Jahrgang, Heft 27, vom 7. Juli) vor, in dem er nicht nur Anerkennendes über Regers gerade im Druck erschienenen ersten Werke, die opera 1, 2, 3, 4 und 6, äußerte, sondern das mächtige Talent pries (S. 375 f.). In Danzig, wo Reger am 25. Oktober 1893 ein Konzert gab, lernte er Otto Leßmann, den Herausgeber der genannten, in Charlottenburg erscheinenden Musikzeitung persönlich kennen. Leßmann war von dem jungen Musiker so eingenommen, daß er ihn als Mitarbeiter gewann. Reger, sichtlich beeindruckt von der großen Welt, schrieb am 10. Oktober 1893 an Leßmann:

Ich hoffe, daß es mir gelingt, mich Ihres Vertrauens, das Sie mir entgegenbrachten, indem Sie mir Kompositionen zur Besprechung gaben, würdig zu machen. Die unentwegte Festhaltung der hohen, höchsten künstlerischen Ziele, strengste Unbestechlichkeit und genauestes Studium der zu besprechenden Kompositionen werden die Grundpfeiler meiner Tätigkeit in Ihrer so bedeutenden Zeitung sein. Und wenn ich Sie bitte, mir immer Sachen zur Besprechung zu senden, so kann ich ja auch sagen, daß ich genügend Zeit habe, mich in die zu besprechenden Werke zu versenken, und ich hoffe Ihre Zufriedenheit und Ihren Beifall durch eine wirklich parteilose, alles Gute sehr anerkennende Kritik zu erwerben. Minderwertige Sachen kann man ja mit ein paar Zeilen erledigen. (Briefe S. 34)

Reger hat denn auch prompt die gewünschten Rezensionen geschrieben, und Leßmann hat sie sofort veröffentlicht.

Am 14. Februar des folgenden Jahres, also 1894, gab Reger seinen ersten Kompositionsabend in einer musikalischen Metropole, in Berlin, und zwar in der Singakademie — stets war der Geiger Waldemar Meyer, ein hervorragender Musiker und Virtuos, dabei — und stellte sich damit auch persönlich der hauptstädtischen Kritik. Leßmann hat dieses Debut nicht nur, wie ein jedes Konzert in Berlin, angekündigt, sondern auf besondere Weise darauf verwiesen, indem er (in Nr. 6, vom 9. Februar, nach S. 86) wenige Tage vor der Veranstaltung mit einer hinweisenden Notiz das Choralvorspiel „O Traurigkeit, o Herzeleid" vollständig veröffentlichte. Der Charakter des Besonderen dieser Förderung geht insbesondere daraus hervor, daß diese Musikzeitung nur äußerst selten Musikbeilagen brachte, in zahlreichen Jahrgängen überhaupt keine.

---

* *Abkürzungen*
Altmann KaM = Wilhelm Altmann, Kammermusik-Katalog, Leipzig ⁴/1931, Leipzig ⁶/1945
Altmann Orch. = Wilhelm Altmann, Orchester-Literatur-Katalog, Leipzig ²/1926
AMZ = Allgemeine Musik-Zeitung. Wochenschrift . . . Redakteur: Otto Leßmann (Charlottenburg)
Briefe = Max Reger, Briefe eines deutschen Meisters. Ein Lebensbild, herausgegeben von Else von Hase-Koehler, Leipzig 1928
Burkert = Führer durch die Orgel-Literatur von Kothe-Forchhammer, bearbeitet von Otto Burkert, Leipzig 1909
Hofm. = Handbuch der musikalischen Literatur . . ., herausgegeben und verlegt von Friedrich Hofmeister, Band 10 (= 7. Ergänzungsband) Leipzig 1893, Band 11 (= 8. Ergänzungsband) Leipzig 1900
Weigl Org. = Bruno Weigl, Handbuch der Orgelliteratur, Leipzig 1931
Weigl Vc = Bruno Weigl, Handbuch der Violoncell-Literatur, Wien 1911

Leßmanns Besprechung von Regers Konzert (in Nr. 8 des 21. Jahrgangs, vom 23. Februar) steht an hervorragender Stelle: sie eröffnet den Bericht „Aus dem Konzertsaal" und ist voller Anerkennung für das ungewöhnliche Talent. Freilich enthält er auch einschränkende, kritische (aber keine herabsetzenden) Bemerkungen. Leßmann beklagt den großen Einfluß von Brahms — er erscheint ihm als verhängnisvoll —, aber er lobt demgegenüber die „aus Beethovenschem Geiste geborenen Sätze", womit er besonders die langsamen Sätze und die Scherzi der Violinsonate op. 1 und des Trios op. 2 meint. Als vollständig verunglückt gilt ihm dagegen die Cellosonate op. 5. Auch am Klavierspiel des jungen Meisters findet der Kritiker dies und jenes auszusetzen. Er beschließt seine ausführliche Kritik mit den Worten:

Ich bin überzeugt, daß das unleugbar große Talent des jungen Künstlers noch von sich reden machen wird. Er selbst hat es in der Hand, durch strenge Selbstkritik den künstlerischen Gährungsprozeß in sich zu beschleunigen. (S. 113)

Reger scheint in Berlin wiederum mit Leßmann persönlich zusammengekommen zu sein. Am 19. Februar, also bevor die Konzertkritik erschienen war, bedankt er sich brieflich:

Haben Sie nochmals herzlichsten Dank für alles! Und glauben Sie meiner Versicherung, daß ich Ihr edles und wohlwollendes Verhalten mir gegenüber nie vergessen werde. Darf ich wieder um einen Stoß Musikalien zur Besprechung bitten? (Briefe S. 36)

Die Kritik Leßmanns hat den Erwartungen Regers sicher nicht entsprochen; er war wohl etwas enttäuscht. „Du darfst dem Urteile von Otto Leßmann ... auch nicht alle Gültigkeit beimessen", schreibt er an seinen Freund und Mentor Adalbert Lindner; „die Leute stehen nach meiner Ansicht auf einem ganz einseitigen Standpunkt, selbe sind eben nur Wagner- und Lisztsche Schule" (Briefe S. 38). Gleichwohl schickte Leßmann Reger noch einmal, wie vom Komponisten gewünscht, „einen Stoß Musikalien zur Besprechung". Reger besprach und Leßmann druckte. Leßmann druckte sogar die Besprechung zweier Konzerte unter der Leitung von Felix Mottl in Wiesbaden (die Reger sehr schaden sollte). Aber es kam doch zur Entfremdung, schließlich zum Bruch. Reger nennt zwei Jahre später die Zeitung, für die er einst geschrieben hatte, eine „Revolverzeitung" und hebt hervor, daß er „alle Verbindung mit Leßmann etc. vollkommen abgebrochen" habe (Briefe S. 50).

Tatsächlich erschien bereits kurze Zeit nach dem Berliner Konzert, in Nr. 18 vom 4. Mai 1894, erneut eine stark einschränkende Kritik, und zwar eine der Liederhefte op. 8 und op. 12, die Paul Moos, der in späteren Jahren bekannte Historiker der Musikästhetik, im Geiste der Wagnerianer geschrieben hatte. Darin war zu lesen:

Das Schreckgespenst der Gewöhnlichkeit und der Trivialität steht offenbar drohend aufgerichtet vor des Komponisten innerem Auge; um ihm zu entgehen, läuft er weg, so weit er kann und plumpst nun glücklich in den Rachen der entgegengesetzten Gefahr: der Häßlichkeit, Formlosigkeit und Unverständlichkeit. (S. 253 f.)

Wahrscheinlich war das Berliner Konzert, das letzten Endes die Entfremdung zwischen dem Komponisten und dem Kritiker einleitete, verfrüht, vielleicht sogar ein, wie ein Mitwirkender meinte, „verunglücktes Experiment" (Briefe S. 37). Die sich allmählich entwickelnden Mißverständnisse, über die sich Reger in einem Brief an Lindner vom 8. März 1894 äußert und die im einzelnen zu entwirren kaum möglich sein dürfte, hatten ihre Ursachen in dem unseligen Parteienwesen, das damals das Musikleben und insbesondere die gesamte Musikpublizistik beherrschte. Eines scheint jedoch sicher: Leßmann hat sich Reger gegenüber nicht nur durchaus korrekt, sondern sogar fair verhalten. Er hat ihm früh ungewöhnliche Resonanz verschafft und wesentlich dazu beigetragen, daß der Name des Komponisten als der eines ganz außerordentlichen Talentes weit über seinen heimatlichen Wirkungskreis hinaus bekannt wurde.

Der Berliner Episode kommt im Leben des Komponisten eine erhebliche Bedeutung zu! Um so merkwürdiger ist es, daß die Beiträge, die der junge Reger für Leßmann und seine Musikzeitung geschrieben hat, bisher nicht nur nicht neu gedruckt, sondern noch nicht einmal bibliographisch erfaßt sind[2]. Das folgende Verzeichnis sämtlicher Rezensionen und Kritiken Regers für die Allgemeine Musik-Zeitung (20. Jahrgang 1893 und 21. Jahrgang 1894) möchte dieses bisher unbekannte Material erschließen.

Die Mitteilungen bieten: den (teilweise ergänzten und berichtigten) Namen, nebst den ermittelten Lebensdaten. Titel des Werks, Nachweis des Abdrucks der Kritik. Kurze Charakteristik des Inhalts oder der Tendenz der Kritik, in einigen Fällen vollständige Abdrucke (Nr. 2–6, 10).

Bibliographische Nachweise der besprochenen Werke

1. Anton Urspruch (1850–1907): Sonate D-dur für Pianoforte und Violoncello op. 29
20, Nr. 48 (1. XII. 1893), 630.
Wohlwollend, anerkennend.
Bibliographie: Hofm. 11, 893; Weigl Vc 37; Altmann KaM [4]192.

2. Henry M. Dunham (1853–!929): Zweite Sonate für Orgel, f-moll, op. 16
20, Nr. 49 (8. XII. 1893), 646:
„Das bedeutende Werk beginnt mit einer Introduktion und Fuge, der ein sehr schönes, harmonisch reizvolles Adagio folgt. Organisten, die mit feinem Geschmack zu registriren verstehen, werden mit diesem Adagio sicher großen Beifall finden. Weniger gelungen scheint der letzte Satz, der gewiß brillant klingt, aber doch zu klaviermäßig erfunden ist".
Bibliographie: Hofm. 10, 161; Burkert 172; Weigl Org. 3.

3. John K. Paine (1839–1906): Zwei Préludes für Orgel, op. 19
20, Nr. 49 (8. XII. 1893), 646:
„Den Stücken wäre zu wünschen, daß sie mehr wirklichen Orgelstyl besäßen. Unter der Hand eines geschickten Orgelspielers werden sie indessen ihre Wirkung nicht verfehlen".

4. Arthur Foote (1853–1937): Three Compositions for Organ op. 29
20, Nr. 49 (8. XII. 1893), 646:
„Diese Stücke weisen keine hervorstechende Originalität der Erfindung auf. No. 1 ‚Festival-Marsch‘ ist wohlklingend. Warum hat aber der Komponist No. 2 ‚Allegretto‘ nicht als ‚Petite Caprice‘ für die Violine herausgegeben? No. 3 ‚Pastorale‘ enthält ebenfalls Manches, das dem Charakter der Orgel wenig angemessen sein dürfte".
Bibliographie: Hofm. 1, 225; Burkert 220; Weigl Org. 126.

5. Théodore Dubois (1837–1924): Trois Pièces pour Grand Orgue
20, Nr. 49 (8. XII. 1893), 646:
„Die Kompositionen sind im allermodernsten Orgelstil geschrieben. Am werthvollsten ist No. 1 ‚Praeludium grave‘, während No. 2 ‚Adoratio et vox angelica‘ in der Erfindung ohne Reiz und No. 3 ‚Hosannah‘, einer energischeren Verarbeitung des Motivs sehr bedürftig ist".
Bibliographie: Hofm. 10, 160; Burkert 20 (nur Nr. 1, ‚Präludium‘).

6. Théodore-César Salomé (1834–?): Dix Pièces pour Orgue op. 48
20, Nr. 49 (8. XII. 1893), 646:
„Die Stücke tragen sehr verschiedenartigen Charakter. Die besten Nummern sind No. 5 ‚Fugue‘ und No. 10 ‚Allegro symphonique‘. Die übrigen Stücke sind zwar nicht gerade der Orgel sehr gemäß, können jedoch nichtsdestoweniger in Orgelkonzerten sehr gut Verwendung finden".
Bibliographie: Hofm. 11, 727; Burkert 225; Weigl Org. 149, ungenau.

---

1 Fritz Stein, Max Reger, Potsdam 1939, S. 16, stellt sie als beiläufig dar, übrigens nicht in allen Einzelheiten korrekt.

2 Fritz Stein, Thematisches Verzeichnis der im Druck erschienenen Werke Max Regers, Leipzig 1953, S. 577, ermittelt lediglich die Besprechung Reimanns in: AMZ 20, 1893, Nr. 27 (7. VII. 1893), nicht jedoch die Beiträge Regers!

7. Kompositionen von Felix Gotthelf (1857–1929), a) ‚Tragödie‘, drei Lieder (Heine), op. 8; b) ‚Der Schmied‘ (Uhland) op. 9, Lied mit Klavierbegleitung; c) Streichquartett C-dur, op. 10; d) ‚Ein Frühlingsfest‘, sinfonische Fantasie für Orchester, op. 7
20, Nr. 51/52 (22./29. XII. 1893), 674 f.:
„Felix Gotthelf besitzt ohne Zweifel ein schönes Kompositionstalent, das die Beachtung weiterer musikalischer Kreise verdient. Was er schreibt, verräth den warm empfindenden Künstler und eine anerkennenswerte Herrschaft über die Form. Doch scheint er flüchtig zu arbeiten, und eine genauere Durchsicht seiner Kompositionen vor deren Herausgabe ist ihm dringlichst zu empfehlen“.
Bibliographie: a–d) Hofm. 11, 273; c) Altmann KaM ⁴ 25, ⁶ 33; d) Altmann Orch ² 79.
Anmerkung zu Gotthelf: In Nr. 38 des selben Jahrgangs der AMZ (22. IX. 1893), 485 findet sich eine recht ausführliche Besprechung von Gotthelfs Broschüre ‚Das Wesen der Musik‘ (Bonn 1893) von Oscar Bie. „Sucht jemand nach einem nicht zu gelehrten Anhalt dieser neuen Ästhetik, ich wüßte ihm nichts besseres zu empfehlen, als dieses Büchlein“.

8. Frederic Lamond (1868–1948): Sinfonie für großes Orchester A-dur, op. 3
21, Nr. 4 (26. I. 1894) 56.
Außerordentlich anerkennend, z. B.: „Die Durchführung kann man getrost ein Meisterstück kontrapunktischer Kunst nennen“.
Bibliographie: Hofm. 11, 475; Altmann Orch. ² 39.

9. Ignaz Brüll (1846–1907): Dritte Serenade für Orchester op. 67
21, Nr. 29/30 (20./27. VII. 1894) 401:
Freundlich.
Bibliographie: Hofm. 11, 120; Altmann Orch. ² 29.

10. Ferruccio B. Busoni (1866–1924): Konzertstück für Pianoforte mit Orchester (in D) op. 31a
21, Nr. 29/30 (20./27. VII. 1894), 401:
„Der bekannte geniale Komponist und Pianist F. Busoni gewann mit diesem Werk den 1. Rubinstein-Kompositionspreis! Es ist zu glauben, daß dieses Werk das beste unter allen eingesandten Kompositionen war. Busoni schöpft darin nur aus dem Vollen, Tiefen und dies, vereint mit energischer Durcharbeitung der großen Themen, ergab ein Meisterwerk, wie es wohl nicht jeden Tag erscheint.
Das Orchester beginnt mit einer düsteren Einleitung, dessen Thema später sehr viel verarbeitet wird. Das Soloinstrument bringt nun eine lange, kadenzartige Zwischenpartie, thematisch hochinteressant. Das nun folgende Allegro molto mit seinem zuerst in Bdur, später in Ddur erscheinenden Hauptthema (Tutti) dem sinnigen 2. Thema, mit der gewaltigen Solopartie, seinen großen Steigerungen, seiner durch und durch polyphonen Struktur können wir ohne Bedenken als wirklich groß und hochgenial bezeichnen. Möchte dem bedeutenden Werke eine recht lange Lebensdauer beschieden sein – denn es ist – ‚preisgekrönt‘!“
Bibliographie: Hofm. 11, 130; Altmann Orch. ² 210; Jürgen Kindermann: Thematisch-chronologisches Verzeichnis der musikalischen Werke von F. B. Busoni, Regensburg 1980, Nr. 236, p. 208 f., mit Literaturangaben. Regers Rezension nicht angegeben.
Briefe an Busoni 17. IV. 1895 (Briefe S. 43 f.), 26. VIII. 1895: „. . . das Konzertstück, das das erste Werk war, das ich von Ihrer Muse kennen lernte, hat mir sogleich beim ersten Durchlesen alles geoffenbart“ (Briefe S. 47).

11. Anton Urspruch (1850–1907): ‚Menschenloos‘ (Goethe) für Männerchor mit willkürlicher Begleitung des Streichorchesters, op. 30, Nr. 6
21, Nr. 31/32 (3./10. VIII. 1894) 424.
Unerheblich.
Bibliographie: Hofm. 11, 893.

12. Ludwig Bonvin (1850–1939): Drei Tonbilder für großes Orchester, op. 12
21, Nr. 31/32 (3./10. VIII. 1894) 424.
Lob der Instrumentation.
Bibliographie: Hofm. 11, 100; Altmann Orch. ² 72.

13. Robert von Hornstein (1833–1890): Letzte Lieder für eine Singstimme mit Begleitung des Pianoforte. (21 Lieder aus dem Nachlaß)
21, Nr. 31/32 (3./10. VIII. 1894) 424.
R. betont die „Herbheit“, die nicht ‚Unnatur‘ ist.
Bibliographie: Franz Pázdirek: Universal-Handbuch der Musikliteratur 11, Wien o. J. [ca. 1905] 673.

14. Heinrich Neal (1870–1940): a) Fünf Lieder für eine tiefe Stimme op. 21; b) Vier Lieder für eine Singstimme op. 27; c) Zwei Stücke für Klavier op. 28; d) Sonate für Klavier op. 30; e) ‚Harald‘ (Uhland) für Männerchor. Tenorsolo und großes Orchester, op. 18
21, Nr. 35 (31. VIII. 1894) 454.

Zurückhaltende Beurteilung dieser frühen Werke des Komponisten.
Bibliographie: a–e Hofm. 11, 605.

15. Richard Franck (1858–1938): a) Suite für Klavier zu vier Händen op. 9; b) Menuett für Klavier zu zwei Händen op. 13; c) Vier Klavierstücke op. 15
21, Nr. 35 (31. VIII. 1894) 454.
„Bessere Salonmusik".
Bibliographie: a–c Hofm. 10, 203; a) Wilhelm Altmann: Verzeichnis von Werken für Klavier vier- und sechshändig. . . Leipzig 1943, 17.

16. Emil Fromm (1835–1916): Begrüßungschor für Männerchor mit Orchester-Begleitung
21, Nr. 35 (31. VIII. 1894) 454.
Wertlos.
Bibliographie: Hofm. 11, 241.

17. Emil Hess: a) Sechs Gesänge für eine Singstimme und Pianofortebegleitung op. 9; b) Sieben Gesänge für eine Singstimme und Pianofortebegleitung op. 10
21, Nr. 35 (31. VIII. 1894) 454.
„Viel Eigenart", „begabter Tonsetzer".
Bibliographie: Hofm. 11, 342.

18. Fritz Kauffmann (1855–1934): Konzert für Pianoforte und Orchester, c-moll, op. 25
21, Nr. 35 (31. VIII. 1894) 454
„Kunstvoll und doch klar", „Schönes Werk".
Bibliographie: Hofm. 11, 403; Altmann Orch. ² 213; vgl. auch Hans Engel: Das Instrumentalkonzert, Leipzig 1932, 359.

19. Friedrich August Naubert (1839–1897): a) Zwei Duette für Sopran und Bariton mit Begleitung des Pianoforte, op. 41; b) Vier Lieder für eine Singstimme mit Klavierbegleitung op. 59
21, Nr. 35 (31. VIII. 1894) 454.
Günstig beurteilt.
Bibliographie: Hofm. 11, 604. 605.

20. Hans Kretzschmer: Zwei Lieder für mittlere Singstimme mit Begleitung des Pianoforte [op. ?, nicht erkennbar, welches Heft vorlag]
21, Nr. 36 (7. IX. 1894) 469.
Unerheblich.
Bibliographie: Hofm. 11, 453.

21. Ferdinand Warnke: Drei Lieder für eine mittlere Singstimme und Pianofortebegleitung: ‚Lenzgesang' op. 23, ‚Sängerbescheid' op. 24, ‚O Herr, vor dem die Stürme schweigen' op. 25
21, Nr. 36 (7. IX. 1894) 469.
Unerheblich.
Bibliographie: Hofm. 10, 844.

22. Berthold Weiss: Lieder und Gesänge, 2 Hefte
21, Nr. 36 (7. IX. 1894) 469.
Unerheblich.
Bibliographie: Hofm. 11, 935.

23. Ulrich Hildebrandt (1870–1945): ‚Verlorne Liebe', ‚Orakel', zwei Lieder aus J. Wolffs ‚Loreley'
21, Nr. 38 (21. IX. 1894) 494.
Unerheblich.
Bibliographie: Hofm. 11, 346.

24. G. L. Heegewaldt: ‚Als ich den ersten Kuß empfing', Lied mit Begleitung des Pianoforte, op. 10
21, Nr. 38 (21. IX. 1894) 494.
Dilettantenwerk.
Bibliographie: Hofm. 11, 320.

25. Oscar Fried (1871–1941): Drei Lieder mit Klavierbegleitung op. 1
21, Nr. 38 (21. IX. 1894) 494.
Reger rügt „eine nicht ganz fehlerfreie Harmoniewendung im dritten Lied".
Bibliographie: Hofm. 11, 237.
In dem Fried-Essay von Paul Stefan (Berlin 1911, 14), wird mitgeteilt, daß der Komponist, Dehmel-Vertoner und leidenschaftlicher Mahleranhänger, diesen Liedern später keinerlei Bedeutung mehr beimaß. Ob die spätere Reserve Frieds gegenüber Reger etwas mit dieser Kritik zu tun hat?

26. Theodor Winkelmann: ‚Waldvöglein', Ballade mit Orchester- oder Klavierbegleitung, op. 15
21, Nr. 38 (21. IX. 1894) 494.
Unerheblich.
Bibliographie: Hofm. 10, 878.

27. Rudolf Mühlmann: Drei Lieder im Volkston mit Klavierbegleitung, op. 1
21, Nr. 38 (21. IX. 1894) 494.
Unerheblich.
Bibliographie: Hofm. 10, 520.

28. Franz Dannehl (1870–?): a) ‚Traum der eigenen Tage', Lied, op. 9; b) ‚Haidekraut', drei Lieder op. 7;
c) ‚Feldblumen', fünf kleine Lieder im Volkston op. 8
21, Nr. 38 (21. IX. 1894) 494.
Dilettantenwerk.
Bibliographie: Hofm. 11, 157.

29. Besprechung zweier Konzerte, die unter der Leitung Felix Mottls in Wiesbaden am 5. und 6. Oktober
1894 stattfanden. Außer der 3. Leonorenouvertüre und der sinfonischen Dichtung „Les Préludes" von
Liszt kamen hauptsächlich Werke von Wagner zur Aufführung. Reger war von den Aufführungen dieser
Werke unter Mottl ebenso begeistert, wie von den Leistungen der Solisten, der dramatischen Sopranistin
Amalie Friedrich-Materna und dem Baritonisten Fritz Plank. „Möchte doch die Kurdirektion öfter mit
derartigen Konzerten . . . dem künstlerisch trägen Musikleben Wiesbadens zu etwas regerem Pulsieren verhelfen".
21, Nr. 41 (12. X. 1894) 534.

Mit dieser Konzert-Besprechung verabschiedete sich Reger von den Lesern der von Leßmann
herausgegebenen Musikzeitung. Eine Konzertkritik hat er später nicht mehr geschrieben, und
auch Rezensionen nurmehr, soviel bisher bekannt geworden ist, zwei; und zwar 1900 in der
lokalen Zeitschrift „Die redenden Künste. Zeitschrift für Musik und Literatur unter spezieller
Berücksichtigung des Leipziger Musiklebens"[3].
Die Kritiken des jungen Reger sind in mehr als einer Hinsicht von Interesse. Sie zeigen den jungen Musiker auf dem Weg in die Welt; er tritt hinaus in den großstädtischen literarisch geprägten
Kunstbetrieb und sammelt da seine Erfahrungen. Seine Kritiken enthalten nichts als die Beurteilung des Handwerks. So fällt es Reger gar nicht ein, sich etwa über das, was Gotthelf (Nr. 7)
außer den ihm vorliegenden Kompositionen sonst noch geschrieben hat, zu informieren. Er
beurteilt die vorliegenden Noten, sonst nichts. Das hat den Vorzug der Unbefangenheit und
verrät vollständige Gleichgültigkeit gegenüber dem üblichen ästhetisierenden Geschwätz der
Zeit, das gerade in Kreisen der Wagnerianer und der Modernen (in verschiedenen Tonarten)
blühte. Auf Versuche, den historischen Ort einzelner Werke oder Kunsterscheinungen zu bestimmen, wird verzichtet. Dilettantenwerk wird als solches beim Namen genannt, handwerklich
solide Arbeit wird, auch wenn ein höherer musikalischer Gedankenflug nicht vorhanden ist, als
höchst anerkennenswert gelobt (Nr. 8 und 18). Aber der Nachteil einer solchen Verfahrensweise
ist ebenso unverkennbar: die Kritiken werden eindimensional und trocken. Niemand wird sie
überschätzen wollen. Sie zeigen jedoch, daß Reger sich früh mit zeitgenössischer französischer
(Nr. 5. 6) und englisch-amerikanischer Orgelmusik (Nr. 2–4) vertraut machen konnte und wie
er sie beurteilt. Eine Kritik (Nr. 10) dokumentiert den Beginn seiner Freundschaft mit dem
damals lediglich als Pianist berühmten Ferruccio Busoni (für den er bekanntlich ein Klavierkonzert schreiben wollte). Bemerkenswert der Abschluß: der eingefleischte Brahmsianer als Wagner-
enthusiast. Als unvoreingenommener Musiker strebte er über die Parteiungen der Zeit schon
damals hinaus.

---

3 Bibliographischer Nachweis der Zeitschrift bei Imogen Fellinger, Verzeichnis der Musikzeitschriften des
19. Jahrhunderts, Regensburg 1968, Nr. 1261, S. 285, der Rezensionen Regers bei Fritz Stein, Thematisches Verzeichnis, a. a. O., S. 593.

Günther Stiller

„Mir ekelt mehr zu leben"
Zur Textdeutung der Kantate „Vergnügte Ruh, beliebte Seelenlust" (BWV 170) von Johann Sebastian Bach

Unmittelbar vor meinem im Juni 1980 auf der V. Heidelberger Bachwoche gehaltenen Vortrag „Zur Aktualität von Johann Sebastian Bachs Kantatentexten" begegnete mir der bekannte Mainzer Theologe Manfred Mezger und gab mir in seiner humorvollen Art einen kleinen, zweifelsohne gut gemeinten und doch mit Recht kritisch hinterfragenden Dämpfer auf mein Unterfangen: „Aber — Mir ekelt mehr zu leben?" Dieser Anspielung auf den so beginnenden letzten Satz von Bachs Kantate BWV 170 könnte man mühelos andere Beispiele folgen lassen, die uns vom Text her wohl immer fremd und zuweilen ausgesprochen anstößig bleiben werden. Andererseits ist es keine Frage, daß Bachs Kantatentexte nicht als absolute, eben nur von ihrer Textgestalt her zu beurteilende Dichtungen uns heute interessieren und verstanden sein wollen, ja daß sie bei konsequenter Beachtung ihrer biblischen und liturgischen Gebundenheit schon viel an Fremdheit und Anstößigkeit verloren haben und man immer wieder in das schon 1845 von Theodor Mosewius abgegebene Urteil einstimmen kann: „Wem sie sich erschlossen, den stört die Form ihrer Sprache nicht".

Zum rechten Verständnis der Kantate „Vergnügte Ruh, beliebte Seelenlust" dürften eine ganze Reihe bemerkenswerter Beobachtungen hilfreich sein. Da fällt zunächst der Sachverhalt auf, daß der Kantatentext zwar den sonntäglichen Evangelien- und Predigttext (Matthäus 5, 20—26) voraussetzt und auch wörtlich zitiert — man vergleiche Bachs „Ihr Mund ist voller Ottergift. . . und will allein von Rache sagen" (Satz 2) mit dem alten Luther-Text von Matthäus 5, 22 —, im großen und ganzen aber nur lose am Bibeltext anknüpft und in keiner Hinsicht dessen Auslegung anstrebt. Immerhin ist die zweimalige Anrede „Gerechter Gott" (Satz 2 und 3) und die in den letzten beiden Kantatensätzen zum Ausdruck gebrachte Sehnsucht „Mein Herze . . . wünscht allein bei Gott zu leben. . . Wann wird er dir doch nur sein Himmelszion geben?" nicht Willkür oder gar befremdende „Himmelssehnsucht", sie gründet in dem Kernsatz des Sonntagsevangeliums: „Es sei denn eure Gerechtigkeit besser denn die der Schriftgelehrten und Pharisäer, so werdet ihr nicht in das Himmelreich kommen" (Vers 20).

Merkwürdig bleiben dennoch für eine Predigtmusik über diesen Text der die Kantate entscheidend bestimmende Eingangssatz und die das Werk krönende Schlußarie. Die anfangs besungene „beliebte Seelenlust" mit der anschließenden Aussage „Du stärkst allein die schwache Brust" erinnert deutlich an Verse aus Abendmahlsliedern wie „Empfangt die Himmelslust, die heilge Gottesspeise, die auf verborgne Weise erquicket jede Brust" und „Heilge Lust und tiefes Bangen nimmt mein Herze jetzt gefangen. Das Geheimnis dieser Speise und die unerforschte Weise machet, daß ich früh vermerke, Herr, die Größe deiner Stärke"[1]. Ein Vers aus altem Herrnhuter Liedgut kündet von dem „Seelenfrieden", dem „Wunder", „so sanft zu ruhn in Jesu Wunden, und der edlen Friedenslust genießen", und in einem Lied von Bachs Zeitgenossen Benjamin Schmolck (1672—1737) heißt es: „Jesu! allerliebster Gast, komm', mein Herze steht dir offen, bringe, was du schönes hast und befriedige mein Hoffen: Freund der Seelen, weiß und rot, Himmelstau und Lebensbrot. Allerhöchste Majestät, laß dich in mein Herze nieder, ziehe mich wie ein Magnet, liebe mich, ich liebe wieder. Lege mich an deine Brust, speise mich mit Himmelslust". In Gerhard Tersteegens nur drei Jahre nach Bachs Kantate bezeugtem Lied von

---

1 EKG, Berlin 1978, Nr. 160, Vers 2, und Nr. 157, Vers 3.

1729 „Liebster Heiland, nahe dich, meinen Grund berühre und aus allem kräftiglich mich in dich einführe, daß ich dich inniglich mög in Liebe fassen, alles andre lassen" heißt es in einem Vers: „Jedermann hat seine Lust und sein Zeitvertreiben; mir sei Eines nur bewußt: Herr, in dir zu bleiben. Alles soll folgen wohl, wenn ich mich nur übe in dem Weg der Liebe"; dreimal ist in diesem Lied von der „Ruhe" die Rede: „. . . du allein kannst geben Ruhe, Freud und Leben", „. . . schaffe du wahre Ruh, wirke nach Gefallen. Ich halt still in allem", und „Was noch flüchtig, sammle du; was noch stolz ist, beuge; was verwirret, bring zur Ruh; was noch hart, erweiche; daß in mir nichts hinführ lebe noch erscheine als mein Freund alleine". In der Kirchenlieddichtung des 18. Jahrhunderts erscheinen „Ruhe" und „Frieden" als die großen Gaben des Rechtfertigungsgeschehens „immer stärker als ein dem Menschen übereignetes und in seinem Herzen ruhendes und darum auch als ein selbständig feststellbares und zu empfindendes Gut"[2]. Auch der lutherisch-orthodoxe Paul Gerhardt kann singen: „Ruhe ist das beste Gut, das man haben kann, Stille und ein guter Mut steigen himmelan, die suche du. . .". Gesangbuchrubriken werden jetzt überschrieben „Von der Freude und Ruhe in Gott und Jesus" (Nürnberg 1731), „Von der Stille und Ruhe des Herzens" (Herrnhut 1731), „Vom wahren Seelenfrieden" (Königsberg 1744), ja in den beiden Gesangbüchern von Berg und Cleve erscheint 1701 erstmals die auffallende Liederbenennung „Von der Vergnügsamkeit".

So könnte man von Bachs Kantatentext „Vergnügte Ruh, beliebte Seelenlust" notfalls eine Brücke schlagen zur Rechtfertigungsbotschaft, die an jenem 6. Sonntag nach Trinitatis im Mittelpunkt der Verkündigung stand und die der Thomaskantor auch später noch mit seiner Wahl des diesem Sonntag als Hauptlied zugewiesenen klassischen Rechtfertigungsliedes „Es ist das Heil uns kommen her", schon im Babstschen Gesangbuch von 1545 bezeichnet als „Ein geistlich Lied. . ., wie wir vor Gott gerecht werden", zur Grundlage der Predigtmusik (Kantate BWV 9) bestimmte. Aber merkwürdig und zudem gänzlich unvermittelt mußte doch der Anfang von Bachs Kantate BWV 170 nach jener sonntäglichen Lesung erscheinen, die von der Erfüllung des fünften Gebotes im Geiste der Gerechtigkeit handelt, die besser ist als die der Schriftgelehrten und Pharisäer — an jener „neuen Gerechtigkeit" bricht ja die ganze Frage nach dem Sinn der Bergpredigt und damit der sogenannten „Ethik" des christlichen Glaubens auf.

Doch wenn nicht alles täuscht, ist Bachs Kantate BWV 170 gar nicht als Predigtmusik verstanden gewesen und musiziert worden. Es ist längst aufgefallen, daß sich die Kantate den jenem Sonntag vorangehenden und nachfolgenden zweiteiligen Kantaten des Jahres 1726 (BWV 39, 88, 187, 45, 102 und 35) nicht ebenbürtig einordnet. Inzwischen ist sehr wahrscheinlich geworden, daß Bach außer seiner eigenen Kantate im gleichen Gottesdienst noch die Kantate „Ich will meinen Geist in euch geben" des Meininger Vetters Johann Ludwig Bach aufgeführt hat. Da dieses Kantaten-Thema mit seinem Bibelwort-Diktum auf den ersten Blick für eine Predigtmusik bestens geeignet und zumal in diesem Fall als guter Einstieg zur Evangelienauslegung erscheint, wird Bachs eigenes Werk mit seiner augenscheinlich auf das Altarsakrament bezogenen Terminologie an diesem Sonntag erst „nach der Predigt", wahrscheinlich sogar als Sakramentsmusik am Anfang der Kommunion erklungen sein. Von daher wird jedenfalls der Text der Eingangsarie sofort verständlich, sie besingt und preist die Gabe des Sakraments als „Vergnügte Ruh, beliebte Seelenlust", der zunächst keine weitere Aussage folgt — durch ständige Wiederholung dieser vier Worte ist der ganze Satz geprägt und erscheint als eine Arie „von pastoraler Beschaulichkeit" (Alfred Dürr). In der Tat gab es auch an dieser Stelle im sonntäglichen Hauptgottesdienst so manches zu „schauen": die festlichen Meßgewänder der drei nur jetzt am Altar allesamt amtierenden Geistlichen, denen vier ebenfalls mit liturgischen Gewändern bekleidete Chorknaben assistierten, indem sie etwa zur Vermeidung der Verschüttung den Kommunikan-

---

2 Ingeborg Röbbelen, Theologie und Frömmigkeit im deutschen evangelisch-lutherischen Gesangbuch des 17. und frühen 18. Jahrhunderts, Göttingen 1957, S. 226.

ten besondere Tücher unterhielten. Die nicht zum Abendmahl gehenden Gottesdienstbesucher waren während der Sakramentsmusik zu Dank und Fürbitte für die Kommunikanten angehalten, in den Leipziger Gesangbüchern der Bach-Zeit finden sich Gebete „wenn man siehet zum Tisch des HErrn gehen" oder „wenn man siehet das heil. Abendmahl austheilen". Als die beste Form, die Andacht auf das Abendmahlsgeheimnis zu richten, hatte schon Luther das Singen von Liedern während der Kommunion empfohlen, und so wurden auch in Leipzig noch im 18. Jahrhundert stets mehrere Kirchenlieder, je nach Dauer der Abendmahlsausteilung, von der Gemeinde gesungen. Vielleicht wird von daher auch erklärlich, daß die Kantate BWV 170 zu den ganz wenigen Kantaten Bachs gehört, die keinerlei Beziehung zu einem Kirchenlied aufweist — die gedrängte Häufung der anschließend zu singenden Lieder könnte den Verzicht hier nahegelegt haben; Bachs Kantate gleicht in ihrem formalen Aufbau ganz jener im dritten Teil der Picanderschen Gedichte vom Jahre 1732 enthaltenen „Kantate bey der Communion", die auch aus drei Arien und zwei dazwischengeschobenen Rezitativen besteht.

In der musikalischen Gestaltung wird die Eingangsarie bestimmt durch ständig repetierende Achtel über einer gemessen abwärts schreitenden Baßfigur, was man als jene unbegreifliche Herablassung Gottes deuten darf, wie sie in dem einmaligen Geheimnis der Inkarnation Christi offenbar und seinem in der Abendmahlsgabe sich ständig neu ereignenden Herabsteigen und geistleiblichen Eingehen in seine Gemeinde erfahren wurde — schon Luther hatte zwischen der Inkarnation Christi und seiner Realpräsenz im Abendmahl eine deutliche Entsprechung gesehen. Im dreigliedrig gestalteten Vokalpart des sechs Zeilen madrigalische Dichtung umfassenden Satzes ist im ersten Teil beherrschend und im dritten Teil ausschließlich die erste Zeile „Vergnügte Ruh, beliebte Seelenlust" und die vierte Zeile „Du stärkst allein die schwache Brust" hervorgehoben. Aufschlußreich ist auch die Wahl des Zwölf-Achtel-Taktes, der bei Bach gar nicht besonders häufig, aber bemerkenswert oft gerade in den auf das Altarsakrament anspielenden Kantaten erscheint, etwa in den Eingangschören zu „Wie schön leuchtet der Morgenstern" (BWV 1) und „Schmücke dich, o liebe Seele" (BWV 180). Da die Kantate BWV 180 für den 20. Sonntag nach Trinitatis mit seiner besonders auf das Heilige Abendmahl hindeutenden Evangelienlesung (Matthäus 22, 1—14) komponiert und schon bald nach Bachs Tod als „Kommunions-Kantate" in Leipzig bekannt gewesen ist, wird der Thomaskantor das ursprünglich als Predigtmusik geschaffene Werk (1724) später immer wieder als Sakramentsmusik verwendet haben. Interessant ist die Verwendung des Zwölf-Achtel-Taktes in der ebenfalls für diesen Sonntag komponierten Kantate „Ach! ich sehe, itzt, da ich zur Hochzeit gehe" (BWV 162), und zwar im dritten Satz der Sopran-Arie mit dem bezeichnenden Text: „Jesu, Brunnquell aller Gnaden, labe mich elenden Gast, weil du mich berufen hast! Ich bin matt, schwach und beladen, ach! erquicke meine Seele, ach! wie hungert mich nach dir! Lebensbrot, das ich erwähle, komm, vereine dich mit mir!"

So verwendet Bach diese Taktform auch, wenn er auf „Jesu Wunden, . . . dem großen Strom voll Blut" oder auf „Jesu bittern Tod. . . und seiner Wunden Pein, die sind ja für die ganze Welt die Zahlung und das Lösegeld" und überhaupt auf das (oft sakramental verstandene!) Kommen Jesu oder des Christen Hinwendung zu Jesus, einschließlich den letzten Gang mit dem Blick auf Tod und Ewigkeit zu sprechen kommt (BWV 8,1.4; 36,7; 37,3; 40,7; 42,3; 65,1; 66,5; 68,1; 80,4; 100,5; 101,6; 105,6 — Taktwechsel bei den letzten beiden Zeilen; 107,5; 114,2 — Mittelteil; 131,4; 136,5; 151,1; 154,4; 165,3; 174,4; 175,2; 192,3; 199,8; 248, zweite Kantate — Sinfonia und Schlußchoral). Das Heilige Abendmahl wurde ja zu Bachs Zeit in der lutherischen Kirche noch ganz entscheidend als Vorgeschmack des ewigen Lebens, der künftigen Freude und Gemeinschaft mit Gott, verstanden und gefeiert, und es will scheinen, als habe Bach auch noch mit der Wahl des relativ seltenen Zwölf-Achtel-Taktes diesem tiefgründigen und beseligenden Geheimnis des Einsseins der christlichen Gemeinde mit ihrem Herrn, dem letztlich weder mit Worten noch mit der erlesensten Sprache der Musik erklärbaren Wunder der erfahrenen und erhofften Gemeinschaft Ausdruck verleihen wollen. Im Hinblick auf Bachs Musik zu dieser Thematik wird wohl die generell getroffene Feststellung besonders zutreffen: „Wie könnte es auch anders sein, als daß das himmlische Geheimnis des Sakraments am tiefsten die Kunst entbinden mußte, die Gott geschaffen hat, ihn zu loben und zu preisen. Die Musik, die nach Luther einen Betrübten fröhlich, einen Zaghaften mutig, einen Hoffärtigen demütig machen kann, sie, die der heilige Geist ehrt und in den Dienst des Kampfes gegen den Teufel stellt, sie, die den himmlischen Tanzreihen abbildet, ist das rechte Instrument, dem Geheimnis des Kommens des himmlischen Herrn zum Sünder und des darin geschenkten Freudensieges zu dienen."[3]

Von dieser Hochschätzung des Altarsakraments wird erklärlich, daß Bach in seiner Predigtmusik häufig ganz direkt, aber ebenso häufig auch mit verdeckten, dem damaligen Menschen auf Grund seiner reichen Sakramentserfahrung jedoch sofort verständlichen Anspielungen und charakteristischen Redewendungen auf das Abendmahl hinlenkt. So ist diese Gabe in der zweiteiligen Kantate „Höchsterwünschtes Freudenfest" (BWV 194) längst angesprochen, bevor im letzten Rezitativ (Satz 11) vor dem Schlußchoral der Ruf ergeht: „Wohlan demnach, du heilige Gemeine, bereite dich zur heilgen Lust! Gott wohnt nicht nur in einer jeden Brust. . ."; nicht nur im Satz zuvor „O wie wohl ist uns geschehn, daß sich Gott ein Haus ersehn! Schmeckt und sehet doch zugleich. . .", sondern in allen vier vorangehenden Sätzen, also im ganzen zweiten Teil der Kantate ist in bestimmten Aussagen speziell die Sakramentsgabe gemeint, wie denn die „nach der Predigt" veranstaltete „Music" im Grunde keine andere Funktion hatte, als das sonst an dieser Stelle im Gottesdienst gesungene Gemeindelied, daß nämlich „Hertz, Sinn und Gemüth zur Andacht und Betrachtung des großen Geheimnisses der Geniessung des Leibes und Blutes JEsu Christi, ermuntert und erwecket werden" (Christian Gerber).

Die Besinnung auf das Altarsakrament konnte bisweilen selbst im Mittelpunkt der Predigtmusik stehen, und zwar nicht nur am 20. Sonntag nach Trinitatis – auch Bachs Kantate BWV 1 für das am Ende der Passionszeit mit ihren großen Kommunionen begangene Fest Mariä Verkündigung (25. März) ist in allen sechs Sätzen ein einziger Lobpreis auf die Abendmahlsgabe, wie es ja auch für das der Kantatendichtung zugrunde liegende Lied „Wie schön leuchtet der Morgenstern" zutrifft und man es daher in den Gesangbüchern selbst unter den Abendmahlsliedern abgedruckt finden kann. Der Dichter des Liedes, Philipp Nicolai, hatte mit Johann Arndt einen neuen Abschnitt in der Geschichte der lutherischen Frömmigkeit eingeleitet, beide hatten sich für eine Renaissance der Mystik eingesetzt, und die in der mystischen Betrachtung erfahrene Vergegenwärtigung des ewigen Lebens ist gerade auch in diesem von Bach relativ oft verwendeten Lied zum Ausdruck gebracht. So kann es kaum verwundern, daß das Lied auch als Hauptlied des 20. Sonntages nach Trinitatis galt und von Bach im letzten Satz seiner von mystischen Gedanken stark geprägten Kantate „Ich geh und suche mit Verlangen" (BWV 49) für diesen Sonntag ebenso erscheint wie in zwei Kantaten für den ersten Sonntag im Advent, der alljährlich die immer zur höchsten Abendmahlsbeteiligung im Jahr führende vorweihnachtliche Bußzeit einleitete; die mit dem zweiten Teil der Kantate „Schwingt freudig euch empor" (BWV 36) beginnende Baß-Arie „Willkommen, werter Schatz! Die Lieb und Glaube machet Platz vor dich in meinem Herzen rein; zieh bei mir ein" ist ebensowenig bildlich oder geistig zu verstehen wie die Sopran-Arie „Öffne dich, mein ganzes Herze, Jesus kömmt und ziehet ein. . ." in der Kantate „Nun komm, der Heiden Heiland" (BWV 61) – beide Male ist auf den Abendmahlsempfang hingelenkt, der im vorhergehenden Satz der Kantate BWV 61 auch ausdrücklich genannt und zudem schon im dritten Satz der Tenor-Arie mit den Worten „Komm, Jesu, komm zu deiner Kirche. . . und segne Kanzel und Altar" angesprochen ist. Es gehört zu den großartigen Merkmalen solcher auf das Altarsakrament anspielenden Sätze und Kantaten Bachs, daß er mit den äußeren Besonderheiten charakteristischer Form und erlesener Instrumentation (Blockflö-

---

3 Theodor Knolle, Erneuerung und Ordnung des heiligen Abendmahls, in: Vom Sakrament des Altars, herausgegeben von Hermann Sasse, Leipzig 1941, S. 290.

ten, Violoncello piccolo, konzertierende Orgel) stets Klänge echter Abendmahlsfreude und jubilierenden Dankes gefunden und so seinerseits das Geheimnis des Vorgeschmacks der ewigen Seligkeit überzeugend zu deuten vermocht hat.

Das gilt nun auch für die Kantate BWV 170, die schon nach einem Wort Philipp Spittas musikalisch zu den schönsten ihrer Art gehört. Aber auch selbst der heute anstößig wirkende Text des letzten Satzes ist von der Hochschätzung des Altarsakraments zu erklären. „Mir ekelt mehr zu leben, drum nimm mich, Jesu, hin" ist das Bekenntnis und die Bitte des „der Sünde gestorbenen", „für Gott in Christus Jesus lebenden", „in einem neuen Leben wandelnden", aber dennoch in den Kampf mit dem „alten Menschen" auf Erden gerufenen Christen, von dem Paulus im 6. Kapitel seines Römerbriefes handelt — und die Verse 3 bis 11 dienten zu Bachs Zeit alljährlich am 6. Sonntag nach Trinitatis zunächst als Epistellesung im Hauptgottesdienst und dann im nachmittäglichen Vespergottesdienst als Predigttext. Man muß sich Luthers drastische Auslegung jenes Textes vor Augen halten, um zu ermessen, wie Bach mit der Vertonung des Kantatentextes in einer lebendigen Tradition stand und durchaus nichts Ungewöhnliches besang.

Luther spricht von dem „inwendigen" und „auswendigen", dem „geistlichen" und „fleischlichen Menschen" und im Zusammenhang mit „unserm alten Menschen" (Vers 6) von „der Versuchung durch dies väterlich ererbte, sündhafte Gebrechen und durch dieses ursprüngliche Gift, das unser Wissen bis in die tiefsten Tiefen hinein verpestet" — im Kantatentext ist von „Ottergift" die Rede (Satz 2), und der hier dreimal erscheinende, weder im Evangelien- noch im Episteltext des Sonntags enthaltene Begriff „Haß" spielt auch in Luthers Auslegung eine beherrschende Rolle, wenn es auch zuerst um den „Haß wider sich selbst" geht, der „bei dem geistlichen Menschen immer mehr wächst"; es gilt sodann „die Sünde am Nächsten hassen und hinweg räumen und so Liebe und Gottseligkeit üben, und daß bei uns selbst der Hunger nach Gerechtigkeit erwacht und der Widerwille und der Abscheu vor der Ungerechtigkeit", ja die Sünde „bringt den Haß gegenüber dem gottlosen Wesen und die Liebe zur Gerechtigkeit zur Vollendung"[4]. „Denn der Herr haßt den Leib der Sünde und schickt sich an, ihn in einen anderen umzubilden; darum gebietet er auch uns, ihn zu hassen und zu zerstören und zu ertöten und um den Ausgang von ihm zu bitten und um das Kommen seines Reiches. Aber eben dies: den Leib der Sünde hassen und ihm widerstehen, das ist nicht leicht, sondern über diese Maßen beschwerlich; dazu sind soviel Werke der Buße nötig, als überhaupt nur geschehen können, zumal da sie ein Schutzmittel gegen den Müßiggang sind." Zu Vers 4 „Denn wir sind mit begraben" sagt Luther: „So ist es mit dem geistlichen Menschen. Mag er auch mit seinen Sinnen bei allem gegenwärtig sein, so ist er doch in seinem Herzen gänzlich abgekehrt und erstorben für alles. Das geschieht, wenn der Mensch aus ganzer innerster Kraft heraus alles verschmäht, was zu diesem Leben gehört, ja, wenn er angewidert von allem, was in diesem Leben eine Rolle spielt, mit Freuden beharrlich bleibt und sich dessen rühmen kann, daß er wie ein toter Kadaver ist und ‚der Abschaum und Auswurf dieser Welt' (1. Kor. 4,13), wie der Apostel sagt." Und zu Vers 6 „damit der Leib der Sünde zerstört werde" betont der Reformator: „Dieses ‚Zerstören' ist an dieser Stelle im geistlichen Sinne zu verstehen. Denn wenn er von der leiblichen Zerstörung reden wollte, dann wäre es nicht notwendig, daß um deswillen der alte Mensch gekreuzigt wird; denn leiblich wird er zerstört, ob wir wollen oder nicht, auch bei denen, deren alter Mensch nicht gekreuzigt wird. Darum kann das, was unabänderliche Notwendigkeit ist, nicht ein Gebot oder ein Rat sein... Den Leib der Sünde zerstören, das heißt nun also, die Begierden des Fleisches und des alten Menschen zerbrechen durch Werke der Buße und des Kreuzes, und sie so von Tag zu Tag mindern und ertöten, wie es Kol. 3,5 heißt: ‚So tötet nun eure Glieder, die auf der Erde sind'. Gleichwie er eben an derselben Stelle sehr deutlich beide Menschen beschreibt, den neuen und den alten."

---

4 Martin Luther, Vorlesung über den Römerbrief 1515/1516, übertragen von Eduard Ellwein, München 1928, S. 227 ff. Vgl. auch die folgenden Zitate daselbst!

Nur von dieser Voraussetzung her ist Bachs Arie „Mir ekelt mehr zu leben" zu verstehen, denn so kann nur der „neue", der „geistliche" Mensch sprechen. Zu Römer 7, Vers 24 „Ich unglückseliger Mensch, wer wird mich erlösen von dem Leibe dieses Todes" bemerkt Luther: „Das zeigt deutlicher als das Vorhergehende den geistlichen Menschen an. Denn er seufzt und ist bekümmert und verlangt nach seiner Erlösung. Ganz gewiß aber behauptet niemand von sich, er sei unglückselig; das tut nur der, der geistlich ist. . .; der Fleischliche aber wünscht nicht befreit und erlöst zu werden, sondern er schaudert am allermeisten zurück vor der Auflösung, die der Tod mit sich bringt, er kann sein Elend nicht erkennen. Hier aber sagt Paulus. . . dasselbe, was er an anderer Stelle so ausdrückt: ‚Ich habe Lust abzuscheiden und bei Christus zu sein' (Phil. 1,23), und deswegen ist es erstaunlich, daß jemand auf den Gedanken kommen konnte, der Apostel rede diese Worte als alter und fleischlicher Mensch." Kurz zuvor hatte Luther schon feststellen müssen: „Diese brennende Entrüstung kennt der fleischliche Mensch nicht; er fühlt auch kein Widerstreben. . . Denn keiner erkennt das Böse, das in ihm ist, wenn er nicht im Guten Fuß gefaßt hat und so über dem Bösen ist. Von dort aus vermag er ein Urteil zu fällen über das in ihm liegende Böse und es zu unterscheiden, so wie wir die Finsternis nur durch das Licht bestimmen und Gegensätzliches nur aneinander messen und das Niedrigere nur durch das Wertvollere richten können. Also wenn der Geist nicht im Lichte wäre, dann würde er dessen gar nicht inne werden, daß das Böse, das im Fleische liegt, ihm anhängt. Er würde auch gar nicht darüber seufzen, wie man es an denen sehen kann, die in der Welt untergegangen sind, und bei denen, die stolz in der Welt stehen."

So bedarf auch die Fortsetzung in Bachs Arie „. . . drum nimm mich, Jesu, hin!" einer gänzlich neuen Interpretation; denn hier ist bei allem notwendig gegebenen Blick auf die Ewigkeit doch keineswegs der Wunsch auf möglichst baldige Beendigung des Lebens ausgesprochen. Jene Worte sind vielmehr Ausdruck des am neuen Leben teilhabenden, sich durch die Abendmahlsgabe immer neu beflügelt wissenden, eben hier schon „Vergebung, Leben und Seligkeit" (Luther, Kleiner Katechismus) wirklich „schmeckenden" und dennoch der Welt nicht enthobenen Christen; im Gegenteil, er ist nun erst richtig in einen Kampf hineingerufen, der nur in der ständigen und immer enger werdenden Verbindung mit Christus möglich und sinnvoll wird — was Luther von der Situation nach der Absolution sagen konnte, gilt ähnlich vom Abendmahlsempfang des Christen: Er „soll nur ja nicht glauben, er könne dort Lasten abschütteln, um ruhig weiterzuleben, nein, er soll wissen, daß er damit, daß er die Last abgeschüttelt hat, den Kriegsdienst Gottes antritt und eine andere Last auf sich nimmt für Gott gegen den Teufel und seine eigenen Fehler. Wenn er das nicht weiß, wird er einen schnellen Rückfall erleben. Wer darum nicht entschlossen ist, fortan zu kämpfen, wozu bittet er denn dann, absolviert und dem Heerbanne Christi zugeordnet zu werden." Es ist jener „durch Werke der Buße und des Kreuzes" gekennzeichnete Kampf gemeint, oder wie Luther es in der ersten seiner bekannten 95 Thesen ausdrückte: „daß das ganze Leben der Gläubigen ein Bußetun sein sollte."

Von diesem Kampf, der aus der Sakramentsgabe erwachsenen ethischen Verpflichtung, ist im Mittelteil der Kantate ausführlich die Rede; die in der Abendmahlsgabe erfahrene Hingabe Jesu erweckt im Glaubenden die Kraft zu ganzer Hingabe: „Doch, weil ich auch den Feind wie meinen besten Freund nach Gottes Vorschrift lieben soll, so flieht mein Herze Zorn und Groll und wünscht allein bei Gott zu leben, der selbst die Liebe heißt" (Satz 4). Dieser von der sündigen Welt weg zu Gott gerichtete Blick signalisiert nicht „Weltflucht", wohl aber die für den Kampf des Glaubenden unerläßliche Verbindung zur Kraftquelle, wie denn auch die am Anfang der Kantate besungene Hinwendung zur Sakramentsgabe noch sogleich im ersten Satz die ethische Konsequenz klar herausstellt: „Du stärkst allein die schwache Brust. Drum sollen lauter Tugendgaben in meinem Herzen Wohnung haben." Und wenn „diesem friedvollen Zeugnis von der Ruhe in Gott"[5] im Rezitativ des zweiten Satzes die „Höllenlieder der Welt" und ihres „Sün-

---

5 Theodor Knolle zu Satz 1 in der Kantateneinführung am 1. 7. 1951 im damaligen Nordwestdeutschen Rundfunk.

denhauses", jene in der Evangelienlesung ausgesprochene Verletzung des fünften Gebotes, entgegengestellt und breit ausgeführt ist, so wird selbst hier mitten im Satz mit der betenden Hinwendung und Feststellung „Du liebst" der klare Ausgangspunkt und die entscheidende Basis für den Glaubenskampf des Christen markiert; denn so geliebt und zugerüstet vermag er den Willen Gottes wahrzunehmen und mit den Worten der zweiten Arie zu bekennen: „Wie jammern mich doch die verkehrten Herzen, die dir, mein Gott, so sehr zuwider sein." Welche unsühnbare Schuld würde der Christ auf sich laden, der Gottes Liebe erfährt und darauf mit „Fluch und Feindschaft" antworten, „den Nächsten nur mit Füßen treten" (Satz 2) würde?

Es ist am Ende das Überwältigtsein vom „Sakrament der Liebe" (Luther), das Bach seine Kantate mit einem triumphalen Lobpreis schließen läßt. Wenn dies trotz des merkwürdigen Textes „Mir ekelt mehr zu leben. . . Mir graut vor allen Sünden" geschieht, so meint man hier das lutherische „simul justus et peccator" (Gerechter und Sünder zugleich) musikalisch trefflich verwirklicht zu sehen; der Kantatentext entspricht genau dem von Luther zu Römer 6, Vers 14 gezogenen Fazit: „Das Ganze bedeutet, ‚daß der Leib der Sünde zerstört werde' und die begonnene Gerechtigkeit vollendet werde." Der Thomaskantor erweist sich als getreuer Schüler Luthers, welcher gerade um der betontermaßen großen Herausstellung der Gottes-Liebe willen zu den abstrusesten, den radikalen Gegensatz beschreibenden Vergleichen greifen konnte, „denn wenn Gott die Mitte bleibt, ist jede Minderung der Ehre des Menschen eine Steigerung des Lobes Gottes."[6] Der Arientext signalisiert den auch nach dem Abendmahlsempfang bestehenbleibenden Bußvorgang, „denn was heißt Buße anders als den alten Menschen mit Ernst angreifen und in ein neues Leben treten?" (Luther, Großer Katechismus). Diesen Bußvorgang läßt der Reformator immer wieder anheben mit der in der Evangelienlesung bezeichneten Wirkung des Gesetzes, das den einzelnen Christen in das Golgatha-Geschehen einbezieht und ihn durch jenen Mann am Kreuz in seinem wahren Menschsein entlarvt. „Der Mensch erkennt, daß er das ist, was ihm das Fleisch Christi vor Augen führt: ein elender Verlassener, ein Schimpf der Menschen und ein Auswurf des Volkes, von allen gesehen und verspottet, in die Verzweiflung gestürzt, verstoßen, verdammt, den gierigen Löwenrachen zum Fraß vorgeworfen, die Knochen ausgebreitet, das Herz vergehend, die Zunge ausgedörrt wie eine Scherbe und am Gaumen klebend, bereitet für den Staub des Todes. Bei diesem Anblick seines Soseins überkommt den Menschen der Ekel vor sich selbst, und der amor sui des natürlichen Menschen verwandelt sich in odium sui, die Sündenliebe in Sündenhaß. Nur parallel zum seipsum odisse ist überhaupt ein deligere deum möglich."[7]

Es ist bezeichnend, daß Luther auch jenes „Begrabensein mit Christus" (Römer 6, 4) nicht als einen abgeschlossenen Vorgang, sondern als einen in Gang gekommenen Prozeß deutet: „Doch ist zu bemerken: Es ist nicht notwendig, daß alle in diesem Stand der Vollkommenheit erfunden werden, sogleich, wenn sie in einen solchen Tod hineingetauft sind. Denn sie sind getauft ‚in den Tod', d. h. in der Richtung auf diesen Tod, d. h. sie haben erst begonnen, sich darum zu bemühen, daß sie diesen Tod erlangen und dies ihr Ziel erreichen; so wie sie, wenn sie auf das ewige Leben und auf das Königreich der Himmel getauft werden, doch auch nicht gleich solches in seinem vollen Reichtum besitzen. Nein, sie haben die ersten Schritte getan, um dorthin zu gelangen. . .". Noch deutlicher beschreibt Luther diesen Prozeß zu Römer 8, Vers 3: „Der Geist hat die Klugheit des Fleisches getötet und den inwendigen Menschen lebendig gemacht und schafft, daß man den Tod gering achtet und das Leben hingibt und Gott allein über alle Dinge liebt. . .; und daß die sündliche Begierde in uns verdammt wird. Daß wir aber nun uns hassen und die Begierde verdammen und die Liebe erwählen, ist nicht unser Werk, vielmehr Gottes Geschenk. . . Der Satz: die Sünde wird verdammt, bedeutet dasselbe. . . wie: die Klug-

---

6 Erich Roth, Die Privatbeichte und die Schlüsselgewalt in der Theologie der Reformatoren, Gütersloh 1952, S. 32.
7 Roth, a. a. O., S. 30.

heit des Fleisches wird abgetrennt und hinweggenommen. Ist dies geschehen, dann hat man keine Furcht mehr vor dem Tode und man liebt das Leben nicht mehr. Und so wird dann auch das Gesetz erfüllt, weil Gott allein geliebt wird. Wer nämlich den Tod nicht fürchtet um Gottes willen und auch das Leben nicht mehr liebt als Gott, wer darum sich selber so von ganzem Herzen haßt, der liebt in Wirklichkeit Gott über alle Dinge."

Es wäre eine reizvolle Aufgabe, das Weiterwirken von Luthers Gedanken und Auffassungen bis in die Predigten und Kantatendichtungen der Bach-Zeit aufzuspüren — von den mannigfach edierten Schriftauslegungen und Predigten des Reformators und seiner Schüler konnte man viel Material ja auch in Bachs Bibliothek finden. Mit jenem drastischen „Mir ekelt mehr zu leben" trat der Thomaskantor jedenfalls ganz in die Fußstapfen Luthers, durch den die Worte „Eckel" und „eckeln" überhaupt erst große Verbreitung fanden und auch in dieser Schreibweise noch zu Bachs Zeit gebraucht wurden, und es ist überdies interessant zu sehen, daß das Verbum ekeln in der Luther-Bibel immer in Verbindung mit „essen" und „trinken" auftaucht (2. Mose 7,18; 4. Mose 21,5; Hiob 33,20; Jeremia 29,17). Immerhin war für das Frömmigkeitsleben der lutherischen Kirche bis in die Zeit Bachs ein Sakramentsrealismus wesentlich, der ohne das all-sonn- und festtägliche Angebot des Essens und Trinkens von Leib und Blut Christi als das die Rechtfertigung des Sünders besiegelnde Geschenk nicht denkbar war; es war „der wahre Gnadenquell und der unerschöpfliche Springbrunnen der Barmherzigkeit" (Johann Gerhard) und wurde „als eine große Wohltat Gottes" (Christian Gerber) empfunden und oft unter einer entsprechend festlichen, auch Bach mit seiner Kantate zu einer der ergreifendsten Schöpfungen inspirierenden Sakramentsmusik empfangen. Es muß nachdenklich stimmen, daß mit der seit dem 18. Jahrhundert zusehends proklamierten Autonomie des Menschen und der Glorifizierung seiner Leistungen auch jene im Frömmigkeitsleben der evangelischen Kirche nun seit Generationen beklagte „Abendmahlsnot" immer offenkundiger geworden ist, so daß es uns nicht gut ansteht, über das Glaubenszeugnis einer Generation zu richten, die das zu leben wagte, was sie bekannte — Bach erlebte immerhin noch 1732 in Leipzig den Durchzug der um ihres Glaubens willen Hof und Heimat verlassenden und sich selbst auf der beschwerlichen Flucht treu um Wort und Sakrament sammelnden Salzburger Emigranten.

Vielleicht darf für Bachs Kantate BWV 170 ähnliches gelten, was Luther im Anschluß an Johannes 6 „Die Summe des Evangeliums des Johannes ist: Christus ist deine Speise" so zu bezeugen meinte: „Diese Predigt versteht niemand, es sei denn der Heilige Geist (mit ihm), und keiner richtet sie recht aus, es sei denn der Heilige Geist tut's selber. Er schafft, daß man den Herrn Christus dafür hält, daß er meine Speise ist. Daraus folgt, daß ich ohne ihn des Teufels bin, weil alles, was mein ist, nichtig ist. . . Er ist meine Speise und mein Gut. Dann aber kann ich nicht anders, ich muß bekennen: Ist er das (höchste) Gut, so ist das ein Zeichen dafür, daß ich verflucht bin. Denn wäre an mir etwas Gutes, dann bräuchte ich ihn nicht. Da nämlich, wo mir das Heil angeboten wird, da muß auch Verdammnis sein, denn sonst bedürfte ich seiner nicht. Darum folgt aus diesem höchsten Artikel der Schluß, daß wir nichts sind mit allem, was wir sind und haben."[8] Von daher kann und wird aber auch heute die sehnsüchtige Bitte laut werden „Laß mich dies Wohnhaus finden, wo selbst ich ruhig bin" (Mittelteil der Schlußarie), und von daher kann man sogar Bachs Bekenntnis lieben und immer neu sprechen lernen „Mir ekelt mehr zu leben, drum nimm mich, Jesu, hin!"

---

8 Martin Luthers Evangelien-Auslegung, herausgegeben von Erwin Mülhaupt, 4. Teil, Göttingen 1954, S. 238.

Luigi Ferdinando Tagliavini

Johann Sebastian Bachs Musik in Italien im 18. und 19. Jahrhundert

Bachs Verbreitung in Italien im 18. und 19. Jahrhundert: diese Arbeitshypothese scheint auf den ersten Blick nicht sehr viel versprechend. Wie konnte das musikalische Italien jener Zeit Interesse für einen Komponisten zeigen, der im nördlichen Deutschland, in protestantischen Kreisen gewirkt hatte, der in Gattungen schrieb, die dem musikalischen Leben der Halbinsel fern lagen und dessen Schaffen größtenteils — wenigstens am Anfang — durch eine begrenzte handschriftliche „traditio" bekannt war?

Italien empfing im 18. Jahrhundert mit offenen Armen die „Transalpinen", die bereit waren, sich den italienischen Stilrichtungen und Gebräuchen anzupassen, wie die „lieben Sachsen" Händel und Hasse, Johann Sebastian Bachs jüngsten Sohn Johann Christian, Mysliveček, das Wunderkind Mozart, Johann Simon Mayr. Es interessierte sich außerdem für die Instrumentalmusik der Wiener Schule; selten erstreckte sich aber die Aufmerksamkeit auf das, was weiter im fernen Norden geschah.

Was das 19. Jahrhundert betrifft, so ist bekannt, wie stark die Oper das Interesse auf sich gezogen hatte. Während mehrerer Jahrzehnte blieb Italien den musikalischen Ereignissen gegenüber, die sich nördlich der Alpen entwickelten, fast fremd. Eine Haltung, die früheren Generationen nicht unbekannt gewesen war (und die sich z. B. in dem dem Sänger Filippo Finazzi zugeschriebenen Urteil über Bach widerspiegelt[1]), verallgemeinerte sich: Die deutsche Musik wurde als „zu philosophisch"[2] angesehen, man wollte jeden „Germanismus" vermeiden, man folgte dem Motto „Non vogliamo intedescarci"[3]. Eine ähnliche Einstellung wurde in der zweiten Hälfte des Jahrhunderts sogar von Giuseppe Verdi vertreten, und doch war sie bei ihm insofern gerechtfertigt, als er nicht ohne Grund befürchten mußte, daß das steigende Interesse der jungen Italiener für Wagners Opern und für die deutsche Instrumentalmusik jene nationale Tradition vernichtet hätte, deren letzter großer Vertreter er in der Tat gewesen ist.

Trotz dieser musikalisch-kulturellen Situation fand die Kunst Johann Sebastian Bachs auch in Italien Verehrer, Förderer und Pfleger. Die Zeugnisse, die wir sammeln konnten (bei einer

---

1 Anonyme, von Johann Georg Pisendel Filippo Finazzi zugeschriebene Kritik an Marpurgs Eintreten für Bach, in: Freye Urtheile und Nachrichten zum Aufnehmen der Wissenschaften und der Historie überhaupt, VII. Jahr, XXXVII Stück, Hamburg, Diensttags, den 12 May 1750, Georg Christian Grund, S. 294. Vgl. Dok II, Nr. 604, S. 471 f.

2 Über den Begriff „musica filosofica" vgl. die Fortsetzung der gebräuchlichsten Redensarten vom italienischen Theater in der Allgemeinen musikalischen Zeitung XIX, 1817, Sp. 194; Verfasser ist der Mailänder Korrespondent der Allgemeinen musikalischen Zeitung, und zwar sicherlich Peter Lichtenthal (über die Italienischen Theaterausdrücke vgl. auch Allgemeine musikalische Zeitung XVIII, 1816, Sp. 898–900, und XIX, 1817, Sp. 475–479 und 628 f.).

3 Vgl. Allgemeine musikalische Zeitung XLVIII, 1846, Sp. 780 f. Eine gute Gegenüberstellung der deutschen und der italienischen Musik und der gegenseitigen Kritiken im vorigen Jahrhundert befindet sich in Abramo Basevi, Introduzione ad un nuovo sistema d'armonia, Florenz 1862, Tipogr. Tofani, S. 12 f.: „Gli italiani [. . .] chiamano astrusa e artificiosa la musica germanica, ed i tedeschi reputano leggiera e senza nervo la musica italiana. Tutti hanno torto e tutti hanno ragione, secondo in che aspetto si considerano le censure di una parte e dell'altra."

Sondierung, die keinerlei Anspruch auf Vollständigkeit hat[4]), sind — wenn auch nicht zahlreich — dennoch bemerkenswert und aufschlußreich[5].

Als Johann Baptist Pauli aus Fulda am 13. Februar 1750 an Padre Giovanni Battista Martini in Bologna einige Kompositionen Johann Sebastian Bachs („Musikalisches Opfer", Abschrift der Partita e-moll und zwei „Duetti per Cembalo") schickte und den Bologneser Gelehrten um ein Urteil über die Werke dessen bat, „der in unserem Kaisertum als der einzige Orgelspieler der ganzen Welt geschätzt" wurde und der, nach Paulis Meinung, einen besonderen „Geschmack des Kontrapunkts und Verstand der Claviertechnik" besaß, antwortete Padre Martini: „Ich halte es für überflüssig, das außergewöhnliche Verdienst des Herrn Bach beschreiben zu wollen, weil er nicht nur in Deutschland, sondern auch in unserem ganzen Italien sehr bekannt und bewundert ist; nur sage ich, daß ich es für schwierig halte, einen Berufsmusiker zu finden, der ihn übertrifft, weil er sich heutzutage mit Recht rühmen kann, einer der ersten in Europa zu sein."[6] In seiner Einschätzung vom Bekanntheitsgrad Bachs und seiner Verehrung in Italien war Padre Martini zweifellos allzu optimistisch. Sicherlich war Bach mehreren Italienern bekannt, die in Deutschland wirkten oder gewirkt hatten, wie jenem Filippo Finazzi, der jedoch behauptete, daß Bachs Musik „zum Vergnügen allein [. . .] nicht diene"[7]; hochgeschätzt wurde er später von Muzio Clementi und Domenico Dragonetti. Um die Mitte des Jahrhunderts war aber Padre Martini wohl der einzige Italiener, der Bachs Musik gründlich kannte. Padre Martini hat Italien nie verlassen und entfernte sich nur selten aus seiner Heimatstadt Bologna; und doch erlaubten ihm sein ständiger Briefwechsel mit dem gesamten musikalischen und gelehrten Europa und die riesige, kostbare Bibliothek, die er sich gesammelt hatte[8], außerordentlich breite Kenntnisse.

Es ist nicht möglich, genau festzustellen, welche Werke Bachs Padre Martini vor Paulis Notensendung bereits besaß. In seiner Bibliothek, die an das „Liceo Filarmonico" (später „Liceo Musicale") überging[9] und noch heute den Kern des „Museo Bibliografico Musicale" bildet,

---

4 Unsere Untersuchung wurde dadurch erschwert, daß die Berichte über das Musikleben Italiens im 19. Jahrhundert sich hauptsächlich auf das Opernwesen beschränken. Aufführungen von instrumentaler, Kammer- und geistlicher Musik fanden insbesondere in privaten oder halbprivaten Kreisen statt. Es seien hier u. a. die 1806 von Maria Brizzi Giorgi in Bologna gegründete und geleitete „Accademia Polimniaca" erwähnt, sowie die musikalischen Soirées, die in Rom in den Wohnungen von Giuseppe Sirletti, des Abate Fortunato Santini, des Fürsten Alessandro Torlonia, von Ludwig Landsberg stattfanden. Vgl. u. a. Tito Gotti, Beethoven a Bologna nell'Ottocento (I), in: Nuova Rivista Musicale Italiana VII, 1973, S. 3–38, und Alberto De Angelis, La Musica a Roma nel Secolo XIX, Rom ²/1944, S. 20. Um zu zeigen, wie selten die Berichte über solche Veranstaltungen waren, genügt es hier zu bemerken, daß in der sonst über das Musikleben Italiens gut informierten Allgemeinen musikalischen Zeitung nicht einmal der Name des Abate Fortunato Santini erwähnt wird.

5 Ein großer Teil des vorliegenden Beitrags ist Bologna gewidmet, einerseits weil diese Stadt in der Pflege der Musik Bachs eine besondere Stellung gehabt zu haben scheint, andererseits weil wir in Bologna gründlichere Forschungen anstellen konnten.

6 Vgl. den Anhang zum vorliegenden Beitrag sowie Dok II, Nr. 597 a (recte 597) S. 467, 597 a, S. 467 f. und 600, S. 469 (wo die italienischen Originaltexte wiedergegeben sind).

7 Vgl. unsere Anmerkung 1.

8 Vgl. Anne Schnoebelen, The Growth of Padre Martini's Library as revealed by his Correspondence, in: Music and Letters LVII, 1976, S. 379–397.

9 Als im Jahr 1804 das „Liceo Filarmonico" gegründet wurde, erhielt diese Institution nur einen Teil der Bibliothek Martinis. Der restliche Teil (der u. a. auch einige „Bachiana" enthielt, vgl. weiter Anmerkung 17) blieb in den Händen von Martinis Lieblingsschüler Pater Stanislao Mattei. Dieser letztere, Lehrer für Kontrapunkt im „Liceo Filarmonico", schenkte 1816 dem Archiv des „Liceo" die bei ihm gebliebenen „Martiniana" zusammen mit seiner ganzen Bibliothek (eine Schenkung, die aber erst einige Jahre später volle Verwirklichung fand). Jedoch befinden sich noch heute einige Bestandteile der martinischen Bibliothek im Archiv des Klosters San Francesco zu Bologna, wo Padre Martini lebte und wirkte. Vgl. Gino Zanotti, Biblioteca del Convento di San Francesco di Bologna — Catalogo del Fondo Musicale, Bologna 1970, Forni (Band I: Edizioni, Band II: Manoscritti).

befinden sich weitere Werke Johann Sebastian Bachs[10]. Es ist möglich, daß einige davon, wie der erste und der „Dritte Teil der Klavierübung", Padre Martini schon vor 1750 gehörten, während er andere (wie Marpurgs Ausgabe der „Kunst der Fuge") später, zum Teil vielleicht durch die Übermittlung Johann Christian Bachs, bekam. Padre Martini interessierte sich für die ganze Musikerfamilie Bach. Unter seinen Notizen befindet sich die Skizze einer Bach-Genealogie, die am 31. Mai 1761 aufgezeichnet wurde, als Johann Christian sich in Bologna befand („qui presente") und doch unfähig war, sich ans genaue Sterbedatum seines Vaters zu erinnern, das „in circa del 1750 o 1751" angegeben wird. Eine weitere kurze Aufzeichnung über Johann Sebastian Bachs Söhne stammt aus der Zeit, als Johann Christian in England war. Unter Padre Martinis Notizen befindet sich außerdem eine kurze Aufzeichnung der Entstehungsgeschichte des „Musikalischen Opfers", wohl eine ihm von Pauli geschickte Beilage zum Exemplar des Erstdrucks, bei dem Titel und Widmung fehlen.

Padre Martini war auch an der Ikonographie der Musiker und Musikgelehrten interessiert und hatte sich mit Fleiß und Mühe eine bedeutende Sammlung von Porträts angelegt. Ein Bildnis Johann Sebastian Bachs durfte darunter nicht fehlen. Am 18. August 1774 schrieb ihm Johann Amadeus Naumann aus Dresden: „Ich höre, daß Sie Porträts berühmter alter und moderner Meister sammeln; so ist es mir gelungen, einen Kupferstich des berühmten Sebastian Bach zu bekommen, auf dem er hervorragend getroffen ist; ich erlaube mir, ihn Ihnen zuzusenden, in der Hoffnung, Ihnen damit gefällig zu sein."[11] Als im Jahre 1834 Otto Nicolai in Bologna war, besuchte er die martinische Porträtsammlung, die sich im „Liceo Filarmonico" befand. Dabei war er davon enttäuscht, daß die deutschen Musiker, insbesondere Johann Sebastian Bach, seiner Meinung nach, nicht würdig genug vertreten wären:

In einem großen Saal hängen lauter Bildnisse von Künstlern, doch sind die mit meister Pracht und Auszeichnung behandelten die von neuen italienischen Sängern, und von uns Deutschen sind kaum miserable Kupferstiche vorhanden. Ich fragte den Kustos, ob auch ein Bild von Sebastian Bach da wäre; ja, sagte er, zeigte mir aber eines, was Seb. Bach so wenig vorstellte, wie ein Dudelsack eine Teemaschine repräsentiren kann.[12]

Wahrscheinlich war das von Nicolai erwähnte Bildnis weder der von Naumann 1774 gesandte Kupferstich noch der spätere, heute im Bologneser „Museo Bibliografico Musicale" aufbewahrte Stich von Bollinger (1802), sondern wohl das prachtvolle Johann Christian Bach-Porträt von Gainsborough, das lange Zeit irrtümlicherweise als ein Bildnis Johann Sebastian Bachs galt[13].

---

10 Vgl. den Anhang zum vorliegenden Artikel. Alle im Laufe dieser Studie erwähnten „Bachiana" der martinischen Bibliothek werden im Anhang beschrieben.

11 Vgl. den Anhang unseres Beitrags, sowie Dok III, Nr. 792 a, S. 277 f. Es handelte sich sicherlich um das Bach-Bildnis von Samuel Gottlob Kütner (vgl. Dok III, Nr. 785, S. 263 f. und Dok IV, B 13). Dieser Kupferstich ist in Bologna nicht mehr auffindbar. Im „Civico Museo Bibliografico Musicale" befindet sich der spätere Stich von Friedrich Wilhelm Bollinger aus dem Jahre 1802 (vgl. Dok IV, B 35). Über Padre Martinis Briefwechsel vgl. Anne Schnoebelen, Padre Martini's Collection of Letters in the Civico Museo Bibliografico Musicale in Bologna. An annotated Index, New York NY 1979, und dessen Besprechung (mit Ergänzungen) von Pierluigi Petrobelli in: Fontes Artis Musicae XXVII, 1980, S. 225–227.

12 Otto Nicolai, Brief vom 1.(–10.) März 1834; vgl. Otto Nicolai, Briefe an seinen Vater, herausgegeben von Wilhelm Altmann, Regensburg 1924 (Deutsche Musikbücherei, Band 43), S. 70. Der erwähnte „große Saal" ist die heutige „Sala Bossi" des Conservatorio di Musica „G. B. Martini", wo sich noch der größte Teil der Porträtsammlung befindet.

13 Vgl. Camillo Ferrarini, Iconoteca del Liceo Musicale di Bologna con illustrazioni biografiche, Ms. im Civico Museo Bibliografico Musicale, Bologna (um 1846–48), Signatur: N 432, S. 167 f. (Nr. 154). Laut einer Notiz in Bleistift (wohl von der Hand Ugo Sesinis) auf S. 167, wäre der Abgebildete nicht Johann Sebastian Bach, sondern Thomas Linley. Trotz der auffallenden Ähnlichkeit mit einem angeblichen Porträt Linleys d. Ä., ebenfalls von der Hand Gainsboroughs (vgl. u. a. MGG 8, Sp. 906), handelt es sich wohl um das Johann Christian Bach-Bildnis von Gainsborough, das Johann Christian Bach selbst an Padre Martini im Jahre 1778 schickte. Vgl. die Briefe Johann Christian Bachs an Padre Martini vom 21. März 1776 und vom 28. Juli 1778 (Bologna, Civico Museo Bibliografico Musicale: G. B. Martini, Corrispondenza, I 24 85, I 24 86) sowie den Brief Charles Burneys an Padre Martini vom 22. Juni 1778 (ebda., I 1 28). Das Johann Christian Bach-Bildnis befindet sich jetzt im Lesesaal der Bologneser Musikbibliothek; auf der Rückseite ist die alte falsche Zuschreibung an Johann Sebastian Bach noch lesbar.

Die Aufmerksamkeit, die Padre Martini dem Werk Bachs widmete, wird auch aus der Tatsache deutlich, daß eines der Notenbeispiele seiner „Storia della Musica" aus Bachs Werk entnommen ist: Es handelt sich um den Anfang der Choralbearbeitung „Dies sind die heilgen zehn Gebot" (Fassung mit Canto fermo in canone und Pedale obbligato)[14]. Zu betonen wäre, daß das Verständnis eines solchen Werkes damals außerhalb der deutschen Kulturwelt äußerst schwierig war und darüberhinaus, daß es an einer italienischen Orgel jener Zeit mit ihren begrenzten technischen Möglichkeiten nicht aufführbar war. Die Huldigung der deutschen Musik wird im selben ersten Band von Padre Martinis „Storia della Musica" durch ein Notenbeispiel von Händel vervollständigt, das unmittelbar auf Bachs Zitat folgt[15].

Bachs Verehrung, zu der Padre Martini den Anstoß gab, sollte in Bologna nicht mehr nachlassen. Es ist richtig, daß am Anfang des 19. Jahrhunderts, laut einer 1808 in der „Allgemeinen musikalischen Zeitung" erschienenen Chronik über das Musikleben in Bologna, man dort „von Sebastian Bach [. . .] rühmen gehört, aber nichts von ihm gesehen" habe[16]. Wenigstens eine Persönlichkeit sollte aber von diesem angeblichen Unwissen ausgeschlossen werden: Pater Stanislao Mattei, der treue Schüler Padre Martinis und Verwahrer seiner Lehre, ein Meister, der übrigens auch vom Chronisten der „Allgemeinen musikalischen Zeitung" hochgeschätzt wird. Mattei war Kontrapunktlehrer im neugegründeten „Liceo Filarmonico", wo die bibliographische und die ikonographische Sammlung Martinis Platz gefunden hatten[17]; noch zu Matteis Lebzeiten scheinen die Sammlungen um einige weitere „Bachiana" bereichert worden zu sein[18]. Es sei erwähnt, daß an der Schule Matteis zwei der bedeutendsten Vertreter des musikalischen Italien im 19. Jahrhundert ausgebildet wurden: Rossini und Donizetti (der schon unter Johann Simon Mayr in Bergamo studiert hatte)[19]. Während des Aufenthaltes Otto Nicolais in Bologna im Jahre 1836 wurde der junge deutsche Musiker von Rossini freundschaftlich empfangen: „Wir

---

14 G. B. Martini, Storia della Musica, Tomo Primo, Bologna 1757, Della Volpe, S. 285, Beispiel 235.

15 Ebda., Beispiel 236. Es handelt sich um die Takte 47—48 der Fuge der F-dur-Suite aus dem 1. Band der „Suites de Pièces pour le Clavecin" (dessen Londoner Originalausgabe Padre Martini besaß; heutige Signatur im Civico Museo Bibliografico Musicale: FF 205).

16 Briefe eines in Italien reisenden Deutschen. Erster Brief. Bologna (May 1808) in: Allgemeine musikalische Zeitung X, 1807/08, Sp. 529—538.

17 Wie schon erwähnt (Anmerkung 9), blieb zuerst ein Teil der Bibliothek Padre Martinis in den Händen von Pater Mattei, der sie im Jahre 1816, zusammen mit seiner gesamten Privatbibliothek, dem Liceo schenkte. In der Bibliothek des Klosters San Francesco zu Bologna befindet sich ein handschriftliches summarisches Inventar der von Pater Mattei geschenkten Bücher: Nota de Libri del P. Mattei regalati al Liceo Comunale di Musica (Ms. 59). Unter den Komponistennamen erscheint (Bl. 4^r) derjenige von Bach Sebast. Zwei auf Bl. 5^r verzeichnete handschriftliche Kompositionen Bachs (Bach „Messa da Morto a 8 ms." und „Concerti di Bach", Ms.) sind sicherlich Johann Christian zuzuschreiben. Es handelt sich einerseits entweder um ein vollständiges, heute unauffindbares achtstimmiges Requiem, oder eher um das achtstimmige „Dies irae c-moll" (jetzt im Museo Bibliogr. Musicale, Signatur: DD 97); andererseits um die Abschrift des Opus 1: „Sei concerti a clavicembalo obbligato con due Violini e Violoncello" (ebda., Signatur: DD 94).

18 Es handelt sich um das schon erwähnte (Anmerkung 11) Kupferstich-Porträt von Bollinger und um zwei später als unechte „Bachiana" anerkannte Werke: die Motette „Lob, Ehre und Weisheit" (BWV Anh. 162) und die „Messa a 8 voci reali e 4 ripiene coll'accompagnamento di due orchestre" (BWV Anh. 167), beide in der Ausgabe von Breitkopf & Härtel. Die Messe ist schon in einem handschriftlichen, unvollständigen, alphabetisch geordneten zweibändigen Inventar der Bibliothek verzeichnet, das vor der endgültigen Katalogisierung Gasparis redigiert wurde (wohl von Stefano Antonio Sarti, Professor für Harmonie im „Liceo", der 1842—55 verantwortlich für die Bibliothek war; das Inventar, ohne Titel und Signatur, befindet sich jetzt im Lesesaal der Bologneser Musikbibliothek).

19 Rossini war Schüler Matteis im Bologneser „Liceo" von 1806 bis 1810, Donizetti im Jahre 1816/17. Vgl. Elenchi degli Alunni inscritti alle Scuole del Liceo Musicale dall'anno 1804/05 all'anno 1903/04 raccolti ed ordinati da Federico Vellani, Ms. (ohne Signatur) im Bologneser Civico Museo Bibliogr. Musicale. In den Jahren 1840—48 leitete Rossini (als „consulente perpetuo") mit Eifer das Liceo Musicale und förderte das Studium und die Pflege der deutschen Musik. Vgl. Tito Gotti, a. a. O. (siehe unsere Anmerkung 4), S. 30—38.

sprachen über deutsche Musik" − berichtet Nicolai − „Er kennt Beethoven und Seb. Bach und schätzt sie."[20]

Die Zeit des Besuches Nicolais in Bologna war für die aemilianische Stadt keine erfreuliche. Nicolai beschreibt die traurige politische Lage und, auf musikalischer Ebene, die „schandhafte Unordnung", die in der von Padre Martini hinterlassenen Sammlung herrschte: „Nicht einmal ein Katalog existiert! Alles steht durch- und übereinander wie Kraut und Rüben."[21] Diesem Zustand der Bibliothek sollte zwei Jahrzehnte später die bewundernswürdige Tätigkeit des Gaetano Gaspari abhelfen. Gaspari (1807−1881), ein solider Musiker und wohl der hervorragendste Musikgelehrte Italiens jener Zeit, interessierte sich schon lange, bevor er zum Bibliothekar ernannt wurde (1856), für die Bibliothek Padre Martinis[22]. 1842 grub er aus der Bibliothek eine ganze Reihe von Schätzen klassischer Polyphonie aus, transkribierte und kommentierte sie mit großer Sorgfalt und Liebe zum Zweck der „eigenen Ausbildung" („per sua propria istruzione") und wohl später, als er als Professor für Musikgeschichte und Musikanalyse am „Liceo Musicale" wirkte, zu Lehrzwecken. Es entstanden somit die drei umfangreichen Bände „Squarci di contrappunto fugato detratti dalle opere pratiche di classici autori antichi e moderni"[23], eine musterhafte Anthologie, die noch heute publikationswürdig wäre. In dieser Sammlung hat Johann Sebastian Bach eine zentrale Stellung: Aus der Originalausgabe des „Musikalischen Opfers" transkribierte Gaspari die sechsstimmige Fuge bzw. das Ricercare (von ihm „ridotta in tempo di due minime dov'era di due semibrevi per battute") und aus der Ausgabe von 1752 die fast vollständige „Kunst der Fuge" (mit Ausnahme der Kanons). Die Rand-

---

20 Otto Nicolai, a. a. O. (vgl. Anmerkung 12), S. 188 f. (Brief aus Piacenza vom 12. Dezember 1836). Es ist bekannt, wie eifrig sich Rossini während seiner Studienjahre dem Studium der deutschen Musik widmete, so daß ihn Pater Mattei „il tedeschino" nannte. Der gegenüber Rossini äußerst kritische Mailänder Korrespondent der Allgemeinen musikalischen Zeitung (in dem, wie schon erwähnt, Peter Lichtenthal zu erkennen ist), gestand im Juli 1817, „daß sich Rossini seit seinen letzten hiesigen Aufenthalten viele klassische deutsche Musik eigen zu machen gewünscht hat; so spielte er mir auswendig ganze Stücke von Haydn, Mozart, Beethoven, die ich bey ihm gar nicht vermuthete; er versicherte mich, sogar Winter's Opferfest zu besitzen" (Allgemeine musikalische Zeitung XIX, 1817, S. 487).

21 Vgl. Otto Nicolais Tagebücher, herausgegeben von Wilhelm Altmann, Regensburg 1937 (Deutsche Musikbücherei, Band 25), S. 162−164 (August−September 1836). Der Zustand der Bibliothek erlaubte Nicolai „gute Acquisitionen"zu machen: „Viele alte schätzenswerte Kompositionen habe ich unter dem Wust herausgeholt und werde dafür eine Kleinigkeit bezahlen" (ebda., S. 166: Freitag den 23. Oktober 1836). Vgl. auch den schon erwähnten Brief Nicolais aus Piacenza vom 12. Dezember 1836 (siehe unsere Anmerkungen 12 und 20), wo von „vortrefflichen Acquisitionen aus der Sammlung des Pater Martini" die Rede ist. Ein wahrer Skandal und viel Wut gegen den „ladrissimo signor Nicolai" brachen in Bologna aus, als man zu entdecken glaubte, daß unter den Schätzen, für die Nicolai „eine Kleinigkeit" bezahlt hatte, sich auch der Erstdruck von Orazio Vecchis „Amfiparnaso" befand. Vgl. Federico Parisini, Vorrede (La Biblioteca del Liceo Musicale di Bologna) zum 1. Band des Catalogo della Biblioteca del Liceo Musicale di Bologna compilato da G. Gaspari, Bologna 1890, Romagnoli Dall'Acqua (Faksimiledruck Bologna 1961, Forni) und Francesco Vatielli, La Biblioteca del Liceo Musicale di Bologna in L'Archiginnasio, Bullettino della Biblioteca Comunale di Bologna XI (1916), S. 124−146, 201−217 und XII (1917), S. 31−47.

22 Gaspari, der vom Jahr 1820/21 bis 1827/28 im Liceo Musicale unter der Leitung von Benedetto Donelli Klavier und Kontrapunkt studiert hatte, wirkte im demselben Institut vom Jahre 1840/41 bis 1855/56 als Professor für Solfeggio e vocalizzo, von 1856 bis zu seinem Tod als Bibliothekar und von 1869/70 bis 1878/79 auch als Professor für Storia e analisi musicale. Vgl. u. a. die schon zitierten (Anmerkung 19) Elenchi degli Alunni.

23 Bologna, Civico Museo Bibliogr. Musicale, Signatur: DD 58. Der Titel des dritten Bandes lautet: Composizioni di genere osservato, e fugato detratte dalle opere pratiche a stampa e inedite di classici autori antichi e moderni, e corredate da annotazioni didattiche da Gaetano Gaspari per propria istruzione. Libro Terzo. Proprietà di G. Gaspari che ne fece la trascrizione nel 1842. Der Libro Secondo enthält das sechsstimmige Ricercar aus dem „Musikalischen Opfer" (S. 333−388), die Choralbearbeitung „Wenn wir in höchsten nöthen sein" (aus Marpurgs Ausgabe der „Kunst der Fuge"; S. 388−392), die Contrapuncti 1 bis 12/2 und die unvollständige Fuga a 3 soggetti aus der „Kunst der Fuge" (S. 392−483), der Libro Terzo die Contrapuncti 13/1 u. 2 (S. 77−87).

bemerkungen Gasparis bezeugen, wie ernsthaft und leidenschaftlich sich der Bologneser Gelehrte in das Studium dieser Musik vertieft hatte. Er unterstreicht strukturelle, kontrapunktische und harmonische Besonderheiten und am Schluß des sechsstimmigen Ricercars kann er, trotz seines zurückhaltenden Charakters, seine Bewunderung und Begeisterung nicht verbergen, indem er „pezzo magnifico" („wunderschönes Stück") vermerkt. Ein besonderes Problem stellen für Gaspari bei der „Kunst der Fuge" die letzten Takte vor dem Abbruch der unvollendeten „Fuga a tre soggetti" dar. In der kontrapunktischen Verdichtung (und wohl in der vom BACH-Thema bedingten harmonischen Unruhe) scheinen ihm eine gewisse Mühsamkeit und ein stilistischer Bruch bemerkbar zu werden, so daß er die Echtheit solcher Takte bezweifelt:

Sin qui arriva l'edizione originale fatta da Marpurg nel 1752: ma oltre la mancanza del resto di questa fuga io opino che parecchie battute verso il fine non sieno fattura di Bach, scorgendosi una stentatezza che certo non era propria di quel grande compositore, ed essendo di stile troppo differente dal suo.

Zwei weitere Werke Bachs, die Fuge aus der Partita c-moll und die Gigue aus der Partita a-moll, wurden von Gaspari aus der Originalausgabe des „Ersten Teils der Klavierübung" transkribiert und in seine Sammlung für Orgel „Composizioni per organo di diversi celebri autori"[24] aufgenommen. Es ist also wohl anzunehmen, daß in den Kirchen von Bologna und Umgebung, wo Gaspari tätig war, Bachs Musik erklungen ist[25].

Als Gaspari 1856 zum Direktor der Bibliothek ernannt wurde, ordnete er das gesamte bibliographische Material, prüfte es mit Sorgfalt und kritischer Schärfe und katalogisierte es vorbildlich. Außerdem bereicherte er es ständig mit weiteren bibliographischen Raritäten und hielt es auf dem laufenden. So wuchs auch der Bestand an Werken Bachs aufs Ansehnlichste, sowohl in der von ihm geleiteten Bibliothek des „Liceo Musicale" als auch in seiner Privatsammlung, die er später der Bibliothek übergab[26]. Um musikalische Schätze zu erwerben, stand Gaspari in reger Beziehung zu anderen Musikgelehrten und Musiksammlern, u. a. zu François-Joseph Fétis, Aristide Farrenc, Angelo Catelani und zu dem Abate Fortunato Santini. Der Briefwechsel mit diesem letzten[27], der ein leidenschaftlicher Bach-Verehrer war, ist für unser Thema von besonderer Bedeutung.

Am 16. Juli 1856 sandte Santini an Gaspari verschiedene Musikalien, u. a. „Li Motetti a 4 di Ottaviano Petruzzi, il libro de' Madrigali del Pallavicino", dazu das Tripelklavierkonzert „des allerhöchsten Meisters Joh. Sebastian Bach" („La Sonata del sommo Maestro Jo Sebastiano Bach a tre Piano Forti")[28]; außerdem versprach Santini dem Bologneser Freund als persönliche Gabe weitere Stücke desselben Komponisten, die er von einem „Preußen"[29] erhalten sollte

---

24 Ms. im Civico Museo Bibliografico Musicale zu Bologna (Querformat, 394 Seiten, Signatur: DD 63). Bachs Kompositionen befinden sich auf den Seiten 57 ff. und 60 ff.

25 Gaspari war zuerst Organist an der Bologneser Basilika San Martino zu Bologna (1824–27), nachher Kapellmeister an der Stiftskirche San Biagio in Cento (1828–36), an der Kathedrale von Imola (1836 bis 1839) und an der Basilika San Petronio zu Bologna (1857–81).

26 Von dieser Schenkung wurden die Werke ausgenommen, die die Bibliothek des „Liceo Musicale" bereits besaß und die 1862 in Paris versteigert wurden. Vgl. Catalogue des Livres Rares en partie des XVe et XVIe siècles composant la Bibliothèque Musicale de M. Gaetano Gaspari, Paris 1862.

27 Im Civico Museo Bibliografico Musicale Bologna, noch ohne Signatur. Wir verdanken Herrn Sergio Paganelli, Leiter des Museo, die Möglichkeit, diese Briefe einzusehen. Zum Kuriosum des Brief- und Musikalienaustausches Gaspari–Santini gehört die Tatsache, daß Gaspari, als häufige Gegengabe für die Sendungen Santinis, dem Abate einen bekannten Bologneser Leckerbissen, die „tortellini", schickte.

28 Griepenkerls Ausgabe des „Concert en Ut majeur pour Trois Clavecins", Leipzig o. J., Peters (Signatur im Bologneser Civico Museo Bibliografico Musicale: DD 84). Dieses Werk, sowie die im folgenden genannten (mit Ausnahme von Bachs „Matthäus-Passion" und Händels „Messias") waren für Gasparis Privatbibliothek bestimmt (wie die Namensschilder Gaetano Gaspari auf den Titelblättern bezeugen) und wurden von ihm später der Bibliothek des Liceo Musicale geschenkt.

29 Der Preuße war zweifellos der in Rom lebende Ludwig Landsberg. Die von Santini gesandten Stücke sind: Exercices pour le Clavecin par J. S. Bach. Oeuvre I (hs. Hinzufügung: Partie 6), Wien o. J., Hoffmeister & Comp., Leipzig, au Bureau de Musique (= e-moll-Partita BWV 830); auf dem Titelblatt die Signatur

(„ritirerò da un Prussiano alcune Sonate di questo stesso Back [sic], queste sono destinate per Lei e sono sicuro che le gradirà"). Die Übersendung der letztgenannten Stücke, beschrieben als „Musik für Anfänger komponiert von J. Sebastian Bach, der der höchste Meister in dieser Gattung ist" („2 Cartolari di Musica composta per li principianti dal Sommo Maestro in questo genere Gio. Sebastian Back") wird in einem Brief vom 25. Oktober desselben Jahres angekündigt. Am 26. Dezember 1857 fragt Gaspari den Abate, wie er Händels „Messias" und Bachs Passion erwerben könne („sul modo di ricevere il Messia d'Handel e la Passione di Bach")[30]. Kurz danach, am 15. Januar 1858, verspricht Santini, sich mit der Erwerbung der von Gaspari erwünschten „Riesen" („veramente due giganti") zu beschäftigen und wiederholt dieses Versprechen in zwei weiteren Briefen (vom 25. Januar und 11. Februar). Endlich findet Santini die Passion des „göttlichen" Bach bei dem Buchhändler Speethover (Brief vom 21. März 1858) und schickt sie am 27. April án Gaspari, zusammen mit Mozarts Bearbeitung des „Messias". Bei Bachs Passion handelt es sich um den schönen bei Schlesinger erschienenen (1830) Klavierauszug der „Grossen Passions-Musik nach dem Evangelium Matthaei"[31]. „Schade aber für die Italiener" — ruft Santini aus — „daß der Text auf deutsch ist." Er fügt aber hinzu, er habe Bachs Passion ins Lateinische übersetzt oder besser gesagt, den lateinischen Text mit Fleiß und Mühe der Musik angepaßt. Santini verspricht, diese Übersetzung einmal an Gaspari zu senden, wobei er berichtet, er habe auch Händels „Messias" übersetzt, dies aber auf italienisch:

Finalmente sono arrivate le Opere il Messia di Händel megliorato da Mozart avendovi aggiunti altri stromenti, e la Passione di Bach; ma disgrazia per gl'Italiani, essendo il testo in tedesco; riceverà col pacco la ricevuta del Sig. Speethover libraro [. . .] Io ho tradoto in latino la Passione di Back [sic], a dir meglio, con pazienza vi ho adattato il testo latino. Ella un giorno riceverà la mia traduzione; il Messia di Händel è stato anco da me tradotto ma in italiano [. . .]

Drei Jahre später starb Santini, ohne sein Versprechen halten zu können. Das Verständnis des Textes der „Matthäus-Passion" wurde aber den Bologneser Musikern dadurch erleichtert, daß Gaspari für die Bibliothek auch die Pariser Ausgabe mit der französischen Übersetzung von Maurice Bourges erwarb[32].

Fast das gesamte damals im Druck vorhandene Instrumentalwerk Bachs bereicherte, dank Gaspari, die Bibliothek, u. a. das „Wohltemperierte Klavier" in dem schönen Druck von Richault[33], die „Brandenburgischen Konzerte" und die Ouverturen in der Ausgabe Dehns[34], die

Santinis und der Stempel BIBLIOTHECA LANDSBERGIANA (jetzige Signatur in Bologna: DD 85); Six Préludes à l'Usage des Commençants pour le Clavecin composés par J. S. Bach, Wien und Leipzig o. J., Hoffmeister & Kühnel; auf dem Titelblatt Signatur Santinis (jetzige Signatur in Bologna: DD 86); VI Suites pour le Clavecin composées par J. S. Bach, Leipzig o. J., Hoffmeister & Kühnel, au Bureau de Musique (5 Hefte mit demselben Titel, mit Bleistiftergänzungen: N° 1 bzw. 2, 4, 5 und 6); es handelt sich um die „Französischen Suiten" mit Ausnahme der dritten; auf jedem Titelblatt Santinis Signatur, auf denjenigen der Hefte 4 und 6 Stempel BIBLIOTHECA LANDSBERGIANA (jetzige Signatur in Bologna: DD 87).

30 Konzept Gasparis auf dem Brief Santinis vom 21. Dezember 1857. Im zitierten Inventar der von Pater Mattei dem Liceo Musicale geschenkten Bücher (vgl. unsere Anmerkung 17) ist zweimal (Bll. 4ʳ und 5ʳ) Händels „Messia" verzeichnet; das Exemplar ist wohl verloren.

31 Heutige Signatur: DD 80. In Gasparis sorgfältiger Buchhaltung von 1856 bis 1869 (Spese per la Biblioteca del Liceò, Ms., Signatur: O 467) ist der Einkauf der „Matthäus-Passion" und von Händels „Messias" (Partitur von Breitkopf & Härtel von Mozarts Bearbeitung, Signatur: FF 207) unter den Daten vom 4. und 5. Mai 1858 eingetragen; Gesamtkosten: scudi 11 baiocchi 72.

32 Jetzige Signatur: DD 81.

33 Vingt-quatre Préludes et Fugues dans tous les tons et demi-tons du mode majeur et mineur pour le Clavecin ou Piano-forte composés par Jean Sébastien Bach, Paris o. J., Richault (Signatur: DD 79). Gaspari erwarb das Werk wahrscheinlich durch die Vermittlung A. Farrencs (vgl. die zitierten Spese per la Biblioteca del Liceo, Bl. 4ʳ); auf der Rückseite des Umschlages der Ausgabe bemerkte Gaspari: „Comprato a Parigi pel Liceo Comunale di Bologna l'anno 1857. Als 1864 beide Teile zusammengebunden wurden, bemerkte Gaspari, daß das Werk nicht der Bibliothek, sondern der damals von Stefano Golinelli geleiteten Scuola di pianoforte diente (Spese per la Biblioteca, Bl. 39ᵛ).

34 Signaturen: DD 244 bis 252 und 278.

von Dehn und Roitzsch herausgegebenen Klavierkonzerte[35], alles mit Stimmenmaterial versehen, was auf die Absicht schließen läßt, solche Werke im „Liceo Musicale" aufzuführen.

Das Werk Gasparis wurde von seinen Nachfolgern Federico Parisini (Bibliothekar von 1881 bis 1891), Luigi Torchi (1891–1916), Francesco Vatielli (1916–1946) und Napoleone Fanti (1946–1969) weitergeführt; merkwürdigerweise und im Unterschied zu den Bibliotheken anderer Musikschulen und -Akademien (Mailand, Neapel, Rom, Pesaro und Florenz) erwarb die Bologneser Bibliothek die Gesamtausgabe der Bach-Gesellschaft erst spät, im Jahre 1897, kurz bevor sie vollendet war, wohl auf Initiative des damaligen Direktors des „Liceo Musicale", Giuseppe Martucci. Noch heute besitzt die Bologneser Bibliothek (in ihren beiden Abteilungen „Museo Bibliografico Musicale" und „Biblioteca del Conservatorio di Musica G. B. Martini"), neben unzählbaren musikalischen und bibliographischen Schätzen, wohl die reichste Sammlung an „Bachiana" in Italien.

Die Pflege von Bachs Musik[36] wurde von einigen der kultiviertesten Lehrkräfte des „Liceo", u. a. von dem Pianisten Stefano Golinelli (Klavierlehrer von 1840/41 bis 1870/71), gefördert und erreichte einen Höhepunkt, als 1886 Giuseppe Martucci zum Direktor ernannt wurde[37]. Denkwürdig im Rahmen des Bologneser Musiklebens sind zwei Konzerte geblieben, die Martucci am 4. und 5. Juni 1899 am Teatro Comunale für die 1879 gegründete Bologneser „Società del Quartetto" dirigierte: Das Programm bestand aus Beethovens Neunter Symphonie und Johann Sebastian Bachs Kantate „Jesu, der du meine Seele", deren Übersetzung vom Grafen Francesco Lurani[38] besorgt worden war (siehe Abbildung S. 318 f.). An diesem wirklichen Fest der deut-

---

35 Signaturen: DD 253 bis 255, 277 und 294.
36 Schon zu Beginn der zweiten Hälfte des Jahrhunderts hatte sich das musikalische Leben in Bologna, im Sinne einer schärferen Trennung zwischen Konzert- und Opernwesen, erneuert. Erst im Jahre 1869 konnten wir aber zum ersten Mal den Namen Bach in Bologneser Konzertprogrammen finden (bei zwei „historischen" Konzerten des Pianisten Mortier de Fontaine im Liceo Musicale im Mai 1869, der „auf Verlangen" die „Chromatische Fantasie und Fuge" aufführte). Nachher wird Bach mehr und mehr gespielt: von den Pianisten Eugenio Pirani (6. April 1874 und 31. März 1881), F. Palamidessi (27. November 1881), Ernesto Consolo (11. Mai 1891), Gustavo Tofano (24. März 1897) und S. Blumer (24. Februar 1899), vom fünfzehnjährigen Ferruccio Benvenuto Busoni (der am 9. und 15. März 1882 als „Pianist, Komponist und Improvisator" auftritt), von den Bologneser Pianistinnen Elena Cuccoli (27. Januar 1886) und Emilia Succi (19. Januar 1890), vom Cellisten Francesco Serato (30. März 1878), von den Geigern Angelo Consolini (5. November 1890), Alessandrina Zanolli (19. Februar 1895), Eugène Ysaye (8. März 1897) und Joseph Joachim (1. März 1900). Auch in den Studentenkonzerten des Liceo Musicale wird Bach gespielt (im März 1875 von den Pianisten Angiolini und Brugnoli). Anläßlich der Internationalen Musikausstellung im Jahre 1888 finden (am 8. und 15. Mai) zwei Konzerte auf historischen Instrumenten des Konservatoriums Brüssels mit Mitwirkung von Studenten des Liceo Musicale statt, wobei verschiedene Werke Bachs aufgeführt werden. Wir entnahmen diese Nachrichten aus der reichen Sammlung von Konzertprogrammen, die sich im Bologneser Civico Museo Bibliografico Musicale (noch ohne Signatur) befinden. Über die Tätigkeit G. Martuccis vgl. folgende Anmerkung.
37 In den Konzerten, die Martucci für die Bologneser „Società del Quartetto" als Orchesterdirigent und Pianist gab, war Bach oft vertreten: d-moll Klavierkonzert (14. April 1889: 50. Konzert der Società), Ouverturen C-dur (18. März 1894: 85. Konzert) und D-dur BWV 1068 (26. April 1896: 99. Konzert), Siciliana und Gavotte in der Bearbeitung Gevaerts (25. April 1897: 106. Konzert), Kantate „Jesu, der Du meine Seele" (4. und 5. Juni 1899: 120.–121. Konzerte), Chromatische Fantasie und Fuge für Klavier (19. Februar 1893: 77. Konzert). Die Sammlung der Programme der Società del Quartetto befindet sich im Civico Museo Bibliografico Musicale, Signatur: I 64. Martucci leitete außerdem Orchesterkonzerte im Rahmen der Internationalen Musikausstellung in Bologna im Jahre 1888; in den Konzerten vom 20. und 24. Juni wurden Sätze aus der Ouverture BWV 1068 aufgeführt.
38 Der Mailänder Graf Francesco Lurani war ein Gelehrter und ein guter Musiker. Mitglied der Mailänder „Società del Quartetto", gehörte er zu den eifrigsten Verteidigern der Reform des Orgelbaus und der Orgelmusik in Italien. Vgl. u. a. Giulia Maria Zaffagnini, Regesto di scritti di interesse organistico e organario apparsi nella „Gazzetta Musicale di Milano" (1842–1902), in: L'Organo VII, 1969, S. 63–88, 125–156, VIII, 1970, S. 63–98, 203–234, IX, 1971, S. 69–111 (über Lurani: VIII, S. 81, 83, 85, 205,

schen Musik nahmen einige der berühmtesten damaligen Sänger teil, u. a. der Tenorist Giuseppe Borgatti, der als einer der ersten großen italienischen Wagner-Interpreten galt.

Um das Bild Bolognas zu vervollständigen, sei hier erwähnt, daß die Musikliebhaber und Bachverehrer, während der „Esposizione Internazionale di Musica", die in Bologna im Jahre 1888 stattfand, die dort von der Berliner Königlichen Bibliothek ausgestellten Autographen der „Matthäus-Passion" und des „Wohltemperierten Klaviers" bewundern konnten[39]. Es sei schließlich bemerkt, daß Martucci als Leiter des „Liceo Musicale" drei der bedeutendsten Vertreter der „Bach-Bewegung", Marco Enrico Bossi (1902–1911), Bruno Mugellini (1911/12) und Ferruccio Busoni (1913/14) zu Nachfolgern hatte. Mugellini, dessen revidierte und kommentierte Ausgaben Bachscher Klavierwerke für die damalige Zeit bemerkenswert sind, war außerdem (1898 bis 1912) Professor für Klavier im „Liceo".

Auch an anderen italienischen Musikschulen, insbesondere in Mailand und in Bergamo, findet man Spuren einer Bach-Pflege vom Beginn des 19. Jahrhunderts an.

In Mailand waren in den ersten Jahrzehnten des Jahrhunderts hochqualifizierte Vertreter der italienischen Instrumentalmusik und der Musikkultur tätig, so etwa Alessandro Rolla, Francesco Pollini und Bonifazio Asioli. Vom letztgenannten sei hier die umfangreiche zweibändige, als nachgelassenes Werk erschienene Kompositionsschule erwähnt, in der verschiedene Fugen aus dem „Wohltemperierten Klavier" zitiert sind[40]. Das Studium der Klaviermusik Bachs war hier also hauptsächlich den Komponisten empfohlen.

Eine andere Situation ist in Bergamo anzutreffen: Die dort von Johann Simon Mayr gegründete Musikschule (1805 „Lezioni caritatevoli di musica" genannt) ist wohl die erste in Italien, an der Bachs Klavierwerke im Rahmen des Klavierstudiums gepflegt wurden[41]. Mayrs Äußerungen über Bachs Fugen für Klavier und die damit verbundenen aufführungspraktischen und didaktischen Probleme halten wir für erwähnungswürdig: „Bachs Fugen verlangen das genaue Hervorheben der Hauptgedanken und eine fließende Ausführung auch in den Mittelstimmen, um eine angemessene Wirkung zu ergeben, was keine leichte Aufgabe ist, wie jeder aus eigener Erfahrung weiß, der es gewagt hat, solche Fugen aufzuführen, oder wie man sich vorstellen kann, wenn man daran denkt, wie viel Zeit Field brauchte, bevor er mit solcher Meisterschaft jene Fugen spielen konnte":

Che la miglior aplicatura in que' casi legati e ripieni, caricati di voci, come sono le fughe di S. Bach, le quali richiedono esatto risaltamento de' pensieri principali ed una fluida esecuzione anche nelle parti intermedie, affinchè ne risulti un effetto adeguato, non è piccola cosa, sa ognuno che ebbe il coraggio di eseguire quelle fughe, dalla propria esperienza, o può immaginarsela, sentendo quanto tempo ha dovuto impiegare un Field per giungere al grado di eseguire con tanta maestria codeste fughe.[42]

Um 1837 begrüßt Mayr das Erscheinen von Czernys Ausgabe des „Clavecin bien tempéré" und betont, daß darin „alle geeigneten, vorteilhaften, sozusagen unfehlbaren Mittel angezeigt sind,

---

213, 226, 229; IX, S. 87). Man verdankt Lurani auch eine von Arrigo Boito ergänzte italienische Übersetzung von Bachs „Matthäus-Passion"; vgl. Piero Nardi, Vita di A. Boito, Mailand ²/1944, Mondadori, S. 344, Fußnote.

39 Vgl. Esposizione Internazionale di Musica in Bologna – 1888 – Catalogo ufficiale, Parma 1888, Battei, S. 35.

40 Bonifazio Asioli, Il Maestro di composizione ossia seguito del Trattato d'armonia, Mailand 1836, Ricordi; vgl. Band 2 (Applicazione), Libro II, S. 28 und 60. Auf dem Gebiet der Harmonie- und der Kompositionslehre bleibt in Italien im 19. Jahrhundert das „Wohltemperierte Klavier" maßgebend; vgl. Abramo Basevi, a. a. O. (siehe unsere Anmerkung 3), S. 41, und Notenbeispiel 46.

41 Vgl. Giovanni Simone Mayr, Zibaldone preceduto dalle pagine autobiografiche, herausgegeben von Arrigo Gazzaniga, I, Gorle (Bergamo) 1977, Grafica Gutenberg, S. XXV. Mayrs Zibaldone, in verschiedenen Bänden, befindet sich in Bergamo, Biblioteca Civica „A. Mai"; Signatur des ersten von Gazzaniga veröffentlichten Bandes: Salone N. 9, 8/7.

42 A. a. O., S. 31 f. der Ausgabe Gazzanigas.

um die Hände auch bei den kompliziertesten Fällen in ruhiger Stellung zu halten und um die Stimmen unabhängig voneinander auszuführen":

Del Clavecin bien tempéré ou Préludes et Fugues dans tous les tons et demi tons sur les Modes majeurs et mineurs par Jean Sebastien Bach, comparisce ora una nuova edizione corretta, e digitata, anche provveduta di note sopra l'esecuzione e sopra la misura giusta de' tempi, ed accompagnata da una prefazione di Carlo Czerny in Lipsia al Burò di Musica C. F. Peters. P. I e II, ciascheduna 3 Talleri, e si può dire che in ogni riguardo per facilitare lo studio di sì difficili composizioni, per tenere le mani anche ne' casi più complicati possibilmente in una posizione calma, e per eseguire ogni parte singola in modo indipendente dalle altre, ben legate e conseguenti, sono indicati i mezzi più idonei, e per così dire infallibili, e sopramodo vantaggiosi.[43]

Wie hoch Mayr Bach (von ihm als „Bach il metafisico" bezeichnet)[44] schätzte, geht auch aus anderen Stellen seiner Schriften hervor.

Die Verehrung Bachs in den qualifiziertesten musikalischen Kreisen der Lombardei findet konkrete Darstellung im zweiten Jahrgang der 1842 gegründeten, von Ricordi veröffentlichten „Gazzetta Musicale di Milano"; in deren musikalischem Anhang („Antologia Musicale") für das Jahr 1843 befindet sich das „Capriccio sopra la lontananza del suo fratello dilettissimo", wobei es sich wohl um den ersten Druck einer vollständigen Komposition Bachs in Italien handelt[45].

Während in Norditalien Bachs Musik hauptsächlich im Rahmen von Musikschulen oder im Kreis von Musikgelehrten und kultivierten „Dilettanti" gepflegt wurde, fehlte es in Rom nicht an mutigen Bachfreunden, die die Musik des Thomaskantors einem breiteren Publikum zugänglich machten.

Es ist wohlbekannt, daß eine Hauptfigur im Rahmen der „Bachbewegung" in Italien der schon mehrmals erwähnte römische Abate Fortunato Santini war. Die engen Beziehungen Santinis zu Zelter und Mendelssohn erlaubten es ihm, seine Bachkenntnisse, insbesondere auf dem Gebiete der Kirchenmusik, zu erweitern und zu vertiefen. Im Herbst 1830 erwartete Santini sehnlichst Mendelssohns Besuch, weil, wie der deutsche Meister berichtet, „er mehrere Aufschlüsse über deutsche Musik von mir haben möchte, und weil er hofft, ich würde ihm die Partitur der Bach'schen Passion mitbringen"[46]. Damals besaß Santini schon, nach Mendelssohns Zeugnis, das „Magnificat" und die Motetten[47]. Den Text der Motette „Singet dem Herrn" hatte er ins Lateinische übersetzt, mit der Absicht, dieses Werk in Neapel aufführen zu lassen[48]. Als

43 Ebda., S. 32.
44 Ebda., S. 44. Vgl. auch S. 54.
45 Antologia Classica Musicale pubblicata dalla Gazzetta Musicale di Milano, II, 1843, S. 147–154, N⁰ 12: Fuga-Capriccio per pianoforte di Giovanni Sebastiano Bach – Sur le départ de son très cher frère.
46 Brief Mendelssohns an seine Familie vom 2. November 1830 aus Rom. Wir verwenden die Ausgabe von Paul und Carl Mendelssohn Bartholdy und Julius Rietz: Briefe aus den Jahren 1830 bis 1847 von Felix Mendelssohn Bartholdy, 1. Band (Reisebriefe aus den Jahren 1830 bis 1832), Leipzig ⁷/1865, Hermann Mendelssohn; 2. Band (Briefe aus den Jahren 1833 bis 1847), ebda. ⁵/1865. Für die zitierte Stelle vgl. Band I, S. 51 f.
47 Brief Mendelssohns an seine Familie vom 8. November 1830 aus Rom; a. a. O., Band I, S. 56.
48 Ebda. Santini hatte auch die Passionskantate „Der Tod Jesu" von Karl Heinrich Graun ins Italienische übersetzt, um sie in Neapel aufführen zu lassen, wie Mendelssohn in seinem schon zitierten Brief vom 2. November 1830 bezeugt: „Das erste von Musik, was ich hier sah, war der Tod Jesu von Graun, den ein hiesiger Abbate, Fortunato Santini, recht gelungen und treu in's Italienische übersetzt hat. Nun ist die Musik des Ketzers, mit dieser Übersetzung, nach Neapel geschickt worden, wo sie diesen Winter in einer großen Feierlichkeit aufgeführt werden soll, und die Musiker sollen ganz entzückt von der Musik sein, und mit großer Liebe und Enthusiasmus an's Werk gehn". In einem Brief an Zelter vom 1. Dezember 1830 (a. a. O., Band I, S. 72–78) bestätigt Mendelssohn die Tatsache: „er ist es [der Abate Santini], der den Tod Jesu übersetzt hat und in Neapel zur Aufführung bringt; in einem Brief, den er von dort aus erhalten hat, heißt es unter anderm: ‚tutti i nostri dilettanti non vogliono udire adesso che musica di Graun e di Hendele; tanto è vero che il vero bello non si può perder mai'. Er nimmt sich vor, noch mehr deutsche Musik hier bekannt zu machen, und übersetzt zu dem Ende Ihre Motette ‚Der Mensch lebt und besteht', und Seb. Bach's ‚Singet dem Herrn ein neues Lied' in's Lateinische, und Judas Maccabäus von Händel in's Italienische". Nach Stassof konnten die von Santini übersetzten Werke von Bach und Händel in Neapel

Zeichen seiner Dankbarkeit für den Empfang Santinis bat Mendelssohn seine Familie, ihm „die sechs Cantaten von Seb. Bach, die Marx bei Simrock herausgegeben hat, oder einige Orgelstücke herzuschicken. Am liebsten wären mir die Cantaten"[49]. Bachs Passionen sind Mittelpunkt des Interesses Santinis, der eine vollständige lateinische Übersetzung des Textes der „Johannes-Passion" verfaßte: „Passio Domini Nostri Jesu Christi secundum Johannem. Ex germanico sermone in latinum versum a Fortunato Santini"[50]. Die bisher umstrittene Frage, ob Santini auch den Text der Bachschen „Matthäus-Passion" übersetzt hat[51], scheint jetzt, auf Grund des hier zitierten Briefwechsels mit Gaspari, positiv beantwortet werden zu können. Wie wir schon gesehen haben, schickte Santini in der Tat an Gaspari im April 1858 die Schlesinger-Ausgabe der „Matthäus-Passion" und versprach ihm, auch die von ihm verfertigte Übersetzung zu senden[52]. Außerdem soll Santini, neben der von Mendelssohn erwähnten Übersetzung der Motette „Singet dem Herrn", auch die Texte der fünf übrigen bei Breitkopf und Härtel erschienenen Motetten ins Lateinische übersetzt haben, wie aus seiner handschriftlichen Bemerkung auf der Partitur in seinem Besitz[53] hervorgeht: „Cinque Motetti a 8 e uno a cinque voci dal tedesco recati in latino da Fortunato Santini per farne conoscere il merito"[54]. Die hier zitierten Worte bestätigen, daß Santini seine Arbeit nicht aus reiner Gelehrsamkeit anfertigte, sondern zu dem Zweck, „den Wert" der Werke Bachs „bekannt zu machen". In der Tat „wußte er wohl, daß es nicht genügte, alte klassische Kompositionen zu sammeln, um zu erreichen, daß das Publikum wieder Ge-

---

dank der Mithilfe des Herzogs della Valle, der um 1830 Präsident der neapolitanischen „Società Filarmonica" gewesen wäre, aufgeführt werden. Vgl. Wladimir Stassof, L'Abbé Santini et sa collection musicale à Rome, Florenz 1854, S. 26, Fußnote. Über diesen della Valle konnten wir bisher keine genauen Nachrichten finden; es handelte sich vielleicht um den neapolitanischen Patrizier Cavalier Giuseppe della Valle, der am 9. September 1845 zum Verwaltungsrat der Königlichen Collegi di Musica San Sebastiano und San Pietro a Maiella in Neapel ernannt wurde; vgl. Francesco Florimo, La Scuola musicale di Napoli e i suoi Conservatori, Neapel 1880, Band II, S. 151.

49 Im schon erwähnten Brief vom 8. November 1830.

50 Diözesanbibliothek Münster/Westfalen, Sammlung Santini, Santini Hs. 263. Vgl. das (unvollendete) Verzeichnis der kirchenmusikalischen Werke der Santinischen Sammlung von Karl Gustav Fellerer in: Kirchenmusikalisches Jahrbuch XXVI, 1931, S. 111–140, XXVII, 1932, S. 157–171, XXVIII, 1933, S. 143 bis 154, XXIX, 1934, S. 125–141, XXX, 1935, S. 149–168, XXXI–XXXIII, 1936–38, S. 95; über die „Bachiana" vgl. XXVII, S. 125 f. Über Santinis Übersetzung der Bachschen „Johannes-Passion" vgl. Friedrich Smend, Zur Kenntnis des Musikers Fortunato Santinis, in: Westfälische Studien [. . .] Aloys Bömer zum 60. Geburtstag gewidmet, Leipzig 1928, S. 90–98, und Karl Gustav Fellerer, Bachs Johannes-Passion in der lateinischen Fassung Fortunato Santinis, in: Festschrift Max Schneider zum 80. Geburtstag, herausgegeben von Walther Vetter, Leipzig 1955, S. 139–145.

51 Vgl. Karl Gustav Fellerer, a. a. O., S. 139. Auf jeden Fall übersetzte Santini ins Lateinische den Choral der „Matthäus-Passion" „Wenn ich einmal muß scheiden" und übertrug aus derselben in die „Johannes-Passion" das Rezitativ „Und siehe da, der Vorhang im Tempel zerriß" („Et ecce velum templi scissum est", mit dem Vermerk: „Questo Recitativo è preso dalla Passione di S. Matteo").

52 Es könnte sich aber um einen Irrtum des achtzigjährigen Abate handeln. Ein ähnlicher Irrtum (eine Verwechslung zwischen Bach und Graun) befindet sich bei den Randbemerkungen, die Santini eigenhändig ins Exemplar der Monographie Carcanos, das sich in Bologna befindet, eintrug: Alessandro Carcano, Considerazioni sulla musica antica intitolato all'Abate D. Fortunato Santini, Rom 1842 (Bologna, Civico Museo Bibliografico Musicale, Signatur: M 112). Zu der Stelle, wo Carcano den Namen Bach erwähnt (S. 9), bemerkt Santini: „ha tradotto in Italiano der Tod Jesu La morte di Gesù ed alcune altre cose col testo latino".

53 Santini-Sammlung in Münster, Santini Dr. 55.

54 Von dieser von Karl Gustav Fellerer (Festschrift Max Schneider, S. 144, Anmerkung 10) zitierten Bemerkung Santinis findet sich heute keine Spur mehr. Vermutlich befand sie sich auf dem Deckel der Partitur und ging verloren, als der Druck einen neuen Einband erhielt. In dieser Ausgabe wurde von Santini bei der Motette „Jesu meine Freude" die lateinische Übersetzung handschriftlich den Noten unterlegt; der lateinische Text der ersten Strophe lautet: „Jesu mihi gaudium,/ et cordis solamen,/ decus meum es, / quamdiu suspirat, / cor irrequietur / te desiderium. / Agnus Dei animae sponsus,/ praeter te nil ultra in terris,/ nil ultra amabo." (Freundliche Mitteilungen von Herrn Franz Joseph Ratte, Münster, dem wir aufrichtig danken.)

schmack am alten guten Schönen fände, sondern daß es nötig war, solche Werke praktisch zu pflegen"[55]. Zu diesem Zweck veranstaltete er unter Mithilfe seines Freundes Sirletti (der, wie Santini, Schüler Jannaccnis gewesen und ein guter Klavierspieler war)[56] wöchentliche musikalische Unterhaltungen, die nach dem Tode Sirlettis, von 1838 an, insbesondere in der Fastenzeit, in Santinis Wohnung wieder aufgenommen wurden. Sie wurden von italienischen und ausländischen Dilettanten gut besucht, manchmal unter Teilnahme einiger Sänger der Päpstlichen Kapelle und sogar Johann Baptist Cramers und Franz Liszts[57].

In einer solch eifrigen Pflege der alten Musik, u. a. derjenigen Johann Sebastian Bachs, war Santini in Rom kein Einzelgänger. Er hatte als tüchtige Helfer den Marquis Domenico Capranica und den in Rom lebenden Breslauer Ludwig Landsberg.

Capranica (1792–1870), einer der gelehrtesten römischen Musikdilettanten, mehrmals „Direttore della musica" und „Presidente della musica" der „Accademia Filarmonica Romana"[58], war ein leidenschaftlicher Bewunderer der deutschen Tonkunst und gab sich viel Mühe, sie zu verbreiten. Zu diesem Zwecke übersetzte er den Text von Mendelssohns „Paulus", einem Werk, das er 1844 herausgab[59] und an der „Accademia Filarmonica" aufführen ließ. Er übersetzte außerdem Händels „Messias" und „Jephte" und hatte die Absicht, die Übersetzungen einer ganzen Reihe deutscher Oratorien zu veröffentlichen; dafür eröffnete er eine Subskription, sah sich aber bald gezwungen, auf den anspruchsvollen Plan zu verzichten[60], und zwar wegen der allzu hohen Kosten der Ausgabe von Händels „Jephte"[61]. Man verdankt Domenico Capranica die italienische Übersetzung der damals Johann Sebastian Bach zugeschriebenen achtstimmigen Motette „Ich lasse dich nicht, du segnest mich denn" (BWV Anh. 159)[62]. Es handelt sich wahrscheinlich um jene doppelchörige Motette, die im Palazzo Caffarelli am 15. Februar 1846 vor etwa tausend Personen, im Rahmen der zweiten von Landsberg veranstalteten und geleiteten „Musikalischen Akademie" aufgeführt wurde[63]. Im Programm derselben Akademie stand auch ein „Chor ohne Begleitung" von Johann Sebastian Bach und in demjenigen der ersten Akademie jenes Jahres (am 6. Februar) ein „Coro religioso" desselben Meisters[64]; es

---

55 Carcano, a. a. O., S. 7 f.

56 Vgl. Carcano, a. a. O., S. 8, und Joseph Killing, Kirchenmusikalische Schätze der Bibliothek des Abate Fortunato Santini, Düsseldorf 1910, S. 16. Nach Alberto De Angelis, a. a. O. (vgl. unsere Anmerkung 4), S. 20, veranstaltete Giuseppe Sirletti in seiner Wohnung vom Jahre 1835 an eine Art Akademie, um kirchenmusikalische Werke von Palestrina, Pergolesi, Marcello, Händel, Haydn, Mozart u. a. aufzuführen; er dirigierte außerdem Pergolesis „Stabat Mater" in der römischen Kirche San Silvestro und zwei Psalmen Marcellos in den Palästen Venezia und Caffarelli; die Nachricht wird von Sergio Martinotti (Ottocento strumentale italiano, Bologna 1970, S. 98) wiederholt. Das Datum 1835 kann aber nicht stimmen, da Giuseppe Sirletti wohl mit jenem Serletti identisch ist, der im März 1834 bereits gestorben war und zu dessen Besten seine Schüler am 18. März jenes Jahres ein Konzert veranstalteten, an dem auch die Malibran und de Bériot teilnahmen. Vgl. Nicolais Tagebücher, a. a. O., S. 34. Ausführlichere Nachrichten über Sirletti konnten wir bisher nicht finden.

57 Stassof, a. a. O., S. 20.

58 Vgl. Enza Venturini, Artikel Capranica Domenico in: Dizionario Biografico degli Italiani (Band XIX, S. 153 f.).

59 S. Paolo, Oratorio sopra parole del sacro testo, posto in musica dal M^O Felice Mendelssohn-Bartholdy, e voltato dal tedesco in versi italiani dal marchese D. Capranica, Rom 1844 (Klavierauszug).

60 Vgl. den kurzen Bericht in: Allgemeine musikalische Zeitung XLVIII, 1846, Sp. 780 f.

61 Jefte, Grande Oratorio in 3 Parti. Musica di G. F. Handel con accompagnamento di pianoforte tradotto dal Tedesco sopra la riduzione di J. F. Mosel a raffronto del testo Inglese dal Marchese D. Capranica, ebenda 1844 (Proprietà del Traduttore).

62 Handschriftliche Partitur in der Sammlung Santini in Münster, Santini Hs. 267: Motetto 3^{ZO}/di Sebastiano Bach / a Otto voci / Riduzione dal Tedesco in Italiano / del Sigr. Marchese Domenico Capranica. Textincipit: „Non lascioti, no: me salvo deh! fa". In Fellerers Verzeichnis (vgl. unsere Anmerkung 50) ist diese Motette zweimal, unter den Signaturen Santini Hs. 266 und 267 angegeben. Eine Handschrift mit der Signatur 267 ist aber nicht vorhanden (freundliche Mitteilung von Herrn Franz Joseph Ratte, Münster).

63 Allgemeine musikalische Zeitung XLVIII, 1846, Sp. 323.

64 Ebda.

312

handelte sich wahrscheinlich um schlichte vierstimmige Choräle. Es war nicht das erste Mal, daß Landsberg Bach in Rom aufführen ließ; im Rahmen einer der Soirées, die er im Januar 1843 veranstaltet hatte, hatte der Pianist Eduard Franck „mehrmals J. S. Bach'sche Compositionen außerordentlich schön" vorgetragen[65]; und beim Musikfest am Ostermontag 1844 war eine nicht näher bezeichnete Bachsche Toccata am Klavier gespielt worden[66].

Wir konnten nicht feststellen, ob in der ersten Hälfte des 19. Jahrhunderts auch das neapolitanische Publikum, durch die schon erwähnten Initiativen Santinis und della Valles, mit Bach bekannt wurde. Zweifellos war Neapel an der deutschen Musik besonders interessiert[67]. Die Bibliothek des Conservatorio „San Pietro a Majella" gehört, dank ihres Direktors Francesco Florimo, zu den beiden ersten in Italien (zusammen mit derjenigen des Mailänder Konservatoriums), die die Gesamtausgabe der Bach-Gesellschaft schon vom ersten Jahrgang an subskribierten. Die allmähliche, wenn auch langsame Erweiterung der Liste der italienischen Subskribenten der Bach-Gesellschaft ist für unser Thema nicht ohne Interesse. Im ersten Jahrgang erscheint noch ein dritter Name, derjenige des Musikdirektors Wichmann in Rom[68]. Im zweiten Jahrgang kommt der Name Ludwig Landsberg hinzu, der aber nachher wieder verschwindet (Landsberg starb im Frühjahr 1858). Im vierten Jahrgang treten drei weitere musikalische Institutionen auf: die römische „Accademia di Santa Cecilia", die Bibliothek des „Istituto Musicale" zu Florenz und das mit Rossinis Unterstützung gegründete und auf Rossinis Namen getaufte „Liceo Musicale" zu Pesaro. Erst gegen Ende der Subskription (1897) schließen sich das „Liceo Musicale" von Bologna und die „Biblioteca Palatina" von Parma der Liste an. An einzelnen Persönlichkeiten sind, neben den schon zitierten Wichmann und Landsberg, noch folgende zu erwähnen: ein Dr. Spiro in Rom[69] (vom IV. Jahrgang an), der gelehrte Mantuaner Domherr Giuseppe Greggiati[70] (vom X. bis XIII. Jahrgang), Franz Liszt während seines Aufenthaltes in Rom, Arrigo Boito[71] (im Jahre 1897), sowie die Mailänder Verleger und Buchhändler Hoepli und Ricordi. Ab 1860 tritt in die Liste der Subskribenten „Herr Joachim Rossini" in Paris auf.

---

65 Allgemeine musikalische Zeitung XLV, 1843, Sp. 182.
66 Allgemeine musikalische Zeitung XLVI, 1844, Sp. 507.
67 Vgl. u. a. Renato Di Benedetto, Beethoven a Napoli nell'Ottocento in Nuova Rivista Musicale Italiana V, 1971, S. 3–21 und 201–241.
68 Es handelt sich um Hermann Wichmann (1824–1905).
69 Obwohl man den Namen Spiro vergeblich in den Musiklexika suchen würde, war Friedrich Spiro in Rom und auch in internationalen Kreisen um die Jahrhundertwende keine unbekannte Persönlichkeit. 1883 hielt er musikhistorische Vorträge an der Accademia Filarmonica Romana (vgl. Romolo Giraldi, L'Accademia Filarmonica Romana dal 1868 al 1920, Memorie storiche, Rom 1930, S. 193, eine Studie, auf die uns Herr Dr. Giancarlo Rostirolla liebenswürdigerweise aufmerksam machte). Spiro war Mitglied der Internationalen Musikgesellschaft von ihrer Gründung an und lieferte regelmäßig der Zeitschrift der Internationalen Musikgesellschaft gut informierte Artikel über das römische Musikleben (vgl. Zeitschrift der Internationalen Musikgesellschaft I, 1899–1900, S. 189–201; II, 1900–01, S. 163–170; III, 1901–02, S. 14 bis 19 und 226–231; in derselben Zeitschrift veröffentlichte er musikalische Chroniken aus anderen Städten (Salzburg und Bayreuth), sowie Beiträge über Schubert und Tschaikowsky. Friedrich Spiro ist sogar im Rahmen der Bachforschung nicht unbekannt; im VI. Jahrgang der Zeitschrift der Internationalen Musikgesellschaft 1904–05, erschien ein Artikel von ihm über die hypothetische Erstfassung für Violine und Streicher von Bachs Klavierkonzert A-dur (BWV 1055): Ein verlorenes Werk J. S. Bach's (S. 100–104).
70 Giuseppe Greggiati (Ostiglia, Provinz Mantua 1793 – Mantua 1866), Priester, Gelehrter und Musiker, sammelte eine bedeutende Musikbibliothek, die er der Gemeinde Ostiglia hinterließ; vgl. Claudio Sartori, Nascita, letargo e risveglio della Biblioteca Greggiati, in: Fontes Artis Musicae XXIV, 1977, S. 126–138.
71 Arrigo Boito war ein großer Bach-Verehrer. Als 1886 Francesco Florimo ihn bat, zu einer Gedenkschrift beizutragen, die er zusammen mit Michele Scherillo anläßlich der Einweihung des Bellini-Denkmals in Neapel herausgab, schickte ihm Boito eine von ihm 1882 geschriebene Lamentazione für Gesang und Klavier, deren Musik aus den beiden ersten Partiten der Bachschen Partite diverse für Orgel über „Christ, der du bist der helle Tag" besteht (Partita I für Klavier allein, Partita II auf Boitos Worten „Scorre per gran pietà dagli occhi il pianto"); dazu schrieb er u. a.: „Io non ho ardito presentarmi davanti alla tomba del Cantore di Catania con della musica mia. Offro a Bellini una delle più infiammate e gementi pagine di

313

Daß Rossini ein Bach-Verehrer war, wird, wie schon erwähnt, von Otto Nicolai bezeugt[72]. Durch die Subskription des Pesareser auf die Bach-Ausgabe wird ein anderes Zeugnis bestätigt, nämlich der Bericht von Edmond Michotte über Wagners Besuch bei Rossini in Paris im März 1860[73]. Der letzterschienene Band der Bach-Ausgabe (wohl die im VIII. Jahrgang veröffentlichten Messen) befand sich gerade auf Rossinis Tisch; er zeigte ihn seinem Gast, bezeichnete Bach als „überwältigendes Genie" und „Wunder Gottes" und versicherte, der Tag, an dem der nächste Band ankomme, würde für ihn ein Tag unvergleichlichen Genusses sein[74]. Als die Sprache auf Mendelssohn kam, sprach Rossini von ihm mit größter Verehrung und Sympathie; insbesondere erinnerte er sich an eine Begegnung im Jahr 1836, als er den erstaunten Mendelssohn bat, am Klavier „du Bach, beaucoup de Bach" zu spielen. Die Sympathie und die Bewunderung waren bei dieser Begegnung (die am 13. Juli 1836 in Frankfurt/Main bei Ferdinand Hiller stattfand) völlig gegenseitig; Mendelssohn schrieb am 14. Juli: „Ich kenne wahrlich wenig Menschen, die so amüsant und geistreich sein können, wie der, wenn er will [. . .] Ich habe ihm versprochen, ihm im Cäcilien-Verein die H moll Messe und einige andere Sachen von Sebastian Bach vorsingen zu lassen; das wird gar zu schön sein, wenn der Rossini den Sebastian Bach bewundern muß."[75]

Es ist auffallend, daß einerseits die Vorliebe für Opern das italienische Publikum vom Interesse für die deutsche Musik ferngehalten hat, daß andrerseits aber gerade die bedeutendsten Vertreter der italienischen Oper des 19. Jahrhunderts Bach-Verehrer waren. Nach Rossini wird Verdi ein solcher Bewunderer Bachs sein. Giuseppe Verdi nahm, wie schon erwähnt, eine sehr kritische Haltung gegenüber der wachsenden Anziehungskraft der transalpinen Musik auf die jungen Italiener ein, eine Haltung, die mit seinen eigenen Worten zusammengefaßt werden kann: „Wenn die Deutschen, die von Bach herkommen, zu Wagner gelangten, haben sie als gute echte Deutsche gehandelt; wenn wir aber, Palestrinas Nachkommen, Bach nachahmen, so ist das ein musikalisches Vergehen und eine unnütze, sogar schädliche Tat."[76] Als er an Hans von Bülow am 14. April 1892 schrieb, rief er aus: „Ihr glückliche, die ihr noch Bachs Söhne seid! Und wir? Wir auch, Palestrinas Söhne, hatten ehemals eine große Schule, eine Schule die uns gehörte! Jetzt ist diese Schule ein Bastard geworden und liegt in Verfallsgefahr. Wenn wir nur wieder von Anfang beginnen könnten!"[77] Eine solche Stellungnahme hinderte Verdi aber nicht daran, insbesondere in seinen letzten Lebensjahren, Bach immer eingehender zu studieren und schätzen zu lernen. Das ist insofern nicht überraschend, wenn man an Verdis Streben nach einer ständigen Erneuerung seiner musikalischen Sprache denkt, an die fortwährende Bereicherung

---

Bach. Non c'è di mio in questa offerta che la trascrizione per canto e le parole". Vgl. Album-Bellini a cura di Francesco Florimo e Michele Scherillo pubblicato il giorno dell'inaugurazione del monumento a V. Bellini in Napoli, Neapel 1886, Tip. Tocco, S. 17 und musikal. Anhang: Trascrizione per Canto d'una Partita di G. S. Bach. Trascrizione e parole di Arrigo Boito. Vgl. auch Piero Nardi, a. a. O. (siehe unsere Anmerkung 38), S. 500.

72 Vgl. unsere Anmerkung 20.

73 Edmond Michotte, Souvenirs personnels: La visite de R. Wagner à Rossini (Paris 1860). Détails inédits et commentaires, Paris 1906, S. 30 f.

74 Die Rossini zugeschriebenen Aussagen sind aber oft widersprüchlich. Über ein angeblich sehr negatives Urteil Rossinis über Bach s. Francesco Florimo, a. a. O. (vgl. unsere Anmerkung 48), Band II, S. 42 (Fußnote).

75 Schließlich bemerkte Mendelssohn zu Rossini: „wer ihn nicht für ein Genie hält, der muß ihn nur einmal so predigen hören, und wird dann seine Meinung schon ändern". Vgl. die zitierte Ausgabe von Mendelssohns Briefen (siehe unsere Anmerkung 46), Band II, S. 131.

76 Brief Verdis an Franco Faccio aus Montecatini vom 14. Juli 1889. Vgl. I Copialettere di G. Verdi, herausgegeben von G. Cesari und A. Luzio, Mailand 1913, S. 702.

77 Ebda., S. 375 f. Der Brief Bülows an Verdi (aus Hamburg, vom 7. April 1892) und Verdis Antwort (aus Genua, vom 14. April desselben Jahrs) wurden von der Gazzetta Musicale di Milano XLVII, 1892, S. 507 f. veröffentlicht. Vgl. die Niederschrift eines anderen Briefes Verdis in französischer Sprache angeblich an denselben Bülow in A. Luzio, Carteggi Verdiani, Rom 1935–1947, Accademia Nazionale dei Lincei, IV, S. 101 f.

seiner Harmonie, insbesondere an seine subtilen Versuche auf dem Gebiete des Kontrapunkts (von den Fugati im „Maskenball" und der Schlacht im 1865 revidierten „Macbeth" bis zum „Libera me Domine" und zur erstaunlichen Schlußfuge im „Falstaff"). Als Francesco Florimo ihn wegen einer geplanten Studienreform im Musikkonservatorium Neapels um Rat fragte, teilte ihm Verdi im Januar 1871 seine Ansichten mit, wobei er die wesentliche Rolle des Studiums der Fuge betonte:

. . . avrei detto ai giovani alunni: ‚Esercitatevi nella Fuga costantemente, tenacemente, fino alla sazietà, e fino a che la mano sia diventata franca e forte a piegar la nota al voler vostro. Imparerete così a comporre con sicurezza, a disporre bene le parti ed a modulare senz'affettazione.[78]

In Bachs Musik bewunderte Verdi „die Erhabenheit des Stils, die Originalität, den überraschenden Reichtum der Harmonie"[79]. Zusammen mit seinem Lieblingsschüler Emanuele Muzio spielte Verdi verschiedene Klavierwerke Bachs, wie er in einem Schreiben an Giulio Ricordi vom 18. November 1879 berichtete, u. a. ein (leider nicht näher bezeichnetes) „wunderschönes Stück in c-moll"[80]. Um 1896, während eines Gesprächs mit dem jungen Mascagni, ließ Verdi jeden Vorbehalt gegenüber der Pflege „transalpiner" Musik in Italien außer acht und forderte, Bach, „der modernste aller polyphonen Komponisten", solle in allen Musikkonservatorien aufgeführt werden[81]. Damals, im Jahre 1896, als Verdi am „Stabat Mater" (seinem Schwanengesang, zusammen mit dem „Te Deum") arbeitete, war der dreiundachtzigjährige Meister in das Studium der Werke Palestrinas und Bachs vertieft. Aufmerksam prüft er die „h-moll-Messe" (die er elf Jahre früher, wohl ohne sie gründlich zu kennen, als „vielleicht ein wenig trocken" verdächtigen konnte[82]) und ist von der Kühnheit der harmonischen Sprache tief getroffen. Die Auseinandersetzung mit Boito über eine besondere Stelle der Bachschen Messe scheint uns erwähnenswert. Es handelt sich um die Takte 38–39 des „Crucifixus". Der gewagte harmonische Zusammenhang D–f'–ais' und die darauffolgende Auflösung stellen für Verdi einen rätselhaften „Dorn im Auge" (wörtlich „chiodo" = Nagel) dar; da er nur den Klavierauszug zur Verfügung hat, bittet er Boito, die Partitur zu kontrollieren. Der Freund sendet Verdi am 9. November 1896 aus Mailand eine ausführliche Erklärung und einen feinfühligen Kommentar: Die Stelle lautet wirklich so, wie im Klavierauszug gedruckt, wobei die „Spitze des Dorns" im verminderten Terzsprung f–dis der Altstimme im Takt 39 liegt: „Wenn diese Qual gewollt ist (woran ich nicht zweifle) – schreibt Boito – handelt es sich wirklich um eine Qual; übrigens, wenn es keine solche wäre, hätte Bach sie nicht erwünscht. Das Ohr kann, muß sie sogar erleiden, aber unser Verstand kann zustimmen":

---

78 Brief Verdis an Florimo vom 5. Januar 1871 aus Genua. Vgl. I Copialettere di G. Verdi (siehe oben Anmerkung 76), S. 232.

79 In seinen Notizen über klassische Komponisten schrieb Verdi: „Sebastiano Bach: nato nel 1685. Elevazione di stile, originalità, ricchezza sorprendente d'armonia". Faksimile des Autographs Verdis in Luzio, a. a. O. (vgl. unsere Anmerkung 77), Band II, S. 142.

80 Die Nachricht befindet sich in der ersten Beilage zu einem Brief Verdis an Ricordi vom 18. November 1879 aus Sant'Agata. Das Original ist im Archiv Ricordi, Mailand (Nr. 816) erhalten; das Istituto di Studi Verdiani in Parma besitzt die Fotokopie des zweiten Teils des Briefes und der Beilagen; eine Kopie wurde uns liebenswürdigerweise von Frau Lina Re, Leitungssekretärin des Instituts, geschickt. Für die zitierte Stelle vgl. auch Franco Abbiati, G. Verdi, Mailand 1959, Band IV, S. 99. Als weitere Zeugnisse des Studiums, das Verdi der Musik Bachs widmete, kann hier erwähnt werden, daß 1877/78, als Schumanns Stiefschwägerin Maria Wieck Verdi in Genua besuchte, sie auf dem Notenpult von Verdis Klavier Bachs Präludien und Fugen fand; darüber berichtet die Allgemeine deutsche Musikzeitung V, Kassel 1878, italienische Übersetzung in: Gazzetta Musicale di Milano XXXIII, 1878, S. 109, wiedergegeben in: Marcello Conati, Interviste e incontri con Verdi, Mailand 1980, S. 119-125. Auch Pietro Mascagni bemerkte bei einem Besuch bei Verdi um 1896 Bachsche Kompositionen, die auf Verdis Klavier standen (vgl. weiter Anmerkung 81).

81 Abbiati, a. a. O., Band IV, S. 598. Vgl. auch Pietro Mascagni, Verdi (ricordi personali), in: La Lettura XXX, Mailand 1931, S. 4–8, neugedruckt in Conati, a. a. O., S. 299–305.

82 Brief vom 2. Mai 1885 an Opprandino Arrivabene; vgl. I Copialettere (siehe unsere Anmerkung 76), S. 630.

Ora finalmente la trovo [die Partitur der h-moll-Messe] e trovo anche il ‚chiodo' tal quale come nella trascrizione per pianoforte. I due flauti traversi suonano: il 1^0 un la ♯ , e il secondo un fa ♮ , mentre il Basso ha un re ♮ , ma questo è dolce chiodo perhè il la ♯ risolve regolarmente sul si. Il vero chiodo sta nell'accordo seguente [hier Notenbeispiel] e la vera punta del chiodo sta nella parte del Contralto: fa ♮ –re ♯ . Se questo spasimo è voluto (come non ne dubito) è davvero uno spasimo, ma se non fosse tale non l'avrebbe voluto; l'orecchio può soffrirne anzi deve soffrirne, ma la nostra mente può approvare.[83]

Ein Gebiet, auf dem Bach in Italien längere Zeit fast unbekannt blieb, ist das des Orgelspiels. Zum Teil ist dies der Tatsache zuzuschreiben, daß auf der beschränkten Pedaltastatur der alt-italienischen Orgel Bachs Kompositionen mit obligatem Pedal nicht auszuführen waren, zum anderen hat sich die Orgelkunst in der Halbinsel — paradoxerweise viel mehr als die Klavier-kunst — im 19. Jahrhundert fast ausschließlich unter dem Zeichen des Opernstils entfaltet. Man proklamierte, daß der „gebundene" fugato-Stil der echte Orgelstil sei, der einzige, der zum feier-lichen „Ripieno"-Klang paßte[84]; es genügt jedoch, einen Blick auf das italienische Orgelschaffen jener Zeit mit seinen Hauptvertretern, dem Rossinianer Pater Davide da Bergamo (im bürger-lichen Leben Felice Moretti, 1791–1863) und dem Verdi-Anhänger Vincenzo Petrali (1830 bis 1889), zu werfen, um sich über die Alleinherrschaft des Operngeschmacks Rechenschaft abzu-legen.

Auch auf diesem Gebiet wirkte Johann Simon Mayr als Pionier. Unter seinen Manuskripten in Bergamo befindet sich eine Pedalschule, die er wohl für seine Studenten redigierte[85]. Obwohl das damals in Italien gebräuchlichste Pedal mit „kurzer Oktave" versehen war, wird in Mayrs Pedalschule die „pedaliera estesa" mit einem Umfang von zwei vollen Oktaven als normal be-zeichnet und alle Elemente der deutschen Pedaltechnik werden beschrieben. Auffallend ist, daß uns keine italienische Orgel aus der Zeit vor 1870 mit einem solchen Pedalumfang bekannt ist (auch nicht unter den von der eng mit Mayr befreundeten Orgelbauerfamilie Serassi aus Ber-gamo erbauten Instrumenten). Unter den Autoren, die in Mayrs Schule erwähnt und empfohlen werden, fehlt selbstverständlich Johann Sebastian Bach nicht[86]. Sonst aber wurden die großen Orgelwerke Bachs mit obligatem Pedal in Italien als fast unzugänglich betrachtet und ausländi-sche Organisten, wie Lemmens, wurden in den Himmel gehoben wegen ihrer Fähigkeit, „tadellos und mit aller Klarheit in der Stimmführung jene schrecklichen Fugen mit Pedal von Sebastian Bach zu spielen, deren Aufführung wegen der gewaltigen Verflechtung von Händen und Füßen unmöglich zu sein scheint"[87].

---

83 Vgl. Carteggio Verdi-Boito, herausgegeben von Mario Medici und Marcello Conati, Parma 1978, Band I, S. 247 f. (Nr. 245).

84 Vgl. Giambattista Castelli, Norme generali sul modo di trattare l'organo moderno, Mailand o. J. (um 1862), Lucca (Faksimile-Neudruck Brescia o. J. [1980]), S. 21.

85 Breve Istruzione pel modo di suonare il Pedale cavata dalle fonti più autorevoli, e corredata di ogni genere di Esercizi ed Esempi = N^O 224 eines Manuskriptes vermischten Inhalts (Bll. 6–17) in Bergamo, Biblioteca Civica „A. Mai", Salone N. 9, 5/6. Wir verdanken die Kenntnis dieser Quelle Herrn Prof. Wijnand van de Pol, Amelia. Ein entsprechender praktischer Teil (Esercizii per il maneggio meccanico ed intellettuale del Pedale) ist in Bergamo, Istituto Musicale „G. Donizetti", Ms. N^O 4155 erhalten; ein Teil der Esercizii befin-det sich in einem separaten Band mit dem Titel 12 Preludi per Organo ebda., N^O 4156); fünf davon wur-den von Alfred Reichling herausgegeben: J. S. Mayr, Fünf Präludien für die Orgel, Altötting 1962.

86 Auf Bl. 16^I wird der „studio de' perfetti modelli di ogni nazione e d'ogni età, come furono i nostri antichi Frescobaldi, Scarlatti, Durante, Martini, gli Allemanni Bach Sebastiano, Händel, Vogler, Knecht, Al-brechtsberger, Fischer, e molti altri, e come sono tuttora i Rinck, Schneider, Vierling, Hesse" empfohlen. Auf Bll. 16^V–17^I „raccomandiamo di nuovo lo studio delle opere classiche sopraccennate di cui si hanno varie edizioni, come quelle: Stampate da Nägueli [sic] a Zurigo, ove sono raccolte le fughe di Bach, di Händel, Eberlin etc. etc. [. . .] Da Haslinger in Vienna vengono ora ristampate le opere tutte di Bach [. . .]"

87 Bericht aus Frankreich vom 15. Januar 1860 in: Gazzetta Musicale di Milano XVIII, 1860, S. 21; vgl. Zaffagnini, a. a. O. (siehe unsere Anmerkung 38), in: L'Organo VII, 1969, S. 132.

Als Camille Saint-Saëns 1879 eingeladen wurde, an der Orgel des Mailänder Konservatoriums zu spielen, war es ihm in der Tat unmöglich, eigene Kompositionen und große Orgelwerke Bachs aufzuführen[88], weshalb er sich darauf beschränkte, ein Präludium mit Fuge aus dem „Wohltemperierten Klavier" zu spielen, „das absichtlich gewählt zu sein schien, die Mängel jener Orgel zu zeigen"[89]. Der Fall Saint-Saëns wurde zu einem wirklichen nationalen Skandal und trug dazu bei, die „Reform" der italienischen Orgel zu beschleunigen. Organisten der „alten Schule" bekehrten sich zum neuen Glauben. Petrali verließ allmählich den Opernstil und nahm Bach und Mendelssohn zu seinen Vorbildern. Als er zur Internationalen Musikausstellung in Bologna im Jahre 1888 eingeladen wurde, bei der drei Orgeln „neuen Stils" vorgestellt wurden, wagte er sich an eines der virtuosesten Stücke Johann Sebastian Bachs heran: an Praeludium und Fuge in D-dur[90]. Der jüngere Roberto Remondi (1851–1928) interessierte sich bald für Bach und veröffentlichte in seinen noch von der traditionellen Orgel beeinflußten „Cento e una Registrazione" Teile Bachscher Orgelwerke, die er mit interessanten Registrieranweisungen versah[91]

Bach wurde bald zum wirklichen Aushängeschild der italienischen Organisten; im Jahre 1888 wurde Marco Enrico Bossi und Guglielmo Zuelli ex aequo der Preis verliehen, den die Mailänder Zeitschrift „Musica Sacra" ausgeschrieben hatte; es handelte sich um die Komposition einer Fuge für Orgel über das von Arrigo Boito angegebene Thema „FEDE A BACH"[92]. Endlich wurde dank Marco Enrico Bossi das Orgelschaffen Bachs dem breiten italienischen Publikum bekannt.

Inzwischen war Bachs Klavierwerk, dank Martucci, Pirani, Mugellini, Busoni, Beniamino Cesi, zum täglichen Brot der italienischen Pianisten geworden. Um 1873 hatte der in Triest ansässige Edoardo Bix (1848–1883) bei Ricordi eine für die damalige Zeit bemerkenswerte kommentierte vierbändige Ausgabe Bachscher Klavierwerke veröffentlicht[93]. Ähnliche Verdienste gebühren, auf dem Gebiete der Instrumentalmusik, insbesondere der Violinmusik, dem Römer Ettore Pinelli (1843–1915)[94].

Wir stehen damit an der Schwelle zum 20. Jahrhundert, einer Zeit, die von einem beispiellosen Wiederbeleben alter Musik gekennzeichnet wird, und in der auch in Italien Bach zu den besonders bevorzugten Komponisten zählt.

---

88 Vgl. u. a. L'organista Saint-Saëns e l'organo italiano alla prova, in: Musica Sacra III, Mailand 1879, S. 17 f.
89 Brief von Marco Enrico Bossi an Verdi vom 8. April 1889 aus Como; Original im Verdi-Archiv, Sant'Agata. Herr Prof. Dr. Pierluigi Petrobelli, Direktor des Istituto di Studi Verdiani in Parma, konnte uns den vollständigen Text dieses langen, interessanten Schreibens über die Orgelreform in Italien (den Abbiati, a. a. O., Band IV, S. 369 f. ungenau und ohne Angabe des Datums erwähnt) mitteilen, wofür wir ihm unsere Dankbarkeit aussprechen.
90 Die Aufführung fand am 8. Juli 1888 im Rahmen des letzten von Martucci geleiteten Konzerts anläßlich der Bologneser Internationalen Musikausstellung statt. Petrali spielte auch ein Händelsches Orgelkonzert in B-dur (wohl Op. 4 Nr. 2). Über Petralis Aufführung von Bachs Präludium und Fuge D-dur gibt es widersprüchliche Berichte; vgl. dazu L'Organo VIII, 1970, S. 89, Fußnote 19.
91 R. Remondi, Cento e una Registrazione coi loro esempi per lo stile libero applicabili agli organi moderni, Mailand o. J., S. 101–105. Ein späteres, der „reformierten" Orgel bestimmtes didaktisches Werk Remondis (Gradus ad Parnassum. 167 Studi per la pedaliera dell'organo liturgico moderno, Op. 77, Turin o. J.) wird noch heute in den italienischen Musikkonservatorien gebraucht.
92 Vgl. u. a. Federico Mompellio, M. E. Bossi, Mailand 1952, S. 65 f.
93 Scelta sistematica e progressiva delle composizioni per pianoforte di G. S. Bach, Mailand o. J., in vier Bänden (Vorrede datiert Mai 1873).
94 Man verdankt Pinelli die erste italienische Ausgabe der Sonaten Bachs für Solovioline: Sei Sonate per violino solo di G. S. Bach. Edizione riveduta da E. Pinelli per uso del Liceo Musicale della R. Accademia di S. Cecilia di Roma, Mailand o. J.

SOCIETÀ DEL QUARTETTO

DI BOLOGNA

TEATRO COMUNALE

CONCERTI CXX-CXXI

DOMENICA 4 Giugno 1899, ore 14
LUNEDÌ 5 Giugno 1899, ore 21

(SOLI, CORO e ORCHESTRA)

PROGRAMMA

I.

BACH . . . . . - **Cantata:** « Jesu, der du meine Seele »
(soli, coro, organo e orchestra).

  1. Coro.
  2. Duetto (soprano e contralto).
  3. Recitativo ed Aria (tenore).
  4. Recitativo ed Aria (basso).
  5. Corale.

II.

BEETHOVEN - **Nona sinfonia** (in *Re minore*, op. 125)
(soli, coro ed orchestra).

  1. *Allegro ma non troppo, un po' maestoso.*
  2. *Scherzo. Molto vivace.*
  3. *Adagio molto cantabile.*
  4. (Recitativo). *Presto.* - *Allegro* **ma non**
troppo, ecc. - *Allegro assai.* - *Recitativo*
(basso solo). - *Allegro assai* (soli e coro).
Allegro assai vivace, alla marcia (tenore
solo e coro). - *Andante maestoso* (coro). -
Allegro energico, sempre ben marcato
(coro). - *Allegro ma non tanto* (soli e
coro). - *Prestissimo* (coro).

S O L I S T I

TICCI MADDALENA — FRANCHINI MARIA
BORGATTI GIUSEPPE — ARIMONDI VITTORIO

DIRETTORE
GIUSEPPE MARTUCCI

" Jesu, der du meine Seele "

Cantata di G. S. BACH

(Versione italiana dal testo tedesco del Conte FRANCESCO LURANI)

Coro.

Per salvar l'anima mia
Tu sei morto, o mio Gesù.
Di Satan la tirannia
Hai conversa in servitù.

Tu la preda a morte involi,
Col tuo verbo mi consoli.
È mio faro il tuo Vangel
E sarà mio porto il ciel!

Duetto (S. C.).

Io movo l'errante mio passo mal fermo
Signore, Maestro, piangendo vèr te.
Del figlio pentito per l'animo infermo
D'un padre nel core pietade sol v'è!
Ah! m'odi! ti chiama, chiedendoti alta,
Pastore divino, l'agnella smarrita,
Lo sguardo pietoso rivolgi su me!

Recitativo (T.).

. . . . . Di colpa
Un figlio sono e vo fra l'ombre errando,
La turpe lebbra delle colpe mie,
Sin ch'io mi sto quaggiù, non m'abbandona
E solo al fango agogno.. Eppur vorria
Miei ceppi infranti. Lasso! ah! non m'è dato
Domar la carne rea, chè per tal pugna
Forze non ho! Confesso, empio, confessa
Le colpe tue che innumerande sono!...
Ed ora il carco doloroso aduno
Di colpe e di rimorsi. Ahi! troppo è grave
Per me tal soma! Io la depongo a' piedi
Del mio Signor. Gesù, clemente sei!
Frena la destra ultrice!...

Aria (T.).

La lancia il livido
Fianco t'apri
E fonte vivido
Ne scaturì.
Fonte di grazie
E di pietà,
Che all'alme languide
Vita ridà!
Se il re del male — Satan m'assale,
Io so che vigile — m'assisti, io so
Che vincitor sarò!

Recitativo (B.).

La lancia, i chiodi, il fel,
L'avel, le verghe e delle spine il serto,
Or son trofei del Re del Ciel,
Che n'ha colla sua croce il regno aperto!...
Signor, che al fuoco dannerai
Un dì de' rei la turba gramma,
Me fra gli eletti chiama!...
Non temo il duol, travaglio il cor non tange,
Chè il mio Signor li sa! Di caritade
Arde per me. Nell' infinito ardore
Tu per t'immergi, o core!...
Ma se il cor nel duol risade,
Ma se l'alma ambascia invade,
Io, fidente, a te, Signor,
Offro in dono ed alma e cor.

Aria (B).

Ascolta l'implacato grido!
Su te vendetta — chiamando va.
Ma un Padre ho in cielo e in lui confido,
Che a me la pace — ridar potrà.
Ognun che in Dio sol creda,
Di Satana giammai non fia la preda!

Corale.

Credo, o Dio, ma inferno sono:
Nell' oblio non mi lasciar!
A' tuoi piedi, umile e prono
Tu mi vedi lagrimar.
Procelloso è il mar del mondo
Ed io l'ancora in te fondo.
Se da forte pugnerò,
Premio eterno, il cielo avrò!

La Cantata fu composta per la quattordicesima Domenica dopo la Trinità, su la poesia di Giovanni Rist.

Nella prefazione al Vol. VIII delle Cantate da Chiesa di Seb. Bach (ediz. Breitkopf), Guglielmo Rust intorno alla Cantata "Jesu, der du meine Seele", si esprime così:

« Nel coro principale della settantottesima Cantata " Jesu, der du meine Seele", noi ritroviamo il medesimo tema che servì pel *Crucifixus* della *Messa in Si minore*. Questi due componimenti, per quanto trattati in modo affatto diverso e per la forma e per l'essenza loro, portano tuttavia del pari nobilmente sulla fronte le stelle della immortalità, come i discenti degli antichi ».

Programm der Konzerte CXXX—CXXXI der Società del Quartetto, Bologna (4. und 5. Juni 1899): Aufführung unter der Leitung Giuseppe Martuccis von Bachs Kantate „Jesu, der du meine Seele" in der italienischen Übersetzung von Francesco Lurani.

Fuge b-moll (BWV 867/2) in der Abschrift Wilhelm Friedemann Bachs, ehemals im Besitz von Padre G. B. Martini, jetzt im Civico Museo Bibliografico Musicale, Bologna, Signatur DD 70.

Anhang

I. Werke Johann Sebastian Bachs, die sich im Besitz von Padre Giovanni Battista Martini befanden

a) Drucke

Clavir Übung bestehend in Praeludien, Allemanden, Couranten, Sarabanden, Giguen, Menuetten, und andern Galanterien [. . .] Opus I, In Verlegung des Autoris 1731.
Heutiger Fundort: Bologna, Civico Museo Bibliografico Musicale, Signatur: DD 68.

Dritter Theil der Clavier Übung bestehend in verschiedenen Vorspielen über die Catechismus- und andere Gesaenge, vor die Orgel [. . .] In Verlegung des Authoris (1739).
Heutiger Fundort: ebda., Signatur: DD 69.

Musicalisches Opfer (Leipzig 1747) ohne die den Titel und die Widmungsvorrede enthaltende Druckeinheit.
Heutiger Fundort: ebda., Signaturen: DD 73 (3st. Ricercar, Canon perpetuus super Thema Regium, Ricercar a 6, Canon a 2 Quaerendo invenietis, Canon a 4), DD 75 (Sonata sopr'il soggetto reale) und DD 76 (Regi Iussu Cantio Et Reliqua Canonica Arte Resoluta – Canones diversi super Thema Regium).

Die Kunst der Fuge (Leipzig 1752, mit Friedrich Wilhelm Marpurgs Vorbericht).
Heutiger Fundort: ebda., Signatur: DD 72.

b) Manuskripte

Praeludium C-dur (Wohltemperiertes Klavier, II. Teil) mit Fuge C-dur (dasselbe, I. Teil); Fugen As-dur (dasselbe, II. Teil) und b-moll (dasselbe, I. Teil), alles von der Hand Wilhelm Friedemann Bachs, um 1740[95].
Das Manuskript besteht aus vier Blättern (die wir hier als a, b, c, d bezeichnen), 20,5 x 33,5 cm, hoch, verschiedenartig vom Schreiber selbst rastriert (a^r und b^r 13zeilig; a^v 16zeilig; b^v, c^r, c^v und d^r 14zeilig; d^v 12zeilig). Das Papier ist bräunlich und weist kein Wasserzeichen auf. Die Blätter, die jetzt, nach einer Restaurierung, lose sind, waren früher paarig zusammengeklebt und bildeten zwei Einheiten: Auf a+b^{recto} Praeludium C-dur; Inschrift Preludio di Bach, am Schluß Segue la Fuga.
Auf b+a^{verso} Fuge C-dur; Inschrift Fuga di Bach à 4.
Auf c+a^{recto} Fuge As-dur; Inschrift Fuga di Bach.
Auf d+c^{verso} Fuge b-moll; Inschrift Fuga di Bach à 5 (siehe Abbildung S. 320 f.).
Beim Präludium C-dur läuft die Notierung über beide Seiten (a–b^{recto}).
Heutiger Fundort: ebda., Signatur: DD 70.

Toccata per Cembalo Allemanda, Corrente e Giga del Sig.^{re} Gio: Sebastiano Bach Direttore di Musica in Lipsia e Compositore.
6 Blätter (= 12 numerierte Seiten), ca. 36 x 26,5 cm, quer, 10zeilig rastriert; starkes, bräunliches Papier ohne Wasserzeichen. Es handelt sich um Toccata, Allemande, Courante und Gigue aus der Partita e-moll BWV 830 (Abschrift aus dem I. Teil der Klavierübung)[96].
Heutiger Fundort: ebda., Signatur: DD 71.

Fantasia chromatica, pro Cembalo Dal Sig.^{r} Giov: Sebastian Bach.
6 Blätter, ca. 30 x 23 cm, quer, 10zeilig rastriert. Geripptes Papier. Aus den Wasserzeichenfragmenten (am oberen Rand von Bll. 1, 2 und 4) läßt sich folgende Figur rekonstruieren: Kreis mit doppeltem Rand; innen eine Lilie, darüber ein Kleeblatt und darunter der Buchstabe M. Schrift wohl aus der zweiten Hälfte des 18. Jahrhunderts. Es handelt sich um die Chromatische Fantasie (BWV 903) ohne Fuge. Zahlreiche Fingersatzangaben.
Heutiger Fundort: ebda., Signatur: DD 78.

Sonate p. cembalo e Fughe di Gio: Sebastiano Bach.
20 Blätter (= 39 numerierte Seiten ab Blatt 1^v), ca. 30,5 x 22,5 cm, quer, 10zeilig rastriert. Dickes Papier ohne Wasserzeichen. Es handelt sich um eine Sammlung von Stücken abgeschrieben aus dem 1. und 3. Teil der Klavierübung: Menuett II und Gigue aus der Partita B-Dur, Fuge aus der Partita c-moll, Gigue aus der Partita a-moll, Choralbearbeitungen (ohne Überschriften) BWV 669, 670, 671, 677, 679, 680, 684, 685, 687, 689;

---

95 Auf Anfrage von Napoleone Fanti (†) und dank der Vermittlung von Erwin R. Jacobi (†), prüfte Herr Prof. Dr. Georg von Dadelsen die Handschrift und teilte am 6. September 1963 mit: „Die Kopie stammt absolut sicher von der Hand Friedemann Bachs und ist offenbar in den 1740er Jahren entstanden" (Dokumentation im Civico Museo Bibliografico Musicale unter der Signatur: DD 70).
96 Vgl. auch Richard Douglas Jones, KB zu NBA V/1, 1978, S. 38.

Duetto BWV 803; Fuge Es-dur BWV 552/2. Die Abschrift wurde wohl in Bologna in der zweiten Hälfte des 18. Jahrhunderts aus dem Originaldruck im Besitz von Padre Martini verfertigt[97].
Heutiger Fundort: ebda., Signatur: DD 77.

Sonate da organo d'ignoti autori. Antico manoscritto.
Sammelband verschiedener Kopisten aus der zweiten Hälfte des 18. Jahrhunderts. Auf dem Umschlag Titel (wie oben angeführt) von der Hand Gaetano Gasparis. 30 Blätter (7 lose Bogen + 4 Binionen) ca. 30,5 x 22,6 cm (Blätter 1–14) bzw. 30,5 x 22,1 cm (Blätter 15–30), quer, 10zeilig (Blätter 1–18, 23–26) bzw. 8zeilig (Blätter 19–22, 27–30) rastriert. Papier ohne Wasserzeichen. Der heterogene Sammelband enthält verschiedene Orgelstücke ohne Autorenangaben; die meisten konnten als Werke von Domenico Zipoli (Bll. 1–2^{r}), Giovanni Battista Martini (Bll. 3^{v}–4^{r}, 5^{v}–6^{r}, 6^{v}–5^{r}, 9^{v}–10^{r}, 12^{v}–11^{r}, 13^{v}–14^{r}) und Johann Sebastian Bach (Bll. 15–30) identifiziert werden. Bachs Kompositionen sind die Choralbearbeitungen BWV 682 bis 689 aus dem 3. Teil der Klavierübung; es handelt sich um eine beinahe diplomatische Kopie, zweifellos vom Exemplar im Besitz Padre Martinis. Sie stellt vermutlich das einzig erhaltene Überbleibsel einer vollständigen Abschrift dar.
Heutiger Fundort: ebda., Signatur DD 19[98].

Außerdem hatte Padre Martini am 9. März 1750 von Johann Baptist Pauli aus Fulda „Due duetti per cembalo" von Johann Sebastian Bach erhalten. Handelte es sich vielleicht um zwei Duette aus dem „Dritten Teil der Klavierübung"? Unter den Bologneser „Martiniana" sind solche Duette nicht mehr erhalten[99].

II. Notizen und Aufzeichnungen über Johann Sebastian Bach und seine Familie in Padre Martinis Briefwechsel und Schriften

Briefwechsel mit Johann Baptist Pauli, Fulda.
Am 13. Februar 1750 sendet Pauli an Martini „alcune sonatine del Bach stimato in quest' Imperio per l'unico organista del mondo; ed io benche non l'abbia inteso sonare, pure ne ò formato dalle sue sonate il mio parere, ciò ch'egli intenda nel contrapunto, il gusto, e portamento di mano" und bittet Padre Martini, die Bachschen Kompositionen zu beurteilen.
Am 9. März desselben Jahrs sendet Pauli an Martini die Liste der geschickten Kompositionen. Die Stücke von Bach sind:
Una toccata, allemanda, corrente e fuga per Cembalo [. . .]
Una fuga per Cembalo chiamata la fuga del Ré di Prussia [. . .]
L'istessa fuga à 6 [. . .]
Una sonata à Violino Flauto Traversiere e Basso [. . .]
Alcuni Canoni [. . .]
Due duetti per Cembalo [. . .]
Padre Martini bekommt die Kompositionen am selben 9. März durch einen gewissen Pietro Vanino und antwortet am 14. April 1750: „[. . .] Stimo superfluo voler descrivere il merito singolare del Sig. Bach, perche è troppo cognito ed ammirato nul solo nella Germania, ma in tutta la nostra Italia, solamente dico che stimo difficile trovare un Professore che lo superi, perchè oggi giorni egli può giustamente vantarsi di esser uno de primi che corrano per l'Europa."[100]
Fundort: Bologna, Civico Museo Bibliografico Musicale: G. B. Martini, Corrispondenza, H 86 96, H 89 97.

Briefwechsel mit Moritz Friedrich von Milckau[101], Stuttgart.
Am 8. November 1756, auf Veranlassung Jommellis, sendet Milckau an Padre Martini ein Verzeichnis von

---

97 Ebda. und Manfred Tessmer, KB zu NBA IV/4, 1974, S. 23.
98 Auf dieses Manuskript hat uns freundlicherweise Herr Sergio Paganelli aufmerksam gemacht; die Beschreibung verdanken wir Herrn Dr. Oscar Mischiati.
99 Vgl. unsere Anmerkungen 6 und 100.
100 Vgl. Dok II, Nr. 597, S. 467, 597a, S. 467 f. und 600, S. 469.
101 Der richtige Name ist wohl Milckau und nicht Milikan (wie im Catalogo della Biblioteca del Liceo Musicale de Bologna I, Bologna 1890, S. 123 und in Eitner, Biographisch-Bibliographisches Quellenlexikon, angegeben ist) oder Milikau (wie er in Schnoebelens Index des Briefwechsels Padre Martinis steht, vgl. oben, Anmerkung 11). Es handelt sich wahrscheinlich um den Sohn des gleichnamigen Freiherrn Moritz Friedrich von Milckau, Herrn auf Lehuse, königl. polnischen und kursächsischen Generals. Vgl. Ernst Heinrich Kneschke, Neues allgemeines Deutsches Adels-Lexicon, Leipzig 1930, S. 292 f. Auf diese mögliche Identifizierung machten uns Frau Martha Schuster und Herr Dr. Stefan Strohm, Stuttgart, liebenswürdigerweise aufmerksam.

„Autori di Musica Tedeschi" und ein „Discorso sopra qualch'eduni Autori Tedeschi". Am Schluß bemerkt Milckau:

„Per il Cembalo erano famosi Froberger, Kuhnau (gran Contrappuntista), Bach, e adesso son gli più famosi Händel, Bach il figlio, Wagenseil, Agrelle, Nichelmann, che hanno fatto stampare delle loro Composizioni."
Fundort: ebda., Cod. 30, Signatur: P 119, Bll. 71 und 72 (Briefe Milckaus vom 21. Oktober 1756 an Jommelli und vom 8. November 1756 an Padre Martini); Bll. 73–89 (Verzeichnis deutscher Musiker).

Briefwechsel mit Johann Amadeus Naumann, Dresden.

Am 18. August 1774 sendet Naumann an Padre Martini einen Kupferstich von Johann Sebastian Bach:

„[. . .] Sento poi che la faccj una raccolta di ritratti di celebri maestri antichi e moderni, mi è riuscito d'avere lo stampo in rame somigliantissimo del famoso Sebastian Bach, e credendo di farle cosa grata, mi prendo la libertà di mandarglielo, supplicando che gradisca la buona intenzione."[102]
Dieser Kupferstich (wohl derjenige von Kütner) ist jetzt in Bologna nicht mehr auffindbar.
Fundort des Briefs Naumann: ebda., G. B. Martini, Corrispondenza, H 84 170.

Notiz („Pro Memoria") über die Entstehungsgeschichte des Musikalischen Opfers. Wohl von Pauli 1750 an Padre Martini als Ersatz für die fehlende Titel und Widmungsvorrede im gesandten Exemplar geschickt[103]
Fundort: ebda., Miscellanea Martiniana, Signatur: H 65, Bl. 79.

Notiz über die Musikerfamilie Bach, von Padre Martini am 31. Mai 1761 auf einer leeren Seite eines Briefes an ihn vom Pompeo Sales (vom 28. März 1761) aufgezeichnet[104].
Fundort: ebda., G. B. Martini, Corrispondenza, H 84 105.

Notiz von Padre Martinis Hand über Johann Sebastian Bachs Söhne und Johann Philipp Kirnberger:
Kirnberger M.^{ro} di Cap^{lla} della Principessa Amalia in Berlino
Carlo Filippo Emanuele Bach Org^{sta} e M^{ro} di Cap. in Amburgo
Cristiano Bach in Inghilterra
Friedeman Bach a Berlino
Fundort: ebda., Miscellanea Martiniana, Signatur: H 65, Bl. 58.

Jo. Sebastian Bach wird in einem unvollständigen, von Padre Martini redigierten „Indice degli Autori de Trattati di Musica, che sono presso di me, così pure degl'Auttori Prattici" zitiert, im Sammelband „Scrittori di Musica. Notizie storiche" (Ms. in-folio, 504 beschriebene Seiten), S. 261–265 (vgl. insbesondere S. 264).
Fundort: Bologna, Biblioteca del Convento di San Francesco, Ms. 47.

Beginn der Choralbearbeitung „Dies sind die heilgen zehn Gebot" aus dem Dritten Teil der Klavierübung (BWV 678) zitiert als Beispiel der Behandlung der Quinte und der Quarte als Dissonanzen (in den Zusammenhängen $\frac{6}{5}$ und $\frac{5}{4}$)[105].
In: G. B. Martini, Storia della Musica, Tomo Primo, Bologna 1757, Della Volpe, S. 285, Ex. 235.

---

102 Wiedergegeben auch in Dok III, Nr. 792 a, S. 277 f.
103 Text in Dok III, Nr. 633, S. 4 f.
104 Text in Dok III, Nr. 709, S. 158.
105 Beispiel wiedergegeben in Dok III, Nr. 689, S. 117 f.

Christoph Trautmann

Was Theodor Fontane und die Bachforschung links liegen ließen

Mit Abschluß der „Bach-Dokumente"[1] treten die „weißen Flecken" in der Biographie Johann Sebastian Bachs deutlicher hervor als früher; ja, sie bedingen eine Tendenzwende der Bachforschung: Es ist notwendig, da wir „mit unserem Latein am Ende sind, . . . einmal nicht vom Vorhandenen auszugehen", sondern „dankbar . . . jede neuerschlossene . . . Quelle zur Kenntnis" zu „nehmen", auch wenn sie „auf den ersten oder zweiten Blick zur Kritik herausfordern sollte"[2]. Ich gehe einen Schritt weiter: Jede, auch die letztrangig belegte Überlieferung sollte zunächst dem Fundus zugeführt werden. Ihr Wahrheitsgehalt, Wert oder Sinn wird sich dann allemal irgendwann genauer erforschen lassen.

Seit Wanderungen durch die Mark Brandenburg wieder möglich sind, kam eines Tages auch das Kloster zum Heiligengrabe zwischen Wittstock und Pritzwalk in der Ostprignitz ins Blickfeld[3]. Theodor Fontane erwähnte das 1287 gegründete Zisterzienser-Nonnenkloster im dritten Bande seines gleichnamigen Buches nur in einem Einleitungskapitel. Über die märkisch-lausitzischen Klöster schrieb Fontane nach ihrer Aufzählung dort lediglich, daß diese nach der Reformation fast alle zerstört worden seien, bzw. verfallen oder z. B. gar als Zuckerfabriken genutzt worden wären. Da Heiligengrabe aber als „Edeljungfrauen-Stift" und nach 1945 als kirchliche Sozialeinrichtung besteht und die Klosterkirche dem Gottesdienst nutzbar geblieben ist, gibt es dort für eine Mark den obligatorischen Führer über Geschichte und Kunstschätze[4] zu kaufen. Kreuzgang und Klostergarten laden zum besinnlichen Verweilen ein, und der Führer gibt einen bemerkenswerten Satz preis, der vielleicht mehr als eine Mark wert ist: „1747 wurde die damals neue Orgel von Johann Sebastian Bach gespielt, als er Heiligengrabe besuchte." Als Quelle ist eine von Werner von Kieckebusch, Potsdam, seit 1939 erarbeitete, 1949 abgeschlossene maschinenschriftliche Chronik angegeben[5]. Auf Seite 187 findet sich dort ein ähnlicher, aber sehr bestimmt formulierter Satz: „Auf dem neuen Instrument spielte auch Johann Sebastian Bach, als er während seines Aufenthaltes in Berlin im Jahre 1747 das Stift Heiligengrabe besuchte." Eine Fußnote nennt nur Bachs Lebensdaten 1685/1750.

Aus Werner von Kieckebusch' ausführlicher Chronik lassen sich über die Orgel und über beteiligte Personen einige Daten gewinnen. Zunächst zur Orgel: Durch einen großen Brand am 15. September 1719 wurde das reichgeschmückte Innere der Klosterkirche fast völlig vernichtet. Ab 1737 begann der Wiederaufbau (S. 146). Im Jahre 1713 war der Orgelbauer Christian Kreynow mit der Instandsetzung der alten Orgel beauftragt worden, die jedoch nicht hielt, was man von ihr erwartet hatte. Im April 1725 wurde deshalb der Orgelbauer David Baumann mit einem Neubau für 300 Taler betraut. Wegen guter Arbeit wurden 10 Taler zugelegt (S. 186/187). Daran schließt der obenzitierte Satz über Bach an.

Abgesehen von den offenbar nicht recht zueinander passenden Jahreszahlen und Sachverhalten interessiert vielleicht hier David Baumann in erster Linie. Er soll aus Friedland in Mecklen-

1 Dok I–III.
2 Vgl. Hans-Joachim Schulze, Über die „unvermeidlichen Lücken" in Bachs Lebensbeschreibung, in: Bachforschung und Bachinterpretation heute. Wissenschaftler und Praktiker im Dialog. Bericht über das Bachfest-Symposium 1978 der Philipps-Universität Marburg, herausgegeben von Reinhold Brinkmann, Kassel etc. 1981, S. 32 und 37.
3 Die Anregung zu dieser Studie verdanke ich Dr. med. Hilmar Körner, Berlin (vgl. auch BJ 1980, S. 83 ff.).
4 Vgl. Katharina Klumpp, Kloster Stift zum Heiligengrabe, Berlin 1979, hierfür S. 26.
5 Fundorte: Kirchliches Zentralarchiv, Berlin-Charlottenburg, Jebensstr. 3 und Klosterstiftsarchiv Heiligengrabe. (Der dortigen Archivarin, Frl. von Abendroth, bin ich für Rat und Hilfe zu Dank verpflichtet.)

burg oder Friesack/Mark stammen und ist bisher fast nur wegen seiner Orgeln in Dom und Schloß Schwerin bekannt geworden[6]. Die Orgel in Heiligengrabe weist (nach der 1955/56 durchgeführten Erneuerung durch die Firma Schuke, Potsdam) folgende gegenüber Baumann nicht veränderte, aber unter wesentlicher Materialerneuerung stehende Disposition auf:

I. Unterwerk	II. Oberwerk	III. Pedal
Principal 4'	Principal 2'	Subbass 16'
(im Prospekt)	(im Prospekt)	Oktave 8'
Gedackt 8'	Gedackt 8'	Gedacktpommer 4'
Quinte 3'	Gedackt 4'	————
Oktave 2'	Mixtur 3fach 1/2'	Manualkoppel II/I
Mixtur 3fach 1'	Vox humana 8'	Pedalkoppel P/O
Dulcian 16'		

Die in den Registerbenennungen zwar wohl etwas modernisierte Orgel, deren schöner Prospekt von 1725 aber weitgehend unverändert wiederhergestellt wurde, kann damals kaum der eine Reise auslösende Anziehungspunkt für Johann Sebastian Bach gewesen sein. Irgendwelche persönlichen Hintergründe haben sicherlich eine Rolle gespielt.

Die Verifizierung der aus dem Archiv des Stifts heute nicht näher belegbaren Nachricht (Teile des Stiftarchivs sollen gegen Ende des Krieges nach Lübeck oder Lüneburg verlagert worden sein) von Bachs Aufenthalt in Heiligengrabe scheint für die Zukunft aber nicht völlig aussichtslos.

Im Jahre 1747 könnte Johann Sebastian Bach in Potsdam Hans Carl von Winterfeldt (1709 bis 1757) kennengelernt haben, von dem wir wissen, daß er sich als persönlicher Adjudant „nach dem Friedensschluß von 1745 fast beständig um die Person des Monarchen aufhielt und ihn auf allen seinen Musterungen und Reisen begleitete". Und von Friedrich II. ist nach von Winterfeldts Tod der Satz überliefert: „Wider die Menge meiner Feinde werde ich schon Mittel finden, aber ich werde keinen Winterfeldt wiederfinden."[7]

So gewinnen die weiteren Fakten aus der von Kieckebusch'schen Chronik, jetzt zum Stiftskollegium, einige Bedeutung: Juliane Augusta Henrietta von Winterfeldt, eine Witwe aus dem Hause Schmarsow in der Uckermark, wurde im Frühjahr 1740 von Friedrich Wilhelm I. zur neuen Domina des Klosters ernannt, und er verlieh der Klosterschaft einen eigenen Orden[8]. Friedrich II. erhob das Kloster bereits 1741 zum Stift und Henrietta von Winterfeldt, die bis zu ihrem Tode 1790 amtierte, zur Äbtissin (S. 79/80). Das Kloster stand dem König bzw. dem Hof für Hebungen zur Verfügung; an einer dieser Hebungen könnte Bach Anteil bekommen haben, als Honorar für sein Spiel vor dem König, denn der Potsdamer/Berliner Hof litt chronisch an „Geldmangel". Kurz vor Bachs Besuch in Heiligengrabe war außerdem Joachim Detleff von Winterfeldt, aus der gleichen Familie, am 13. Januar 1746 zum Stiftshauptmann bestimmt worden, der er bis zu seinem Tode 1787 blieb (S. 135). (Carl von Winterfeldt / Der evangelische Kirchengesang entstammte demselben uckermärkischen Geschlecht.)

Auch scheint möglich, noch andere Beziehungslinien Bachs in den Raum nördlich Berlins anzuvisieren, wobei Heiligengrabe nur Zwischenstation gewesen wäre: Bislang ist der Bachforschung noch unbekannt, wie die Bekanntschaft zwischen Bach und Müthel entstanden ist. Johann Gottfried Müthel (1728–1788) könnte Bach schon vor seinem Leipziger Aufenthalt im Jahre 1750 gekannt haben, ihn also auch schon zu Beginn seiner Schweriner Tätigkeit (ab 1747 oder schon ab 1744)[9] dort getroffen haben. Sollte dies der Fall gewesen sein, würde sich die Linie bis Johann Christian Bach nach London gegebenenfalls anders darstellen lassen als bisher.

---

6 Vgl. Walther Haacke, Die Entwicklungsgeschichte des Orgelbaues im Lande Mecklenburg-Schwerin, Wolfenbüttel und Berlin 1935.

7 Vgl. Staats- und Gesellschafts-Lexikon. Herausgeben von Hermann Wagner, Berlin 1866, Band 23, S. 308 f.

8 Vgl. Handbuch des preußischen Staates und Hofes 1795, Berlin (Landesarchiv).

9 Vgl. MGG 9, Sp. 914, und für 1744: BJ 1953, S. 26, Nr. 74.

Bekanntlich hatte sich die Gemahlin des Königs Georg III. von England gleich nach ihrer Hochzeit am 8. September 1761 „einen deutschen Musikmeister" gewünscht. Hätte sich Johann Sebastian Bach mit gleichem Applaus wie in Potsdam 1747 auch noch in Schwerin hören lassen, nähme es heute kaum wunder, daß sich die mecklenburgisch-gebürtige Prinzessin Charlotte Sophia (1744—1818) trotz oder wegen ihrer Jugend von damals nur 17 Jahren durch Korrespondenz mit dem älteren Bruder vom möglichen Schweriner „Bach-Fieber" hätte anstecken lassen. Jedenfalls reiste Johann Christian 1762 von Italien über Schwerin, wo er 100 Taler Reisegeld erhielt, nach London und wurde dort als „Saxon Master of Music" angekündigt, obwohl „Italian Master of Music" fast einen interessanten Klang gehabt hätte. Die kunstliebende Königin legte aber eben vielleicht gerade auf seine sächsische Abkunft (vom alten Bach) wert[10].

Weder die schon mehrfach erwähnte Chronik des Klosters zum Heiligengrabe noch andere Archivalien weisen heute aus, wer zur Zeit Bachs dort Kantor gewesen sein könnte. Daß es solche gab, geht aus der Tatsache hervor, daß die Orgel in früherer Zeit von ihrer Rückseite aus (für die Nonnen unsichtbar) spielbar war.

Stiftspfarrer um 1747 war Joachim Lehfeld, geb. 1695 in Perleberg, ab 1724 Pfarrer in Quitzow und ab 1730 bis zum Tode 1771 in Heiligengrabe; begraben wurde er in Techow (Chronik S. 167), dem nächstgelegenen Kirchdorf, das er wohl mitversah. (Im Klosterhof wurden nur die weiblichen Mitglieder der Klosterschaft bzw. des Stifts begraben.)

Eine andere Möglichkeit, wie Bach nach Heiligengrabe gekommen sein könnte, liegt bei Carl Philipp Emanuel Bach. Dieser hätte seinem Vater vielleicht den Ort seiner ersten festen beruflichen Tätigkeit, nämlich Schloß Rheinsberg, zeigen wollen, von dem er noch später gern sprach. Rheinsberg liegt nur einige zwanzig Kilometer ab von Heiligengrabe in südöstlicher Richtung, und das Stift hätte dann vielleicht auch nur als mehr oder weniger zufällige „Gaststätte" gedient.

Schließlich möchte ich noch darauf hinweisen, daß bis in unsere Tage ungeklärt ist, was Johann Sebastian Bach 1741 verhältnismäßig lange in Berlin beschäftigte. Schwiegertochter und Enkel gab es noch nicht, und über öffentliches Auftreten damals in Berlin ist nichts bekannt geworden. Die Reise mag bis zu drei Wochen gedauert haben, und auf eine Mitteilung vom 5. August 1741 über Anna Magdalenas Erkrankung hat Johann Sebastian Bach offenbar nicht sogleich reagiert, sondern es wurde eine weitere, dringendere Bitte um baldige Rückkehr vom 9. August 1741 nötig[11]. Er mag sich also gar nicht die ganze Zeit in Berlin aufgehalten haben. So könnte der Besuch in Heiligengrabe auch schon während dieser Zeit stattgefunden haben. Dies läßt sich aus den Archivbeständen zur Zeit aber ebenso wenig stützen.

Jedenfalls beansprucht solch ein bisher unbekannt gebliebener Reiseort Johann Sebastian Bachs sicherlich in Zukunft einige Aufmerksamkeit der Bachforschung; die Vorbereitung der 700-Jahr-Feier des Klosters zum Heiligengrabe möge auch das hierfür entscheidende dokumentarische Material bis 1987 wieder zum Vorschein bringen.

---

10 Vgl. zum ganzen Absatz MGG 1, Sp. 944, und Encyclopedia Britannica, London 1979/1980, vol. 7, column 1125g und auch vol. 2, column 769a.
11 Vgl. Dok II, Nr. 489 und 490.

Alan Tyson

The Dates of Mozart's Missa brevis KV 258 and Missa longa KV 262 (246a)
An Investigation into his „Klein-Querformat" Papers

Immediately after his return to Salzburg from his third and last Italian journey in March 1773, Mozart began to make regular use of music paper of a size that he had scarcely ever employed before. Such paper was described by Köchel in the first edition (1862) of his catalogue as *Klein-Querformat*, i. e. „small oblong format". Its leaves measure approximately 170 mm x 225 mm (vertical dimensions first); all of them are ruled with ten staves, and the „total span" (or TS)[1] of the staves varies in different types of the paper from just under 137 mm to just under 139 mm.

Although this paper was considerably smaller than almost anything that Mozart had used up to then[2], he evidently took a liking to it. In the next four and a half years, in fact – the period from March 1773 up to his departure from Salzburg for Munich, Mannheim, and Paris in September 1777 – the majority of his scores excluding operas are on *Klein-Querformat* paper. It is clear that he also had a quantity of it with him on his long sixteen-month journey (although from time to time he availed himself of other papers obtained locally in Mannheim, Paris, and elsewhere), and he continued to use it for one or two scores written after his return to Salzburg in January 1779. Soon after that, however, Mozart reverted to oblong paper that can no longer be described as „small", the leaves measuring very approximately 225 mm x 305 mm. And with almost no exception he employed such larger papers till the end of his life. Until he moved to Vienna in April 1781 the papers were normally ruled with ten staves; but after he had settled there he almost always used twelve-stave papers – a useful distinction which (in spite of a number of exceptions[3]) is of some practical use in problems of dating.

In the years from 1773 to 1779, the *Klein-Querformat* years, Mozart used at various times five different types of these small papers. A careful examination of the periods within which each of them was available to him may help in fixing the times at which he wrote some insecurely dated scores, such as the two masses named in the title of the present essay.

*

Certainly there is no date today on the score of KV 262, now in the Biblioteka Jagiellońska, Kraków (the first leaf has not survived in autograph, a point discussed below). But why should

---

1 This is the vertical distance from the top line of the top stave to the bottom line of the bottom stave on a page. When a batch of paper is ruled mechanically (as is the case with all the music paper to be discussed here), the „total span" (TS) remains almost constant and can sometimes be used to identify it. Other features of the stave-ruling, as we shall see, can also help in identifying the paper-type.

2 The most important exception is a paper that he bought in Italy early in 1770; it is found in the first three movements of the string quartet KV 80 (73f), written at Lodi on 15 March, in the Contradanza KV 123 (73g), written at Rome c. 14 April, and probably also in the two minuets KV 61g. The watermark shows the letters „PA" in a circle, surmounted by a trefoil, and with the letters „BMo" (= Bergamo) under it; the TS is 144.5-145 mm. The same paper was used by Leopold Mozart for copying the Miserere KV 85 (73s), dated „Bologna 1770", and for transcriptions of some works by Ernst Eberlin (KV[6] Anh. A 82, 83, 84, 85). – Of three further papers in *Klein-Querformat* scores, those of the minuet KV 122 (73t), the fragmentary tenor aria KV 71, and the seven minuets KV 61b, the first two were almost certainly bought in Italy in the spring of 1770; the third, however, is dated „26 January 1769" and is probably a „Salzburg" paper.

3 One obvious exception is provided by the ten-stave papers that Mozart purchased at the time of his stay in Salzburg from July to October 1783. Some of these were used for writing down the extra wind parts to the Mass in C minor, KV 427 (417a), and others for sketches and drafts of „L'oca del Cairo", KV 422.

there be any problem over the date of KV 258? For all the editions of Köchel from the first (1862) to the sixth (1964) indicate that the autograph score of that mass (Staatsbibliothek Preußischer Kulturbesitz, Berlin/West) is dated: „nel Mese Decembre 1776". (The writing is tentatively identified in KV[6] as Leopold Mozart's.) And we are given no hint that there is anything about this date to arouse suspicion.

Unfortunately this is an area in which Köchel's catalogue is not always a sound guide. There is, for instance, no hint in any edition of Köchel that there is something problematical about the dates on the autographs of the five violin concertos KV 207, 211, 216, 218, and 219, all of which are assumed there to have been composed between April and December 1775. Yet in 1957 Ernst Hess drew attention to an obvious feature of the autograph of KV 219 (Library of Congress, Washington): in the date on the first page, „li 20 di decembre/1775", the last two figures of the year had been tampered with[4]. Could we therefore be sure that KV 219 was written in 1775? The whole matter was reviewed briefly by Wolfgang Plath not long ago[5], and will certainly be discussed further now that the scores of KV 207, 211, 216, and 218, for long inaccessible, are once again available (in Kraków) for study. For the dates on these four concertos have been changed in a similar way to that of KV 219; according to Plath, the likeliest explanation is that the original dates on all the concertos – except for KV 207[6] – were indeed „1775", but that at some stage they were changed to „1780" and then back again.

An examination shows that, in spite of Köchel's silence on this point, the year on the autograph of the Missa brevis KV 258 has also been tampered with. And the same proves to be the case with the two other masses that are still bound up with it: KV 257 and KV 259. The dates on their autographs are recorded in KV[6] as „nel Novb: 1776" and „Decembre 1776" respectively – yet in both cases the last figure of the year is suspect (with KV 257, the last two figures). Did these three masses originally carry other dates – „1775", for instance? It looks at all events as if we should be grateful for any other clues to the times of their composition. And the same will apply to the Missa longa KV 262, which carries no date, as well as several other *Klein-Querformat* scores of symphonies and other works from these years on which the dates have been made illegible by heavy crossings-out.

*

The five different kinds of *Klein-Querformat* paper used by Mozart in the years 1773–1779 can be divided into three common types and two rare types.

Type I. This is the paper that Mozart began to use immediately after his return from Italy to Salzburg on 13 March 1773. We can in fact take that date as the *terminus post quem* for our *Klein-Querformat* papers; for none of the scores that he had completed in Salzburg in the summer and autumn of 1772, nor any that date from his months in Italy in the winter of 1772/3, are on paper of this small size. The first of these *Klein-Querformat* scores that has come down to us is that of the divertimento KV 166 (159d), dated „il 24 di Marzo 1773", i. e. only eleven days after his return to Salzburg; and the second is probably that of the E-flat symphony KV 184 (161a), for its date, though vigorously crossed out, has been read as „30 di marzo 1773"[7]. Both scores are on paper of Type I, as are a large number of others that Mozart completed in the course of the next two years. They are listed at the end of this essay (pp. 334 f.). It is perhaps

4 See Ernst Hess, preface to miniature score of KV 219 published by Bärenreiter (TP no.20), p.3, footnote 9.
5 Wolfgang Plath, Beiträge zur Mozart-Autographie II. Schriftchronologie 1770–1780, in: Mozart-Jahrbuch 1976/77, Kassel etc. 1978, pp. 166 f.
6 The original date on the autograph of KV 207 may have been „1773". (Personal communication from Dr. Plath.)
7 See Neue Mozart-Ausgabe (NMA) IV/11/4, p. X.

worth recording that whereas earlier visits of the Mozart family to Vienna had sometimes been characterized by the appearance of new paper-types in the scores written there, Mozart seems to have continued to use paper of Type I during the time from July to September 1773 which was spent in Vienna. Whether he had brought it all from Salzburg or whether he purchased more of it in Vienna cannot be determined, but the former seems more likely.

Here are the features by which paper of Type I can be identified:

Rastrology. 10-stave paper, with TS of 136.5-137 mm. A characteristic feature, recognizable in photographs, is that at its start the fifth line of the bottom stave projects a little further to the left than the fourth line.

Watermark (see p. 337).Mould A: on left, a crown over a shield that contains a lion[8] rampant facing to the left (i.e. towards the outside of the paper); on right, a crown over the letters „GF". Mould B: the same overall pattern in reverse, except that here the lion rampant is also facing to the left (i.e. towards the middle of the paper).

A careful review of all the *Klein-Querformat* scores from these years with dates by Mozart (or by his father) that have not been tampered with makes it clear that he continued to use paper of Type I, and of that type only, at least until May 1775. From that month come the two dated tenor arias KV 209 and KV 210. Soon after that, however, the sources show that he had moved on to paper of Type II.

Type II. This paper was used by Mozart for at least a year and a half. The first scores that consist *wholly* of Type II paper are from August 1775: KV 204 (213a), KV 215 (213b), and KV 214[9]. The list at the end of this essay shows that Mozart continued to employ it for the rest of 1775 and for the first nine months of 1776, as well as in two scores dated January 1777: the divertimento KV 270, and the piano concerto KV 271. And Type II is also found in the scores of the three masses KV 257, 258, and 259 — but whether the dates given to them in Köchel, November and December 1776, are correct is part of the subject of this essay.

Type II paper can be identified as follows:

Rastrology. 10-stave paper, with TS of 138.5 mm. The fifth line of the bottom stave is normally a little shorter as the left-hand side than the other four lines of the same stave. Once again, this feature can been seen in photographs.

Watermark (see p. 338). Mould A: on left, the letters „FC"; on right, three hats[10] over the letter „R". Mould B: the same overall pattern in reverse.

Type III. Apart from the two scores of January 1777 mentioned above (KV 270 and 271), all the *Klein-Querformat* scores that have come down to us bearing dates from the years 1777, 1778, and 1779 are on paper of this third type. It has the advantage of being readily identifiable in photographs, so it has been possible to add one or two scores which are no longer accessible to the list of Type III autographs at the end of the essay.

The earliest surviving score on this paper appears to be the divertimento KV 287 (271H). Its date was cut off at a very early period; although André claimed to have evidence that it had been „February 1777", the consensus today is that the score was written out in June[11]. Mozart

---

8 According to Walter Senn's KB to KV 194 (186h), NMA I/1/Section 1/Vol. 2, p. b/30, a „springende Raubkatze (Tiger oder Panther)"; but a lion — of the kind found in many papers from Lombardy — seems more likely.
9 The date on KV 204 has been crossed out, but has been read as „li 5 d'agosto 1775" (see NMA IV/12/3, p. VIII); the other two dates are intact.
10 For illustrations of similar watermarks depicting three bell-like hats, compare Georg Eineder, The Ancient Paper-Mills of the former Austro-Hungarian Empire and their Watermarks, Hilversum 1960, nos. 693, 697, 698.
11 See NMA VII/18, p. XIII, where Albert Dunning follows Carl Bär (Die Lodronschen Nachtmusiken, Mitteilungen der Internationalen Stiftung Mozarteum, X [June 1961], pp. 19 ff.) in connecting KV 287 with the performance of an unidentified work for the Countess Lodron on 16 June 1777 (three days after the Countess's name-day).

not only continued to use this paper up to the time that he set off on his long journey on 23 September 1777 (cf. the aria KV 272 from August and the Graduale KV 273 from 9 September), but he took a supply with him on his travels. For we find it in the four preludes KV 284a = 395 (300g), seemingly written in Munich at the beginning of October, in the flute quartet KV 285 (Mannheim, 25 December), and in the concerto for flute and harp KV 299 (297c), apparently written in Paris in the spring of 1778. From time to time further supplies of such conveniently light paper may have been sent from Salzburg by Leopold; one such dispatch (to Augsburg) is mentioned by Leopold in his letter of 9 October 1777, and on the travellers' arrival in Paris Maria Anna Mozart reported to her husband (letter of 24 March 1778[12]): „We managed to get through the customs examination all right except for Wolfgang's small music paper, for which he had to pay 38 sous."

It is likely enough that Mozart kept such paper mainly for scores that might have to travel by mail — such as the bravura aria for Aloysia Weber KV 316 (300b), dated „Monaco [Munich] li 8 di gennaio 1779" but perhaps begun in Paris the previous June. Other works that he kept by him, such as the six violin sonatas KV 301–306 (293a, 293b, 293c, 300c, 293d, 300l) or the A-minor piano sonata KV 310 (300d), were written down on Mannheim or Paris papers. And when he finally returned to Salzburg in January 1779, he adopted *Querformat* paper of ordinary size for the majority of his scores, as he was to do for the rest of his life. There are a very few works, most of them apparently written soon after his return, that are still on Type III paper: the well-known „Coronation" Mass, KV 317 (23 March 1779), the symphony KV 318 (26 April 1779), and church sonata KV 328 (317c) (undated). From this time on, Mozart abandons not only Type III paper but almost without exception[13] all *Klein-Querformat* paper.

The features by which Type III paper can be recognized are as follows:

Rastrology. 10-stave paper, with TS of 138–139 mm. The individual lines in the staves are thicker than in Types I and II. Type III is very easily recognized in photographs by the presence of vertical lines ruled at the beginnings and ends of the staves — the only *Klein-Querformat* paper used by Mozart (apart from the score of KV 61b) to have them.
Watermark (see p. 338). Mould A: on left, three crescent moons; on right, the letters „FS"[14]. Mould B: the same overall pattern in reverse. The paper is thicker than that of the other *Klein-Querformat* types.

Summing up, then, we can set the following approximate limits to Mozart's use of Types I–III: Type I, from March 1773 to May 1775; Type II from August 1775 to January 1777; Type III, from June (or even February?) 1777 to about April 1779. The question next arises: what type or types did Mozart use in June and July 1775?

Three scores have survived that appear to be from those months. One, the church sonata KV 212 (July 1777), is not on *Klein-Querformat* paper so it need not be considered here. A second, the violin concerto KV 211, is on *Klein-Querformat* paper, but has to be treated with caution since — as we have already seen — its date, cited in KV[6] as „li 14 di giugno 1775", has been tampered with. But the third, the divertimento KV 213, which is dated „nel Luglio 1775", gives rise to no such qualms.

---

12 Mozart. Briefe und Aufzeichnungen. Gesamtausgabe, gesammelt (und erläutert) von Wilhelm A. Bauer und Otto Erich Deutsch, Vol. I–IV (= Bauer-Deutsch, Kassel etc. 1962/63), Vol. II, No. 439, p. 329.
13 The only exception known to me is a bifolium (Salzburg, St. Peter), with autograph cadenzas to KV 175 (first two movements) and KV 382, and two *Eingänge* for KV 271. This was perhaps sent by Wolfgang from Vienna to his sister Nannerl in Salzburg on 15 February 1783; see Bauer-Deutsch, Vol. III, No. 728, p. 256. The paper-type of this bifolium is not among those discussed here; its watermark (top half of a sheet only) shows a brimmed hat under an ornamental baldachin (?), and a crown (?). The TS of the ten staves is 133 mm. – Cf. also the cadenzas to KV 365 (316a) copied by Leopold (with additions by Wolfgang) on Type II paper, and the cadenzas to KV 413 (387a) copied by Leopold on Type III paper.
14 The „S" is formed from three straight lines, resembling a „Z" in reverse.

The divertimento's six leaves prove on examination to be four leaves of Type II followed by two leaves of Type I. This seems entirely appropriate for a work written at the time that Mozart was passing from one paper-type to another. The violin concerto KV 211 also contains the same mixture: sixteen leaves of Type I followed by twelve leaves of Type II. Surely this is strong evidence that in spite of the alteration of the date on its autograph, the concerto was written in June 1775.

And there is one other score in which a mixture of Types I and II is to be found. This is the Missa longa, KV 262. For folios 2–44 and 57–58 are of Type I, and folios 45–56 are of Type II. (The present first leaf is in the hand of a copyist, evidently replacing an autograph leaf lost at some time before 1800[15].) Thus we are, I believe, justified in assigning the composition-time of KV 262 to that period of two months in which we find Mozart changing from Type I to Type II paper, and using both within a single score. The Missa longa KV 262, it seems, was written in June or July 1775, though at present it is not possible to identify the occasion that gave rise to a work of such size and splendour[16].

*

It is time to turn to the autograph score of the Missa brevis KV 258, which will at the same time introduce our remaining types of *Klein-Querformat* paper — the two rare ones.

This autograph consists of 30 leaves[17]. The first 28 leaves form seven „single-sheet gatherings" (i. e. gatherings consisting of two bifolia that come from the same original sheet of paper); the last two leaves are a bifolium. What is surprising is that no fewer than three different paper-types are involved.

Folios 1-24 are of Type II paper. But folios 25-28 are from a sheet of a different kind, which we can call *Type IV*. This rare type can be recognized by the following features:

Rastrology. 10-stave paper, with TS of 136.5-137 mm. No line in the bottom stave is conspicuously longer or shorter than the others.

Watermark (see p. 339). Mould A: on left, a „Venetian" lion facing to the left (i. e. towards the outside of the paper), over the reversed letter „F"; on right (but starting on left), the name „F. CALCINARDI" over „TOSCOLANO". Mould B: the same overall pattern in reverse.

It is an obvious deduction that „F. Calcinardi" is the full name of the paper-maker at Toscolano (on the west bank of the Lago di Garda) represented in Type II merely by the letters „FC".

Type IV paper has been found in only one other score, the autograph of the violin concerto KV 219 in Washington, already referred to earlier. Of its 46 leaves, 42 are of Type II paper; but folios 37-40 are a single-sheet gathering of Type IV paper. The date on this autograph, „li 20

---

15 André seems to have believed that it was the removal of the score of the mass KV 220 (196b) from the volume into which KV 262, 257, 258, and 259 had also at one time been bound that resulted in the loss of the first leaf of KV 262; for he supposed that the first bars of KV 262 had been written on the last leaf of the KV 220 score. But it would have been most uncharacteristic of Mozart to have begun a large-scale new work on the last leaf of a score that he had written earlier, and today we can see that the missing first leaf of KV 262, replaced by the copyist, had been the first leaf of a new gathering.

16 For recent reviews of the problematical date of KV 262, and for an attempt to determine the occasion for which it was composed, see the remarks of Walter Senn in NMA I/1/Section 1/Vol. 2, pp. XVI f., and (more fully) in his Beiträge zur Mozartforschung, in: Acta Musicologica XLVIII, 1976, pp. 210–227. A service in the cathedral at Salzburg on 17 November 1776 at which Count Ignaz Joseph von Spaur was consecrated as coadjutor and administrator of the diocese of Brixen and also as titular bishop of Chryso-pel, is proposed there; but the fact that nearly all of the score is on Type I paper indicates that at any rate its date of composition was over a year earlier.

17 The foliation of the autograph in fact runs from 1 to 28, since two completely blank leaves at the end of the Credo were not foliated. The present discussion assumes a numbering of all the 30 leaves.

di decembre / 1755", we have already seen, must be treated with circumspection because of the changes (or attempted changes) to the last two figures of the year. Yet should „1775" turn out to be its correct date, that would suggest that the true date of the Missa brevis KV 258 is December 1775 rather than December 1776.

The last two leaves of the KV 258 autograph, a bifolium with folios 29-30, introduce us to our final paper-type — or rather to half a sheet of it. For more complete examples of *Type V* we must turn to the soprano aria KV 217, „Voi avete un cor fedele". The autograph of this aria (Staatsbibliothek Preußischer Kulturbesitz, Berlin/West) consists of fourteen leaves: folios 5–8 are a gathered sheet of Type II, and folios 1–4 and 9–14 are two gathered sheets and a bifolium of Type V. Type V can be identified as follows:

Rastrology. 10-stave paper, with TS of 136.5-137 mm. No line in the bottom stave is conspicuously longer or shorter than the others.

Watermark (see p. 339). Mould A: on left, the letters „FC": on right, a posthorn shield, over the name „L V GERREVINK", over the letter „F". Mould B: the same overall pattern in reverse.

The letters „FC" indicate that this is yet another paper produced by F. Calcinardi of Toscolano. That the watermark also includes the name of a well-known Dutch firm, Lubertus van Gerrevink, should not mislead us, since the names of respected manufacturers were often appropriated without authority and included merely as a claim to quality.

The two leaves at the end of KV 258, and ten of the leaves in the aria KV 217, are the only known examples of Type V paper. And there is nothing problematical about the date of the aria, for Leopold wrote on the autograph „26 octob. 1775", and no-one has tried to delete or to change the figures. That in itself must greatly strengthen the notion that the original date on the autograph of KV 258 was not December 1776 but December 1775.

But the connection between the last two leaves of KV 258 and the aria can be shown to be even more intimate than the sharing of a rare paper-type. For folios 13-14 (a bifolium) of KV 217 are the bottom half of a sheet (the watermark is that of Mould B), while folios 29-30 of KV 258 are the top half of a sheet (also Mould B); and from the fortunate fact that both scores are today in the same Berlin library, it is possible with a little care to establish that these are the *two halves of the very same sheet*[18]. The conclusion can hardly be avoided that both scores were written out in the last months of 1775. Accordingly, the date that Leopold originally wrote on the Missa brevis KV 258 was „nel Mese Decembre 1775". And an extra bonus is that the violin concerto KV 219 can be confirmed as having been completed in the same month and year.

*

To recapitulate: an examination of the *Klein-Querformat* paper-types enables us to suggest (or to confirm) the following datings for two masses and two violin concertos:

Missa longa KV 262 (246a)	June—July 1775
Missa brevis KV 258	December 1775
Violin Concerto KV 211	14 June 1775
Violin Concertos KV 219	20 December 1775

And the date of a third mass can also be determined indirectly. For as long ago as 1964, Wolfgang Plath's elucidation of a Mozartean sketchleaf in the Bibliothèque nationale, Paris, revealed

---

18 The demonstration of this depends on matching small irregularities in the upper edges of the two bifolia. In favourable cases this can be done even when the leaves whose upper edges are to be matched are today in different locations. It is likely, for instance, that folios 1–2 of KV 499 match folios 11–12 of KV 497; that folios 11–12 of KV 499 match folios 13–14 of KV 497; and that folio 29 of KV 620 (the penultimate leaf of No. 1) matches folio 1 of KV 618. Many other examples could be given.

the juxtaposition of a group of sketches for the so-called „Credo“-Mass, KV 257, and a sketch for the buffa aria „Clarice cara mia sposa“, KV 256[19]. This aria, which Alfred Einstein identified as one for insertion in Piccinni's „L'astratto ovvero Il giocatore fortunato“ (text by Giuseppe Petrosellini), bears on the autograph the date of „nel Settemb: 1776“, and makes it hard to avoid the conclusion that the month of November on the score of KV 257 must be November 1776. Thus at present there is only one mass from these years surviving in autograph which cannot be dated with precision: for there seems no way to decide whether KV 259 is from 1775 or 1776[20].

It is to be hoped that future work on Mozart's paper-types, by establishing the period within which each type was used by him, will make an increasing contribution — along with other techniques, such as *Schriftchronologie*[21] — to the dating of those numerous scores (and score-fragments) which were left undated by him or by his father, or on which the date was falsified or made illegible[22].

The dates in the third column are those on the autographs (as cited in KV[6]); altered or deleted dates are shown in quotation-marks.

Type I

KV 166 (159d)	Divertimento	24 March 1773	Kraków, Biblioteka Jagiellońska (= BJ)
KV 184 (161a)	Symphony	„30 March 1773“	Private collection
KV 199 (161b)	Symphony	„10 (?16) April 1773“	Private collection
KV 162	Symphony	„19 (?29) . . .“	Private collection
KV 181 (162b)	Symphony	„19 May 1773“	Private collection
KV 185 (167a)	Serenade	„?August 1773“	Disrupted: in various locations today.
KV 189 (167b)	March	Undated	Berlin/West, Staatsbibliothek Preußischer Kulturbesitz (= SPK)
KV 168	String Quartet	August 1773	Berlin, SPK
KV 169	String Quartet	August 1773	Kraków, BJ
KV 170	String Quartet	August 1773	Private collection
KV 171	String Quartet	August 1773	Kraków, BJ
KV 172	String Quartet	Undated	London, BL
KV 173	String Quartet	1773	Kraków, BJ
KV 173, finale	String Quartet movement	Undated	London, Heirs of Stefan Zweig
KV 182 (173dA)	Symphony	„3 October 1773“	Private Collection
KV 183 (173dB)	Symphony	„5 October 1773“	Private Collection
KV 174	String Quintet	December 1773	Kraków, BJ
KV 188 (240b)	Divertimento	Undated	Paris, Institut de France

---

19 Wolfgang Plath, Bemerkungen zu einem mißdeuteten Skizzenblatt Mozarts, in: Festschrift Walter Gerstenberg zum 60. Geburtstag, Wolfenbüttel and Zürich 1964, pp. 143–150.

20 I fear I cannot follow Walter Senn in his view that the names of the months on the scores of KV 257, 258, and 259 are not authentic, being in the hand neither of Leopold nor of Wolfgang. (See NMA I/1/Section 1/Vol. 3, pp. VIII f., and in greater detail, with enlarged photographs of the handwriting, the KB to that volume, pp. c/6–7, c/27–8, and c/44–5.) In my opinion the months (and the composer's full names) on KV 257 and 258 were written by Leopold; on KV 259 the names were written by Leopold but the month, „Decembre“, was possibly added by Wolfgang.

21 See the article by Wolfgang Plath cited above in footnote 5.

22 For a recent attempt to date a large number of Mozart's fragments by this method, see Alan Tyson, The Mozart Fragments in the Mozarteum, Salzburg: A Preliminary Study of their Chronology and Their Significance, in: Journal of the American Musicological Society XXXIV, 1981, pp. 471–510.

KV 201 (186a)	Symphony	„6 April 1774"	Private collection
KV 202 (186b)	Symphony	„5 May 1774"	Private collection
KV 190 (184E)	Concertone	„31 May 1774"	Private collection
KV 193 (186g)	Dixit, Magnificat	July 1774	Vienna, Nationalbibliothek
KV 194 (186h)	Missa brevis	8 August 1774	Vienna, Nationalbibliothek
KV 203 (189b)	Serenade	„August 1774"	Private collection
KV 237 (189c)	March	Undated	Paris, Institut de France
KV 200 (189k)	Symphony	„17 (?12) November 1774"	Private collection
KV 207	Violin Concerto	„14 April 1775"	Kraków, BJ
KV 209	Tenor Aria	19 May 1775	Berlin, SPK
KV 210	Tenor Aria	May 1775	Berlin, SPK

Other scores on *Type I* paper:
(a) Further undated autographs

KV 320B	Divertimento (fragment)	Undated	Private collection
KV 80 (73f), finale	String Quartet movement	Undated (first three movements dated 15 March 1770)	Kraków, BJ
KV 113, added wind parts	Divertimento	Undated (original score dated November 1771)	Berlin, SPK
KV 626b/36 and 44	Sketchleaf	Undated	Ithaca (U. S. A.), Cornell University

(b) Arrangements or copies of music by other composers

KV Anh. C 17.12 (KV¹ : 187)	Music by Starzer and Gluck: in hand of Leopold	Undated	Kraków, BJ
KV 626b/28	„Ballo gavotte" by Gluck	Undated	Private collection
KV Anh. A 14	Copy of „Ave Maria" by Michael Haydn	Undated	London, BL
KV Anh. A 50	„Instrumental piece" by?	Undated	Vienna, Gesellschaft der Musikfreunde
KV Anh. A 72–A 81	Copies of church music by Ernst Eberlin (A 80 = by Michael Haydn): in hand of Leopold	Undated	London, BL

Type II

KV 204 (213a)	Serenade	„5 August 1775"	Private collection
KV 215 (213b)	March	August 1775	Paris, Institut de France
KV 214	March	20 August 1775	Paris, Institut de France
KV 216	Violin Concerto	„12 September 1775"	Kraków, BJ
KV 218	Violin Concerto	„October 1775"	Kraków, BJ
KV 238	Piano Concerto	January 1776	Washington, Library of Congress
KV 239	Serenade	January 1776	Paris, Institut de France
KV 240	Divertimento	January 1776	Kraków, BJ
KV 252 (240a)	Divertimento	Undated	Kraków, BJ
KV 241 + 263	Church Sonatas	January 1776 (for KV 241)	Leningrad, Public Library
KV 246	Piano Concerto	April 1776	Kraków, BJ
KV 288 (246c)	Divertimento (fragment)	Undated	Private collection
KV 247	Divertimento	June 1776	Kraków, BJ
KV 248	March	June 1776	Paris, Institut de France
KV 260/248a	Offertorium	1776	Vienna, Nationalbibliothek
KV 250/248b	Serenade („Haffner")	„July 1776"	Private collection
KV 249	March	20 July 1776	Paris, Institut de France

KV 101 (250a)	Contredanses	Undated	Paris, Institut de France
KV 253	Divertimento	August 1776	Kraków, BJ
KV 254	Divertimento	August 1776	Kraków, BJ
KV 255	Alto Aria	September 1776	Veste Coburg, Kunstsammlungen
KV 256	Tenor Aria	September 1776	Berlin, SPK
KV 257	Missa	„November 1776"	Berlin, SPK
KV 259	Missa brevis	„December 1776"	Berlin, SPK
KV 270	Divertimento	January 1777	Kraków, BJ
KV 271	Piano Concerto	January 1777	Kraków, BJ
KV 365 (316a)	Cadenzas to Concerto for Two Pianos, in Leopold's hand, with additions by Wolfgang	Undated	Salzburg, St. Peter

Copies on *Type II* paper of music by other composers

| KV Anh. A 71, A 86–88 | Copies of church music by Ernst Eberlin: in hand of Leopold | Undated | London, BL |

Type III

KV 287 (271H)	Divertimento	André: „February 1777" (?June)	Kraków, BJ
KV 272	Soprano Aria	August 1777	Berlin, SPK
KV 273	Graduale	9 September 1777	Berlin, SPK
KV 395 (300g, = 284a)	Four Preludes	Undated	New York, Pierpont Morgan Library
KV 311 (284c)	Piano Sonata	Undated	Kraków, BJ
KV 285	Flute Quartet	25 December 1777	Kraków, BJ
KV 315 (285e)	Andante for Flute	Undated	Paris, Bibliothèque nationale
KV 299 (297c)	Concerto for Flute and Harp	1778	Kraków, BJ
KV 316 (300b)	Soprano Aria	8 January 1779	Lisbon, Ajuda Library
KV 317	„Coronation" Mass	23 March 1779	Kraków, BJ
KV 328 (317c)	Church Sonata	Undated	Veste Coburg, Kunstsammlungen
KV 318	Symphony	26 April 1779	New York Public Library
KV deest (Sotheby, 12 December 1979)	Draft of a song	Undated	Private collection
KV 413 (387a)	Cadenzas to Piano Concerto (in Leopold's hand)	Undated (not before end of 1782)	Salzburg, St. Peter

Autographs (untraced today) identified as *Type III* from photographs

| KV 296c | Sketch for Sanctus? | Undated | |
| KV 626a, Part 2, F, G, H | Cadenzas to J. S. Schroeter, Op. III | Undated | |

Types I and II in combination

KV 211	Violin Concerto	„14 June 1775"	Kraków, BJ
KV 213	Divertimento	July 1775	Kraków, BJ
KV 262 (246a)	Missa Longa	Undated	Kraków, BJ

Types II and IV in combination

| KV 219 | Violin Concerto | „20 December 1775" | Washington, Library of Congress |

Types II and V in combination

| KV 217 | Soprano Aria | 26 October 1775 | Berlin, SPK |

Types II, IV, and V in combination

| KV 258 | Missa brevis | „December 1776" | Berlin, SPK |

*

Lost Klein-Querformat Scores

KV 175	Piano Concerto	December 1773	
KV 220 (196b)	Missa brevis	?	
KV 279 (189d), first movement	Piano Sonata	Undated	
KV 329 (317c)	Church Sonata	Undated	
KV 314 (285d = 271k)	Oboe Concerto	?	cf. Bauer-Deutsch III, p. 256 (No. 728, 15 February 1783) – reference to „Das Büchel". For sketch (on Type II paper?), see NMA V/14/3, p. 174.

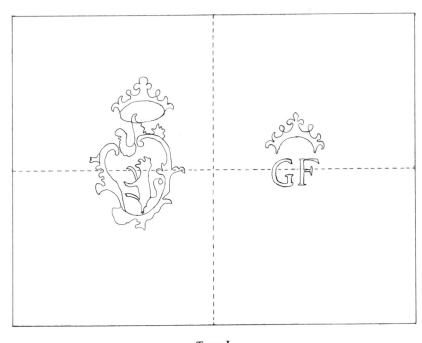

Type I

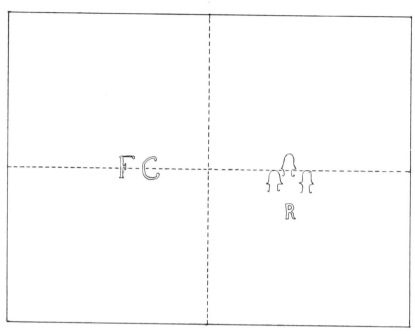

Type II

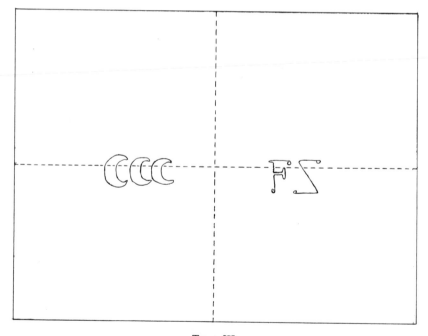

Type III

338

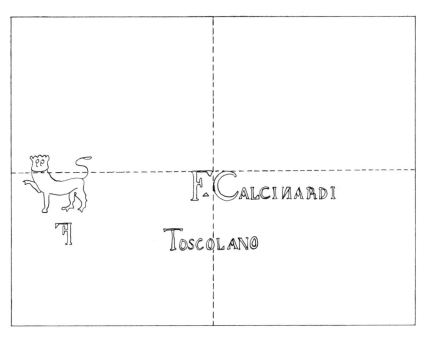

Type IV

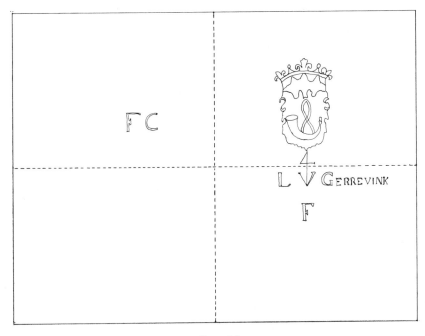

Type V

Wisso Weiß

Zum Papier einiger Bach-Handschriften in der Goethe Notensammlung

I

Zu den Beständen des 1885 gegründeten Goethe- und Schiller-Archivs zu Weimar, dessen Grundstock[1] aus dem von Goethes Enkeln als Heiligtum gehüteten Nachlaß Goethes besteht, gehört auch eine Notensammlung. „Goethes Musikaliensammlung ist vereinigt mit den Notensammlungen Ottilie und Walther Wolfgang von Goethes. Sie umfaßt 1508 Stücke."[2] In der „Vorbemerkung" zu Ziffer D „Notensammlung" des nicht veröffentlichten, aus zwei Bänden bestehenden ausführlichen Bestandsverzeichnisses für das „Goethe-Archiv"[3] erfahren wir Näheres über Entstehung und Entwicklung dieses etwa zwölf Meter messenden Teilbestandes des Goethe- und Schiller-Archivs[4].

Die Goethe Notensammlung setzt sich sowohl aus Musikaliensammlungen verschiedener Provenienz als auch aus den erworbenen Einzelstücken zusammen. Das Herzstück dieser Notenbibliothek bilden die handschriftlichen und gedruckten Noten, die Goethe besaß — geschenkt erhalten oder erworben hatte — und die er für seine Hauskapelle zur Verfügung stellte. Dazu kommen die Notensammlungen von Ottilie von Goethe (gest. 1872) sowie ihres ersten Sohnes Walther Wolfgang von Goethe (1818–1885), der sich auch als Komponist betätigt hat.

Bis 1954 befand sich die Notensammlung unter der Obhut des Goethe-Nationalmuseums zu Weimar am Frauenplan. Sie war mit laufender Numerierung versehen und durch zwei Autoren-Karteien[5] erschlossen. An der Spitze des Bestandes standen Zelters Vertonungen Goethescher Texte, denen solche anderer Komponisten und dann sonstige Noten folgten. Vermutlich schlossen sich die Sammlung Ottiliens und dann diejenige Walthers von Goethe an. Eine genaue Abgrenzung der einzelnen Teilbestände hat nicht bestanden; eine solche soll aber nach Möglichkeit bei der vorgesehenen systematischen Neuordnung und entsprechenden Registrierung vorgenommen werden.

Nach Übernahme der gesamten Notensammlung durch das Goethe- und Schiller-Archiv im Jahre 1954 wurde ein vorläufiges Gesamtverzeichnis angelegt, um dem Benutzer „zunächst eine Übersicht zu schaffen, in der jedes einzelne Stück inhaltlich und umfangmäßig charakterisiert ist", das aber auch „einen Einblick in den Gesamtbestand ermöglicht".

Das Verzeichnis spiegelt „den Ordnungszustand wider, in dem sich die Notensammlung bei der Übergabe vom Goethe-Nationalmuseum an das Goethe- und Schiller-Archiv befand. Es beginnt mit den Kompositionen zu Dichtungen Goethes, soweit es sich um Einzelstücke handelt (bis ca. Nr. 125), verzeichnet dann (bis Nr. 1269) den übrigen Notenbestand . . .". Anschließend (bis Nr. 1509) sind „die bisher noch gar nicht erfaßten Stücke in der alphabetischen Folge der Autoren" (anscheinend Zugänge nach Abschluß der alten Register des Goethe-Nationalmuseums) verzeichnet.

In der Notensammlung sind fast alle musikalischen Gattungen vertreten. Die Werke stammen von einheimischen Komponisten wie auch von den größten Tonschöpfern, die wir kennen. Leider ist im allgemeinen nicht bekannt und kann aus den Verzeichnissen auch nicht hervorgehen, wann die einzelnen Handschriften und Drucke in die heutige Gesamtkollektion gelangt sind.

---

1 Goethe- und Schiller-Archiv. Bestandsverzeichnis. Bearbeitet von Karl-Heinz Hahn, Weimar 1961, S. 15 ff.
2 Ebda., S. 118.
3 Im Benutzersaal des Goethe- und Schiller-Archivs zu Weimar.
4 Das Verzeichnis wurde nach der im Sommer 1958 von Th. Küllertz unter Anleitung von Prof. Dr. Karl-Heinz Hahn durchgeführten Bestandsaufnahme angelegt.
5 Ein Register für die Komponisten, die Werke Goethes vertonten, und ein solches für die Komponisten des übrigen Notenbestandes.

Über Goethes Verhältnis zur Musik im allgemeinen fehlt es nicht an Untersuchungen, insbesondere sind solche anläßlich seines 200. Geburtstages publiziert worden[6]. Deshalb hier nur einige Bemerkungen. Durch sein ganzes Leben zieht sich wie ein roter Faden die verstandesmäßige Beschäftigung mit der Tonkunst. Einmal spricht er es selbst aus. In dem an Zelter gerichteten Brief vom 19. 6. 1805 sagt er: „Ich kenne Musik mehr durch Nachdenken als durch Genuß und also nur im Allgemeinen." Goethe ging es darum, von seiner Sicht und auf seine Weise, als Denker und als Augenmensch, das Wesen der Musik zu erfassen. So wie er auf allen übrigen Gebieten des Lebens, der Kultur, des Geistes bemüht war, zu „erkennen, was die Welt im Innersten zusammenhält"[7], versuchte er, den Kern der Musik zu ergründen. Dabei mag es dahingestellt bleiben, ob Goethe vielleicht lediglich aus Eitelkeit oder aber im ernsten Bestreben um Erlangung von Universalität sich auch mit der Musik befaßte. Friedrich Blume schrieb 1948: „Goethes Universalität hätte auf ein Stück geistigen Seins verzichten müssen, wenn ihm der Sinn für Musik verschlossen geblieben wäre. Er wäre nicht Goethe, seine Denk- und Fühlensweise nicht universal gewesen, wenn nicht Musik ihren Platz darin eingenommen hätte."[8]

In seinen Jugendjahren hat sich Goethe auf verschiedenen Instrumenten (Klavier, Cello, Flöte) versucht. Wenn von Wilhelm Bode und anderen gesagt worden ist[9], daß Goethe in Weimar nie selbst ein Instrument gespielt habe, so dürfte das auf einem Irrtum beruhen. Vom Jahre 1795 jedenfalls ist bezeugt, daß er „gar nicht schlecht" Klavier spielte[10]. Mindestens seit 1807 verfügte er in Weimar über ein eigenes Klavier.

In seinem Bemühen um ein vertieftes Musikverständnis wurde sein Frankfurter Jugendfreund Philipp Christoph Kayser (1755–1823)[11], Musiklehrer in Zürich, sein langjähriger Mitarbeiter

---

6 Soweit in dieser Arbeit nicht zitiert:
Goethe und die Musik. Aus den Werken, Briefen und Gesprächen dargestellt von Willi Reich, Zürich 1949. Max Friedländer, Goethe und die Musik, in: Jahrbuch der Goethe-Gesellschaft 3, 1916, S. 275–340. Hans John, Goethe und die Musik, Langensalza 1928, Ferdinand Küchler, Goethes Musikverständnis, Zürich 1935. Friedrich Blume, Artikel Goethe, in: MGG 5, Sp. 432 bis 457. Hans Joachim Moser, Goethe und die Musik, Leipzig 1949. Joseph Müller-Blattau, Goethe und die Meister der Musik, Stuttgart 1969.

7 Johann Wolfgang Goethe, Faust I. Teil, Goethes Werke, herausgegeben im Auftrag der Großherzogin Sophie von Sachsen, Weimar (= WA) I/14, Zeile 382/383.

8 Friedrich Blume, Goethe und die Musik, Kassel 1948, S. 3.

9 Vgl. Wilhelm Bode, Die Tonkunst in Goethes Leben, Band 1, Berlin 1912, S. 59/60.

10 Der Student der Medizin in Jena, David J. Veit, schreibt Anfang des Jahres 1795 anläßlich einer Bemerkung über Goethe: „Noch eins: Er spielt Klavier und gar nicht schlecht." Vgl. Goethes Gespräche, Gesamtausgabe. Neu herausgegeben von Flodoard Frhr. von Biedermann, Band 1, Leipzig 1909, S. 220. – Wilhelm Bode berichtet sich und zitiert ebenso a. a. O., Band 2, S. 345.

11 Durch Vermittlung Kaysers und mit ihm hatte Goethe in Italien (Italienische Reise 1786–1788) in der Karwoche 1788 ein Musikerlebnis besonderer Art. Er lernte die alte Kirchenmusik kennen; von Palestrinas Tonkunst war er ganz eingenommen. Man kann dies als Vorstufe für sein Verständnis des Werks von Johann Sebastian Bach ansehen, wie Müller-Blattau schrieb (Joseph Müller-Blattau, Goethes Weg zu J. S. Bach, in: Goethe, neue Folge des Jahrbuchs der Goethe-Gesellschaft Band 12, 1950, S. 54). Vor der Rückreise mußte Kayser noch Noten der italienischen Meister zum Mitnehmen besorgen. Eine größere Anzahl von Noten wird in der Goethe Notensammlung verwahrt, wie auch in Goethes Bibliothek (vgl. Katalog zu Goethes Bibliothek, bearbeitet von Hans Ruppert, Weimar 1958, Abteilung Musik – Musikalien italienischer Komponisten, einschließlich Textbücher, zwei Sammelbände aus den Jahren 1786–1788; auch ein Sammelband mit italienischen Melodramen von 1830).
Zehn Jahre früher (1777–1778) hatte Kayser für Goethe eine Liedersammlung angelegt, die 71 eigene Kompositionen Kaysers enthält. Das Notenheft zählt 36 Bogen in Quartformat mit 85 Liedern, die von dem Weimarer Hofoboisten Johann Michael Wiener geschrieben sind. Vgl. Goethe-Jahrbuch Band 17, 1931, S. 132–153. – Zahlreiche handgeschriebene Hefte und Bände mit Partituren und Stimmen zu „Scherz, List und Rache" befinden sich in der Goethe Notensammlung. – Gedruckte Liedersammlungen von Philipp Christoph Kayser sind erschienen als Lieder mit Melodien, 1775 Winterthur; Gesänge mit Begleitung des Klaviers, 1775 Leipzig und Winterthur. – Im übrigen vgl. Edgar Refardt, Artikel Philipp Christoph Kayser, in: MGG 7, Sp. 770–772.

und Berater in allen Fragen der Musik. Später (1789) übernahm diese Rolle bis 1795 der Liederkomponist und Musikschriftsteller Johann Friedrich Reichardt (1752–1814)[12]. Schließlich war alsdann Professor Karl Friedrich Zelter (1758–1832), Komponist und Direktor der Berliner Singakademie nicht nur sein musikalischer Berater, sondern in einer 30 Jahre währenden unverbrüchlichen Freundschaft[13] mit Goethe verbunden. Zelters Goethe-Lieder empfand Goethe selbst als die kongenialen Vertonungen seiner Gedichte.

Das Ringen um eine wissenschaftlich begründete Musikauffassung führte Goethe zur Bekanntschaft mit Musiktheoretikern. Er beschäftigte sich selbst auch mit dem Studium musiktheoretischer Werke[14]. Den gleichen Zweck verfolgend suchte und fand er die Verbindung mit ausübenden Musikern, nicht zuletzt aber auch mit Komponisten. Sehr eingehend befaßte er sich – nach anfänglicher Zurückhaltung – mit Mozartscher Musik. Während seiner Leitung des Weimarer Theaters (1791–1817) wurde – neben Werken von Beethoven, Gluck, Cherubini und anderen – die „Zauberflöte" 82mal, „Don Giovanni" 68mal, „Figaros Hochzeit" 21mal, die „Entführung" 49mal aufgeführt.

Für Goethe war das Hören guter Musik eine Hauptmethode, sein Musikverständnis zu fördern. Gern ließ er sich vorsingen und vorspielen, nicht nur von der charmanten polnischen Pianistin Szymanowska, bei deren Abreise Goethe weinte, von seinem Freund Philipp Christoph Kayser, von dem Weimarer Hofkapellmeister Johann Nepomuk Hummel (1778–1837), von dem Organisten, Bürgermeister und Badeinspektor Johann Heinrich Friedrich Schütz (1779 bis

---

12 Reichardt gilt nach Walther Siegmund Schultze (Vorwort zu Reichardts Briefe, die Musik betreffend, Leipzig – RUB [= Reclams Universal-Bibliothek] Band 620, S. 5) als „der bedeutendste Goethe-Vertoner seiner Zeit". Seine Lieder waren „musikalisch reicher und origineller" als die von Zelter, wie Friedrich Blume (Goethe und die Musik, Kassel 1948) hervorhebt. Seine Kompositionen zahlreicher Goethe-Gedichte sind zusammen mit vertonten Schiller-Dichtungen 1809 bis 1811 in mehreren Bänden erschienen. Von ihm, dem eigentlichen Begründer des deutschen Singspiels, stammt u. a. auch die Musik zu Goethes Singspiel „Jerry und Bätely". – Obwohl sich Reichardt durch sein Eintreten für die Französische Revolution die Freundschaft Goethes verscherzt hatte, besuchte ihn der von Reichardt nach wie vor hochgeschätzte und verehrte Dichterfürst von Bad Lauchstädt aus wiederholt in seinem neuen Heim zu Giebichenstein bei Halle an der Saale. Dies kann gewiß als Zeichen der Aussöhnung angesehen werden. (Vgl. Erich Neuß, Das Giebichensteiner Dichterparadies. Johann Friedrich Reichardt und die Herberge der Romantik, Halle 1948). Im Jahre 1801 (5. 2.) nach schwerer Krankheit, bat Goethe den Schöpfer tiefempfundener Melodien zu vielen seiner Lieder um seine „neuesten Kompositionen, ich will mir und einigen Freunden damit einen Festabend machen" (WA IV/15, S. 177). – Im übrigen vgl. Walter Salmen, Artikel Reichardt, in: MGG 11, Sp. 151–161.
13 Zelter übernahm in Berlin 1800 die Singakademie, 1809 gründete er die Liedertafel und 1819 das Berliner Kirchenmusikinstitut. Von ihm stammt die Denkschrift über die Förderung der Musik in den preußischen Staaten von 1804. – Briefwechsel zwischen Goethe und Zelter in den Jahren 1796–1832. Herausgegeben von Friedrich Wilhelm Riemer. Th. 1–6, Berlin 1833, 1834. – Briefwechsel zwischen Goethe und Zelter in den Jahren 1799 bis 1832. Herausgegeben von Ludwig Geiger, Leipzig 1902, Band 1: 1779–1818, Band 2: 1819–1827, Band 3: 1828–1832. – Wir zitieren nach der überall zugänglichen Ausgabe von Ludwig Geiger.
14 Goethe studierte u. a. das Werk von Johann Mattheson (1681–1764) Der vollkommene Capellmeister . . ., Hamburg 1739. Mit Zelter steht er darüber in Gedankenaustausch, mindestens seit 1818. Zelter sucht 1819 seinem Freund gegenüber mit Schreiben vom 11. 1. diesen Schriftsteller etwas zu charakterisieren, ebenso am 5. 5. 1824. (WA III/6, S. 268 und 321, sowie Briefwechsel, a.a.O., Band 2, S. 7 und 373). Goethe besaß auch das Musicalische Lexicon . . . von Johann Gottfried Walther, Leipzig 1732; es befindet sich heute noch in Goethes Bibliothek (Katalog Nr. 2602). In Goethes Notensammlung ist heute noch das theoretische Werk des langjährigen Weimarer Hofkapellmeisters Ernst Wilhelm Wolf (gest. 1792), Musikalischer Unterricht . . ., Dresden 1788 vorhanden (Goethe- und Schiller-Archiv Goethe Notensammlung Nr. 505[a]). Aus Goethes Bibliothek sind noch zwei weitere neuere musikwissenschaftliche Werke zu nennen: Christian Kalkbrenner, Theorie der Tonkunst, mit dreyzehn Tabellen, Th. 1 Berlin [1789] (Kat. Nr. 2587) und Gustav Andreas Lautier, Praktisch-theoretisches System des Grundbasses der Musik und Philosophie, als erste Abtheilung eines Grundrisses des Systems der Tonwissenschaft, Berlin 1827 – „Vom Verfasser, Berlin 12. April 1830". (Kat. Nr. 2588).

1829) in Berka, oder von Karl Eberwein[15], dem Leiter seiner sonntäglichen Hauskonzerte, sondern auch von bekannten Komponisten wie Felix Mendelssohn Bartholdy (1809–1847) in Weimar[16] oder Ludwig van Beethoven (1770–1827), mit dem schließlich 1812 ein Treffen zu Teplitz in Böhmen (Teplice, ČSSR) zustande kam[17].

Für die von Eberwein dirigierte, seit 1807 bestehende „Hauskapelle" besorgte Goethe selbst Notenmaterial, wie beispielsweise aus einem an seinen Verleger Cotta gerichteten Brief vom 16. 1. 1810 hervorgeht. In diesem heißt es u. a.: „Vielleicht könnten Sie mir auch zu einem musicalischen Hefte verhelfen. Es sind sechs Canons von Joseph Haydn, Augsburg bey Cambart[18] erschienen".

Bei soviel eifrigem Musikinteresse wundern wir uns über andere, widersprüchliche Züge in Goethes Beziehungen zur Musik und zu hervorragenden Komponisten. Wir finden es eigenartig, daß Goethe, der an sich eine gewisse Vorliebe für Vokalwerke an den Tag legte, auf die ihm von Joseph Spaun zugesandten Kompositionen Franz Schuberts zu einigen Goethe-Liedern nie reagiert hat, auch nicht auf eine zweite, neun Jahre später erfolgte undatierte Sendung mit eigenhändigem Schreiben[19]. – Umso sonderbarer muß es anmuten, daß sich Goethe aber vor Besuchern in seinem Hause in Weimar Schubert-Lieder hat vortragen lassen. Das geht aus seinem Tagebuch hervor. Unter dem 24. 4. 1830 heißt es: „Madame Devrient und Genast. Letztere accompagnirte, Erstere sang den Erlkönig von Schubert."[20] Das war eineinhalb Jahre nach Schuberts Tod. Nicht anders als Schubert ist es auch Hector Berlioz ergangen, der 1828 seine

---

15 Franz Karl Adalbert Eberwein (1786–1868) Mitglied der Hofkapelle 1803, wurde 1808–1809 auf Veranlassung seines Gönners Goethe in Berlin von Zelter ausgebildet. Seit 1818 war er Musikdirektor an der Stadtkirche zu Weimar. Vgl. MGG 3, Sp. 1060–1065; Allgemeine deutsche Biographie, Band 5 (1968), S. 588–589.
16 Von Prof. Zelter, seinem Lehrer in Musiktheorie, wurde Mendelssohn Bartholdy am 4. Oktober 1821 bei Goethe eingeführt. Auf dem Flügel mußte er Goethe vorspielen.
17 Der 21 Jahre jüngere Beethoven war schon in seinen jungen Jahren ein großer Verehrer von Goethes Dichtungen und hat früh Gedichte Goethes vertont. „Es läßt sich keiner so gut komponieren", sagte er einmal. Vertonungen von Goetheliedern stammen aus den Jahren 1809 und 1810, auch die Musik zu „Egmont" entstand 1810. Goethe hatte ihn nach Weimar eingeladen. In Teplitz waren Goethe und Beethoven oft zusammen, Beethoven spielte manchmal stundenlang. „Er spielte köstlich", lesen wir im Tagebuch unter dem 21. 7. 1812. (WA III/4). Goethe empfand Beethovens Musik aber doch als „unheimlich und ungebändigt"; die mit der Zusammenkunft verbundenen Erwartungen blieben aus. „Goethe fand nicht den Weg zu Beethovens Instrumentalmusik" (Hermann Abert, Goethe und die Musik, Stuttgart 1922, S. 55). Laut Goethes Tagebuch fand am 8. 9. 1812 in Karlsbad (Karlovy Vary) eine abermalige Begegnung statt: „Beethovens Ankunft. Mittag für uns. Abends auf der Prager Strasse" (WA III/4, S. 320).
18 WA IV/30, Nr. 6057a, S. 158–160. Gemeint ist die bekannte „Gombart'sche Musikhandlung". – Dieser Notendruck mit der Verlagsnummer 382 (Querformat 17,5 x 27 cm) findet sich in der Goethe Notensammlung unter Nr. 436.
19 Vgl. Tagebuch 16. 6. 1825. Originalbrief im Goethe- und Schiller-Archiv. Eingegangene Briefe Nr. 112, Bl. 149.
20 WA III/12, S. 230. Die beiden Damen waren Wilhelmine Devrient geb. Schröder und die Frau von Eduard Genast. Vgl. auch Eduard Genast, Aus dem Tagebuch eines alten Schauspielers, Band 2, Leipzig 1862, S. 281 f. – Offensichtlich wollten die beiden Damen mit ihrem Liedvortrag lediglich den alten Herrn freundschaftlich erfreuen, eine etwa von Goethe ausgehende Bestellung oder Aufforderung, den „Erlkönig" zu wählen, hat nicht vorgelegen. Ob aber andererseits Frau Schröder-Devrient vielleicht nicht doch vorsätzlich mit dem Vortrag gerade des „Erlkönigs" auf Goethes Haltung einwirken und eine Änderung seiner Auffassung herbeiführen wollte? – Der Überlieferung ist daraus nichts Eindeutiges zu entnehmen. Eduard Genast berichtet am 24. April 1830 über den Vorfall: „Sie sang ihm unter anderem auch die Schubertsche Komposition des Erlkönigs vor, und obgleich er kein Freund von durchkomponierten Strophenliedern war, so ergriff ihn der hochdramatische Vortrag der unvergleichlichen Wilhelmine so gewaltig, daß er ihr Haupt in beide Hände nahm und sie mit den Worten: Haben Sie tausend Dank für diese großartige künstlerische Leistung! auf die Stirn küßte. Dann fuhr er fort: Ich habe diese Komposition früher einmal gehört, wo sie mir gar nicht behagen wollte, aber so vorgetragen, gestaltet sich das Ganze zu einem sichtbaren Bild". Goethes Gespräche, a. a. O., Band 4, Leipzig 1910, S. 264. Vgl. auch Georg Knepler, Gedanken über Musik, Berlin 1980, S. 64–80.

„Huit scènes de Faust" an Goethe sandte, und nicht zuletzt Beethoven, von dem Goethe 1811 „Die Musik zu Egmont" und 1822 die Vertonungen zu „Meeresstille" und „Glückliche Fahrt" erhalten hatte, ohne darauf zu antworten.

Im Falle Schuberts ist bekannt, daß er erstmals die Tradition des Volksliedes mit der gleichbleibenden Melodie für alle Strophen verließ und alle Teile eines Gedichts durchkomponierte. Dadurch ist er zum Schöpfer des modernen Kunstliedes geworden, das Goethes Vorstellungen vom Lied nicht entsprach.

Goethe hat selbst, wenn auch indirekt, eine weitere Erklärung für sein ungewöhnliches Verhalten gegeben. In einem Briefe an Zelter aus dem Jahre 1827 äußert er sich über die Gewohnheit des Statthalters von Erfurt, daß jener lediglich aus Höflichkeit alle die vielen an ihn gerichteten Briefe zwar freundlich, aber mit leeren Antworten erledige. „Da ich eine unbedingte Wahrheitsliebe gegen mich und andere zu behaupten trachte, . . . so schwur ich mir hoch und theuer in gleichem Falle . . . mich niemals hinzugeben. ... Daraus folgt denn, daß ich von jeher seltener antworte, und dabei bleibt's denn auch jetzt in höheren Jahren, aus einer doppelten Ursache: keine leeren Briefe mag ich schreiben, und bedeutende führen mich ab von meinen nächsten Pflichten und nehmen mir zu viel Zeit weg."[21]

III

Auf Johann Sebastian Bach wurde Goethe durch Zelter aufmerksam gemacht. Aus dem Goethe-Zelter-Briefwechsel[22] geht hervor, wie Goethe auf der Grundlage freundschaftlichen Gedankenaustausches an Hand der Anleitungen Zelters allmählich immer tiefer in Charakter und Bedeutung der Musik Bachs eindrang.

Als Direktor der Singakademie in Berlin hatte Zelter seit vielen Jahren Werke Bachs (Kantaten, Motetten, 1822/23 Teile der „h-moll-Messe", auch der „Johannes-Passion") eingeübt. Die öffentliche Aufführung der „Matthäus-Passion" überließ er aber am 11. 3. 1829, just am Tage der 100jährigen Wiederkehr der Leipziger Erstaufführung, seinem 20jährigen genialen Schüler Felix Mendelssohn Bartholdy. Zelter schrieb nach Weimar: „Felix hat die Musik unter mir eingeübt und wird sie dirigieren, wozu ich ihm meinen Stuhl überlasse."[23] Auf den ausführlichen begeisterten Bericht Zelters über die Aufführung vom 12. 3. 1829 („Unsere Bachsche Musik ist gestern [den 11. März] glücklich von statten gegangen und Felix hat einen straffen, ruhigen Director gemacht. Der König und der ganze Hof sah ein completes Haus vor sich.") schrieb ihm Goethe u. a.: „Es ist mir als wenn ich von ferne das Meer brausen hörte. Dabey wünsch' ich Glück zu so vollendetem Gelingen des fast Unvorstellbaren."[24]

Zelter, der 1799 durch seine Kompositionen einiger Goethelieder mit dem Dichter in Verbindung gekommen war, schrieb noch am 9. 3. 1814 u. a. an Goethe: „Sehr deutlich erinnere ich mich daß die Musik des Leipziger Bach und seines Sohnes des Hamburger Bach, die beide ganz neu und originell sind, zu ihrer Zeit mir fast unverständlich vorkamen. . ."[25] Offenbar hat sich Zelter selbst von da an mit dem Werk Johann Sebastian Bachs eingehender beschäftigt[26]. Schon

---

21 Briefwechsel, a. a. O., Band 2, S. 469–470.
22 Vgl. Anmerkung 13.
23 Briefwechsel, a. a. O., Band 3, S. 123. – Nach neuesten Forschungen fand im Jahre 1729 wahrscheinlich eine Wiederaufführung der „Matthäus-Passion" statt, während die Uraufführung in das Jahr 1727 fällt.
24 Ebda., S. 127.
25 Briefwechsel, a. a. O., Band 1, S. 373.
26 In der Deutschen Staatsbibliothek, Berlin, befinden sich heute nach Angaben Wolfgang Schmieders in BWV unter anderem 18 Autographe Johann Sebastian Bachs sowie zwei Abschriften von Werken Johann Sebastian Bachs mit Ergänzungen (Titel, Texte) und Bemerkungen (Notizen zur Datierung, Echtheit usw.) von Zelters Hand. Eine Partiturabschrift (BWV 161) „aus dem Besitz Zelters". Nach Paul Kast (Die Bach-Handschriften der Berliner Staatsbibliothek, Trossingen 1958 (= Tübinger Bach-Studien 2/3) dagegen enthalten 70 Handschriften der insgesamt 133 Bachschen Notenmanuskripte aus dem Bestand der Berliner Singakademie Titel, Texte, Bemerkungen usw. von der Hand Zelters.

am 11. 4. 1815 läßt er ein Bachsches Autograph überbringen und schreibt dazu: „Die gute Gelegenheit mag dazu dienen, Dir einige Autographe merkwürdiger[27] Hände zu überschicken. Und sollte auch von diesen Händen schon etwas in Deiner Sammlung sein; so sind die Stücke selbst in geschichtlich artistischer Hinsicht bedeutend; besonders das Stück von Sebastian Bach und das von Kirnberger. . ."[28] Goethe hatte noch nichts von diesen Komponisten in seiner Sammlung, er antwortete am 17. 4. 1815: „Die Notenblätter sind köstlich! . . . Also den schönsten Dank."[29]

Zu Goethes Geburtstag hat Zelter am 28. 8. 1831 in der Singakademie nach dem großen „Gloria" von Fasch eine Motette Bachs aufgeführt: „. . .zu Deinen stillen Ehren die laute gewaltige Motette des alten Bach: ,Singet dem Herrn ein neues Lied, die Gemeine der Heiligen soll Ihn loben'. Ich merkt' es an der Ausführung daß sie gemerkt hatten, was ich meyne, und baten um die Wiederholung des ungeheuren Kunststücks, das sie nach vorhergegangener Anweisung mit heiliger Lust und Freude sangen; so daß sich der alte Bach (der noch lebte, als Du geboren worden) in seiner Schlafkammer muß gerüttelt haben, wenigstens ging in mir dergleichen vor. . . ."[30]

Bei Goethes Beschäftigung mit dem Phänomen Musik spielt Johann Sebastian Bach, der „Urvater der Musik"[31], eine hervorragende Rolle. Durch seinen Freund Zelter ließ sich Goethe in Sachen Musik wohl beraten, er hat aber in Verfolgung seines Zieles gleichzeitig auch quasi eigene Wege gesucht und beschritten: Durch das Studium musiktheoretischer Werke, zum andern aber auch durch das Anhören guter Musik, worauf bereits hingewiesen wurde.

Zu seinen speziellen Studien zur Bachschen Musik gehörte u. a. der Aufsatz über Johann Sebastian Bach, den Johann Friedrich Reichardt im Rahmen seiner umfangreichen musikliterarischen Arbeiten verfaßt und im „Musikalischen Magazin", (Band I, 1782[32]) veröffentlicht hat. Ferner sind die Bach-Arbeiten von Friedrich Rochlitz zu erwähnen, die der Autor an Goethe sandte. Rochlitz in Leipzig, der Herausgeber der Allgemeinen musikalischen Zeitung[33], gehörte zusammen mit Zelter, Mendelssohn Bartholdy, Forkel und Reichardt zu den Wiedererweckern Bachscher Musik in der Zeit der Romantik. Vielleicht hat Goethe auch die „Abhandlung von der Fuge" von Friedrich Wilhelm Marpurg (2 Bände) Berlin 1753–1754 studiert. Im Gedankenaustausch mit Zelter vertiefte er sich nicht zuletzt auch in die Geschichte der Musik[34].

Goethe glaubte, das in seinen naturwissenschaftlichen Untersuchungen gefundene Gesetz der Dialektik und der Polarität auch auf die Musik anwenden zu können. Er sah eine konträre Wirkung in den Dur- und Molltonarten. Um die begriffliche Erkenntnis der Musik ging es ihm in seinen Studien zu einer „Tonlehre". In der „Tabelle der Tonlehre" sucht er sie sozusagen in Thesen zu fixieren. Als Goethe diese Tabelle am 6. 9. 1826 an Zelter sandte, schrieb er, sie „ist nach vieljährigen Studien und, wenn Du dich erinnerst, nach Unterhaltungen mit Dir, etwa im

---

27 „merkwürdig" soviel wie beachtenswert, denkwürdig, bemerkenswert, bedeutend, wichtig.

28 Briefwechsel, a. a. O., Band 1, S. 404. Johann Philipp Kirnberger (1721–1783), Bachschüler, Komponist und Schreiber mehrerer Abschriften von Johann Sebastian Bachs Kompositionen.

29 Ebda., S. 408.

30 Briefwechsel, a. a. O., Band 3, S. 458.

31 Ein Wort von Zelter.

32 In Goethes Bibliothek findet sich in einem zweiten Exemplar die Eintragung: „Vom Hrsg. Giebichenstein 8. April 1805" (Kat. Nr. 2550).

33 Goethe war Bezieher dieser Zeitschrift von 1801 bis 1828, wie die 27 gebundenen Jahrgänge in Goethes Bibliothek beweisen (Kat. Nr. 2552). – In letzterer befinden sich auch 4 Bände von „Für Freunde der Tonkunst", Leipzig 1824–1832; Band 4 mit handschriftlicher Eintragung „Ottilie von Goethe. Geschenk des Authors" (Kat. Nr. 2594).

34 Der Bachschen Musik versuchte er, vom Geschichtlichen her Verständnis abzuringen. Vgl. dazu Friedrich Smend, Goethes Verhältnis zu Bach, Berlin und Darmstadt 1955, insbesondere S. 11 ff. – In Goethes Bibliothek befand sich auch ein italienisches musikhistorisches Werk, eine normale und eine Prachtausgabe (Kat. Nr. 2590 und Nr. 2591): Giovanni Battista Martini, Storia della musica, T. 1. 2, Bologna 1757–1770.

Jahre 1810 geschrieben"[35]. Solange hat Goethe an der Tabelle gearbeitet, ehe er sie würdig gefunden, seinem besten Freunde und Vertrauten in Musikangelegenheiten vorzulegen. U. a. hatte er schon 1815 auch Dr. Schlosser um seine Meinung zur Tabelle befragt[36].

Wenn Goethe auch stets für gute Musik ein offenes Ohr hatte und in Italien beispielsweise von Palestrinas Musik sehr beeindruckt war, so beginnt sein besonderes Interesse an Bachscher Musik erst etwa 1810. Dazu hat, neben Zelter, vorwiegend das Vorspielen am Klavier durch einen Bachkenner, -verehrer und -spieler, den Organisten Johann Heinrich Friedrich Schütz in Bad Berka ganz wesentlich beigetragen. Aus Goethes Tagebuch erfahren wir, daß er sich in den Jahren 1814 bis 1819 sehr oft in Bad Berka wie auch in Weimar im Haus am Frauenplan[37] von Schütz „Bachiana"[38] hat vorspielen lassen. Am 13. 6. 1814 lesen wir u. a.: „Abend der Badeinspektor von Bach gespielt", am 15. 6.: „Der Organist die Bachischen Sachen gespielt", am 20. 6.: „Früh nach Berka . . . abends Bachische Sonaten durch Schütz"[39] usw. Am 17. 4. 1816 begab sich Goethe wieder nach Berka zu seinem geliebten Bachspieler: „Spazieren. Beim Badeinspektor gegessen. Nach Tische Sebastian Bachische Sonaten."[40] In Weimar ließ sich Goethe in den Jahren 1817 und 1818 mehrmals von Schütz Bachsche Kompositionen vortragen[41]. Am 16. 1. 1819 ist im Tagebuch vermerkt: „. . . Badeinspektor Schütz. Bachische Präludien und Fugen gespielt[42]. Zu Mittag derselbe. Nach Tische mit Musik fortgefahren. . . . Schütz spielte fort", am 30. 1.: „Badeinspektor Schütz. Spielte nach Tische die Bachische Präludien."[43]

---

35 Briefwechsel, a. a. O., Band 2, S. 423. – Vgl. Tagebuch vom 16. 8. 1810: „Schema der Tonlehre. Abends Zelter, Tonlehre"; am 17. 8.: „Schema Tonlehre, umgeschrieben"; am 20. 8.: „Bey Zelter . . . Musikalische Theorien"; am 22. 8.: „Tabelle der Tonlehre. Bey Zelter"; am 23. 8.: „Bey Zelter, Musikalisch geschichtliches. Musikalische Epoche unter Marcellus, Sebastian Bach . . . abends Zelter", (WA III/4, S. 147 bis 149).

36 WA III/5, S. 149 – Wortlaut der Tonlehre siehe WA II/11, S. 287–295 und S. 362–363. – Brief an Dr. Christian Schlosser mit Tonlehre vom 6. 2. 1815 siehe WA IV/25, S. 187. Wie Zelter am 16. 6. 1827 an Goethe schrieb, hatte er sich die Tabelle an seine „Wand geheftet", um sie immer vor sich zu haben (Schriftwechsel, a. a. O., Band 2, S. 485). Nachdem Goethe im Juli 1827 die erbetene Abschrift von Zelter erhalten hatte (ebda., S. 492), erhielt er aber erst mit Brief vom 26. 4. 1829 auch Vorschläge Zelters zur Tabelle der Tonlehre (Briefwechsel, a. a. O., Band 3, S. 140–142). Goethe meinte in seinem Brief an Zelter vom 17. 5. 1829: „Ich freue mich meiner Tabelle als eines zwar nackten aber wohlgegliederten Skeletts, welches der echte Künstler allein mit Fleisch und Haut überkleiden, ihm Eingeweide geben und ins Leben praktisch und denkend einführen mag". (Ebda., S. 147). – Das Buch von Friedrich von Drieberg, Aufschlüsse über die Musik der Griechen, Leipzig 1819 sowie das von Joseph Levin Saalschütz, Geschichte und Würdigung der Musik bei den Hebräern . . ., Berlin 1829, mit der handschriftlichen Widmung: „Sr. Excellenz dem geheimen Staatsminister Freiherrn von Goethe" sind heute noch Bestandteil von Goethes Bibliothek (Kat. Nr. 2574 u. 2596).

37 Eigens zum Musizieren hat Goethe den Organisten Schütz aus Berka oft zu sich in das Haus am Frauenplan gebeten. Außer Bachiana mußte er ihm mitunter auch die neuesten Kompositionen Zelters vorspielen.

38 Schütz hatte von einem Bachschüler, dem Komponisten und Erfurter Organisten Johann Christian Kittel (1732–1809), von dessen Hand eine Anzahl Abschriften Bachscher Werke erhalten ist (Kast, a. a. O., S. 135 zählt 15 in der Deutschen Staatsbibliothek, Berlin [DDR] vorhandene Abschriften) zahlreiche alte Notenhandschriften übernommen; er besaß ein „sehr wohlklingendes" Wiener Klavier.

39 WA III/5, S. 112–113.

40 Ebda., S. 224.

41 Ebda.

42 Es ist bezweifelt worden, ob Goethe überhaupt das richtige Verständnis für Bachs Fugen aufbringen konnte. Ein Zeitgenosse, Ludwig Rellstab (1799–1860), Sohn des bekannten Berliner Musikverlegers, Schriftsteller, Musikkritiker der Vossischen Zeitung, schrieb 1821 nach einem Besuch bei Goethe, der mehrmals von seiner „Liebhaberei an Bach'schen Fugen" und von Schütz in Berka gesprochen hatte: „Es mag sein, daß diese Zustände der Musik ihn besonders reizten, allein er hätte doch einer ganz anderen Musikausbildung bedurft, um ein wahres Verständnis der echten, großen Fugen Bachs zu haben, welches nur die Sache des mit allen Studien Vertrauten ist, die zu diesem schwierigsten Gipfel in der Kunst führen . . ." (Biedermann, a. a. O., Band 2, S. 556).

43 Ebda., Band 7, S. 6, 11.

Bei den Präludien und Fugen handelt es sich um das „Wohltemperierte Klavier". Schon am 8. 5. 1816 schrieb Zelter, als er nach dem Brande in Berka von seinen „schönen Stücken" Dubletten an Goethe sandte „Den ersten Theil der Präludien und Fugen von J. Seb. Bach sende ich wohl einmal nach . . ."[44] Demnach kann angenommen werden, daß der zweite Teil der Präludien und Fugen sich unter den Doppelstücken befand, die Zelter 1816 an Goethe sandte. Goethe hatte das „Wohltemperierte Klavier" zusammen mit den „Bachischen Choralen gekauft und dem Inspektor zum Weihnachten verehrt"[45]. Auf diese Mitteilung antwortete Zelter, daß er Goethe das „Wohltemperierte Klavier" „in einem guten Manuskripte" vor einiger Zeit gesandt habe, er hätte es „also zu kaufen nicht nöthig gehabt." Goethe meinte, es sei ihm auch „in duplo" willkommen, er behalte dann ein Exemplar in der Stadt „und der gute Inspektor braucht das seinige nicht immer von Berka hereinzuschleppen"[46].

Schon im Jahre 1816, als Ende April in Berka bei einem größeren Brand „alle des Organisten alte, von Kittel in Erfurt noch erworbene Bache und Händel" verbrannt waren, sandte Zelter an Goethe, was er „von schönen Stücken doppelt" hatte, um einigen Trost zu geben. „Sie sind Dein und magst Du dem Organisten Schütz davon zueignen was Dir gefällt, denn es ist alles gut."[47] Goethe hatte an Zelter aber auch zur Weitergabe an Geheimrat Wolf geschrieben, „daß bey diesem Brande das vermaledeyte Trompeterstückchen gerettet worden sey, durch den sonderbarsten Zufall, daß es bey mir in der Stadt war, wie denn auch noch manches durch Vertheilung übrig geblieben"[48].

An dem „Trompeterstückchen" hatte Goethe besonderen Gefallen gefunden, ein Beweis dafür, daß er sich durchaus auch für Instrumentalmusik – mit Programm – erwärmen konnte. Es ist aus Johann Sebastian Bachs Capriccio B-dur (BWV 992) zur Abreise seines Bruders Johann Jakob die „Aria di Postiglione", die Goethe gern „belauschte". Sein getreuer Riemer[49] beschrieb sie so: „Es war eine wunderbare, die Imagination ansprechende einfache Melodie, eine Fanfare, die aber durch Variationen so ins Weite, ja Endlose getrieben wurde, daß man den Trompeter nicht nur bald nah, bald fern zu hören, sondern ihn auch ins Feld reitend, bald auf einer Anhöhe haltend, bald nach allen vier Weltgegenden sich wendend und dann wieder umkehrend zu sehen glaubte, und sich wirklich Sinn und Gemüt nicht ersättigen konnte"[50]. Durch seinen Bildsinn, seine Vorstellungskraft fand Goethe als „Augenmensch" auch Verständnis für die Instrumentalmusik – die Musik als selbständiger Kunstausdruck ist ihm wohl verschlossen geblieben.

Wie eindrucksvoll und zugleich lehrreich Goethes Besuche in Berka und das Vorspielen von Schütz waren, sagt er selbst in einem Brief an Zelter vom 4. 1. 1819: „Bey dieser Gelegenheit muß ich erzählen, daß ich . . . drey Wochen anhaltend in Berka zubrachte, da mir denn der Inspektor täglich drey bis vier Stunden vorspielte und zwar auf mein Ersuchen, nach historischer Reihe: von Sebastian Bach bis zu Beethoven, durch Philipp Emanuel[51], Händel, Mozart, Haydn

---

44 Briefwechsel, a. a. O., Band 1, S. 465.
45 Schreiben an Zelter vom 4. 1. 1819, WA IV/31, S. 45.
46 Ebda., S. 66.
47 Briefwechsel, a. a. O., Band 1, S. 465.
48 Ebda., S. 462.
49 Friedrich Wilhelm Riemer (1774–1845), Klassischer Philologe, Hauslehrer bei Wilhelm von Humboldt und Goethe, Sekretär und Mitarbeiter Goethes.
50 Goethes Gespräche, a. a. O., Band 2, Leipzig 1909, S. 232. Vgl. dazu von musikwissenschaftlicher Sicht her Spitta I, S. 231–239.
51 Gemeint ist Carl Philipp Emanuel Bach (1714–1788). Vielleicht hat Schütz dabei auch die Sonate in drei Sätzen für Cembalo von Carl Philipp Emanuel Bach vorgetragen – unter Benutzung des Notenmanuskripts, das Zelter am 11. April 1815 mit anderen bedeutenden Autographen an Goethe sandte (Briefwechsel, a. a. O., Band 1, S. 404–405). Es ist dem Berkaer Brand von 1816 entgangen und in Goethes Autographen-Sammlung erhalten (Kat. Nr. 60), es trägt die Aufschrift: „Dieser Bogen ist ganz von des Componisten Hand geschrieben". Angaben von Zelter: 11. April 1815.

durch, auch Dusseck und dergleichen mehr. . .“[52] Gleichzeitig hatte er Matthesons „Der voll-kommene Capellmeister" studiert.

Wie sehr das Klavierspiel Schützens in Berka bei Goethe einen bleibenden Eindruck hinter-lassen hat, zeigte sich schon im Herbst 1814. Als er in Frankfurt Besuche machte, schrieb er am 23. 11. an seine Christiane u. a.: „. . . Bey Baron Hügel. Dessen Frl. Tochter spielte Hendelsche Sonaten, die mich an die Bachischen des Badkönigs erinnerten . . .“[53] Ein Jahr später in Weimar hat Frl. Hügel neben Händelschen auch „Bach'sche Sonaten ganz trefflich" vorgetragen[54].

Wesentliche Anregungen zum allgemeinen Musikverständnis und vornehmlich zum Begreifen der Musik Johann Sebastian Bachs erhielt Goethe durch Felix Mendelssohn Bartholdy. Nach seinem letzten Besuch bei Goethe im Jahre 1830[55] schrieb Mendelssohn an seine Familie wie auch an seinen Lehrer in der Theorie der Musik, Professor Zelter, wobei er über seine Erlebnisse in Weimar ausführlich berichtet: „Vormittags muß ich ihm ein Stündchen Clavier vorspielen, von allen verschiedenen großen Componisten, nach der Zeitfolge und muß ihm erzählen, wie sie die Sache weiter gebracht hätten; und dazu sitzt er in einer dunklen Ecke, wie ein Jupiter tonans, und blitzt mit den alten Augen."[56] „Über die Ouvertüre von Seb. Bach aus D-dur mit den Trompeten, die ich ihm auf dem Clavier spielte, so gut ich konnte und wußte, hatte er eine große Freude; im Anfange gehe es so pompös und vornehm zu, man sehe ordentlich die Reihe geputzter Leute, die von einer großen Treppe herunter stiegen . . .“[57] Auch hier wieder die Bil-der, die ihm beim Hören von Musik vor seinem geistigen Auge erscheinen. „Auch die Inventio-nen und vieles aus dem wohltemperierten Clavier habe ich ihm vorgespielt."[58] Als ihn Goethe in die Stadtkirche führte, um ihm die nach der Reparatur von Zelter begutachtete Orgel zu zeigen, ließ er nach Aufforderung „die D-moll Toccata von Sebastian los und meinte, das sei gelehrt und zugleich für die Leute . . .“[59]. In dem Brief an Zelter vom 3. 6. 1830 bestätigt Goethe, daß sein „trefflicher Felix" nach vergnüglichem vierzehntägigem Aufenthalt abgereist sei. Sein Ver-hältnis zur Musik sei immer noch dasselbe: „. . . ich liebe mir das Geschichtliche; denn wer ver-steht irgendeine Erscheinung wenn er sich nicht von dem Gang des Herkommens penetrirt. Da-zu war denn die Hauptsache daß Felix auch diesen Stufengang recht löblich einsieht, und glück-licherweise sein gutes Gedächtnis ihm Meisterstücke aller Art nach Belieben vorführt. Von der Bachischen Epoche heran, hat er mir wieder Haydn, Mozart und Gluck zum Leben gebracht; von den großen neuern Technikern hinreichende Begriffe gegeben und endlich mich seine eige-nen Productionen fühlen und über sie nachdenken machen."[60] Goethe hatte in Mendelssohn, der zeitlebens ein begeisterter Bachverehrer war[61], einen der talentiertesten Bachinterpreten

52 Briefwechsel, a. a. O., Band 2, S. 4.

53 WA IV/25, S. 41.

54 Goethe an Zelter am 29. 10. 1815, WA IV/26, S. 124.

55 Neun Jahre nach seinem ersten Besuch in Weimar, als er dem 72jährigen Goethe Werke von Bach vorge-spielt hatte. Mendelssohn war insgesamt viermal bei Goethe in Weimar (1821, 1822, 1825, 1830). Jedes-mal stand Bachsche Musik auf dem Programm.

56 Brief aus Weimar am 25. 5. 1830 an die Eltern, Reisebriefe aus den Jahren 1830—1832 von Felix Men-delssohn Bartholdy, herausgegeben von Paul Mendelssohn Bartholdy, Leipzig 9/1882, S. 8.

57 Brief aus München vom 22. 6. 1830 an Zelter, ebda., S. 17.

58 Ebda.

59 Ebda., S. 18.

60 Briefwechsel, a. a. O., Band 3, S. 282—283. Ganz im Widerspruch zu dem bei Goethe allgemein festzustel-lenden intelligiblen Verhältnis zur Musik steht folgende Äußerung. Jenny von Pappenheim schreibt am 21. 5./3. 6. 1830: „Felix Mendelssohn war stets aufs höchste überrascht von Goethes tiefem Verständnis und sprach oft mit uns davon: „Goethe erfaßt die Musik mit dem Herzen, und wer das nicht kann, bleibt ihr sein Lebtag fremd" (Goethes Gespräche, a. a. O., Band 5, S. 174).

61 In Italien besorgt er 1830 für den Abbate Fortunato Santini, den Komponisten und Bachübersetzer und -bearbeiter „die sechs Cantaten von Seb. Bach, die Marx bei Simrock herausgegeben hat" und andere Bach-Musikalien (Reisebriefe, a. a. O., S. 56 und 77). — Am Palmsonntag 1831 ist ihm in Rom beim Be-such der Messe in der päpstlichen Kapelle das Intonieren des „Seb. Bachschen Credo", seines „Lieblings-

gefunden. Nach dem Vortrag der Bachschen Choralbearbeitung von „Schmücke Dich, o liebe Seele" schrieb Robert Schumann: „. . . Da spieltest Du . . . einen seiner variierten Choräle vor . . . Eine Seligkeit war darein gegossen, daß Du mir gestandest, wenn das Leben Dir Hoffnung und Glauben genommen, so würde Dir dieser einzige Choral alles von neuem bringen."[62]

IV

Von den in der Goethe Notensammlung vorhandenen Bach-Musikalien werden im Nachstehenden die Handschriften mit Kompositionen Johann Sebastian Bachs behandelt. Auf die Drucke und eine Handschrift mit Werken von Johann Christoph Bach soll an anderer Stelle eingegangen werden. Bei den einzelnen Handschriften-Beschreibungen wird über Papier und Wasserzeichen auch gesagt, was zu Herkunft und Datierung ermittelt werden konnte. Diese leider nicht allzu ertragreichen Angaben des Papierhistorikers mögen für weitere, durch Musikwissenschaftler zu betreibende Forschungen (ausführlichere Handschriftenbeschreibungen, Ermittlung der Schreiber, Datierungen unter Berücksichtigung weiterer Kriterien, Ein- und Zuordnung zum Kritischen Apparat der NBA usw.) zur Verfügung stehen. Auf musikwissenschaftliche Probleme wurde nicht näher eingegangen.

Bemerkungen zu Papier und Wasserzeichen

Das Format ist in cm angegeben, wobei wie in der Kunstwissenschaft zuerst die Höhe und dann die Breite angegeben wird.

Bei der Betrachtung und Beschreibung von Papier und Wasserzeichen aus der Zeit des Handpapiers geht man von dem aufgeschlagenen Bogen aus. Der linke Halbbogen wird mit „Blatt a)" bezeichnet, der rechte mit „Blatt b)". Die Wasserzeichen befinden sich meist in der Mitte des Blattes.

Mit Form I und Form II werden die beiden Formen eines Formenpaares bezeichnet. (An der Bütte wurde mit 2 Formen geschöpft.) Da die auf den Schöpfformen angebrachten, an sich gleichartigen Drahtzeichen mit Hand gefertigt waren und deshalb nicht haargenau übereinstimmen konnten, ergaben sich im Abbild, im Wasserzeichen des Papiers geringfügige Abweichungen, Varianten.

Doppelpapier: Bezeichnung für Papier, das aus zwei Papierlagen besteht, wobei die beiden Bogen jedoch nicht zusammengeklebt sind, sondern schon bei der Herstellung im feuchten Zustande zu einem Bogen zusammen gegauscht und damit untrennbar vereinigt wurden.

Zur Terminologie und Forschungsmethode vgl. Karl Theodor Weiß, Handbuch der Wasserzeichenkunde, bearbeitet und herausgegeben von Wisso Weiß, Leipzig 1962.

Soweit nichts anderes angegeben ist, beruhen die Ermittlungen auf eigenen Forschungen unter Benutzung der Wasserzeichen-Sammlungen (nebst zugeordneten Einrichtungen) des Deutschen Papiermuseums, jetzt in der Deutschen Bücherei, Leipzig.

Hs. 1.[63] Goethe Notensammlung Nr. 430.

„24 Praeludien und Fugen, aus allen Tonarten.

von Joh. Seb. Bach. II ter Theil".

Pappband, Folio, Bezug: Kleisterpapier. – Vorsatzpapier: 34,5 x 42 cm, beschn., vorn und hinten gleichartiges geripptes Papier, im Bogen 14 oder 15 Stege mit Schatten.
WZ vorn (Blatt b): gekröntes W, doppelstrichig, zwischen Stegen, hinten (Blatt a): BRESLAU in doppelstrichigen Antiqua-Versalien (siehe WZ. 1: S. 352). WZ-Typ, etwas kleiner, belegt von 1809 und 1824. PM Breslau,

---

moments", ein besonderes Erlebnis (ebda., S. 142). Nach dem Tode seines musikalischen Lehrmeisters wünscht er „die Seb. Bachschen Cantaten, die Zelter besaß, . . . um jeden Preis wenigstens noch zusammen zu sehen, ehe sie sich zerstreuen sollten (ebda., S. 363). – Von dem ihm befreundeten Kapellmeister Guhr in Frankfurt läßt er sich 1839 ein Bach-Autograph schenken (Briefe aus den Jahren 1833–1847 von Felix Mendelssohn Bartholdy, herausgegeben von Paul Mendelssohn Bartholdy und Carl Mendelssohn Bartholdy, Leipzig [6]/1875, S. 191). Andererseits besaß Mendelssohn u. a. die autographe Partitur zu J. S. Bachs Kantate BWV 33, die er dem Oberkonsistorialrat O. Julius Schubring in Dessau als Geschenk gab. Abschriften fertigte Mendelssohn außer anderen vom Präludium e Moll (ohne die Fuge) BWV 533 (am 9. 12. 1822) sowie von Nr. 5 des „Musikalischen Opfers" BWV 1079 (vgl. BWV. 44, 414, 606, 29) an.

62 Zitiert nach Alfred Guttmann, Musik in Goethes Wirken und Werken, Berlin 1949, S. 138.

63 Bei der Beschreibung der Wasserzeichen werden die folgenden Abkürzungen benutzt: beschn. = beschnitten; Hs., Hss. = Handschrift, Handschriften; L/2, L/3 = Die Lagen werden mit L und Zusatz der Anzahl der Bogen bezeichnet, zum Beispiel L/2, L/3 = Lagen mit 2 bzw. 3 Bogen; O.Gz. = Ohne Gegenzeichen; PM = Papiermühle; WZ = Wasserzeichen.

1477 erste Erwähnung. Das WZ von 1824 aus der Zeit des Johann David Dehnel, Inhaber der PM 1820 bis 1833. Das gekrönte W im Sinne von Wratislavia kommt seit dem 16. Jh. vor.

Notenteil, fortlaufend geschrieben, je Seite 14 Systeme, die letzten 3 Seiten rastriert, aber nicht beschrieben.

Lagenfolge: L/3, L/2 und 1 Bl., einschließlich Titelblatt, Doppelpapier, 34,5 x 41,5 cm, nicht beschn., gerippt, 16 Stege mit Schatten.

WZ: gekröntes Wappen mit Randverzierung, zwischen Stegen, o. Gz., anscheinend das von Sachsen-Anhalt: Gespalten: heraldisch rechts: halber Adler, links Rautenkranz, schräg rechts gezogen. (siehe Wz. 2: S. 353) – Ähnliche Formen belegt von 1792, 1794, 1796, auch 1798 und 1815. PM Jessnitz, Kreis Bitterfeld, Zeit des Johann Gottfried Sienhold, Inhaber der PM mindestens 1786–1806.

Ähnlicher WZ-Typ, mit Kurhut, ebenfalls in Doppelpapier, kommt vor in nichtoriginaler Bach-Hs., Staatsbibliothek Preußischer Kulturbesitz Berlin/West, Mus. ms. Bach P 274, S. 31–40, BWV 582.

L/3, Doppelpapier, 34 x 42 cm, nicht beschn., gerippt, 16 Stege mit Schatten.

WZ: kleine stilisierte Lilie, auf Steg, anscheinend mit Gegenmarke (Buchstaben?) siehe Wz. 3: S. 353 (abgebildet ist eine Form, insgesamt vielleicht 4 Varianten). Herkunft zur Zeit nicht feststellbar.

L/3, L/3, WZ: gekröntes Wappen wie oben.

L/3, WZ: Lilie wie oben.

L/3, L/2, L/3, WZ: gekröntes Wappen wie oben.

L/3, L/2, WZ: Lilie wie oben.

Es handelt sich um das „Wohltemperierte Klavier", 2. Teil, BWV 870–893. Vgl. BWV S. 499 und 504–512. Ob dieses Exemplar etwa dasjenige ist, nach dem Schütz am 16. und 30. Januar 1819 in Weimar für Goethe spielte (s. oben, S. 346 f.), kann mit Bestimmtheit nicht gesagt werden. – Vielleicht ist es aber die Handschrift, die Goethe von Zelter 1816 geschenkt erhielt, denn Goethe wird vermutlich das „Wohltemperierte Klavier" als Druck (Breitkopf & Härtel) gekauft und Schütz in Berka verehrt haben.

Hs. 2. Goethe Notensammlung Nr. 431 a.
„15 Sinfonis per il Cembalo Dele Sign. Sebastian Bach".

Insgesamt 8 Bogen, lose liegend, Folio, Besonderheit: Alle Bogen sind so beschrieben, daß man jeweils von Seite 4 des Bogens beginnen muß, die Fälze liegen also außen, anstatt innen.

Der Umschlagbogen mit einer Sinfonie, 7 Bogen mit je 2 Sinfonien. Je Seite unterschiedlich 12 oder 14 Systeme, davon meist einige nicht beschrieben.

Umschlagbogen: S. 1 Titel, S. 2 und 3 Noten, je 12 Systeme, S. 4 nicht rastriert und unbeschrieben. 35 x 42,5 cm, etwas beschn., Doppelpapier, 16 Stege mit Schatten, 2 Randstege.

WZ: Großes kursives FR-Monogramm, doppelstrichig, auf Steg, in beiden Blättern des Bogens (siehe Wz. 4: S. 353).

Vorliegende Form nicht belegt. In gleicher Formgebung etwas kleiner. 1753 und 1759 WZ der PM Eichhorst am Finowkanal, Ortsteil Werbelin, Kreis Eberswalde, gegründet 1709. Inhaber der PM 1747–1807 Papiermacher Daniel Gottlieb Schottler.

Bogen 1–3. 35,5 x 44 cm, nicht beschn., geripptes Papier, 18 Stege mit Schatten, anscheinend 2 Randstege. Struktur sehr wolkig.

r und v = je 14 Systeme.

Vielleicht mit WZ, solches aber nicht klar erkennbar.

Bogen 4–5. 34,5 x 42,5 cm, nicht beschn., geripptes Papier, 17 Stege mit Schatten, Randsteg in Blatt a).

3 x r und v = 12 Systeme, 1 x r und v = 14 Systeme.

WZ: Blatt b) gekrönter Doppeladler (breite Krone) mit Kleeblattstengeln und doppelstrichigem Z im Herzschild, zwischen Stegen, Blatt a) leer (siehe Wz. 5: S. 354).

PM: Zittau. Der Zittauer gekrönte Doppeladler von 1622 bis 1792 in mannigfachen Änderungen der Gestaltung in geripptem Papier belegt. Vorliegende Form vielleicht aus der Zeit zwischen 1792 und 1808 (von da ab Auftreten des Zeichens in Velinpapier). –

Der gleiche WZ-Typ kommt in der Abschrift eines fremden Werks vor: Staatsbibliothek Preußischer Kulturbesitz Berlin/West, Marco Gioseffe Peranda, Kyrie, Stimmen, mus. ms. $\frac{17079}{18}$, ein Binio im Umschlag. Ebenso gleicher WZ-Typ in Notenhandschriften zu Werken von Johann Joachim Quantz (1697–1773). Nach freundlicher Mitteilung von Dr. Horst Augsbach, Leipzig, für die auch an dieser Stelle herzlicher Dank ausgesprochen sei, erscheint das Zeichen dieses WZ-Typs in Kopien aus den Jahren zwischen 1740 und 1742.

Bogen 6–7. 35,5 x 42,5 cm, nicht beschn., geripptes Papier, 16 Stege mit Schatten, 2 Randstege. r und v = je 12 Systeme.

WZ: Kursives FR-Monogramm wie oben.

BWV 787–801. Vgl. BWV S. 472–475, sowie Kritischer Bericht zur NBA Serie V, Band 5 von Wolfgang Plath, Klavierbüchlein für Wilhelm Friedemann Bach, insbesondere S. 115–132. Die vorliegende Hs. ist dort nicht behandelt.

Hs. 3. Goethe Notensammlung Nr. 431 b.
„Fuge aus G-Moll mit Pedal von Johann Sebastian Bach".

Unter dem Titel steht eine Bemerkung: „Diese Fuge ist eigentlich in der dorischen, um eine Quarte höher versetzten, Tonart geschrieben. Zum Beweise dienen beide Tonleitern, welche in Quarten oder umgekehrten Quinten nebeneinander fortschreiten. Dorische Tonleiter . . ."
L/3 geheftet, 24 x 66,5 cm, beschn., querhalbierte Bogen von Großformat (ganzer Bogen also 48 x 66,5 cm), geripptes Papier, 24 Stege mit Schatten. Titelseite (S. 1) und letzte Seite (S. 12) sind nicht rastriert, die übrigen Seiten rastriert, je 8 Systeme auf einer Seite. Zwei rastrierte Seiten ohne Noten, S. 10 und 11, von letzter Notenseite sind zwei Systeme nicht beschrieben.
WZ: Bruchstücke jeweils am oberen beschnittenen Rand, jeweils obere oder untere Hälfte des Zeichens von Blatt a) I W EBART, doppelstrichig
Blatt b) großer gekrönter Lilienschild, zwischen Stegen.
Vielleicht Teile von zwei verschiedenen Formen (siehe Wz. 6: S. 355). PM: Spechthausen, an der Schwärze, Kreis Eberswalde. Gegründet 1781, eingegangen 1956 bzw. vereinigt mit VEB Papierfabrik Wolfswinkel und nach dort verlegt. – Johann Wilhelm Ebart geb. 1781, gest. 1822. Inhaber der PM vermutlich 1805 (oder früher) bis 1822.
Diese Abschrift der Bach-Fuge kann in Berlin entstanden sein, da in Berlin häufig Spechthausener Papier verwendet wurde; sie kann eventuell durch Zelter in Goethes Besitz gelangt sein. – Durch Schriftuntersuchungen könnte vielleicht der Schreiber ermittelt werden.
BWV 542/2[64]. Vgl. BWV S. 418–419, ferner Kritischer Bericht zur NBA Serie IV, Band 5 und 6 / Teilband 1 und 2 von Dietrich Kilian, Präludien, Toccaten, Fantasien und Fugen für Orgel, insbesondere S. 452–472.
Lilienschild, obere Hälfte, Bogen in analoger Weise quer geteilt, gleicher WZ-Typ, ähnliche Form bei Zelters Lied „Zwischen Weizen und Korn . . ." (1. Bl.). Goethe- und Schiller-Archiv, Goethe Notensammlung Nr. 53.

Hs. 4 Goethe Notensammlung Nr. 431^d.
Inventionen Nr. 1, 2, 9–14.

8 Folioblätter, in Querformat verwendet. Eine Invention jeweils auf einem Blatt. Jeweils zwei Blätter an den linken Kanten zusammen geklebt. Ca. 20,5 x ca. 33 cm, beschn., geripptes Papier, jeweils 9 Stege, undeutliche Rippung, undeutliche WZ, Tinte schlägt durch. Rückseiten nicht beschrieben. Jeweils 8 Systeme auf einer Seite.
WZ: Kelch über Schrifttafel mit I P F „doppelstrichig", als Sockel. O. Gz. Zusammengehöriges gleichartiges Papier (siehe Wz. 7: S. 354).

Inventio I ex C WZ	zusammengeklebt	Inventio XII ex A-dur WZ	zusammengeklebt
Inventio II ex C^b o. Z.		Inventio XI ex G^b o. Z.	
Inventio IX ex F^b WZ	zusammengeklebt	Inventio XIV ex B WZ	zusammengeklebt
Inventio X ex G o. Z.		Inventio XIII ex A^b o. Z.	

Die Verwendung des WZ-Typs nachgewiesen Gera 1744, und 1745 belegt: Kirchenrechnung Brambach 1745 und Brief aus Pörßdorf vom 27. 1. 1745.
PM: Adorf, Kreis Ölsnitz/Vogtland, gegründet 1671. Papiermacher: Meister und Inhaber Johann Paul Fietz, geb. vermutlich um 1695, gest. 21. 4. 1749. Die Hs. dürfte somit, sofern nicht original, so doch noch zu Lebzeiten Johann Sebastian Bachs entstanden sein. – Derselbe WZ-Typ ist teilweise in BWV 232, Staatsbibliothek Preußischer Kulturbesitz Berlin/West, P 180 vertreten (Titelblatt zu Nr. 2 und Nr. 4), die WZ sind jedoch nicht identisch. Vgl. Wasserzeichenkatalog zur Neuen Bach-Ausgabe Nr. 100.
BWV 772, 773, 780–785. Vgl. BWV S. 472–475.
Es ist wohl nicht ausgeschlossen, daß es sich um das von Zelter nicht näher bezeichnete Bach-Autograph handelt, das er am 11. 4. 1815 Goethe zum Geschenk machte (s. oben, S. 345). Ob Mendelssohn zu seinem Vorspiel auf dem Klavier anläßlich seines Goethebesuchs 1830 in Weimar diese Notenblätter benutzte, mag dahingestellt bleiben.

Hs. 5. Goethe Notensammlung Nr. 431^e.
„Vom Himmel hoch, da komm ich her". 5 Variationen.

L/2, lose liegend, gelbliches Doppelpapier, ca. 36,5 x 44 cm, nicht beschn., geripptes Papier, anscheinend 18 Stege mit Schatten. 8 Seiten mit Noten beschrieben, mit Ausnahme der drei untersten Systeme auf der 8. Seite, S. 1 und 2 = 18 Systeme, S. 3 = 16 Systeme, S. 4 bis 8 je 12 Systeme.

---

64 Die Feststellung dieser BWV-Nummer hat mir freundlicherweise Herr Dr. Hans-Joachim Schulze, Leipzig mitgeteilt, wofür ich ihm ebenso wie für verschiedene weitere wertvolle Hinweise auch an dieser Stelle herzlichen Dank ausspreche.

WZ: nicht klar zu erkennen, anscheinend vorhanden, jedoch nicht deutbar.

BWV 769. Vgl. BWV S. 467–468, ferner Kritischer Bericht zur NBA Serie IV Band 2 von Hans Klotz, Die Orgelchoräle der Leipziger Orgelhandschrift, insbesondere S. 86–101. – Die vorliegende Hs. ist dort nicht behandelt.

Hs. 6. Goethe Notensammlung Nr. 429.
„Willst Du Dein Herz mir schenken . . .“

„Dichtung und Composition von Joh. Seb. Bach“. „Aria di Giovanni“ Schmuckblatt, 23 x 32,3 cm, beschn., Velinpapier ohne Zeichen, anscheinend Maschinenpapier. – Mit Goldumrandung, Goldverzierung mit Eckblume im linken oberen Eck. – Blaue Rastrierung, je 12 Systeme, r und v, davon 10 Systeme r = mit Noten mit schwarz-brauner Tinte beschrieben.

BWV 518. Vgl. BWV S. 406–407, ferner Kritischer Bericht zur NBA Serie V, Band 4 von Georg von Dadelsen, Die Klavierbüchlein für Anna Magdalena Bach, insbesondere S. 113–116. – Der Komponist ist wohl Giovannini. Wegen Fragen der Echtheit vgl. Spitta I, S. 834–835, sowie Kritischer Bericht, a. a. O., und Heinz Becker, Artikel Giovannini, in: MGG 5, Sp. 155–158. – Im Katalog des Goethe- und Schiller-Archivs mit „ZS“, d. h. zeitgenössische Schrift, bezeichnet. Nach dem Papier zu schließen, frühestens um 1800, jedenfalls noch zur Goethezeit.

Zusammenfassend kann gesagt werden, daß wohl eine Handschrift, vielleicht auch zwei Handschriften aus der letzten Zeit Johann Sebastian Bachs stammen dürften. Die übrigen Handschriften sind spätere Abschriften, aus der zweiten Hälfte des 18. Jahrhunderts, bzw. aus der Frühzeit des 19. Jahrhunderts.

Wasserzeichen 1

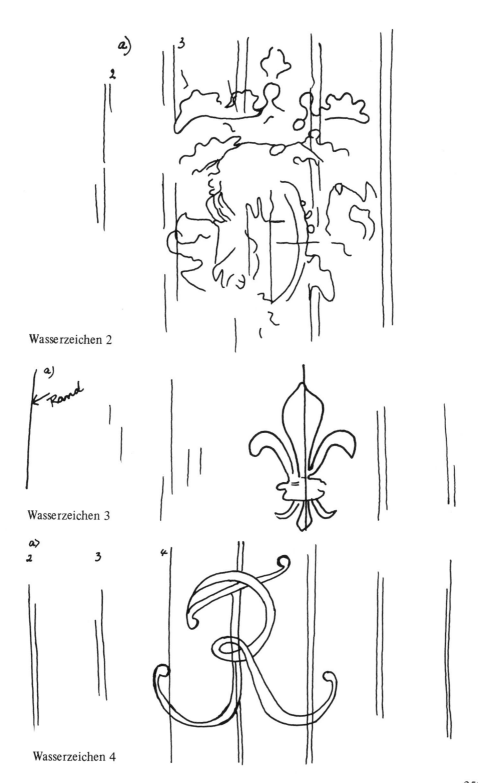

Wasserzeichen 2

Wasserzeichen 3

Wasserzeichen 4

Wasserzeichen 5

Wasserzeichen 7

354

Wasserzeichen 6

355

Christoph Wolff

„Die sonderbaren Vollkommenheiten des Herrn Hofcompositeurs"
Versuch über die Eigenart der Bachschen Musik

Fragen nach dem künstlerischen Antrieb eines Komponisten führen zwangsläufig in die nebu-
lose Sphäre der Schaffenspsychologie. Ohne ein gehöriges Maß an Spekulation läßt sich in der
Tat dem Moment des Schöpferischen kaum begegnen, und dies zumal bei Komponisten, für die
an möglicherweise aufschlußreichen Eigenaussagen zur künstlerischen Motivation nichts oder
nur wenig vorliegt. Trotz aller offensichtlichen Problematik gehört jedoch die Erforschung der
spezifischen Gegebenheiten kreativen Produzierens, der Bedingungen und Zielrichtung des
künstlerischen Impetus sowie der allgemeinen und individuellen Parameter des gestalterischen
Zugriffs zu den nicht nur legitimen, sondern geradezu zentralen Anliegen jeder Kunstwissenschaft, die sich um das Erklären des Soseins von Kunstwerken bemüht.

In der Musik erstreckt sich der hier zu berücksichtigende Fragenkreis von den allgemeinen
Prämissen, historischen Voraussetzungen und Grundlagen der Kompositionspraxis über Persönlichkeit und biographischen Kontext des Komponisten bis hin zu den detaillierten Aspekten der
Genese eines Einzelwerkes. Freilich ist damit nur ein grober Rahmen abgesteckt, innerhalb
dessen man immer wieder und praktisch zwangsläufig auf unüberwindbare Schwierigkeiten
stößt. Das gilt insbesondere von der Grauzone der dem eigentlichen Komponieren vor- und
nebengeordneten Konzeption. Es manifestieren sich im musikalischen Kunstwerk Ideen, doch
lassen sich diese kaum jemals auf ihre Keimzellen zurückführen. Auch beim Vorliegen von
Skizzen, Entwürfen und sonstigen Spuren des Kompositionsprozesses befindet man sich auf
schwankendem Boden im Blick auf die Einschätzung der Selbstkritik des Komponisten. Immerhin vermag das Studium der Genese von Einzelwerken bis hin zu Werkrepertoires dazu beizutragen, gewisse Verhaltensmuster oder kompositorische Konstanten aufzudecken, die als Parameter die individuelle Tonsprache eines Komponisten mitbestimmen. Natürlich ist die Suche nach
personaltypischen Konstanten umso sinnvoller und die Ergebnisse sind umso plausibler, je näher
man sich in musikgeschichtlichen Bereichen bewegt, für die das Prinzip der Originalität wenigstens im Ansatz als ästhetische Maxime gilt.

Dem Zeitalter Bachs war der Gedanke des Originalgenies noch durchaus wesensfremd, wenngleich späterhin die Rezeption gerade der Bachschen Musik zu den Grundpfeilern der Genieästhetik gehören sollte. Allerdings läßt sich nicht übersehen, daß Bach als Komponist in mehrfacher Hinsicht für seine Zeit kaum als repräsentativ gelten kann. Es gehört zu den Besonderheiten seiner Musik, daß sie in für die erste Hälfte des 18. Jahrhunderts höchst ungewöhnlicher
Weise das Produkt einer überaus starken und eigenwilligen Künstlerpersönlichkeit darstellt. In
den rund fünfzig Jahren seiner kompositorischen Tätigkeit durchmißt Bach einen Entwicklungsprozeß, der zumal unter seinen Zeitgenossen ohne jede Parallele ist. Dabei spielen Kontinuität
und Wandel eine gleichbleibend determinierende Rolle. Als wesentlicher Eckpfeiler der Kontinuität in Bachs Musik erscheint der von Anfang an kompromißlos professionelle Zuschnitt.
Bach hat sich nie an den Dilettanten gewandt. Sein eigenes Virtuosentum – das Trauergedicht
am Schluß des Nekrologs spricht nicht zufällig von Bach als „Held der Virtuosen" – war fest in
der Familientradition der Musikerzunft verwurzelt und schlägt sich nicht allein vordergründig in
dem gleichmäßig hohen, für seine Zeit durchweg als extrem anspruchsvoll geltenden technischen
Schwierigkeitsgrad nieder. Als entscheidender Faktor des Wandels in seiner musikalischen
Entwicklung gilt demgegenüber der trotz aller geographischen Beschränkung grenzenlose Wissens-
durst hinsichtlich aller Aspekte der Kompositionskunst. Bachs Kenntnis der Musikliteratur
seiner Tage und auch der zurückliegenden Generationen war beispiellos, vor allem in der Art,

wie er neu gewonnene Erkenntnisse als veränderndes und bereicherndes Moment in sein eigenes Komponieren zu integrieren verstand. Überblickt man die chronologische Spannweite des Bachschen Schaffens, so zeigt sich von den frühesten bis zu den letzten Werken ein unvergleichliches Spektrum differenzierter Tonsprache. Dies gilt gleichermaßen für das Instrumental- wie Vokalwerk: man kontrastiere nur das „Capriccio sopra la lontananza del suo fratello dilettissimo" mit der „Kunst der Fuge" auf der einen Seite, auf der anderen den „Actus tragicus" BWV 106 mit der „h-moll-Messe". Demgegenüber wirkt der Entwicklungsspielraum Händels, wenn man beispielsweise seine frühesten Opern und seine letzten Oratorien als repräsentative Pole seines Lebenswerkes ansieht, um ein Erhebliches schmaler — ganz abgesehen von dem Bach gegenüber engeren Repertoire an Kompositionsgattungen und Techniken.

Es fällt nicht schwer, aus heutiger Perspektive Bach in seiner Zeit eine Sonderstellung einzuräumen. Doch hat man offensichtlich zumindest im engeren Kreis um Bach schon zu dessen Lebzeiten eine ziemlich klare Vorstellung davon gehabt, daß — wie der Nekrolog formuliert (siehe unten) — seine Musik „keinem andern Componisten ähnlich" sei. Zwar hat erst die Ästhetik des Idealismus den neuartigen Kunstbegriff entworfen, zu dessen wichtigsten integrierenden Bestandteilen Individualität des Künstlers sowie Singularität seines Werkes gehören. Und daß gerade die Rezeption insbesondere der Bachschen Instrumentalmusik entscheidend zu der Ausbildung dieses philosophisch untermauerten Kunstbegriffes beigetragen hat, ist frühzeitig erkannt und immer wieder gebührend betont worden[1]. Indessen sollte man nicht übersehen, daß schon vor 1750 in der Einschätzung der Bachschen Musik deren unbestreitbar nonkonformistischer Zuschnitt erkannt wurde. Hier liegt der Kern des Konfliktes in jener berühmten Kontroverse zwischen Scheibe und Birnbaum/Bach, die oftmals und in verschiedene Richtungen analysiert und interpretiert worden ist[2]. Der eigentliche Grund für das Unverständnis Scheibes sowie für Bachs kompromißlose Haltung liegt jedoch in dem Vollkommenheitsanspruch der Bachschen Musik. Der Begriff „Vollkommenheit" taucht in der Tat häufig in Birnbaums Argumentation auf, gipfelt schließlich im Plural mit dem lapidaren Verweis auf „die sonderbaren [d. h. unverwechselbaren, andersartigen] Vollkommenheiten des Herrn Hofcompositeurs"[3]. Bachs individualistisches Beharren auf Prinzipien, die für einen Regelstreit denkbar ungeeignet waren, bezieht aus diesem Vollkommenheitsanspruch seine Legitimation.

Diesem 1738/39 von Birnbaum vertretenen Vollkommenheitsanspruch der Bachschen Musik tritt im Nekrolog von 1750/54 ein Absolutheitsanspruch zur Seite: „Hat jemals ein Componist. . ."[4] Und in diesem Zusammenhang wird auf das Phänomen hingewiesen, daß Bachs Musik „keinem andern Componisten ähnlich" sei. Ein solches Urteil steht musikgeschichtlich wohl ohne Vorbild da. Der Begriff „Größe" findet sich apostrophierenderweise im Blick auf musikalische Leistung schon bei Renaissance-Komponisten. Doch Andersartigkeit und Unvergleichlichkeit — ganz abgesehen von dem Vollkommenheits- und Absolutheitsanspruch —, vor und um 1750 als ein Kriterium für die Einschätzung der Bachschen Musik gebraucht, nimmt die Terminologie der Genieästhetik des späteren 18. Jahrhunderts vorweg. Die Aussage Christian Friedrich Daniel Schubarts 1784/85 bringt substantiell nichts Neues, wenn es heißt: „Sebastian Bach war ein Genie im höchsten Grade. Sein Geist ist so eigenthümlich, so Riesenförmig, daß Jahrhunder-

---

1 Vgl. Carl Dahlhaus, Zur Entstehung der romantischen Bach-Deutung, in: BJ 1978, S. 192–210; Martin Zenck, Stadien der Bach-Deutung in der Musikkritik, Musikästhetik und Musikgeschichtsschreibung zwischen 1750 und 1800, in: BJ 1982 (im Druck).

2 Vgl. die zusammenfassende Diskussion bei Günther Wagner, J. S. Bach und J. A. Scheibe, in: BJ 1982 (im Druck).

3 Johann Abraham Birnbaum, Verteidigung seyner unpartheyischen Anmerkungen (Leipzig 1739), in: Dok II, S. 349.

4 Denkmal dreyer verstorbenen Mitglieder der Societät der musikal. Wissenschaften (der Bach betreffende Teil von Carl Philipp Emanuel Bach und Johann Friedrich Agricola 1750 verfaßt; 1754 gedruckt), in: Dok III, S. 87.

te erfordert werden, bis er einmal erreicht wird."⁵ Schubart spricht überdies ausdrücklich davon, „daß man das Originalgenie eines Bachs nicht verkennen kann."⁶ Der Begriff des Originalgenies ist neu, sein auf Bach bezogener Inhalt nicht. Und es scheint, daß für den musikalischen Bereich der Genieästhetik Bach eine Schlüsselrolle zugewiesen werden muß, deren formative Ansätze bereits vor 1750 greifbar werden.

Wie läßt sich nun die Andersartigkeit, das Originelle oder das Individuelle der Bachschen Musik fassen? Die allgemeinen Aspekte können wohl kaum präziser und bündiger formuliert werden als in dem von Carl Philipp Emanuel Bach und Johann Friedrich Agricola verfaßten Nekrolog:

> Hat jemals ein Componist die Vollstimmigkeit in ihrer größten Stärke gezeiget; so war es gewiß unser seeliger Bach. Hat jemals ein Tonkünstler die verstecktesten Geheimnisse der Harmonie in die künstlichste Ausübung gebracht; so war es gewiß unser Bach. Keiner hat bey diesen sonst trocken scheinenden Kunststücken so viele Erfindungsvolle und fremde Gedanken angebracht, als eben er. Er durfte nur irgend einen Hauptsatz gehöret haben, um fast alles, was nur künstliches darüber hervor gebracht werden konnte, gleichsam im Augenblicke gegenwärtig zu haben. Seine Melodien waren zwar sonderbar; doch immer verschieden, Erfindungsreich, und keinem andern Componisten ähnlich. Sein ernsthaftes Temperament zog ihn zwar vornehmlich zur arbeitsamen, ernsthaften, und tiefsinnigen Musik; doch konnte er auch, wenn es nöthig schien, sich, besonders im Spielen, zu einer leichten und schertzhaften Denkart bequemen.⁷

Zur näheren Erläuterung dieses trotz aller Knappheit recht ausgewogenen Resümees der Bachschen Kompositionskunst lassen sich verschiedene Passagen aus den Birnbaumschen Verteidigungsschriften gewissermaßen als Kommentar heranziehen. Dies erscheint hinsichtlich der Konkretisierung der Formulierungen des Nekrologs umso wichtiger, als eine Reihe entscheidender Sachaussagen Birnbaums als direkt von Bach stammend angesehen werden müssen. Dies gilt nicht nur für die verschiedenen Verweise auf Literatur in Bachs Bibliothek (de Grigny, du Mage, Lotti, Palestrina)⁸ oder ausdrückliche Zitate (etwa: „wozu ich es durch fleiß und übung habe bringen können, dazu muß es auch ein anderer, der nur halbwege naturell und geschick hat, auch bringen."⁹), sondern man darf annehmen, daß Birnbaum im großen und ganzen als Sprachrohr des literarisch ungewandten Bach fungiert.

Nach Aussage des Nekrologs besteht die zentrale Qualität der Bachschen Musik in der „Vollstimmigkeit", d. h. in der harmonisch-polyphonen Konzeption. Bachs Umgang mit den „verstecktesten Geheimnissen der Harmonie" basiert auf intimster Vertrautheit mit „der vollstimmigen Setz-Kunst, so man eigentlich Harmonie heißt":¹⁰

> Übrigens ist gewiß, daß die stimmen in den stücken dieses großen meisters in der Music wundersam durcheinander arbeiten: allein alles ohne die geringste verwirrung. Sie gehen miteinander und wiedereinander; beydes wo es nöthig ist. Sie verlassen einander und finden sich doch alle zu rechter zeit wieder zusammen. Jede stimme macht sich vor der andern durch eine besondere veränderung kenntbar, ob sie gleich öfftermahls einander nachahmen. Sie fliehen und folgen einander, ohne daß man bey ihren beschäfftigungen, einander gleichsam zuvorzukommen, die geringste unregelmäßigkeit bemercket. Wird dies alles so, wie es seyn soll, zur execution gebracht; so ist nichts schöners, als diese harmonie.¹¹

---

5 Ideen zu einer Ästhetik der Tonkunst (1784/85), in: Dok III, S. 408.

6 Ebda., S. 409.

7 Dok III, S. 87.

8 Unpartheyische Anmerckungen (Leipzig 1738), in: Dok II, S. 304 f.

9 Ebda., S. 303.

10 Johann Mattheson, Der vollkommene Capellmeister (Hamburg 1739), Faksimile-Ausgabe: Documenta Musicologica I/5, Kassel etc. 1954, S. 245.

11 Dok II, S. 302.

Bach versteht die Harmonie als naturgegeben und sieht die Aufgabe des Komponisten darin, dieser Natur auf den Grund zu gehen und „Einsicht in die Tiefen der Weltweisheit"[12] zu gewinnen:

Die rühmlichen bemühungen des Herrn Hof-Compositeurs sind. . . dahin gerichtet, eben dieses natürliche, durch hülffe der kunst, in dem prächtigsten ansehn der welt vorzustellen. ...
Je größer nun die kunst ist, das ist, je fleißiger und sorgfältiger sie an der ausbeßerung der natur arbeitet, desto vollkommener glänzt die dadurch hervorgebrachte schönheit. Folglich ist es wiederum unmöglich, daß die allergrößte kunst die schönheit. . . verduncklen könne.[13]

Hier liegt die Begründung für die Anwendung von „trocken scheinenden Kunststücken", denen Bachs „erfindungsvolle und fremde Gedanken" das Trockene nehmen. Die Naturgegebenheit der Harmonie macht den Komponisten zum Entdecker. Es geht eben nicht darum, wie Scheibe als Advokat der von Birnbaum als „Skribenten" abgekanzelten modernen Komponisten fordert, zu einer Hauptstimme lediglich Begleitstimmen zu setzen.

Vielmehr fließt das gegentheil aus dem wesen der Music. Denn dieses besteht in der harmonie. Die harmonie wird weit vollkommener, wenn alle stimmen miteinander arbeiten. Folglich ist eben dieses kein fehler, sondern eine musicalische vollkommenheit.[14]

Vollkommenheit ist das Ziel, das erreicht werden mag, wenn mit Hilfe „der allergrößten Kunst" die Schönheit und das Natürliche vorgestellt werden kann. Vollkommenheit impliziert das Wissen um „die verstecktesten Geheimnisse der Harmonie". Diese dem 17. Jahrhundert entstammende Konzeption einer vorgegebenen und nur zu entdeckenden Wirklichkeit findet ihr Korrelat in der antik-rhetorischen „Dichotomie von *ingenium* und *studium*" als denjenigen Fähigkeiten, „die der Dichter vor aller Regelkenntnis von Natur aus mitbringt"[15]. Nur in diesem Sinne ist Birnbaum zu verstehen:

Es ist alles möglich wenn man nur will, und die natürlichen fähigkeiten durch unermüdeten fleiß in geschickte fertigkeiten zu verwandeln eyfrigst bemühet ist.[16]

Doch klaffen gerade an dieser Stelle Theorie und Realität auseinander. Birnbaum kennt den Begriff des Originalgenies nicht und kann darum Bachs Künstlertum nicht als ein autonomes im Sinne der späteren Ästhetik erfassen. Ebensowenig ließ sich Bachs Musik zu jener Zeit im Sinne von ästhetischer Kunst verstehen, auch wenn die Begriffe der Vollkommenheit und der Schönheit bereits als maßgeblich gelten, jedoch nicht im Sinne der Genieästhetik.

In Ermangelung eines am Konzept des Originalgenies entwickelten Begriffssystems konnte die Eigenart der Bachschen Musik nur unvollständig umschrieben werden. Der Nekrolog spricht von „fremden Gedanken" oder davon, daß Bachs Melodien „sonderbar", „immer verschieden" und „erfindungsreich", d. h. „keinem andern Componisten ähnlich" seien[17]. Birnbaum rühmt „die erstaunliche Menge seltener und wohlausgeführter einfälle"[18]. Damit ist nicht die traditio-

---

12 Ebda., S. 353.
13 Ebda., S. 303.
14 Ebda., S. 305.
15 Historisches Wörterbuch der Philosophie, herausgegeben von Joachim Ritter, Band 3, Darmstadt 1974, Artikel Genie (B. Fabian), S. 279.
16 Dok II, S. 303.
17 Dok III, S. 87.
18 Dok II, S. 300. Konkretisierend weist Birnbaum an anderer Stelle (ebda., S. 354) auf Bachs Melodik als „chromatisch und dissonirend" hin und sieht dies im Zusammenhang mit den „dissonirenden Reichthümern des Herrn Hofcompositeurs".

nelle Inventionskunst mit ihrer sich an musikalisch-rhetorischen Modellen orientierenden Entdeckung von Themen und Melodien gemeint. Bachs Inventionskunst bewegte sich deutlich weg von der Tradition in Richtung Originalschöpfung, doch nicht einer voraussetzungslosen. So wie Bach Harmonie als naturgegeben versteht, deren Geheimnisse es auszuschöpfen gilt, so orientieren sich seine Einfälle immer wieder an gegebenen Vorwürfen, — sie scheinen der Herausforderung zu bedürfen. In diesem Zusammenhang ist eine 1741 von einem gewissen Magister Pitschel überlieferte Beobachtung aufschlußreich:

Sie wissen, der berühmte Mann, welcher in unserer Stadt das größte Lob der Musik, und die Bewunderung der Kenner hat, kömmt, wie man saget, nicht eher in den Stand, durch die Vermischung seiner Töne andere in Entzückung zu setzen, als bis er etwas vom Blatte gespielt, und seine Einbildungskraft in Bewegung gesetzt hat.
Der geschickte Mann. . . hat ordentlich etwas schlechteres vom Blatte zu spielen, als seine eigenen Einfälle sind. Und dennoch sind diese seine besseren Einfälle Folgen jener schlechteren.[19]

Nun wird man gewiß nicht generalisieren dürfen und auf Grund dieses Hinweises weitreichende Schlüsse ziehen wollen. Dennoch scheint sich hier eine Tendenz anzudeuten, die für Bachs Kompositionsweise und die Eigenart seiner Musik überaus charakteristisch zu sein scheint. Es geht um das Prinzip der Veränderung vorgegebenen Materials im Sinne seiner weiteren Ausschöpfung, im Sinne der Entdeckung der „verstecktesten Geheimnisse der Harmonie". Eine Bemerkung Carl Philipp Emanuel Bachs zielt in eben diese Richtung:

Vermöge seiner Größe in der Harmonie, hat er mehr als einmahl Trios accompagnirt, und. . . aus dem Stegreif. . . ein vollkommenes Quatuor daraus gemacht. . . Bey Anhörung einer starck besetzten u. vielstimmigen Fuge, wuste er bald, nach den ersten Eintritten der Thematum, vorherzusagen, was für contrapunctische Künste möglich anzubringen wären u. was der Componist auch von Rechtswegen anbringen müste. . .[20]

Es hat den Anschein, als wäre für Bach das Aufdecken der in der Harmonie vorgegebenen Geheimnisse geradezu eine Manie gewesen. Als einer, der im wesentlichen kompositorischer Autodidakt war, hatte er (laut Nekrolog) die entsprechenden Erfahrungen „größtenteils nur durch das Betrachten der Wercke der damaligen berühmten und gründlichen Componisten und angewandtes eigenes Nachsinnen erlernt"[21]. Dazu heißt es später noch: „Blos eigenes Nachsinnen hat ihn schon in seiner Jugend zum reinen u. starcken Fugisten gemacht."[22] Zum traditionellen Studium der *exempla classica* trat bei Bach das „eigene Nachsinnen", und zwar vor allem im Blick auf das Erlernen der Fugenkomposition. Von Anfang an muß die Komposition eines Satzes als kontrapunktische Entwicklung eines Themas für Bach von brennendem Interesse gewesen sein. Die Bach im Nekrolog bescheinigte Fähigkeit, daß er beim bloßen Anhören irgendeines Themas „fast alles, was nur künstliches darüber hervorgebracht werden konnte, gleichsam im Augenblicke gegenwärtig" hatte, erscheint überaus bezeichnend für seine Arbeitsweise, die sich eher als *elaboratio*, kaum jedoch als *creatio* verstand: die Möglichkeiten zur „künstlichen Ausarbeitung" waren latent gegeben, sie mußten lediglich „durch Nachsinnen" entdeckt werden. Bei Bachs offensichtlich phänomenaler Kombinationsgabe konnte es keinen Unterschied machen, ob ein Thema von ihm selbst oder einem anderen Komponisten stammte. In jedem Falle mußte er es als Herausforderung zum Auffinden der innewohnenden kontrapunktischen Potenz empfinden. *Mutatis mutandis* gilt dies für Bachs Kompositionsweise insgesamt, nicht nur für den Fugensatz. Und es scheint, daß in jenem Elaborationsprinzip eine der wesentlichen und gattungsunabhängigen Konstanten der Bachschen Kompositionskunst und

19 Dok II, S. 397.
20 Brief an Johann Nikolaus Forkel (Hamburg 1774), in: Dok III, S. 285.
21 Dok III, S. 82.
22 Carl Philipp Emanuel Bach an Forkel (Hamburg 1775), in: Dok III, S. 288.

seines Personalstiles vorliegt. Und sie ist zutiefst verwurzelt in Bachs Streben nach dem Aufdecken der „Geheimnisse der Harmonie", in Bachs Suche nach der „vollkommenen Harmonie". Diese aber gilt erst dann als vollkommen, wenn „alle Stimmen miteinander arbeiten", und zwar „ohne die geringste Verwirrung"; „jede stimme macht sich vor der andern durch eine besondere veränderung kenntbar, ob sie gleich öfftermahls einander nachahmen."[23]

Der Variationsgedanke spielt in diesem Elaborationsprinzip eine gewichtige Rolle. Nicht nur, daß die Imitationsdurchführung einer Fuge im Sinne von Veränderungen verstanden wird (Birnbaum rühmt „die durchführungen eines einzigen satzes durch die thone, mit den angenehmsten veränderungen"[24]), sondern auch die enge konzeptionelle Verknüpfung von Variation und Elaboration in den monothematischen Instrumentalzyklen des Bachschen Spätwerkes deutet auf die weitgehende Substanzgemeinschaft der beiden Begriffe in Bachs kompositorischem Denken. Wiederholte Elaboration desselben musikalischen Gedankens zur Auslotung der immanenten harmonischen Konstellationen führt geradezu zwangsläufig zu einer Kette von Variationen.

Unter diesem mit dem Variationsgedanken verbundenen Elaborationsprinzip läßt sich auch Bachs Bearbeitungstechnik fassen (unabhängig davon, ob die Vorlage eigenen oder fremden Ursprungs ist), vor allem aber die Parodiepraxis. Der Bearbeitungs- und Parodievorgang setzt voraus, daß verändernde Elaboration möglich und (aus welchem Grunde auch immer) notwendig erscheint. Arbeitsökonomie kann als motivierende Begründung für Bachs Vorgehen nur sehr begrenzt angeführt werden. Man hat aber mit Recht auf die „Multivalenz" des Bachschen Satzes sowie den „Überschuß" musikalischer Gestaltung jenseits der Textvertonung hingewiesen[25]. Parodie als Variation verstanden, d. h. als Elaboration der unausgeschöpften immanenten musikalischen Potenz, dürfte dem Bachschen Ansatz gewiß am nächsten kommen.

In dieses Elaborationsprinzip einbeziehen läßt sich ebenfalls die wiederholte Bearbeitung bzw. Harmonisierung eines cantus firmus (vom Choralsatz im stylus simplex über das Choralpräludium bis hin zum komplexen Choralchorsatz). Beeinflußt wird von ihm auch Bachs Denken in Serien und Werkgruppen, d. h. die Erprobung einer Idee in mehrfacher und verschiedener Ausführung (vgl. „Orgelbüchlein", Cembalo-Konzerte, „Wohltemperiertes Klavier", Choralkantaten-Jahrgang, etc.). Schließlich erfaßt es Revision und Korrektur, ein für Bach besonders typisches Vorkommnis: Zeichen dafür, daß er immer wieder Grund für die Suche nach besseren Alternativen hat. Dieser Grund wiederum kann nur in seinem Vollkommenheitsstreben gefunden werden, das den Impetus für fortwährende Elaboration abgibt. Nun geht es nicht darum, Bachs Kompositionsverhalten simplifizierenderweise auf eine Formel reduzieren zu wollen. Doch es bietet sich an, das mit dem Variationsgedanken verknüpfte Elaborationsprinzip als einen jener entscheidenden Parameter anzusehen, der Bachs Musik ihr charakteristisches Profil verleiht. Selbst dieses ist nur ein Schritt auf dem Wege zur Erklärung ihrer individuellen Eigenart.

Es ist müßig zu fragen, ob Bach selbst seinen Werken „sonderbare Vollkommenheit" bescheinigt hätte. Doch daß ihm Vollkommenheit im Sinne von durch größte Kunst der Natur abgewonnene Schönheit als musikalisches Ziel vor Augen schwebte, steht außer Zweifel. Der Begriff der Vollkommenheit kann von Birnbaum nicht grundlos zum Tenor erhoben worden sein. Wie steht es aber mit dem Prädikat „sonderbar"? Daß sich Bach der Eigenart und des unverwechselbaren Charakters seiner Musik bewußt gewesen wäre, läßt sich kaum belegen, muß aber dennoch quasi stillschweigend vorausgesetzt werden. Dafür spricht nicht nur die offensichtliche, wenngleich im Kontext des sozialgeschichtlichen Umfeldes immer wieder überraschende Selbstsicherheit, wie sie aus seinem Lebensweg und seinen Verhaltensweisen gerade auch im Blick auf die Sicherung künstlerischen Spielraumes ablesbar erscheint. Ins Gewicht fällt vor-

23 Dok II, S. 302.
24 Ebda., S. 300.
25 Ludwig Finscher, Zum Parodieproblem bei Bach, in: Bach-Interpretationen, herausgegeben von Martin Geck, Göttingen 1969, S. 99 ff.

nehmlich Bachs ungewöhnliche Vertrautheit mit dem breiten Spektrum der Musik seiner Zeit sowie mit zahlreichen Kompositionen aus zurückliegenden Epochen. Bachs Differenzierungsvermögen konnte nicht verborgen bleiben, daß seine Orgel- und Klavierwerke, die Kantaten und vokalen Großwerke wie auch die instrumentalen Ensemblewerke insgesamt, aber auch jeweils für sich genommen, ohne eigentliche Parallelen dastanden. Und dies gilt in erster Linie im Blick auf das ihnen innewohnende Höchstmaß an künstlicher Ausarbeitung. Dem Grad der Ausarbeitung und musikalischen Vollendung bzw. Vollkommenheit steht als Korrelat die Drucklegung oder reinschriftmäßige Fixierung gegenüber. Daß Bach letztere bei den Großwerken wie etwa der „Matthäus-Passion" oder der „h-moll-Messe" mit besonderer Sorgfalt betrieb, kann wohl mindestens teilweise als Zeichen der Anerkennung ihres historischen Ranges und als Maßnahme zur Bewahrung für die Nachwelt verstanden werden. Mitgespielt haben muß freilich auch die Erfahrung des uralten Plotinschen Dilemmas zwischen Vollendung der Idee und Vollendung der Ausführung. Nur so läßt sich folgende Stelle bei Birnbaum erklären:

Allein urtheilt man von der Composition eines Stücks nicht am ersten und meisten nach dem, wie man es bey der Aufführung befindet. Soll aber dieses Urtheil, welches allerdings betrieglich seyn kann, nicht in Betrachtung gezogen werden: so sehe ich keinen andern Weg davon ein Urtheil zu fällen, als man muß die Arbeit, wie sie in Noten gesetzt ist, ansehen.[26]

„Die Arbeit, wie sie in Noten gesetzt ist, ansehen" — diese vielleicht gar von Bach selbst stammenden Worte weisen auf den Wert des Notentextes jenseits seiner aufführungspraktischen Verwendung. Und dieser Notentext bietet nicht nur die einzige wirklich verläßliche Dokumentation der „sonderbaren Vollkommenheiten des Herrn Hofcompositeurs", sondern auch das entscheidende Medium, die Komposition als vollendete Idee zu erkennen und damit zu einem „reifen Urtheil" nicht zuletzt über deren Eigenart, ja Originalität zu finden.

---

26 Dok II, S. 355.

Ernest Zavarský

Ein Besucher aus der Slowakei bei Johann Sebastian Bach

Es ist bekannt, daß das Orgelspiel Johann Sebastian Bachs von zahlreichen Zuhörern bewundert wurde, und zwar nicht nur von seinen Schülern, sondern auch von den gelegentlichen, an seiner Musik interessierten Besuchern. Es sind jedoch nur wenige Berichte solcher Besucher erhalten. Eine solche Nachricht über den Besuch bei Johann Sebastian Bach hinterließ in seiner Autobiographie, die er für Johann Mattheson schrieb, Ján Francisci, Organist aus Banská Bystrica (Neusohl, Mittelslowakei)[1]. Mattheson hat damals an zahlreiche Musiker geschrieben und sie gebeten, ihm über ihr Leben und Wirken Beiträge für das in Vorbereitung befindliche Buch zu liefern. Doch einige, wie z. B. Keiser, Händel, Telemann — aber auch Bach — kamen seinem Wunsch nicht nach: „Nicht nur dergleichen vornehme musikalische Printzen, sondern mittelmässige Notenhelden und Mixturjunckern sind mir, auf zween oder drey der höflichsten Briefe, die Gewährung, ja, wohl gar die Antwort schuldig geblieben."[2] Johann Francisci hat ihm jedoch einen recht ausführlichen Lebenslauf geschrieben, den Mattheson auch veröffentlichte[3].

Über seinen Besuch bei Johann Sebastian Bach schreibt Francisci: „Ao. 1725 hatte ich von neuem grosse Lust, das berühmte Leipzig zu sehen: reisete demnach, auf erhaltene Erlaubniß, in Begleitung eines hiesigen Kauffmanns, dahin, und langte in der Ostermesse daselbst an. Ich hatte das Glück, den berühmten Hrn. Capellmeister Bach kennen zu lernen, und aus dessen Geschicklichkeit meinen Nutzen zu ziehen."[4] Diesem Bericht gibt es einiges hinzuzufügen. Zuerst soll aber etwas über die nationalen und konfessionellen Verhältnisse in Banská Bystrica vorangeschickt werden.

Das Land, das damals Ungarn hieß, war in der Donauebene, ungefähr in den Grenzen des heutigen Ungarn, von den Magyaren[5] bewohnt; nördlich davon, im Gebiet der jetzigen Slowakei, lebten die Slowaken, im Osten, in Siebenbürgen, die Rumänen und eine größere Zahl der Szikulen, die sich jedoch zur magyarischen Nation bekannten, und der Süden wurde von den Serben und Kroaten bewohnt. In der ganzen Region, besonders im Norden und in Siebenbürgen, wurden nach der Invasion der Tataren in den Städten Deutsche als Kolonisten angesiedelt. In der Stadt Banská Bystrica bekamen sie von König Béla IV. im Jahre 1255 besondere Privilegien vor der einheimischen Bevölkerung. Mit der Zeit aber errangen die Slowaken die Gleichberechtigung mit den Deutschen. In Banská Bystrica geschah dies im Jahre 1650. Ähnlich war es auch in anderen der sieben Bergstädte Oberungarns. In den ersten Dezennien der Reformation war der Gottesdienst im Seniorat dieser Bergstädte zweisprachig, nämlich deutsch und slowakisch, nicht jedoch magyarisch. Später wurden die Kirchen unter die Glaubensbrüder beider Nationen verteilt. So bekamen z. B. in Kremnitz die Slowaken die Spitalkirche (mit eigener Schule) und in Banská Bystrica zwei der vier Kirchen der Stadt. Wenn also Francisci von seinem Lehrer Karchut schreibt, daß er Organist der deutschen und der „ungarischen" Nation war, so sollen unter dieser letzten die slowakischen Protestanten verstanden werden. Die Magyaren bewohnten auch damals nur die ungarische Ebene (Alföld) und Grenzgebiete der oben genannten

---

1 Ján (Johann) Francisci, 1691–1758 in Banská Bystrica (Neusohl).
2 Johann Mattheson, Grundlage einer Ehren-Pforte, Hamburg 1740, Neudruck, herausgegeben von Max Schneider, Kassel ²/1969, S. XXIII.
3 A. a. O., S. 76–86.
4 A. a. O., S. 79.
5 Hier wird die ursprüngliche Benennung der Nation benutzt, um Mißverständnisse zu meiden.

Nationen. Erst gegen Ende des 18. Jahrhunderts, als die Magyarisierung einsetzte, und der Staat nach und nach die Autonomie der Städte schmälerte, kamen sie zuerst als Staatsbeamte auch in die vormals slowakisch-deutschen Städte. Um die Mitte des 17. Jahrhunderts wirkten in der Stadt ein Hauptpfarrer sowie zwei deutsche und zwei slowakische Prediger[6].

Als die Kirchen nach dem Aufstand von Vesselényi in den Jahren 1671–73 den Protestanten abgenommen wurden, bekamen diese vom Stadtrat ein Grundstück vor dem Badetor (jetzt Lazovská-Str.), auf dem sie eine Kirche, Pfarrhaus und die Schule aus Holz bauten. Der Bau wurde im Jahre 1690 beendet. In dieser Kirche war als Kantor der Vater von Ján Francisci angestellt. Als die evangelische Gemeinde A.B. einige Jahre später zeitweise die Kirchen wieder zurückbekam, amtierte er auch in der Schloßkirche, die dem deutschen Gottesdienst vorbehalten war, während in den zwei kleineren Kirchen slowakische Gottesdienste abgehalten wurden. Es waren jene Zeitspannen während der Rákoczy-Aufstände, als seine Kurutzen die Stadt eroberten. Als im Jahre 1709 Franciscis Vater starb, wurde Johann Francisci, kaum 18jährig, zum Kantor der Schloßkirche gewählt. Nach dem Frieden von Szathmár im Jahre 1711 wurde die Kirche den Katholiken zurückgegeben und den Jesuiten anvertraut, aber der junge Francisci spielte weiter auch beim katholischen Gottesdienst; ähnliches kennen wir auch aus Kremnitz.

Johann Francisci wurde am 14. Juni 1691 in Banská Bystrica geboren. Sein Vater war Kantor bei der deutschen evangelischen Gemeinde. Im Elternhaus wurde sehr viel musiziert, und der Junge bekam früh Unterricht im Klavierspiel und in Theorie. Während der Gymnasialstudien war u.a. auch der berühmte Gelehrte Matthias Bél aus Očová sein Lehrer in der griechischen und hebräischen Sprache. Dabei studierte Francisci eifrig die Musiktheorie aus den zeitgenössischen theoretischen Werken, wobei Matthesons „Das neu eröffnete Orchestre" (1713) ihn zu näheren Beziehungen zu Mattheson führte. Bél kannte Franciscis musikalische Begabung und Fleiß, und als Preßburger Hauptpfarrer hat er ihn später nach Preßburg (Bratislava) eingeladen und ihm dort die Kantorenstelle anvertraut, was sich aber als ein Fehlschlag erwies.

Kehren wir jedoch mehrere Jahre zurück und lassen wir Johann Francisci selbst reden: „Auf Verlangen hiesiger Hrn. Jesuiten, besuchte ich auch, bey Ermangelung ihres verstorbenen Capellmeisters, den musikalischen Chor ihrer Kirche, woselbst ich, mit meinem Singen und Spielen, ohne Ruhm zu melden, guten Beifall erhielt. Bei dieser Gelegenheit habe ich die schönste und grösseste Orgel in gantz Ungarn unter Händen gehabt, und mich dadurch desto fester gesetzet."[7]

Leider kennt man vorläufig nicht einmal die Disposition der Orgel – Francisci bringt sie in der Autobiographie nicht. Sie fiel im Jahre 1761 dem Feuer zum Opfer. Lediglich in den Kanonischen Visitationen aus den Jahren 1696 und 1713 findet sich folgendes über die Orgel der großen Schloßkirche: „Chorum habet lapideum cum parvo positivo, spectante ad ecclesiam S. Spiritus (diese Kirche wurde inzwischen abgetragen). Organa vero habet haec ecclesia duo: unum quidem lateri ecclesiae junctum adeo magnum et elegans, plurimarum et diversarum mutationum, ita ut huic in Ungaria vix putetur dari simile aliud. Secundum etiam super chorum. lapideum parieti occidentali affixum, habendo folles in turri".[8]

Es muß eine sehr schöne und große Orgel gewesen sein, wenn sie Francisci und der Visitator mit solchem Lob erwähnen, obwohl Francisci in Wien und in den deutschen Städten schöne und große Orgeln gesehen, gehört und meist auch gespielt hat.

Hier drängen sich einige Fragen auf:

1. Woher wußte Francisci etwas über Bach und wie konnte er ihn besuchen – was er als Glück betrachtete – und wie konnte er „aus dessen Geschicklichkeit . . . Nutzen ziehen"?

---

6 Vgl. Ján Slávik, Dejiny zvolenského A.V. Bratstva a Seniorátu (Geschichte der Altsohler evangelischen Bruderschaft A.B. und des Seniorats), Banská Štiavnica 1921.

7 Mattheson, a. a. O., S. 78.

8 Diese Angaben verdanke ich Herrn Otmar Gergelyi (Brief vom 21. November 1981).

2. Was ist außer den Angaben in seiner Autobiographie über Johann Francisci bekannt?

Es wird hier der Versuch unternommen, diese Fragen nach den bisherigen Forschungsergebnissen zu beantworten.

In der Autobiographie schreibt Francisci, wie er Bekanntschaft mit Mattheson machte: „Zu allen diesem [d. h. zum intensiven Studium der Musik] gab mir grosse Aufmunterung der musikalische Polyhistor in Hamburg, dessen Orchester ich Ao. 1714, siebzigmahl siebenmahl geküsset, und mit unersättlicher Begierde gelesen habe. . . Daher ich mich nicht säumte, diesen urkündlichen Verfasser so vieler nützlicher Schrifften meine Ehrerbietigkeit in einem Briefe zu bezeigen: darauf ich auch nicht nur gewierige und freundliche Antwort, sondern, zu meiner innigsten Freude, das Verzeichniß seiner bisdaherigen sämtlichen Wercke erhielt; welche ich mir denn anschaffte, und zu dieser Stunde noch manchen Satz musikalischer Wissenschafft daraus sammle. Unsre Correspondenz währet auch immerfort . . .“[9] Aus der Tatsache, daß Francisci Matthesons Buch schon ein Jahr nach dem Erscheinen besaß, aber auch aus vielen anderen Hinweisen geht eindeutig hervor, daß die Beziehungen der Musiker in den Städten der Slowakei zum deutschen Kulturleben sehr rege waren.

Als Francisci im Jahre 1725 nach Leipzig reiste, war Johann Sebastian Bach dort erst zwei Jahre tätig und er war schon damals keine nur lokale Größe, sondern man wußte von ihm auch in der entlegenen Fremde. Es ist aber möglich, ja wahrscheinlich, daß Francisci von Mattheson auf Bach aufmerksam gemacht wurde. Francisci könnte über Bach auch von den Neusohler Kaufleuten erfahren haben, die öfters zu Leipziger Messen reisten (in Banská Bystrica hatte das Haus Fugger eine Niederlassung).

Als Francisci nach Leipzig kam, hatte Bach noch nicht die Leitung des Collegium musicum. Also konnte Francisci Bachs Spiel nur in der Kirche und vielleicht auch beim Besuch in seiner Wohnung bewundern und „Nutzen ziehen“. Die zweite Möglichkeit ist zwar in der Autobiographie nicht direkt bestätigt, aber annehmbar: So lobend schreibt Francisci über keinen von ihm erwähnten Musiker, nicht einmal über Johann Joseph Fux, den er zwei Jahre zuvor in Wien kennengelernt hat und der schon zu dieser Zeit sehr berühmt war.

Welche Musik Bachs konnte Francisci in Leipzig hören? Zuerst sicher eine oder auch mehrere Kirchenkantaten beim sonntäglichen Gottesdienst. Die Leipziger Ostermesse dauerte vom Sonntag Jubilate bis zum Sonntag Exaudi, also ganze drei Wochen. So konnte Francisci, je nachdem, wann er nach Leipzig gekommen war und wie lange er dort blieb, folgende Kantaten hören: Am Sonntag Jubilate, dem 22. April, die Kantate „Ihr werdet weinen und heulen“ (BWV 103), am Sonntag Cantate „Es ist euch gut, daß ich hingehe“ (BWV 108), zum Sonntag Rogate, dem 6. Mai, die Kantate „Bisher habt ihr nichts gebeten“ (BWV 87), zum Himmelfahrtsfest, dem 10. Mai, die Kantate „Auf Christi Himmelfahrt allein“ (BWV 128) und zuletzt am 13. Mai die Kantate „Sie werden euch in den Bann tun“ (BWV 183)[10]. Die drei letzten komponierte Bach zu Texten von Christiane Marianne von Ziegler. Man kann wohl annehmen, daß Francisci sich nicht ganze drei Wochen in Leipzig aufhielt, daß er aber doch einige der erwähnten Kantaten Bachs hören konnte.

Die Kantaten konnten Francisci zwar interessieren, den Nutzen aber, von dem er schreibt, konnte er als Organist vor allem aus dem Orgelspiel Bachs ziehen. Aus seinem Bericht läßt sich mit größter Wahrscheinlichkeit schließen, daß er nicht nur dem Orgelspiel Bachs zugehört hat, sondern ihn auch persönlich kennenlernte, was er als Glück bewertete. Auch Franciscis Orgelspiel wurde oft bewundert, wie er selbst schreibt: „. . . an verschiedenen Orten, wo ich mich, öffentlich und besonders, vor Verständigen hören lassen. . .“[11] Man wäre geneigt anzunehmen, daß er nach der Bekanntschaft mit Johann Sebastian Bach und mit seiner Musik auch einige

---

9 Mattheson, a. a. O., S. 78 f.
10 Siehe Alfred Dürr, Die Kantaten von Johann Sebastian Bach, Kassel etc. und München 1971, Band 1.
11 Mattheson, a. a. O., S. 79.

seiner Orgelwerke in seine Konzerte einreihte. Aber bis 1962 war über Francisci nur das bekannt, was Mattheson bringt, und in späteren Forschungen wurde bisher keine Komposition von Bach in alten Abschriften in den slowakischen Archiven gefunden. Allerdings muß erwähnt werden, daß besonders in den Jahren nach dem zweiten Weltkrieg mit dem Material der Kirchen- und Klosterarchive sehr schlecht umgegangen worden ist, so daß vieles verlorengegangen ist, zumindest konnte man später von zahlreichen Funden die Provenienz nicht mehr feststellen, da das Material an einigen wenigen Orten zusammengetragen wurde, ohne vorher wenigstens nach Fundorten sortiert zu werden. Somit ist die Erforschung der Musikgeschichte in der Slowakei, die jetzt von einigen Musikforschern betrieben wird, sehr erschwert[12].

Zuletzt soll noch einiges zu Franciscis Autobiographie ergänzt werden. Im Jahre 1962 fanden Frau Dr. Mária-Jana Terrayová und Dr. Richard Rybarič im ostslowakischen Städtchen Štítnik eine Sammlung von Kompositionen aus dem Besitz von Ján Schantroch (1710–1780, um 1750 Organist zu St. Martin in Preßburg/Bratislava). In dieser Sammlung befinden sich in Abschriften sieben Präludien und ein Polonicus von Ján Francisci[13]. Es sind kleine Kompositionen, geschrieben auf zwei Liniensystemen, wobei die Präludien jedoch ohne Zweifel für die Orgel bestimmt sind. Sie sind meist dreistimmig, der Baß ist gewöhnlich in halben und ganzen Notenwerten geführt; die Stücke sind nicht sehr originell, aber der Satz ist sauber. Am interessantesten ist das tokkatenartige Präludium ex d-moll. Nach diesen kleinen Kompositionen kann man sich kein endgültiges Urteil über Franciscis Begabung und Kompositionsweise bilden. Im Archiv der evangelischen Gemeinde A.B. in Banská Bystrica findet sich eine Eintragung, derzufolge Francisci im Jahre 1735 der Gemeinde eine Komposition „Das Musicalische Neu-Jahrs-Praesent" schenkte.[14] Es sollte eine Kantate sein, die jedoch bisher, wie weitere seiner Kompositionen, nicht gefunden wurde.

Im Museum für Literatur und Musik in Banská Bystrica befindet sich ein Diapositiv-Streifen der theoretischen Arbeit von Ján Francisci „Introductio in Generalem Bassum". Die sehr schöne Reinschrift umfaßt 20 Seiten. In zehn Kapiteln behandelt der Autor die Theorie des Generalbasses von den Anfängen bis zur Modulation (Kap. 9). Die Ausführungen sind reichlich mit Notenbeispielen belegt. Aus dem Inhalt erwähnen wir „De regulis in Generali Bassi lusu oberservandis" (Kap. 4), „De lusu Generalis Bassi absque numeris" (Kap. 5), „De Septima, Nona et Undecima, aliisque occurentibus numeris" (Kap. 7). Das Original wurde im Nachlaß von J. Vansa in einem Konvolut der Handschriften in der Bibliothek des Vereins „Tranoscius" in Liptovký Mikuláš gefunden[14a]. Diese, in sehr knapper Form gehaltene „Instructio" zeugt von solidem theoretischen Wissen des Autors — und es wäre interessant, sie mit ähnlichen theoretischen Werken jener Zeit — z.B. der von Heinichen — zu vergleichen. Es fehlt zwar die Jahreszahl der Entstehung der Arbeit, man kann sie jedoch fast sicher in die dreißiger Jahre des 18. Jahrhunderts einreihen, in die Zeit etwa, als Francisci im Jahre 1735 aus Preßburg nach Neusohl zurückkehrte und zwei Jahre auf die dortige Organistenstelle warten mußte. Nach Preßburg lud

---

12 Auf keinen Fall hatte die europäische Musik ihre Grenzen am rechten Ufer der Donau, wie es etwa von Kurt Honolka angenommen wurde (Bulletin zur Aufführung der Oper „Katrena" von Eugen Suchoň im Gärtnerplatz-Theater in München im Jahre 1979). Ein Land (das Gebiet der jetzigen Slowakei), in dem z.B. ein Johann Schimbraczky oder Zacharias Zarevutius 2- und 3-chörige vokale und instrumentale Musik komponierten und aufführten, in dem man die Musik von Schein, Senfl, Scheidt, Schütz, Lasso, Händel, Hammerschmidt und anderen eifrig pflegte, kann man nicht als jenseits der Grenzen der europäischen Musik liegend betrachten.

13 In Štítnik nicht signiert; die Fotokopien, die mir zum Studium zur Verfügung standen, befinden sich in Literárne a hudobné Múzeum (Museum für Literatur und Musik) in Banská Bystrica. Signatur 1691, Z. 250/78.

14 Laut Mitteilung von Frau Mária-Jana Terrayová.

14a Siehe Anmerkung 14. Signatur des Originals XV. 185, I. 21–40. Mir stand nur das Diapositiv zur Verfügung.

ihn der Superintendent Matthias Bél, sein einstiger Lehrer, ein. In Preßburg wurde ihm die Organistenstelle anvertraut, aber Francisci blieb nicht lange dort. Er schreibt darüber „Einige Bewegungsgründe, warum Johann Francisci das Presburger Directorat verlassen, nachdem er solches kaum 2. Jahr verwaltet hat"[15]. Wir entnehmen daraus einige Punkte: „2. Weil mir zwar viel versprochen; aber wenig gehalten worden. 3. Weil durch das alte baufällige Positiv die Andacht mehr verhindert als befördert; ich aber dadurch öffentlich bloß gestellet worden. 4. Weil man mir die Koppischen Arien aufbürdet[16]; . . . 7. Weil sich ein grosser Widerwill geäusert, wenn ich von meiner Arbeit etwas aufgeführt habe. 8. Weil man wenig oder nichts auf die zum göttlichen Preise angestellte Figuralmusik wendet, indem es an nöthigen musikalischen Instrumenten fehlet. 9. Weil die armen Choralisten hieselbst ihren Unterhalt nicht finden, und sich anderswohin begeben müssen. ... 13. Weil ich ungewiß, ob ich zeithero das Amt eines Directoris, Cantoris oder Organisten bekleidet habe. ... 15. So mancher Kopf, so mancher Befehl, daß man nicht weiß, woran recht oder unrecht gethan sey. 16. Weil man mir nicht nur alle Fehler, die auf dem Chor vorgehen, beimisset; sondern auch die geringsten hoch aufmutzet."[17] (Hatte auch Bach nicht ähnliche Schwierigkeiten in der Ausübung seines Amtes in Leipzig?)

Allerdings, in den Akten der Preßburger evangelischen Gemeinde A.B. aus dem Jahr 1735 wird die Angelegenheit auch von der anderen Seite beleuchtet, und zwar heißt es, daß Francisci seinen Verpflichtungen nicht ordentlich nachgegangen sei. Das läßt sich schließlich auch aus dem 16. seiner Beweggründe ahnen[18].

Zusammenfassend läßt sich feststellen, daß Johann Sebastian Bach schon in den ersten Jahren seiner Tätigkeit in Leipzig als hervorragender Musiker so bekannt war, daß auch aus der Ferne interessierte Musiker kamen, um ihn aufzusuchen. Wir wollten in diesem Zusammenhang mit dem vorliegenden Beitrag einiges über den Organisten Ján Francisci vortragen, was in den letzten Jahrzehnten erforscht worden ist.

---

15 Mattheson, a. a. O., S. 84 f.
16 Anmerkung von Francisci: „Anthon Ernst Kopp sey damahls Cantor zu Schemnitz gewesen. . . Was ich davon gesehen, ist Mitleidens werth." Mattheson, a. a. O., S. 84.
17 Mattheson, a. a. O., S. 84 f.
18 Siehe Anmerkung 14.

BG	=	J. S. Bachs Werke, Gesamtausgabe der Bachgesellschaft, Leipzig 1851–1899
BJ	=	Bach-Jahrbuch
BWV	=	Bach-Werke-Verzeichnis: Thematisch-systematisches Verzeichnis der musikalischen Werke von Johann Sebastian Bach. Herausgegeben von Wolfgang Schmieder, Leipzig 1950
Dok I, II, III	=	Bach-Dokumente, herausgegeben vom Bach-Archiv Leipzig unter Leitung von Werner Neumann. Supplement zu Johann Sebastian Bach. Neue Ausgabe sämtlicher Werke

Band I: Schriftstücke von der Hand Johann Sebastian Bachs. Vorgelegt und erläutert von Werner Neumann und Hans-Joachim Schulze, Kassel etc. und Leipzig 1963

Band II: Fremdschriftliche und gedruckte Dokumente zur Lebensgeschichte Johann Sebastian Bachs 1685–1750. Vorgelegt und erläutert von Werner Neumann und Hans-Joachim Schulze, Kassel etc. und Leipzig 1969

Band III: Dokumente zum Nachwirken Johann Sebastian Bachs 1750 bis 1800. Vorgelegt und erläutert von Hans-Joachim Schulze, Kassel etc. und Leipzig 1972

EKG	=	Evangelisches Kirchengesangbuch
KB	=	Kritischer Bericht
KK	=	Kirchenkantate
MGG	=	Die Musik in Geschichte und Gegenwart. Herausgegeben von Friedrich Blume, Kassel etc. 1949–1979
NBA	=	Neue Bach-Ausgabe: Johann Sebastian Bach. Neue Ausgabe sämtlicher Werke. Herausgegeben vom Johann-Sebastian-Bach-Institut Göttingen und vom Bach-Archiv Leipzig, Kassel etc. und Leipzig 1954 ff.
Spitta I, II	=	Philipp Spitta, Johann Sebastian Bach. Band I, Leipzig 1873; Band II, Leipzig 1880

---

* Es werden nur die wichtigen und in mehreren Beiträgen dieser Festschrift verwendeten Sigla aufgeführt.

Bibliographie der Veröffentlichungen von Alfred Dürr
Zusammengestellt von Hans Bergmann

I. Ausgaben

Carl Philipp Emanuel Bach: Triosonate d-moll Wq 145 für Flöte, Violine und Basso continuo. Celle: Moeck, 1963

Carl Philipp Emanuel Bach: Triosonate A-dur Wq 146 für Flöte, Violine und Basso continuo. Celle: Moeck, 1963

Carl Philipp Emanuel Bach: Triosonate a-moll Wq 148 für Flöte, Violine und Basso continuo. Celle: Moeck, 1963

Johann Sebastian Bach. Neue Ausgabe sämtlicher Werke. Herausgegeben vom Johann-Sebastian-Bach-Institut Göttingen und vom Bach-Archiv Leipzig. Kassel etc.: Bärenreiter; Leipzig: VEB Deutscher Verlag für Musik, 1954 ff.
  Serie I, Band 1: Adventskantaten (zusammen mit Werner Neumann, 1955)
  Serie I, Band 2: Kantaten zum 1. Weihnachtstag (1957)
  Serie I, Band 10: Kantaten zum 2. und 3. Ostertag (1955)
  Serie I, Band 12: Kantaten zum Sonntag Cantate bis zum Sonntag Exaudi (1960)
  Serie I, Band 14: Kantaten zum 2. und 3. Pfingsttag (zusammen mit Arthur Mendel, 1962)
  Serie I, Band 15: Kantaten zum Trinitatisfest und zum 1. Sonntag nach Trinitatis (zusammen mit Robert Freeman und James Webster, 1967)
  Serie I, Band 18: Kantaten zum 7. und 8. Sonntag nach Trinitatis (zusammen mit Leo Treitler, 1966)
  Serie I, Band 27: Kantaten zum 24. bis 27. Sonntag nach Trinitatis (1968)
  Serie I, Band 35: Festmusiken für die Fürstenhäuser von Weimar, Weißenfels und Köthen (1963)
  Serie II, Band 3: Magnificat (1955)
  Serie II, Band 5: Matthäus-Passion (unter Verwendung von Vorarbeiten Max Schneiders, 1972)
  Serie II, Band 5a: Matthäus-Passion. Frühfassung BWV 244b. Kommentierte Faksimile-Ausgabe der Abschrift Johann Christoph Altnickols (1972)
  Serie II, Band 6: Weihnachts-Oratorium (zusammen mit Walter Blankenburg, 1966)
  Serie V, Band 7: Die sechs Englischen Suiten (1979)
  Serie V, Band 8: Die sechs Französischen Suiten. 2 Suiten a-moll und Es-dur BWV 818 und 819 (1980)
  Nachtrag zu Serie VII, Band 2: Frühfassung des Concerto V BWV 1050a (1975)
  Ergänzung zum Kritischen Bericht Serie VI, Band 3: Sonata A-dur für Flauto traverso und Cembalo BWV 1032 (1981)

Alfred Dürr hat zu zahlreichen Einzelausgaben (auch Taschenpartituren) nach diesen von ihm edierten Bänden der NBA Vorworte geschrieben sowie zur „Matthäus-Passion" und dem „Weihnachts-Oratorium" die Klavierauszüge und die dazugehörigen Continuo-Aussetzungen (Orgelstimmen) verfaßt. Vgl. dazu den Bärenreiter-Katalog 13b: „Klassische Musik. Standard-Ausgaben für die Praxis nach Gesamtausgaben und Musikdenkmälern", S. 2 ff.

Johann Sebastian Bach: Weihnachts-Oratorium BWV 248. Faksimile-Ausgabe des Autographs. Kassel etc.: Bärenreiter, 1960

Johann Sebastian Bach: Messe h-moll BWV 232. Faksimile-Ausgabe des Autographs. Kassel etc.: Bärenreiter, 1965

Johann Sebastian Bach: Schafe können sicher weiden, Arie für Sopran, 2 Blockflöten und Basso continuo aus der Kantate „Was mir behagt, ist nur die muntre Jagd" BWV 208. Kassel etc.: Bärenreiter, 1964

Johann Sebastian Bach: Aria „Esurientes" aus dem Magnificat (1. Fassung). London: Schott, 1951

Johann Sebastian Bach: Virga Jesse floruit, Duett für Sopran, Baß und Continuo aus dem Magnificat (1. Fassung). Kassel etc.: Bärenreiter, 1964

Johann Sebastian Bach (?): Sonate C-dur BWV 1033 für Flöte und Continuo, Sonate Es-dur BWV 1031 für Flöte und obligates Cembalo, Sonate g-moll BWV 1020 für Flöte und obligates Cembalo. Kassel etc.: Bärenreiter, 1975

Johann Gottlieb Goldberg: Trio in a-moll für 2 Violinen und Basso continuo. Kassel: Nagel, 1956

Johann Gottlieb Goldberg: Trio in g-moll für 2 Violinen und Basso continuo. Kassel: Nagel, 1958

Gottfried Kirchhoff/Johann Gottlieb Goldberg: Kirchenkantaten. Das Erbe deutscher Musik, Band 35. Kassel etc.: Bärenreiter, 1957

Johann Schelle: Sechs Kantaten für Baß, 2 Violinen und Basso continuo, Kassel etc.: Bärenreiter, 1971

Georg Philipp Telemann: Gesegnet ist die Zuversicht, Kantate zum 7. Sonntag nach Trinitatis für Tenor, Baß, 2 Blockflöten, 2 Violinen und Basso continuo. Kassel etc.: Bärenreiter, 1953

II. Bücher

Studien über die frühen Kantaten J. S. Bachs. Bach-Studien, Band 4. Leipzig: Breitkopf & Härtel, 1951. Neudruck als: Studien über die frühen Kantaten Johann Sebastian Bachs. Verbesserte und erweiterte Fassung der Dissertation 1951. Wiesbaden: Breitkopf & Härtel, 1977

Johann Sebastian Bachs Weihnachtsoratorium BWV 248. Meisterwerke der Musik Heft 8. München: Wilhelm Fink, 1967

Die Kantaten von Johann Sebastian Bach. Band 1/2. Kassel etc.: Bärenreiter; München: Deutscher Taschenbuch Verlag, 1971, [2]/1975, [3]/1979; [4]/1981 in einem Band

Zur Chronologie der Leipziger Vokalwerke J. S. Bachs. 2. Aufl.: Mit Anmerkungen und Nachträgen versehener Nachdruck aus Bach-Jahrbuch 1957. Kassel etc.: Bärenreiter, 1976

III. Aufsätze

Artikel „Forkel, Johann Nikolaus", „Franck, Salomon", „Penzel, Christian Friedrich". In: Die Musik in Geschichte und Gegenwart. Hg. von Friedrich Blume. Kassel etc.: Bärenreiter, 1949 –1979

Zu den verschollenen Passionen Bachs. In: Bach-Jahrbuch XXXVIII (1949/50), S. 81–89

[Programmeinführungen:] H-moll-Messe. Die Kantaten. Die Motetten. In: Die Werke des Bachfestes 1950, S. 43–60

Stilkritik und Echtheitsprobleme der frühen Kantaten Bachs. In: Bericht über die wissenschaftliche Bachtagung der Gesellschaft für Musikforschung. Leipzig 1950, S. 259–269

Zur Chronologie der Weimarer Kantaten J. S. Bachs. In: Kongreß-Bericht der Gesellschaft für Musikforschung. Lüneburg 1950, S. 120

Über Kantatenformen in den geistlichen Dichtungen Salomon Francks. Ein Beitrag zur Geschichte der Kirchenmusik am Weimarer Hof zur Zeit J. S. Bachs. In: Die Musikforschung III (1950), S. 18–26

Zur Aufführungspraxis der Vor-Leipziger Kirchenkantaten J. S. Bachs. In: Musik und Kirche XX (1950), S. 54–64

Marginalia Bachiana. In: Die Musikforschung IV (1951), S. 373–375

Zur Echtheit einiger Bach zugeschriebener Kantaten. In: Bach-Jahrbuch XXXIX (1951/52), S. 30–46

Vor dem Tribunal der Orgelbewegung. In: Musik und Kirche XXII (1952), S. 98–102

Johann Gottlieb Goldberg und die Triosonate BWV 1037. In: Bach-Jahrbuch XL (1953), S. 51–80

Die Erstfassung des Magnificat. In: Bach-Fest-Buch 1953, S. 50–52

Die neue Bach-Ausgabe. In: Musica VII (1953), S. 229 und in: Bach-Fest-Buch 1955, S. 46–47

Zur Echtheitsfrage bei J. S. Bach. In: Musica VII (1953), S. 292–296

Neues über die Möllersche Handschrift. In: Bach-Jahrbuch XLI (1954), S. 75–79

Bach's Magnificat. In: The Music Review XV (1954), S. 182–190

Wider den Historismus in der Kirchenmusik. In: Musik und Kirche XXIV (1954), S. 108–111

J. S. Bach und das Kirchengesangbuch. In: Jahrbuch für Liturgik und Hymnologie I (1955), S. 120–122

An investigation into the authenticity of Bach's „Kleine Magnificat" (zusammen mit Frederick Hudson). In: Music and Letters XXXVI (1955), S. 233–236

Zur Echtheit der Kantate „Meine Seele rühmt und preist" (BWV 189). In: Bach-Jahrbuch XLIII (1956), S. 155

Das Musikalische Opfer. In: Bach-Fest-Buch 1956, S. 69–71

Gedanken zu J. S. Bachs Umarbeitungen eigener Werke. In: Kongreßbericht der Gesellschaft für Musikforschung. Hamburg 1956, S.75–77, und in: Bach-Jahrbuch XLIII (1956), S. 93–104

Grundsätzliches und Spezielles zu Neuausgaben barocker Kirchenkantaten. In: Die Musikforschung IX (1956), S. 213–219

Zur Chronologie der Leipziger Vokalwerke J. S. Bachs. In: Bach-Jahrbuch XLIV (1957), S. 5 bis 162. (Neudruck s. unter Bücher)

Probleme der Bach-Ikonographie. In: Musica XI (1957), S. 176–177

Johann Sebastian Bachs Kirchenmusik in seiner Zeit und heute. In: Musik und Kirche XXVII (1957), S. 65–74 und in: Johann Sebastian Bach (Wege der Forschung CLXX). Hg. von Walter Blankenburg. Darmstadt: Wissenschaftliche Buchgesellschaft, 1970, S. 290–303

„Ich bin ein Pilgrim auf der Welt". Eine verschollene Kantate J. S. Bachs. In: Die Musikforschung XI (1958), S. 422–427

Wissenschaftliche Neuausgaben und die Praxis. Eine Gebrauchsanleitung zum Lesen Kritischer Berichte, dargestellt an der Neuen Bach-Ausgabe. In: Musik und Kirche XXIX (1959), S. 77–82

Verstümmelt überlieferte Arien aus Kantaten J. S. Bachs. In: Bach-Jahrbuch XLVII (1960), S. 28–42

Gedanken zum Kirchenmusikschaffen E. Peppings. In: Musik und Kirche XXXI (1961), S. 145 bis 172

Der Eingangssatz zu Bachs Himmelfahrts-Oratorium und seine Vorlage. In: Hans Albrecht in memoriam. Hg. von Wilfried Brennecke und Hans Haase. Kassel etc.: Bärenreiter, 1962, S. 121 bis 126

Bachs Trauer-Ode und Markus-Passion. In: Neue Zeitschrift für Musik CXXIV (1963), S. 459 bis 466

Beobachtungen am Autograph der Matthäus-Passion. In: Bach-Jahrbuch L (1963/64), S. 47–52

Die weltlichen Quellen des Weihnachtsoratoriums. In: Bach-Fest-Buch 1965, S. 126–131

Neue Bach-Forschung. In: Musica XX (1966), S. 49–53 und in: Universitas XXI (1966), S. 469 bis 479

Johann Sebastian Bach. In: La Musica. Bd. I, T. I. Turin: Unione Tipografico-Editrice 1966, S. 253–314

New light on Bach. In: The Musical Times CVII (1966), S. 484–485

Bach's Chorale Cantatas. In: Cantors at the Crossroads, Essays on Church Music in Honor of Walter E. Buszin. Johannes Riedel, Editor. Missouri: Concordia Publishing House St. Louis, 1967, S. 111–120. Deutsche Textfassung: Gedanken zu Bachs Choralkantaten. In: Johann Sebastian Bach (Wege der Forschung CLXX). Hg. von Walter Blankenburg. Darmstadt: Wissenschaftliche Buchgesellschaft, 1970, S. 507–517

Eine Handschriftensammlung des 18. Jahrhunderts in Göttingen. In: Archiv für Musikwissenschaft XXV (1968), S. 308–316

Neues über Bachs Pergolesi-Bearbeitung. In: Bach-Jahrbuch LIII (1968), S. 89–100

Editionsprobleme bei Gesamtausgaben. In: Musik und Verlag: Karl Vötterle zum 65. Geburtstag. Hg. von Richard Baum und Wolfgang Rehm. Kassel etc.: Bärenreiter, 1968, S. 232–237

Die Kantaten Bachs zum 4. Sonntag nach Trinitatis. In: Bach-Fest-Buch 1969, S. 100–102

Zur Entstehungsgeschichte des Bachschen Choralkantaten-Jahrgangs. In: Bach-Interpretationen. Hg. von Martin Geck. Göttingen: Vandenhoeck und Ruprecht, 1969, S. 7–11

Zur Chronologie der Handschrift Johann Christoph Altnickols und Johann Friedrich Agricolas. In: Bach-Jahrbuch LVI (1970), S. 44–65

Zur Textvorlage der Choralkantaten Johann Sebastian Bachs. In: Kerygma und Melos. Christhard Mahrenholz 70 Jahre. Hg. von Walter Blankenburg, Herwarth von Schade, Kurt Schmidt-Clausen und Alexander Völker. Kassel etc.: Bärenreiter und Hamburg: Lutherisches Verlagshaus, 1970, S. 222–236

Die Kantaten des 46. Bachfestes. In: Bach-Fest-Buch 1971, S. 76–80

Zur Lukas-Passion BWV 246. In: Bach-Fest-Buch 1971, S. 86–88

Gibt es einen Spätstil im Kantatenschaffen Johann Sebastian Bachs? In: Bachfest-Vorträge 1973, Berlin 1974, S. 1–9

Zur Tätigkeit eines Herausgebers von Gesamtausgaben. In: Kongreßbericht Berlin 1974. Hg. von Hellmut Kühn und Peter Nitsche. Kassel etc.: Bärenreiter, 1980, S. 312–318

De vita cum imperfectis. In: Studies in Renaissance and Baroque Music in Honor of Arthur Mendel. Edited by Robert L. Marshall. Kassel etc.: Bärenreiter und Hackensack (N.J.): Joseph Boonin Inc., 1974, S. 243–253

Zur Entstehungsgeschichte des 5. Brandenburgischen Konzerts. In: Bach-Jahrbuch LXI (1975), S. 63–69

Bachs Kantatentexte. Probleme und Aufgaben der Forschung. In: Bach-Studien 5. Eine Sammlung von Aufsätzen. Hg. von Rudolf Eller und Hans-Joachim Schulze. Leipzig: Breitkopf & Härtel, 1975, S. 49–61

Zeitgenössische Drucke, Autographe und Abschriften. In: Johann Sebastian Bach. Zeit – Leben – Wirken. Hg. von Barbara Schwendowius und Wolfgang Dömling. Kassel etc.: Bärenreiter, 1976, S. 111–126

Das Bachbild im 20. Jahrhundert. In: Bachfest-Vorträge 1976, S. 18—36

Bemerkungen zu Bachs Leipziger Kantatenaufführungen. In: Bericht über die wissenschaftliche Konferenz zum III. Internationalen Bach-Fest der DDR, Leipzig 18./19. September 1975. Im Auftrage des Johann-Sebastian-Bach-Komitees der DDR hg. von Werner Felix, Winfried Hoffmann und Armin Schneiderheinze. Leipzig: Breitkopf & Härtel, 1977, S. 165—172

Zur Problematik der Bach-Kantate BWV 143 „Lobe den Herrn, meine Seele". In: Die Musikforschung XXX (1977), S. 299—304

Heinrich Nicolaus Gerber als Schüler Bachs. In: Bach-Jahrbuch LXIV (1978), S. 7—18

Tastenumfang und Chronologie in Bachs Klavierwerken. In: Festschrift Georg von Dadelsen zum 60. Geburtstag. Hg. von Thomas Kohlhase und Volker Scherliess. Stuttgart: Hänssler, 1978, S. 73—88

Zur geistlichen Musik Max Regers. In: Religiöse Musik in nicht-liturgischen Werken von Beethoven bis Reger. Studien zur Musikgeschichte des 19. Jahrhunderts, Band 51. Gemeinsam mit Günther Massenkeil und Klaus Wolfgang Niemöller hg. von Walter Wiora. Regensburg: Bosse, 1978, S. 195—219

Einführungsvorträge in die Kantaten BWV 71, 172, 76 und 94. In: Sommerakademie Johann Sebastian Bach, 1979, S. 3—48

Die vier Fassungen der Johannes-Passion. In: Sommerakademie Johann Sebastian Bach 1979, S. 67—86

Einführungsvorträge in die Kantaten BWV 123, 86, 101, 64, 132 und 110. In: Sommerakademie Johann Sebastian Bach, Almanach 1981, Teil V, S. 41—51, 56—74, 85—90

Probleme der musikalischen Textkritik, dargestellt an den Klaviersuiten BWV 806—819 von J. S. Bach. In: Quellenforschung in der Musikwissenschaft. Wolfenbütteler Forschungen, Band 15, 1982, S. 83—93

IV. Berichte, Rezensionen, Erwiderungen, Verschiedenes

Wissenschaftliche Bach-Tagung in Leipzig. In: Deutsche Universitätszeitung V (1950), S. 36

Rückblick auf das Bach-Jahr. In: Hausmusik XIV (1950), S. 143—148

Das Göttinger Bachfest. In: Der Kirchenmusiker I (1950), S. 105—106

Chronik der Bachfeste: In Göttingen. In: Musica IV (1950), S. 340—344

Telemann redivivus. In: Musica V (1951), S. 305—306

[Rezension:] Johann Nikolaus Forkel: Über Johann Sebastian Bachs Leben, Kunst und Kunstwerke. In: Die Musikforschung IV (1951), S. 201

374

[Rezension:] Walther Vetter: Der Kapellmeister Bach. In: Die Musikforschung IV (1951), S. 226–230

[Rezension:] Rudolf von Ficker: Johann Sebastian Bach, Erbe und Besinnung. In: Die Musikforschung IV (1951), S. 232–233

[Rezension:] Bach-Gedenkschrift 1950. In: Die Musikforschung IV (1951), S. 243–247

[Rezension:] J. S. Bach: Unschuld, Kleinod reiner Seelen. Arie für Sopran, Flauto traverso, Oboe, Viola und Violine. Hg. von Friedrich Smend. In: Die Musikforschung IV (1951), S. 254 bis 255

[Rezension:] Johann Sebastian Bach: Sei Solo a Violino senza Basso. Faksimile-Ausgabe. In: Die Musikforschung IV (1951), S. 256–257

[Rezension:] Johann Sebastian Bach: 6 Suites a Violoncello solo senza Basso. Faksimile-Ausgabe. In: Die Musikforschung IV (1951), S. 257–258

[Rezension:] Richard Benz: Das Leben von Johann Sebastian Bach. In: Die Musikforschung IV (1951), S. 259–260

Das Hannoversch-Mündener Telemann-Fest. In: Musik und Kirche XXI (1951), S. 289

[Rezension:] Johann Sebastian Bach in Thüringen. Festgabe zum Gedenkjahr 1950. In: Die Musikforschung VI (1953), S. 265–269

[Rezension:] Friedrich Smend: Bach in Köthen. In: Die Musikforschung VI (1953), S. 381 bis 385

[Rezension:] Fred Hamel: Johann Sebastian Bach. Geistige Welt. In: Die Musikforschung VII (1954), S. 91–93

[Rezension:] Robert Haas: Bach und Mozart in Wien. In: Die Musikforschung VII (1954), S. 93–94

[Rezension:] Georg Böhm: Sämtliche Werke. Klavier- und Orgelwerke. Bd. I und II. In: Die Musikforschung VII (1954), S. 122

[Rezension:] Georg Philipp Telemann: Der harmonische Gottesdienst. Teil I, II. Hg. von Gustav Fock. In: Die Musikforschung VII (1954), S. 373–376

32. Deutsches Bach-Fest. In: Musica IX (1955), S. 323–325

Archiv-Produktion des Musikhistorischen Studios der Deutschen Grammophon-Gesellschaft. In: Die Musikforschung VIII (1955), S. 88–90

[Rezension:] Gerhard Hahne: Die Bachtradition in Schleswig-Holstein und Dänemark. In: Die Musikforschung VIII (1955), S. 236–237

Entgegnungen zu den Bemerkungen Wilfried Bergmanns „Zur Neuen Bach-Ausgabe". In: Musik und Kirche XXV (1955), S. 107–109

Bachs Johannes-Passion in Herford. In: Musik und Kirche XXV (1955), S. 168–170

Bach-Fest in Ansbach (zusammen mit Erich Limmert). In: Musica X (1956), S. 625–627

[Rezension:] Werner Neumann: Auf den Lebenswegen Johann Sebastian Bachs. In: Die Musikforschung IX (1956), S. 231–233

[Rezension:] J. S. Bach: Sonate c-moll für Violine und Generalbaß (BWV 1024). Hg. von Rolf van Leyden. In: Die Musikforschung IX (1956), S. 367–368

[Rezension:] Werner Tell: Bachs Orgelwerke für den Hörer erläutert. In: Die Musikforschung IX (1956), S. 481–482

Noch ein Buxtehude-Problem. In: Musik und Kirche XXVI (1956), S. 122–124

33. Deutsches Bachfest der Neuen Bachgesellschaft . . . in Lüneburg. In: Musik und Kirche XXVI (1956), S. 243–245

[Rezension:] Heinrich Besseler: Fünf echte Bildnisse J. S. Bachs. In: Deutsche Universitätszeitung XII (1957), S. 20–21

Der Stand der Neuen Bach-Ausgabe. In: Musica XII (1958), S. 633–634

Neuausgaben von Buxtehude-Kantaten. In: Die Musikforschung XI (1958), S. 84–87

[Rezension:] Karl Müller und Fritz Wiegand: Arnstädter Bachbuch. In: Die Musikforschung XI (1958), S. 365

[Rezension:] Georg Philipp Telemann: Der harmonische Gottesdienst. Teil III, IV. Hg. von Gustav Fock. In: Die Musikforschung XI (1958), S. 540–541

[Rezension:] Georg von Dadelsen: Beiträge zur Chronologie der Werke Johann Sebastian Bachs. In: Musica XIII (1959), S. 813–814

[Rezension:] Paul Kast: Die Bach-Handschriften der Berliner Staatsbibliothek. In: Musica XIII (1959), S. 813–814

[Rezension:] Luigi Ferdinando Tagliavini: Studi sui teste delle cantate sacre di J. S. Bach. In: Die Musikforschung XII (1959), S. 104–107

[Rezension:] Hans-Joachim Moser: Besuch bei einem Bach-Autograph. In: Musik und Kirche XXIX (1959), S. 139–140

[Rezension:] Rudolf Elvers: Briefe zur Bach-Forschung. In: Der Kirchenmusiker XI (1960), S. 196–198

[Rezension:] Paul Mies: Die geistlichen Kantaten Johann Sebastian Bachs und der Hörer von heute Teil 1 und 2. In: Musica XIV (1960), S. 122–123

[Rezension:] William Gillies Whittaker: The cantatas of Johann Sebastian Bach. In: Musica XIV (1960), S. 396 und in: Die Musikforschung XII (1960), S. 354–355

Evangelische Kirchenmusik auf Schallplatten. Zur Produktion der „Cantate"-Schallplatten. In: Die Musikforschung XIII (1970), S. 60–62

[Rezension:] Karl Geiringer: Die Musikerfamilie Bach. In: Die Musikforschung XIII (1960), S. 224–226

Die 14. Greifswalder Bach-Woche. In: Musik und Kirche XXX (1960), S. 237–239

[Rezension:] J. S. Bach: Piccolo Magnificat per soprano, violino, flauto, violetta, organo e continuo. Hg. von E. Paccagnella. In: Die Musikforschung XIV (1961), S. 124–126

Wieviel Kantatenjahrgänge hat Bach komponiert? Eine Entgegnung. In: Die Musikforschung XIV (1961), S. 192–195

Zum Problem „Concertisten" und „Ripienisten" in der h-moll-Messe. In: Musik und Kirche XXXI (1961), S. 232–236

[Rezension:] Helene Werthemann: Die Bedeutung der alttestamentlichen Historien in Johann Sebastian Bachs Kantaten. In: Die Musikforschung XV (1962), S. 197–199

Zum Wandel des Bach-Bildes. Zu Friedrich Blumes Mainzer Vortrag. In: Musik und Kirche XXXII (1962), S. 145–152

[Rezension:] J. S. Bach: Osteroratorium „Kommt eilet und laufet" BWV 249. Hg. von Diethard Hellmann. In: Musik und Kirche XXXII (1962), S. 179–180

[Rezension:] Paul Frederick Foelber: Bach's Treatment of the Subject of Death in his Choral Music. In: Die Musikforschung XVI (1963), S. 400

[Rezension:] Georg Walter: Die Schicksale des Autographs der h-moll-Messe von J. S. Bach. In: Musica XIX (1965), S. 227

[Rezension:] St. Thomas zu Leipzig, hg. von Bernhard Knick. In: Die Musikforschung XVIII (1965), S. 221–223

[Rezension:] Jacques Chailley: Les Passions de J. S. Bach. In: Die Musikforschung XVIII (1965), S. 223–224

[Rezension:] Georg Böhm: Sämtliche Werke. Vokalwerke. Bd. I. In: Die Musikforschung XVIII (1965), S. 353

[Rezension:] Johann Sebastian Bach: Vier Eingaben an den Rat der Stadt Leipzig vom 12., 13., 15. und 19. August 1736. Faksimile-Ausgabe nach dem Autograph. In: Musica XX (1966), S. 144–145

[Rezension:] Paul Mies: Die geistlichen Kantaten Johann Sebastian Bachs und der Hörer von heute. Teil 3. In: Musica XX (1966), S. 139–140

[Rezension:] Hermann Keller: Das Wohltemperierte Klavier von Johann Sebastian Bach. In: Musica XXI (1961), S. 43

[Rezension:] Joseph Müller-Blattau: Geschichte der Fuge. In: Die Musikforschung XX (1967), S. 209—211

[Rezension:] Martin Geck: Die Vokalmusik Dietrich Buxtehudes und der frühe Pietismus. In: Die Musikforschung XX (1967), S. 342—345

[Rezension:] Hans Heinrich Eggebrecht: Die Orgelbewegung. In: Musica XXII (1968), S. 196

[Rezension:] Friedrich Blume: Der junge Bach (Neudruck 1967). In: Musica XXII (1968), S. 288—289

[Rezension:] Konrad Ameln: Johann Sebastian Bach. Neue Ausgabe sämtlicher Werke. Serie III, Band 1: Motetten. In: Musica XXII (1968), S. 372—373 und in: Musik und Kirche XXXVIII (1968), S. 233—237

Zu Hans Eppsteins „Studien über J. S. Bachs Sonaten für ein Melodieinstrument und obligates Cembalo". In: Die Musikforschung XXI (1968), S. 332—340

[Rezension:] Max Reger zum 50. Todestag am 11. Mai 1966. Eine Gedenkschrift. Hg. von Ottmar Schreiber und Gerd Sievers. In: Die Musikforschung XXI (1968), S. 401—402

[Rezension:] Johann Nikolaus Forkel: Über Johann Sebastian Bachs Leben, Kunst und Kunstwerke. Mit einer Erläuterung hg. von Walther Vetter. In: Musica XXIII (1969), S. 172

Zu Hans Eppsteins Erwiderung. In: Die Musikforschung XXII (1969), S. 209

[Rezension:] Christoph Wolff: Der Stile antico in der Musik Johann Sebastian Bachs. In: Musica XXIV (1970), S. 66 und in: Die Musikforschung XXIII (1970), S. 324—328

Werner Neumann 65 Jahre. In: Musica XXIV (1970), S. 170—171

[Rezension:] Peter Krause: Originalausgaben und ältere Drucke der Werke Johann Sebastian Bachs in der Musikbibliothek der Stadt Leipzig. In: Musica XXIV (1970), S. 594—595

[Rezension:] Günther Walter Heinrich Stiller: Johann Sebastian Bach und das Leipziger gottesdienstliche Leben seiner Zeit. In: Musica XXV (1971), S. 297

Zu Martin Gecks Besprechung „J. S. Bachs Motetten in neuer Ausgabe". In: Die Musikforschung XXV (1972), S. 74—77

[Rezension:] Friedrich Smend: Bach-Studien. Gesammelte Reden und Aufsätze. In: Die Musikforschung XXV (1972), S. 366—367

Erwiderung auf die Besprechung seines Buches „Die Kantaten von Johann Sebastian Bach". In: Der Kirchenmusiker XXIV (1973), S. 94

Boom in Bach. In: Musica XXVII (1973), S. 121—123

[Rezension:] Günther Stange: Die geistesgeschichtlichen und religiösen Grundlagen im kirchenmusikalischen Schaffen Max Regers. In: Mitteilungen des Max-Reger-Instituts XX (1974), S. 104–105

[Rezension:] Johann Sebastian Bach. Ende und Anfang. Gedenkschrift zum 75. Geburtstag des Thomaskantors Günther Ramin. In: Musica XXVII (1974), S. 59–60

[Rezension:] Walter Blankenburg: Einführung in Bachs h-moll-Messe BWV 232. In: Musica XXIX (1975), S. 259–260

[Rezension:] Robert Lewis Marshall: The Compositional Process of J. S. Bach. In: Die Musikforschung XXVIII (1975), S. 463–466

25 Jahre Johann-Sebastian-Bach-Institut. In: Musica XXX (1976), S. 231–232

[Rezension:] Walter Kolneder: Die Kunst der Fuge. Wolfgang Wiemer: Die wiederhergestellte Ordnung in Johann Sebastian Bachs Kunst der Fuge. In: Die Musikforschung XXXII (1979), S. 153–158

[Rezension:] Mozart-Jahrbuch 1976/77 des Zentralinstitutes für Mozartforschung der Internationalen Stiftung Mozarteum Salzburg. In: Die Musikforschung XXII (1979), S. 326–327

Friedrich Smend (1893–1980). In: Die Musikforschung XXXII (1980), S. 129–130

[Vorwort zu:] Wilibald Gurlitt: Johann Sebastian Bach. Der Meister und sein Werk. Fünfte, für die Taschenbuchausgabe überarbeitete Auflage. München: Deutscher Taschenbuch Verlag und Kassel etc.: Bärenreiter, 1980

[Rezension:] Percy M. Young: Die Bachs. In: Die Musikforschung XXXIV (1981), S. 237–238

[Rezension:] Alberto Basso: Frau Musika. La Vita e le Opere di J. S. Bach. In: Die Musikforschung XXXIV (1981), S. 367–368

[Rezension:] Ulrich Meyer: J. S. Bachs Musik als theonome Kunst. In: Die Musikforschung XXXIV (1981), S. 368–369

[Rezension:] Ulrich Prinz: Studien zum Instrumentarium Johann Sebastian Bachs mit besonderer Berücksichtigung der Kantaten. In: Die Musikforschung XXXIV (1981), S. 496–497

[Rezension:] Johann Sebastian Bach: Konzert c-moll für zwei Cembali und Streichorchester BWV 1062. Sonate A-dur für Flöte und Cembalo BWV 1032. Faksimile der autographen Partitur. In: Die Musikforschung XXXIV (1981), S. 514–515